У ВРЕМЕНИ В ПЛЕНУ

1

В 1946 году Эренбург издал небольшую книжку стихов — «Дерево». Многих она тогда удивила. Никому даже в голову не могло прийти, что в страшные военные годы, работая едва ли не круглосуточно, постоянно выезжая на фронт, успевая написать порой в день две, три, а то и четыре статьи (для «Правды», для «Красной звезды», для радио, для какой-нибудь западной газеты), он еще ухитрялся найти время и силы для лирических стихов.

Но, как видно, была у него в те дни и такая душевная потребность.

В одном из стихотворений, вошедших в эту книгу (оно помечено последним годом войны), он вздохнул:

> Умру — вы вспомните газеты шорох,
> Ужасный год, который всем нам дорог,
> А я хочу, чтоб голос мой замолкший
> Напомнил вам не только гром у Волги...

Тогда, в 1945-м, ему — да и не только ему — казалось, что его публицистика военных лет надолго, если не навсегда, заслонит всю его прежнюю да и будущую литературную работу.

И в самом деле, никогда — ни прежде, ни потом — голос его не звучал так громко и, главное, не волновал так сердца (без преувеличения) миллионов людей, как в эти четыре года.

Давно уже стал общим местом рассказ о том, что на фронтах и в партизанских отрядах действовал неписаный закон: на раскурку идут все газеты, кроме тех, где напечатана очередная статья Эренбурга.

О военной публицистике Эренбурга написаны горы восторженных откликов, воспоминаний, статей, книг, диссертаций, дипломных работ. Но самая суть этого феномена, мне кажется, до сих пор не была — да и не могла быть — объяснена до конца.

Огромная популярность военных статей Эренбурга объясняется, конечно, множеством самых разных причин, не последняя из которых — недюжинный дар публициста, присущая Эренбургу редкостная способность з а р а ж а т ь читателя своими чувствами, выраженными в слове. (Способность, которая, по убеждению Л. Н. Толстого, составляет сущность всякого искусства.) Но была тут еще одна причина, лежащая, так сказать, вовне. Эренбурга вынесла на этот высокий гребень истории некая историческая реальность.

Теперь мы уже можем сказать об этом вслух: страна вступила в войну в состоянии полной идеологической растерянности. В первые же военные дни в прах разлетелись идеологические представления и стереотипы, внушавшиеся нам на протяжении многих лет и прочно завладевшие нашим сознанием. Сразу же стала очевидной беспочвенность владевших нами иллюзий — начиная с наивной уверенности, что немецкие пролетарии ни за что не станут стрелять в своих братьев по классу, и кончая столь же наивной убежденностью, что «на вражьей земле мы врага разгромим малой кровью, могучим ударом».

Далеко не сразу Сталин вышел из состояния прострации и наспех соорудил вместо рухнувшей в одночасье идеологической схемы другую, призвав на помощь все имевшиеся в его распоряжении резервы — православную церковь, великие тени славных русских полководцев и флотоводцев, в том числе и тех, которые еще вчера третировались как верные слуги ненавистного царского режима, в ход были пущены даже антинемецкие сплетни и анекдоты времен первой мировой войны.

Но это все — позже.

А в первые трагические военные дни волею обстоятельств чуть ли не единственным идеологом страны, вступившей в смертельную схватку с фашизмом, стал Эренбург.

Но почему именно он?

«Тогда, в войну,— вспоминал потом Константин Симонов,— я, наверное, так же, как и другие читатели Эренбурга, не думал над истоками его публицистики.

Тогда, в годы войны, мы, по правде говоря, не знали и истории создания «катюш» и не раздумывали над тем, в результате каких многолетних трудов и усилий они вдруг появились на фронте. Для нас было главным то, что они появились и ударили по фашистам!

Так это было и с прямым и сокрушительным действием военных статей Эренбурга. Люди, причастные к войне, не размышляли над тем, откуда и как он появился, они радовались тому, что он есть!»

Эренбург «появился» и сыграл в войне ту роль, которую ему суждено было сыграть, прежде всего потому, что он лучше, чем кто другой, был внутренне подготовлен к разразившейся катастрофе.

Многие его современники — даже самые проницательные из них — в той или иной степени были все-таки обмануты пактом с Гитлером. Вера в то, что Сталин, заключивший этот пакт, лучше знает и понимает ситуацию, что он прекрасно отдает себе отчет в своих поступках и, следовательно, у него есть какие-то свои, недоступные пониманию простых смертных основания поступать именно так, а не иначе,— эта вера сбила с толку если не всех, то многих.

Эренбурга она сбить с толку не могла. Не потому, что он был умнее и проницательнее других, а потому, что лучше, чем кто другой, знал, что такое фашизм.

Сошлюсь только на один красноречивый эпизод, относящийся к 1936 году, который приводит в своих воспоминаниях об Эренбурге Алексей Эйснер, тогда молодой русский поэт-эмигрант, а позже интербригадовец, адъютант генерала Лукача:

«Дело было весной, когда, вскоре после победы Народного фронта на выборах в Испании, он победил и во Франции. В разгар этого антифашистского медового месяца одна моя добрая знакомая... предложила сходить вместе с нею на собрание околопартийных парижских интеллигентов, на котором Эренбург, только что побывавший за Пиринеями, поделится своими наблюдениями...

Послушать Эренбурга явилось человек сто или полтораста... Неожиданно для нас, как, по-видимому, и для всех присутствующих, Эренбург заговорил о сгущающихся над «гренадской волостью» облаках. Ведь Испания — это не Франция. В стране, где на десять мирян, считая и младенцев, приходится одна сутана или монашеская ряса, а на каждые шесть солдат — генерал, реакция обладает колоссальными возможностями... Но завоеваниям народа угрожает не только внутреннее пронунсиаменто. На Испанию точит нож коричнево-черный фашизм. В густых тучах, клубящихся над оливковыми плантациями Андалузии и виноградниками Кастилии, просвечивают ликторские пучки и паучьи лапы свастики. В испанском воздухе пахнет порохом. Республика в опасности...

После собрания взбудораженные слушатели обменивались недоуменными репликами. Эренбурговскую остроту взгляда, оригинальность и литературную отточенность его формулировок, насколько я мог расслышать, признавали все, но выводы большинство так же единодушно находило чрезмерно мрачными, а главное, слишком уж они расходились с мнением других наблюдателей. Именно это полнейшее несоответствие его оценки положения в Испании неколебимо мажорному тону французских левых газет смущало меня, что касается моей спутницы, она была категорична:

— Неисправимый пессимист и страшно сгущает краски. Только третьего дня я была у Мари-Клод и нашла Поля в прекрасном настроении...

Так как Мари-Клод, с которой Вера состояла в дружбе, была женой не вообще какого-нибудь Поля, но Поля Вайяна-Кутюрье, одного из руководителей Коммунистической партии Франции, его хорошее расположение духа снимало всякие сомнения, и я решительно счел неожиданные мрачные прогнозы беспартийного парижского корреспондента «Известий» не внушающими доверия.

Прошло, однако, всего около двух месяцев, как они — эти мрачные предсказания — сбылись».

Таких историй можно было бы припомнить множество. В роли «прорицателя», мрачные пророчества которого вскоре сбылись, Эренбург на этом вечере выступил не в первый и не в последний раз.

Еще в 1931 году в книге своих путевых очерков «Виза времени» он предсказал, что Германия — накануне фашизма.

А вот эпизод, пожалуй, еще более впечатляющий, относящийся уже непосредственно к 1941 году.

«Первого июня 1941 года,— вспоминает В. Каверин,— мы вместе поехали навестить Ю. Н. Тынянова в Детское Село, и на вопрос Юрия Николаевича: «Как вы думаете, когда начнется война?» — Эренбург ответил: «Через три недели».

То, что война началась р о в н о через три недели,— это, быть может, чистая случайность. И рассказ этот я привожу не затем, чтобы уподобить Эренбурга Нострадамусу, а лишь с единственной целью: показать, что пакт с Гитлером, усыпивший бдительность многих политиков и военных, на него такого усыпляющего действия не оказал. Так называемое «вероломное нападение» его врасплох не застало.

«Двадцать второго июня,— вспоминает он,— рано утром нас разбудил звонок В. А. Мильман: немцы объявили войну, бомбили советские города. Мы сидели у приемника, ждали, что выступит Сталин. Вместо него выступил Молотов, волновался. Меня удивили слова о вероломном нападении... Что можно было ждать от фашистов?..

Мы долго сидели у приемника. Выступил Гитлер. Выступил Черчилль.

А Москва передавала веселые, залихватские песни, которые меньше всего соответствовали настроению людей. Не приготовили ни речей, ни статей; играли песни...

Потом за мною приехали — повезли в «Труд», в «Красную звезду», на радио. Я написал первую военную статью. Позвонили из ПУРа, просили зайти в понедельник в восемь часов утра, спросили: «У вас есть воинское звание?», я ответил, что звания нет, но есть призвание: поеду, куда пошлют, буду делать, что прикажут».

2

Да, война была его звездным часом. В те годы не было в нашей стране человека, который не знал бы имени Эренбурга. Но известностью, интересом читателей, вниманием критики он и раньше обделен не был.

Без малого шесть десятков лет работал Эренбург в литературе. Количество книг, написанных и изданных им за это время, далеко переваливает за сотню. («Я плодовит как крольчиха»,— не без иронии говорил он о себе.) И едва ли не каждая из написанных им книг была своего рода сенсацией, сразу оказывалась в центре читательских интересов, споров, дискуссий.

Темп литературного развития (как и вообще темп жизни) в нашем веке был необыкновенно стремителен. Каждое десятилетие замыкало собой чуть ли не целую историческую эпоху. И для каждого были характерны свои художественные лозунги, свои литературные кумиры. Но если взять наугад несколько самых знаменитых книг каждого десятилетия, среди них непременно окажется какая-нибудь книга Эренбурга. В 20-е годы — «Хулио Хуренито». В 30-е — «День второй». В 40-е — «Падение Парижа»...

Эренбург с благодарностью отметил эту особенность своей литературной судьбы.

Незадолго до смерти, побывав в Индии, он написал стихотворение «Коровы в Калькутте». В нем рассказывалось о незавидной участи калькуттских священных коров:

> Они бродят по улицам,
> Мычат, сутулятся —
> Нет у них крова,
> Свободные и пленные,
> Никто не скажет им злого слова —
> Они священные.

Кончалось стихотворение несколько неожиданно:

> Есть такие писатели —
> Пишут старательно,
> Лаврами их украсили,
> Произвели в классики,
> Их не ругают, их не читают,
> Их почитают.
> Было в моей жизни много дурного,
> Частенько били — за перегибы,
> За недогибы, изгибы,
> Говорили, что меня нет — «выбыл»,
> Но никогда я не был священной коровой,
> И на том спасибо.

В устах человека, обделенного официальными лаврами, это жалостливое презрение к тем, кого при жизни «произвели в классики», было бы более понятно. Но Эренбург, как известно, и сам обладал всеми атрибутами «живого классика». Лавров в его жизни тоже было немало. Но он никогда не склонен был обольщаться насчет их истинной ценности.

«Представители различных издательств, журналов, газет, театров читали поздравительные адреса, похожие один на другой: «пламенный трибун», «отточенное перо», «неутомимый борец за мир», «книги, вошедшие в золотой фонд советской литературы»... На хорах толпилась молодежь. Было очень жарко, и дерматиновые папки, которые высились предо мной, скверно пахли».

Так он описал свой шестидесятилетний юбилей.

Он прекрасно понимал, что истинная награда писателю — не дерматиновые папки с адресами, а молодежь, толпящаяся на хорах.

Правда, был и в его жизни момент, когда казалось, что он близок к тому, чтобы стать «священной коровой».

Это было в январе 1953 года, когда на книжных прилавках появился его новый роман «Девятый вал». Впоследствии сам Эренбург отозвался об этой своей книге трезво и безжалостно: «Я написал плохой роман». Но тогда, в начале 50-х, критика захлебывалась восторгом. Фадеев писал, что роман «мощен, гуманистичен, в нем клокотание народных сил, людской потоп».

Казалось, Эренбург навсегда причислен к тем, кого «не ругают и не читают», но лишь «почитают». Однако прошло всего два года, и его уже снова «ругали». Маленькая повесть «Оттепель» вызвала в критике такую бурю, какой не удостоились «Буря» и «Девятый вал» вместе взятые.

Но вот и 50-е годы уже позади. Снова — уже который раз в его жизни — то, что совсем недавно было горячей «злобой дня», стало очередной главой истории. XX век вступил в свое шестое десятилетие. Эренбургу — за семьдесят. Он не пишет больше ни романов, ни повестей. Он пишет мемуары. Казалось бы, и для этого беспокойного человека наконец-то настало время подведения итогов, время тихого раздумья о прожитой жизни. Казалось бы, он окончательно вступил в тот возраст, когда человеку уже биологически трудно жить «злобой дня», когда по естественной логике вещей он всеми помыслами своими невольно обращен в прошлое.

Но таков уж был этот человек, что даже мемуары его стали книгой обжигающе современной, живым и действенным фактом общественной жизни 60-х годов. Эренбурга снова — как и в далекой молодости — печатали с редакционными оговорками. Его снова «ругали» [1]. И его снова читали. Читали с таким же жадным интересом, с каким сорок лет назад искали на книжных прилавках его первый скандальный роман.

---

[1] Первому изданию третьей и четвертой книг мемуаров Эренбурга (М., Советский писатель, 1963) было предпослано специальное предисловие «От издательства», в котором говорилось:

«Крайний субъективизм проявился не только в частностях, в характеристиках тех или иных людей, в оценке отдельных явлений, фактов, но и в освещении важных сторон и процессов общественной жизни — там, где И. Эренбург выступает в роли свидетеля и судьи истории. Это и приводит к нарушению исторической правды.

Читатель помнит, что в печати и в других выступлениях советской обще-

Но была у этой поистине завидной писательской судьбы и своя оборотная сторона.

Едва ли не каждая из литературных удач Эренбурга, промелькнув, как метеор, и вызвав очередной взрыв острого читательского интереса, очень скоро уходила в небытие. В 30-е годы о стихах Эренбурга и даже о его первом романе, наделавшем столько шума, помнили лишь историки литературы. И точно так же в 40-е уже мало кто читал его более поздние романы — «Любовь Жанны Ней», «Жизнь и гибель Николая Курбова», «Рвач», «В Проточном переулке», «День второй»...

Роман Эренбурга «Буря», написанный вскоре после войны, получил не только официальное признание (он был удостоен высшей литературной премии того времени), но и завоевал несомненный читательский успех. А недавно Евгений Евтушенко, воздав должное Эренбургу — публицисту и поэту, пренебрежительно обронил: «Его роман «Буря» сегодня невозможно читать».

Можно не соглашаться с категоричной безапелляционностью этого приговора, но — что правда, то правда! — мало кто станет сейчас перечитывать этот давний эренбурговский роман.

Непрочность, недолговечность эренбурговской прозы объясняли обычно небрежностью, поспешностью, торопливостью. Вот, например, что писал Евгений Замятин о его первом романе:

«Есть чей-то рассказ про одну молодую мать: она так любила своего будущего ребенка, так хотела поскорее увидать его, что не дождавшись девяти месяцев — родила через шесть. Это случилось и с Эренбургом... Больше всего в аборте уличает автора язык. Роман местами звучит, как перевод с какого-то на очень мало русский».

Отмеченные Замятиным черты эренбурговской прозы на долгие годы превратились в излюбленную мишень для критиков и пародистов. Одна из самых остроумных пародий на Эренбурга (Александра Архангельского) весьма ядовито называлась — «Не переводя с французского»:

«Петька любит Варьку. Варька любит Петьку. Хорошо любить на Севере. Визжат лесопилки. Кругом штабели. Балансы и пропсы. Тютчев и дроля Пастернак. А запаней сколько?..

Актриса возвращается в гостиницу. Даже на запани она играла плохо. Разве это жизнь? Поплакав, она ложится спать...

Лелька любит Геньку. Генька не любит Лельку. Генька — плохой парень. Шкурник и карьерист...

ственности справедливой критике подвергся выдвинутый И. Эренбургом ложный тезис о «молчании», утверждающий, будто в годы культа личности Сталина советские люди видели, понимали, знали, что репрессии необоснованы, что происходит преступное злоупотребление властью, но молчали, якобы «все были участниками великого заговора молчания». Так реальная трагедия, которую пережил наш народ в годы культа Сталина, подменяется надуманной, фальшивой схемой...

Приходится также отметить, что в книге И. Эренбурга дается подчас одностороннее, обедненное представление о состоянии и развитии нашей литературы и нашего искусства, крайне субъективно освещается литературно-идейная борьба. На это тоже указывалось уже в нашей печати и в других общественных выступлениях». И т. д.

Поплакав, актриса едет в колхоз. Она играет Дездемону. Колхозники плачут... Актриса тоже плачет...

Автор уезжает с запани в Париж и, не переводя дыхания, пишет новый роман».

Убеждение, что все изъяны эренбурговской художественной манеры объясняются крайней торопливостью автора, постепенно стало господствующим. Критики, относящиеся к Эренбургу благожелательно, пытались оправдать эту его торопливость, найти для нее какие-то смягчающие обстоятельства.

«Эренбург, начиная с молодых лет,— писал о нем Константин Федин,— был человеком огромного и все время растущего запаса наблюдений. Широта их перенасыщала воображение, воспаляла его, и если бы Эренбург не работал непрерывно, как он блестяще умеет работать, мне кажется, наблюдения изнурили бы его, подобно излишку сахара, изнуряющего организм».

Объяснение это, при всей своей правдоподобности, не кажется мне достаточно убедительным. Была тут, на мой взгляд, и другая, куда более серьезная причина, связанная с самой природой эренбурговского дарования.

В 1936 году Эренбург выпустил в свет не совсем обычную книгу. Она называлась «Книга для взрослых». Это был роман, перемежающийся воспоминаниями автора о своей жизни, о людях, с которыми в разное время его сводила судьба. Воспоминания врывались в повествование неожиданно, как лирические отступления в «Евгении Онегине». Одно из этих «отступлений» начиналось такой извиняющейся фразой:

«Рядом с Кролем, с Павликом, даже с Гронским я могу показаться схематичным: они даны в объеме, я на плоскости, они живут, я только описываю или рассуждаю».

В действительности все вышло как раз наоборот. Единственным живым и объемным героем книги оказался сам автор. Все прочие ее персонажи были схематичными и бледными. Лирические отступления стали о с н о в н ы м с о д е р ж а н и е м книги. Вымышленные судьбы вымышленных персонажей романа превратились в к о м м е н т а р и й к судьбе его лирического героя.

Тридцать лет спустя никому из читателей уже не были интересны ни Кроль, ни Павлик, ни Гронский. А те «отступления», в которых автор говорил о себе, оказались настолько живыми, не устаревшими, что многие из них он почти без изменений перенес в свою последнюю книгу — «Люди, годы, жизнь».

Творческое наследие Эренбурга, при всем его количественном изобилии, при всей его пестроте, при всем его жанровом, тематическом и ином многообразии, поражает стилистической определенностью.

Однажды во время войны редактор «Красной звезды» попросил Эренбурга срочно написать в номер передовую.

«Я попытался возразить: вот этого я не умею. Он ответил: «На войне нужно все уметь». Два часа спустя я принес ему статью; он начал читать и рассмеялся, а смеялся он очень редко, да и не было в статье ничего веселого. «Какая же это передовица? С первой фразы видно, кто написал...»

Можно сказать, что такая узнаваемость, такая резкая индивидуальность художественного почерка свойственна каждому настоящему писателю. Но каждому писателю в той или иной мере присуща и известная стилистическая подвижность, умение в каждом конкретном случае, в зависимости от данной конкретной художественной задачи искать и находить «стиль, отвечающий теме». Одно дело писать об уроках Стендаля или поэзии Франсуа Вийона, и совсем другое — о фашистских зверствах. Одно дело обращаться к любителям изящной словесности, и совсем другое — к солдатам и партизанам, порой умеющим читать лишь по складам.

Стиль Эренбурга при всех обстоятельствах оставался почти неизменным. Не только лексика, весь образный строй его речи не менялся ни на йоту, и редактору «Красной звезды» приходилось проверять, действительно ли существовали эриннии, и скрепя сердце мириться с упоминанием в статьях, адресованных фронтовикам, Прозерпины и Плутона, Хемингуэя и Ланжевена, Джотто и Чимабуэ.

Из статьи в статью, как постоянный рефрен, как заклинание переходит у Эренбурга патетический перечень, изредка варьируемый, но неизменный в своей смысловой и интонационной основе:

«Неужели для этого жили Данте и Шекспир, Расин и Толстой, Ньютон и Галилей?..»

«Полотна Ренуара и Матисса, книги Эйнштейна и Дарвина...»

«Орадур, Ковентри, пепел Освенцима...»

«Ученые Оксфорда и Сорбонны...»

«Виноградари Бургундии и докеры Англии...»

Все это еще уживается с тезисом об огромном запасе жизненных впечатлений, перенасыщающих воображение художника и побуждающих его не переводя дыхания писать одну книгу за другой. Но все дело в том, что с таким же постоянством из романа в роман у Эренбурга переходят о д н и и т е ж е персонажи, о д н и и т е ж е ситуации.

Неудачница-актриса, которая сперва плачет от сознания своей никчемности, а потом, вызвав своей игрой слезы зрителей, плачет от счастья, появляется и в романе «День второй», и в повести «Не переводя дыхания», и в «Падении Парижа», и в «Буре», и в «Оттепели».

Из романа в роман кочует у Эренбурга одинокий, непризнанный художник, самозабвенно колдующий над своими холстами, равно пренебрегающий отзывами критиков и всеми житейскими благами.

Персонажи эренбурговских романов кажутся смутными силуэтами, едва намеченными, очерченными крайне бегло, почти конспективно. Но эта особенность его прозы, которую трудно рассматривать иначе как некий серьезный изъян, как очевидную художественную слабость, отступает на второй план, а то и вовсе сходит на нет, стоит только ему з а г о в о р и т ь о с е б е. Не в косвенной, окольной, опосредованной форме, как это пристало истинному художнику-реалисту, а, что называется, в п р я м у ю.

Эренбург однажды иронически уподобил себя нетерпеливому режиссеру, то и дело выбегающему из-за кулис на сцену, чтобы объяснить зрителю свой замысел, потайные пружины задуманного им спектакля. Он исходил из классической формулы реалистического искусства, согласно которой режиссер должен умереть в актере, а автор — раствориться в своих героях. Стремление то и дело перебивать повествование непосредственными обращениями к читателю от первого лица представлялось ему непростительной художественной слабостью. Между тем оно было его с и л о й.

Все дело в том, что Эренбург по складу своего дарования был л и р и к. И именно поэтому ему было свойственно это непобедимое стремление впрямую говорить с читателем о в р е м е н и и о с е б е.

Это относится не только к упоминавшейся мною «Книге для взрослых», но и к таким его книгам, как «Белый уголь или слезы Вертера» (1928), «Виза времени» (1932), «Затянувшаяся развязка» (1934), «Границы ночи» (1936). По всем своим жанровым признакам тяготея к публицистике, книги эти все же не могут быть названы публицистическими в собственном смысле слова. Понятием «публицистика» далеко не исчерпывается их художественное своеобразие. Лучше всего может объяснить жанровую природу этих книг аналогия с прозой Гейне.

Один из исследователей гейневской прозы (А. Лежнев) замечает: «Если Пушкин, Клопшток или Гёте стараются отграничить прозу от поэзии, установив для каждой из них свой специфический способ выражения, свои законы, свои цели,— если они идут по пути обособления, то Гейне, наоборот, стремится стереть границы, уничтожить обособленность, слить свойства поэзии и прозы, «речи связанной» и «речи несвязанной» в общее единство. Эта черта рано бросилась в глаза современникам. «Проза Гейне перепахана плугом поэта»,— писал еще Гуцков».

О перечисленных выше книгах Эренбурга можно сказать буквально то же самое. Не только стилистика их, но самый принцип художественного мышления вырастает из л и р и ч е с к о й природы его дарования.

«Мне кажется,— заметил однажды Юрий Олеша,— что единственное произведение, которое я могу написать как значительное, нужное людям,— книга о моей собственной жизни».

Эренбург мог бы сказать о себе нечто подобное даже с большим основанием, чем Олеша. Помимо всего прочего, у него было для этого неизмеримо больше оснований, чем у Олеши, еще и потому, что он прожил поразительную по насыщенности и богатству событиями жизнь.

1905 год. Ему 14 лет. Из гимназии убегает на митинги. Во время декабрьского восстания помогает строить баррикады.

1908 год. Первый арест. Сперва он сидит в Сущевской части, в Басманной, потом в Бутырках — в одиночке. Жандармский полковник, усмехаясь, говорит ему: «Вам должны дать шесть лет каторжных работ, но треть скостят по несовершеннолетию. Потом — вечное поселение. Оттуда вы удерете — я вас знаю...» Однако его выпускают до судебного разбирательства под гласный надзор полиции и высылают из Москвы в Киев, потом в Полтаву, оттуда в Смоленск.

Осень того же года. Он уезжает в Париж. Встречается там с Лениным. Некоторое время ведет жизнь, обычную для политического эмигранта из России. Но вскоре отходит от партийной работы, начинает писать стихи. Выпускает свои первые поэтические сборники. Начинаются его идейные и духовные метания, об одном из которых он в своей автобиографии 1926 года лаконично сообщает: «Предполагал принять католичество и отправиться в бенедиктинский монастырь. Говорить об этом трудно. Не совершилось».

1916 год. Портрет Эренбурга, нарисованный Максимилианом Волошиным: «Я не могу себе представить Монпарнас без фигуры Эренбурга. Его внешний облик как нельзя более подходит к общему характеру духовного запустения.

С болезненным, плохо выбритым лицом, с большими, нависшими, неуловимо косящими глазами, отяжелелыми семитическими губами, с очень длинными и прямыми волосами, свисающими несуразными космами, в широкополой фетровой шляпе, стоящей торчком, как средневековый колпак, сгорбленный, с плечами и ногами, ввернутыми внутрь, в синей куртке, посыпанной пылью, перхотью и табачным пеплом, имеющий вид человека, «которым только что вымыли пол», Эренбург настолько «левобережен» и «монпарнасен», что одно его появление в других кварталах Парижа вызывает смуту и волнение прохожих...»

1917 год. При первом известии о революции в России возвращается на родину.

1918 год. Пишет книгу стихов «Молитва о России», в которой оплакивает канувшую в прошлое Русь, золотые купола ее церквей, ее былое величие. Октябрьский переворот воспринимает как катастрофу.

1921 год. Уезжает в Германию, где живет одной жизнью с эмигрировавшими из России поэтами и писателями, хотя, в отличие от них, у него — советский паспорт. («Эренбург щедро одарен от природы, у него есть паспорт»,— шутил живший в то время там же, в Берлине, Виктор Шкловский.)

Выходит в свет его первый роман «Необычайные похождения Хулио Хуренито и его учеников». В одном из писем Эренбург с удовлетворением отмечает, что роман понравился и Ленину, и Гессену (одному из лидеров кадетской партии).

1935 год. Эренбург один из организаторов первого антифашистского конгресса в защиту культуры. Специальный корреспондент «Известий» в Париже.

1937 год. Эренбург в осажденном Мадриде. Он — один из активнейших участников Гражданской войны в Испании.

1939 год. 14 июня, утром, выйдя из советского посольства на улице Гренель, он дошел до пустынной Авеню де Ман и увидел колонну немецких солдат. Гитлеровцы вошли в Париж.

1940 год. Эренбург пишет антифашистский роман «Падение Парижа». У нас в то время пакт с Гитлером, и роман никто не решается печатать. Книга выходит в свет благодаря личному вмешательству Сталина.

1945 год. В приказе Гитлера от 1 января упоминается Эренбург как один из опаснейших врагов «райха». 18 апреля в «Правде» появляется статья Г. Ф. Александрова, бывшего тогда заведующим отделом агитации и пропаганды ЦК КПСС,— «Товарищ Эренбург упрощает». Подспудный смысл этого выступления «Правды» был очевиден: война кончалась, и Сталину не нужны были больше никакие другие «идеологи», кроме одного — единственно непогрешимого — самого Сталина.

1953 год. Эренбургу в Кремле торжественно вручают золотую медаль лауреата Международной премии Мира.

1954 год. Появляется его повесть «Оттепель». Во всех газетах резкие критические статьи.

1962 год. Эренбург на художественной выставке в Манеже пытается защитить от грубых нападок Хрущева живопись Фалька.

1963 год. На совещании в ЦК КПСС доклад секретаря ЦК Л. Ф. Ильичева, почти целиком посвященный разоблачению Эренбурга, политическому пересмотру всей его литературной и общественной деятельности.

Этот перечень «знаменательных дат» его жизни можно было бы существенно расширить.

А вот перечень лишь некоторых знаменитых современников, с которыми его сводила судьба: Ленин, Горький, Модильяни, Эйнштейн, Маяковский, Есенин, Пикассо, Шагал, Троцкий, Пастернак, Андрей Белый, Бухарин, Диего Ривера,

Ахматова, Франсуа Мориак, Андре Мальро, Хемингуэй, Савинков, Антонов-Овсеенко, Литвинов, Долорес Ибаррури, Мандельштам, Тувим, Фадеев, Андре Жид, генерал Власов, Цветаева, Бабель, Бертран Рассел, Жолио Кюри, Мейерхольд, Эйзенштейн, Волошин, А. Н. Толстой, Ильф и Петров, Фальк, Кончаловский, Матисс, Тышлер, Таиров...

Список этот далеко не полон.

Короче говоря, мало кто из сверстников Эренбурга был так подготовлен — и складом дарования, и судьбой — к тому, чтобы оставить после себя книгу, которая могла бы войти в сознание современников и потомков как «Былое и думы» XX века.

Именно поэтому, когда в печати впервые промелькнуло упоминание о том, что Эренбург пишет мемуары, я испытал чувство радостного удовлетворения: «Наконец-то!»

Я подумал, что, быть может, впервые в жизни Эренбург решил отойти от недолговечной злобы дня и начать работать, выражаясь высокопарно, для вечности. Во всяком случае, для будущего.

Похоже, что он и сам, замысливая эту свою книгу, думал так же.

3

Осенью 1959 года два сотрудника «Литературной газеты» (одним из них был Л. И. Лазарев, в то время заместитель редактора отдела литературы «ЛГ», другим — автор этих строк) явились к Илье Григорьевичу Эренбургу с весьма щекотливой дипломатической миссией.

Дело заключалось в том, что только что в «Литературку» пришел новый главный редактор, и первая проблема, с которой он столкнулся, состояла в том, что его предшественник ухитрился поссорить газету чуть ли не со всеми известными нашими писателями. Особенно оскорблен был Эренбург грубыми и недостойными выпадами в его адрес, появлявшимися при прежнем редакторе на страницах «ЛГ» по любому, самому ничтожному поводу, а то и вовсе без всякого повода. Он дал себе зарок впредь не иметь с этой газетой никаких дел. Предстояло убедить его, что при новом главном редакторе газета станет совсем другой.

Сперва Илья Григорьевич принял нас довольно холодно. Но после второго или третьего нашего визита постепенно стал оттаивать. А потом и вовсе подобрел к нам и к тому органу, который мы представляли. Кончилось дело тем, что у нас довольно скоро установились не скажу чтобы очень близкие, но, во всяком случае, вполне доверительные отношения.

Объяснять, почему каждый визит к Эренбургу был нам необыкновенно интересен, не приходится. А мы, я думаю, на первых порах представляли для него интерес как некий источник информации. Несмотря на то что и в эти годы Эренбург находился в эпицентре всех политических землетрясений и бурь своего времени, был он в ту пору довольно-таки сильно оторван не только от обыденной, но и от так называемой литературной жизни. Круг людей, с которыми он общался, был не то чтобы узок. Но это был весьма специфический круг: друзья и соратники по движению сторонников мира да несколько постоянно навещавших его писателей. (Из них как наиболее частые посетители мне запомнились А. К. Гладков и Б. А. Слуцкий.)

Л. И. Лазарев и я были для него представителями совсем иного мира. С одной стороны, мы были ж и в ы м и ч и т а т е л я м и, которых он вот так, вблизи, видел мало. (Знал в основном лишь по письмам, которые получал, да по немногочисленным встречам на различных читательских конференциях.) Ну а кроме того, мы были «газетчики», то есть, в его представлении, люди осведомленные. Вероятно, именно поэтому он вскоре — к величайшему нашему изумлению — стал с нами советоваться.

Я говорю «к величайшему нашему изумлению», потому что в вопросах, которые он нам задавал, он представлялся нам куда более сведущим, чем мы. Так, например, давая нам прочесть какую-нибудь очередную главу своих мемуаров, он спрашивал:

— Как вы думаете, это напечатают?

Нам-то грешным казалось, что он гораздо лучше, чем мы, должен представлять себе свои возможности. Мы исходили из уверенности, что возможности эти если и не безграничны, то, во всяком случае, весьма велики. Мы не сомневались (и, как вскоре выяснилось, зря), что все трудности, связанные с публикацией мемуаров, он всегда легко может уладить на самом высшем уровне.

Помню, особенно поразило нас, когда он однажды спросил:

— А как по-вашему, главу о Бухарине напечатают?

Л. И. Лазарев ответил в том смысле, что решить этот вопрос может только Хрущев.

— А что? Хрущев, по-моему, должен неплохо относиться к Бухарину,— предположил я.

— Вы думаете? — быстро повернулся ко мне Эренбург.

Я промямлил что-то в положительном смысле, хотя уже и не так уверенно.

— Ну, мне он это просто говорил,— сказал Илья Григорьевич.

Естественно, у нас создалось впечатление, что для него не составит труда как-нибудь при случае выяснить этот вопрос (как и любой другой) непосредственно с самим Хрущевым.

Но почему же тогда он интересуется мнением на этот счет таких, мягко говоря, не слишком влиятельных особ, как мы?

Загадка эта вскоре разъяснилась. Прочитав нам как-то письмо читателя, начинавшееся словами: «Неужели вы не можете сказать Н. С. Хрущеву...» — Эренбург раздраженно проворчал:

— Они там думают, что я с Хрущевым чуть ли не каждый день чай пью.

И вот тут-то и завязался тот разговор, ради которого я счел возможным удариться в эти воспоминания.

Кто-то из нас спросил:

— Илья Григорьевич! А вы, когда писали главу о Бухарине, рассчитывали ее напечатать?

— Во всяком случае, я писал ее для печати,— ответил он.— В первой книге, которую я сейчас закончил, есть только одна глава, которая пойдет в архив. Это — глава о Троцком. Я сам не хочу ее печатать.

В ответ на наш немой вопрос он пояснил:

— Я встретился с ним в Вене, в 1909 году. Он очень мне не понравился.

— Чем?

— Всем... Авторитарностью, отношением к искусству... Может быть, даже из-за этой встречи я решил тогда отойти от партийной работы... Я не хочу сейчас печатать эту главу, потому что мое отрицательное отношение к Троцкому сегодня может быть ложно истолковано... А все остальное хочу напечатать... Вот вторая книга, над которой я сейчас работаю... С ней будет сложнее. Из нее дай бог чтобы мне удалось напечатать две трети. А треть пойдет в архив...

Он помолчал, пожевал губами и продолжал, обращаясь, кажется, уже не к нам, а словно бы разговаривая сам с собою:

— С третьей книгой будет еще сложнее. Из нее только треть будет напечатана. А две трети пойдут в архив... Ну, а что касается четвертой и пятой книг, то они, я думаю, целиком пойдут в архив...

Я вспомнил этот разговор, когда, уже несколько лет спустя после смерти Ильи Григорьевича, от Ирины Ильиничны Эренбург, разбиравшей архив отца, узнал, что неопубликованной осталась лишь одна глава: о Бухарине. Та самая, которую он писал для печати, надеялся опубликовать, но так и не смог.

Он написал не пять книг, как предполагал вначале, а шесть. И все шесть были напечатаны при его жизни. В архиве остались лишь некоторые купюры, которые восстановлены в настоящем издании, да незавершенная седьмая книга, работу над которой прервала смерть.

Итак, первоначальный замысел — писать существенную часть своих воспоминаний не для печати, «в стол», для архива,— был отринут.

Почему же так случилось? Почему Эренбург так решительно и круто изменил свои планы?

А может быть, таких планов и не было вовсе? Может быть, он просто слегка кокетничал перед нами, намекая, что существенная часть задуманной им книги будет содержать некую информацию, о которой нечего даже и думать, что ее в сколько-нибудь обозримом будущем можно будет опубликовать?

Нет, это предположение я решительно отметаю. Он был искренен тогда, говоря, что ему удастся опубликовать лишь малую часть того, что он собирался написать.

Вышло иначе.

Отчасти потому, что ему ш л о н а в с т р е ч у в р е м я. Ведь первую книгу он закончил еще до XXII съезда партии, до того как Сталина вынесли из Мавзолея. Многое из того, о чем в 1959 году нельзя было даже и мечтать, в 1962-м стало возможным. Тут, впрочем, не лишним будет отметить, что немало этому способствовал и он сам, в п е р в ы е прикасаясь ко всякого рода запретным темам и с огромным трудом добиваясь, чтобы они перестали быть запретными. Мемуары Эренбурга не просто вписывались в социальную атмосферу тех лет, приспосабливаясь к ней. Они самим фактом своего существования м е н я л и эту атмосферу, «поднимая планку» общепринятых представлений и «дозволенных» сюжетов и тем. Его критиковали, с ним спорили, его даже одергивали, иногда весьма грубо. Но, как бы то ни было, тема, к которой еще вчера нельзя было даже прикоснуться, становилась предметом с п о р а, о б с у ж д е н и я, пусть даже эти споры и обсуждения принимали порой весьма своеобразную форму.

Но была еще одна, г л а в н а я причина, из-за которой Эренбург отказался от своего первоначального намерения.

4

30 мая 1965 года известный советский журналист-международник Эрнст Генри обратился к Эренбургу с резким полемическим письмом. Сейчас это письмо опубликовано (Дружба народов. № 3. 1988). Но и тогда оно, вероятно, было послано не только адресату, т. к. довольно широко ходило по рукам. Немудрено. Это было не частное послание. В сущности, это было даже не письмо, а острая полемическая статья, облеченная в эпистолярную форму. И дело тут было не в Эренбурге, а в Сталине. Автор «письма» хотел высказать свой взгляд на роль Сталина в истории нашего государства. Высказать его открыто (то есть в печати) в то время он не мог. Вот он и избрал такой «окольный» путь.

Эренбург в своих мемуарах внятно сказал о «несправедливых, злых делах», которые творились с ведома Сталина и по его прямому приказу. Он сказал и о том, что всегда не любил Сталина и боялся его, хотя «долго в него верил».

Но была у него в главе, где он пытался разобраться в своем отношении к Сталину, и такая фраза: «Как бы мы ни радовались нашим успехам... как бы ни ценили ум и волю Сталина, мы не могли жить в ладу со своей совестью и тщетно пытались о многом не думать».

Вот эти-то слова об «уме и воле» Сталина и возмутили Эрнста Генри. Они-то и побудили его адресовать свое письмо именно Эренбургу, от которого он меньше, чем от кого другого, мог ждать такой наивной и политически близорукой оценки человека, которого тот, по его собственному признанию, никогда не любил, а только боялся.

Страстно, темпераментно, предельно логично, оснастив и укрепив свою позицию множеством исторических фактов, в ту пору мало кому известных, Эрнст Генри доказывает в своем письме, что у Сталина «не было государственного ума. Не было величия. Была довольно ограниченная хитрость и сила, опиравшаяся на самодержавную власть над огромными человеческими ресурсами. Была авантюристическая игра ва-банк, объяснявшаяся... невероятным самомнением, сладострастной похотью к личной власти...».

Публикуя это давнее письмо Эрнста Генри Эренбургу, редакция журнала снабдила его небольшим предисловием, в котором, между прочим, говорится: «Письмо это носит личный характер. Однако, имея в виду большой общественный интерес, который вызывают факты, приведенные в письме, выводы, сделанные автором... нам представляется вполне корректной публикация текста самого письма».

Вряд ли можно считать корректной публикацию этого давнего письма, адресованного человеку, который не может ответить на него сегодня.

Но — что правда, то правда! — этот старый (более чем двадцатилетней давности) спор и сегодня представляет большой общественный интерес.

Чтобы лишний раз в этом убедиться, сошлюсь на недавнюю дискуссию, в которой участвовали видные наши историки, юристы, философы, писатели. (Сокращенная стенограмма напечатана в № 12 «Огонька» за 1988 год.) Я приведу из этой дискуссии лишь короткую словесную перепалку между доктором юридических наук Б. П. Курашвили и писателем Ю. Ф. Карякиным:

«*Б. П. Курашвили:* Давайте все же — мы ведь ученые — объективно исследовать процесс. Конечно, без моральных оценок обойтись нельзя, но было бы оскорблением народной интуиции, народного чувства считать, что ничтожная личность могла завоевать такой авторитет. Поклонение-то Сталину было искренним! Масштабы этой личности огромны.

Ю. Ф. Карякин: Масштабы личности ничтожны!..

Б. П. Курашвили: Нет, огромны. И результаты деятельности огромны.

Ю. Ф. Карякин: Господи, да результаты ужасны!..»

Эренбург вторгается в этот сегодняшний спор так, словно он сидит с его участниками за одним столом:

«Один из сотрудников «Литературной газеты» распространил «Открытое письмо Илье Эренбургу»; он писал, что дело не в моральной оценке и что нельзя назвать умным государственного деятеля, совершившего много неумных поступков. Письмо меня не переубедило. Историки обнаружили достаточно неумных поступков у людей, которые были умными,— у Цезаря, Наполеона, Людовика XIV, Петра Великого. Однако трудно себе представить, что неумный человек смог очернить, а потом уничтожить почти всех руководителей своей партии и четверть века единолично управлять великим государством, такое предположение кажется мне оскорбительным для нашего народа».

Последняя фраза почти дословно совпадает с доводами доктора юридических наук Б. П. Курашвили. («Было бы оскорблением народного чувства считать, что ничтожная личность...» и т. д.)

Но к чести Эренбурга надо сказать, что он на этом не останавливается.

«Моральная оценка,— говорит он дальше (и тут невольно создается иллюзия, что он прямо отвечает доктору юридических наук Б. П. Курашвили),— моральная оценка не деталь, а суть вопроса. Рассказывая о «беззаконных действиях» Сталина, Хрущев оговаривал, что Сталин был честным коммунистом и что дурные дела он совершал во имя хорошей цели. Именно это мне кажется неприемлемым. В шестой части я писал, что цель не может оправдать средства и что средства способны изменить цель».

Тут — самая суть спора Эренбурга с Эрнстом Генри.

«Старый спор о том, оправдывает ли цель средства,— писал Эренбург в шестой книге своих мемуаров,— мне кажется абстрактным. Цель не указатель на дороге, а нечто вполне реальное, это действительность, не картины завтрашнего дня, а поступки сегодняшнего; цель предопределяет не только политическую стратегию, но и мораль. Нельзя установить справедливость, совершая заведомо несправедливые действия...»

В этом рассуждении Эренбурга содержится не только моральное, но и политическое осуждение Сталина. Но этим рассуждением его оценка роли Сталина как государственного и политического деятеля далеко не исчерпывается.

У Эрнста Генри получается, что Сталин, по Эренбургу,— человек страшный, даже злодей, но великий политик, мудрости и прозорливости которого наш народ обязан всеми своими победами.

На самом деле Эренбург утверждает нечто прямо противоположное:

«Победил народ, тот, что воевал, строил заводы, копал каналы, прокладывал дороги, жил впроголодь. А газеты писали о победе «гениального стратега».

«Мы узнали о заблуждениях прошлого. В этом прошлом было много подвигов и побед советского народа, но, говоря о них, может быть, правильнее сказать не «благодаря Сталину», а «несмотря на Сталина».

Эту последнюю фразу Эрнст Генри приводит в своем письме. Но он рассматривает ее как оговорку. Он изображает дело так, будто Эренбург с этой оговоркой выносит «политически оправдательный приговор Сталину».

В действительности же эта фраза («не «благодаря Сталину», а «несмотря на Сталина») и есть тот политический приговор, который выносит Сталину Эренбург. А все те фразы, которые так возмутили Эрнста Генри и которые он так яростно и так неопровержимо оспаривает в своем письме,— они-то как раз и есть о г о в о р к и, не прибегая к которым Эренбург в то время, когда печатались его мемуары, не мог бы вынести свой (отнюдь не оправдательный, а о б в и н и-т е л ь н ы й) политический приговор Сталину.

Но тут возникает такой щекотливый вопрос: а стоило ли ему идти на эти оговорки? Не лучше ли было бы, если б он решился, как Эрнст Генри, высказаться на эту тему с предельной определенностью и прямотой? И пусть не печатают. Пусть в конце концов эта глава пойдет в архив, как он и предполагал с самого начала. И сейчас, четверть века спустя, прочитав ее (как мы прочитали письмо Эрнста Генри), мы, нынешние его читатели, увидели бы, каким прозорливым, все понимающим, а главное, бескомпромиссным человеком был Илья Эренбург.

Может быть, он и впрямь совершил ошибку — или, скажем так, проявил слабость, обнаружив чрезмерную уступчивость, подчинившись обстоятельствам с в о е г о времени и забыв о том, что художник, как это сформулировал Пастернак,— «вечности заложник у времени в плену»?

Праздный вопрос. Он был таким, каким был, и не мог стать другим.

Он органически не мог, не умел писать «в стол». Ему стократ важнее было с е г о д н я нанести удар противнику, чем выглядеть проницательным, мудрым, все понимающим в глазах далеких (или даже не слишком далеких) потомков.

Предполагая в начале работы над мемуарами, что большая часть им написанного «пойдет в архив», Эренбург недооценил свой «бойцовский» темперамент.

Он не умел оставаться в стороне от самых жгучих и острых проблем своего времени. А время было горячее. В литературе, в журналистике, в идеологии с невиданной прежде остротой сталкивались непримиримые взаимоисключающие жизненные и общественные позиции. Это была первая, по нынешним нашим представлениям еще довольно робкая схватка со сталинизмом. Робкая, потому что крайняя непоследовательность Хрущева (он то поносил Сталина, то объявлял себя самым верным его учеником) позволила «наследникам Сталина» быстро перегруппироваться и перейти в контрнаступление. Эренбург не мог не ввязаться в эту драку.

Вспоминаю еще один разговор с ним.

Мы (Л. И. Лазарев и я) приехали к нему, чтобы уговорить выступить в газете со статьей. Надо было ответить на какую-то особенно наглую атаку какого-то влиятельного сталиниста. А напечатать ответ было крайне трудно, поскольку чуть ли не ежедневно меняющаяся политическая атмосфера в тот раз благоприятствовала «наследникам Сталина».

Нам представлялось чрезвычайно важным, чтобы отповедь сталинисту дал именно Эренбург: статью, подписанную любым другим именем, наше начальство могло положить «под сукно». А Эренбурга все-таки трудно было не напечатать.

Эренбург выслушал нас. Долго молчал, как видно, перебарывая себя.

— Не трогайте меня сейчас,— наконец медленно заговорил он.— Я ведь не отсиживаюсь в тылу. Я печатаю мемуары.

Мы не стали ни спорить с ним, ни уговаривать его. Не потому, что настаивать на своем было бы по меньшей мере не корректно, даже жестоко, а потому, что сразу поняли: он прав.

Фраза «Я не отсиживаюсь в тылу, я печатаю мемуары» в наши дни может показаться парадоксом: разве писать и печатать мемуары в тот момент, когда ты нужен «на передовой», это не значит «отсиживаться в тылу»?

Но в том-то и дело, что книга, которую он тогда печатал, меньше всего воспринималась нами как мемуары. Мемуары — это тихий мирный жанр. Это спокойные раздумья о былом, подведение итогов. А «Люди, годы, жизнь», каждая новая часть этой книги, появлявшаяся на страницах «Нового мира», воспринималась как еще один завоеванный плацдарм, как еще одна с трудом одержанная победа будущего над прошлым.

Сегодня, когда общественное сознание продвинулось так далеко в сравнении с тем, каким оно было 25—30 лет тому назад, быть может, трудно в полной мере оценить «бойцовские» качества этой книги.

Для этого надо окунуться в атмосферу тех далеких лет, хоть немного подышать воздухом того времени.

5

Помимо крайне непоследовательной и половинчатой политики Хрущева, о которой я говорил, было немало и других, более серьезных, о б ъ е к т и в-н ы х причин, из-за которых процесс преодоления сталинизма — и в политике, и в идеологии, и в литературе — шел трудно и медленно. Страна не могла сразу стряхнуть с себя гипноз тридцатилетнего паралича ума и воли, тридцатилетнего принудительного единомыслия.

— Полное единодушие бывает только на кладбище,— сказал однажды Сталин.

При жизни его эта фраза казалась безобидной шуткой. Только сейчас мы можем в полной мере оценить весь ее зловещий смысл.

Предписанное единомыслие миллионам людей казалось единственно возможной формой умственной деятельности. (Достаточно вспомнить, что вся страна — от простого рабочего до академика — изучала историю и философию по одной книге: «Краткий курс истории ВКП(б)» с знаменитой четвертой главой.)

Компрачикосы, о которых рассказывается в романе Гюго «Человек, который смеется», растили своих пленников в каких-то особенных кувшинах, и человек вырастал уродом, принимая форму кувшина. Вот в таком же «кувшине» выращивали наши души. Мы росли, читали книги, пели песни, смотрели кинофильмы, даже не догадываясь о том, что наше сознание, все наши представления формируются не свободно, а по заранее заданной программе, что мы растем и развиваемся, незаметно для себя принимая форму «кувшина», в который нас поместили и в котором нам суждено пребывать от рождения до самой смерти. (Были, конечно, и исключения из этого страшного правила. Кое-кому достало сил, как пушкинскому князю Гвидону, поднатужиться и сломать «кувшин», вышибить из него дно и — «выйти вон». Но много ли их было, таких «князей Гвидонов»? Да и тех уничтожали, а книги их изымали из библиотек.)

И вот наконец этот гигантский «каменный кувшин» раскололся. Казалось бы, тем, кто вышел из этого плена на волю, ничего не стоит распрямиться и, отбросив от себя с презрением осколки разбитого «кувшина», встать в свой полный рост и начать новую, счастливую жизнь.

Но легко ли распрямиться после тридцатилетнего пребывания в «кувшине», когда изуродованы, деформированы все твои члены?

У одних процесс «распрямления» шел быстрее, у других медленнее. Немалую роль тут играли и чисто субъективные факторы (некоторым, как оказалось, был присущ какой-то особый иммунитет, не позволивший до конца изуродовать их души). Но действовали также и объективные причины. Например, возраст: одно дело, если тебя запихнули в «кувшин» в младенчестве, и совсем другое, если ты попал в него уже взрослым, когда твой «духовный скелет» успел сформироваться и затвердеть.

Среди выбравшихся на свет божий из этого «кувшина» немало было и таких, кто чувствовал себя в нем гораздо уютнее и комфортнее, чем на воле. Немудрено, что внезапное разрушение «кувшина» пришлось им не по душе, и они стали подумывать даже о том, чтобы слепить новый «кувшин» или из осколков восстановить старый.

А у некоторых от свежего воздуха закружилась голова, они буквально ошалели от счастья и на радостях даже не почувствовали, как сильно деформировало их долгое пребывание в «кувшине», как разительно отличаются они от нормальных, свободных людей.

Как бы то ни было, с р а з у распрямиться до конца не было дано никому. Я знавал людей, вовсе не принадлежащих к категории тех, кому в «кувшине» жилось лучше, чем на воле, которые, узнав из газет, что так называемые «врачи убийцы» вовсе не были убийцами, недоверчиво хмыкали:

— А, бросьте!.. Просто политика изменилась, вот и все. А как оно там было на самом деле, тогда ли нас обманули или сейчас обманывают, мы так никогда и не узнаем.

Это омертвение каких-то участков коры головного мозга касалось не только Сталина и сталинского кровавого террора. Оно касалось буквально в с е г о, в с е х сфер умственной, духовной деятельности человека, всех его представлений, его этических норм, даже его эстетических вкусов.

Тут можно было бы привести множество совершенно поразительных примеров. Но, чтобы не слишком далеко уклониться от темы, приведу только несколько, непосредственно связанных с историей публикации книги Эренбурга «Люди, годы, жизнь».

Сперва небольшой отрывок из письма одного из членов редколлегии «Нового мира» главному редактору журнала А. Т. Твардовскому:

«Александр Трифонович!

Прочитал верстку Эренбурга. В разделе о Пастернаке, может быть, кое-что следовало бы поправить? Эренбург пишет (стр. 19): «У Бориса Леонидовича было богатое сердце, но ключей к чужим сердцам у него не было». Ну, какое уж тут *богатое сердце*, если человек жил только в себе и для себя? Богатое сердце — это когда *для других*.

Там же: «Борис Леонидович, один из лучших лирических поэтов нашего времени...» Почему же *один из лучших*, если это был поэт *для себя?* Сам же Эренбург пишет: «Никогда прежде мне не удавалось убедить зарубежных ценителей поэзии в том, что он был большой поэт». А ведь среди зарубежных ценителей есть и не дураки.

О дружбе Маяковского и Пастернака — не перебарщивает ли Эренбург? Вряд ли надо ставить в один ряд Марину Цветаеву, Маяковского и Фадеева — по причине их конца...»

Особенно интересны тут два последних замечания. Эренбург довольно близко знал и Маяковского, и Пастернака. Во всяком случае, об их отношениях он мог судить (в отличие от автора письма) по личным впечатлениям. Но само предположение, что Маяковский, который «был и остается лучшим, талантливейшим поэтом нашей, советской эпохи», мог дружить с отщепенцем и «внутренним эмигрантом» Пастернаком, автора письма бесконечно шокирует. То же и о Цветаевой: как можно ставить ее — эмигрантку, воспевавшую белогвардейцев,— в один ряд с Маяковским и Фадеевым, хотя бы даже «по причине их конца».

Но самое интересное, что письмо это написал не какой-нибудь литературный чиновник, озабоченный лишь тем, чтобы усидеть в своем «кресле». Написал его Валентин Овечкин, автор книги «Районные будни», одной из самых правдивых книг о послевоенной советской деревне. Твардовский ввел его в редколлегию «Нового мира», надеясь найти в нем единомышленника, верного соратника. И вот этот гонимый и травимый официозной критикой писатель сам охотно берет на себя добровольные цензорские функции.

Письмо Овечкина по поводу мемуаров Эренбурга помечено 5 декабря 1960 года. 12 декабря Твардовский ответил Овечкину. Защищая мемуары Эренбурга от его нападок, он, между прочим, привел и такой аргумент: «...учить Эренбурга поздно и невозможно, нужно считаться с таким, каким бог его зародил».

Однако полтора года спустя Твардовский с а м отправил Эренбургу обстоятельное письмо, выдержанное совершенно в том же духе, что письмо Овечкина, вызвавшее полтора года назад его ироническую отповедь:

«Дорогой Илья Григорьевич!

Я виноват перед Вами: до сей поры, за множеством дел и случаев, не собрался написать Вам по поводу «пятой части» и оставил на рукописи лишь немые, может быть, не всегда понятные пометки. Вероятно, поэтому Вы и не приняли некоторые из них во внимание. А между тем я считаю их весьма существенными и серьезными ⟨...⟩

Я лишь указываю на те точки зрения, которые не только не совпадают с взглядами и пониманием вещей редакцией «Нового мира», но с которыми мы решительно не можем обратиться к читателям.

Перехожу к этим «точкам» не по степени их важности, а в порядке следования страниц ⟨...⟩

Стр. 8. Концовка главы. Смысл: война непосредственное следствие пакта СССР с Германией. Мы не можем встать на такую точку зрения. Пакт был заключен в целях предотвращения войны...

Стр. 32. «Дача кому-то приглянулась». Фраза как будто невинная, но мелочность этой мотивации так несовместима с серьезностью и трагичностью обстоятельств, что она выступает здесь к Вашей крайней невыгоде. И потом, есть

вещи, о которых читателю должны сообщать другие, а не сам «пострадавший»...
Да и так ли важно, Илья Григорьевич, Вам доказывать сейчас, что Вы не были «невозвращенцем»,— поднимать эту старую сплетню, одну из многих забытых сплетен?

Стр. 39—40. Сотрудники советского посольства, приветствующие гитлеровцев в Париже. «Львов», посылающий икру Абетцу. Мне неприятно, Илья Григорьевич, доказывать очевиднейшую бестактность и недопустимость этой «исторической детали».

Стр. 43. «Немцам нужны были советская нефть и многое другое...» Это излишнее натяжение в объяснение того частного факта, который и без того объяснен Вами...

Стр. 46. Услышанные где-то от кого-то слова насчет «людей некоторой национальности» представляются для той поры явным анахронизмом [1].

Стр. 47. Опять о «причислении» Вас к невозвращенцам. Можно подумать, что Вам нравится повторять эту сплетню.

Стр. 50. «Мартынов шевелил губами» и т. п. Это, конечно, Ваше дело, но я не могу не заметить, что это место делает Вас вместе с Мартыновым смешными 〈...〉

Стр. 52. То, что Вы говорите о Фадееве здесь, как и в другом случае — ниже, для меня настолько несовместимо с моим представлением о Фадееве, что я попросту не могу этого допустить на страницах нашего журнала. Повод, конечно, чисто личный, но редактор — тоже человек.

Стр. 54. Фраза насчет собак в момент телефонного звонка от Сталина, согласитесь, весьма нехороша. Заодно замечу, что для огромного количества читателей Ваши собаки (комнатные) в представлении народном — признак барства, и это предубеждение так глубоко, что, по-моему, не следовало бы его «эпатировать»...

Может быть, я не все перечислил, что-нибудь осталось вне перечня. И среди перечисленных есть вещи большей и меньшей важности. Но в целом — это пожелания, в обязательности которых мы убеждены, исходя из соображений прямой необходимости» (АЭ).

Самое поразительное в этом письме — то, что помимо претензий, продиктованных официальным положением Твардовского как редактора журнала (об отношении Эренбурга к пакту с Гитлером, например), в нем множество замечаний крайне субъективных. (По поводу своего требования снять не нравящуюся ему характеристику Фадеева Твардовский сам замечает: «Повод, конечно, чисто личный, но редактор — тоже человек».) Возникает странная ситуация: редактор имеет право на личные пристрастия, а автор мемуаров — жанра, который по самой своей природе не может не быть субъективным,— этого права лишен.

Однако, если чуть пристальнее вглядеться в суть замечаний Твардовского, мы увидим, что даже в самых субъективных из них отразились не только личные

---

[1] Речь идет о реакции на пакт с Гитлером. Эренбург по этому поводу, в частности, замечает: «Однажды я услышал даже такие слова (в то время диковинные): «Людям некоторой национальности не нравится наша внешняя политика. Это понятно. Но пускай они приберегут свои чувства для домашних...» Меня это поразило. Я еще не знал, что нам предстоит».

его пристрастия и вкусы, но и чисто перестраховочные, «цензорские» опасения. Взять хотя бы его рассуждение о комнатных собаках. Помимо личного, «крестьянского» неприятия «городского» отношения к животным, представляющегося ему «барством», в этой претензии Твардовского отразилось, конечно, и не вытравленное до конца раболепно религиозное отношение к Сталину. (Как же так! Ему звонит с а м С т а л и н, а он, рассказывая об этом «великом событии», позволяет себе такую бестактную фразу: «Ирина поспешно увела своих пуделей, которые не ко времени начали играть и лаять».)

Привожу ответ Эренбурга на это письмо Твардовского (тоже не целиком, а с некоторыми сокращениями):

«Дорогой Александр Трифонович,

я получил Ваше письмо. Некоторые из Ваших замечаний меня удивили. Я знаю Ваше доброе отношение ко мне и очень ценю, что Вы печатаете мою книгу, хотя со многим из того, что есть в ее тексте, Вы не согласны. Знаю я и о Ваших трудностях. Поэтому, несмотря на то, что Вы пишете, что изложенные Вами «пожелания, в обязательности которых мы убеждены», я все же рассматриваю эти пожелания не как ультимативные и поэтому стараюсь найти выход, приемлемый как для Вас, так и для меня...

Стр. 8. Конец главы будет такой: «1 сентября Молотов заявил, что этот договор служит интересам всеобщего мира.

Однако два дня спустя Гитлер начал вторую мировую войну...»

Стр. 39 — 40. Я выпускаю «Львов делал свое дело, но...». Идя навстречу Вашей просьбе, я с горечью снимаю все о «Львове» и о сотрудниках посольства.

Стр. 43. Никак не могу согласиться с Вашим замечанием...

Стр. 46. ...По поводу замечания об анахронизме, обращаю Ваше внимание на то, что сам пишу («в то время диковинные») и таким образом я сам подчеркиваю то, о чем Вы пишете.

Стр. 47. Я никак не могу скрыть, что мне было трудно работать, т. е. что меня не печатали.

Стр. 50. Мне придется вместе с Мартыновым быть смешным, потому что и у него и у меня привычка, когда мы читаем про себя стихи, шевелить губами.

Стр. 52 и 56. Идя Вам навстречу, я вношу следующие изменения: первая строчка — «Я встретился с Фадеевым» и как было до конца абзаца. В следующем абзаце, вместо «Председательствовал Фадеев» — «Председатель, увидев меня, сказал...». Далее, начиная со слов «Я не хочу, чтобы меня дурно поняли...» до конца абзаца снимаю.

Стр. 54. Я не считаю, что собаки оскорбительно вмешиваются в рассказ о телефонном звонке. Что касается Вашего общего замечания, то позвольте мне сказать, что среди моих читателей имеются люди, которые любят и не любят собак, как есть люди, которые любят и не любят Пикассо. Поскольку Вы великодушно разрешили мне излагать мои эстетические суждения, которые Вам были не по душе, разрешите мне выходить на прогулку с моими собаками...

...Поверьте, что я с моей стороны с болью пошел на те купюры и изменения, которые сделал. Я могу в свою очередь сказать, что в «обязательности» оставшегося я убежден. Ведь если редакция отвечает за автора, то и автор отвечает за свой текст. Я верю, что Вы по-старому дружески отнесетесь и к этому письму и к проделанной мною работе».

Последняя фраза этого письма (как и весь первый его абзац) отнюдь не были простой данью вежливости. Эренбург действительно был искренне признателен Твардовскому за то, что тот печатает его книгу: он ясно понимал, что найти другой журнал, который пошел бы на это, ему в то время было бы крайне затруднительно. (А может быть, и вовсе невозможно.) И Твардовский н а с а м о м д е л е относился к Эренбургу дружески и с огромным уважением. Все высказанные им требования и пожелания на самом деле представлялись ему м и н и-м а л ь н ы м и.

В то же время из этой переписки ясно видно, как, в чем-то уступая, идя на необходимые компромиссы, Эренбург из последних сил, не мытьем, так катаньем старался все-таки донести до читателя то, что хотел сказать. Видно, как он боролся буквально за каждый абзац, за каждую фразу. Да, ему приходилось нелегко даже с т а к и м редактором, как Твардовский.

На том, к а к и м редактором был Твардовский, пожалуй, имеет смысл остановиться, хотя все, что я собираюсь сказать по этому поводу, хорошо известно. Сказать об этом все-таки необходимо, поскольку выросли новые поколения читателей, для которых 60-е годы — уже история.

Место, которое по праву принадлежит Твардовскому в русской поэзии XX века, давно уже определено — и читателями, и историками литературы. Но я думаю, что не ошибусь, если скажу, что место Твардовского в истории отечественной журналистики не менее значительно. Он был редактором одного из лучших русских журналов. И хотя «Новый мир» в разное время редактировали многие блестящие деятели нашей культуры (достаточно сказать, что первым редактором этого журнала был А. В. Луначарский), то время, когда во главе «Нового мира» стоял Твардовский, не сравнимо ни с каким другим периодом жизни этого журнала. Не зря, говоря о наивысших достижениях нашей литературы того времени, мы чуть ли не всякий раз отмечаем: это было напечатано при Твардовском, в «Новом мире» Твардовского.

«Новый мир» Твардовского противостоял всему темному, реакционному, тусклому и бездарному в литературе тех лет. При Твардовском титулованные графоманы, так прочно утвердившиеся позже, знали: есть на небе Бог. В любой момент может грянуть гром и испепелить, стереть в порошок очередную возносимую до небес халтуру. «Новый мир» Твардовского стоял у них костью в горле, и может быть, это была не последняя причина, из-за которой Твардовский был отстранен от должности главного редактора журнала.

Многое можно было бы сказать еще о достоинствах Твардовского-редактора. Но я хочу отметить только одно из них. Твардовский прекрасно понимал, что редактор журнала должен быть ш и р е своих личных художественных вкусов и пристрастий.

Защищая мемуары Эренбурга от многочисленных нападок, он писал: «Нам тоже не все нравится в книге Ильи Григорьевича. Но мы думаем, что правильно поступаем, его печатая. Никто из его литературных сверстников не решился так широко запечатлеть прожитую ими сложную эпоху и свой опыт в ней, а Эренбург это сделал. Что же до упреков в субъективности, то мы не можем требовать от старого писателя, чтобы он забыл о том, о чем он хочет помнить, и помнил то, о чем хотел бы забыть».

Твардовский понимал, что журнал задохнется, станет узким и провинциальным, если он будет отражением личных вкусов главного редактора. Но, как мы только что видели, даже он порой не мог удержаться от пристрастных, «цензорских» претензий и замечаний.

Вряд ли надо особо подчеркивать, что я вовсе не хотел «кинуть камень» в Твардовского. Я лишь хотел напомнить о социальной атмосфере тех лет, которую во всей ее конкретности вряд ли помнят даже люди старшего поколения. Помнят, конечно, но, так сказать, в общих чертах. А тут важны как раз подробности, детали.

Вот, скажем, Марина Цветаева. Сегодня она — классик, во всяком случае — один из крупнейших русских поэтов нашего века. Широкому читателю хорошо известны не только ее стихи и автобиографическая проза, но и статьи, даже письма.

В общих чертах все, конечно, помнят, что каких-нибудь два десятка лет тому назад появление в печати каждого стихотворения Цветаевой, каждого ее очерка воспринималось как событие. (Примерно так же, как сейчас — открытие В. Набокова или Е. Замятина.) Но все ли помнят, что когда в альманахе «Литературная Москва» (1956) появилась статья Эренбурга, о т к р ы в ш а я читателю это незнакомое ему имя, немедленно последовал суровый окрик: зубодробильный фельетон Ивана Рябова в «Крокодиле», в котором Цветаева с ходу была зачислена в компанию «Смертяшкиных» (поэтов-декадентов, смакующих сладость небытия), над которыми в свое время глумился Горький.

Статья Эренбурга должна была стать предисловием к однотомнику Цветаевой, который вскоре должен был выйти. Но после фельетона Рябова об этом нечего было и думать! Не только предисловие Эренбурга, но и сам однотомник этим фельетоном был «торпедирован».

Не вспомнив об этом, невозможно понять и оценить по достоинству книгу Эренбурга «Люди, годы, жизнь». Сотни тысяч людей, прочитав ее, в п е р в ы е узнали, что Борис Пастернак был не только «предателем», передавшим нашим врагам какой-то свой «клеветнический» роман, но и гениальным поэтом, которого высоко ценил и любил Маяковский. Сотни тысяч людей, прочитавших эту книгу, в п е р в ы е узнали из нее имена Мандельштама, Волошина, Андрея Белого, Бабеля, Мейерхольда, Фалька, Кончаловского, Тышлера, Модильяни, Матисса, Пикассо, Шагала и многих других выдающихся деятелей отечественной и мировой культуры. И дело тут не только в том, что всех этих людей Эренбург, как я уже говорил, знал лично. Дело еще в совершенно особом его отношении к искусству.

На закате жизни, испытав все или почти все, что мог испытать человек, на протяжении многих десятилетий находившийся в эпицентре всех землетрясений и катаклизмов нашего бурного века, Эренбург, «подводя итоги», написал:

> Давно то было. Смутно помню лето,
> Каналов высохших бродивший сок
> И бархата спадающий кусок —
> Разодранное мясо, Тинторетто.
> С кого спадал? Не помню я сюжета.
> Багров и ржав, как сгусток всех тревог
> И всех страстей, валялся он у ног.
> Я все забыл, но не забуду это.
> Искусство тем и живо на века —
> Одно пятно, стихов одна строка
> Меняют жизнь, настраивают душу.

Они ничтожны — в этот век ракет —
И непреложны — ими светел свет.
Все нарушал, искусства не нарушу.

Это было предметом его особой гордости. Эпоха ему досталась трудная. Что греха таить: приходилось порой уступать грубой силе, помалкивать, скрепя сердце мириться с многими вещами, которые были ему, как говорится, поперек души. Но был один пункт, одна «огневая точка», где он никогда не сдавал позиций, не отступал, не шел ни на какие компромиссы.

Когда Хрущев на выставке в Манеже топал ногами и орал на художников, называя их «педерасами», Эренбург спорил с ним, пытаясь совершить невозможное: убедить разгневанного главу государства, что «обнаженная Фулька» (картина Фалька «Обнаженная») — значительное и самобытное явление отечественной живописи. Хрущев искренне недоумевал:

— Зачем таких рисуют? Неужто нельзя было подыскать бабу покрасивее, да не рисовать ее голой, а хоть слегка прикрыть срам какой-никакой простынкой. А еще лучше — нарисовать что-нибудь возвышающее душу. Скажем, лес в зимнем убранстве...

Попытка переубедить невежественного премьера была заведомо обречена. Надо ли говорить, что была она к тому же далеко не безопасна. Но Эренбург не отступил. Он считал, что не имеет права отступать, потому что он защищал не только своего любимого Фалька: он защищал искусство.

Не лишним тут будет напомнить, что Д. Д. Шостакович в это же время печатно благодарил «дорогого Никиту Сергеевича» за то, что тот научил его истинному и глубокому пониманию музыки. (Хрущев восхищался украинской песней «Рушничок» и противопоставлял ее всем симфониям на свете. «Как заведут по радио какую-нибудь симфонию,— говорил он,— я сразу выключаю».)

Обо всем этом я заговорил не для того, чтобы лишний раз укорить Д. Д. Шостаковича и преподнести Эренбургу еще один полагающийся ему по праву комплимент, а потому что нельзя понять сегодня его мемуары, не представив себе во всей конкретности, ч е м эта книга была для сотен тысяч ее читателей — т о г д а.

Вдова О. Мандельштама Надежда Мандельштам в своих воспоминаниях с благодарностью отметила эту роль мемуаров Эренбурга. Ее высокая оценка этой книги представляет особый интерес, поскольку по причинам, объяснять которые вряд ли есть нужда, Надежда Яковлевна часто бывала несправедливой. (Особенно это относится ко второй книге ее воспоминаний.) Мало для кого из современников и сверстников О. Мандельштама нашла она добрые слова. Даже о лучших из них говорила пренебрежительно, свысока: «Хорошие люди, вроде Тынянова, занимались мелким изобретательством. Пастернак сочинял поэмы. Все самоутверждались и, как актеры, играли придуманную для себя роль...», «Зощенко сохранял иллюзии... Глазом художника он иногда проникал в суть вещей, но осмыслить их не мог, потому что свято верил в прогресс и все его красивые следствия. На войне его отравили газами, после войны — псевдофилософским варевом, материалистической настойкой для слабых душ...» и т. п.

Повторяю: она была на редкость пристрастным, часто несправедливым свидетелем и летописцем эпохи. Оказавшись выброшенной за борт, она не могла спокойно и доброжелательно думать о тех, кто чудом удержался на палубе, а уж тем более о тех, кто умудрился сохранить статус пассажира второго или хотя бы третьего класса.

Но для Эренбурга даже она сделала исключение.

«Беспомощный, как все,— говорит она о нем,— он все же пытался что-то делать для людей. «Люди, годы, жизнь» в сущности единственная его книга, которая сыграла положительную роль в нашей стране. Его читатели, главным образом мелкая техническая интеллигенция, по этой книге впервые узнали десятки имен. Прочтя ее, они быстро двигались дальше и со свойственной людям неблагодарностью тут же отказывались от того, кто открыл им глаза. И все же толпы пришли на его похороны, и я обратила внимание, что в толпе — хорошие человеческие лица. Это была антифашистская толпа, и стукачи, которых массами нагнали на похороны, резко в ней выделялись. Значит, Эренбург сделал свое дело, а дело это трудное и неблагодарное».

Это признание (вернее, признание из э т и х уст) — дорогого стоит.

Итак, Эренбург «сделал свое дело». Он победил. А победителя, как известно, не судят.

Выходит, он поступил правильно, отказавшись от своего первоначального намерения писать существенную часть мемуаров «в архив», обращаясь не к современникам, а к потомкам?

Как я уже говорил, он поступил так, потому что не мог поступить иначе.

Но этот отказ от первоначального замысла предопределил и некоторые существенные слабости его книги. Именно здесь таилась ее «ахиллесова пята».

6

Однажды, когда я пришел к Эренбургу, он был мрачнее тучи. Оказалось, что его дурное настроение вызвано письмами читателей. Некоторые он мне прочел. Особенно хорошо мне запомнились два из них.

В одном речь шла о том, что Эренбург, вскользь упоминая о своих близких отношениях с неким «Николаем Ивановичем», ни разу не назвал его фамилии. «Я догадался,— писал автор письма,— что речь идет о Николае Ивановиче Бухарине. Я хорошо знал этого прекрасного человека. Мне посчастливилось несколько лет работать с ним. Почему же вы, Илья Григорьевич, постеснялись назвать его фамилию? Неужели вы считаете, что еще не настала пора вернуть доброе имя тому, кого Ленин называл «любимцем партии»?»

Другой читатель с негодованием вцепился в одну фразу Эренбурга. Рассказывая об антисемитизме, с которым он столкнулся впервые в годы юности, Эренбург мимоходом обронил: «Антисемитизма тогда еще стыдились».

«Почему вы прямо не написали,— возмущался читатель,— что теперь антисемитизма у нас уже не стыдятся, что этой гнусной болезнью заражены даже многие члены партии...» И так далее, в том же духе.

Эренбург был не столько даже оскорблен этими письмами, сколько растерян.

— Кто они, по-вашему, эти люди? — обратился он ко мне.— Идиоты?

— Ну почему идиоты? Просто они думают, что вы с Хрущевым каждый день чай пьете. Помните, вы же сами говорили. А коли так, то, если вы чего-то там не написали прямо, значит, побоялись.

Этот ответ явно его не удовлетворил.

— Неужели они не понимают, что я работаю на пределе возможного? — сказал он, и в голосе его дрогнула обида.

Как я понял из дальнейшего, его особенно задело второе письмо. Во-первых, потому что фраза «тогда еще стыдились» представлялась ему исчерпывающей, не нуждающейся ни в каких пояснениях: если «тогда» еще стыдились, значит, сейчас уже не стыдятся. Куда уж яснее! А во-вторых, как я узнал, именно из-за этой фразы в редакции разгорелся настоящий бой. Собственно, даже не из-за фразы, а из-за этих вот двух слов: «тогда еще». Его настойчиво упрашивали их вычеркнуть. («Ведь это же ничего не меняет, Илья Григорьевич!») Особенно старался один из членов редколлегии, еврей, до смерти боявшийся любого прикосновения к этой щекотливой теме.

— Шабес-гой наоборот,— презрительно назвал его Эренбург.

Увидав недоумение на моем лице (я не знал, что означает это слово), он объяснил, что «шабес-гой» (шабес — суббота, гой — иноверец) — это слуга, специально приглашавшийся на субботу, когда правоверному еврею строжайше запрещено не только исполнять какую-либо работу, но даже отдавать распоряжения прислуге. Нельзя было, например, сказать: «Зажги лампу!» Это уже — грех. Вот для этого и приглашался «шабес-гой», специально натренированный «субботний иноверец», умеющий у г а д ы в а т ь все желания своего хозяина.

— Нет, что ни говорите, а они все-таки идиоты,— заключил Эренбург разговор о читателях, предъявлявших к нему непомерные и, по его мнению, совершенно дурацкие требования.

Но они (во всяком случае, многие из них) вовсе не были идиотами. И претензии, которые они ему предъявляли, часто вовсе не были дурацкими.

Эренбург действительно работал н а п о с л е д н е м п р е д е л е тогдашних возможностей. Нередко даже с боями и неизбежными потерями он п е р е с т у п а л этот последний предел. Но именно потому, что он не мог удержаться от того, чтобы хоть намеком коснуться какой-нибудь запретной темы, не боялся то и дело приближаться к «рубежу запретной зоны»,— именно поэтому его намеки часто бывали туманными и маловразумительными, нередко превращались в загадку, которую не всегда даже можно было разгадать.

Вот, например, он рассказывает такой эпизод, относящийся к началу 50-х годов:

«Меня попросили показать один документ знаменитому датскому микробиологу Т. Мадсону. Ему тогда было восемьдесят два года. Он меня любезно принял, угостил хересом, потом начал читать доклад, переведенный с корейского языка на китайский, с китайского на русский, а с русского на английский. Прочитав первую страницу, он отдал мне рукопись: «Спрячьте это, молодой человек, и никому не показывайте — это может рассмешить студента-первокурсника...» Он сказал, что сочувствует нашим стремлениям установить мир, был ласков. А я сидел как на иголках и только ночью улыбнулся, вспомнив слова «молодой человек»,— мне тогда пошел седьмой десяток и давно никто меня так не называл».

Боюсь, что мало кто из читателей поймет, о чем тут идет речь. Я, во всяком случае, ничего бы не понял, если бы не запомнившийся мне устный рассказ Эренбурга об этом случае. Дело было во время войны в Корее. Таинственный доклад, который Эренбург должен был показать знаменитому датскому микробиологу Т. Мадсону, представлял собою сфабрикованный кем-то документ, якобы содержавший доказательства, что американцы ведут в Корее бактериологическую войну. Поскольку обвинения эти не раз повторялись в нашей тогдашней печати, Эренбург полагал, что достаточно будет сообразительному читателю сопоставить слово «микробиолог» со словами «переведенный с корейского языка», чтобы сразу же догадаться, с какой миссией явился он к Т. Мадсону и почему, попав по вине всучивших ему этот документ в дурацкое положение, он едва не сгорел со стыда.

Другой пример.

Вспоминая ноябрь 1934 года, Эренбург пишет:

«...Я проводил вечера со старыми друзьями... Настроение у всех было хорошее. Говорили, что на предстоящей сессии Советов будет обсуждаться проект новой конституции. Ноябрь казался маем, и я на все глядел радужно.

Как-то я отправился в «Известия», зашел к Бухарину, на нем лица не было, он едва выговорил: «Несчастье! Убили Кирова»... Все были подавлены — Кирова любили. К горю примешивалась тревога: кто, почему, что будет дальше?..

Я заметил, что большим испытаниям почти всегда предшествуют недели или месяцы безмятежного счастья — и в жизни отдельного человека, и в истории народов. Может быть, так кажется потом, когда люди вспоминают о канунах беды? Конечно, никто из нас не догадывался, что начинается новая эпоха, но все примолкли, насторожились».

Конечно, сегодняшний читатель, прочитавший роман А. Рыбакова «Дети Арбата» и множество других материалов, опубликованных в последнее время в нашей печати, поймет, какой страшный смысл скрывается за одной короткой фразой Эренбурга: «Кто, почему, что будет дальше?..» Но что мог понять из этого короткого абзаца читатель 1962 года?

Вероятно, Эренбург предполагал, что имя Бухарина в сочетании с сообщением об убийстве Кирова да еще слова «на нем лица не было, он едва выговорил...» достаточно ясно намекнут читателю, что между убийством Кирова и грядущей судьбой Бухарина существует какая-то связь, что Бухарин, быть может, узнав, что убит Киров, сразу понял, как будут развиваться события в дальнейшем.

Думаю, однако, что в то время намек этот был понят немногими.

В действительности же дело было так. (Снова привожу запомнившийся мне устный рассказ Эренбурга.)

Бухарин, едва только они с Эренбургом остались с глазу на глаз, сказал:

— Вы понимаете, что это значит? Ведь теперь Он сможет сделать с нами все, что захочет!

И после паузы добавил:

— И будет прав.

Затем он предложил Эренбургу закрыться в какой-нибудь из редакционных комнат и быстро написать в номер хоть короткий отклик на это чрезвычайное событие.

Эренбург честно пытался выполнить эту просьбу, хотя в голове его был туман, а на душе — смута. Но спустя некоторое время в комнату вошел Бухарин.

— Поезжайте домой,— сказал он.— Не надо вам об этом писать. Это грязное дело.

Надо ли говорить о том, как разительно отличается эта сцена от той, которую Эренбург нарисовал в своих мемуарах? А ведь не исключено, что у него с Бухариным был не один разговор на эту тему. Как-никак их связывали не только служебные отношения: они знали друг друга с детства, учились в одной гимназии. И разве мог Эренбург не понимать, что каждое запомнившееся ему слово Бухарина, сказанное по этому поводу, представляет, помимо всего прочего, поистине драгоценную находку для будущих историков?

Еще один пример.

В июле 1965 года он получил письмо от одного из своих читателей, в котором тот спрашивал о причинах самоубийства Фадеева. Приведу лишь небольшой отрывок из ответного письма Эренбурга, копия которого сохранилась в его архиве:

«Мне кажется, было бы слишком просто и неверно объяснять смерть Фадеева алкоголизмом. Думаю, что причин было много, причин разных, но одна из них кажется мне наиболее основательной. Фадеев считал правым дело, которому служил всю жизнь, слово Сталина было для него законом. Он был смелым, но дисциплинированным солдатом, и поэтому, считая роман Гроссмана талантливым, публично осуждал его, так как Сталину роман этот не понравился. После смерти Сталина он оглянулся назад и увидел всю свою жизнь в другом свете. Я написал о Фадееве главу, которая, надеюсь, будет опубликована, когда 5 и 6 части книги «Люди, годы, жизнь» выйдут отдельным изданием».

В 6-й части книги «Люди, годы, жизнь», в отдельном издании, действительно есть глава о Фадееве. В присущей ему лаконичной, импрессионистической манере Эренбург нарисовал портрет (вернее, силуэт) Фадеева. Рассказывается в этой главе (разумеется, гораздо подробнее, чем в письме) история публичного осуждения романа Василия Гроссмана, который Фадеев высоко ценил, но о котором высказался в печати резко отрицательно. Но обещанного ответа на свой вопрос читатель, письмо которого я цитирую, так и не получил. Не получили его и другие читатели, которых этот вопрос волновал. А таких, надо думать, было немало.

Нельзя сказать, что Эренбург так-таки уж совсем не выполнил своего обещания. Нет, он его выполнил. Но как!

Вот строки, заключающие эту главу. Строки, которые, как, вероятно, казалось автору, должны были приоткрыть тайну, скрывающую истинные причины самоубийства Фадеева:

«При последней нашей встрече Фадеев говорил, что болен — «ноги болят, не могу ходить», «роман, как я вам рассказывал, пропал», «словом, плохо». Я пытался его ободрить, говорил, что болезнь пройдет, он на десять лет моложе меня, еще напишет несколько романов. Он покачал головой: «Мотор отказывает...»

Через два месяца позвонили: «Фадеев покончил с собой...»

Как всегда в таких случаях, люди начали гадать, искали резонов, вспоминали хорошее и плохое. Наверно, причин было много — в жизни он не щадил себя; пока стояла суровая зима, он держался, а когда люди заулыбались, стал раздумывать над пережитым, написанным; все как-то обнажилось; тут-то и начал отказывать мотор».

Объяснение, по совести говоря, не слишком внятное.

Одна фраза из приведенного мною его письма («После смерти Сталина он оглянулся назад и увидел всю свою жизнь в другом свете») говорит о трагедии

Фадеева куда более ясно, чем все эти туманные намеки: «...пока стояла суровая зима, он держался, а когда люди заулыбались... все как-то обнажилось...»

Это — лишь констатация всем известного факта. А ведь читатель ждал о б ъ я с н е н и я. Если истинной причиной трагического конца Фадеева был не алкоголизм (в чем пыталось нас уверить официальное сообщение о его смерти), если были какие-то более серьезные, с о ц и а л ь н ы е причины, подтолкнувшие его к самоубийству (а это безусловно так!), то как объяснить, почему он принял свое страшное решение н а к а н у н е XX съезда, когда впервые за долгие годы забрезжила надежда, когда стали возвращаться «с того света» те, кого он мысленно давно уже похоронил?

Эренбург словно бы предлагал каждому читателю с а м о м у биться над этой загадкой, искать и находить на этот роковой вопрос с в о й ответ.

И еще один пример.

Я уже приводил его слова о том, что из первой, тогда только что законченной им книги о д н а глава (о Троцком) написана не для печати, а «в архив» («Я сам не хочу ее печатать — даже если бы это было возможно»).

И по тому, к а к он это сказал, было ясно, что речь идет не о каких-то там будущих, еще только задуманных, но не написанных главах. Нет, на сей раз он явно говорил о главе у ж е с у щ е с т в у ю щ е й. Каково же было мое изумление, когда я узнал, что в его архиве никакой главы о Троцком нет.

Неужели мне померещилось, будто он сказал, что у ж е н а п и с а л ее? Может быть, только х о т е л написать?

Нет, он действительно написал эту главу. Но даже ее он написал так, что она пошла не «в архив», а — в печать.

В 13-й главе первой книги, вспоминая о том, как один товарищ по партии предложил ему поехать из Парижа в Вену, где его, возможно, используют для переброски литературы в Россию, Эренбург писал:

«В Вене я жил у видного социал-демократа Х.— я не называю его имени: боюсь, что беглые впечатления зеленого юноши могут показаться освещенными дальнейшими событиями. Моя работа была несложной: я вклеивал партийную газету в картонные рулоны, а на них наматывал художественные репродукции и отсылал пакеты в Россию. Х. жил с женой в маленькой, очень скромной квартире. Однажды вечером жена Х. сказала, что чая не будет: газ на кухоньке подавался автоматом, в который нужно было бросить монету. Я поспешно побежал и бросил в пасть чудовищу крону. Х. был со мною ласков и, узнав, что я строчу стихи, по вечерам говорил о поэзии, об искусстве. Это были не мнения, с которыми можно было бы поспорить, а безапелляционные приговоры. Такие же вердикты я услышал четверть века спустя в некоторых выступлениях на Первом съезде советских писателей. Но в 1934 году мне было сорок три года, я успел кое-что повидать, кое-что понять; а в 1909 году мне было восемнадцать лет, я не умел ни разобраться в исторических событиях, ни устроиться поудобней на скамье подсудимых, хотя именно на ней мне пришлось просидеть почти всю жизнь. Для Х. обожаемые мною поэты были «декадентами», «порождением политической реакции». Он говорил об искусстве как о чем-то второстепенном, подсобном.

Однажды я понял, что я должен уехать, не решился сказать об этом Х.— написал глупую детскую записку и уехал в Париж».

«Видный социал-демократ», которого Эренбург, не считая для себя возможным назвать его громкое имя, обозначил математическим знаком «Икс»,— это не кто иной, как Л. Д. Троцкий.

Что это? Остатки той самой главы, которую он собирался отправить «в архив», а потом по каким-то причинам решил уничтожить, оставив от нее только этот жалкий огрызок? Или это и есть с а м а   г л а в а, обкорнанная и переделанная для печати?

Трудно сказать. Да и так ли уж это важно? Гораздо важнее для нас то, что даже эту главу, специально предназначавшуюся для архива, он в конце концов решил напечатать, хотя бы даже ценой превращения ее в некое подобие ребуса.

Наконец, еще один, пожалуй, самый разительный пример.

Свой рассказ о так называемом «деле врачей» и связанной с ним новой волне антисемитизма, гораздо более мощной и устрашающей, чем все прежние, Эренбург заключает так:

«События продолжали разворачиваться. Февраль оказался для меня очень трудным, о пережитом мною я считаю преждевременным рассказывать... Я попробовал запротестовать. Решило дело не мое письмо, а судьба».

Это уже — с о в е р ш е н н ы й   р е б у с!

Какое письмо? Кому? О чем? Ни о каком письме до этого не было и речи! Какое «дело» решила «судьба»?

За этими туманными намеками стоит следующее.

В феврале 1953 года Эренбурга пригласили в редакцию «Правды» и предложили подписать письмо, уже подписанное некоторыми видными деятелями культуры, евреями по национальности.

Текст этого письма неизвестен. О содержании его можно лишь догадываться. Но есть одна «ниточка», ухватившись за которую можно, не удовлетворяясь догадками, попытаться реконструировать этот текст с довольно большой точностью.

Среди подписавших письмо был Василий Семенович Гроссман, и мучительный след этого всю последующую жизнь тяготившего его поступка остался в его романе «Жизнь и судьба». Там аналогичное письмо вынужден подписать один из главных героев романа — Виктор Павлович Штрум. Душевные терзания Штрума и все обстоятельства, связанные с этим его поступком, описаны с такой ужасающей конкретностью, что не возникает ни малейших сомнений: история эта не выдумана. Более того: она автобиографична. Единственное отличие ситуации, описанной в романе, от той, что происходила с ним самим, состоит в том, что в романе она перенесена в другое, более раннее время. (Действие романа происходит во время войны, и ситуация, относящаяся к событиям 1953 года, естественно, в нем описана быть не могла.) Однако тема «врачей убийц» присутствует и в романе:

«Боже мой, как было ужасно письмо, которое товарищи просили его подписать. Каких ужасных вещей касалось оно.

Да не мог он поверить в то, что профессор Плетнев и доктор Левин убийцы великого писателя. Его мать, приезжая в Москву, бывала на приеме у Левина, Людмила Николаевна лечилась у него, он умный, тонкий, мягкий человек. Каким чудовищем надо быть, чтобы так страшно оклеветать двух врачей!

Средневековой тьмой дышали эти обвинения. Врачи-убийцы!.. Кому нужна эта кровавая клевета? Процессы ведьм, костры инквизиции, казни еретиков, дым, смрад, кипящая смола. Как связать все это с Левиным, со строительством социализма, с великой войной против фашизма?..

Он читал медленно. Буквы вдавливались в мозг, но не впитывались им, словно песок в яблоко.

Он прочел: «Беря под защиту выродков и извергов рода человеческого, Плетнева и Левина, запятнавших высокое звание врачей, вы льете воду на мельницу человеконенавистнической идеологии фашизма...»

Ковченко сказал:

— Мне говорили, что Иосиф Виссарионович знает об этом письме и одобрил инициативу наших ученых...

Тоска, отвращение, предчувствие своей покорности охватили его. Он ощущал ласковое дыхание великого государства, и у него не было силы броситься в ледяную тьму... Не было, не было сегодня в нем силы. Не страх сковывал его, совсем другое, томящее, покорное чувство...

Попробуй, отбрось всесильную руку, которая гладит тебя по голове, похлопывает по плечу...

Отказаться подписать письмо? Значит, сочувствовать убийцам Горького! Нет, невозможно. Сомневаться в подлинности их признаний? Значит, заставили! А заставить честного и доброго интеллигентного человека признать себя наемным убийцей и тем заслужить смертную казнь и позорную память можно лишь пытками. Но ведь безумно высказать хоть малую тень такого подозрения.

Но тошно, тошно подписывать это подлое письмо...»

Мучительный путь, проделанный сознанием Штрума с того момента, как он понял, чего сейчас от него потребуют, до того момента, как, окончательно сдавшись, он вынул авторучку, воссоздан Гроссманом с потрясающей силой реальности. Но я пишу не о Гроссмане, поэтому оборву и без того затянувшуюся цитату.

Отмечу только, что Гроссман выпятил лишь одну сторону дела: чудовищную подлость, безнравственность того «компромисса», к которому вынуждают его героя. Штрума терзает, не дает ему покоя только одна мысль: «Он совершил подлость! Он, человек, бросил камень в жалких, окровавленных, упавших в бессилии людей».

Но в задуманной Сталиным акции был еще и другой зловещий смысл, который Гроссман в тот момент, когда подписывал письмо, быть может, и не разгадал.

Эренбург сразу понял, что опубликование на страницах «Правды» такого письма замышляется, помимо всего прочего, как политическое и моральное оправдание другой, более грандиозной провокации, в результате которой со всеми «лицами еврейской национальности» будет поступлено так же, как раньше поступили с калмыками, крымскими татарами, чеченцами, балкарцами и другими народами, на которых Сталин, по слову Твардовского, «обрушил свой державный гнев».

Отказаться поставить свою подпись под письмом, идея которого принадлежала самому Сталину, было равносильно самоубийству. Тем не менее Эренбург отказался.

Вместо того чтобы подписать «Письмо в редакцию «Правды», он решил написать письмо Сталину.

В его жизни однажды уже было нечто похожее. В декабре 1937 года он приехал из Испании в Москву, надеясь вскоре вернуться обратно. Но ни о каком возвращении назад уже не могло быть речи.

2 марта 1938 года «Правда» сообщила:

«Перед военной коллегией Верховного суда СССР сегодня предстанет заговорщическая группа под названием «право-троцкистский блок».

В напечатанной в том же номере передовой, озаглавленной «Троцкистско-бухаринским бандитам нет пощады», говорилось: «Советский народ проклянет навеки этих извергов, навеки заклеймит их отвратительные деяния. Они пролили кровь кристально чистого борца за коммунизм, пламенного трибуна С. М. Кирова... Это они злодейски оборвали жизнь гения нашего народа А. М. Горького... Они организовали злодейское убийство непоколебимых большевиков В. В. Куйбышева и В. Р. Менжинского... За все это злодеи должны держать ответ...»

Одним из главных «злодеев» и «извергов» был друг его юности Николай Бухарин.

Ему предложили билет в Колонный зал, где проходил процесс. Он попытался уклониться от этой «чести», на что последовал зловещий ответ:

— Нет, вы уж, пожалуйста, пойдите.

В этой ситуации самое благоразумное было сидеть тихо и не напоминать о себе. Но он всей душой рвался назад, в Испанию. Там, думал он, можно будет забыть об этом кровавом кошмаре. Там он будет занят честным, справедливым делом, участвовать в войне с фашизмом.

Он решил написать Сталину. Написал, что свыше года не был в Испании, что там он чувствует себя на месте. Спустя несколько недель его вызвал к себе новый редактор «Известий» и сказал: «Вы писали письмо товарищу Сталину. Мне поручили переговорить с вами. Товарищ Сталин считает, что при теперешнем международном положении вам лучше остаться в Советском Союзе».

Он ушел домой и сутки пролежал, размышляя над этим «советом».

«Пролежав день,— вспоминает он,— я встал и сказал: «Напишу снова Сталину...» Здесь даже Ирина дрогнула: «Ты сошел с ума! Что ж ты, хочешь Сталину жаловаться на Сталина?» Я угрюмо ответил: «Да». Я понимал, конечно, что поступаю глупо, что, скорее всего, после такого письма меня арестуют, и все же письмо отправил».

В тот раз почему-то обошлось. Позвонили из редакции, сказали: «Можете оформлять заграничные паспорта».

И вот сейчас он снова, второй раз в жизни, решил о б р а т и т ь с я к С т а л и н у с ж а л о б о й н а С т а л и н а.

Но на этот раз ситуация была несопоставимо более грозной. Тогда он еще все-таки мог на что-то надеяться. Сейчас надежд вытащить в этой лотерее «счастливый билет» не было никаких: тут ведь дело шло не о его личной судьбе, а о судьбе целого народа. Судьбе, которая Сталиным б ы л а у ж е р е ш е н а.

В архиве писателя сохранился черновик его письма Сталину, написанного в феврале 1953 года. Привожу его с незначительными сокращениями:

«Дорогой Иосиф Виссарионович,
я решаюсь Вас побеспокоить только потому, что вопрос, который я не могу сам решить, представляется мне чрезвычайно важным.

Тов. Минц и тов. Маринин сегодня ознакомили меня с текстом письма в редакцию «Правды» и предложили мне его подписать. Я считаю моим долгом поделиться с Вами моими сомнениями и попросить Вашего совета.

Мне кажется, что единственным радикальным решением еврейского вопроса в нашем социалистическом государстве является полная ассимиляция, слияние людей еврейского происхождения с народами, среди которых они живут. Я боюсь, что выступление коллективное ряда деятелей советской русской культуры, объединенных только происхождением, может укрепить националистические тенденции. В тексте письма имеется определение «еврейский народ», которое может ободрить националистов и людей, еще не понявших, что еврейской нации нет.

Особенно я озабочен влиянием такого «Письма в редакцию» на расширение и укрепление мирового движения за мир. Когда на различных комиссиях, пресс-конференциях ставился вопрос, почему в Советском Союзе больше нет школ на еврейском языке или газет, я неизменно отвечал, что после войны не осталось очагов бывшей «черты оседлости» и что новые поколения советских граждан еврейского происхождения не желают обособляться от народов, среди которых они живут. Опубликование письма, подписанного учеными, писателями, композиторами, которые говорят о некоторой общности советских евреев, может раздуть отвратительную антисоветскую пропаганду...

С точки зрения прогрессивных французов, итальянцев, англичан и т. д. нет понятия «еврей» как представитель национальности, там «евреи» понятие религиозной принадлежности, и клеветники могут использовать «Письмо в редакцию» для своих низких целей...

Вы понимаете, дорогой Иосиф Виссарионович, что я сам не могу решить эти вопросы и поэтому я осмелился написать Вам...

С глубоким уважением

Илья Эренбург»

Совершенно очевидно, что письмо это не было искренним, что оно не выражало истинных взглядов Эренбурга на весь круг затронутых в нем проблем.

Но кое в чем он был искренен. Он действительно всю жизнь был противником еврейской обособленности.

Вот как высказался он на эту тему еще в 1925 году:

«Книги еврейских писателей, которые пишут на «идиш», иногда доходят до нас. Это — книги как книги, нормальная литература, вроде румынской или новогреческой. Там идет хозяйственное обзаведение молодого языка, насаждаются универсальные формы, закрепляется вдоволь шаткий быт, проповедуются не бог весть какие идеи. Может быть, этот язык слишком беспомощен, слишком свеж и наивен для далеко не младенческого народа. Или же концентрация известных, самих по себе живительных свойств неминуемо ведет к смерти? Ведь без соли человеку и дня не прожить, но соль едка, жестка, ее скопление — солончаки, где нет ни птицы, ни былинки, где мыслимы только умелая эксплуатация или угрюмая сухая смерть».

Да, он был против еврейской обособленности, еврейской замкнутости. Более того: диаспора, еврейское рассеяние, пожалуй, было ему больше по душе, нежели стремление создать еврейский национальный очаг, еврейское государство.

Но понятие «еврейский народ» никогда не было для него фикцией.

«Я не хочу сейчас говорить о солончаках,— писал он в той же статье,— я хочу говорить о соли, о щепотке соли в супе. Если суп пересолен, вините стряпуху, а не соль.

Критицизм — не программа. Это — состояние. Народ, фабрикующий истины вот уже третье тысячелетие, всяческие истины — религиозные, социальные, философские, фабрикующий их миролюбиво, добросовестно, не покладая рук, истины оптом, истины сериями, этот народ отнюдь не склонен верить в спасительность своих фабрикатов...»

Еврейский критицизм, еврейский скепсис — это и есть, по Эренбургу, та «щепотка соли», без которой человечеству не прожить и дня.

Но это было написано в 1925 году. Быть может, к концу жизни он стал думать иначе?

Чтобы убедиться в противном, достаточно прочесть одно коротенькое стихотворение, написанное им в последний год его жизни:

> Устала и рука. Я перешел то поле.
> Есть му́ка и мука́, но я писал о соли.
> Соль истребляли все. Ракеты рвутся в небо.
> Идут по полосе и думают о хлебе.
> Вот он, клубок судеб. И тишина средь песен.
> Даст бог, родится хлеб. Но до чего он пресен!

Нет, Эренбург был далеко не искренен, делая вид, что исповедует известную доктрину Сталина, согласно которой «еврейской нации нет». Он хитрил, дипломатничал. В предельно лояльной, даже раболепной форме он пытался объяснить Сталину на е г о языке, какие политические невыгоды неизбежно повлечет за собой задуманная им акция.

Сегодняшнему читателю трудно представить себе, что, несмотря на раболепный тон, выдержанный в «лучших» традициях такого рода посланий «на высочайшее имя», письмо это было актом величайшей смелости. Тем не менее это так.

Можно не сомневаться, что Сталин отреагировал бы на это письмо однозначно.

И вот тут вмешалась в дело судьба.

5 марта 1953 года умер Сталин. 4 апреля того же года в газетах появилось сообщение о том, что «дело врачей» пересмотрено. «Проверка показала,— писала по этому поводу «Правда»,— что обвинения, выдвинутые против перечисленных лиц, являются ложными, а документальные данные, на которые опирались работники следствия,— несостоятельными. Установлено, что показания арестованных, якобы подтверждающие выдвинутые против них обвинения, получены работниками следственной части бывшего Министерства Государственной Безопасности путем применения недопустимых и строжайше запрещенных советским законом приемов следствия».

Начинался новый период истории нашего общества, с легкой руки того же Эренбурга получивший название — о т т е п е л ь.

Вот как много стоит за одной короткой фразой его мемуаров: «Решило дело не мое письмо, а судьба».

Насчет самоубийства Фадеева мы еще можем колебаться. Может быть,

Эренбург и сам знал немногим больше того, что сообщил нам по этому поводу в своих мемуарах. Но тут-то уж не может быть ни малейших сомнений, что он знал куда больше, чем сказал. Ведь он был одним из главных действующих лиц этой драмы.

Вправе ли он был унести это знание с собой в могилу? Если нельзя было донести его до современников, он ведь мог сохранить его для потомков?

Опять все тот же проклятый вопрос, на который можно дать, казалось бы, лишь один ответ: Эренбург был таким, каким, по слову Твардовского, «бог его зародил». Он не мог стать иным.

Хотя кто знает? А может быть, мог? Может быть, бог как раз «зародил» его другим, а он с а м сделал себя таким?

В последней книге своих воспоминаний Эренбург пытается объяснить читателям, как вышло, что он — человек, написавший в 1921 году «Хулио Хуренито»,— в 30-е и 40-е годы «оказался не вполне защищенным от эпидемии культа Сталина»:

«Вера других не зажгла мое сердце, но порой она меня подавляла, не давала всерьез задуматься над происходившим»;

«Никогда в своей жизни я не считал молчание добродетелью»;

«Молчание для меня было не культом, а проклятием...»;

«Один из участников французского Сопротивления в 1946 году рассказывал мне, что партизанским отрядом, в котором он сражался, командовал жестокий и несправедливый человек, который расстреливал товарищей, жег крестьянские дома, подозревал всех в измене или малодушии. «Я не мог об этом рассказать никому,— говорил он,— это значило бы нанести удар всему Сопротивлению, петеновцы за это ухватились бы...»

Есть в его книге один, я бы сказал, почти символический эпизод. Эренбург рассказывает о том, как во время войны к нему в редакцию «Красной звезды» пришел высокий, крепкий человек, офицер морской пехоты — Семен Мазур. Мазур рассказал Эренбургу, что его пыталась выдать немцам жена: он чудом спасся.

«Он сидел напротив меня и требовал, чтобы я ему объяснил, почему его спасли чужие люди и хотела выдать врагу жена. Я отвечал, что не знаю, как они жили вместе. Мазур говорил, что жили хорошо, когда он уезжал на фронт, жена плакала, он успел получить от нее несколько писем. Я повторял: «Вы ее знаете. Откуда мне знать, почему она так поступила?..» Он стукнул кулаком по столу: «Вы обязаны знать — ведь вы писатель!»

Эта уверенность в том, что писатель по самой своей должности обязан все знать и все понимать, рождена не только наивностью. Она рождена верой в великую миссию художника, в его высокое предназначение. Верой, воспитанной всей нашей литературой и суеверно поддерживаемой Эренбургом на протяжении всей его жизни: не зря этот офицер морской пехоты пришел со своим страшным вопросом именно к нему.

В данном конкретном случае писатель, быть может, и вправе был растерянно возразить: «Откуда мне знать, почему она так поступила?» Но Эренбург, как мы видели, и в других случаях часто не мог предложить более внятного ответа. Прикасаясь в своих мемуарах к самым темным, самым трагическим страницам нашей истории, он то и дело констатирует: «Пророком я не был...»

И тогда возникает непреодолимое желание вот так же наивно стукнуть кулаком по столу: «Вы обязаны были быть пророком! Ведь вы — русский писатель!»

7

Вера в пророческую миссию русского писателя оплачена слишком дорогой ценой.

«В тот день, когда Пушкин написал «Пророка», он решил всю грядущую судьбу русской литературы... Поэт принял высшее посвящение и возложил на себя величайшую ответственность. Подчиняя лиру свою этому высшему призванию, отдавая серафиму свой «грешный язык, и празднословный и лукавый», Пушкин и себя, и всю грядущую русскую литературу подчинил голосу правды, поставил художника лицом к лицу с совестью,— недаром он так любил это слово... Этим и живет и дышит литература русская, литература Гоголя, Лермонтова, Достоевского, Толстого. Она стоит на крови и пророчестве. Это просто? Не знаю. Как для кого. Синайские десять заповедей тоже очень просты для тех, кто их не выполняет. А как начнешь выполнять — окажется тяжело и сложно. И дай Бог, чтобы хоть некоторым из нас, в меру их дарований, оказалось под силу стать воистину русскими писателями» (Вл. Ходасевич. Окно на Невский).

Это традиционное для русской литературы отношение к предназначению поэта, к миссии писателя Эренбургу было присуще. Он не боялся напомнить о нем в самые трудные, в самые неблагоприятные для таких напоминаний моменты нашей истории. В 1951 году, выступая на вечере, посвященном своему 60-летию, Эренбург сказал:

«Как каждый писатель, я знавал минуты растерянности, сомнений, молчания. Меня поддерживала русская литература, наши великие и глубоко человечные предшественники. Можно писать хуже, чем они,— таланты не распределяются ни в каком распределителе,— можно писать хуже, чем они, но нельзя думать, чувствовать, терзаться, радоваться хуже, чем они...»

Таланты действительно не распределяются ни в каком распределителе. Но ни в каком распределителе не распределяется и способность думать, чувствовать, терзаться так, как это умели делать наши великие предшественники. И великими мы называем их не потому, что они были великими умельцами, замечательными мастерами, а потому, что они были великими л ю д ь м и. Потому что обладали не только обостренным чувством слова, но и обостренным восприятием жизни. Испытывали постоянную потребность жить с огромной затратой душевных сил и не умели жить иначе.

Умение думать и чувствовать «не хуже, чем они», столь же труднодостижимо, как и умение писать «не хуже, чем они». Тут был прав Ходасевич со своей ложкой дегтя: «Это просто? Не знаю. Как для кого... Дай Бог, чтобы хоть некоторым из нас... оказалось под силу стать воистину русскими писателями»

Если Эренбурга и можно в чем-нибудь упрекнуть, так разве только в том, что он поневоле отказался от исконной прерогативы художника, о которой с такой покоряющей простотой и ясностью сказал Пастернак:

> Во всем мне хочется дойти
> До самой сути...

Эренбург не стал докапываться «до самой сути». Он откровенно признался, что им движет обратное, противоположное стремление:

> Додумать не дай, оборви, молю, этот голос,
> Чтоб память распалась, чтоб та тоска раскололась,
> Чтоб люди шутили, чтоб больше шуток и шума,
> Чтоб, вспомнив, вскочить, себя оборвать, не додумать.
> Чтоб жить без просыпу, как пьяный, залпом и на пол,
> Чтоб тикали ночью часы, чтоб кран этот капал,
> Чтоб капля за каплей, чтоб цифры, чтоб рифмы, чтоб что-то
> Какая-то видимость точной, срочной работы...

(Стихи 1938 года)

Для человека, только что вернувшегося из Испании и окунувшегося с головой в кровавый кошмар 37-го года, естественно было желание заткнуть уши, закрыть глаза, не видеть, не слышать, не думать над случившимся. Да и срочной работы было хоть отбавляй. Это была не «видимость», а настоящая потребность. И все-таки его уход в эту «срочную работу» был бегством. Им двигал страх. Боязнь додумать до конца. Страх этот был так велик, что, как видно, до чего-то он все-таки уже успел тогда додуматься. Как сказано в одном рассказе Бабеля, предвестие истины уже коснулось его. Но он сознательно делал вид (не перед кем-нибудь, а перед самим собой), что не понял, не увидел, так и не докопался до истины.

В прежние времена связь художника с истиной представлялась нерасторжимой, чуть ли не мистической. Предполагалось, что в душе художника есть некий компас, который никогда его не подведет. Вернее, это даже не предполагалось. Это сообщалось как истина, не подлежащая сомнению:

> Качка слабых мучит и пьянит.
> Круглое окошко поминутно
> Гасит, заливает хлябью мутной —
> И трепещет, мечется магнит.
>
> Но откуда б, в ветре и тумане,
> Не швыряло пеной через борт,
> Верю — он опять поймает Nord,
> Крепко сплю, мотаясь на диване.
>
> Не собьет с пути меня никто.
> Некий Nord моей душою правит,
> Он меня в скитаньях не оставит,
> Он мне скажет, если что: не то!

В этих строчках И. Бунина есть известное высокомерие. Качка мучит слабых. Но поэт, художник — не из их числа. Он может спокойно спать, пережидая бурю. У него есть надежный инструмент, который в любой хляби, в любом тумане выведет его на верную дорогу.

Бывали эпохи, когда «качка» была такой сильной, что все представления, все ценности оказывались перевернуты, поставлены с ног на голову. Но и в прежние времена в этих исключительных обстоятельствах художник всегда твердо стоял на ногах.

«Я не понимаю и не люблю,— говорил Л. Н. Толстой,— когда придают какое-то особенное значение «теперешнему времени». Я живу в в е ч н о с т и, и поэтому рассматривать все я должен с точки зрения вечности. И в этом сущность всякого искусства. Поэт только потому поэт, что он пишет в вечности».

Какое значение может иметь для поэта «качка», происходящая в «теперешнем времени», если сам он живет в в е ч н о с т и, где все прочно и неколебимо, где рукописи не горят, где рано или поздно все будет поставлено с головы на ноги, все обретет свою истинную цену?

Но в нашу эпоху, а особенно в годы сталинского террора возникла совершенно новая ситуация, не имеющая никаких аналогий в истории человечества. Теперь уже никто не отважился бы безмятежно повторить вслед за Толстым: «Я живу в в е ч н о с т и». Даже Пастернак.

Характерно, что именно Пастернак, сравнительно недавно еще вопрошавший — «Какое, милые, у вас тысячелетье на дворе?» — лучше и точнее, чем кто другой, выразил суть новых, изменившихся взаимоотношений художника с вечностью:

> Не спи, не спи, художник,
> Не предавайся сну.
> Ты — вечности заложник
> У времени в плену.

Художник больше не живет «в вечности». Он весь — и телом и душой — в «теперешнем времени». Но связь его с вечностью не оборвалась. Она только стала иной. Она существует лишь в той мере, в какой художник с а м осознает ее, то есть она существует постольку, поскольку он ощущает себя заложником вечности. Отсюда вместо высокомерного бунинского — «крепко сплю» — эти исступленные заклинания:

> Не спи, не спи, работай,
> Не прерывай труда,
> Не спи, борись с дремотой,
> Как летчик, как звезда.
> Не спи, не спи, художник,
> Не предавайся сну...

И последние две строки — как предупреждение: «Не забывай!» Ни на секунду не забывай, что ты — «вечности заложник у времени в плену». В том-то и дело, что ты «вечности заложник» лишь до тех пор, пока сам помнишь об этом. А коли так, не все ли равно, есть на свете вечность или нет ее. Твоя вечность — в тебе самом.

Всем своим сознанием, каждой клеточкой своего существа Эренбург жил «в теперешнем времени», далеко не всегда ощущая себя «заложником вечности».

Подобно Маяковскому, он мог бы сказать о себе:

— Я прежде всего — поставивший свое перо в услужение, заметьте, в услужение сегодняшнему часу...

Но он всегда знал, что вечность — не фантом, что она существует. И он не уставал н а п о м и н а т ь нам о ее существовании.

Вот почему я твердо знаю: если я и упрекаю Эренбурга, если предъявляю ему слишком «высокий» счет, если требую, чтобы он дал в своих мемуарах то, чего он дать не мог, если даже осуждаю его за то, что он шел на компромиссы, всему этому научил меня тоже он, Эренбург.

Нина Николаевна Берберова, прожившая долгую, богатую встречами и событиями жизнь, замечательную книгу своих воспоминаний «Курсив мой» — одну из лучших русских мемуарных книг нашего века — заканчивает так:

«Я наклоняюсь над книгой — очередной раскрытой книгой — она лежит под лампой, я ухожу в нее. Я читаю ее, строку за строкой, и замечаю, что в ней столько страниц текста, сколько и умолчаний. Шесть томов текста и шесть томов умолчаний. Но эта книга не похожа на ту, которую я пишу сейчас.

В ней старый писатель, которого я когда-то знала, рассказывает о себе, о людях, о годах, и я рассказываю о себе, о людях и годах. Он тоже любит думать, и тоже, как и я, научился думать поздно. Но какой страшной была его жизнь! И как связан он в своих умолчаниях, и как я свободна в своих! Вот именно: свободна не только в том, что я могу сказать, но свободна в том, о чем хочу молчать. Но я не могу оторваться от его страниц, для меня его книга значит больше, чем все остальные, за сорок лет. Я знаю, что большинство его читателей судит его. Но я не сужу его. Я благодарна ему. Я благодарю его за каждое его слово.

Он строит силлогизм. Помните, в юности мы учили:

Человек смертен,

Кай — человек.

Он строит силлогизм, но не дает третьей строчки. Но он дает две первых, и от нас зависит проснуться и крикнуть, наконец, вывод. Его осуждают, что он остановился перед выводом:

Кай — смертен.

Но разве вывод не заключен в предпосылках?..

Он не ставит вопросов, он не делает выводов. Нам самим остается сделать их, поставить третью строку силлогизма на место, нарушить молчание, выйти из страдания в сознание... Только в пробуждении сознания — ответ на все, что было, и только один из всех — Эренбург,— невнятно мыча и кивая в ту сторону, указывает нам (и будущим поколениям) дорогу, где это сознание лежит. Как смеем мы требовать от него большего? Упрекать его за то, что он уцелел? Вычитывать между строк его книги его особое мнение? Или отвергать его за то, что он дает нам полуправду? Наше дело осознать правду целиком, сделать вывод. Достроить силлогизм. Иначе — все жертвы бессмысленны...

Я читаю его книгу, и смущение находит на меня: жалость к этому знаменитому человеку, другу глав государств, мировых ученых, писателей, гениальных художников нашего столетия. Жалость к старому человеку, состарившемуся у меня на глазах — от первого тома к шестому, пока я читала его книгу. Жалость и благодарность. Он повернул нас всех в ту сторону, где лежит третья строка силлогизма...»

К этому почти нечего добавить. Разве только одно.

Казалось бы, сегодняшнему читателю, так много нового узнавшему в последнее время о так долго остававшихся в тени событиях нашего века, воспоминания Эренбурга должны казаться куда менее интересными, нежели читателям 60-х годов, с жадностью ловившим каждый эренбурговский намек. В действительности, однако, возникает противоположный эффект. Благодаря тому, что сегодня мы знаем о тех временах гораздо больше, чем тогда, многие страницы эренбурговских мемуаров обретают неожиданную глубину, сквозь туман проступает то, о чем хотел поведать нам автор, но не мог. И чем дальше мы будем двигаться по этому пути, тем отчетливее будет проступать все то, о чем он не мог сказать. Не только вычеркнутое им, или ненаписанное, но даже то, о чем он, быть может, и не собирался писать. И так до тех пор, пока «силлогизм», о котором говорит Н. Берберова, не будет достроен. Вернее, даже так: пока каждый из читателей этой книги с а м не откроет для себя «третью строку силлогизма».

Бенедикт САРНОВ

КНИГА I

1

Д авно мне хочется написать о некоторых людях, которых я встретил в жизни, о некоторых событиях, участником или свидетелем которых был; но не раз я откладывал работу: то мешали обстоятельства, то брало сомнение — удастся ли мне воссоздать образ человека, картину, с годами потускневшую, стоит ли довериться своей памяти. Теперь я все же сел за эту книгу — откладывать дольше нельзя.

Тридцать пять лет назад в одном из путевых очерков я писал: «Этим летом, в Абрамцеве, я глядел на клены сада и на покойные кресла. Вот у Аксакова было время, чтобы подумать обо всем. Его переписка с Гоголем — это неторопливая опись души и эпохи. Что оставим мы после себя? Расписки: «Получил сто рублей» (прописью). Нет у нас ни кленов, ни кресел, а отдыхаем мы от опустошающей суеты редакций и передних в купе вагона или на палубе. В этом, вероятно, своя правда. Время обзавелось теперь быстроходной машиной. А автомобилю нельзя крикнуть «остановись, я хочу разглядеть тебя поподробнее!». Можно только сказать про беглый свет его огней. Можно,— и это тоже исход,— очутиться под его колесами».

Многие из моих сверстников оказались под колесами времени. Я выжил — не потому, что был сильнее или прозорливее, а потому, что бывают времена, когда судьба человека напоминает не разыгранную по всем правилам шахматную партию, но лотерею.

Я был прав, сказав очень давно, что наша эпоха оставит мало живых показаний: редко кто вел дневник, письма были короткими, деловыми — «жив, здоров»; мало и мемуарной литературы. Есть на то много причин. Остановлюсь на одной, которая, может быть, не всеми осознана: мы слишком часто бывали в размолвке с нашим прошлым, чтобы о нем хорошенько подумать. За полвека множество раз менялись оценки и людей и событий; фразы обрывались на полуслове; мысли и чувства невольно поддавались влиянию обстоятельств. Путь шел по целине; люди падали с обрывов, скользили, цеплялись за колючие сучья мертвого леса. Забывчивость порой диктовалась инстинктом самосохранения: нельзя было идти дальше с памятью о прошлом, она вязала ноги. Ребенком я слышал поговорку: «Тому тяжело, кто помнит все» — и потом убедился, что век был слишком трудным для того, чтобы волочить груз воспоминаний. Даже такие потрясшие народы события, как две мировых войны, быстро становились историей. Издатели во всех странах теперь говорят: «Книги о войне не идут...» Одни уже не помнят, другие не хотят узнать о минувшем. Все смотрят вперед; это, конечно, хорошо; но древние римляне не зря обожествляли Януса.

У Януса было два лица, не потому, что он был двуличным, как часто говорят, нет, он был мудрым: одно его лицо было обращено к прошлому, другое — к будущему. Храм Януса закрывали только в годы мира, а за тысячу лет это случалось всего девять раз — мир в Риме был редчайшим событием. Мое поколение не походило на римлян, но мы тоже можем пересчитать на пальцах более или менее спокойные годы. Однако, в отличие от римлян, мы, кажется, считаем, что о прошлом следует думать только в эпоху глубокого мира...

Когда очевидцы молчат, рождаются легенды. Мы иногда говорим «штурмовать бастилии», хотя Бастилию никто не штурмовал — 14 июля 1789 года было одним из эпизодов Французской революции; парижане легко проникли в тюрьму, где оказалось очень мало заключенных. Однако именно взятие Бастилии стало национальным праздником Республики.

Образы писателей, дошедшие до последующих поколений, условны, а порой находятся в прямом противоречии с действительностью. До недавнего времени Стендаль казался читателям эгоистом, то есть человеком, поглощенным своими собственными переживаниями, хотя он был общительным и эгоизм ненавидел. Принято считать, что Тургенев любил Францию, ведь он там провел много времени, дружил с Флобером; на самом деле он не понимал и недолюбливал французов. Одни считают Золя человеком, познавшим различные соблазны,— автором «Нана»; другие, вспоминая его роль в защите Дрейфуса, видят в нем общественного деятеля, страстного трибуна; а тучный семьянин был на редкость целомудренным и, за исключением последних лет своей жизни, далеким от гражданских бурь, потрясавших Францию.

Проезжая по улице Горького, я вижу бронзового человека, очень заносчивого, и всякий раз искренне удивляюсь, что это памятник Маяковскому, настолько статуя не похожа на человека, которого я знал.

Прежде легендарные образы складывались десятилетиями, порой веками; теперь не только самолеты быстро пересекают океаны, люди мгновенно отрываются от земли и забывают о пестроте, о сложности ее рельефа. Иногда мне кажется, что некоторое потускнение литературы, которое во второй половине нашего века замечается почти повсеместно, связано с быстротой превращения вчерашнего дня в условность. Писатель очень редко изображает действительно существующих людей — такого-то Иванова, Дюрана или Смитса; герои романа — сплав, в который входят и множество встреченных писателем людей, и его собственный душевный опыт, и его понимание мира. Может быть, история — романист? Может быть, живые люди для нее прототипы, и она, переплавляя их, пишет романы — хорошие или плохие?..

Все знают, насколько разноречивы рассказы очевидцев о том или ином событии. В конечном счете, как бы ни были добросовестны свидетели, в большинстве случаев судьи должны положиться на свою собственную прозорливость. Мемуаристы, утверждая, что они беспристрастно описывают эпоху, почти всегда описывают самих себя. Если бы мы поверили в образ Стендаля, созданный его ближайшим другом Мериме, мы никогда бы не поняли, как мог светский человек, остроумный и эгоцентричный, описать большие человеческие страсти,— к счастью, Стендаль оставил дневники. Политическая буря, разразившаяся в Париже 15 мая 1848 года, описана Гюго, Герценом и Тургеневым; когда я читаю их записи, мне кажется, что речь идет о различных событиях.

Иногда разноречивость показаний диктуется несходством мыслей, чувствований, иногда она связана с самой обычной забывчивостью. Десять лет спустя после смерти Чехова люди, хорошо знавшие Антона Павловича, спорили, какие у него были глаза — карие, серые или голубые.

Память сохраняет одно, опускает другое. Я помню в деталях некоторые картины моего детства, отрочества, отнюдь не самые существенные; помню одних людей и начисто забыл других. Память похожа на фары машины, которые освещают ночью то дерево, то сторожку, то человека. Люди (особенно писатели), рассказывающие стройно и подробно свою жизнь, обычно заполняют пробелы догадками; трудно отличить, где кончаются подлинные воспоминания, где начинается роман.

Я не собираюсь связно рассказать о прошлом — мне претит мешать бывшее в действительности с вымыслом; притом я написал много романов, в которых личные воспоминания были материалом для различных домыслов. Я буду рассказывать об отдельных людях, о различных годах, перемежая запомнившееся моими мыслями о прошлом. Видимо, это будет, скорее, книга о себе, чем об эпохе. Конечно, я расскажу о многих людях, которых знал,— о политических деятелях, о писателях, о художниках, о мечтателях, об авантюристах; имена некоторых из них известны всем; но я не беспристрастный летописец, и это будут только попытки портретов. Да и события, большие или незначительные, я попытаюсь описать не в их исторической последовательности, а в их связи с моей маленькой судьбой, с моими сегодняшними мыслями.

Я никогда не вел дневников. Жизнь была, скорее, беспокойной, и мне не удалось сохранить письма друзей — сотни писем пришлось сжечь, когда фашисты оккупировали Париж; да и потом письма, скорее, уничтожались, чем хранились. В 1936 году я написал роман «Книга для взрослых»; он отличается от других моих романов тем, что в него вставлены главы мемуарного характера. Кое-что я возьму из этой давней книги.

Некоторые главы я считаю преждевременным печатать, поскольку в них речь идет о живых людях или о событиях, которые еще не стали достоянием истории; постараюсь ничего сознательно не искажать — забыть про ремесло романиста.

Камень всегда холоден, по своей природе он отличен от человеческого тела, но с древнейших времен скульпторы брали мрамор, гранит или же металл — бронзу — для изображения человека. Только когда перед ними вставали декоративные замыслы, они прибегали к дереву, хотя, конечно, дерево куда ближе к плоти. Камень прельщал потому, что он труден для работы, притом он долговечен. В различных музеях стоят вереницы каменных статуй; многие из них прекрасны, все они холодны. Но порой статуя теплеет, оживает от глаз посетителя музея. Мне хотелось бы любящими глазами оживить несколько окаменелостей былого; да и приблизить себя к читателю: *любая книга — исповедь, а книга воспоминаний — это исповедь без попыток прикрыть себя тенями вымышленных героев.*

2

Я родился в Киеве 14 января 1891 года. 1891-й — эта цифра хорошо памятна русским людям да еще французским виноделам. В России был голод; двадцать девять губерний поразил недород. Лев Толстой, Чехов, Короленко пытались помочь голодающим, собирали деньги, устраивали столовые; все это было каплей в море, и много спустя девяносто первый называли «голодным годом». Французские виноделы разбогатели на вине того года: засуха сжигает хлеба и повышает качество винограда; черные даты для крестьян Поволожья неизменно совпадают с радостными датами для бургундских и гасконских виноделов; еще в двадцатых годах нашего века знатоки разыскивали вина, помеченные цифрой «1891». В 1943 году из Ленинграда вывезли в Москву по «ледяной дороге» вагон со старым «Сент-Эмилион» 1891 года. Самтрест попросил А. Н. Толстого и меня проверить качество спасенного вина. В бутылках оказалась кисловатая водица — вино умерло (вопреки распространенной легенде, вино, даже самое лучшее, умирает в возрасте сорока — пятидесяти лет).

1891 год... Какой далекой кажется теперь эта дата! Россией правил Александр III. На троне Великобритании сидела императрица Виктория, хорошо помнившая осаду Севастополя, речи Гладстона, усмирение Индии. В Вене благополучно царствовал Франц-Иосиф, взошедший на престол в памятном 1848 году. Еще жили герои драм и фарсов прошлого столетия — Бисмарк, генерал Галифе, известный дипломат царской России Игнатьев, маршал Мак-Магон, Фогт, известный нашим студентам благодаря памфлету Карла Маркса. Еще жил Энгельс. Еще работали Пастер и Сеченов, Мопассан и Верлен, Чайковский и Верди, Ибсен и Уитмен, Нобель и Луиза Мишель. В 1891 году умерли Рембо и Гончаров.

Если представить себе сейчас 1891 год, мир внешне настолько изменился, что кажется, прошла не одна человеческая жизнь, а несколько столетий. Париж обходился без световых реклам и без автомобилей. О Москве говорили «большая деревня». В Германии доживали свой век романтики, влюбленные в липы и в Шуберта. Америка была далеко, за тридевять земель.

Не было еще на свете ни Жолио-Кюри, ни Ферми, ни Маяковского, ни Брехта, ни Элюара. Гитлеру было два года. Мир казался успокоившимся: никто не воевал; Италия только присматривалась к Эфиопии, Франция готовилась захватить Мадагаскар. Газеты рассуждали о визите французского флота в Кронштадт: очевидно, Тройственному союзу будет противопоставлен франко-русский союз; любители потолковать о высокой политике говорили, что «мир спасет европейское равновесие».

Россия была еще неподвижной. Александр III, разгромив «Народную волю», несколько успокоился. Правда, первого мая в Петербурге была маленькая маевка. Правда, в Самаре Ленин читал Маркса. Но могло ли это смутить всемогущего царя? Он преспокойно приложил руку к козырьку, когда во время визита французских кораблей оркестр исполнил «Марсельезу». Он удовлетворенно говорил: вот уже заложена Великая сибирская магистраль, скоро можно будет в поезде доехать из Иркутска до Москвы...

Первое мая было внове. В рабочем поселке Фурми на севере Франции в 1891 году полиция расстреляла первомайскую демонстрацию. Газеты писали: «Зловещие тени коммунаров оживают».

В Германии был торжественно учрежден «Пангерманский союз». Там много говорили о жизненном пространстве, о миссии Германии, о грядущих походах, и отцы будущих эсэсовцев кричали «гох».

Жорес писал, что победят не палачи Фурми, а рабочие, интернационалисты, защитники прав человека.

Нет, уж не так далек 1891 год: заваривалась та каша, которую наше поколение долго, старательно расхлебывало. Жизнь каждого человека извилиста и сложна, но, когда глядишь на нее с высоты, видишь, что есть в ней своя скрытая прямая линия. Люди, которые родились в тишайшем 1891 году, когда был голод в России и замечательное вино во Франции, должны были увидеть много революций, много войн, Октябрь, спутники Земли, Верден, Сталинград, Освенцим, Хиросиму, Эйнштейна, Пикассо, Чаплина.

Четырнадцатого января 1891 года, в тот самый день, когда в Киеве на крутой Институтской улице, идущей от Крещатика вверх к Липкам, мне суждено было увидеть свет, Антон Павлович писал своей сестре из Петербурга: «Меня окружает густая атмосфера злого чувства, крайне неопределенного и для меня непонятного. Меня кормят обедами и поют мне пошлые дифирамбы и в то же время готовы меня съесть. За что? Черт их знает. Если бы я застрелился, то доставил бы этим большое удовольствие девяти десятым своих друзей и почитателей. И как мелко выражают свое мелкое чувство! Буренин ругает меня в фельетоне, хотя нигде не принято ругать в газетах своих же сотрудников...» Вот что говорил Буренин о Чехове: «Подобные средние таланты разучаются прямо смотреть на окружающую их жизнь и бегут, куда глаза глядят...» Антон Павлович в январе 1891 года начал писать повесть «Дуэль». Я часто перечитываю Чехова и вот недавно снова перечитал «Дуэль». Конечно, на ней есть печать времени. Герой Лаевский, томясь в захолустье, мечтает, как он вернется в Петербург: «Пассажиры в поезде говорят о торговле, новых певцах, о франко-русских симпатиях; всюду чувствуется живая, культурная, интеллигентная, бодрая жизнь...» Но о франко-русском сближении или о развитии торговли я знаю и без «Дуэли». Перечитывая повесть, я задумался о другом — о своей жизни.

Лаевский — слабый человек, запутавшийся и доведенный до отчаяния: «Он столкнул с неба свою тусклую звезду, она закатилась, и след ее смешался с ночною тьмой; она уже не вернется на небо, потому что жизнь дается только один раз и не повторяется. Если бы можно было вернуть прошлые дни и годы, он ложь в них заменил бы правдой, праздность — трудом, скуку — радостью...» Свихнувшегося Лаевского обличает фон Корен, человек точных знаний и очень неточной совести. «Так как он неисправим, то обезвредить его можно только одним способом... В интересах человечества и в своих собственных интересах такие люди должны быть уничтожаемы. Непременно... Я не настаиваю на смертной казни. Если доказано, что она вредна, то придумайте что-нибудь другое. Уничтожить Лаевского нельзя, ну так изолируйте его, обезличьте, отдайте в общественные работы... А если горд, станет противиться — в кандалы!.. Мы должны сами позаботиться об уничтожении хилых и негодных, иначе, когда Лаевские размножатся, цивилизация погибнет». А вот что думает о беспощадном стороннике прогресса и

А. П. Чехов. Ялта. 1903 г.

естественного отбора бедняга Лаевский: «И идеалы у него деспотические. Обыкновенные смертные, если работают на общую пользу, то имеют в виду своего ближнего: меня, тебя, одним словом, человека. Для фон Корена же люди — щенки и ничтожества, слишком мелкие для того, чтобы быть целью его жизни. Он работает, пойдет в экспедицию и свернет себе там шею не во имя любви к ближнему, а во имя таких абстрактов, как человечество, будущие поколения, идеальная порода людей... А что такое человеческая порода? Иллюзия, мираж... Деспоты всегда были иллюзионистами».

В конце повести Лаевский, а с ним вместе Чехов думают, глядя на разбушевавшееся море: «Лодку бросает назад, делает она два шага вперед и шаг назад, но гребцы упрямы, машут неутомимо веслами и не боятся высоких волн. Лодка идет все вперед и вперед, вот уже ее и не видно, а пройдет с полчаса, и гребцы уже увидят пароходные огни, а через час будут уже у пароходного трапа. Так и в жизни... В поисках за правдой люди делают два шага вперед, шаг назад. Страдания, ошибки и скука жизни бросают их назад, но жажда правды и упрямая воля гонят вперед и вперед. И кто знает? Может быть, доплывут до настоящей правды».

«Дуэль» Чехов, как я уже говорил, начал писать в январе 1891 года. Оглядываясь на свою жизнь, я вижу, что есть связь между моими мыслями, надеждами, сомнениями и тем, что волновало Антона Павловича, когда меня еще не было на свете. Я в жизни встречал много фон Коренов, я часто блуждал, ошибался и, как Лаевский, горевал о тусклой звезде, которую столкнул с неба, и, как тот же Лаевский, восхищался гребцами, борющимися с высокими волнами. Теперь далекие континенты сделались пригородом. Луна и та стала как-то ближе. Но прошлое от этого не потеряло своей силы, и если человек за одну жизнь много раз меняет свою кожу, почти как костюмы, то сердца он все же не меняет — сердце одно.

3

Говорят, что яблоко падает неподалеку от яблони. Бывает так, бывает и наоборот. Я жил в эпоху, когда о человеке часто судили по анкете; в газетах писали, что «сын не отвечает за отца», но порой приходилось отвечать и за дедушку.

Вряд ли и о деде можно судить по внукам. Несколько лет назад я прочитал в газете «Монд» статью о внуках и правнуках Л. Н. Толстого; их около восьмидесяти, и разбрелись они по всему свету: один — офицер американской армии, другой — итальянский тенор, третий — агент французской авиационной компании.

Поэт Фет, Афанасий Афанасьевич Шеншин, кроме хороших стихов, писал нехорошие статьи в журнале Каткова. Он обличал нигилистов и евреев, в которых видел первопричину зла. Племянник Фета,

Дом на Институтской улице в Киеве, где 14 января 1891 г. родился И. Г. Эренбург.
Г. Г. Эренбург и А. Б. Эренбург — родители Ильи Эренбурга.
Г. Г. Эренбург с сыном Илюшей. Киев. 1894 г.
Г. Эренбург — дед И. Эренбурга по отцу.
Илюша Эренбург. 1896 г.

Кіевъ — Kiev
нститутская улица — Rue d'Institut.

Н. П. Пузин, рассказывал мне, что поэт узнал из письма — завещания своей покойной матери,— что его отцом был гамбургский еврей. Мне рассказывали, будто Фет завещал похоронить письмо вместе с ним,— видимо, хотел скрыть от потомства правду о своей яблоне. После революции кто-то вскрыл гроб и нашел письмо.

Иван Сергеевич Тургенев вспоминал: «Я родился и вырос в атмосфере, где царили подзатыльники, пинки, колотушки, пощечины и пр., но, по правде сказать, окружающая меня обстановка не привила мне вкуса к кулачной расправе. Я никогда никого не бил». Тургенев сделал из своей дочки Пелагеи Полину, выдал ее замуж за владельца стеклянной фабрики г-на Гастона Брюэра и написал Анненкову: «Хлопот было пропасть, но я вознагражден, вполне убежден тем, что дочь моя будет счастлива». (Вслед за этим Иван Сергеевич начал писать «Дым», в котором показывал страдания замужней женщины.)

О моих родителях я вспоминаю с любовью; но, оглядываясь назад, я вижу, как далеко откатилось яблоко от яблони.

Я родился в буржуазной еврейской семье. Мать моя дорожила многими традициями: она выросла в религиозной семье, где боялись и бога, которого нельзя было называть по имени, и тех «богов», которым следовало приносить обильные жертвоприношения, чтобы они не потребовали кровавых жертв. Она никогда не забывала ни о Судном дне на небе, ни о погромах на земле. Отец мой принадлежал к первому поколению русских евреев, попытавшихся вырваться из гетто. Дед его проклял за то, что он пошел учиться в русскую школу. Впрочем, у деда был вообще крутой нрав, и он проклинал по очереди всех детей; к старости, однако, понял, что время против него, и с проклятыми помирился.

Если предположить, что яблоней был дед, то и от этой яблони яблоки разлетелись в самые разные стороны. Один из моих дядюшек разбогател; звали его Лазарем Григорьевичем, и жил он в Харькове. Его сын, мой двоюродный брат, Илья, стал социал-демократом, долго просидел в Лукьяновской тюрьме, эмигрировал в Париж, там занялся живописью, а во время гражданской войны пошел в Красную Армию и был убит белыми. Брат Лазаря, Борис Григорьевич, жил в Иркутске, служил на каком-то предприятии, принадлежавшем киевскому богачу

Бродскому. Борис Григорьевич был человеком легкомысленным, он растратил деньги Бродского и удрал в Америку, написав хозяину письмо скорее вызывающее, нежели виноватое. Бродский рассердился и напечатал в газетах объявление, что уплатит вознаграждение тому, кто поможет разыскать растратчика. Я тогда жил в Париже, и ко мне несколько раз обращались люди, мечтавшие разбогатеть на следе беглого Эренбурга. Как-то Лазарь Григорьевич играл с Бродским в карты, выиграл крупную сумму и вместо денег потребовал, чтобы Бродский отказался от претензий к своему иркутскому служащему. Младший из дядюшек, Лев, писал стихи и содержал бродячий цирк. Если отнести теорию В. Шкловского о том, что наследниками являются не сыновья, а племянники, не к литературным жанрам, а к людям, то я могу сказать, что пошел по пути моего дядюшки Льва. Помню книгу, которую он сам издал, называлась она неоригинально — «Мечты и звуки»; в ней были и собственные стихи, и переводы Гейне. Я в ту пору не чувствовал никакого влечения к поэзии, но дядя Лева мне нравился тем, что не походил на приличного родственника. Раз он стал показывать мне фотографии полуголых девушек — набирал актеров для цирка; моя мать возмутилась: как можно развращать ребенка?.. Однажды в Харькове появились плакаты «Цирк Эренбурга», и Лазарю Григорьевичу пришлось дать своему брату отступные, чтобы цирк тотчас покинул город.

Когда мне было пять лет, мои родители переехали из Киева в Москву. Хамовнический пивоваренный завод номинально принадлежал акционерному обществу, а фактически тому же киевскому Бродскому, и мой отец получил место директора завода.

Это было в 1896 году, а в 1903 году Бродский решил прогнать отца. Мать, сглатывая слезы, слушала у закрытой двери кабинета, где происходило годичное собрание правления, как отец настойчиво просил освободить его от должности. Я тоже слушал и ничего не понимал — знал, что отца прогоняют, что дела теперь плохи, что Бродский упрям, и вдруг услышал, как отец уверял, что он больше не может работать на заводе. Это был первый урок дипломатии...

Днем отец работал, вечером редко бывал дома. Иногда к нему приходили приятели, помню одного — веселого инженера Лихачева. Как-то в кабинете отца я увидел книжку Гиляровского с надписью «Дорогому Гри Гри на память о многом». Мне показалось, что у отца интересная жизнь, в которую он меня не посвящает. Он уезжал в «Охотничий клуб», и это название мне представлялось таинственным: егеря, олени, борзые. Потом я понял, что в клубе играют в винт, и усомнился в том, что жизнь отца интересна. Мне было лет десять, когда он повел меня в ресторан на Неглинной; мы сидели в отдельном кабинете, но я то и дело убегал — смотрел, что происходит в зале; там сидели обыкновенные люди и жевали котлеты. Жизнь отца перестала меня интриговать.

Мать была доброй, болезненной, суеверной; она страдала легкими, куталась, редко выезжала из дому, возилась с сестрами, со мной, писала по-еврейски длинные письма многочисленной родне. В Судный день она постилась. Меня пугала большая свеча, которую мать зажигала с утра в годовщину смерти своей свекрови. В спальной всегда пахло лекарствами; часто приходили врачи. Мать хотела, чтобы они выслушали и меня — у меня были слабые легкие, но я прятался, убегал. Иногда к матери приезжала пышная дама Фамилиант со своими сыновьями Петей и Мишей; они чинно ели пирожные и по просьбе взрослых декламировали стихи Пушкина. Я их считал дураками, а мать говорила: «Вот погляди, Петя и Миша — хорошие дети. А ты?..»

Меня избаловали, и, кажется, только случайно я не стал малолетним преступником. Мне было девять лет, когда мать уехала лечиться в Эмс, а меня и сестер отправила в Киев к своему отцу.

Дед по матери был благочестивым стариком с окладистой серебряной бородой. В его доме строго соблюдались все религиозные правила. В субботу нужно было отдыхать, и этот отдых не позволял взрослым курить, а детям проказничать. (Еврейская суббота столь же уныла, как английское, пуританское воскресенье.) В доме деда мне было всегда скучно, и я пакостил, как мог. В то лето мы жили на даче в Боярке. Я изводил всех; как-то меня решили наказать — заперли в чулан, где держали уголь. Я разделся догола и начал кататься по полу. Когда дверь открыли, кухарка в ужасе крикнула: «Ой же черт!..» Я решил отомстить, ночью принес бутыль с керосином и попробовал поджечь дачу.

На следующее лето мать взяла меня с собой в Эмс. Я изводил курортников: передразнивал дряхлого графа Орлова-Давыдова, звал его «Шамом», потому что он все время шамкал; мешал англичанке заниматься рыбной ловлей — камешками отгонял рыбу; уносил букеты незабудок, которые немцы клали у памятника «старому кайзеру». Курортные власти попросили мать уехать, если она не в силах меня угомонить.

Я блестяще выдержал экзамены в приготовительный класс, потом в первый: знал, что существует «процентная норма» и что меня примут

А. Б. Эренбург с сыном. 1902 г.

Д. Аренштейн — дед И. Эренбурга по матери.

только в том случае, если у меня будут одни пятерки. Я решил задачу, не сделал ни одной ошибки в диктанте и с чувством продекламировал «Поздняя осень. Грачи улетели...».

Один приятель рассказывал мне — это было в начале тридцатых годов,— как его маленький сын, вернувшись из школы, куда только поступил, спросил отца: «Что такое евреи?» — «Я еврей,— ответил отец,— мама еврейка». Это было настолько неожиданно, что малыш не поверил: «Вы я-вреи?» Мы были лучше подготовлены; в восемь лет я хорошо знал, что есть черта оседлости, право жительства, процентная норма и погромы.

Рос я в Москве, играл с русскими детьми. Когда родители хотели что-либо скрыть от меня, они говорили друг с другом по-еврейски. Никакому богу — ни еврейскому, ни русскому — я не молился. Слово «еврей» я воспринимал по-особому: я принадлежу к тем, кого положено обижать; это казалось мне несправедливым и в то же время естественным. Отец мой, будучи неверующим, порицал евреев, которые для облегчения своей участи принимали православие, и я с малых лет понял, что нельзя стыдиться своего происхождения. Я где-то прочитал, что евреи распяли Христа; дядя Лева говорил, что Христос был евреем; няня Вера Платоновна мне рассказывала, что Христос поучал: когда тебя бьют по одной щеке, подставляй другую. Мне это было не по душе. Когда я пришел впервые в гимназию, какой-то приготовишка начал петь: «Сидит жидок на лавочке, посадим жида на булавочку». Не задумываясь, я ударил его по лицу. Вскоре мы с ним подружились. Никто больше меня не обижал.

В классе нас было три еврея — Зельдович, Цукерман и я; никогда мы не чувствовали себя чужаками. Вот только товарищи нам завидовали, когда во время уроков закона божьего мы шлялись по двору...

Мне не привелось в Москве моего детства и отрочества столкнуться с юдофобством. Наверно, среди преподавателей или родителей моих товарищей были люди, зараженные расовыми предрассудками, но они не выдавали себя: антисемитизма в те времена интеллигенты стыдились, как дурной болезни. Помню рассказы о кишиневском погроме — мне было двенадцать лет; я понимал, что произошло нечто ужасное, но я знал, что повинны в этом царь, губернатор, городовые, знал, что все порядочные люди против самодержавия, что Толстой, Чехов, Короленко возмущены погромом. Когда я приезжал в Киев, я слышал, что «Киевлянин» призывает к расправам, что на Подоле неспокойно, что существует «проклятый еврейский вопрос».

Странное было время: множество мерзости и множество иллюзий! Судьба одного невинно осужденного французского офицера, Дрейфуса, взволновала лучших людей Европы... «Если у тебя не будет высшего образования, ты не сможешь жить в Москве»,— говорил мне отец, глядя на двойки в балльнике. Я усмехался: до того, как я кончу гимназию, все на свете переменится! Мне казалось, что антисемитские статьи в «Киевлянине» или в «Московских ведомостях» — последние отголоски средневекового изуверства; менее всего я мог себе представить, что в книге о прожитой жизни мне придется посвятить столько горьких страниц тому вопросу, который в начале века мне казался пережитком, обреченным на смерть.

А отец возмущался двойками. Первые два года я учился хорошо, потом мне надоело решать задачи с бассейнами. Я тихонько выносил из дома сочинения классиков в роскошных переплетах, сбывал их букинистам на Волхонке, а на вырученные деньги в магазине «Новые изобретения», помещавшемся в Столешниковом переулке, покупал чихательный порошок, чесательную пудру, коробочки, из которых выскакивали резиновые мыши или змеи, шутихи,— изводил ими в гимназии учителей.

Еще до поступления в приготовительный класс я декламировал «Демона». Слава поэта меня не соблазняла, я хотел стать не Лермонтовым, а Демоном и кружить над Хамовниками; называл себя «духом изгнания», разумеется не понимая, что это значит. Вскоре стихи мне надоели, я увлекся химией, ботаникой, зоологией, сидел над микроскопом, производил опыты с вонючими порошками, завел лягушек, ящериц, тритонов. Как-то гады разбежались по всей квартире; неизвестно откуда шло зловоние — это главный тритон сдох под шкафом матери.

Наслушавшись разговоров о героизме буров, я сначала написал письмо бородатому президенту Крюгеру, а потом, стащив у матери десять рублей, отправился на театр военных действий. Ночью меня поймали, и я не любил вспоминать о злополучном начинании.

Смена календарных дат всегда волнует, и вот менялась цифра не года, а столетия. (В действительности девятнадцатый век прожил больше положенного — он начался в 1789 году и кончился в 1914-м.) Все говорили о «конце века», загадывали, каким будет новый. Помню встречу 1901 года. К нам приехали ряженые в масках. Один был в костюме китайца, я узнал в нем весельчака инженера Гиля; я его схватил за косу. Ряженые изображали страны Европы, венгерец танцевал чардаш, испанка щелкала кастаньетами, и все кружились вокруг китайца — в Пекине в ту зиму шли бои. Все также пили «за новый век»; не думаю, чтобы кто-нибудь из них догадывался, каким будет этот век и за что именно они пьют среди сугробов Москвы.

Я был тогда учеником второго параллельного класса Первой гимназии. Помню, что я организовал небольшую группу «боксеров» — так называли восставших китайцев. Мы дрались ремнями и пускали в ход медные пряжки, хотя джентльменское соглашение этого не допускало: начинался двадцатый век.

Я совсем отбился от рук: мои проделки становились несносными. Отца дома не бывало, а мать и сестры не могли со мной справиться; на подмогу они звали дворника, моего тезку Илью, который топил у нас печи. Раз я бросился на Илью с ножиком, он меня побаивался.

Но вот нашлась и на меня управа в лице студента-юриста Михаила Яковлевича Имханицкого. Все удивлялись, почему я его слушаюсь, ведь он меня никогда не наказывал. Михаила Яковлевича поселили у нас в доме. Я при нем готовил уроки, и, когда я правильно решал задачу на проценты, он мне давал тянучки — я был сластеной. Бумажки я кидал на пол; он иногда спрашивал: «А где бумажки?»

Я глядел на пол, бумажек не было. Михаил Яковлевич посмеивался. Никому я не рассказывал о таинственных тянучках. Я боялся глаз Михаила Яковлевича; когда он глядел на меня, я быстро отворачивался. Родители считали, что он превосходный педагог.

Летом на даче в Сокольниках у нас гостила подруга одной из моих сестер — Леля Головинская. Она приглянулась Михаилу Яковлевичу. Тогда в моде были разговоры о гипнотизме. Студент объявил, что умеет гипнотизировать; он усыпил Лелю и сказал ей, что она должна через три дня поздно вечером приехать к нему на дачу. Домашние негодовали. Михаил Яковлевич спокойно уложил свои вещи в чемодан и рассказал, что он меня гипнотизировал, обеспечив этим общее спокойствие в течение полутора лет.

Меня повезли к профессору Рыбакову — кто-то сказал матери, что я могу навсегда лишиться воли. Несколько лет спустя, увидав на Пречистенском бульваре Михаила Яковлевича, я бросился от него бегом. Прошли годы. В 1917 году, возвращаясь из Парижа на родину, в Стокгольме, в русском консульстве, я увидел толстого, низкорослого человека, который сказал мне: «Не узнаете? Имханицкий». Я удивился: у него были самые обыкновенные, даже маловыразительные глаза.

Но о вымышленных тянучках я часто вспоминал. Думаю, что потом не раз меня заставляли решать трудные задачи и платили мне за это тянучками, которых в действительности не было. Только потом никто не поил меня соленым бромом и никто не боялся, что я потеряю волю. Воля, пожалуй, стала обременительным свойством.

Дома мне было скучно. Приходили гости, говорили, что у сестер Кристман удивительная колоратура, что адвокат Лабори произнес потрясающую речь в защиту невинного Дрейфуса, что в Москве открылся ресторан с отдельными кабинетами в мавританском стиле, что некая мадам Мальбранш привезла из Парижа новые модели шляп. Говорили также о премьере комедии Зудермана, об открытии Художественного общедоступного театра, о погромах, о письме Толстого, о красноречии адвоката Плевако, который может добиться оправдания самого жестокого убийцы, о фельетонах Дорошевича, высмеивающего «отцов города», о каких-то сумасшедших декадентах, уверяющих, будто существуют «бледные ноги».

Заводской двор мне казался куда интереснее гостиной, где стояли пыльные пальмы в кадках, а на стене висела копия картины, изображавшая Ломоносова, который едет в Москву учиться. Можно было пойти в конюшню, там чудесно пахло, и я знал характер каждой лошади. Можно было прятаться в сорокаведерных бочках. В одном из цехов проверяли бутылки, ударяя по каждой металлической палочкой, и я считал, что эта музыка куда лучше той, которой порой нас потчевали гости — известные пианисты.

Рабочие спали в душных полутемных казармах на нарах, покрытые тулупами; они пили кислое, испорченное пиво, иногда играли в карты, пели, сквернословили. Среди них было мало грамотных, а грамотеи читали по складам хронику происшествий в «Московском листке». Помню еще забаву: рабочие облили керосином крысу, и огненная крыса металась в кругу. Я видел жизнь нищую, темную, страшную, и меня потрясала несовместимость двух миров: вонючих казарм и гостиной, где умные люди говорили о колоратуре.

Неподалеку от завода, на Девичьем поле, на масленой устраивали гулянья с балаганами. Помню пожилого человека с лицом, обсыпанным мукой, который, кривляясь, кричал: «Уж я американец, станцую всякий танец!..»

Я писал под диктовку рабочих письма в деревню, писал про харчи, про болезни, про свадьбы и похороны.

Одна стена завода граничила с сумасшедшим домом. Я взбирался на стену и глядел: истощенные люди в халатах шагали по дворику, где валялась всяческая рухлядь; иногда служитель кидался на больного, и тот истошно кричал.

На заводе работали специалисты — чешские пивовары. Рабочие их называли «немцами» — они, например, ели голубей, а это всеми порицалось. Сын пивовара Кары

Л. Н. Толстой. Москва.

убил колуном мать и двух сестер — он решил поднести дорогое колье московской львице, а родители не давали ему денег. Помню обрывки фраз: «плавают в крови... хотел взять пятьсот рублей... влюбился по уши...» Конечно, все поносили убийцу, а я вспоминал молодого тщедушного сына пивовара и про себя думал, что взрослые тоже ничего не понимают в жизни.

Рядом с заводом был дом Л. Н. Толстого. Часто я видел, как Лев Николаевич гулял по Хамовническому переулку, по Боженивовскому. Мне подарили «Детство и отрочество»; книга показалась мне скучной. Я вытащил из кладовки комплект «Нивы» с «Воскресением»; мать сказала: «Это тебе еще рано читать». Я прочел роман залпом и подумал, что Толстой знает всю правду. Отец мне дал переписать запрещенное цензурой обращение Толстого; я был горд, переписал аккуратно — печатными буквами.

Как-то Лев Николаевич пришел на завод и попросил отца показать ему, как варят пиво. Они обходили цехи, я не отставал ни на шаг. Мне казалось почему-то обидным, что великий писатель ростом ниже моего отца. Толстому подали горячее пиво в кружке, он, к моему изумлению, сказал: «Вкусно» — и вытер рукой бороду. Он объяснял отцу, что пиво может помочь в борьбе с водкой. Я долго потом думал о словах Толстого и начал сомневаться: может быть, и Толстой не все понимает? Я ведь был убежден, что он хочет заменить ложь правдой, а он говорил о том, как заменить водку пивом. (О водке я знал только со слов рабочих, они говорили о ней любовно, а пиво мне давали, и оно мне не нравилось.)

Иногда на заводе начиналась тревога: говорили, будто студенты идут к Толстому. Запирали наглухо ворота, ставили охрану. Я тихонько выбегал на улицу — поджидал таинственных студентов, но никого не было. К сестрам приходили в гости студенты, но, на мой взгляд, это были лжестуденты — они мирно пили чай, говорили о пьесах Ибсена, танцевали; настоящие студенты должны были сбрасывать казаков с лошадей, а потом сбросить царя с трона.

Настоящие студенты не приходили. Я страдал в детские годы бессонницей; однажды сорвал часы со стены: меня доконало их громкое тиканье. В памяти остались образы бессонных ночей: Толстой вытирает рукой бороду, молодой Кара с колуном в руке и его возлюбленная, «Лакме», сумасшедшие, балаганы, и огромная огненная крыса мечется вокруг меня.

4

Все изменилось, но больше всего изменилась Москва. Когда я вспоминаю улицы моего детства, мне кажется, что я это видел в кино.

Может быть, самой загадочной картиной встает передо мной конка. (Я помню, как пустили первый трамвай — от Савеловского вокзала до Страстной площади; мы стояли ошеломленные перед чудом техники,

Дом Л. Н. Толстого. Москва.
Похороны А. П. Чехова. Москва. 1904 г.
Гостиница «Княжий двор» в Москве. Сейчас передняя, двухэтажная часть снесена.
Московская конка.

искры на дуге нас потрясали не менее, чем потрясают теперь людей спутники Земли.)

Гимназия, где я учился, помещалась на Волхонке, напротив храма Христа Спасителя. Из гимназии в Хамовники я ездил иногда на конке. Ее тащила кляча; на Пречистенке перед подъемом в конку впрыгивал мальчонка; он держал вожжи второй, добавочной клячи и отчаянно гикал. На конке можно было проехать по всем Садовым, это был очень долгий путь. На разъездах конка останавливалась; пассажиры выходили и покорно смотрели вдаль — не покажется ли встречный вагончик.

Чаще я шел пешком по Пречистенке. На углу одного из переулков, кажется Штатного, была церквушка. На паперти богомаз изобразил Страшный суд: черти жарили грешников. Старушки испуганно крестились, а мне хотелось быть чертом.

Когда теперь на Кропоткинской я вижу глубокую старуху с мутными растерянными глазами, которая ковыляет с авоськой, я думаю: может быть, это одна из тех гимназисток, которые весело щебетали на Пречистенке и которые казались мне не просто хорошенькими девчонками, а воплощением Женщины, как Венера Милосская, как актрисы Лина Кавальери или Отеро, знаменитые в начале века своей красотой.

Летом Москва была очень зеленой, зимой очень белой. Снег не убирали, и к масленой нарастали огромные сугробы. Бесшумно скользили сани. В мае узкие щербатые тротуары засыпал сиреневый снег; перед домами были палисадники. Золотели или голубели купола церквей. Торчали загадочные сооружения — пожарные каланчи; на верхушке вывешивали шары, помогавшие распознать, в какой части города происходит пожар. Районы города отличались также мастями лошадей пожарных: гнедые, белые, вороные. Когда мороз достигал двадцати пяти градусов по Реомюру, занятий в гимназии не было; я с вечера отогревал замерзшее стекло, глядел на термометр — вдруг мороз покрепчает; но утром на каланче флага не было — об отмене занятий также узнавали по каланче.

На Смоленском рынке летом продавали овощи, фрукты; лежали горами арбузы, их надрезали треугольником. Торговали всем, и все нещадно торговались. Охотный ряд, там, где теперь гостиница

«Москва», был заполнен толпой: покупали в лавчонках живность. Огромные рыбы плавали в садках. Охотники ходили, обвязанные гирляндами рябчиков,— продавали дичь. Центром элегантной Москвы был Кузнецкий мост; на вывесках дорогих магазинов стояли иностранные фамилии: художественными изделиями торговали итальянцы Аванцо, Дациаро, модной одеждой — англичанин Шанкс, парфюмерией — французы, оптическими аппаратами — немцы. На окраинах было множество чайных «без права подачи крепких напитков». Там, где теперь стадион «Динамо», стояли крохотные дачи в садах: Москва быстро обрывалась. На Красной площади весной бывал вербный базар; там продавали «американских жителей» и «тещин язык». Возле Иверской часовни стояли на коленях женщины.

Появился телефон; он был только в богатых домах и в конторах крупных фирм; звонить было сложно — крутили рукоятку, в конце разговора давали отбой. Появилось также электричество, но я долго жил среди черного снега коптивших керосиновых ламп. Голландские печи блестели изразцами. Топили сильно. Между оконными рамами, покрытыми беспредметной живописью мороза, серела вата; иногда на нее ставили стаканчики с бумажными розами. Летом жужжали мухи. Блестели крашеные полы. Тишину изредка прерывал дискант маленьких собачонок — в моде были болонки и вымершие теперь мопсы. На комодах фарфоровые китайцы до одурения кивали головой. В эмалированных кружках с царским гербом (память о Ходынке) розовели гофрированные розы. К чаю подавали варенье, и варенья бывали разные: крыжовник, русская клубника, кизиль, райские яблочки, черная смородина.

Впервые меня повели в театр на «Спящую красавицу». Околдованные феей балерины искусно замирали на пуантах. В ложах впереди сидели гимназисты в мундирах с яркими пуговицами и гимназистки в коричневых или синих платьях с нарядными передниками. Сзади томились взрослые. Отец мне протянул коробку с шоколадными конфетами, наверху лежал кусок ананаса и серебряные щипчики; щипчики я взял себе. В коридорах театра цепенели пышные капельдинеры. Горничные в вязаных платках держали шубы, и шубы казались зверями; сибирские леса подходили вплотную к бархату и бронзе Большого театра — выдры, еноты, лисицы, соболя.

На улице, перед театром, поджидая господ, дремали кучера. У них были неимоверно большие ватные груди и бороды, белые от инея. Лошади тоже седели на морозе. Иногда кучера, чтобы согреться, начинали несгибающимися руками бить себя по ватной груди.

На углах переулков спали извозчики; порой, просыпаясь, они глухо зазывали: «Барин, подвезу?..» Они бубнили «полтинник» и после долгих разговоров догоняли: «Извольте двугривенный...» Начинался загадочный путь через Москву. Спали дворники в подворотнях. В церковных садиках нарастали сугробы. Вдруг вскрикивал пьяница, но его быстро унимал городовой в башлыке. Казалось, все спит: и седок, и извозчик, и лошадь, и Москва.

Извозчики везли седоков на Болото, на Трубу, в Мертвый переулок, в Штатный, в Николо-Песковский или в Николо-Воробьинский, на Зацепу, на Живодерку, на Разгуляй. Странные названия, будто это не улицы большого города, а вотчины удельных князей.

Когда ехали с Мясницкой через Кремль в Хамовники, у Спасских ворот извозчик и седок снимали шапки. Мороз щипал уши. Потом извозчик поворачивался к седоку и начинал длинную повесть.

О чем говорили московские извозчики? Наверное, о многом: о бедности и о морозе, о барских затеях, о своих темных дворах, о том, что больна жена или что забрили сына. Чехов написал о беседе с извозчиком один из самых раздирающих сердце рассказов — «Тоска». Но седоки не слушали, одно слово проступало — «овес». Да, разумеется, они говорили об овсе, надрываясь от горя, они пришепетывали: «Прибавить бы гривенник — овес вздорожал». Они жаловались, вздыхали или сквернословили, но из всех слов, нежных или грубых, только одно доходило до ушей седока, простое и таинственное, лейтмотив длинного пути от Лефортова к Дорогомилову — «овес».

Весной выставляли двойные рамы, и Москва сразу становилась невыносимо шумной: пролетки громыхали. Возле некоторых особняков с колоннами мостовая была залита асфальтом, и колеса, как бы различая табель о рангах, переходили на почтительный шепот.

В середине мая начиналось переселение на дачи. По улицам двигались высокие возы с буфетами, пуфами, туалетными столиками, самоварами. Кухарка держала в руках клетку с канарейкой, а рядом бежала собака.

На даче были гамаки, колпаки на свечах, медные тазы для варки варенья и блестящие шары посредине клумб. Взрослые играли в карты, пили клюквенный морс и читали «Русское слово». Студенты и гимназисты старших классов шли на «площадку» — так назывались танцульки. Дети поджидали мороженщика. Иногда все отправлялись в лес — «полюбоваться природой» — и, подстелив под себя одеяла, ложились на траву. Утром разносчики и лудильщики кричали: «Куры-молодки!», «Смородина!», «Паять, лудить, запаивать!» В воскресенье приезжали гости, они ели кулебяку, говорили о красоте сельской жизни и мирно засыпали.

Сокольники были лесом; на его опушке уже помещался «круг» — там устраивали концерты, спектакли. Баритон Шевелев сводил с ума барышень: «Люблю ли тебя — я не знаю...» Когда Шевелева сменяла потерявшая голос былая знаменитость, студенты уводили взволнованных барышень в боковые аллеи, и там выяснялось, что все хорошо знают, кого кто любит. Потом шли спать. Потом просыпались. Гимназисты зубрили латынь «ут финале» или играли в крокет; хозяйки раздували самовары, торговались с разносчиками и снимали с варенья бледно-розовую пену.

Шел двадцатый век. Германия уже деловито готовилась к войне. Англичане договорились с французами о военном союзе, французы были союзниками России, и в то же время англичане заключили союз с японцами, которые готовились к нападению на Порт-Артур. Бастовали рабочие в Петербурге, в Ростове-на-Дону. В Брюсселе Ленин спорил с меньшевиками. Но в мире, где я жил, было невыносимо тихо. На Волхонке у букинистов я читал те книги, о которых взрослые при мне старались не разговаривать: Горького, Леонида Андреева, Куприна.

Каждый день я бегал в библиотеку — менял книги. Я читал залпом: мне хотелось понять жизнь. Читал Достоевского и Брема, Жюля Верна и Тургенева, Диккенса и «Живописное обозрение», и чем больше я читал, тем сильнее во всем сомневался. Ложь меня обступала со всех сторон, мне хотелось то удрать в джунгли Индии, то бросить бомбу в дом генерал-губернатора на Тверской, то повеситься.

Я бегал также в театр, выклянчивая у матери деньги. В Художественном театре играли Чехова, Ибсена, Гауптмана, у Корша — «Дети Ванюшина», в Малом — «Власть тьмы» со знаменитыми Садовскими. Гремел бас Шаляпина. Помню, кто-то из гостей рассказал, что скоро откроется «биоскоп» и там будут показывать живые фотографии.

Потом нас собрали в актовом зале гимназии, и директор торжественно прочитал манифест: «Мы, Николай Второй, самодержец всероссийский...» Началась война с Японией. В гимназии отслужили молебен, и мы долго, до хрипоты, кричали «ура» — нам объявили, что занятий не будет. Война нам казалась бесконечно далекой, и я очень удивился, когда вскоре увидел моего двоюродного брата Володю Скловского в солдатской форме — он ехал из Киева в Маньчжурию.

Летом того же года я был с матерью и сестрами за границей — снова в Эмсе; там я заболел брюшным тифом. Помню, однако, два события, которые меня поразили: осаду Порт-Артура после битвы, проигранной русской армией, и смерть Чехова. Отец в тот год потерял место и, следовательно, квартиру. Он жил в номерах «Княжий двор» на Волхонке. У меня были переэкзаменовки по латыни и по математике; к началу учебного года меня отправили одного в Москву. В Берлине я должен был пойти в семейный пансион фрау Иенике, где останавливалась моя мать. У фрау Иенике на стенах красовались различные сентенции, вышитые гладью. Мне стало скучно, и вечером я направился на Фридрихштрассе, мне захотелось пирожных; я зашел в кафе, которое оказалось ночным кабаком. Кельнеры на меня косились, но пирожные все же дали, только взяли за них столько, что пришлось телеграммой выклянчить у матери добавочные деньги на дорогу в Москву.

Комната в «Княжьем дворе» была маленькой, с темным альковом, но гостиничная жизнь мне понравилась: я чувствовал себя свободно. Отец уходил с утра, говорил, что ищет работу. После уроков я приводил к себе товарищей, хвастал, что живу самостоятельно, заказывал самовар, плюшки, и мы развлекались, как могли.

(Зимой 1920 года я жил в общежитии Наркоминдела — в бывшем «Княжьем дворе». Внизу спрашивали пропуска. Дежурный кричал в телефон: «Откудова звук?..» «Княжий двор» казался мне, как в детстве, восхитительным.)

Собираясь в комнате «Княжьего двора», мы не только ели плюшки и развлекались: в ту осень политика впервые постучалась в мою жизнь. Я начал читать газеты. Японцы били наших, это было горько, но мы

понимали, что вся беда в самодержавии. У одного из моих товарищей
был дядя, связанный с эсерами; этот дядя сказал, что скоро произойдет
революция, нужно будет разоружить казаков и городовых, потом про-
возгласят республику...

Я прочитал «Преступление и наказание», судьба Сони меня мучила.
Я снова думал о казармах Хамовнического завода. Нужно все перевернуть, решительно все!..

Правда, были передо мной и другие соблазны, например гимназистка Муся; она играла на фортепьяно «Песнь без слов», а потом
в передней я ее целовал. Но жил я предчувствием больших и загадочных событий. Еще недавно мальчишка в Берлине восхищался пирожными со взбитыми сливками; за два-три месяца я как-то сразу
вырос.

В моем первом романе «Необычайные похождения Хулио Хуренито
и его учеников» один из учеников носит мое имя. Это вымышленный
персонаж: никогда я не служил кассиром в публичном доме мистера
Куля и не возил пулемета римскому папе. Но герой, именуемый Ильей
Эренбургом, подчас высказывал мои подлинные мысли. Есть в романе
спор о том, что выше — утверждение или отрицание, и ученик Хуренито, Илья Эренбург, вспоминая слова Экклезиаста о том, что есть время
собирать камни и время их бросать, говорит, что у него одно лицо, а не
два, строить он не умеет и предпочитает бросать камни.

«Хуренито» я написал в тридцать лет, а рассказываю о той осени,
когда мне было тринадцать. Я тогда не слыхал об Экклезиасте, но мне
смертельно хотелось расшвырять побольше камней. Кончалась пора
детства — наступал пятый год.

5

Во время последней переписи ко мне пришла молоденькая счетчица.
Она удивленно поглядела на стены: Пикассо ее возмутил.

— Неужели это вам нравится?

— Очень.

— А я вам не верю, вы это говорите потому, что он ваш приятель.

Потом я начал отвечать на вопросы.

— Образование?

— Незаконченное среднее.

Девушка обиделась:

— Я вас серьезно спрашиваю.

— А я вам серьезно отвечаю.

— Вы надо мной смеетесь. Я читала ваши книги... Перепись —
важное государственное дело. Почему вы не хотите серьезно отвечать?

Она ушла обиженная. Между тем я ей сказал правду: в октябре
1907 года меня исключили из шестого класса.

О гимназии писали много — и Гарин-Михайловский, и Вересаев,
и Паустовский, и Каверин. Мне кажется, что все гимназии походили
одна на другую. Конечно, кое-чему я в школе научился — и от некото-

рых преподавателей и от товарищей, но уж не столь многому: куда лучшей школой были книги, да и те люди, с которыми я сталкивался вне стен гимназии.

Гимназисты входили в гимназию с переулка; в огромной сборной висели сотни шинелей. Там обычно дрались «греки» с «персами» и малыши «жали масло», притискивая друг друга к стенке. Приготовишкой я увидел, как в сборной били мальчонку, накидав на него шинели, били дружно, долго и пели при этом: «Фискал, по Невскому кишки таскал...» С того дня я твердо запомнил и пронес через всю жизнь отвращение к фискалам, или, говоря по-взрослому, к доносчикам. Гимназия воспитала во мне чувство товарищества; никогда мы не думали, прав или не прав провинившийся, мы его покрывали дружным ответом: «Все! Все!»

(В 1938 году одна преподавательница детдома, куда привезли испанских ребят, жаловалась мне, что «с ними трудно, они — анархисты». Оказалось, дети, играя, разбили вазу и на вопрос, кто это сделал, ответили: «Все». Я долго убеждал преподавательницу, что в этом нет никакого анархизма, наоборот. Убеждал, но не убедил.)

В торжественные дни гимназистов собирали в большом актовом зале, на стенах висели портреты четырех императоров и мраморные доски с именами учеников, получивших медали. Директором гимназии был чех Иосиф Освальдович Гобза; показывая на доски, он нам говорил, что в стенах Первой гимназии воспитывался будущий министр народного просвещения Боголепов. Гобзу мы видели редко, и грозой был инспектор Ф. С. Коробкин.

Я с нежностью вспоминаю гимназические уборные: это были наши клубы. В уборную первых четырех классов неожиданно заглядывал надзиратель и выгонял оттуда лентяев, но, перейдя в пятый класс, я увидел уборную, обладавшую конституционными гарантиями, там можно было даже курить. Стены были покрыты непристойными рисунками и стишками: «Подите прочь, теперь не ночь...» В уборной для малышей обменивались перышками или марками, второгодники (их называли «камчадалами») клялись, будто они запросто бывают в публичных домах. В уборной для старших классов говорили о рассказе Леонида Андреева «В тумане», о разоблачениях Амфитеатрова, о декадентах, о шансонетках в театре «Омона» и о многом другом.

Впрочем, в старших классах я пробыл недолго, и мои воспоминания относятся главным образом к третьему, четвертому классам. Во время большой перемены мы мчались в столовую; кто-нибудь наспех читал молитву; потом начиналась биржа: меняли пирог с морковью на голубец или котлету на пирог с рисом. Буфетчика мы звали «Артем — сопливый индюк».

Года два процветала азартная игра: какой учитель после перемены выйдет первым из учительской, можно было поставить на любого пятачок. Тотализатором ведали два «камчадала». Были фавориты, часто выходившие первыми, на них трудно было выиграть больше чем гривенник, а мне помнится, что кто-то выиграл на немце Сетингсоне, обычно выходившем последним и вдруг выскочившем вперед, чуть ли не два рубля. (Я прочитал в воспоминаниях Брюсова, что в гимназии Креймана существовал такой тотализатор еще в 1889 году.)

Из предметов мне больше других нравились русский язык, история; с математикой я был не в ладах, а латынь почему-то ненавидел. Словесность преподавал весельчак Владимир Александрович Соколов; вызывая меня к доске, он неизменно приговаривал: «Ну, Эрен-мерин...» Я не знал тогда, что такое мерин, и не обижался. Кажется, в четвертом классе мы перешли от изложений к сочинениям, и, хотя я был лентяем, сочинения меня увлекали. Владимир Александрович меня и хвалил и поругивал: «Не слушаешь в классе и все от себя пишешь, вот выгонят тебя за такие рассуждения, будешь сапожником».

Обидно, что я не могу теперь проверить, за что меня ругал Владимир Александрович, что было в моих школьных сочинениях недозволенного. А в общем, когда я стал писателем, пятьдесят лет подряд критики повторяли и повторяют слова Владимира Александровича: «Не слушает на уроках, пишет все от себя...»

Отец, когда я приносил балльник с дурными отметками, говорил, что я оболтус, что меня выгонят, придется тогда идти в гимназию Креймана, которая славилась тем, что туда принимали исключенных. Потом отец уже перестал грозить Крейманом, а просто предрекал, как Владимир Александрович: «Будешь сапожником». У меня в жизни были различные занятия, часто неприятные, но тачать обувь я не научился.

В младших классах я увлекался греческой мифологией. Потом преподаватель естественной истории А. А. Крубер, человек толковый и живой, нашел во мне благодарного ученика. К истории я не охладел, только в четвертом классе меня занимали уже не греческие богини, а более близкое прошлое. Когда я написал сочинение о том, что освобождение крестьян произошло не сверху, а снизу, директор вызвал к себе отца.

В третьем классе я стал редактором рукописного журнала «Новый луч». Журнал мы скрывали от учителей, хотя ничего страшного там не было, кроме стихов о свободе и рассказиков с описанием школьного быта.

Я шел в гимназию по Пречистенке. Меня рано начали занимать два дома: женская гимназия Арсеньевой и «Кавалерственной дамы Чертковой институт для благородных девиц». Перейдя в четвертый класс, я почувствовал себя взрослым и начал влюбляться в различных гимназисток, убегал до конца последнего урока, ждал девочку у выхода и нес ее книги, аккуратно завернутые в клеенку. Узнал я и другие женские гимназии, например Алферовой на Арбате, Брюхоненко на Кисловке.

Напротив гимназии, возле собора, был чудесный сквер, там мы гуляли, назначали свидания гимназисткам, ревновали и прикидывались Печориными.

Когда я перешел в пятый класс, я выломал на гербе фуражки цифру «I», обозначавшую, в какой гимназии я учусь,— так поступали все «сознательные». Куртку мы носили, как пиджак,— поверх косоворотки. Мы старались подражать студентам: одеваться небрежно, иметь непочтительный вид и, споря о прочитанных книжках, размахивали руками.

3 *

Некоторые гимназисты были эстетами, презирали стихи Надсона и Апухтина, которыми еще зачитывались девочки, и, к ужасу своих избранниц, писали в обязательные альбомы: «О да, вас, женщины, воззвал я сам». Были и франты, ранние прожигатели жизни, «стиляги» начала века; они носили очень широкие фуражки нежно-голубого цвета, говорили о скачках, о шансонетках, о балах, хвастались — вчера на балу они пили французский ликер, а потом... Что было потом, слышал только закадычный друг хвастуна.

Часто в Колонном зале я вспоминаю, как впервые в нем очутился. Он тогда назывался «Большой зал Благородного собрания». Я пошел на вечер «в пользу недостаточных учеников московской Первой гимназии». Сначала Шаляпин пел про блоху. Гимназисты старших классов отнеслись к этому спокойно, говоря, что Шаляпин всегда поет про блоху, но я был второклассником и с восторгом повторял: «Ха-ха, блоха!» Потом начались танцы. Меня пробовали учить танцевать, я знал, что существуют десятки сложнейших танцев: падепатинер, падеспань, венгерка, мазурка, миньон, шакон и другие; но я путал все па и, главное, неизменно наступал на ноги девочке, которую приглашал. В «Благородном собрании» я не хотел осрамиться и поднялся на хоры. Там я неожиданно увидел помощника классного наставника, по привычке встал и очень громко его приветствовал. Помощник классного наставника любезничал с толстой барышней и рассердился на меня.

Когда я был в четвертом классе, я ездил с товарищами приглашать актеров участвовать в благотворительном концерте. Мы были у знаменитой певицы Неждановой. Я тискал в руке белые перчатки и страдал от своей несветскости. Мои товарищи были смелее.

В нашем классе был «лев» — князь Друцкой, прекрасный танцор, он умел разговаривать с девушками. Когда мне было тринадцать лет, я ему завидовал. Но уже год спустя он казался мне неинтересным. Я читал Чернышевского, брошюры о политической экономии, «Жерминаль», старался говорить басом и на Пречистенском бульваре доказывал дочке учителя пения Наде Зориной, что любовь помогает герою бороться и умереть за свободу.

Девочки, которых я провожал из гимназии до дома, часто менялись: постоянством в четырнадцать лет я не страдал. Иногда я приглашал их в кондитерскую Пелевина на Остоженке, пирожное там стоило три копейки. Девочки мне казались неземными, но аппетит у них был хороший, и однажды мне пришлось оставить кондитеру в залог фуражку.

Мы жили тогда на Остоженке, в Савеловском переулке. Квартира была поместительная, и у меня была отдельная комната. Я требовал от родителей, чтобы они не входили ко мне, не постучав. Мать подчинялась, но отец смеялся над моими выдумками.

На Остоженке в писчебумажном магазине я покупал открытки с фотографиями шансонеток, предпочтительно голых: я считал, что о женщинах нужно думать поменьше, но думал о них чересчур много. Помню фотографию известной красавицы Наташи Трухановой, она меня сводила с ума. Четверть века спустя в Париже я познакомился с А. А. Игнатьевым, бывшим военным атташе во Франции, сотрудником нашего торгпредства; его жена оказалась той самой Наташей, которая меня пленяла в отрочестве. Я ей рассказал о старой открытке, и мой рассказ ее рассмешил.

Моя первая любовь относится ко времени несколько более позднему — к осени 1907 года, когда меня уже прогнали из гимназии. Звали гимназистку Надя. Ее старший брат, Сергей Белобородов, был большевиком. Отец Нади читал «Московские ведомости» и зло косился на меня: я был революционером, да еще ко всему евреем, и покушался на невинность Нади. Приходил я к ней редко, и обычно мы встречались на улице, в Зачатьевском переулке. Почти каждый день мы писали друг другу длиннейшие письма, с психологическим анализом наших отношений, с упреками и клятвами, письма ревнивые, страстные и философические. Нам было по шестнадцати лет, и, вероятно, мы оба были поглощены не столько друг другом, сколько смутным предчувствием раскрывающейся жизни.

Вернусь к гимназии. Я познакомился с некоторыми учениками старших классов — с Бухариным, Астафьевым, Циресом, Ярхо. От Бухарина я услышал впервые про исторический материализм, про прибавочную стоимость, про множество вещей, которые показались мне чрезвычайно важными и которые резко переломили мою жизнь.

Шел бурный пятый год. Богословская аудитория университета превратилась в зал для митингов. Я часто туда убегал. Рядом со студентами сидели рабочие. Мы пели «Марсельезу» и «Варшавянку». Курсистки раздавали прокламации. По рукам ходили огромные шапки с запиской: «Жертвуйте на вооружение».

Я шел по Моховой. Студенческие фуражки вдруг закружились, как осенние листья. Кто-то крикнул: «Охотнорядцы!» Все бросились во двор университета и начали готовиться к защите крепости. Нас разбили на десятки: я мелом проставил на гимназической шинели номер. Мы таскали камни наверх, в аудитории: если враг прорвется, мы его забро-

Наташа Труханова.

Ф. И. Шаляпин. 1902 г.

Надя Белобородова. 1907 г.

Похороны Н. Баумана. 20 октября 1905 г.

саем камнями. Развели костры; жевали бутерброды с колбасой и до утра пели: «Смело, друзья, не теряйте бодрость в неравном бою!..» Мне тогда еще не было пятнадцати лет, и легко понять, что бодрости я не терял.

Помню похороны Баумана. Когда мы возвращались с кладбища, раздались выстрелы. Помню казака с серьгой в ухе и с нагайкой. Помню декабрь: тогда впервые я увидел кровь на снегу. Я помогал строить баррикаду возле Кудринской площади. Никогда не забуду рождества — тяжелой, страшной тишины после песен, криков, выстрелов. Чернели развалины Пресни. Сапоги семеновцев щемили снег, и снег жалобно поскрипывал. Вернувшись в гимназию после рождественских каникул, я рассеянно глядел по сторонам; думал о своем: нужно найти подпольную организацию — главные бои впереди.

Год я провел в гимназии, как бы не замечая больше, что есть занятия, уроки, отметки: я был занят одним — сравнивал программы эсдеков и эсеров. За последних была романтика: боевые дружины, террор, роль личности. Но мне они казались чересчур романтичными: я помнил рабочих Хамовнического завода, и меня тянуло к большевикам, к романтике неромантичного. Я уже читал статьи Ленина и понимал, что меньшевики умеренны, ближе к моему отцу. Я часто повторял про себя одно слово: «справедливость». Это очень жесткое слово, порой холодное, как металл на морозе, но тогда оно мне казалось горячим, милым, своим.

Как-то я поспорил с отцом; оказалось, что он и не слыхал про большевиков и меньшевиков, ему нравились кадеты. Я долго доказывал, что необходима революция. Он сказал: «Может быть, ты и прав... Но главное — это терпимость». Трудно соблазнить терпимостью мальчишку пятнадцати лет с жестким чубом на голове и с давним желанием раскидать тяжелые неподвижные камни. «Все или ничего!» — это восклицание одного из героев Ибсена я записал как девиз в свою записную книжку и, несмотря на пренебрежение к поэзии, повторял стихи А. К. Толстого:

> Коль любить, так без рассудку,
> Коль грозить, так не на шутку...

Тысяча девятьсот шестой год определил мою судьбу. Это был шумный и трудный год: еще вскипали волны революции, но начинался отлив. Одни с печалью, другие с радостью говорили, что гроза позади; восстания матросов в Кронштадте и Свеаборге казались последними раскатами грома. Гимназисты угомонились, вернулись к учебникам: больше не было ни митингов в университете, ни демонстраций, ни баррикад. В тот год я вошел в большевистскую организацию и вскоре распрощался с гимназией. Бухарина и Астафьева я продолжал встречать, но уже не в гимназических коридорах, а на подпольных собраниях. Выбор был сделан.

В 1958 году меня разыскал мой однокашник Вася Крашенинников, по профессии врач. В старости люди начинают тянуться к полузабытым друзьям детства, отрочества. Крашенинников решил собрать тех наших школьных товарищей, которые еще остались в живых и находятся в Москве. Мы ужинали в ресторане «Прага», пятеро граждан того возраста, который теперь называют «преклонным», вспоминали школьные проказы, учителей, девочек.

Зал ресторана постепенно заполнился; я сидел спиной к залу и не видел посетителей; вдруг я оглянулся и замер — кругом были неимоверно нарумяненные, растрепанные девушки, мальчишки в клетчатых пиджаках, с перманентом, прямые наследники гимназистов, носивших лазурные фуражки, и студентов-«белоподкладочников». Они танцевали, а когда музыка замолкала, наступала тишина: оживленно беседовали только пять стариков за крайним столиком.

Не знаю, почему судьба сыграла над нами столь злую шутку: мы

Баррикады у Кудринской площади. Москва. 1905 г.

Илья Эренбург. 1906 г.

назначили свидание в том самом месте, где собираются «стиляги». Их, право же, немного. А мы были самыми обыкновенными гимназистами начала века, которые жили, как все, случайно выжили и которые говорили в тот вечер о молодежи нашего времени не с брюзжанием стариков, а с нежностью и доверием.

«Почему тебе не нравилась Валя Козлинская? — спросил меня Крашенинников.— В нее все были влюблены...» Не знаю почему — не помню. Может быть, потому, что я был влюблен в Надю Белобородову? Может быть, потому, что я жил будущим: к величайшему ужасу матери, ко мне приходил студент-боевик Дмитрий, он показывал мне и моим товарищам, как нужно обращаться с револьвером.

6

Прошлое забывается; кое-что можно припомнить, другое ушло навсегда.

В томе «Литературного наследства», посвященном Маяковскому, я нашел рапорт начальника Московского охранного отделения, подполковника фон Котена, посвященный подпольной социал-демократической организации в средних учебных заведениях Москвы. Я долго думал над некоторыми именами: не могу вспомнить, о ком идет речь; рапорт охранника, однако, многое оживил в моей памяти. Фон Котен доносил:

«Более выдающуюся роль играли Брильянт, Файдыш, Эренбург и Анна Выдрина... Партия приобрела для себя из среды учеников новых работников: Файдыш — член военно-технического бюро; Эренбург, Соколов, Сахарова, Бухарин и Брильянт — районные пропагандисты; Рокшанин — техник Замоскворецкого района и Антонов — техник Городского района».

Я, конечно, хорошо помню Бухарина и Брильянта, с ними я встречался и впоследствии; вспоминаю Файдыша, Веру Сахарову, Рокшанина, а вот Антонова и Соколова не помню. В списке, составленном фон Котеном, есть и другие имена, мне памятные,— Надя Львова, Валя Неймарк, Конкордия Ивенсон, Борис Осколков, но отсутствуют Астафьев, Членов, Маруся Львова, Ася Яковлева.

Начальник охранки кое-что напутал. Бухарина он окрестил Владимиром, это может быть описка. А вот ошибка поважнее: 18 января 1908 года он сообщал, что партия приобретает новых работников из среды гимназической организации. На самом деле члены партии Бухарин и Брильянт в 1906 году по указанию Московского комитета положили начало школьной организации. Что касается меня, то я сначала попал в общепартийную организацию, а потом, среди прочего, занялся школьными делами. В 1907—1908 годах ни Бухарин, ни Брильянт больше не руководили гимназической организацией, и 30 января 1908 года охранка арестовала «главарей», а именно Неймарка, Кору Ивенсон, Файдыша, Осколкова и меня.

Еще в 1906 году я познакомился с большевичкой Егоровой; у нее были очень светлые волосы, выпуклый лоб. Сначала я таскал «литературу», потом стал «организатором» в Замоскворецком районе. Пуще всего я боялся, что товарищи могут догадаться о моем возрасте, скажут, нельзя поручать пятнадцатилетнему мальчишке важные задания...

(Много лет спустя я узнал, что Маяковский занялся партийной работой, когда ему не было и пятнадцати лет; очевидно, таковы были нравы эпохи.)

Расскажу сначала о моих товарищах по школьной организации.

О Бухарине мне предстоит говорить впоследствии, сейчас мне хочется просто припомнить восемнадцатилетнего юношу, которого все мы любили, называли «Бухарчиком». Он не походил на других подпольщиков: мы были чересчур серьезными, скрывали друг от друга многое, даже с девушками, в которых влюблялись, старались говорить только об историческом материализме, о том, что личность в истории ничего не значит и что «отрезки» куда лучше, чем социализация или муниципализация. Бухарин, в отличие от других, был очень веселым, я, кажется, и сейчас слышу его заразительный смех; непрестанно он прерывал разговор шутками, придуманными или нелепыми словечками, он не только разбирался в партийных дискуссиях, не только одолел политическую экономию, он знал философию, историю, словесность. Он объяснял мне, в чем величие и в чем ошибки Гегеля, каково значение древнекитайской культуры, почему протопоп Аввакум стал большим писателем. Все это не мешало ему быть точным, деловым в подпольной работе. Спорил он добродушно, но спорить с ним было опасно: он ласково вышучивал противника. Я часто у него бывал, жил он с родителями (отец его был педагогом) на Малой Никитской; иногда он приходил ко мне, и мопс Бобка неизменно старался его укусить — мопсу не нравились ни громкий смех, ни высокие сапоги. Бывают мрачнейшие люди с оптимистическими идеями, бывают и веселые пессимисты; Бу-

Г. Сокольников. 1907 г.

Н. Бухарин. 1907 г.

С. Б. Членов. 20-е годы.

харчик был удивительно цельной натурой — он хотел переделать жизнь, потому что ее любил.

Брильянт (Г. Я. Сокольников) был сыном аптекаря на Трубной площади, работал он в Сокольническом районе, дружил с Бухариным, но никак на него не походил: бледный, аккуратный, он говорил всегда спокойно, чрезвычайно редко улыбался; мне казался чересчур замкнутым, даже суховатым. Когда летом 1908 года меня вели по коридору Бутырской тюрьмы, я вдруг увидел Брильянта. Мы поздоровались глазами — конспирация не позволяла большего. Его отправили в Сибирь на поселение, оттуда он убежал, и мы встретились в Париже. Он усердно занимался партийной работой, и я очень удивился, услыхав, что в свободное время он переводит полюбившийся ему роман Шарль-Луи Филиппа «Бюбю с Монпарнаса». Я понял, что не такой уж он сухой, как мне казалось. А в последний раз я его видел в Лондоне, где он был послом; говорили мы о политике консерваторов, об угрозе фашизма и ни словом не вспомнили прошлого.

Сеня Членов походил на добродушного котенка: лицо широкое, часто жмурился, флегматичный, с легкой усмешкой.

Он нам объяснял роль иностранного капитала, англо-германский антагонизм, алчность и отсталость русской буржуазии, но после серьезных рефератов охотно беседовал о декадентах, о Художественном театре, о сатирических романах Анатоля Франса. Много лет спустя я с ним снова встретился в Париже — он был юрисконсультом советского посольства. Удивительно, до чего он мало изменился; очевидно, в восемнадцать лет он был уже вполне отструганным, отшлифованным.

В Париже мы с ним подружились. Он был человеком сложным, сибаритом и в то же время революционером. Видя недостатки, он оставался верным тому делу, с которым связал свою жизнь. Вероятно, среди просвещенных римлян III века, уверовавших в христианство, были люди, похожие на Семена Борисовича Членова (мы звали его Эсбе),— они видели, как несовершенны статуи Доброго Пастыря по сравнению с Аполлоном, но вместе с другими христианами шли на пытки, на казнь. Помню, я ехал из Москвы в Париж; на пограничной станции Негорелое стоял встречный поезд; в вагоне-ресторане лениво улыбался Эсбе — его вызывали в Москву. Больше мне не удалось с ним встретиться — это было в конце 1935 года...

Мой сверстник и товарищ по гимназической организации Валя Неймарк был для меня образцом скромности и верности. Его арестовали в ту же ночь, что меня; выпустили; потом арестовали по другому делу и сослали в Сибирь. Он убежал за границу. Я поехал к нему в маленький французский городок Морто, на границе Швейцарии. Валя работал на часовой фабрике. Во мне сказывался душевный разлад — то я мечтал вернуться в Россию и отдаться нелегальной работе, то бродил по Парижу, очарованный городом, и повторял про себя стихи о Прекрасной Даме. А Валя был прежним, участвовал в местной социалистической организации, следил за партийной литературой; ночью он с тихим жаром доказывал мне, что через год-два в России начнется революция. Его дальнейшая жизнь была очень трудной, но до конца он сохранил страстность и чистоту подростка.

Львов был мелким почтовым служащим, жил на казенной квартире на Мясницкой; он думал, что его дочки спокойно выйдут замуж, а дочки предпочли подполье. Надя Львова была на полгода моложе меня, когда ее арестовали, ей еще не было семнадцати лет, и согласно закону ее вскоре выпустили до судебного разбирательства на поруки отца. Она ответила жандармскому полковнику: «Если вы меня выпустите, я буду продолжать мое дело». Надя любила стихи, пробовала читать мне Блока, Бальмонта, Брюсова. А я боялся всего, что может раздвоить человека: меня тянуло к искусству, и я его ненавидел. Я издевался над увлечением Нади, говорил, что стихи — вздор, «нужно взять себя в руки». Несмотря на любовь к поэзии, она прекрасно выполняла все поручения подпольной организации. Это была милая девушка, скромная, с наивными глазами и с гладко зачесанными назад русыми волосами. Старшая сестра, Маруся, относилась к ней с уважением. Училась Надя в Елизаветинской гимназии, в шестнадцать лет перешла в восьмой класс и кончила гимназию с золотой медалью. Я часто думал: вот у кого сильный характер!..

Мы расстались в конце 1908 года (я видел ее перед моим отъездом за границу). Я начал писать стихи в 1909 году, а Надя год спустя. Не знаю, при каких обстоятельствах она познакомилась с В. Я. Брюсовым. В 1911 году Валерий Яковлевич посвятил стихотворение Н. Львовой; он писал:

> Мой факел старый, просмоленный,
> Окрепший с ветрами в борьбе,
> Когда-то молнией зажженный,
> Любовно подаю тебе.

В феврале следующего года Надя писала: «Мне все равно, мне все равно. Теперь больше, чем когда-либо... Тебя приветствую, мое поражение».

Осенью 1913 года вышли две книги: «Старая сказка» Н. Львовой и «Стихи Нелли» без имени автора, посвященные Н. Львовой, со вступительным стихотворением Брюсова, который был автором анонимной книги.

Брюсов говорил:

> Пора сознаться я — не молод; скоро сорок...

Наде было на восемнадцать лет меньше. Она писала:

> Но, когда я хотела одна уйти домой,—
> Я внезапно заметила, что Вы уже не молоды,
> Что правый висок у вас почти седой,—
> И мне от раскаянья стало холодно.

Эти строки написаны осенью 1913 года, а 24 ноября Надя покончила жизнь самоубийством. Она переводила стихи Жюля Лафорга, который писал о невыносимой скуке воскресных дней; в одном из его стихотворений школьница неизвестно почему бросается с набережной в реку. Брюсов часто говорил о самоубийстве, над одним из своих стихотворений он поставил как эпиграф тютчевские слова:

> И кто в избытке ощущений,
> Когда кипит и стынет кровь,
> Не ведал ваших искушений —
> Самоубийство и Любовь!

А Надя застрелилась... В предисловии к посмертному, дополненному изданию «Старой сказки» я прочитал: «В жизни Львовой не было значительных внешних событий». Бог ты мой, сколько же должно быть событий в жизни человека? В пятнадцать лет Надя стала подпольщицей, в шестнадцать ее арестовали, в девятнадцать она начала писать стихи, а в двадцать два года застрелилась. Кажется, хватит...

На ее могиле (похоронили ее в Марьиной роще) вырезана строка из Данте:

> Любовь, которая ведет нас к смерти.

Но я сейчас думаю не о Брюсове, а о Наде: что-то меня до сих пор волнует в ее судьбе, есть близость, которая заставила меня теперь выделить рассказ о ней в отдельную главу. Да, конечно, она застрелилась, считая, что привела ее к смерти любовь,— об этом говорят все ее посмертно опубликованные стихи. Но, может быть, именно стихи привели ее к смерти?

Человеку очень трудно дается резкий переход от одного мира к другому. Надя любила Блока, но жила она книгами Чернышевского, Ленина, Плеханова, явками, «провалами», суровым климатом револю-

Владимир Маяковский. 1908 г.

Валя Неймарк. 1908 г.

В. П. Ногин.

А. А. Яковлева — Ася. 1908 г.

Надя Львова. 1908 г.

Лидия Недокунева. 1908 г.

ционного подполья. Она вдруг оказалась перенесенной в зыбкий климат сонетов, секстин, ассонансов и аллитераций. Дважды в предсмертных стихах она повторяла:

> Поверьте, я — только поэтка.
> Ах, разве я женщина? Я только поэтка...

Может быть, погибла не женщина, столкнувшаяся со сложностями любви, а «только поэтка»?

Когда-то говорили о трудностях иммигранта, приехавшего из насиженной, надышанной Европы на пространства Дальнего Запада. Теперь говорят о тяжести космонавта в ощущении невесомости. Есть еще одна беда: оказаться перенесенным в бесплотный мир образов, слов, звуков. Кажется, это узнала Надя Львова, и, вспоминая свою раннюю молодость, я слишком хорошо понимаю ее поражение. Не выдержала...

Я еще не был знаком с Валерием Яковлевичем, когда получил от него письмо, в котором он рассказывал о своих переживаниях после самоубийства Нади. Меня не удивило, что она говорила Брюсову обо мне; но почему знаменитый поэт, к которому я относился, как к мэтру, вздумал объясняться со мной — это осталось для меня загадкой.

Помню еще деловитую, начитанную Аню Выдрину, Асю Яковлеву, которой я увлекся, сестер Львовых.

В подполье я делал все, что делали другие: писал прокламации и варил в противне желатин — листовки мы размножали на гектографе,— искал «связи» и записывал адреса на папиросной бумаге, чтобы при аресте успеть их проглотить, в рабочих кружках пересказывал статьи Ленина, спорил до хрипоты с меньшевиками и старался, как мог, соблюдать правила конспирации.

Отобранные у меня при аресте записные книжки помогают мне воссоздать мой тогдашний облик. В одной из записных книжек, по словам обвинительного акта, имелись «разные статистические сведения, касающиеся русских финансов, народного образования, промышленности, сельского хозяйства, а также стачек и локаутов в Германии»; в другой — «переговорить с Борисом», «квартира», «купить книги», «относительно легальных газет», «передать печать», «передать

Тимофею связь и переговорить с ним о лекциях», «передать в Хамовники о шрифте», «позвонить Ткачу».

Зимой мы часто встречались в чайных и кидали медяки в пузо горластых органов, чтобы музыка заглушала разговоры. В чайных подавали колбасу, нарезанную кубиками, и вилки с обломанными зубьями; колбаса воняла, не помогала даже горчица. Чай пили вприкуску, откалывая кусочки сахара черными щипцами. В чайных было шумно, но невесело, люди заходили отогреться, и домашняя жестокая тоска не оставляла их.

Однажды я попал в ночную чайную для извозчиков. Перед этим я был на общегородском собрании в Марьиной роще; нас накрыли, но всем удалось разбежаться. Я зашел в чайную, чтобы спрятаться от шпиков. Кругом сидели сонные извозчики. Хотя я пил чай с блюдечка и даже пытался кряхтеть, наверно, я в точности походил на классического «смутьяна», который снился всем околоточным. Впрочем, извозчики не обращали на меня внимания; только один вдруг с шумом встал, посмотрел на меня хитрыми глазами и сказал: «Разве это жизнь?» Я тотчас выбежал на улицу.

В общем, мне везло. Как-то вечером меня задержали на набережной возле Бутиковской мануфактуры. На мне были прокламации. Меня повели в участок. Околоточный шагал рядом. Когда мы переходили Остоженку, он остановился, чтобы пропустить лихача, я же убежал вперед, и мне удалось выбросить прокламации. В участке меня продержали несколько часов, потом пришел пристав, выругался, и меня отпустили. Раз на нас донесла жена рабочего, в квартире которого мы собирались. Она ревновала мужа и решила ему отомстить; но, видимо, она рассказала городовому что-то несусветное: он лазил под кровать, приподнимал половицы, щупал карманы — искал оружие и, ничего не найдя, ушел, даже не полюбопытствовав, кто мы такие.

Недавно в Государственном архиве на Пироговской я напал на выцветшую бумажку; она мне напомнила, что «в ночь на 1 ноября 1907 года в три часа утра в квартире гимназиста Ильи Григорьева Эренбурга, проживающего в доме Варварьинского общества в Савеловском переулке, был произведен обыск» и что «ничего предосудительного найдено не было», «отобраны ноты «Русской марсельезы» и различные открытки».

В подрайоне, который мне поручили, находилась обойная фабрика Сладкова. Я подружился с механиком Тимофеем Ивановичем Илюшиным, энергичным и необычайно крепко стоящим на ногах. На фабрике устроили забастовку; я выступал на собраниях и завел подписные листы — собирал среди студентов деньги для забастовочного комитета.

Любил я и столяра-краснодеревца весельчака Василия Ивановича Чадушкина. Ни он, ни Илюшин никак не походили на угрюмых рабочих Хамовнического завода, которых я знал в годы детства. Пятый год не прошел бесследно, начал складываться рабочий авангард. У моих новых друзей я учился душевному веселью. Они жили плохо, работали тяжело и все же шутили. Для меня революционная работа была освобождением от лжи, для них она была кровным делом, сложным, но естественным.

Я хорошо помню некоторые пейзажи. Возле Шаболовки был большой пустырь, кое-где поросший жалкой травой; на ней лежали босые рабочие. Там мы собирались, говорили о статье в газете «Вперед», а также о том, что рабочие обойной фабрики Сладкова требуют хозяйского мыла. Кто-нибудь обязательно стоял на часах: мог подойти свирепый городовой по прозвищу «Шило». Собирались мы также на Татарском кладбище, среди старых плит; весной там цвели одуванчики, курослепы. Излюбленным местом собраний были Воробьевы горы. Наверху владельцы чайных палаток зазывали честную публику. Дымили самовары, булькала водка. Жаловалась гармоника: «Ах, зачем эта ночь так была хороша...» Собирались мы ниже, в лесочке, говорили о «связях», о листовках, оттиснутых на гектографе, о том, что вчера один из организаторов провалился с адресами...

Помню выборы делегатов на Стокгольмский съезд. Большевики должны были приглашать на предвыборные собрания меньшевика, меньшевики — большевика. Ненавидишь всегда людей скорее близких, и даже кадеты мне были, кажется, милее меньшевиков. Я пошел на собрание меньшевиков-печатников, там мое красноречие оказалось бессильным. Потом было собрание десяти или пятнадцати рабочих кирпичного завода, где имелась меньшевистская организация. От меньшевиков выступала девушка, очень серьезная, стеснявшаяся всего и всех, а я дерзил, вышучивал меньшевиков и победил: рабочие проголосовали за большевистского делегата. Девушка чуть не плакала, мы ушли с нею вместе, мне ее было жалко, но я усмехался — как-никак разбил оппортунистов!

Говорят, что иногда человек не узнает себя в зеркале. Еще труднее узнать себя в мутном зеркале прошлого. Когда меня спрашивают о начале моей литературной работы, я называю стихи, которые написал весной 1909 года. На самом деле мои первые писания относятся к 1907 году, и они куда ближе к самодеятельной публицистике, нежели к поэзии. В архиве на Пироговской сохранилась передовая статья журнала «Звено», написанная мною. Она переполнена пафосом шестнадцатилетнего неофита. «В тяжелое время мы приступаем к изданию нашего журнала. Черная реакция охватила всю Россию. Передовой отряд революции — пролетариат — еще не оправился от поражений, не залечил своих ран. Радуются его враги, с криком «горе побежденным» обрушиваются они на революционную армию и прежде всего на ее вождя — российскую социал-демократию. С твердым сознанием новой силы, со светлой верой в конечную победу загнанный в подполье пролетариат оттачивает свое оружие — строит свою рабочую партию. Мы разделяем его веру, глубоко ненавистен нам тот строй, где рядом с роскошью и развратом царит непроглядная нищета, власть рубля и нагайки. Мы твердо убеждены в его неизбежном падении, в приходе светлого царства свободы, равенства, братства. Залогом этого является великая международная борьба пролетариата в рядах социал-демократии. Под красное знамя зовет он всех униженных и оскорбленных, всех, кто искренне жаждет обновления человечества. Тернистой, но верной дорогой идет он к цели — к социализму. И нет и не должно быть зрителей в этой исторической борьбе: кто не с ним, тот против него. К тем из учащихся, кто решил отдать свою жизнь делу освобождения труда, будет направлено наше слово. Мы хотим их подготовить к трудной роли быть барабанщиками и трубачами великого класса, хотим научить их науке борьбы, хотим спаять их крепким звеном с мессией будущего — пролетарием». Я привел полностью мое первое литературное упражнение, конечно, не потому, что оно мне кажется удачным; мне хочется показать, как происходит инфляция слов и как слова меняют свое значение. В 1907 году я жаждал стать барабанщиком и трубачом для того, чтобы в 1957 году написать «в оркестре существуют не только трубы или барабаны...».

Другое мое сочинение, озаглавленное «Два года единой партии», не сохранилось. Судя по резюме охранника, я говорил, что партия не должна пренебрегать всеми видами легальной работы и в то же время должна усилить свою нелегальную деятельность. Вопросы партийной тактики, споры различных фракций в те времена меня увлекали. Я любил говорить о примирении, но говорил о нем непримиримо.

На явках я встречал Варю, Тимофея, Таню, Егора-Моргуна: Егор был студентом, Таня — курсисткой. Иногда с Николаем Ивановичем вечером я приходил в гости к Тане или к Лидии Недокуневой; жили они на Владимиро-Долгоруковской; говорили мы о партийных делах, но и шутили, смеялись. Недавно мне привелось встретиться после пятидесятилетнего перерыва с Таней; она оказалась вдовой В. П. Ногина. Мы вспоминали далекое прошлое: как мы, начинающие пропагандисты, собирались на электрической станции у П. Г. Смидовича, как хорошо шутил Николай Иванович, какой задорной и светлой была наша ранняя молодость.

Встречался я неоднократно с Макаром и только много лет спустя узнал, что «Макаром» звали В. П. Ногина.

Однажды на городское собрание пришел человек с усталыми и добрыми глазами. Я глядел на него с почтением: знал, что он — член ЦК. Иннокентий (И. Ф. Дубровинский) внимательно разговаривал с каждым из нас; одному товарищу он сказал: «Плохо выглядите, нужно вам отдохнуть...» Я помню, как на меня подействовали эти слова: они не вязались с моим представлением о революции; вернее сказать, мне очень хотелось простой человеческой ласковости, но я считал, что это слабость, пережитки, «интеллигентщина».

Осенью 1907 года мне поручили наладить связи с солдатами и создать организацию в казармах. Я был восхищен трудностью и ответственностью задания. Мне дали печать — все, что осталось после очередного провала; я проштемпелевал две талонные книжки для сбора средств, а печать по глупости хранил у себя, считал, что она хорошо спрятана. (В обвинительном акте говорится, что среди отобранных у меня предметов была «мастичная печать» «Военной организации при Московском комитете Российской социал-демократической партии».) Мне удалось познакомиться с писарем нестроевой роты Несвижского полка, он привел трех солдат пулеметной роты, потом к ним присоединился вольноопределяющийся, еще солдат, всего шесть человек — один из черновиков Красной гвардии...

Я продолжал читать романы, ходил в театры, иногда встречал знакомых, далеких от политики. Историки называют те времена «началом реакции». После яркого пятого года наступила смутная эпоха: все чего-то искали, оживленно спорили, волновались, а за всем этим чувствовались усталость, разуверение, пустота.

Вместо миньона или шакона моих детских лет барышни разучивали перед испуганными мамашами кекуок и матчиш: просвещенное человечество приближалось к фокстроту. Студенты спорили, является ли Санин Арцыбашева идеалом современного человека: здесь было и нищеанство для невзыскательных, и эротика, более близкая к конюшне, чем к Уайльду, и откровенность нового века. Появился рассказ Анатолия Каменского, в котором подробно излагалось, как некий офицер успел соблазнить в один день четырех женщин. В Художественном театре ставили «Жизнь человека» Леонида Андреева, наивную попытку обобщить жизнь, о которой толковал в углу сцены «Некто в сером». Польку из этой пьесы напевали или насвистывали московские интеллигенты. В том же театре шли «Слепые» Метерлинка, и от символического воя впечатлительные дамы заболевали неврастенией. Никто из них не предвидел, что через десять лет появятся пшенная каша и анкеты; жизнь казалась чересчур спокойной, люди искали в искусстве несчастья, как дефицитного сырья. Начиналась эпоха богоискательства, скандинавских альманахов, «Навьих чар».

Казалось, я был забронирован своей непримиримостью; но нет, искусство забиралось и в мое подполье. Ночами я читал Гамсуна — «Пана», «Викторию», «Мистерии», ругал себя за слабость, но восхищался: чувствовал, что есть другой мир — природа, образы, звуки, цвета. Чехов меня потряс и тогда непонятной мне, но бесспорной правдой; я шептал: «Мисюсь, где ты?», я был влюблен в «даму с собачкой». Я увидел Айседору Дункан; она была в античной тунике и танцевала совсем не так, как Гельцер. Я говорил себе по-прежнему, что все это чепуха, но порой не мог от «чепухи» заслониться. Еще гимназистом я сказал девушке, в которую влюбился: «Короленко говорит, что человек создан для счастья, как птица для полета...» Влюблялся я часто, и мне очень хотелось счастья, но я посвящал все силы, все время другому. У нас часто употребляют как похвалу эпитет «монолитный»; а монолит — это каменная глыба. Человек куда сложнее. Даже в шестнадцать лет...

Газеты были бойкими и мрачными. Эсеры увлекались экспроприациями. Людей вешали. Охранники по ночам раздирали тюфяки и перетряхивали восемьдесят томов энциклопедии Брокгауза и Ефрона.

Блок тогда писал:

Узнаю тебя, жизнь! Принимаю!
И приветствую звоном щита!

Но я не знал Блока. Я очень много не знал: я был маленьким монолитом с большой трещиной. Я ходил к гимназистке Асе Яковлевой; она была на два года старше меня и, наверно, лучше разбиралась в клубке человеческих чувств. Я рассказывал ей об итогах Лондонского съезда и старался побороть многое, что теснилось в моей груди. Разговоры о пользе и вреде кооперации прерывались короткими признаниями. Мы ссорились и мирились. На рождественские каникулы Ася уехала в Бобров, обещала, во-первых, разгромить там эсеров, во-вторых, подумать хорошенько о наших отношениях. При аресте у меня отобрали ее письмо, которое начиналось словами: «Илья, мне хочется более спокойно поговорить с вами...» А в конце была справка: «Реферата не читала, так как почти все с.-р. куда-то испарились, а может, и пыл пропал боевой...»

Трудно было спорить о статье Плеханова и одновременно мечтать о счастье. Я говорю об этом потому, что, в отличие от многих писателей, моих сверстников, я очень рано увидел маленький макет того душевного мира, в котором прожил потом добрых пятьдесят лет. На дворе еще стоял — если не по календарю, то по быту — девятнадцатый век, с клятвами Герцена и Огарева, с «кружением сердца», с Полиной Виардо, с «Чайкой», со стихами Надсона, а я между явками и романами Гамсуна уже предчувствовал климат иной эпохи.

Я подтруниваю над самоуверенностью мальчишки; но именно в те годы решалось для меня многое. Конечно, я шел путаной дорогой: жизнь не шоссе, а искусство и приподымает человека, и порой уводит его в сторону. И все же я вижу, что сейчас мне близок шестнадцатилетний юноша, который писал наивные прокламации. Если что-либо помогло мне пережить годы сомнений, разуверений, то только сознание, что дело, которому я отдал себя свыше пятидесяти лет тому назад, диктуется и разумом века, и моей совестью.

Пришли за мной в два часа ночи; я крепко спал и проснулся от голосов околоточного, шпиков, понятых. Я ничего не успел уничтожить. Обыск продолжался до утра. Мать плакала, и по квартире в ужасе носилась тетка, приехавшая погостить из Киева, она была в пышной нижней юбке. Помню, меня успокаивала, даже радовала мысль: как хорошо, что две недели назад мне исполнилось семнадцать лет! Значит, никто не посмеет усомниться в моей полной ответственности...

8

Я просидел в тюрьме всего пять месяцев, но я был мальчишкой, и мне казалось, что я сижу годы: часы в заключении другие, чем на воле, и дни могут быть необыкновенно длинными. Иногда становилось очень тоскливо, особенно под вечер, когда доносились шумы улицы, но я старался совладать с собой — тюрьма в моем представлении была экзаменом на аттестат зрелости.

За полгода я успел ознакомиться с различными тюрьмами: Мясницкой полицейской частью, Сущевской, Басманной, наконец, с Бутырками. Повсюду были свои нравы.

Тюрьмы были тогда переполнены, и неделю меня продержали в Пречистенском участке, ожидая, когда освободится место. В участке было шумно. Ночью приводили пьяниц, их нещадно лупили и сажали в пьянку — так называлась большая клетка, похожая на клетки зоопарка. Сторожили меня городовые, они часто сидя засыпали, а просыпаясь, зычно сморкались и бубнили что-то про беспокойную службу. Я думал о своем: глупо, что я не припрятал получше печать военной организации! Думал я также об Асе: обидно, мы так и не успели всего договорить!.. Меня возили в охранное отделение, там унылый зобастый фотограф приговаривал: «Голову повыше... теперь в профиль...» Я с детства увлекался фотографией, любил снимать, но не любил, когда меня фотографировали, а вот в охранке обрадовался — значит, меня берут всерьез.

Меня отвезли в Мясницкую часть. Режим там был сносный. В крохотных камерах стояло по две койки. Некоторые надзиратели были добродушными, позволяли походить по коридору, другие ругались. Помню одного — когда я просил выпустить меня в отхожее место, он неизменно отвечал: «Ничего, подождешь...» Смотритель был человеком малограмотным; когда заключенным приносили книги для передачи, он сердился — не мог отличить, какие из них крамольные. В Государственном архиве я увидел его донесение, он сообщал в охранку, что отобрал принесенные мне книги — альманах «Земля» и сочинения Ибсена. Один раз он вышел из себя: «Черт знает что! Книгу для вас принесли про кнут. Не полагается! Не получите!» (Как я потом узнал, книга, его испугавшая, была романом Кнута Гамсуна.)

В Мясницкой части сидел большевик В. Радус-Зенькович; мне он казался ветераном — ему было тридцать лет; сидел он не впервые, побывал в эмиграции. Моим соседом был тоже «старик» — человек с проседью. Разговаривая с ним, я старался не выдать, что мне семнадцать лет. Однажды начальник принес мне литературный альманах; я его дал соседу, который час спустя сказал: «А здесь для вас письмо». Под некоторыми буквами стояли едва заметные точки: книгу передала Ася. Я покраснел от счастья и от позора; в течение нескольких дней я боялся поглядеть соседу в глаза — чувства мне казались недопустимой слабостью.

Гуляли мы в крохотном дворике, среди огромных сугробов. Потом неожиданно снег посерел, стал оседать — близилась весна.

Иногда нас водили в баню, это были чудесные дни. Вели нас по мостовой; прохожие глядели на преступников — кто с удивлением, кто с жалостью. Одна старушка перекрестилась и сунула мне пятачок: я шел крайним. В бане мы долго мылись, парились и чувствовали себя как на воле.

Наружную охрану несли солдаты жандармского корпуса; они заговаривали с нами, говорили, что они нас уважают — мы ведь не воры, а «политики». Некоторые соглашались передавать письма на волю. Тридцатого марта я послал письмо Асе. Вероятно, перед этим я получил от нее записку, которая меня огорчила, потому что писал: «Только сознание, что для дела важно, чтобы я имел известия с воли, чтобы я не отстал от движения, заставило меня обратиться к вам с просьбой писать мне». Мое письмо было найдено у Аси при обыске и приобщено к делу. По нему я вижу, что в тюрьме продолжал жить тем же, чем жил на воле. «Приятно слышать, что дело, выдержав такие препятствия, все же идет вперед. Но то же ваше письмо говорит мне за мой план — новые члены клуба могут быть весьма симпатичными парнями, но в их социал-демократичности я весьма сомневаюсь, и их организационная работа сведется к игре деток». (Я перечитываю эти строки и улыбаюсь — семнадцатилетний мальчишка изобличает детские игры новых членов ученической организации!) Дальше я писал об общих политических вопросах: «Замоскворецкое общество самообразования» не разрешено, «Трудовой союз» закрыт; правительство, очевидно, решило запереть дверь из подполья. Мы должны ее взломать. Только одно не следует забывать — это только вспомогательное средство, а не центральное, которое должно лежать в работе в подполье».

После того как у Аси нашли это письмо, меня перевели из Мясницкой части в Сущевскую. Новая тюрьма показалась мне раем. В большой камере на нарах спало множество людей; нельзя было повернуться без того, чтобы не разбудить соседа. Все спорили, кричали, пели «Славное море, священный Байкал...». Смотритель был пьяницей, любил деньги, коньяк, шоколадные конфеты, одеколон Брокара; любил также общество интеллигентных людей, говорил: «Вы, политики,— умницы...» Разрешений на свидания не признавал, нужно было положить в бумагу три рубля. Передавать можно было все, но начальник брал себе то, что ему особенно нравилось. Иногда, изрядно выпив, он приходил в камеру, улыбаясь, слушал споры эсдеков с эсерами и приговаривал: «Вот вы ругаетесь, а я всех вас люблю — и эсеров, и большевиков, и меньшевиков. Люди вы умные, а что с Россией будет, это одному господу богу известно...» У него был мясистый багровый нос в угрях, и от него всегда несло спиртом.

Некоторые заключенные возмущались: весь день крик, нельзя почитать. Выбрали старосту, очкастого меньшевика, он торжественно объявил, что с девяти часов утра до двенадцати шуметь запрещается. Ровно в девять три анархиста начали хрипло горланить: «Пусть черное знамя собой означает победу рабочего люда...» Они не признавали никакого регламента, даже смотритель перед ними робел: «Вы это того... преувеличиваете». (Когда в 1936 году мне привелось провести полгода с анархистами на Арагонском фронте, я вспоминал не раз камеру в Сущевской части.)

Беспорядок, впрочем, царил не только в нашей камере, но и в охранке: в одной камере сидели и люди, случайно арестованные, которые ждали со дня на день освобождения, и террористы, обвиняемые в вооруженных налетах,— им грозила виселица. Неделю просидел церковный староста, его взяли по ошибке — разыскивали однофамильца; он каждому из нас обстоятельно доказывал, что он жертва случая, что он вполне благонадежен даже в помыслах, и никак не мог понять, почему мы в ответ смеялись. А когда пришли и сказали, что он может идти домой, он перепугался, стал говорить, что теперь-то его наверняка приведут назад — столько он наслушался за неделю недозволенного. Один эсер, участник вооруженной экспроприации, ждал смертной казни. Звали его Иванов (не знаю, была ли это подлинная фамилия). Он симулировал сумасшествие. Вначале он ограничивался кратковременными буйными припадками, потом не то переменил тактику, не то действительно тронулся, но круглые сутки изводил нас криками, похожими на клекот птицы, беспричинным смехом, несвязными разговорами.

Следствие по моему делу вел жандармский полковник Васильев. Он старался расположить меня к себе, говорил о язвах режима, о том, что он в душе сторонник прогресса. Порой он льстил мне, порой изводил меня иронией пожилого и неглупого циника. Ему очень хотелось узнать, кто автор статьи «Два года единой партии», скоро ли произойдет новый раскол, какова позиция Ленина. На вопросы я отвечал односложно: различные документы мне переданы различными лицами, назвать которых я отказываюсь. Он заводил разговор на общие темы — о Горьком, о роли молодежи, о будущем России; говорил мне: «У меня сын вашего возраста, болван, ничем не интересуется — танцы, барышни, ликеры. А с вами приятно поговорить, вы юноша оригинальный, да и начитанный». Во время одного из допросов он начал читать вслух письмо от Аси, отобранное у меня при аресте. Я возмутился, кричал, что это не относится к допросу, что я не допущу издевательства. Он был очень доволен, называл меня «юношей с темпераментом», предлагал чай с печеньем, я отказывался. Однажды он рассказал мне, что к нему пришла девушка, которая сказала, что она моя двоюродная сестра по матери и просит о свидании со мной. «Я спросил ее, а как зовут вашу матушку, а она даже отчества не знала. Зачем вы таких дур берете в свою организацию? Я ее не задержал. Вы, конечно, догадываетесь, о ком я говорю? Яковлева. Ася». Я еле сдержался, чтобы не выдать себя, и равнодушно ответил, что все это не относится к делу.

Полковник мне солгал. Вскоре после того, как Ася приходила к нему с просьбой о свидании, у нее был произведен обыск; на беду, мое письмо из тюрьмы лежало у нее запечатанное на столе — она не успела его прочитать и уничтожить. Восьмого апреля Асю арестовали и привлекли к делу об ученической организации, а две недели спустя выпустили под залог в двести рублей.

Разумеется, я ненавидел полковника Васильева, но он казался мне интересной фигурой, хитрым следователем из романа — я ведь думал, что все жандармы глупые и невежественные держиморды.

Жандармское управление помещалось на Кудринской площади. Возили меня на извозчике; рядом сидел жандарм. Я жадно разглядывал прохожих — вдруг окажется знакомый?.. Шли мастеровые, франты, гимназистки, военные. В палисадниках цвела сирень. Ни одного знакомого...

На последнем допросе мне сказали, что будут привлечены к суду за участие в ученической организации РСДРП Эренбург, Осколков, Неймарк, Львова, Ивенсон, Соколов и Яковлева — первая часть 126 статьи. Помимо этого, я буду привлечен по первой части 102 статьи за участие в военной организации. Васильев, усмехаясь, пояснил: «Вам лично должны дать шесть лет каторжных работ, но треть скостят по несовершеннолетию. Потом — вечное поселение. Оттуда вы удерете — я вас знаю...»

Некоторые заключенные, воспользовавшись разгильдяйством начальника Сущевки, организовали побег; насколько я помню, удалось убежать четверым. Впервые я увидел смотрителя мрачным. Не знаю, остался ли он на своем посту, но мы поплатились: нас тотчас перевели в различные места заключения как «соучастников побега».

Увидев меня, смотритель Басманной части гаркнул: «Снимай портки!» Начался личный обыск. Из рая я попал в ад. Увесистая оплеуха быстро меня ознакомила с новым режимом. В Басманке мы объявили голодовку, требуя перевода в другую тюрьму. Помню, как я попросил товарища, чтобы он плюнул на хлеб,— боялся, что не выдержу и отщипну кусок...

Меня перевели в одиночную камеру Бутырской тюрьмы; для меня это было наказанием — дело, разумеется, в возрасте; если бы теперь мне предложили на выбор общую камеру в Сущевке или одиночку, я ни минуты не колебался бы; но в семнадцать лет коротать время с самим собой нелегко, да еще без свиданий, без писем, без бумаги.

Я попробовал перестукиваться, никто не ответил. На прогулку меня не пускали. В маленькое оконце врывался яркий свет летнего дня. Воняла параша. Я начал читать вслух стихи — надзиратель пригрозил, что посадит меня в карцер. Я потребовал бумагу для заявления и написал в жандармское управление, что «содержащийся в Московской пересыльной тюрьме Илья Эренбург» не хочет дольше сидеть за решеткой: «Прошу немедленно освободить меня из-под стражи. Если же меня хотят заморить или свести с ума до суда, то пусть мне заявят об этом». Я переписываю эти строки и смеюсь, а когда я их писал, мне было совсем не смешно. Заявление пронумеровали и приобщили к делу.

Тюремный врач нашел, что я болен острой формой неврастении. Он многого не знал: я продолжал думать о различных партийных делах, об использовании для партийной работы кооперации, о некоторых рабочих с завода Гужона, которых следовало выдвинуть вперед; сочинял без бумаги «ответ Плеханову». Думал я и о том, что Ася сдала экзамены, поступает на Высшие курсы — вряд ли наши пути в жизни сплетутся. Думал я в тюрьме и не только об этом: я начал думать о жизни, о тех больших и не вполне ясных вопросах, о которых не успел задуматься на воле. В общем, и тюрьма хорошая школа, если только тебя не секут, не пытают и если ты знаешь, что посадили тебя враги и что о тебе дружески вспоминают единомышленники.

«С вещами!..» Я подумал, что меня переводят в новую тюрьму, но мне показали бумагу: «Распишитесь». Меня выпускали до судебного разбирательства под гласный надзор полиции; я должен был незамедлительно покинуть Москву и выехать в Киев.

Я вышел на Долгоруковскую и замер. Все можно забыть, а вот этого не забудешь! В спокойные времена в спокойной стране человек растет, учится, женится, работает, хворает, дряхлеет; он может прожить всю жизнь, так и не поняв, что такое свобода; вероятно, он всегда чувствует себя свободным в той мере, в которой положено быть свободным пристойному гражданину, обладающему средним воображением. Выйдя из тюремных ворот, я остолбенел. Извозчики, парень с гармошкой, лоток, молочная Чичкина, булочная Савостьянова, девушки, собаки, десять переулков, сто дворов. Можно пойти прямо, свернуть направо или налево... Вот тогда-то я понял, что такое свобода, понял на всю жизнь.

(Никогда я не мог разгадать пушкинских строк «На свете счастья нет, но есть покой и воля...» Много раз я думал над этими словами, но так их и не понял: жизнь изменилась. В 1949 году я сидел рядом с С. Я. Маршаком в партере Большого театра; на сцене произносили речи о Пушкине — это был юбилейный вечер. Потом мы пошли в кафе на углу Кузнецкого моста. Я спросил Самуила Яковлевича, о каком счастье мечтал Пушкин, помимо покоя и воли; Маршак ничего не ответил.)

А на Долгоруковской я долго стоял и улыбался; потом пошел домой, на Остоженку, мимо Страстной площади, там я поздоровался с Пушкиным, шел по зеленым бульварам, шел и все время улыбался.

9

Из Киева меня скоро выслали и заодно почему-то запретили проживание в Киевской, Волынской и Каменец-Подольской губерниях. Я получил проходное свидетельство в Полтаву: там жил брат моей матери, либеральный адвокат.

Город мне показался милым: тихие улицы, сады с золотыми деревьями, белые домики; но «гласный надзор полиции» мог отравить жизнь и в идиллической Полтаве. Конечно, дядюшка меня любезно принял, но я понял, что чем реже буду у него бывать, тем ему будет спокойнее. Я начал поиски комнаты; приходилось предупреждать квартировладельцев, что я состою под надзором полиции. После такого предупреж-

Илья Эренбург.
Бутырская тюрьма. Начало века.

дения мне неизменно отказывали — одни грубо, другие с виноватым видом, ссылаясь на тяжелые и без того условия. Наконец я попал к мужскому портному Браве, который, посоветовавшись с женой, решил сдать мне комнатушку. Я вынул книги, тетради и решил прочно обосноваться в Полтаве. Разумеется, я надеялся продолжать подпольную работу; у меня был адрес одного рабочего — мне его дали в Киеве. В течение недели я ходил с одного конца города в другой, желая убедиться, что за мной не следует шпик.

Одиннадцатого ноября 1908 года начальник полтавского жандармского управления полковник Нестеров писал: «По организации РСДРП доношу, что вновь вошедшие лица в сферу наблюдения за октябрь» — следовал список, и в нем «Илья Григорьев Эренбург — студент». Жалко, что с его донесением я ознакомился полвека спустя: наверно, мне польстило бы, что он принял меня за студента.

Мне трудно было бы вспомнить некоторые подробности моей полтавской жизни; на помощь еще раз пришли архивы полиции: «Копия с полученного агентурным путем письма поднадзорного Ильи Григорьева Эренбурга. Полтава от 21 сентября 1908 г. к Симе в Киев. «Уважаемый товарищ! Сообщаю некоторые сведения о состоянии Полтавских организаций. Существуют 2—3 кружка, сил нет. Вообще положение плачевное. Говорить при таких условиях о конференции по меньшей мере смешно... Меня как «большевика» долго не пускали, да и теперь держат на «исключительном положении». Очень просил бы вас выслать несколько десятков «Южного пролетария», а также сообщить, что у вас нового».

Я не помню Симы, но вспоминаю, что в Полтаве была меньшевистская организация, и, будучи большевиком, к тому же чрезвычайно молодым и чрезвычайно дерзким, я напугал милого тщедушного меньшевика с чеховской бородкой, который приговаривал: «Нельзя же так — все сразу, право, нельзя...» Мне удалось, однако, связаться с тремя большевиками, работавшими в железнодорожном депо, и написать две прокламации.

Я должен был раз в неделю являться в участок, но «гласный надзор» этим не ограничивался: то и дело ко мне приходили городовые, будили на рассвете, стучали в окошко ночью. Как-то, возвратившись домой, я увидел на моей постели городового в башлыке; он укоризненно сказал «все ходите», взял со стола тетрадку — конспект «Истории философии» Куно Фишера,— аккуратно связал веревкой мои книги и уволок их.

Портной Браве, всхлипывая, попросил меня освободить комнату: в участке ему сказали, что, если он меня не выдворит, у него будут крупные неприятности. Снова начались унизительные поиски жилья. На третий или четвертый день я нашел удобную комнату, и хозяин в ответ на мое предупреждение рассмеялся: «Я сам поднадзорный...» Он сочувствовал эсерам, и мы по ночам спорили о роли личности в истории; иногда нашу дискуссию прерывал очередной визит городового.

Дядя предложил мне пойти в окружной суд — он защищал горемыку, которого обвиняли в краже. Я начал каждый день ходить на судебные разбирательства — они мне показались куда интереснее романов. Я знал, что люди живут плохо, помнил казармы Хамовнического завода, видел ночлежки, ночные чайные, пьяниц, людей жестоких и темных, увидел тюрьму. Но все это было извне, а на суде передо мной раскрывались сердца людей. Почему тихая, скромная крестьянка зверски убила соседа? Почему старик зарезал падчерицу, с которой он жил? Почему люди верили рябому, уродливому чудотворцу? Почему они полны темноты, предрассудков, бурных и непонятных им самим страстей? Я и до того знал, что есть «база» и «надстройка», но в Полтаве я впервые серьезно задумался над уродливостью и вместе с тем прочностью «надстройки». Прежде мне казалось, что можно изменить людей в двадцать четыре часа — стоит только пролетариату взять в свои руки власть. Слушая признания подсудимых, показания свидетелей, я понял, что все не так просто. Я взял из библиотеки рассказы Чехова.

В Полтаве я продержался всего полтора месяца. Меня вызвал полицмейстер и сказал, что мне придется покинуть город. «Куда вы намереваетесь отправиться?» Я ответил первое, что мне пришло в голову: «В Смоленск».

Я не знал, что причиню хлопоты властям в Смоленске. Недавно Р. Островская, научный сотрудник смоленского архива, прислала мне справку. Оказывается, полковник Нестеров сообщил своему коллеге в Смоленске, генералу Громыко, что «бывший студент Илья Григорьев Эренбург 10 ноября изъявил свое согласие перейти на жительство в гор. Смоленск, куда ему полтавским полицмейстером было выдано проходное свидетельство». Одновременно полковник Нестеров предупреждал генерала Громыко: «Означенный Эренбург, проживая в Полтаве, успел войти в сношение с лицами, принадлежащими к местной организации Российской социал-демократической рабочей партии». Двадцать четвертого ноября начальник смоленского жандармского управления приказал тотчас сообщить ему о моем приезде в Смоленск. Меня долго разыскивали.

Из Полтавы я поехал в Киев и неделю прожил там без прописки. Каждую ночь приходилось ночевать на новом месте. Как-то я пришел вечером по указанному адресу, звонил, стучался в дверь, но напрасно. Может быть, я неверно записал адрес, не знаю. Я шагал по Бибиковскому бульвару. Было холодно, падал мокрый снег. Навстречу шла молоденькая девушка, на ней были летние туфли. Она позвала меня: «Пойдем?» Я отказался. Час спустя мы снова встретились; она поняла, что у меня нет ночлега, отвела к себе в теплую комнату — «отогреешься»,— дала пачку папирос (я не курил, но от папиросы никогда не отказывался), а сама пошла на бульвар — искать клиента.

(Среди проституток есть много женщин с нерастраченной нежностью. Это понял итальянский кинорежиссер Феллини, работая над «Ночами Кабирии». Я видел его последний фильм «Сладкая жизнь», фильм чрезвычайно жестокий, в нем, пожалуй, единственное теплое, человеческое — это римская проститутка, которая доброжелательно принимает у себя парочку богатых изломанных влюбленных.)

В Москве меня ждали те же трудности. Домой я не мог пойти и не знал, где мне приютиться. Пришлось разыскивать знакомых, не связанных с подпольем, так называемых «сочувствующих». Один мой товарищ по гимназии, увидев меня, чрезвычайно испугался, стал говорить, что он сдает выпускные экзамены, что я могу погубить всю его жизнь, предлагал деньги и выталкивал в переднюю. Ночевал я у одной акушерки; она так боялась, что не могла уснуть, да и мне не дала: все время ей казалось, что кто-то идет по лестнице, она плакала и жадно глотала эфирно-валериановые капли. Вскоре ночевки иссякли. Я провел ночь на улице. Я ходил и думал: вот мой город, вот дом, куда я приходил, и для меня нет места!.. Глупые мысли, их оправдывает только молодость.

Еще более глупым было дальнейшее: я направился в жандармское управление и заявил, что предпочитаю тюрьму «гласному надзору». Полковник Васильев долго надо мной смеялся, потом сказал: «Ваш батюшка подал заявление о том, чтобы вам разрешили кратковременный выезд за границу для лечения». Я решил, что полковник надо мной издевается, но он показал мне бумагу о том, что на юридическом языке называется «изменением меры пресечения». В бумаге говорилось, что надзор полиции признан недостаточным и что «для обеспечения явки на судебное разбирательство» мой отец должен внести за меня залог в размере пятисот рублей. (За Кору Ивенсон взяли четыреста, за Неймарка — триста, за Яковлеву — двести, за Осколкова — сто. Не знаю, кто устанавливал расценку и чем он руководствовался.)

Обвинительный акт был вручен обвиняемым полтора года спустя — 31 мая 1910 года. Я тогда жил в Париже и писал стихи о средневековых рыцарях. Меня официально уведомили, что мой отъезд за границу был произведен незаконно, ибо «закон исключает возможность разрешения обвиняемым пребывания за границей, то есть за пределами досягаемости». Отцу было объявлено, что внесенный им залог «на основании 427 статьи Устава уголовного уложения будет обращен в капитал на устройство мест заключения».

Полтава. Начало века. Открытка.
Париж. Северный вокзал. Открытка.

(Судебная палата в сентябре 1911 года разбирала дело об ученической организации; дело о скрывшихся Эренбурге и Неймарке выделили и отложили до розыска виновных. Судили тех, у кого ничего не нашли. Защитники не без основания указывали, что зачинщики скрылись. Осколкова приговорили к восьми месяцам заключения, остальных оправдали.)

Уезжать за границу мне не хотелось: все, чем я жил, было в России. Я разыскал одного из товарищей, он сказал: «Поезжайте. Вам нужно пополнить политическое образование. Ленин теперь не в Женеве, а в Париже. Поезжайте в Париж, там вы найдете Савченко, Людмилу...»

Я решил пробыть в Париже год, а потом нелегально вернуться в Россию. «Только в Париж»,— сказал я родителям. Мать плакала: ей хотелось, чтобы я поехал в Германию и поступил в школу; в Париже много соблазнов, роковых женщин, там мальчик может свихнуться...

Я уезжал с тяжелым сердцем и с еще более тяжелым чемоданом: туда я положил любимые книги. На мне было зимнее пальто, меховая шапка, ботики.

Седьмого декабря 1908 года генерал Громыко сообщал полтавскому полковнику Нестерову, что «Илья Григорьев Эренбург в гор. Смоленск до сего времени не прибывал». В тот самый день Илья Григорьев, высунувшись из окна вагона третьего класса, недоверчиво глядел на зеленую траву и на маленькие домики парижских пригородов.

10

Я хорошо помню декабрьский день, когда я вышел из Северного вокзала на грязную шумную площадь. Меня удивил ветер — в нем чувствовалось дыхание моря; мне стало весело и тревожно. Чемоданы я оставил в камере хранения и почувствовал себя сразу свободно. Правда, одет я был несуразно, но никто не обращал на меня внимания, в первые же часы я понял, что в этом городе можно прожить незаметно — никто тобой не интересуется.

Я зашел в бар. У цинковой стойки стояли краснолицые извозчики в цилиндрах; они пили загадочные напитки — багровые и зеленые. Я вспомнил московских извозчиков, и защемило сердце — эти ведь не станут говорить про овес... Я заказал кофе. Хозяйка меня о чем-то спросила, я не понял. (Я был убежден, что могу говорить по-французски — учился в гимназии, брал частные уроки; но выяснилось, что я знаю несколько сот слов, которые Расин вставлял в свои трагедии, а самых необходимых в жизни не понимаю.) Мне дали черный кофе в бокале и рюмочку рома. Я испугался, но выпил.

Я знал, что русские эмигранты живут неподалеку от Латинского квартала, и спросил полицейского, как мне туда добраться. Он мне показал на омнибус: в Париже оказалась наша конка, только без рельсов и двухэтажная. Я взобрался на империал и сел рядом с кучером; в руке у него был длинный кнут. Он то и дело засыпал; на его нижней губе дрожал погасший окурок сигареты. Просыпаясь, он начинал петь;

так как он много раз просыпался, то в конце концов я понял первые слова песни: «Сердце цыгана — это вулкан...» Ему было под шестьдесят. Мне он казался даже не старым, а древним, как пепельные дома Парижа.

Путь был длинным — с одного конца города на другой. Мы пересекли Большие Бульвары; тогда это был центр города. Я вдруг догадался, что здесь не только другие нравы, но и другой календарь: сегодня двадцатое декабря, скоро рождество, вот почему всюду реклама — подарки, праздничные ужины. На Бульварах было множество палаток: в одних продавали всяческую дребедень, в других были огромные, непонятные мне игры — рулетки.

На углах улиц стояли певцы с нотами; они пели что-то грустное; зеваки, толпившиеся вокруг, подпевали. На тротуарах громоздились кровати, буфеты, шкафы — мебельные магазины. Вообще все товары были на улице — мясо, сыры, апельсины, шляпы, ботинки, кастрюли. Меня удивило количество писсуаров; на них было написано: «Лучший шоколад Менье», внизу краснели штаны солдат. Ветер был холодный, но люди не торопились: они не шли куда-то, а прогуливались.

Кафе были с террасами, и на многих террасах чадили жаровни; возле них сидели почтенные старики. Мне захотелось написать Асе, сестрам, Наде Львовой, что в Париже топят улицу. Никто не поверит!..

На бульваре Себастополь я увидел паровой трамвай, он трагически свистел. Извозчики гикали и щелкали бичами. Пролеток не было, у извозчиков были кареты, как у московского генерал-губернатора. Я увидел, что в одной карете едет парочка, они целовались; я поспешно отвернулся, чтобы не помешать им. Иногда дорогу пересекали кареты без лошадей — автомобили; они гудели, грохотали, и лошади шарахались в ужасе.

Я дал кондуктору серебряную монету; он попробовал ее на зуб и, заметив мое изумление, весело улыбнулся. Никогда прежде я не видел на улице столько людей. Москва мне показалась милым, спокойным детством.

Отчаянно кричали газетчики: «Ля пресс!», «Ля патри!» Я думал, что приключилось важное событие. Может быть, Германия объявила войну? Или эсеры бросили бомбу в Столыпина? Конечно, индивидуальный террор ничего не может решить, но все-таки приятно... Газетчик на ходу вскочил в омнибус. Я купил газету. На первой странице был большой портрет неизвестного мне человека. Я долго изучал заголовки и понял, что этот человек убил свою любовницу, положил труп в сундук и отправил малой скоростью в Нанси.

Я не знал, где мне нужно слезть, чтобы попасть в Латинский квартал, и наконец спросил кучера. Он засмеялся и сказал: «Слезайте». Это было на площади Денфер-Рошеро. Посередине площади был памятник: сердитый лев глядел прямо на меня; я прочитал на цоколе, что он поставлен в память защиты Бельфора от пруссаков. Я с радостью подумал, что увижу Стену коммунаров. В Москве я устраивал лекцию В. П. Потемкина для студентов и гимназистов; он красиво говорил и кончил словами: «Коммуна умерла, да здравствует Коммуна!» Прохожие в моем представлении сливались с санкюлотами, со львиным мужеством защитников Бельфора и с коммунарами, о которых я знал по книжке Лиссагаре.

Но нужно найти комнату... Гостиниц было очень много; я выбрал одну, с самой маленькой вывеской,— наверно, здесь дешевле. Хозяйка дала мне медный подсвечник, закапанный стеарином, большой ключ и крохотное полотенце, похожее на салфетку. Я протянул ей паспорт, но она ответила, что это ее не интересует. В номере стояла очень большая, высокая кровать, занимавшая почти всю комнату. Пол был каменный. Я принял окно за дверь на балкон, балкона, однако, не оказалось; я увидел, что во всех домах такие же окна — прямо от пола. А вот стола в номере не было. Удивительно, даже в комнатушке портного Браве стоял стол... В номере было холодно. Я спросил хозяйку, нельзя ли затопить камин. Она ответила, что это очень дорого, и обещала положить мне на ночь в кровать горячий кирпич. (На следующий день я все же решил разориться, и коридорный принес мне мешок с углем. Я не знал, как зажечь камин,— уголь был каменным; положил газеты, щепки, все быстро сгорело, а проклятый уголь не зажигался; я вымазал лицо и уснул снова в холодной комнате.)

Сидеть в номере было глупо. Я отложил поиски Савченко и Людмилы на следующий день и пошел бродить по Парижу. Мужчины были в котелках, женщины в огромных шляпах с перьями. На террасах кафе влюбленные преспокойно целовались; я даже перестал отворачиваться. По бульвару Сен-Мишель шли студенты, шли по мостовой, мешая движению, но никто их не разгонял. Сначала мне показалось, что это демонстрация, но нет, они просто развлекались. Продавали жареные каштаны. Стал накрапывать дождик. В Люксембургском саду трава была нежно-зеленая. В декабре!.. Мне было очень жарко в ватном пальто. (Ботики и меховую шапку я оставил в гостинице.) Пестрели яркие афиши. Все время мне казалось, что я в театре.

Я долго прожил в Париже; различные события, лица, обрывки фраз смешались в моей памяти; но первый парижский день я хорошо запомнил: этот город меня поразил. Самое удивительное, что он остался прежним; Москвы не узнать, а Париж все тот же. Когда я теперь приезжаю в Париж, мне становится невыразимо грустно — город тот же, изменился я; мне трудно ходить по знакомым улицам — это улицы моей молодости. Конечно, давно нет ни фиакров, ни омнибусов, ни парового трамвая; неоновые вывески куда ярче прежних; редко можно увидеть кафе с красными бархатными или кожаными диванами; писсуаров осталось мало, они запрятались под землю. Но ведь это мелочи. По-прежнему люди живут на улице, влюбленные целуются, где им вздумается, никто ни на кого не обращает внимания. Старые дома не изменились — что им лишних полвека, в их возрасте это нечувствительно. Слов нет, изменился мир,— следовательно, и парижане должны думать о многом, о чем они раньше не подозревали: об атомной бомбе, о скоростных методах производства, о коммунизме. Но с новыми мыслями они все же остаются парижанами, и я убежден, что, если теперь попадет в Париж восемнадцатилетний советский паренек, он разведет руками, как я в 1908 году: «Театр...»

На следующий день я отправился в Латинский квартал. На бульваре Сен-Мишель я стал прислушиваться к разговорам прохожих: как только услышу русскую речь, спрошу, где здесь эмигрантская библиотека; там-то, наверно, мне скажут адрес Савченко и Людмилы. Я потратил на поиски полдня. Библиотека помещалась на авеню де Гобелен, в глубине грязного двора. Я поднялся по винтовой лестнице в помещение, походившее на длинный сарай. Там стояли полки с книгами, лежали русские газеты, там я познакомился с библиотекарем, товарищем Мироном (Ингбером). Он был меньшевиком, это меня огорчило; но вскоре я понял, что он озабочен одним: не хочет, чтобы читатели зачитывали библиотечные книги. Он мне прочел длинную лекцию о том, как обращаться с книгой, я обещал никогда не загибать страниц и не делать на полях заметок. (Он все же подпустил шпильку — сказал, что именно некоторые большевики любят писать на библиотечных книгах.) Потом он относился ко мне благосклонно: я начал писать стихи, а он обожал поэзию. Это был близорукий тихий и доброжелательный человек. Каждый вечер он отправлялся в маленькую пивную на улице Брока, там ел сосиски и работал — составлял каталог зарубежных изданий. Он не знал, где живут Савченко и Людмила, но сказал, что скоро придет кто-нибудь из большевистской группы. Действительно, два часа спустя я уже был на квартире, где жили Савченко и Людмила. У них были две маленькие комнаты, кухня с газом; в комнатах стояли раскладушки. Все напоминало студенческую квартиру где-нибудь на Козихах. Вот только газовая плитка меня заинтересовала... Савченко была заботливой женщиной лет тридцати (мне она казалась старухой). Она сразу начала меня опекать, сказала, что жить в гостинице дорого и что завтра она пойдет со мной, мы найдем меблированную комнату,

Парижская конка. Начало века. Открытка.

Илья Лохматый (кличка Эренбурга). Париж.

А. В. Луначарский.

Париж. Кафе у Бельфорского льва. Открытка.

это нетрудно — у подъезда висит желтое объявление. А вот сегодня вечером они возьмут меня на собрание большевистской группы — там будет Ленин...

Мы обедали, я нервничал, глядел на часы — не опоздать бы! Конечно, Савченко и Людмила рассказывают удивительные вещи о Париже, но если я сюда приехал, то с одной целью — увидеть Ленина.

11

Большевистская группа собиралась в кафе на авеню д'Орлеан, неподалеку от Бельфорского льва. На втором этаже имелся небольшой зал; как то принято в Париже, его предоставляли безвозмездно — посетители должны были оплачивать только кофе или пиво. Мы пришли одними из первых. Я спросил Савченко, что мне заказать; она ответила: «Гренадин. Все наши пьют гренадин...» Действительно, всем приносили ярко-красный приторный сироп, к которому добавляли сельтерскую воду. Только Ленин заказал кружку пива. (Потом я неоднократно слышал, как официанты удивлялись: революционеры, а пьют гренадин!.. Сироп французы прибавляют к чересчур горьким крепким напиткам; а в воскресенье, когда посетители приводят в кафе всю семью, малышей бесплатно угощают гренадином.)

На собрании было человек тридцать; я глядел только на Ленина. Он был одет в темный костюм со стоячим крахмальным воротничком; выглядел очень корректно. Я не помню, о чем он говорил, но, будучи достаточно дерзким мальчишкой, я попросил слова и в чем-то возразил. Он ответил мне мягко, не обругал, а разъяснил — я того-то не понял... Людмила мне сразу сказала, что я поступил глупо. Когда собрание кончилось, Владимир Ильич подошел ко мне: «Вы из Москвы?..» Я ему объяснил, что в московской организации работал до января, потом был арестован, попытался устроиться в Полтаве, там отыскал товарищей. Ленин сказал, чтобы я к нему зашел.

Я разыскал дом на уличке возле парка Монсури (теперь я проверил — это была улица Бонье). Я долго стоял у двери — не решался позвонить; от недавней дерзости не осталось следа. Дверь открыла

Надежда Константиновна. Ленин работал; он сидел, задумавшись, над длинным листом бумаги; чуть щурил глаза.

Я рассказал ему о провале ученической организации, о статье «Два года единой партии», о положении в Полтаве. Он внимательно слушал, иногда едва заметно улыбался, мне казалось — он догадывается, что я еще мальчишка, и это путало мои мысли. Я сказал, что помню на память адреса для рассылки газеты. Надежда Константиновна адреса записала. Я хотел уходить, но Владимир Ильич меня удержал; он стал расспрашивать, как настроена молодежь, кого из писателей больше читают, популярны ли сборники «Знания», на каких спектаклях я был в Москве — у Корша, в Художественном театре. Он ходил по комнате, а я сидел на табурете. Надежда Константиновна сказала, что время обедать; я решил, что засиделся, но меня оставили, накормили. Меня удивил порядок: книги стояли на полке, на рабочем столе Владимира Ильича ничего не было накидано — не похоже ни на комнаты моих московских товарищей, ни на квартиру, где жили Савченко и Людмила. Владимир Ильич несколько раз повторил Надежде Константиновне: «Вот прямо оттуда... Знает, чем живет молодежь...»

Меня поразила его голова. Я вспомнил об этом пятнадцать лет спустя, когда увидел Ленина в гробу. Я долго глядел на этот изумительный череп: он заставлял думать не об анатомии, но об архитектуре.

(Много лет спустя после смерти Ленина я взял воспоминания Н. К. Крупской. Надежда Константиновна писала, что Ленин прочитал мой первый роман. «Это, знаешь, Илья Лохматый (кличка Эренбурга),— торжествующе рассказывал он.— Хорошо у него вышло». Я был у Владимира Ильича в самом начале 1909 года; и я не знал, что снова с ним мысленно разговаривал — незадолго до его смерти — в 1922 или 1923 году, когда он читал мою книгу «Хулио Хуренито».)

Несколько раз я слышал Ленина на собраниях; говорил он спокойно, без пафоса, без красноречия; слегка картавил; иногда усмехался. Его речи походили на спираль: боясь, что его не поймут, он возвращался к уже высказанной мысли, но никогда не повторял ее, а прибавлял нечто новое. (Некоторые из подражавших впоследствии этой манере говорить, забывали, что спираль похожа на круг и не похожа — спираль идет дальше.)

Ленин внимательно следил за политической жизнью Франции, изучал ее историю, ее экономику, знал быт парижских рабочих. Он не только говорил по-французски, но и мог писать на этом языке статьи.

В мае 1909 года я был на демонстрации у Стены коммунаров. Впереди шли участники Коммуны; их было еще много, и они бодро шагали. Мне они показались глубокими стариками; я думал о Коммуне, как о странице древней истории,— ведь это было тридцать восемь лет назад! У Стены коммунаров я увидел Ленина; он стоял среди группы большевиков и глядел на стену — из камня выступали тени федератов.

Видел я Ленина и в библиотеке Сент-Женевьев, и на скамейке в парке Монсури, среди старух и детишек, и в рабочем театре на улице Гэтэ, где певец Монтегюс пел революционные песенки.

В пылу полемики против эсеров, пренебрегавших законами развития общества, я, разумеется, отрицал всякую роль личности в истории. Несколько лет назад я задумался над фразой из письма Энгельса: «Маркс и я отчасти сами виноваты в том, что молодежь иногда придает больше значения экономической стороне, чем это следует. Нам приходилось, возражая нашим противникам, подчеркивать главный принцип, который они отрицали, и не всегда находилось достаточно времени, места и повода отдавать должное и остальным моментам, участвующим во взаимодействии». Пример Ленина поставил многое на свое место.

Когда я пришел к Владимиру Ильичу, консьержка мне строго сказала: «Вытрите ноги». Разве она

В. И. Ленин. Рисунок Н. Альтмана.

понимала, кто ее жилец? Разве понимал официант кафе на авеню д'Орлеан, что о господине, который заказывает кружку пива, восемь лет спустя будет говорить весь мир? Разве догадывались посетители библиотеки, что человек, аккуратно выписывающий из книг цифры и имена, изменит ход истории, что о нем будут писать десятки тысяч авторов на всех языках мира? Да разве я, с благоговением глядевший тогда на Владимира Ильича, мог себе представить, что передо мной человек, с которым будет связано рождение новой эры человечества?

Владимир Ильич был в жизни простым, демократичным, участливым к товарищам. Он не посмеялся даже над нахальным мальчишкой... Такая простота доступна только большим людям; и часто, думая о Ленине, я спрашивал себя: может быть, воистину великой личности чужд, даже неприятен, культ личности?

Ленин был человеком большим и сложным. В бурные годы гражданской войны после исполнения сонаты Бетховена Исаем Добровейном Ленин сказал А. М. Горькому: «Ничего не знаю лучше «Appassionata», готов слушать ее каждый день. Изумительная, нечеловеческая музыка. Я всегда с гордостью, может быть, наивной, думаю: вот какие чудеса могут делать люди!» И, прищурясь, он прибавил невесело: «Но часто слушать музыку не могу, действует на нервы, хочется милые глупости говорить и гладить по головкам людей, которые, живя в грязном аду, могут создавать такую красоту. А сегодня гладить по головке никого нельзя — руку откусят,— и надобно бить по головкам, бить безжалостно, хотя мы, в идеале, против всякого насилия над людьми. Гм-гм,— должность адски трудная!»

Я выписал эту длинную цитату из воспоминаний Горького, потому что она слишком тесно связана с моей жизнью и с моими мыслями, нет, местоимение не то — с нашим веком, с нашей судьбой.

12

Мне довелось повидать различные эмиграции — левые и правые, богатые и нищие, уверенные в себе и растерянные; видел я и русских, и немцев, и испанцев, и французов. Одни эмигранты вздыхали о прошлом, другие жили будущим. Но есть нечто общее между эмигрантами различных толков, различных национальностей, различных эпох: отталкивание от чужбины, где они очутились не по своей воле, обостренная тоска по родине, потребность жить в тесном кругу соотечественников и вытекающие отсюда неизбежные распри.

Старый большевик А. С. Шаповалов попал в эмиграцию после революции 1905 года; он рассказывает, как возмущались его товарищи бельгийскими нравами: «Ну ее к черту, эту Бельгию с ее хваленой свободой!.. Оказывается, что здесь не смей после десяти часов вечера в своей же комнате ни ходить в сапогах, ни петь, ни кричать». Задолго до этого Герцен, описывая эмиграцию в Лондоне, говорил, что «француз не может примириться с «рабством», по которому трактиры заперты в воскресенье».

Взрослые растения трудно пересаживать, они болеют, часто гибнут. Теперь у нас применяется зимняя пересадка: дерево выкапывают, когда оно в летаргии. Весной оно возвращается к жизни на новом месте. Хороший метод, особенно потому, что у дерева нет памяти...

Я помню Мигеля Унамуно в Париже — он был эмигрантом во времена Примо де Ривера; он сидел в кафе «Ротонда» и вырезывал из бумаги драконов и быков; потом к его столику присаживались испанцы, и Унамуно говорил им, что во Франции нет, не было, да и никогда не будет Рыцаря Печального Образа. (Он сам походил на Дон-Кихота.) Помню Эрнста Толлера в Лондоне, задыхающегося от туманов и лицемерия; он не выдержал жизни в изгнании и покончил с собой. Жан-Ришар Блок годы войны провел в Москве; человек большой воли, он старался не выдать своей тоски, но, когда он говорил о Франции, его печальные глаза становились еще печальнее; на стене комнаты в гостинице «Националь» висела голубая бумажка — обертка давно выкуренных французских сигарет. Пабло Неруда сидел в комнате пражской гостиницы, большой и неподвижный, похожий на бога древних ацтеков; но стоило ему заговорить о раковинах на тихоокеанском побережье, как его лицо оживлялось; он с негодованием рассказывал о проделках одного из чилийских диктаторов — с негодованием и в то же время с нежностью: как-никак диктатор был чилийцем. В 1946 году, находясь в Париже, я пошел проведать А. М. Ремизова, тяжело больного, сгорбленного в три погибели. Он был одинок, жил в нищете и в томлении. Почему он очутился в эмиграции? Вряд ли он сам смог бы это объяснить. Он говорил, что во сне видит всегда Россию, давних друзей, Петербург студенческих лет. А в комнате висели русские картинки, русские зверушки и, конечно же, русские чертяки.

В 1932 году я писал про белых эмигрантов: «Вокруг них жизнь, к которой они, по существу, никак не причастны. Они живут в Париже, как в чердачной конуре роскошной гостиницы. Разучившись говорить по-русски, они не овладели французским языком. Они плачут, когда смотрят в маленьком русском театре «Дети Ванюшина». Они мурлычут песенки Вертинского. Они ходят на вечера различных «землячеств». Они не могут расстаться даже со старым календарем и встречают Новый год 13 января. В одной русской квартире я видел самовар, воду для него нагревали на газовой плитке».

Все отличало дореволюционную эмиграцию от белой. Русские беженцы, добравшиеся после революции до Парижа, поселились в буржуазных кварталах — в Пасси, в Отэй; а революционная эмиграция жила на другом конце города, в рабочих районах Гобелен, Итали, Монруж. Белые пооткрывали рестораны «Боярский теремок» или «Тройка»; одни были владельцами трактиров, другие подавали кушанья, третьи танцевали лезгинку или камаринскую, чтобы позабавить французов. А эмигранты-революционеры ходили на собрания французских рабочих; эсеры спорили с эсдеками, «отзовисты» — со сторонниками Ленина. Разные люди — разная и жизнь...

Если я заговорил о некоторых чувствах, присущих всем людям, оказавшимся поневоле на чужбине, то только для того, чтобы объяснить мое душевное состояние, когда в январе 1909 года я наконец-то снял меблированную комнату на улице Данфер-Рошеро, разложил привезенные с собой книги, купил спиртовку, чайник и понял, что в этом городе я надолго. Конечно, Париж меня восхищал, но я сердился на себя: нечем восхищаться!.. Я уже не был ребенком, меня пересадили без кома земли, и я болел. Турист может восторгаться не виданной им природой, чужими нравами, он ведь приехал для того, чтобы смотреть; а эмигрант и восторгаясь отворачивается. Здесь нет весны, думал я в тоске. Разве французы могут понять, как идет лед, как выставляют двойные рамы, как первые подснежники пробивают ледяную кору? В Париже и зимой зеленела трава. Зимы вообще не было, и я печально вспоминал сугробы Зачатьевского переулка, Надю, облачко возле ее губ, тепло руки в муфте. Бог ты мой, сколько во Франции цветов! Ползли по стенам душистые глицинии, в каждом палисаднике были чудесные розы. Но, глядя на лужайки Медона или Кламара, я огорчался: где же цветы? Как молитву, я повторял: мать-и-мачеха, иван-да-марья, купальница, львиный зев...

Французы мне казались чересчур вежливыми, неискренними, расчетливыми. Здесь никто не вздумает раскрыть душу случайному попутчику, никто не заглянет на огонек; пьют все, но никто не запьет с тоски на неделю, не пропьет последней рубашки. Наверно, никто и не повесится...

Повесился Виталий. Говорили, что он запутался, залез в долги, выдавал чужие стихи за свои; мне он часто говорил, что ему «тошно» в Париже. Я бывал у Тамары Надольской, худой девушки с глазами лунатика. Мы говорили о России, о больших чувствах, о цели жизни. Жила она в мансарде; в оконце был виден огромный чужой город. Она повторяла, что все в жизни оказалось не таким, как она думала. Она выбросилась из оконца на мостовую. Таню Рашевскую я знал еще в Москве, она была сестрой моего школьного товарища

Васи; сидела в тюрьме, уехала в Париж, поступила на медицинский факультет, вышла замуж за красивого румына, потом отравилась. На похороны приехала ее мать из Москвы; уломали попа, дали всем свечи, дьякон пел: «И презревши все прегрешения...»

Иногда я ходил на доклады — их называли «рефератами». Мы собирались в большом зале на авеню де Шуази; зал был похож на сарай; зимой его отапливали посетители. А. В. Луначарский рассказывал о скульпторе Родене. А. М. Коллонтай обличала буржуазную мораль. Порой врывались анархисты, начиналась потасовка.

(Когда я начал писать стихи, А. В. Луначарский меня приободрил, говорил мне, что можно быть революционером и любить поэзию. Анатолий Васильевич был для меня мостом — он связывал мое отрочество с новыми мечтами. Можно увидеть в воспоминаниях о нем: «огромная эрудиция», «всесторонняя культура». Меня поражало другое: он не был поэтом, его увлекала политическая деятельность, но в нем жила необычайная любовь к искусству, он как будто был неизменно настроен для восприятия тех неуловимых волн, которые проходят мимо ушей многих. Впоследствии, изредка с ним встречаясь, я пытался спорить: его оценки мне были чужды. Но он был далек от желания навязать свои восприятия другим. Октябрьская революция поставила его на пост народного комиссара просвещения, и, слов нет, он был добрым пастырем. «Десятки раз я заявлял, что Комиссариат просвещения должен быть беспристрастен в своем отношении к отдельным направлениям художественной жизни. Что касается вопросов формы — вкус народного комиссара и всех представителей власти не должен идти в расчет. Предоставить вольное развитие всем художественным лицам и группам. Не позволить одному направлению затирать другое, вооружившись либо приобретенной традиционной славой, либо модным успехом». Обидно, что различные люди, ведающие искусством или им интересующиеся, редко вспоминали эти разумные слова. В 1933 году Луначарского назначили послом в Мадрид. Он приехал в Париж и слег. Я пришел к нему в гостиницу. Он понимал, что смерть близка, и говорил об этом. Жена попыталась отвлечь его, но он спокойно ответил: «Смерть — серьезное дело, это входит в жизнь. Нужно уметь умереть достойно...» Помолчав, он добавил: «Вот искусство может научить и этому...»)

Денег у меня было мало, и я считал, что тратиться на обед не стоит: можно выпить кофе с молоком у цинковой стойки бара с пятью рогаликами. Все же иногда я шел в русскую столовку: не голод меня гнал туда — ностальгия. Помню две столовки: эсеровскую на улице Гласьер (ее называли так потому, что эсеры, родственники владельцев фирмы «Чай Высоцкого», жертвовали деньги на пропитание эмигрантов) и беспартийную на улице Паскаля. В обеих было дешево, грязно, невкусно и тесно. Официант кричал повару: «Эн борщ и биточки авэк каша́». Рыжая эсерка истерически повторяла, что, если ей не дадут боевого задания, она покончит с собой. Большевик Гриша негодовал: проходя мимо кафе «Даркур», он увидел там Мартова — вот как разлагаются оппортунисты!..

Иногда устраивались балы; сбор шел на пропаганду в России. Приглашали французских актеров; бойко торговал буфет; многие быстро напивались и нестройно пели хором: «Как дело измены, как совесть тирана, осенняя ночка черна...» Здесь же сводились счеты: эмиграция была крохотным островком, на нем жили и в тесноте и в обиде.

Еще в тюрьме я понял, что ничего не знаю. Я записался вольнослушателем в Высшую школу социальных наук. Лекции мне казались бледными, малосодержательными, но я аккуратно все записывал в тетрадку. Вскоре я заметил, что из книг могу почерпнуть куда больше, чем из лекций; снова начались годы жадного чтения.

Книги я брал в Тургеневской библиотеке. Ее судьба драматична. В 1875 году в Париже состоялось «Литературно-музыкальное утро» с участием Тургенева, Глеба Успенского, Полины Виардо, поэта Курочкина. И. С. Тургенев распространял билеты, указывая: «Вырученные деньги будут употреблены на основание русской читальни для недостаточных студентов». Писатель пожертвовал библиотеке книги, некоторые со своими пометками на полях. Два поколения революционной эмиграции пользовались книгами «Тургеневки» и обогащали ее библиографическими редкостями. После революции библиотека продолжала существовать; только читатели изменились. В начале второй мировой войны русские писатели-эмигранты передали свои архивы на хранение Тургеневской библиотеке. Один из ближайших сподвижников Гитлера, балтийский немец Розенберг, который считался ценителем «россики», вывез Тургеневскую библиотеку в Германию. В 1945 году, перед самым концом войны, незнакомый офицер принес мне мое письмо, посланное в 1913 году М. О. Цетлину (поэту Амари). Офицер рассказал, что на одной немецкой станции он видел распотрошенные ящики: русские книги, рукописи, письма валялись на земле; он подобрал несколько писем Горького и, случайно заметив на истлевшем листке мою подпись, решил доставить мне удовольствие. Таков конец Тургеневской библиотеки.

Порой я заглядывал в партийную библиотеку на авеню де Гобелен — там можно было встретить знакомых. В полутемном сарае, среди паутины, газет и примятых шляп, люди подолгу спорили, не обращая внимания на Мирона, который негодовал: «Товарищи, ведь здесь библиотека!..» Иногда появлялся новичок из Петербурга или Москвы; его закидывали вопросами. Вести были невеселыми: реакция в России росла, охранка усердствовала — «провал» следовал за «провалом». Говорили много про Азефа. Конечно, я никогда не соглашался с эсерами; но меня пленяла романтика — Каляев, Созонов, и вдруг выяснилось, что какой-то толстый противный субъект решал судьбы и революционеров, и царских министров...

На партийных собраниях продолжались бесконечные дискуссии. Недавно я прочитал в воспоминаниях С. Гопнер, что Ленин говорил о бесплодности эмигрантских дискуссий, где спорят люди, давно выбравшие свою позицию. Я сердился на себя: почему в Москве дискуссии меня увлекали, а здесь, где столько опытных партийных работников, я сижу и скучаю? Я стал реже ходить на собрания.

Попробовал я пойти на митинг французских социалистов. Выступал Жорес; он изумительно говорил, мне показалось, что я слышу нечто новое (потом я понял, что дело было в таланте оратора). Он говорил, что труд, братство, гуманизм сильнее корысти правящего класса; потрясал руками, в негодовании отстегнул крахмальный воротничок. В зале было нестерпимо жарко. После Жореса детский хор исполнил песню о страданиях чахоточного юноши, который не увидит восхода солнца. Потом потная толстая певица пела скабрезные куплеты про корсет, который она потеряла в кабинете министра. Все развеселились. На эстраду вышли музыканты; поспешно отодвигали скамейки — начинался бал. Восемнадцатилетний русский юноша не танцевал, он грустно шагал по старым парижским улицам и думал: гуманизм, пролетариат — и вдруг корсет!..

Париж мне нравился, но я не знал, как к нему подойти. Я пошел на выставку и ужаснулся. О живописи я не имел никакого представления; в моей московской комнате на стене висели открытки «Какой простор!» и «Остров мертвых». Я думал, что картины должны быть со сложным сюжетом, а здесь художники изображали дом, дерево, того хуже — яблоки.

В театре «Французской комедии» знаменитый актер Муне-Сюлли играл царя Эдипа. Я признавал только Художественный театр: мне казалось, что на сцене все должно быть как в жизни. Муне-Сюлли стоял неподвижно на месте, потом он сделал несколько шагов, снова остановился и зарычал, как раненый лев: «О, как темна наша жизнь!..» Несколько лет спустя я понял, что он был большим актером, но в то время я не знал, что такое искусство, и не выдержал — громко рассмеялся. Сидел я на галерке среди подлинных театралов и не успел опомниться, как оказался на улице с помятыми боками.

По ночам я писал длинные письма в Москву; отвечали мне коротко: я выпал из игры, стал чужим. Несколько позднее, когда я возомнил себя поэтом, в ученических бледных стихах я признавался:

Тургеневская библиотека в Париже. Начало века.

Выступление Жореса. Рисунки Шарля Леандра.

> Как я грущу по русским зимам,
> Каким навек недостижимым
> Мне кажется и первый снег,
> И санок окрыленный бег!..
>
> Как радостна весна родная,
> И в небе мутном облака,
> И эта взбухшая, большая,
> Оковы рвущая река!..
>
> И столько близкого и милого
> В словах Арбат, Дорогомилово...

Обращаясь к России, я говорил:

> Если я когда-нибудь увижу снова
> Две сосны и надпись «Вержболово»,
> Мутный, ласковый весенний день,
> Талый снег и горечь деревень...
> Я пойму, как пред Тобой я нищ и мал,
> Как себя я в эти годы растерял...

Стихи плохие, неловко их переписывать, но они довольно точно выражают душевное состояние тех лет.

Я вспомнил сейчас 1949 год, когда некоторые меня называли «космополитом». Действительно, лучшую мишень трудно было найти: помимо всего прочего, я долго прожил в Париже — и по необходимости, и по доброй воле. Тогда многие любили говорить о «беспачпортных бродягах», справка о прописке казалась чуть ли не решающей. А ведь чувство родины особенно обостряется на чужбине; да и видишь многое лучше. Гейне создал «Зимнюю сказку» в Париже; там же Тургенев писал «Отцы и дети»; над «Мертвыми душами» Гоголь работал в Риме; Тютчев писал о России в Мюнхене, Ромен Роллан о Франции — в Швейцарии, Ибсен о Норвегии — в Германии, Стриндберг о Швеции — в Париже; «Дело Артамоновых» написано в Италии; и так далее...

Помню слова, однажды оброненные: «Эренбургу пора понять, что он ест русский хлеб, а не парижские каштаны...» В Париже, когда мне приходилось трудно, я действительно покупал на улице у продымленного оверньяка горячие каштаны; стоили они всего два су, согревали иззябшие руки и обманчиво насыщали. Я ел каштаны и думал о России — не о ее калачах...

13

Стихи я начал писать неожиданно для самого себя: я еще ходил на политические рефераты и слушал лекции в Высшей школе социальных наук.

На собрании группы содействия РСДРП я познакомился с Лизой. Она приехала из Петербурга и училась в Сорбонне медицине. Лиза страстно любила поэзию; она мне читала стихи Бальмонта, Брюсова, Блока. Я подтрунивал над Надей Львовой, когда она говорила, что

Блок — большой поэт. Лизе я не смел противоречить. Возвращаясь от нее домой, я бормотал: «Замолкает светлый ветер, наступает серый вечер...» Почему ветер светлый? Этого я не мог себе объяснить, но чувствовал, что он действительно светлый. Я начал брать в «Тургеневке» стихи современных поэтов и вдруг понял, что стихами можно сказать то, чего не скажешь прозой. А мне нужно было сказать Лизе очень многое...

День и ночь напролет я писал первое стихотворение; оказалось, это очень трудно. Я знал, что по-французски у меня бедный словарь; но ведь стихи я писал по-русски, а все время чувствовал — до чего мало у меня слов! Наконец я решился показать стихи Лизе; боясь сурового приговора, я сказал, что это сочинения моего приятеля. Лиза оказалась строгим критиком: мой приятель не умеет писать, стихи подражательные, одно под Бальмонта, другое под Лермонтова, третье под Надсона; словом, моему приятелю нужно много работать...

Я порвал все написанное и решил больше к стихам не возвращаться — буду революционером, может быть, журналистом или выберу другую профессию, поэзия не для меня. Легко было решить, а вот выполнить решение я не смог. Я вдруг почувствовал, что стихи поселились во мне, их не выгонишь, и я продолжал писать. Лизе я снова показал стихи только месяца два спустя. Она сказала: «Твой приятель теперь пишет лучше...» Мы заговорили о другом, и вдруг, как бы невзначай, она сказала: «Знаешь, одно твое стихотворение мне понравилось...» Оказалось, что маскировку она разгадала сразу.

Я жил возле зоопарка. По ночам кричали морские львы. Я до утра писал стихи, плохие, подражательные, но я был счастлив — мне казалось, что я нашел свой путь.

Лиза уехала на каникулы в Петербург. Неожиданно пришла от нее телеграмма: журнал «Северные зори» взял одно мое стихотворение. Я был вне себя от радости: значит, я действительно поэт!

Я осмелел и послал стихи в журнал «Аполлон». Вскоре пришел ответ от редактора, художественного критика С. К. Маковского. Он справедливо ругал мои стихи, но в конце письма говорил уже не о слабых виршах, а о человеке — предлагал мне выбрать другую профессию, заняться, например, коммерцией. «Аполлон» был для меня верховным судом. Месяц я ничего не писал: если Маковский советует мне стать лавочником, то это неспроста,— значит, я самозванец.

Лизе удалось меня успокоить, приободрить, и я вернулся к стихам.

Я не расставался с мыслью уехать в Россию и отдаться там нелегальной работе. Я заговорил об этом с одним из ближайших соратников Ленина, он ответил, что понимает мои чувства, но будет куда лучше, если я в Париже наберусь знаний,— партии нужны и литераторы (не знаю, читал ли он мои стишки, но, разумеется, слышал, что я увлекся стихотворством).

Наконец один товарищ предложил мне поехать в Вену — впоследствии меня, может быть, используют для переброски литературы в Россию.

В Вене я жил у видного социал-демократа X.— я не называю его имени: боюсь, что беглые впечатления зеленого юноши могут показаться освещенными дальнейшими событиями. Моя работа была несложной: я вклеивал партийную газету в картонные рулоны, а на них наматывал художественные репродукции и отсылал пакеты в Россию. X. жил с женой в маленькой, очень скромной квартире. Однажды вечером жена X. сказала, что чая не будет: газ на кухоньке подавался автоматом, в который нужно было бросить монету. Я поспешно побежал и бросил в пасть чудовища крону. X. был со мною ласков и, узнав, что я строчу стихи, по вечерам говорил о поэзии, об искусстве. Это были не мнения, с которыми можно было бы поспорить, а безапелляционные приговоры. Такие же вердикты я услышал четверть века спустя в некоторых выступлениях на Первом съезде советских писателей. Но в 1934 году мне было сорок три года, я успел кое-что повидать, кое-что понять; а в 1909 году мне было восемнадцать лет, я не умел ни разобраться в исторических событиях, ни устроиться поудобней на скамье подсудимых, хотя именно на ней мне пришлось просидеть почти всю жизнь. Для X. обожаемые мною поэты были «декадентами», «порождением политической реакции». Он говорил об искусстве как о чем-то второстепенном, подсобном.

Однажды я понял, что я должен уехать, не решился сказать об этом X.— написал глупую детскую записку и уехал в Париж.

Я сидел на скамье бульвара с Лизой, рассказывал о поездке в Вену, о том, что не знаю, как прожить следующий день,— у меня больше не было цели.

Лиза говорила о другом. Это была очень печальная встреча. Лиза подарила мне книгу, на первой странице она написала, что нужно опоясать сердце железными обручами, как бочку. Я подумал: где мне взять эти обручи? Дома я раскрыл книгу: стихи Брюсова.

> Мне сладки все мечты, мне дороги все речи,
> И всем богам я посвящаю стих.

Все во мне сопротивлялось этим словам: я еще помнил собрание на Татарском кладбище, тюремные ночи, признания, клятвы. Мечта мечте рознь. Да и какой может быть у человека бог, если богов много? Главное — как жить, когда больше ни во что не веришь?..

Я писал о своем отчаянии, о том, что прежде у меня была жизнь и что теперь ее нет, о трубачах без труб, о чуждости и жестокости Парижа, о любви. Это была дурная лирика. (У нас теперь слово «лирика», как и многие другие, приобрело новое значение: редакторы, критики, заведующие отделами поэзии, словом, не стихотворцы, а стиховеды и стихоеды, называют «лирикой» любовные стихи, как будто «Когда для смертного угаснет шумный день...» или «Молчи, скрывайся и таи...» — не лирические произведения.)

Один читатель прислал мне мои ранние стихи, напечатанные в разных журналах. Эти стихи (на редкость беспомощные) помогли мне вспомнить терзания далеких дней. Я «бунтовал»:

Я ушел от ваших громких, дерзких песен,
От мятежно к небу поднятых знамен,
Оттого что лагерь был мне слишком тесен...

То я высмеивал свои стихи:

Довольно! Я знаю и гордые позы,
И эти картонные латы.
На землю! На землю! Сражаться с врагами!
Я снова запыленный воин.
Меня вы примите под красное знамя!
Я ваших доспехов достоин...

Я чувствовал, что сбился с пути, и в весну своей жизни твердил об осени:

Печальны и убоги,
Убогие в пыли,
Осенние дороги,
Куда вы привели?

Меня лихорадило и в личной жизни. В конце 1909 года на одном из эмигрантских вечеров я познакомился с Катей, студенткой медицинского факультета первого курса. Влюбился я сразу, начались долгие месяцы психологических анализов, признаний, вспышек ревности.

Летом 1910 года мы поехали с Катей в Брюгге. Меня поразил этот город — он действительно был мертвым. Стояли огромные церкви, ратуша, башни, особняки, а жили в городе монашенки и обнищавшие мечтатели. Теперь Брюгге изменился: он живет ордами туристов и похож на переполненный до отказа музей. А когда я его увидел впервые, ничто не тревожило ни сонных лебедей, ни отражения тополей в каналах, ни монашенок (теперь и монашенки побойчели — зазывают туристов, продают кружева своей работы). Впервые я смотрел на живопись, не

Лиза Полонская. Париж. 1910 г.

Вена. 1909 г. Открытка.

Катя Шмидт — первая жена И. Эренбурга. Париж. 1910 г.

довольствуясь сюжетом картины: меня поразили мадонны Мемлинга бледными лицами, бескровными губами, ощущением чистоты, отрешенности. Я чувствовал, что мир художника был замкнутым, углубленным, полным человеческих тайн. Я еще не знал ни старой поэзии, ни архитектуры Шартра; но далекое прошлое показалось мне восхитительным; в Брюгге я написал полсотни стихотворений о красоте исчезнувшего мира, о рыцарях и Прекрасных Дамах, о Марии Стюарт, об Изабелле Оранской, о мадоннах Мемлинга, о брюггских монахинях-бегинках. Русский юноша девятнадцати лет, жадно мечтавший о будущем, оторванный от всего, что было его жизнью, решил, что поэзия — костюмированный бал:

> В одежде гордого сеньора
> На сцену выхода я ждал,
> Но по ошибке режиссера
> На пять столетий опоздал.

Мне действительно тогда казалось, что я создан, скорее, для крестовых походов, нежели для Высшей школы социальных наук. Стихи получались изысканные; мне теперь неловко их перечитывать, но писал я их искренне.

Один из приятелей, которому мои стихи понравились, сказал: «В России их вряд ли напечатают — там в каждой редакции свои поэты, но почему тебе не издать книжку в Париже? Это стоит недорого...» Я пошел в русскую типографию на улице Фран-Буржуа. К моему удивлению, хозяин типографии не заинтересовался содержанием книги; хотя он был бундовцем, мои стихи, обращенные к папе Иннокентию VI, его не смутили; он сосчитал строки и сказал, что двести экземпляров обойдутся в полтораста франков. Я поспешно возразил: зачем двести? Я — начинающий автор, с меня хватит и сотни. Типограф объяснил, что самое дорогое — набор, но согласился скинуть двадцать пять франков.

Я получал от родителей пятьдесят рублей в месяц — сто тридцать три франка. На беду, проект издания сборника стихов совпал с некоторыми событиями в моей жизни. Мне пришлось окончательно отказаться от обедов и сократить число поглощаемых у стойки рогаликов — к Кате я приходил почти всегда с букетиком. Я все же откладывал франки на типографию. Сборник «Стихи» вышел в конце 1910 года. Пятьдесят экземпляров я сдал на комиссию в русский магазин; другие постепенно отправлял различным поэтам в Россию — марки стоили дорого. Вообще расходы были значительными, а приход ничтожным — продано было всего шестнадцать экземпляров.

Двадцать пятого марта 1911 года в Ницце у меня родилась дочь Ирина.

Летом 1911 года я получил первый гонорар — шесть рублей за напечатанные в петербургском журнале два стихотворения. Это было неслыханной удачей, и мы с Катей чудесно пообедали.

Я ждал, что скажут о моей книге поэты в России. Мать очень за меня волновалась: я не учился, не выбрал себе никакой серьезной профессии и вдруг начал писать стихи. Да и стихи странные: почему ее сын пишет о богоматери, о крестовых походах, о древних соборах? Но ей, разумеется, хотелось, чтобы кто-нибудь меня похвалил. Прочитав в «Русских ведомостях» статью Брюсова, она телеграммой сообщила мне об этом. Разбирая книги начинающих поэтов, Брюсов выделил «Вечерний альбом» Марины Цветаевой и мой сборник: «Обещает выработаться в хорошего поэта И. Эренбург». Я обрадовался и в то же время огорчился — стихи, вошедшие в сборник, мне перестали нравиться.

Вскоре я уже не мог без презрительной усмешки вспоминать первую книгу. Я попытался стать холодным, рассудительным — подражал Брюсову. Но от таких стихов мне самому было скучно, и я начал мечтать о личности, обратился к своему недавнему прошлому.

> Мне никто не скажет за уроком «слушай»,
> Мне никто не скажет за обедом «кушай»,
> И никто не назовет меня Илюшей,
> И никто не сможет приласкать,
> Как ласкала маленького мать.

Или:

> Как скучно в одиночке, вечер длинный,
> А книги нет.
> Но я — мужчина,
> И мне семнадцать лет.

Книга называлась «Одуванчики». Едва она успела дойти до моих московских друзей, как я понял, что не вылечился от стилизации, только вместо картонных лат взял напрокат в костюмерной гимназическую форму.

Город Брюгге. 1910 г. Открытка.
Париж. Начало века. Открытка.
Дочь И. Эренбурга Ирина. Ницца. 1914 г.
Поль Верлен.
Франсис Жамм.
Оскар Лещинский.

Впервые я напал на томик Верлена; его певческий дар, его печальная и нелепая судьба меня взволновали. В кафе на бульваре Сен-Мишель официант с благоговением показал мне продавленный диван: «Здесь всегда сидел господин Верлен...» Я писал о «бедном Лелиане» (так называли Верлена в старости):

> За своим абсентом, молча, темной ночью
> Он досиживал до утренней звезды,
> И торчали в беспорядке клочья
> Перепутанной и грязной бороды...

Снова получались чужие стихи: я сам не слышал в них своего голоса.

Я прочитал книгу поэта Франсиса Жамма; он писал о деревенской жизни, о деревьях, о маленьких пиренейских осликах, о теплоте человеческого тела. Его католицизм был свободен и от аскетизма и от ханжества: он хотел, например, войти в рай вместе с ослами. Я перевел его стихи и начал ему подражать: пантеизм показался мне выходом. Я вырос в городе, но с отроческих лет всегда томился в лабиринте улиц, чувствовал себя свободным только с глазу на глаз с природой. На короткий срок меня прельстила философия Жамма—он оправдывал и голубя и коршуна. (Я говорю сейчас о птицах, а не о классах общества.) Меня давно мучила мысль: откуда приходит зло? Дуализм мне представлялся отвратительным; я по-прежнему ненавидел буржуазию, но я уже знал, что не все вопросы будут разрешены обобществлением средств производства. Я ухватился за бога деревьев и ослов. Франсис Жамм разрешил мне приехать к нему; жил он в Ортезе, около испанской границы. У него была уютная борода и ласковый голос; принял он меня по-отечески, попросил почитать стихи по-русски, угостил домашней наливкой и посоветовал в Париже встретиться с начинающим талантливым писателем — его зовут Франсуа Мориак. Я ждал наставлений, а Жамм показал себя снисходительным, радушным. Он мне понравился, но я понял, что он не Франциск Ассизский и не отец Зосима, а только поэт и добрый человек; уехал я от него с пустым сердцем.

Я посвятил Жамму сборничек стихов «Детское»; вспоминал день, проведенный в Ортезе:

> Зимнее солнце сквозь окна светит,
> На полу играют ваши дети.
> У камина старая собака, греясь, спит и громко дышит.
> В камине трещат еловые шишки.
> Вы говорите, а я слушаю и думаю —
> Откуда в вас столько покоя,
> Думаю о том, что меня ждет дорога угрюмая,
> Вокзал и пропахший дымом поезд...

Так вспоминают не об учителе жизни, а о милом дядюшке в деревне...

Вскоре мне опротивело играть в ребячество. Я начал подражать Гийому Аполлинеру. (Конечно, когда я кому-либо подражал, я этого не видел, мне неизменно казалось, что в прошлом году я действительно подражал такому-то, а вот теперь нашел свой голос.)

Изредка мои стихи печатали «Новый журнал для всех», «Русское богатство», «Жизнь для всех», «Русская мысль». Я получил короткое, но сердечное письмо от В. Г. Короленко. Весь мой архив пропал. Я нашел в книге писем Короленко письма к А. Г. Горнфельду; Владимир Галактионович писал весной 1913 года о двух моих стихотворениях: «По-моему, очень хороши и ко времени первые строчки:

> Значит, снова мечты о России
> Лишь напрасно приснившийся сон.
> Значит, снова—дороги чужие...
> И по ним я идти обречен».

В Париже открылась типография Рираховского, еврея с роскошной черной бородой. Типография помещалась на бульваре Сен-Жак в маленькой лавчонке. У наборных касс стояли Рираховский и двое наборщиков; один был большевиком, другой — меньшевиком; они набирали афиши эмигрантских рефератов и спорили, кто может с бóльшим правом называться социал-демократом после раскола партии. Рираховский был человеком с юмором и нежадным. Кто мог бы мне отпустить что-либо в кредит? Я ходил в рваных ботинках, брюки внизу заканчивались бахромой; был я бледен, худ, и глаза частенько блестели от голода. У Рираховского было доброе сердце, он печатал мои стихи и терпеливо ждал, когда я принесу ему двадцать или тридцать франков. Он говорил, что стихи у меня плохие, куда хуже, чем в «чтеце-декламаторе», но даже плохие стихи выглядят лучше на бумаге верже. Я с ним соглашался и чуть ли не каждый год издавал очередной сборничек на бумаге верже в ста экземплярах. Книга «Будни» продавалась в Москве, в книжном магазине Вольфа, и, насколько я помню, разошлось около сорока экземпляров.

Я менее всего склонен теперь попытаться оправдать или приукрасить мое прошлое. Но вот сущая правда: я не мечтал о славе. Конечно, мне хотелось, чтобы мои стихи похвалил один из тех поэтов, которые мне нравились; но еще важнее было прочитать кому-нибудь только что написанное. В Париже существовал эмигрантский литературный кружок; людей, ставших знаменитыми, в нем не было; помню поэтов М. Герасимова (потом он был в группе «Кузница»), Оскара Лещинского (он сыграл крупную роль в годы гражданской войны и геройски погиб в Дагестане; в Париже он был эстетом, выпустил книгу «Серебряный пепел», в ней были стихи «Нас принимают все за португальцев, мы говорим на русском языке, я видел раз пять тонких-тонких пальцев у проститутки в этом кабаке»); среди прозаиков были А. И. Окулов, человек очень одаренный, смелый и непутевый, много в те годы пивший (он тоже стал известен во время гражданской войны, сражался, в Сибири был членом Реввоенсовета, писал рассказы, а погиб позднее, как и М. Герасимов,— в тридцать седьмом), П. Ширяев, С. Шимкевич. Иногда на собрания кружка приходил А. В. Луначарский. Иногда навещали нас скульпторы Архипенко, Цадкин, художники Штеренберг, Лебедев, Федер, Ларионов, Гончарова. (Давид Петрович Штеренберг был политическим эмигрантом. Одно время я снимал комнату в предместье Парижа — в Медоне; рядом жил Штеренберг. Он бедствовал, но каждый день я видел его с мольбертом и с ящиком — он шел писать пейзажи. Этот очень скромный и тихий человек в самое громкое время был облечен большой ответственностью: Луначарский поручил ему организовать отдел изобразительного искусства. Давид Петрович никого не угнетал, не обижал. Маяковский на книге, ему подаренной, надписал: «Дорогому товарищу без кавычек Давиду Петровичу Штеренбергу Маяковский нежно». За Штеренбергом был один грех: он был хорошим художником и любил живопись; в тридцатые годы его причислили к «формалистам». Помню статью одного критика, который возмущался тем, что Штеренберг для натюрморта выбрал селедку; критик узрел в этом желание очернить современность... Давид Петрович умер в 1948 году, а в 1960-м была устроена небольшая выставка его работ — все увидели, каким он был чистым, лиричным и тонким живописцем. А в моей памяти он остался застенчивым бедным юношей в Медоне: мечты о революции, голод, живопись...)

Я уже начинал приобщаться к искусству, разговаривал не только

Ф. Сологуб.
Натюрморт Д. Штеренберга. 1920 г.

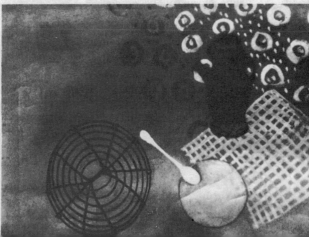

о «свободном стихе», но и о холстах «диких» (так называли Матисса, Марке, Руо) или о монументальной скульптуре Майоля.

Несколько раз я был у К. Д. Бальмонта; о нем расскажу впоследствии; расскажу также о писателях, подолгу живших в Париже,— о А. Н. Толстом, М. А. Волошине. Теперь упомяну только о приезде в Париж Ф. К. Сологуба. Был объявлен литературный вечер. Сологуб долго рассказывал собравшимся, главным образом студентам, что Дульцинея отлична от Альдонсы. Он походил, скорее, на директора гимназии, нежели на поэта. Иногда в его глазах мелькала невеселая улыбка. Я понимал, что передо мной автор «Мелкого беса». Но откуда он брал музыку, простые, резавшие сердце слова, песни, роднившие его с Верленом? Стихи он читал своеобразно — как будто раскладывал слова по отделениям большого ящика:

> Конь офицера
> Вражеских сил
> Прямо на сердце,
> Прямо на сердце ступил...

В последний раз я его видел в московском Доме печати в 1920 году. Некоторые из выступавших говорили, что индивидуализм отжил свой век. Федор Кузьмич кивал головой — явно соглашался. В заключительном слове он только добавил, что коллектив должен состоять из единиц, а не из нулей, ибо если прибавить к нулю нуль, то получится не коллектив, а нуль. Сологуб в Париже меня любезно принял, выслушал мои стихи, говорил о музыке, о тайне и снова о Дульцинее. А я тогда писал не о Дульцинее, но о мусорщиках, о грязи и смраде парижских улиц. После этого я написал стихи:

> ...Я читаю, и светает, в четком свете
> Странно видеть рядом на стене
> Уж живого Сологуба (на портрете) —
> Средних лет, с бородкой и в пенсне...

Вместе с Оскаром Лещинским я издавал художественно-литературный журнал «Гелиос». Мы быстро погорели. Позднее появился поэт Валя Немиров; он приехал из Ростова, у него были деньги. Он обожал спокойствие, был очень близоруким, говорил, что ему нравится одно местечко в Швейцарии (не помню какое), где всегда можно зажечь на улице сигарету, не прикрывая ладонью спички. Мы выпустили два номера журнала «Вечера», посвященного поэзии; там я мог печатать стихи, прославлявшие надвигающуюся бурю.

Из дому я получал теперь деньги нерегулярно; жил беспорядочно и на редкость скверно. Эмилио Серени говорил мне, что его покойная жена, по происхождению русская, рассказывала: «Эренбург спал в молодости, покрывшись газетами». В маленькой мастерской, которую я снимал на улице Кампань-Премьер, стоял матрас на ножках, другой мебели у меня не было. Не было и печки. Один шведский художник както выбил оконные стекла: рвался к небу. Поверх тонкого одеяла и худого пальто я клал газеты. Утром я забирался в кафе и там просиживал до вечера, читал, писал — кафе отапливали. Когда я проходил мимо ресторанов, меня мутило от запаха готовящейся пищи: порой по три-четыре дня я ничего не ел. Когда приходил чек из Москвы, я быстро проедал деньги с приятелями, которые тоже жили впроголодь.

Помню удивительную ночь незадолго до войны. Заказные письма из России приносили под вечер; деньги присылали чеком на «Лионский кредит». Я перевел для какого-то журнала рассказ Анри де Ренье; мне прислали десять рублей. Банк был уже закрыт. Нестерпимо хотелось есть. Мы пошли в маленький ресторан «Свидание извозчиков», напротив вокзала Монпарнас: он был открыт круглые сутки. Я позвал двух приятелей. Названия блюд были написаны мелом на черной доске, и мы успели все испробовать — ведь нужно было досидеть до утра, когда я мог получить деньги в банке (приятели должны были остаться в ресторане как заложники). Мы давно уже поужинали, подремали, позавтракали, пообедали; в шесть часов утра мы начали вторично завтракать, считая, что наступил новый день. Это была чудесная ночь!

Я много переводил, но переводил стихи, а их чрезвычайно редко печатали. Переводил я и современных французских поэтов, и фаблио XIII века, баллады Франсуа Вийона, сонеты Ронсара, проклятия Д'Обинье; научился читать по-испански, перевел отрывки из «романсеро», произведения протоиерея из Ита, Хорхе Манрике, святого Хуана, Кеведо. Это было страстью, но не профессией.

Я стал гидом. Графиня Панина (а может быть, как утверждает один читатель, графиня Бобринская) организовала экскурсии народных учителей за границу; стоили поездки недорого и давали возможность учителям, работавшим, как тогда говорили, «в медвежьих углах», повидать Италию или Францию. В летние месяцы я подрабатывал: показывал учителям Версаль. Нужно было в точности знать имена сотни скульпторов или художников, авторов больших батальных полотен, вспомнить мифологию, объяснять аллегорическое значение различных фонтанов. В общем, это было нетрудно. Куда труднее было присматривать за ватагой людей, впервые оказавшихся за границей. Некоторые женщины старались убежать в модные лавки — хотя бы посмотреть на наряды. Среди мужчин попадались и такие, которые мечтали о ночных притонах, покупали непристойные открытки. Я считал туристов при спуске в метро, считал при выходе из метро, часто одного или двоих не хватало. Учитель из Кобеляк попросил меня запереть его на ночь в гостинице: он познакомился с какой-то французенкой, если он еще раз ее увидит, то не вернется домой, а у него жена, дети, служба. Я его запер.

Работал я также с индивидуальными туристами; это было противно: почти все требовали, чтобы я по ночам водил их в притоны. Когда я отказывался, меня ругали дураком, ханжой, даже сыщиком, недодавали отработанного. Помню одного коммерсанта; у него был в Риге магазин санитарных принадлежностей. Когда мы с ним договаривались, он подозрительно спрашивал, знаю ли я все стили; вынул карточку какой-то дамы с высокой прической, щелкнул ее: «Недурна?» Оказалось, дама — его невеста, у нее в Риге доходный дом, и она обожает искусство, знает все стили, высмеивает невежественного жениха. Я получал в день пять франков. Но владелец санитарного магазина меня извел; возле обыкновенного дома конца прошлого века он спрашивал: «Какой это стиль?» Вначале я честно отвечал: «Никакой». Но он сердился, говорил, что в Вене платил гиду меньше, чем мне, и тот знал все стили. Я испугался, что лишусь пяти франков, и начал фантазировать: «Барокко... ампир... чистая готика...» Он все записывал в книжечку. В ресторане я должен был переводить ему меню, он долго размышлял, что вкуснее, заказывал, потом выбирал для меня самое дешевое: картошку или макароны.

Годы и годы я ходил по улицам Парижа, оборванный, голодный, с южной окраины на северную; шел и шевелил губами — сочинял стихи. Мне казалось, что я стал поэтом случайно: встретился с молоденькой девушкой Лизой, ставшей потом поэтессой, «серапионовой сестрой» — Е. Г. Полонской. Начало выглядит именно так; но оказалось, что никакой случайности не было,— стихи стали моей жизнью.

В 1916 году в Москве вышла моя книга «Стихи о канунах»; книга изуродована цензурой — почти на каждой странице вместо строк точки. Это первая книга, в которой я говорил своим собственным голосом. Я писал о войне:

> Над подушкой картинку повесили,
> Повесили лихого солдата,
> Повесили, чтобы мальчику было весело,
> Чтоб рано утром мальчик не плакал,
> Когда вода в умывальнике капает.
> Казак улыбается лихо,
> На казаке папаха.
> Казак наскочил своей пикой
> На другого, чужого солдата.
> И красная краска капает на пол...

Писал о казни Пугачева:

> Прорастут, прорастут твои рваные рученьки,
> И покроется земля злаками горючими...

Писал о себе и о 1916 годе, который называл «буйным кануном».

Брюсов говорил об этой книге в «Русских ведомостях»: «...Видно, что для И. Эренбурга стихи — не забава и, конечно, не ремесло, но дело жизни... Нет поэтому у И. Эренбурга гладких стишков на темы, издавна признанные «поэтическими», нет перепевов общепризнанных образцов поэзии и нет той ложной красивости и того дешевого мастерства, которые так легко приобретаются в наши дни широко разработанной техники стихотворства (вернее сказать, все это встречалось в первых книгах И. Эренбурга, но постепенно он сумел преодолеть соблазн поверхностного успеха)... Основной грех всего творчества И. Эренбурга составляет его подчиненность теориям. Редко он отдается искусству непосредственно; чаще насилует вдохновение ради своего понимания поэзии. Сознательно избегая трафаретной красивости, И. Эренбург впадает в противоположную крайность, и его стихи незвучны, не напевны, а предпочтение поэта к отдаленнейшим ассонансам, вместо рифмы, лишает их последней прикрасы... Всего более привлекают внимание И. Эренбурга гнойники верхов современной культуры. Выследить все позорное и низменное, что таится под блеском современной европейской утонченности,— вот задача, которую (сознательно или бессознательно) ставит себе молодой поэт. И он, с решимостью хирурга, вскрывающего злокачественный нарыв, обнажает в своих — не поющих — стихах и тайные порывы собственной души, в которых не каждый решится сознаться, и все то низменное и постыдное, что скрыто под мишурой нашей благовоспитанности и культурности».

Мне передали копию черновика письма Брюсова ко мне, написанного тогда же. Валерий Яковлевич, сообщая, что отправил в газету рецензию, добавляет: «...Я искренне люблю Вас, то есть как поэта, ибо как человека не знаю. Это, однако, не значит, что я люблю Ваши стихи. Напротив. Говорю это откровенно по тому самому, что люблю в Вас поэта... Мой вывод — тот, который применим ко всем «избранным», то есть людям, предназначенным к поэзии: «Работайте!» Без работы не бывает Пушкиных, Гёте, даже Верленов (ибо первую половину жизни будущий pauvre Lelian работал много, очень много), а ведь ниже Верлена Вы быть не захотите, да и не стоит. Не соблазнят же Вас лавры какого-нибудь prince de poêtes, вроде Поля Фора!.. И личная просьба, не пренебрегайте музыкой стиха. Вы на футуристов не смотрите. Вся сущность поэзии — в сочетании звуков...» Письмо кончалось дружескими словами: «А потому обнимаю Вас через тысячи верст...»

Я ответил Брюсову (это было летом 1916 года): «Ваше ласковое письмо меня очень тронуло. Спасибо! Я вообще не избалован откликами на мои стихи, Ваши же слова были мне особенно ценны. Я внимательно прочел статью Вашу и письмо. Многое хотел бы сказать в ответ, но я не умею писать письма... Я не подчиняю свою поэзию никаким «теориям», наоборот, я чересчур несдержан. Дефекты и свинства моих стихов — мои. То, что Вам кажется отвратительным, отталкивающим,— я чувствую как свое, подлинное, а значит, не красивое, не безобразное, а просто должное. Пишу я без рифм и «размеров» не «по пониманию поэзии», а лишь потому, что богатые рифмы или классический стих угнетают мой слух... Я не склонен к поэзии настроений и оттенков, меня более влечет общее, «монументальное», мне всегда хочется вскрыть вещь, показать... что в ней главного. Вот почему в современном искусстве я больше всего люблю кубизм. Вы говорите мне «о сладких звуках и молитвах». Но ведь не все сладкие звуки — молитвы, вернее, все молитвы — богам, но не все — богу... Это, может быть, очень узко, но не потому, что у меня узкое понимание поэзии, а потому, что я — человек узкий. Вот все самое главное, что мне хотелось сказать Вам. Между нами стена — не только тысячи верст!.. Называя сборник «Канунами», кроме общего значения, я имел в виду свое частное. Это лишь мои кануны...»

Брюсов был прав, говоря, что мне хотелось показать язвы общества. Пять лет спустя я написал сатирический роман «Хулио Хуренито». Но со стихами я не мог, да и не могу расстаться. Правда, бывали долгие перерывы, когда я не писал стихов (с 1924 года по 1937-й), но всегда я повторял стихи любимых поэтов как заклинания, без поэзии не прожил дня. Я говорил в «Книге для взрослых»: «Иногда я все же завидую поэтам. Мы едва вытаскиваем ноги из трясины. Их походка похожа на прыжки, показанные замедленной проекцией,— они плывут в воздухе. Я заметил, что, читая стихи, они судорожно выбрасывают руки: это жесты пловца. Их тротуары не ниже второго этажа. Для нас запятые — мясо, страсть, глубина; они обходятся даже без точек. Ритм стихов переходит в ритм времени, и поэтам куда легче понять язык будущего». Эти размышления относятся к весне 1936 года. Вскоре началась испанская война. Я писал статьи, листовки, заметки, написал даже повесть, но неожиданно, как некогда, начал шевелить губами и сочинять стихи — не потому, что хотел увидеть будущее, а потому, что нужно было сказать о настоящем.

Многие из моих прошлых мыслей мне теперь представляются неправильными, глупыми, смешными. А вот то, почему я начал писать стихи, мне кажется правильным и теперь. Восемнадцатилетний юноша понял, что стихами можно сказать то, чего не скажешь прозой. Эту мысль разделяет старый литератор, который теперь пишет книгу воспоминаний.

14

Один критик писал, что в моем романе «Падение Парижа» много действующих лиц, но нет героя; по-моему, герой романа — Париж. Эту книгу я написал в пятьдесят лет; я больше не был ни хулителем, ни проповедником; та узость, о которой я писал В. Я. Брюсову, с годами сгладилась — оценки пятидесятилетнего человека напоминают разношенную обувь.

А в годы, когда я складывался, мне было трудно рассуждать о Париже; я его и страстно любил, и не менее страстно ненавидел:

> Тебя, Париж, я жду ночами,
> Как сутенер приходишь ты...

Я перестал ходить на лекции: школой оказался Париж, школой хорошей, но суровой; я его часто проклинал — не потому, что моя жизнь была трудной, а потому, что Париж заставил меня понять всю трудность жизни.

Казалось бы, после тихой дореволюционной Москвы, ее деревянных домишек, извозчиков, самоваров, купеческого пудового сна, Париж должен был поразить меня своей современностью, дерзостью, новшествами. Да, конечно, тут было много автомобилей, они с трудом пробирались по узким средневековым улицам. Газеты часто называли Париж «городом-светочем». Большие Бульвары действительно были освещены куда ярче, чем Тверская или Кузнецкий мост; но в домах еще редко можно было увидеть электрическое освещение, пожалуй, реже, чем в Москве. Лачуги «зоны» — полосы возле былых укреплений города — казались мне неправдоподобными. Часто я приходил ночью на улицу

Муфтар, по ней сновали огромные жирные крысы. Эйфелева башня еще порождала споры — еще жили современники и единомышленники Мопассана, считавшие, что она изуродовала город. Молодым художникам она нравилась. Сама башня была в возрасте девушки на выданье; никто не мог предположить, что она окажется полезной для радио и телевидения. Телефонов было мало, зато процветала пневматическая почта. Никогда раньше я не видел столько старых домов, пепельных, морщинистых, пятнистых! Я еще не знал, что стоит дому продержаться в Париже тридцать — сорок лет, как он приобретает внешность памятника старины: все дома казались мне древними, а древность открывалась передо мной, подобная новому, неизвестному миру.

Я входил в темную улицу, как в джунгли. В Москве, глядя на кремлевские соборы, я никогда не задумывался над их красотой: они были вне моей жизни, никак не соответствовали ни «явкам», ни крыльям горьковского буревестника. В гимназии я нехотя зубрил имена удельных князей, считал, что это абстракция, как теоремы или как урок латыни: «много есть имен на is — masculini generis». А в Париже прошлое казалось настоящим; даже названия улиц были загадочными — «улица Королевы Бланш», «улица Кота-рыболова», «улица Дыбы»; Катя жила на «улице Деревянного меча». Я часто заходил в дом, где скрывался некогда Марат. Среди автомобилей пробиралось стадо коз, и пастух здесь же доил упрямую козу.

Я бродил по набережным Сены, рылся в ящиках со старыми книгами. Букинисты казались еще более древними, чем томики в кожаных или пергаментных переплетах. Там я иногда встречал пожилого человека, похожего на букиниста; он брал в руки книгу, как садовод грушу,— страстно и в то же время деловито; это был Анатоль Франс. (Я никогда его не встречал впоследствии; был на похоронах в 1924 году, когда за гробом старого эпикурейца и коммуниста шли сенаторы и рабочие, академики и подростки. В 1946 году внук Анатоля Франса водил меня по дому писателя в Ля-Башелльер возле Тура — я увидел, что эпикуреец был не книжником, не эстетом, а живым человеком: дом был загроможден не коллекциями, а теми обломками, которые оставляют после себя годы жизни, путешествия, страсти, встречи. На полке, наверно, стояли и те книги, которые Анатоль Франс при мне покупал на набережной Сены.)

Как-то среди старых псалтырей и пасторалей я напал на «Эду» Баратынского. На титульном листе было написано «Просперу Мериме, переводчику нашего великого Пушкина. Евгений Баратынский». Я заплатил за книгу шесть су и тут же начал ее читать. Сена уныло шевелила своей чешуей; на барже спал раскормленный кот. Напротив была мертвецкая, под утро туда приезжали закутившие парижане — разглядывали трупы самоубийц. Собор Нотр-Дам в сизо-лиловом тумане казался каменной рощей. Баратынский писал:

Пришлец исполнен смутной думы:
Не мира ль давнего лежат
Пред ним развалины угрюмы?

Развалины, кстати сказать, иногда весьма долговечны: афинский Акрополь пережил не только духовно, но и материально жилища различных людей, которые в течение двадцати пяти веков его старательно разрушали.

В Париже прошлое сливается с настоящим. Это удивительный город — он не строился по плану, а рос, как лес. Стена аварийного дома, где ютятся горемыки, испачканная непристойными надписями, любовными признаниями, предвыборной руганью, имеет все права претендовать на благоговение прохожих, на покровительство государства.

Мне трудно было понять, где вчерашний день и где завтрашний: у Парижа свой календарь. Говоря о социальной революции, Жорес ссылался на античные мифы, он вопил и жестикулировал, как Муне-Сюлли в роли Эдипа. В церквах я часто видел студентов — медиков, физиков,— они смачивали лоб святой водой и, когда раздавался звоночек, дружно становились на колени. Поэт Шарль Пеги писал о Жанне д'Арк и считался католиком. Мне нравились его стихи: он повторял сто раз одно и то же и каждый раз отступал от прежнего, его ритм напоминал бег охотничьей собаки, которая идет туда же, что и ее хозяин, но все время петляет. Мне привелось однажды с ним беседовать в редакции «Кайе де ля кэнзэн». Я думал, что он будет говорить о религии, о Бергсоне, о мессианстве, но он заговорил о России: «Я немного знаю ваших писателей. Может быть, русские первые низвергнут власть денег...»

Я прочитал стихи Франсуа Вийона; он жил в XV веке, был вором и разбойником:

> От жажды умираю над ручьем.
> Смеюсь сквозь слезы и тружусь играя.
> Куда бы ни пошел, везде мой дом,
> Чужбина мне — страна моя родная.
> Я знаю все, я ничего не знаю.

Перед этим я переводил стихи Малларме, который считался одним из зачинателей новой поэзии. Я понял, что Франсуа Вийон мне куда ближе, чем автор «Послеобеденного отдыха фавна». Я читал и перечитывал «Красное и черное»; трудно было представить себе, что этому роману уже восемьдесят лет. Кругом меня говорили, что писатель, раскрывающий современность,— это Андре Жид; я раздобыл его роман «Узкая дверь». Мне показалось, что эта книга написана в XVIII веке, и я усмехнулся, думая, что автор ее жив,— я его видел в театре «Вье коломбье».

Все казалось непредвиденным, и все было возможным. Я шел по площади Клиши и сочинял стихи, когда площадь вдруг заполнилась толпой. Люди кричали, они хотели прорвать цепи полицейских и пройти к испанскому посольству: протестовали против казни анархиста Ферреро. Раздался выстрел, сразу выросли баррикады; опрокинули омнибусы, повалили фонари. Бушевали фонтаны горящего газа. Я нетвердо знал, кем был Ферреро и почему его казнили; но я кричал вместе со всеми. Казалось, это революция. Несколько часов спустя на площади Клиши люди преспокойно пили кофе или пиво.

Париж тогда называли «столицей мира», и правда, в нем жили представители сотни различных стран. Индийцы в тюрбанах обличали лицемерие английских либералов. Македонцы устраивали шумливые митинги. Китайские студенты праздновали объявление республики. Выходили газеты польские и португальские, финские и арабские, еврейские и чешские. Парижане аплодировали «Священной весне» Стравинского, итальянскому футуристу Маринетти, Иде Рубинштейн, которая поставила мистерию Д'Аннунцио. «Столица мира» была в то же время глубокой провинцией. Париж распадался на кварталы; в каждом из них была своя главная улица с магазинами, с маленькими театрами, с танцульками. Все знали друг друга, судачили на улицах, рассказывали сплетни о булочнице, о любовнице механика Жака, о том, что жена рыжего Жана наставила ему рога.

Можно было ходить в любом наряде, делать все что угодно. Ежегодно весной устраивался бал учеников Художественной академии: по улицам шествовали голые студенты и натурщицы; на самых стыдливых были трусики. Однажды испанский художник возле кафе «Ротонда» разделся догола; полицейский лениво его спросил: «Тебе, старина, не холодно?..» Дважды в год — на масленой и посередине великого поста — устраивали карнавал; проезжали колесницы с ряжеными; люди гуляли в нелепых масках и кидали в лицо встречным конфетти; проводили также белых волов, получивших призы, в ресторанах висели плакаты: «Завтра наши достоуважаемые посетители смогут получить бифштексы из мяса лауреата». На всех скамейках, под каштанами или под платанами, влюбленные сосредоточенно целовались; никто им не мешал. А. И. Окулов однажды, после дюжины рюмок коньяку, взобрался на карету и стал объяснять прохожим, что скоро всех министров повесят на фонарях; некоторые слушали, но, конечно, никто не поверил.

Один из первых переводов И. Эренбурга. 1916 г.

Анатоль Франс. Портрет Стейнлена.

Шарль Пеги.

Я жил не только без паспорта, но и без удостоверения личности. Когда в банке у меня попросили документ, я пошел в префектуру, мне сказали, чтобы я привел в качестве свидетелей двух французов. Я торопился получить деньги и умолил пойти со мной владельца булочной, где я покупал хлеб, и полузнакомого художника, который сидел с утра в кафе и пил ром. Разумеется, они ничего про меня не знали, но согласились расписаться. Чиновник выдал мне удостоверение, в котором торжественно подтверждалось, что такой-то заявил такое-то; этого было достаточно не только для служащего банка, но и для полицейских, иногда устраивавших облавы на бандитов. В кабаре пели куплеты: президент Республики — рогоносец, министр юстиции нечист на руку, министр народного просвещения бегает за девчонками и пишет им цидулки с грамматическими ошибками. Гюстав Эрве в газете «Социальная война» призывал к истреблению буржуазии; певец Монтегюс прославлял солдат 17-го полка, которые отказались стрелять в демонстрантов. В пять часов утра в маленькие лавчонки привозили тюки газет; газеты складывали; они лежали на улице; прохожие клали медяки на тарелочку. Газет было не менее двадцати — всех направлений. Журналисты обливали друг друга помоями; потом они встречались в одном из кафе на улице Круассан и вместе попивали аперитивы.

В кафе ходили для того, чтобы встретить знакомых, поговорить о политике, посудачить, посплетничать. У людей различных профессий были свои кафе: у адвокатов, у скототорговцев, у художников, у жокеев, у актеров, у ювелиров, у стряпчих, у сенаторов, у сутенеров, у писателей, у скорняков. В кафе, куда приходили сторонники Жореса, не заглядывали сторонники Геда. Были кафе, где собирались шахматисты, там разыгрывались исторические партии между Ласкером и Капабланкой.

Я ходил в кафе «Клозери де лиля» — по-русски это означает «Сиреневый хутор»; никакой сирени там не было; зато можно было, заказав стакан кофе, попросить бумаги и писать пять-шесть часов (бумага отпускалась бесплатно). По вторникам в «Клозери де лиля» приходили французские писатели, главным образом поэты; спорили о пользе или вреде «научной поэзии», изобретенной Рене Гилем, восхищались фантазией Сен-Поль Ру, ругали издателя «Меркюр де Франс». Однажды были устроены выборы: на трон «принца поэзии» посадили Поля Фора, красивого, черного как смоль автора многих тысяч баллад, полувеселых, полугрустных.

Можно было подумать, что в Париже все ходят вверх ногами, а у парижан был вековой, крепко налаженный быт. Когда человеку сдавали квартиру, консьержка спрашивала, имеется ли у нового квартиранта зеркальный шкаф; кровать, стол, стул нельзя было описать; вот если не будет вовремя внесена квартирная плата, то опишут зеркальный шкаф. На похоронах мужчины шли впереди, за ними следовали женщины. Кладбища походили на макет города: там были свои улицы. На могилах зажиточных людей значилось: «Вечная собственность», это не было иронией — могилы бедняков через двадцать лет перекапывали. После похорон все отправлялись в один из трактиров возле кладбища, пили белое вино и закусывали сыром. Вечером пили не кофе, а различные настои — липовый цвет, ромашку, мяту, вербену. Влюбленные оживленно обсуждали, какой настой полезнее: ему требовался мочегонный, а ей — облегчающий пищеварение. На уличных скамейках сидели старухи в тапочках и вязали. В десять часов вечера запирались двери домов: когда квартирант звонил, сонная консьержка дергала шнур, и дверь открывалась, нужно было громко сказать свое имя, чтобы не забрался чужой; выходя из дому, будили консьержку зычным криком: «Пожалуйста, шнур!» Возле Сены сидели рыболовы и тщетно ожидали, когда же клюнет воображаемый пескарь. Иногда газеты сообщали, что завтра на заре приговоренный к казни будет гильотинирован; возле тюремных ворот собирались зеваки, глазели на палача, на осужденного, потом на отрезанную голову.

Я читал книги Леона Блуа; он называл себя католиком, но ненавидел богатых святош и лицемеров в митрах; его книги были теми прокламациями, которые должны печататься в аду для ниспровержения рая. Я читал также Монтеня и Рембо, Достоевского и Гийома Аполлинера. Я мечтал то о революции, то о светопреставлении. Ничего не происходило. (Потом люди уверяли, что тот, кто не жил в предвоенные годы, не узнал сладости жизни. Я сладости не чувствовал.) Когда я спрашивал французов, что же будет дальше, они отвечали — одни удовлетворенно, другие со вздохом,— что Франция пережила четыре революции и что у нее иммунитет.

Искусство все более и более притягивало меня к себе. Стихи заменяли не только бифштексы, но и ту «общую идею», о которой тосковал герой «Скучной истории», а с ним заодно Чехов. Нет, тоска оставалась: в искусстве я искал не успокоения, а исступленных чувств. Я подружился с художниками, начал посещать выставки. Ежемесячно поэты и художники оглашали различные художественные манифесты, низвергали всё и всех, но всё и все оставались на месте.

В детстве мы играли в игру: «да» и «нет» не говорите, «белого» и «черного» не называйте; кто по ошибке произносил запрещенное слово, платил фант. Порой мне казалось, что Париж играет в эту игру. Теперь я думаю, что, может быть, несправедливо то поносил, то благословлял Париж. Молодости присущи требовательность, беспокойство. Лермонтов написал: «А он, мятежный, просит бури, как будто в бурях есть покой!», когда ему было восемнадцать лет. Кто знает, окажись я в Смоленске, не пережил ли бы я такого же смятения? Может быть, на два-три года позднее; может быть, не в столь острой форме... Что касается игры в «да» и «нет» не говорите, то она относится к природе искусства. А в Париже с искусством не разминешься...

Париж многому меня научил, он раздвинул стены моего мира. Часто этому городу приписывают веселье; по-моему, Париж умеет грустно улыбаться — таковы его дома, таковы его поэты, таковы и глаза его девушек; это умение быть радостным в печали, печальным в радости порой его окрыляет, порой подрезает его крылья. Впрочем, об этом мне придется не раз говорить, когда я перейду к событиям последующих десятилетий; тогда я подобных выводов не делал.

Париж меня учил, обогащал, разорял, ставил на ноги и сбивал с ног. Все это в порядке вещей: когда человек что-то приобретает, он одновременно что-то теряет — идешь вперед и навеки расстаешься с теми радостями и бедами, которые еще вчера были твоей жизнью.

15

С Бальмонтом мне не повезло. Когда я начал писать стихи, его книги мне казались откровением; я мечтал когда-нибудь увидеть человека, написавшего «Я в этот мир пришел, чтоб видеть солнце». Познакомился я с Константином Дмитриевичем два года спустя; многое в его стихах мне уже казалось смешным — я боготворил Блока, читал Анненского, Сологуба, Гумилева, Мандельштама. Бальмонт вовремя увидел солнце, а я опоздал на Бальмонта.

Я познакомился с Константином Дмитриевичем в 1911 году; ему тогда было сорок четыре года. Я знал, что он живет в Париже, и, разумеется, послал ему мою первую книгу. Бальмонт был человеком чувств, жизнь его изобиловала случайностями, порой драматическими. Он, например, дважды оказывался эмигрантом; если применять обычные этикетки, в первый раз красным, во второй — белым. После разгрома революции 1905 года Бальмонт возмутился расправами, свистом нагаек, виселицами; он издал за границей «Песни мстителя» — книгу с весьма благородными чувствами и с весьма плохими стихами. Он называл Николая Второго «кровавым палачом». Хотя книга была на редкость слабой, царь рассердился, и Бальмонту пришлось перейти на положение эмигранта. Только в 1913 году великий князь Константин (посредственный стихотворец, подписывавшийся К. Р.) выпросил у Николая амнистию Бальмонту.

Константин Дмитриевич жил на улице Пасси (впоследствии в этом районе обосновалась белая эмиграция). У него часто бывали гости —

Кафе «Клозери де лиля». Современная фотография.

К. Бальмонт. Рисунок В. Серова. 1905 г.

и русские парижане, и приезжие из России, и французы. Он пригласил меня. В тот вечер я был единственным гостем. Жена Константина Дмитриевича, высокая, красивая женщина, меня приняла сердечно, я сразу перестал стесняться, забыл, что передо мной знаменитый поэт. Никуда я в гости не ходил, бывал только в кафе или у художников в нетопленых грязных мастерских, а здесь я попал в русский дом, теплый, светлый; меня напоили чаем; маленькая дочка Константина Дмитриевича, Ниника, шалила. Все было чудесно и обыденно. Все, кроме внешности хозяина: Бальмонт был необычаен.

Париж трудно удивить, но я не раз видел, как на Бальмонта оглядывались, когда он проходил по бульвару Сен-Жермен. В Москве в 1918 году люди хмуро шли с кошелками, некоторые тащили салазки; было холодно, голодно, и все же прохожие дивились: посередине мостовой шествовал рыжий чудак, с головой, поднятой к серому небу.

В молодости Бальмонт пытался кончить жизнь самоубийством — выбросился из окна; он повредил себе ногу и всю жизнь слегка прихрамывал; шагал он быстро, и казалось, что скачет птица, привыкшая скорее летать, чем ходить.

У него было лицо то чрезвычайно бледное, то цвета меди, зеленые глаза, рыжая бородка, рыжие волосы, которые кудрями спадали на спину. Среди экскурсантов, приезжавших в Париж, которых я обслуживал, был один священник: заметив, что кто-то при виде его засмеялся, он стал стыдливо прятать свои волосы под шляпу, закалывая их шпильками. А Бальмонт кудрями гордился. Он походил на тропическую птицу, случайно залетевшую не на ту широту.

Он вежливо предложил мне почитать стихи, говорил «хорошо... хорошо» — вероятно, хотел приласкать молодого автора. Потом он встал и начал читать свои произведения. Стихи на меня не произвели впечатления — начиналась эпоха его поэтического заката,— но я был поражен голосом, вдохновенным и высокомерным: он читал, как шаман, знающий, что его слова имеют силу если не над злым духом, то над бедными кочевниками. Он говорил на многих языках, на всех с акцентом — не с русским, а с бальмонтовским; особенно своеобразно он произносил звук «н» — не то по-французски, не то по-польски. В стихах было много рифм с длинными «н» — «священный», «вдохновенный», «презренный»,— и он их тянул с явным удовольствием.

Иногда он звал меня к себе; я встречал у него московских меценатов, французских переводчиков, восторженных поклонниц.

В Париж приехал из Одессы молодой поэт Марк Талов, говорил, что ему пришлось оставить родину, что у него там невеста; он бедствовал; читал свои стихи:

Здесь я постиг всю горечь одиночества,
Здесь муки начинаются мои.
Нет у меня ни имени, ни отчества,
Ни родины, ни счастья, ни семьи.

Мы посмеивались, когда он повторял нам, что невеста ждет его возвращения. (Он вернулся в Одессу десять лет спустя, и невеста действительно его ждала.) Талову очень хотелось прочитать свои стихи Бальмонту; я его взял с собой, но он от смущения сбился и вместо стула сел на горячую железную печку. Все рассмеялись, а Бальмонт принялся хвалить стихи, которых он так и не услышал.

Бальмонт то молчал, рассеянно глядя по сторонам, то оживлялся, рассказывал про Египет, Мексику, Испанию. Все страны в его рассказах выглядели фантастическими; он изъездил, кажется, весь мир, но увидел при этом только одну страну, которой нет на карте, я назову ее Бальмонтией.

Чехов о нем писал: «Он хорошо и выразительно говорит, только когда бывает выпивши». Я часто встречал Константина Дмитриевича в кафе. После двух-трех рюмок коньяку он действительно становился прекрасным рассказчиком; я видел то чопорных пансионных хозяев Оксфорда, то колдуна с Явы, то Валерия Яковлевича Брюсова, увлекавшегося магией. Неизменно Бальмонт повторял какой-то старинный грузинский заговор, где речь шла о черном цвете. Унять его было невозможно. Он кричал своей спутнице: «Я хочу уйти в ночь! Елена, не противоборствуй!» Было в его облике нечто величественное и жалкое, высокомерное и ребячливое.

Его сравнивали с Верленом: алкоголь, музыка, детскость. Но Бальмонт, в отличие от «бедного Лелиана», был человеком высокообразованным; он прочитал множество книг. Он переводил поэзию различных эпох, различных стран: Шелли и Кальдерона, Руставели и Уитмена, Леопарди и Словацкого, Блейка и Гейне, Эдгара По и Уайльда. Старые песни Египта и стихи Поля Фора в переводе Бальмонта звучали одинаково. Как в любовных стихах он восхищался не женщинами, которым посвящал стихи, а своим чувством,— так, переводя других поэтов, он упивался тембром своего голоса.

Он любил грандиозное: горные вершины, пропасти, океан. Художник Брак как-то сказал, что нужно уметь линейкой проверять вдохновение; Бальмонту такие слова показались бы мещанством — он жил оптом. Он писал стихи с быстротой стенографистки. Он посвящал одну и ту же книгу целой веренице лиц от «брата моих мечтаний, поэта и волхва, Валерия Брюсова» до «Люси Савицкой, с душою вольной и прозрачной, как лесной ручей». Вот любовные стихи в книге «Будем, как солнце»; одно следует за другим, и все с именными посвящениями: «Бэле», «мисс Нэти», «Н. К. Мазинг», «графине Е. В. Крейц», «княжне М. С. Урусовой», «Н...», «Р...», «Уличной испанке», «Марии Финн», «О. Н. Миткевич», «Дагни Кристенсен», «Люсе»...

В 1917—1918 годах я несколько раз встречал его в Москве. Он оставался верен себе. Революция его сердила своей настойчивостью: он не хотел, чтобы история вмешивалась в его жизнь. Не раз он страстно влюблялся и остывал, писал об этом в стихах. Он думал, что так же легко может распроститься с эпохой: «Этим летом я Россию разлюбил...» Однажды я прочитал ему мои стихи: о казни Пугачева, о расплате. Константин Дмитриевич сначала недовольно морщился, потом написал в моей записной книжке:

Я слышал варварскую речь,
Молитву-крик и песню в лике стона.
Но не хочу тебя предостеречь.
Ты хочешь срыва? Мощь сладка уклона.
Будь варваром. Когда царит пожар,
Лишь варвар юн и смел.
Не прав лишь тот, кто стар.

Внизу дата — 28 декабря 1917 года. Три или четыре года спустя он уехал в Париж и там решил, что прав только он. Его политические стихи с проклятиями революции столь же беспомощны, как «Песни мстителя». Он снова оказался эмигрантом, но уже не на несколько лет, а пожизненно; бедствовал; припадки запоя учащались.

В 1934 году я его встретил на бульваре Монпарнас. Он шел один, постаревший, в потертом пальто; по-прежнему висели длинные кудри, но уже не рыжие, а белые. Он узнал меня, поздоровался. «А мне говорили, что вы в России...» Я ответил, что недавно вернулся из Москвы. Он оживился: «Скажите, меня там помнят, читают?» Мне стало жаль его, я солгал: «Конечно, помнят». Он улыбнулся и пошел дальше с высоко поднятой головой, бедный низложенный король.

Большая Советская Энциклопедия посвящает «поэту-декаденту» двадцать строк — столько же, сколько Бенедиктову, но за последним признаются некоторые достоинства, за Бальмонтом — никаких. Молодые советские читатели вряд ли знают, что существовал такой поэт, а в начале XX века нельзя было найти студента, незнакомого если не со стихами, то по меньшей мере со славой Бальмонта. А. Волынский писал в 1901 году: «Бальмонт пользуется, с теми или иными оговорками, всеобщим признанием; несмотря на непопулярность в России декадентской поэзии, публика ловит и повторяет нежные, легкие звуки его поэтических струн». Для символистов он был учителем, мастером: им зачитывались в школьные годы Блок и Андрей Белый. Брюсов, подводя

Марк Талов. Рисунок Модильяни.
Т. И. Сорокин с Ириной Эренбург. Ницца. 1914 г.
Макс Волошин в Париже.

итоги взлетам и падениям Бальмонта, говорил: «Бальмонт показал нам, как глубоко может лирика вскрывать тайны человеческой души». Поэзию Бальмонта ценили и писатели, далекие от символистов, например Бунин. Трудно представить себе человека, более чуждого несдержанной, подчас великолепной, подчас ходульной поэзии Бальмонта, нежели Чехов, но Антон Павлович писал «поэту-декаденту»: «Вы знаете, я люблю Ваш талант, и каждая Ваша книжка доставляет мне немало удовольствия и волнения. Это, быть может, оттого, что я консерватор». Горький восторженно отзывался о Бальмонте, советовал редакторам журналов печатать его стихи. Я помню, с каким восхищением читал вслух стихи Бальмонта А. В. Луначарский. О Бальмонте писали сотни исследований, его книги ежегодно переиздавались; на его лекции нельзя было достать билета. Стоило поэту показаться в театре или даже на улице, как его окружали неистовые поклонницы. Неужели все это было психозом, самообманом и признание Горьким или Брюсовым таланта Бальмонта можно объяснить тем, что читающая Россия разделяла его «стремление укрыться от действительности» и его восторг перед «варварством», как утверждает статья в энциклопедии?

Я вспомнил Бенедиктова не только потому, что он был знаменит и быстро подвергся общему забвению. Можно сказать, что в своих неудачных произведениях Бальмонт напоминает Бенедиктова крикливостью, безвкусием. Бальмонт мог, например, написать:

> Хочу быть дерзким, хочу быть смелым,
> . . . .
> Хочу одежды с тебя сорвать!..

(М. А. Волошин уверял, что одна акушерка ему прислала «Ответ Бальмонту», в котором были строки:

> Хочу быть твердой, хочу быть гордой,
> Хочу мужчин к себе не подпускать!..)

Да, у Бальмонта сотни дурных стихов; он писал очень много и все написанное печатал. Но из тридцати его книг можно составить одну хорошую — это все же не Бенедиктов. Да и кому нравился Бенедиктов? Невзыскательным женам городничих. А Бальмонт многое изменил в русской поэзии; достаточно перечитать такие его стихотворения, как «Я изысканность русской медлительной речи...» или «Есть в русской природе усталая нежность...». Судьба к нему была на редкость несправедлива: им восхищались, а потом мстили ему за то, что он восхищал. Утверждая себя как мятежника, как выразителя современности, Бальмонт был не только эгоцентриком, он был потрясающим анахронизмом. Он вошел в литературу с XX веком. Уже сновали по улицам машины, уже росли корпуса заводов, уже шли грандиозные социальные битвы, а Бальмонт оставался трубадуром XIV века, на котором был смешон современный пиджак.

Когда футуристы пришли на литературный вечер и начали громить устаревшего Бальмонта, Константин Дмитриевич, откинув голову назад, прочитал свое старое стихотворение:

Тише, тише совлекайте с древних идолов одежды,
Слишком долго вы молились, не забудьте прошлый свет...

Приближалась величайшая буря, а запоздавший трубадур обращался к первому порыву ветра с наивной просьбой — быть зефиром. Он столько книг прочитал и все-таки не понял, что древних идолов не только быстро раздевают, их преспокойно жгут. Пожалуй, в этом был еще больший анахронизм, чем в локонах и в позе веласкесовского идальго.

Оставался длинный и неласковый закат — запустение, одиночество, нужда, душевное заболевание. Умер он в 1942 году.

16

Я перечитываю первую часть этой книги и спрашиваю себя, почему я обошел молчанием некоторых друзей, с которыми в моей молодости встречался чуть ли не каждый день и которые помогли мне оформиться, найти себя. Вероятно, я боялся рассказывать о людях, неизвестных читателям, а это глупо. С Бальмонтом я провел в жизни десяток вечеров, а с Тихоном Ивановичем Сорокиным прожил многие месяцы, и хотя он был человеком чрезвычайно мягким, терпимым к любым причудам, он оказал на меня влияние куда большее, чем тот же Бальмонт.

Не помню, как я познакомился с Тихоном Ивановичем (было это в 1912 году), зато хорошо помню его облик: смутные черты лица, карие глаза и не очень густая бородка русского интеллигента начала века. В ту пору люди начали брить подбородок. Я долго уговаривал Тихона расстаться с бородкой. Образ жизни я вел непутевый: то просиживал ночи в кабаках, то, когда протрачивал все франки, голодал, писал стихи, которые сразу мне переставали нравиться, словом, жил беспорядочно. Характер у меня был несносный, я изводил Тихона за его бороду. У него позади была, говоря по-дантовски, половина жизни (он был на одиннадцать лет старше меня), но я своего добился. В моей холодной и пустой мастерской на улице Кампань-Премьер он отрезал половину бороды и побрил правую сторону, потом его рука застыла с ножницами, потрясенный, он сказал: «Может быть, не поздно остановиться?..» Взглянув в зеркальце, он сам понял, что поздно, и чеховская бородка исчезла навсегда.

Он чем-то напоминал мне Чехова, может быть, добротой, душевной стыдливостью, умением выслушать и понять. Среди его многих заслуг передо мной укажу, что он столько говорил мне о «Палате № 6», о «Черном монахе», что заставил меня снова взять книги Чехова, которые я знал по годам отрочества. Благодаря Тихону Чехов с тех лет стал моим любимым писателем. Тихон раскрыл мне многое — образ Чаадаева, раннего Достоевского, романское искусство, скульптуру готики; он пробовал меня приобщить к философии Соловьева, Бердяева, Флоренского, но здесь я заупрямился — сомнения Модильяни или Гийома Аполлинера были мне куда ближе, чем «Столп и утверждение истины» (так называлась книга Флоренского).

Весной 1913 года мы решили — Тихон, Катя и я — поехать в Италию. Мы добрались до Ниццы и пошли вечером в казино. Мы вздумали поиграть в рулетку; каждому было выдано на игру столько-то франков. Мне неслыханно везло, я все время выигрывал и тяжелые пятифранковые монеты отдавал Кате, она их клала в сумку. На наше счастье, было поздно и вскоре казино закрыли. Я попробовал сумку Кати — тяжелая!

На следующее утро мы подсчитали деньги, оставили пятьдесят франков на игру, а остальные потратили — пообедали в дорогом ресторане, потом поехали на ферму, где разводили страусов, там можно было кормить птиц апельсинами, разумеется, за деньги. Нас забавляло, как по длинной шее страуса спускался мячик, и мы потратили все деньги на эту забаву. Ничего, вечером снова выиграем!

В десять минут мы проиграли ресурсы. Началось унизительное существование: мы проиграли деньги на поездку в Италию, проиграли какие-то суммы, присланные из России и Парижа. Жили мы в гостинице, напоминавшей притон: в одной комнате Катя, в другой на широкой кровати я с Тихоном. Хозяин совал счет, мы отвечали «завтра». Мы заложили мой костюм и по очереди, я или Тихон, лежали днем в постели, прикидываясь перед коридорным больными. Нас мучил голод. И вот Катя нашла в сумке золотую коронку от зуба. Я начал доказывать Тихону, что он должен пойти ее продать, мы купим колбасу, паштет, сыр... «Почему я, а не ты?» — спрашивал Тихон. Я объяснил, что он старше, приличнее выглядит.

Вместо того, чтобы отправиться в лавку, где покупали золото на вес, он пошел к дантисту. Там он вынул из жилетного кармана коронку и смущаясь сказал: «Не хотите ли купить этот зуб?» Доктор позвонил и сказал горничной: «Проводите этого господина на лестницу».

Тихон пришел, ничего не рассказал, только выбросил меня из постели в белье и долго повторял: «Какой позор!» Тридцать лет спустя я вспомнил продажу коронки, он покраснел и закричал: «Молчи!»

Недели две мы еще бедствовали; потом торжественно дали друг другу слово больше не подходить к казино. Катя послала телеграмму в Петербург — просила у родителей денег: заболела; получив деньги, мы уехали во Флоренцию.

Иногда Тихон вспоминал свое прошлое: сын богатого купца, он вырос в городке Ливны. На масленой пекли блины для нищих. Тихон ездил на богомолье к Тихону Задонскому. В 1905 году он увлекся революцией и, будучи вольноопределяющимся, был обвинен в солдатском бунте. Ему пришлось убежать за границу. Он делил свои страсти между революцией, искусством и неопределенной мистикой. Когда его отец умер за границей, он положил в гроб прокламации. Это не мешало ему быть человеком не религиозной догмы, а скорее религиозной настроенности. Дети ливенского купца поделили наследство. Тихон Иванович изъездил ряд европейских стран. С восторгом он вспоминал недели в Дубровнике, который назывался тогда Рагузой: сочетание архитектуры Возрождения со славянской речью пленило Тихона. (В 1945 году я встретил в Дубровнике старика, который рассказал мне о давнишнем собеседнике и друге Сорокине.) Был Тихон в Италии, в Испании, деньги легко тратил, и, когда мы с ним встретились, у него оставались крохи от съеденного пирога. Он снимал чердачную комнату для прислуги, и ученый аббат, приезжавший к господину Сорокину побеседовать о витражах Шартра, изумился, услыхав от консьержки: «Черная лестница, последний этаж, шестая дверь налево».

Мы прекрасно провели время в Италии, денег было очень мало, зато глаза получали пищи вдоволь. Осенью Катя сказала мне, что решила выйти замуж за Тихона. Я погоревал, поревновал, но примирился. У нас с Катей жизнь не клеилась, мы были людьми с разными характерами, но с одинаковым упрямством. Да и к Тихону я успел привязаться.

Они взяли мою Ирину и жили в Пуатье. Я туда приехал на несколько дней, и Тихон мне долго объяснял красоту церкви святой Редегонды.

В книге «Стихи о канунах» есть стихотворение «Другу» с посвящением «Тихону Сорокину»:

Выдери, родимый,
Волосок за волоском!
Похлещи меня, как сына,
И пусти гулять потом.
Встану я на пригорке,
Закричу одноногим аистом:
Поглядите на исцеленного от порчи,
На покаявшегося!
Он меня всему научит.
Как пытает ласково
Своим именем мученика
Добрыми карими глазками...
Летите вы, птицы вольные,
На зеленый, на вымерший пруд!
Покричу и лягу средь черного поля,
Кровь землицей сотру...

Конечно, это — поэзия или, говоря точнее, искажение истины. Тихон меня не мучил, даже не стыдил (а было за что); он порой будил во мне совесть, и не карими глазками и не именем мученика, а сердечной чистотой, и я за это ему признателен.

Всегда он писал какую-то книгу и не дописал ни одной. Он хотел объяснить значение готики, Андрея Рублева, Ферапонтова монастыря. Мешали условия: приходилось служить, писать журнальные статейки, переводить романы с французского. А он не умел торопиться: в нем жила добропорядочность русского интеллигента прошлого века. Ко всему он был человеком болезненным, трудно сказать, чем только он не переболел.

Последние годы своей жизни он прожил с Катей в хибарке возле Нового Иерусалима. К старости чувствуешь сильнее расхождение жизненных дорог, но когда я приходил к Сорокиным, я всегда узнавал друга моей ранней молодости. Вероятно, я плохо, односторонне рассказал о Тихоне Ивановиче, но ничего не поделаешь: это — книга моих воспоминаний, а он для меня связан с далекой эпохой, когда двадцатидвухлетний юноша, голодный, растерянный, неуемный, блуждал между флорентийскими музеями, стихами символистов, различными весомыми, а подчас невесомыми «вечными истинами» и памятью или предчувствием русской метели, забастовок, куполов, чеховской нежности и чеховской жесточайшей правды.

17

В молодости мне удалось дважды побывать в Италии. Денег у меня было мало; я ночевал и на постоялых дворах, и в подозрительных притонах; ел в харчевнях макароны — миска стоила два сольди и обманчиво насыщала на несколько часов; когда не хватало денег на поезд, отправлялся в путь пешком; месяцы в Италии я вспоминаю как самые счастливые. Там я понял, что искусство не прихоть, не украшение, не праздничные даты календаря, что с ним можно жить в одной комнате, как с любимым человеком. Каждый юноша, впервые влюбляясь, думает, что он открывает неведомый дотоле мир. Так было у меня с Италией: издавна чужестранные писатели, попадая в эту страну, были по-новому счастливы, по-новому ощущали близость искусства — от Стендаля до Блока, от Гёте до нашего современника В. П. Некрасова. (Правда, Хемингуэй именно в Италии узнал меру человеческого горя, но было это в годы войны, а война — повсюду война.)

Для меня Италия была и раем и школьной скамьей. В 1909 году я глядел на холсты Ван Гога, Гогена, Матисса с недоверием, почти с испугом, как теленок смотрит на поезд. Пять лет спустя я подружился с художниками — с Пикассо, Леже, Модильяни, Риверой; их работы помогали мне разобраться в клубке надежд и сомнений. Ключ к современному искусству я нашел в прошлом. Нельзя понять Модильяни без живописи Возрождения, как нельзя понять Блока без Пушкина. (Блока я понял раньше, чем Модильяни: Пушкина я знал с детства, а живописной азбуке меня никто не учил; мне говорили только, что Рафаэль величайший в мире художник и что картина «Не ждали» связана с революционной борьбой.)

Когда я пришел впервые в Лувр, я был дикарем; я хотел во что бы то ни стало увидеть таинственную улыбку Джоконды, а увидев ее, начал гадать, что она означает; потом я вспомнил о Венере Милосской — необходимо ее поглядеть, ведь все говорят, что она идеал красоты, перед ней в умилении плакали Гейне и Глеб Успенский... Лувр был большим музеем в большом городе; я постоял, повздыхал и ушел. Маленькие музеи сонного Брюгге стали для меня начальной школой; но по-настоящему я пристрастился к искусству в Италии.

Я пишу сейчас не книгу о живописи, да и не пытаюсь в точности воспроизвести свои давние впечатления: очень трудно в вечер жизни припомнить, понять ее утро — меняется освещение, меняется и восприятие того, что видишь; ко многому, что когда-то мне нравилось, я теперь равнодушен, а с годами мне начало раскрываться то, мимо чего я в молодости проходил. В отличие от точных наук, искусство не поддается бесспорным оценкам.

В XVIII веке просвещенные ценители искусств считали готику

уродливым варварством. Пушкин презрительно отозвался о поэзии Франсуа Вийона. Стендаль, признавая, что Джотто был ступенькой к Рафаэлю, все же находил его живопись беспомощной и уродливой. С тех пор оценки изменились: нам близко то, что проглядели лучшие умы конца XVIII и начала XIX века. Но, может быть, не стоит повторять их ошибки и одарять презрительными оценками те произведения искусства, которые нам чужды? Я расскажу о смене суждений одного человека только для того, чтобы напомнить, как относительны наши оценки.

В 1911 году меня покорили художники кватроченто и прежде всего Боттичелли. Бог ты мой, сколько часов я простоял перед «Рождением Венеры» и «Весной»! Фрески Рафаэля мне казались скучными; Джотто напоминал иконы. Женщины Боттичелли не были грубыми, толстыми, розовыми, как на картинах венецианцев; не были бесплотными и чересчур одухотворенными, как у Мемлинга или Ван-Эйка. Венера стыдливо, чуть печально глядела на мир; примерно так же я глядел на Венеру. Я увлекался книгой «Образы Италии». Муратов как будто заглянул мне в душу: он писал, что «Рождение Венеры» — величайшая картина в мире. Я пытаюсь теперь разобраться, чем меня подкупал Боттичелли. Вероятно, сочетанием жизненной радости с горечью, началом эпохи неверия, умением придать смятению гармонию.

Два года спустя, приехав во Флоренцию, я первым делом отправился на свидание с картинами Боттичелли и растерялся: конечно, они были прекрасны, но я ими любовался вчуже; они больше не соответствовали моему душевному состоянию. Мне уже не хотелось поэтизировать смуту; меня укачивало, и я хотел глядеть на неподвижный берег. Я с уважением думал о людях, исполненных веры,— и о Вале Неймарке, и о Франсисе Жамме. Я полюбил фра Беато: его живопись была действием, он не только писал Мадонну, он молился перед своим холстом. Меня привлекли Джотто, мастера Сьенны. Я писал:

> Сьенцев пристальные взгляды,
> В церкви запах воска
> И соборные фасады
> С мрамором в полоску.

Перед моими глазами стояли строгие задумчивые фрески первых флорентийских мастеров. Я снова попытался понять, почему славен Рафаэль, в чем притягательная сила Тинторетто, но это оставалось для меня запечатанной книгой.

Вскоре после этого я забыл о фра Беато. Я увидел удлиненные тела Греко, гигантов Микеланджело, трагические пейзажи Пуссена. Я узнал десятки различных музеев. Иногда судьба забрасывала меня в Италию. Происходили величайшие события, о которых можно написать сотни книг, и то не про все расскажешь. В 1924 году я увидел Италию униженную, оскорбленную, возмущенную: когда я был в Риме, фашисты похитили Маттеоти. Иеремия в Сикстинской капелле горевал и пытался оправдать свое звание пророка.

Четверть века спустя я снова очутился в Италии. «Весна» Боттичелли показалась мне манерной и приторной. Я глядел с уважением на падуанские фрески Джотто, но не было во мне прежнего трепета. Зато на старости лет я впервые «открыл» Рафаэля (говорю о ватиканских станцах, «Сикстинская мадонна» и теперь оставляет меня равнодушным). Меня потрясли ясность, гармония «Афинской школы» и «Диспута о причащении»; трудно себе представить, что они созданы молодым человеком. Обычно художники формируются медленно, как деревья, да и век художника долог — Тициан дожил до девяноста девяти лет, Энзор до восьмидесяти девяти, Энгр и Руо — до восьмидесяти семи, Микеланджело, Клод Лоррен, Шарден, Гойя, Моне, Дега, Матисс перевалили за восемьдесят. А Рафаэль умер, как умирают поэты,— тридцати семи лет,— и, кажется, был самым умудренным. Сюжеты не увлекали его и не отталкивали; ему пришлось, например, изобразить церковный диспут о причащении; будучи человеком глубоко светским, он не мог воодушевиться сюжетом. Нас чрезвычайно мало интересуют теологические дискуссии XVI века, но мы стоим очарованные — нас поражает композиция Рафаэля. «Только то пригодно для описания, что останется интересным и после того, как история вынесет свой приговор»,— говорил Стендаль. Что же «интересно» нам в «Диспуте о причащении»? Конечно, не предмет спора, да и не участники дискуссии. Композиция, рисунок, краски продолжают нас волновать четыреста лет спустя после того, как история вынесла свой приговор не только адептам различных форм причащения, но и верованиям, породившим эти обряды.

В Венеции я не мог уйти из длинного зала школы Сан-Рокко, где находятся холсты Тинторетто. Дело снова не в сюжетах — они те же, что на картинах множества других художников. Но Тинторетто, который видел, ощущал, понимал мир трагически, сумел это выразить; ему было достаточно пальцев ноги, складок бархата, сползающего вниз, облака, куска стены, чтобы рассказать миру то, о чем начал вскоре писать Шекспир. В картинах Тинторетто — все элементы современного искусства; и в школе Сан-Рокко особенно ясно понимаешь наивность апологетов абстрактной живописи, стремящихся найти более свободное, или, если угодно, более углубленное разрешение живописных проблем, чем то делали Тинторетто, Сурбаран или много позднее Сезанн. Тинторетто приходилось считаться с догмами католической церкви, с ханжеством и лицемерием венецианских дожей, со множеством, казалось бы, ненужных препятствий, а препятствия нужны большому художнику — это стартовая площадка, начало преодоления непреодолимого.

Я пересказал весьма спорные суждения юноши, человека сорока лет и мои теперешние, старческие, конечно, не потому, что они сами по себе представляют какой-либо интерес, да я и не искусствовед. Мне кажется, что любопытны не оценки, а их смена в течение одной человеческой жизни. Поэт Бальмонт наивно просил не торопиться с разоблачением вчерашних кумиров. Настоящие мастера не нуждаются в сострадании; но простой здравый смысл подсказывает некоторую осмотрительность: развенчанные идолы могут снова стать богами. Открытие в области наук опрокидывает теории предшественников: нельзя теперь изучать астрономию ни по Птоломею, ни по Пифагору; а скульптура древних греков представляется нам совершенной. Мне сейчас не по душе Боттичелли; несущественно, что я любил его в молодости, существенно то, что его, наверно, будут любить если не наши внуки, то наши правнуки. Мне трудно сказать доброе слово о живописцах болонской школы — у меня с ними свои счеты, хотя, конечно, это не их вина: болонская живопись на триста лет определила каноны того условного, эклектического искусства, которое, по недоразумению или по привычке, многие до сих пор называют реалистическим. (Брюсов писал в 1922 году: «Реализм,— беря слово не как философский термин, а в том смысле, как оно употребляется в области искусств,— ставит перед художником задачу: верно воспроизводить действительность. Но какой художник, где, когда, в какой стране, в какую эпоху задавался иной целью? Вся разница была лишь в том, что понимать под «действительностью»... Художники итальянской школы эпохи Возрождения и даже их предшественники «прерафаэлиты», те, которым так охотно противопоставляют жанровую живопись фламандцев и голландцев, мечтали ли изображать что-то чуждое действительности?.. Чего добивались импрессионисты, которых винили в свое время критики, что они делают лишь пятна, совершенно не соответствующие действительности? Да именно того, чтобы при помощи этих пятен вернее, точнее передать реальность, как она воспринимается нашими внешними чувствами, нашим зрением».) Стоит художнику вместо античных мифов или евангельских сцен изобразить событие, волнующее его современников, и придерживаться при письме условных канонов болонской школы, как его поздравляют: он — реалист. Но пройдет двадцать или сорок лет, исчезнут в мире последние эпигоны академического направления, и тогда наши внуки или правнуки смогут реабилитировать холсты Карраччи и других болонцев. Искусство прошлого не только раскрывает нам глаза, оно раскрывается от жара наших глаз. Любовь потомков — вот неутомимый реставратор, который расчищает пожухшие холсты, возвращает им первоначальное сияние.

Мне остается добавить, что, когда я был в Италии осенью 1959 года, самое сильное впечатление на меня произвели этрусские саркофаги — исступленные мужчины и женщины, подымающиеся из каменных гробов. Я долго глядел на них во дворе небольшого музея в Таркинье, неподалеку от Рима. Теперь, когда я пишу эту книгу и пытаюсь оживить мое прошлое, друзей, большинство которых я пережил, я вижу перед собой мужчин и женщин, живших за двадцать пять веков до того, как я родился. Мне кажется, что я их знаю и понимаю, как моих современников.

В молодости я особенно нежно любил Флоренцию; ее сельский дух, сочетание скульптуры Донателло и крестьян в широких соломенных шляпах, керамики делла Роббиа и холмов вокруг города, садов, огородов, одиноких кипарисов, лавочек на Старом мосту, базаров, мутной реки, ясного неба и тени Данте, встретившего здесь свою Беатриче. Как все города, построенные в одну эпоху и, следовательно, гармоничные,

Флоренция сразу понятна и мила. С годами я полюбил Рим. Эпохи в нем перемешаны; рядом античные развалины и новые кварталы, извивающиеся статуи барокко и базилики первых христиан, высокое Возрождение и помпезные памятники конца XIX века; вначале этот непорядок стесняет приезжего, но потом видишь, что века в Риме мирно сосуществуют. Рим прекрасен не только там, где его смотрят караваны туристов,— любая улица, любая стена ничем не примечательного дома радует глаз. Его гармония сложна: в ней цельность, доступная только большому художнику и большому народу.

До чего были неправы путешественники (среди них и великие, как Гёте), которые увидели в Италии только музей да еще бессмертную красоту природы! Все, что меня чаровало и чарует в Италии, тесно связано с людьми,— народы, конечно, меняются, но если есть возможность охватить века, спасти прошлое от забвения и непонимания, то это связано с гением народа, с некоторыми присущими ему чертами.

Я много лет прожил во Франции, научился понимать французов, о моей любви к ним говорить не приходится — она известна. Именно поэтому я решаюсь повторить слова Стендаля, который утверждал, что итальянцы проще, непосредственнее французов. Могло ли это не подкупить юношу, еще помнившего тепло задушевных бесед где-нибудь на Козихах, на Остоженке или на Арбате? Конечно, итальянцы, как и все люди, бывают разные; я не забываю ни про борьбу классов, ни про эпоху фашизма; и все же мне думается, что в характере итальянцев заложена доброта.

Я часто спрашивал себя, почему итальянские кинокартины последнего десятилетия так понравились разноязычным людям — «Похитители велосипедов», «Чудо в Милане», «Два гроша надежды», «Рим в одиннадцать часов», «Ночи Кабирии». Разумеется, они представляют значительное явление в развитии кино; но рядовых зрителей мало интересовал неореализм; вернее сказать, благодаря реалистическому, правдивому отображению действительности перед ними были настоящие, живые итальянцы, и покоряли зрителей черты национального характера: на экране разворачивалась тяжелая, порой безысходная жизнь, но повинны в страданиях людей были не злодеи, а обстоятельства, не душевное уродство того или иного персонажа, а уродство социальной системы.

В памяти миллионов моих соотечественников еще живы картины войны. Политическая карта мира изменилась; рассудок подсказывает, что нужно кое-что забыть, кое-чему научиться; но у сердца свои законы. В 1949 году один немец в Берлине сказал мне, что ему понравился мой роман «Буря», особенно сцена боев под Ржевом. «Очень живо описано,— добавил он,— может быть, вы там были?» Когда я ответил утвердительно, он, обрадованный, воскликнул: «Я тоже там был!» — и протянул мне руку. Признаюсь, нелегко мне далось это рукопожатие. Я часто встречал итальянцев, которые с печалью говорили, что в годы войны они были в Донбассе; я мог с ними дружески разговаривать. Люди, побывавшие в оккупации, рассказывали мне об итальянцах без злобы; одна колхозница вспоминала: «Он хотел курицу взять, а совестно, ждал, когда я отвернусь, уж я сама ушла — пожалела его...»

Мне еще придется не раз в этой книге говорить об Италии и об итальянцах. Иногда, пренебрегая хронологией, я забегаю вперед — хочется что-то додумать, досказать; это ведь не столько история моей жизни, сколько размышления, порождаемые воспоминаниями. Вернусь теперь к годам, предшествовавшим первой мировой войне.

Я не стараюсь взглянуть на прошлое сквозь розовые очки. Жизнь в Италии отнюдь не была идиллией: на каждом шагу я видел нищету. Буржуазия была чванливее и глупее французской. В кафе на Корсо можно было увидеть депутатов; они говорили, сговаривались, договаривались; стоял запах скверной парламентской кухни. Встречал я и провинциальных эстетов, которые старались подражать парижским снобам; как всегда, ученики шли дальше учителей.

В Париже меня познакомили с поэтом Маринетти; он был очень самоуверен и столь же честолюбив; дал мне свою поэму «Мое сердце из красного сахара»: «Если вы ее переведете, вы откроете России поэта завтрашнего дня...» Я перевел отрывок и снабдил его маленьким предисловием: «Трудно любить стихи Маринетти. От него отталкивают внутренняя пустота, особенно дурной вкус и наклонность к декламации». Потом я был на литературном вечере — Маринетти прославлял футуризм, чудеса техники, завоевание мира. Когда впоследствии он примкнул к фашистам, это было логично: он не приспособился, он и прежде мечтал о насилии; за красным леденцом последовала кровь...

Во Флоренции однажды я встретил тридцатилетнего Джованни Папини; незадолго до того вышла его нашумевшая автобиография «Конченый человек». Мы сидели в маленькой траттории; молодые писатели спорили о футуристах, о «сумеречниках» (так называлась одна из литературных групп), о философии Кроче. Папини мне показался горьким, едким. Вдруг, растерянно улыбнувшись, он сказал: «А что ни говорите, главное, чтобы человек был счастлив, и таким счастьем, от которого счастливы другие...»

И где-то возле Лукки я уснул под деревом, усталый, голодный. Меня разбудили дети. Толстая черная крестьянка, мать детей, позвала меня в дом, поставила на стол миску с макаронами, бутыль вина, оплетенную соломой. Я жадно уплетал макароны, а хозяйка шила детское платьице и, поглядывая на меня, вздыхала. «У тебя есть мама?» — неожиданно спросила она. Я сказал, что моя мать далеко — в Москве. Тогда, не оставляя шитья, она запела грустную песенку. Я вышел из ее дома; ночь была южная, черная, и, как мириады звезд, кружились, метались светляки.

В Италии я поверил в возможность искусства и в возможность счастья. А начиналась эпоха, когда искусство казалось обреченным, счастье — немыслимым.

18

Я сидел в «Клозери де лиля» и переводил стихи французских поэтов — хотел составить антологию. Волошин меня представил Александру Мерсеро, который был поэтом малопримечательным, но обходительным человеком: он приносил мне книги и знакомил со своими более прославленными товарищами.

Крупный русский промышленник Н. П. Рябушинский в 1906 году решил издавать художественный журнал «Золотое руно»; текст должен был печататься по-русски и по-французски. Требовался стилист, способный выправлять переводы. Рябушинский не останавливался перед затратами и заказал настоящего французского поэта. Выполнить заказ оказалось нелегко: поэтам не улыбалось надолго покинуть Париж.

В предместье Парижа Кретей, в помещении бывшего аббатства, поселились несколько поэтов; они писали стихи, готовили себе еду и сами печатали свои произведения на ручном станке. Так родилась литературная группа «Аббатство»; многие из ее участников впоследствии стали знаменитыми: Дюамель, Жюль Ромен, Вильдрак. Всех этих поэтов объединяло стремление уйти от узкого индивидуализма, вдохновляться мыслями и чувствами, которые присущи всем. Были в «Аббатстве» и поэты, подававшие мало надежд, среди них Мерсеро; он соблазнился работой в «Золотом руне»: жизнь в поэтическом фаланстере была монотонной.

Мерсеро говорил, что Москва ему понравилась, но не любил вспоминать, что особенно понравилась ему одна москвичка, жена чиновника. Об этой странице его биографии мне рассказал Волошин. Французский поэт и жена московского чиновника были счастливы, но приближался час разлуки. Мерсеро недаром был поэтом, он предложил романтический план: «Ты убежишь со мной в Париж». Москвичка напомнила влюбленному фантазеру, что из России нельзя выехать без заграничного паспорта. У возлюбленной была сестра, очень невзрачная, на которую Мерсеро не обращал внимания; но в трудную минуту она оказалась залогом счастья: «Женись на моей сестре, она получит заграничный паспорт и объявит, что уезжает с тобой в Париж. Я приду вас провожать, в последнюю минуту я войду в вагон, а сестра останется на перроне. Паспорт, конечно, будет у меня». Мерсеро план понравился; состоялась пышная свадьба. Возлюбленная, как было условлено, пришла на вокзал, но, когда раздался третий звонок, она не двинулась с места и только помахала платочком: в купе сидела законная супруга.

Мерсеро привез в «Аббатство» навязанную ему жену, которая, увидев своеобразный фаланстер, пришла в ужас: могла ли она подумать, что французские поэты живут хуже, чем московские приказчики! Начались пререкания, упреки, сцены; поэтам «Аббатства» больше было не до стихов. Они попросили Волошина объясниться с мадам Мерсеро, которая так и не научилась говорить по-французски. В итоге жена поэта поняла, что лучшей жизни ей не дождаться, и уехала в Москву. Самой трогательной была небольшая деталь: рассказывая про дом коварной возлюбленной, Мерсеро восклицал: «У них подавали красную икру! Черную в России едят повсюду, но у них была красная, это были очень богатые люди...»

Россию в те годы французы знали мало. Видел я инсценировку «Братьев Карамазовых» в передовом театре «Вьё Коломбье». На сцене висел портрет царя, и проходившие, поворачиваясь к нему, крестились. Помню, как я познакомил А. Н. Толстого с одним молодым поэтом, посещавшим «Клозери де лиля»; поэт разговаривал с Алексеем Николаевичем благоговейно, а потом ляпнул: «Здесь, знаете, писали о вашей смерти, значит, это была утка...» Алексей Николаевич загрохотал особым, присущим только ему смехом, от которого содрогнулись и рюмки на столе, и бедный поэт, едва пролепетавший: «Простите, я не догадался, что вы сын великого Толстого, я знаю, что его сын тоже великий писатель...» Алексей Николаевич писал, что, когда в 1916 году он приехал в Англию, какой-то англичанин сердечно приветствовал автора «Войны и мира».

Критик газеты «Голуа» пришел к М. А. Волошину и сразу ошеломил его вопросом: «Вы, конечно, присутствовали на похоронах Достоевского, когда казаки били студентов. Нас интересуют подробности...» Максимилиан Александрович обожал разыгрывать людей и начал описывать «подробности»; критик в восторге исписал весь блокнот; наконец Волошин сказал: «Вот все, что я запомнил,— мне ведь тогда было четыре года от роду...»

Двадцать лет спустя я купил в Париже большую карту Европы; на севере Советского Союза вместо областей и городов значилось: «Самоеды». «Маленький словарь» Ларусса, выпущенный в 1946 году, давал сведения о Нессельроде, о Каткове, о путешественнике Чихачеве, но ничего не сообщал о таких малопримечательных людях, как Грибоедов, Некрасов, Чернышевский, Герцен, Сеченов, Павлов...

Впрочем, несправедливо говорить только о французах. Поскольку я вспоминаю о событиях, скорее, забавных, расскажу, как меня чествовали в английском Пен-клубе. Было это в 1930 году. Я получил приглашение быть почетным гостем на очередном обеде Пен-клуба, к письму был приложен длинный документ о желательности смокинга и допустимости черного пиджака. На обеде председательствовал знаменитый писатель Голсуорси; он меня тепло приветствовал, сказав, что английские писатели рады увидеть в своей среде крупного австрийского кинорежиссера, создавшего прекрасный фильм «Любовь Жанны Ней». (Фильм по моему роману действительно сделал австрийский режиссер Пабст.) Обеды не диспуты, и я пожал руку Голсуорси. Моей дамой оказалась старая, сильно декольтированная англичанка; она пыталась развлечь меня и долго говорила о романтичности старой Вены. Я почувствовал себя самозванцем и сказал, что я не австриец, а русский. Она сразу стала печальной, преисполненной сострадания, сказала, что очень любит Россию, страдает вместе со мной, спросила: «Но что сделали большевики с вашим бедным генералом?..» (Незадолго до описываемого мною обеда в Париже при таинственных обстоятельствах исчез генерал Кутепов.) Я спокойно ответил: «Разве вы не знаете? Они его съели». Дама выронила из рук нож и вилку: «Какой ужас! Но от них можно всего ожидать...»

Французы любят анекдот об англичанине, который, увидев в Кале рыжую женщину, потом написал, что все француженки рыжие. Я вспоминаю разговоры русских туристов, которым я показывал Версаль. Один учитель восхищался богатством французов — он увидел возле вокзала Сен-Лазар оборванца, который пил красное вино. «Дома расскажу — никто не поверит: босяк, нищий и преспокойно дует вино...» Учитель был из Самарской губернии; он так и не поверил, что вино во Франции дешевле минеральной воды. Другой турист, инспектор реального училища, наоборот, пришел к выводу, что французы нищенствуют; он говорил по-французски и в Версальском парке познакомился с преподавателем местного лицея; инспектор повторял: «Вот вам их культура, вот вам их богатство! Учитель лицея, и у него нет прислуги, жена сама готовит обед...» Один эмигрант, бывший семинарист, а впоследствии эсер, показал мне свою повесть: она была посвящена страданиям русского идеалиста, влюбившегося в безнравственную француженку; страниц сто автор посвятил рассуждениям о развращенности французов; основным аргументом было то, что французы целуются даже в ресторане. Напрасно я пытался объяснить ему, что такие поцелуи равносильны ласковому слову или взгляду, что они не мешают парочке преспокойно наслаждаться бараньим рагу или свининой с бобами; он упрямо отвечал: «Мне перед женой неловко — ведь у всех на глазах!.. Это, знаете, народец!..»

Человеку трудно расшифровать быт чужой страны, даже если он к нему некоторое время присматривается; о туристе и говорить нечего. Сколько я читал вздора в газетах — и русских и французских, основанного все на той же развесистой клюкве, под которой сидел Дюма-отец!

Смеяться над Мерсеро не приходится: его ошибка глубоко человечна. Бывший семинарист, тот, что возмущался безнравственностью французов, наверно, расставаясь со своей супругой, целовал ее на вокзале; а ведь это показалось бы японцу бесстыдным и безнравственным. Вся беда в том, что люди считают свои обычаи, или, как теперь говорят, свой «образ жизни», единственно правильным и осуждают если не вслух, то про себя все, что от него отклоняется.

Создаются представления о характере народа, построенные на случайных и поверхностных наблюдениях. Что знали даже начитанные французы накануне первой мировой войны о русских? Они видели богачей, кидавших деньги направо и налево, проводивших время в дорогих притонах Монмартра, проигрывавших за одну ночь в Монте-Карло имения, равные по площади французскому департаменту, то есть области. Во французский язык вошло слово «бояры» — так называли богатых русских. Начитанные французы увлекались Достоевским, из которого они почерпнули, что русский любит неожиданно убивать, презирать денежные обязательства, верить в бога и в черта, оплевывать то, во что он верит, и заодно самого себя, каяться в публичных местах, целуя при этом землю. Газеты сообщали о беспорядках в России, о террористических актах, о героизме революционеров. Французы называли русских революционеров «нигилистами»; толковый словарь, изданный в 1946 году, то есть тридцать лет спустя после Октябрьской революции, дает следующее объяснение слову «нигилизм»: «Доктрина, имеющая последователей в России, которая стремится к радикальному разрушению социального строя, не ставя перед собой цель заменить его какой-либо другой определенной системой». С точки зрения француза, подобная доктрина могла соблазнить только мистиков. Ко всему, француз узнавал, что «нигилисты» имеются даже среди «бояр»; это его окончательно убеждало в существовании какой-то особой «славянской души», этой «душой» он объяснял все последующие исторические события.

Мальчишкой я читал русские романы, в которых изображались немцы; одни были мечтателями, как тургеневский Лемм, другие — энергичными, ограниченными тружениками, как Штольц Гончарова. В дореволюционной России немцы считались людьми умеренными и добропорядочными. Недавно мне попалась в руки книга В. Розанова, который описал Германию 1912 года — накануне первой мировой войны: «Честно пожать руку этих честных людей, этих добросовестных работников, значит сразу вырасти на несколько аршин кверху... Я бы не был испуган фактом войны с немцами. Очевидно, это не нервно-мстительный народ, который, победив, стал бы добивать... Немец «en masse» или простак в политике, или просто у него нет аппетита — все съесть кругом. Вот отчего войны с Германией я не страшился бы. Но просто чрезвычайно приятно быть другом или приятелем этих добропорядочных людей... Я дал бы лишнее, и просто ради доброго характера. Уверен, что все потом вернулось бы сторицей. Я знаю, что это теперь не отвечает международному положению России, и говорю мысль свою почти украдкой, «в сторону», для будущего... Ну, а чтобы дать радость сорока миллионам столь порядочных людей, можно другим народам и потесниться, даже чуть-чуть кому-нибудь пострадать». С тех пор мы пережили две войны. Слова В. Розанова не умнее разговоров Мерсеро о красной икре, но они не рассмешат никого.

А русский миф о французе, который «быстр, как взор, и пуст, как вздор», о его легкомыслии и опрометчивости, о его тщеславии и безнравственности; миф о Париже, который называли «новым Вавилоном» и который слыл не только законодателем мод, но и питомником распутства! (Недаром моя мать боялась, что я пропаду в Париже,— это покоилось на общераспространенной легенде.) Как не походила на подобные описания страна, где я оказался, где семейные устои были куда сильнее, чем в России, где люди дорожили вековыми навыками, порой и предрассудками, где в буржуазных квартирах были закрыты ставни, чтобы не выгорели обои, где боялись, как чумы, сквозняков, где ложились спать в десять и вставали с петухами, где в ночных кабаках редко можно было услышать французскую речь, где я мог сосчитать на пальцах знакомых, которые побывали за границей!

Теперь самолет в несколько часов пересекает Европу; за одну ночь можно долететь из Парижа в Америку или в Индию; а люди по-прежнему плохо знают друг друга. Их разделяют не мысли, а слова, не чувства, а формы выражения этих чувств: нравы, детали быта. Непонимание — вот тот бульон, в котором разводят микробов национализма, расизма, ненависти: «Гляди, он живет не так, как ты, он ниже тебя и не хочет того признать; он говорит, что он живет лучше тебя, что он выше тебя; если ты его не убьешь, он заставит тебя жить по-своему». Можно договориться о том, что дипломаты издавна называли «modus vivendi»,— о временной передышке; но подлинное мирное сосуществование мне кажется немыслимым без взаимного понимания. Говорят, что наша планета давно обследована, что теперь очередь за Марсом или за Венерой. Да, картографам известны все возвышенности, все острова, все пустыни; но обыкновенный человек еще очень мало знает, как живут его сверстники на давно открытом острове, в странах, давным-давно обследованных, да и в странах, которые считали себя открывателями. Я говорю об этом, потому что изъездил Европу, побывал в Азии, в Америке и в итоге понял, до чего трудно разобраться в чужой жизни.

19

Приезжая в Париж, Максимилиан Александрович Волошин располагался в мастерской, которую ему предоставляла художница Е. С. Кругликова, в центре Монпарнаса, облюбованного художниками, на улице Буассонад. В мастерской высилось изображение египетской царевны Таиах, под ним стоял низкий диван, на котором Макс (так его звали все на второй или третий день после знакомства) сидел, подобрав под себя ноги, курил в кадильнице какие-то восточные смолы, варил на спиртовке турецкий кофе, читал книги об искусстве Ассирии, о масонах или о кубизме, а также писал стихи и корреспонденции в московские газеты, посвященные выставкам и театральным премьерам. На двери мастерской он написал: «Когда стучитесь в дверь, объявляйте погромче, кто стучит»; впрочем, будучи человеком общительным, он не открывал двери только румынскому философу, который требовал, чтобы его труды были немедленно изданы в Петербурге и чтобы Волошин выдал ему авансом сто франков.

Андрей Белый в своих воспоминаниях говорит, что Волошин казался ему примерным парижанином — и по прекрасному знанию французской культуры, и по своей внешности: борода, подстриженная лопатой, «ненашенская», цилиндр, манеры. Поскольку я познакомился с Максом в Париже, я никак не мог его принять за парижанина; мне он напоминал русского кучера, да и борода у него была скорее кучерская, чем радикал-социалистическая (накануне войны бороды в Париже начали исчезать, но их сохраняли солидные радикал-социалисты из уважения к традициям благородного XIX века). Правда, русские кучера не носили цилиндров, это был головной убор французских извозчиков, но на длинных густых волосах Макса цилиндр казался аксессуаром цирка.

В Париже Волошин слыл не только русским, но архирусским, он

охотно рассказывал французам о раскольниках, которые жгли себя на кострах, о причудах Морозова или Рябушинского, о террористах, о белых ночах Петербурга, о живописцах «Бубнового валета», о юродивых Древней Руси. В Москве, по словам Андрея Белого, Макс блистал рассказами о бомбе, которую анархисты бросили в ресторан Файо, о красноречии Жореса, о богохульстве Реми де Гурмона, о видном математике Пуанкаре, о завтраке с молодым Ришпеном. У Волошина повсюду находились слушатели, а рассказывать он умел и любил.

Дети играют в сотни замысловатых или простейших игр, это никого не удивляет; но некоторые люди, особенно писатели и художники, сохраняют любовь к игре до поздних лет. Горький рассказывал, как Чехов, сидя на скамейке, ловил шляпой солнечного «зайчика». Пикассо обожает изображать клоуна, участвует в бое быков как самодеятельный тореадор. Поэт Незвал всю жизнь составлял гороскопы. Бабель прятался от всех, и не потому, что ему могли помешать в его работе, а потому, что любил играть в прятки. Макс придумывал невероятные истории, мистифицировал, посылал в редакцию малоизвестные стихи Пушкина, заверяя, что их автор аптекарь Сиволапов, давал девушке, которая кричала, что хочет отравиться, английскую соль и говорил, что это яд из Индонезии; он играл, даже работая; есть у него статья «Аполлон и мышь», которую иначе чем игрой не назовешь. Он обладал редкой эрудицией; мог с утра до вечера просидеть в Национальной библиотеке, и выбор книг был неожиданным: то раскопки на Крите, то древнекитайская поэзия, то работы Ланжевена над ионизацией газов, то сочинения Сен-Жюста. Он был толст, весил сто килограммов; мог бы сидеть, как Будда, и цедить истины; а он играл, как малое дитя. Когда он шел, он слегка подпрыгивал; даже походка его выдавала — он подпрыгивал в разговоре, в стихах, в жизни.

Ему удалось одурачить, или, как теперь говорят, разыграть, достаточно скептичный литературный Петербург. Вдруг откуда-то появилась талантливая молодая поэтесса Черубина де Габриак. Ее стихи начали печататься в «Аполлоне». Никто ее не видел, она только писала письма редактору журнала С. К. Маковскому, который заочно в нее влюбился. Черубина сообщала, что по происхождению она испанка и воспитывалась в католическом монастыре. Стихи Черубины похвалил Брюсов. Все поэты-акмеисты мечтали ее встретить. Иногда она звонила Маковскому по телефону, у нее был мелодичный голос. Никто не подозревал, что никакой Черубины де Габриак нет, есть никому не известная талантливая поэтесса Е. И. Дмитриева, которая пишет стихи, а Волошин помогает ей мистифицировать поэтов Петербурга. В Черубину влюбился и Гумилев, а Макс развлекался. Возмущенный Гумилев вызвал Волошина на дуэль. Макс рассказывал: «Я выстрелил в воздух, но мне не повезло — я потерял в снегу одну галошу...» (Е. И. Дмитриева продолжала и впоследствии писать хорошие стихи. Незадолго до своей смерти С. Я. Маршак попросил меня приехать к нему. Он говорил мне о судьбе Е. И. Дмитриевой, рассказывал, что в двадцатые годы написал вместе с Елизаветой Ивановной несколько пьес для детского театра — «Кошкин дом», «Козел», «Лентяй» и другие. Пьесы эти вышли с именами обоих авторов. Потом Е. И. Дмитриеву выслали в Ташкент, где она умерла в 1928 году. В переиздании пьес выпало ее имя. Самуила Яковлевича мучило, что судьба и творчество Е. И. Дмитриевой, бывшей Черубины де Габриак, неизвестны советским читателям. Он советовался со мной, что ему следует сделать, и я вставляю эти строки, как двойной долг и перед С. Я. Маршаком, и перед Черубиной де Габриак, стихами которой увлекался в молодости.)

Чего Волошин только не выдумывал! Каждый раз он приходил с новой историей. Он не выносит бананов, потому что — это установил какой-то австралийский исследователь — яблоко, погубившее Адама и Еву, было вовсе не яблоком, а бананом. У антиквара на улице Сэн он нашел один из тридцати сребреников, которые получил некогда Иуда. Писатель восемнадцатого века Казотт в 1778 году предсказал, что Кондорсе отравится в тюрьме, чтобы избежать гильотины, а Шамфор, опасаясь ареста, разрежет себе жилы. Он не требовал, чтобы ему верили,— просто играл в интересную игру.

Он встречался с самыми различными людьми и находил со всеми нечто общее; доказывал А. В. Луначарскому, что кубизм связан с ростом промышленных городов, что это — явление не только художественное, но и социальное; приветствовал самые крайние течения — футуристов, лучистов, кубистов, супрематистов и дружил с археологами, мог часами говорить о вазе минойской эпохи, о древних русских заговорах, об одной строке Пушкина. Никогда я не видел его ни пьяным, ни влюбленным, ни действительно разгневанным (очень редко он сердился и тогда взвизгивал). Всегда он кого-то выводил в литературный свет, помогал устраивать выставки, сватал редакциям русских журналов молодых французских авторов, доказывал французам, что им необходимо познакомиться с переводами новых русских поэтов. Алексей Николаевич Толстой рассказывал мне, как в молодости Макс его приободрял. Волошин сразу оценил и полюбил поэзию молоденькой Марины Цветаевой, пригрел ее. В трудное время гражданской войны он приютил у себя Майю Кудашеву, которая писала стихи по-французски, а потом стала женой Ромена Роллана.

Ходил он в своеобразной одежде (цилиндр был, скорее, парадной вывеской, чем шляпой) — бархатные штаны, а в Коктебеле рубашонка, которую он пресерьезно именовал «хитоном». Над ним посмеивались; Саша Черный писал про «Вакса Калошина», но Макс не обижался. Был Макс подпрыгивающий, который рассказывал, что Эйфелева башня построена по рисунку древнего арабского геометра. Был и другой Макс — проще, который жил в Коктебеле с матерью (ее называли Пра); в трудные годы этот второй Макс уплетал котелок каши. Всегда в его доме находили приют знакомые и полузнакомые люди; многим он в жизни помог.

Глаза у Макса были приветливые, но какие-то отдаленные. Многие его считали равнодушным, холодным: он глядел на жизнь заинтересованный, но со стороны. Вероятно, были события и люди, которые его по-настоящему волновали, но он об этом не говорил; он всех причислял к своим друзьям, а друга, кажется, у него не было.

Он был и художником: писал акварели — горы вокруг Коктебеля в условной манере «Мира искусства»; мог изготовить в один день пять акварелей. А любил он живопись, непохожую на ту, что делал. В стихах у него много увиденного, живописного; он верно подмечал:

> В дождь Париж расцветает,
> Точно серая роза...

Или о том же Париже:

> И пятна ржавые сбежавшей позолоты,
> И небо серое, и веток переплеты —
> Чернильно-синие, как нити темных вен.

О Коктебеле:

> Горелый, ржавый, бурый цвет трав.
> Полосы йода и пятна желчи.

Вначале я относился к Волошину почтительно, как ученик к опытному мастеру. Потом я охладел к его поэзии; его статьи об эстетике мне начали казаться цирковыми фокусами: я искал правду, а он играл в детские игры, и это меня сердило.

Среди его игр была игра в антропософию. Андрей Белый долго верил в Штейнера, как старая католичка верит в римского папу. А Макс подпрыгивал. Он отправился в Дорнах, близ Базеля, где антропософы строили нечто вроде храма. Началась война: Дорнах был в нейтральной Швейцарии, возле эльзасской границы. Строители «храма» (помню, в разговорах с Максом я всегда говорил «твое капище»), среди которых были Андрей Белый и Волошин, по ночам слышали артиллерийский бой. Вскоре Волошин приехал в Париж с книгой стихов, написанных в Дорнахе; книга называлась «Anno mundi ardenti». Стихи эти резко отличались от стихов, которые тогда писали другие поэты: Бальмонт потрясал оружием; Брюсов мечтал о Царьграде; Игорь Северянин кричал: «Я поведу вас на Берлин!» А Волошин, забыв свои детские игры, писал:

> Не знать, не слышать и не видеть...
> Застыть, как соль... уйти в снега...
> Дозволь не разлюбить врага,
> И брата не возненавидеть.
> . . . .
> В эти дни нет ни врага, ни брата:
> Все во мне, и я во всех...

Я тогда писал «Стихи о канунах»: я не мог быть мудрым созерцателем, как Волошин, я проклинал, обличал, неистовствовал. Максу мои новые стихи понравились; он решил мне помочь и повел меня к Цетлиным.

Цетлины были одним из семейств, которым принадлежала чайная фирма Высоцкого. Как я писал, многие члены этой чайной династии были эсерами или сочувствовали эсерам (среди них известен Гоц).

Михаил Осипович Цетлин не принимал участия в подпольной работе, он писал революционные стихи под псевдонимом Амари, что в переводе на русский язык означает «Мария» — так звали его жену. Это был тщедушный, хромой человек, утомленный неустанными денежными просьбами. Жена его была более деловой. Кроме Волошина, у Цетлина бывали художники Диего Ривера, Ларионов, Гончарова; бывал и Б. В. Савинков — разочарованный террорист, автор романа «Конь блед», вызвавшего газетную бурю; о нем мне еще предстоит рассказать. Сейчас я хочу остановиться на Цетлиных. Они иногда звали меня в гости; у них были горки со старинным фарфором, гравюры; а я мечтал о том, когда же рухнет мир лжи. В одной из поэм я описал вечер у Цетлиных, но благоразумно назвал их Михеевыми, а Михаила Осиповича — Игорем Сергеевичем, чай я заменил спичками:

> Он любит грустить вечерами.
> Вот вечер снова...
> Как у Лермонтова: «Отдохнешь и ты»...
> Хорошо быть садовником,
> Ни о чем не думать, поливать цветы.
> Утром слушать, как поют птички,
> Как шумит трава над прудом...
> У Игоря Сергеевича две фабрики спичечные
> И в бумагах миллион.
> У Игоря Сергеевича жена и дочка Нелли,
> Он собирает гравюры, он поэт.
> Иногда он удивляется: в самом деле,
> Я живу или нет?
> Вечером у Михеевых гости:
> Теософ, кубист, просто шутник
> И председательница какого-то общества,
> Кажется, «Помощь ослепшим воинам».
> Игорь Сергеевич всем улыбается пристойно.
> — Да, покрепче.— Еще стаканчик? —
> — И Гоген недурен, но я видел Сезанчика...

Е. И. Дмитриева — Черубина де Габриак.

Велимир Хлебников. 1922 г.

М. Волошин. Рисунок Б. Кустодиева. 1924 г.

— Простите за нескромность, сколько он просит?
— Десять, отдаст за восемь...
— О, кубизм, монументальность!
— Только, знаете, это наскучило...
— А я, наоборот, люблю, когда вместо глаз этакие штучки...
— Вы знакомы со значением зодиака? Я от Штейнера в экстазе...
— Я познаю Господа, поеду в Базель...
— Если бы вы знали, как нуждается наше общество!
Мы устроим концерт.
Это ужасно — ослепнуть навек...
— Новости? Нет. Только взяли Ловчен...
— Надоело. Я не читаю газет...
— Вот, вот, а вы слыхали анекдот?..—
Гости говорят еще много —
Об ухе Ван Гога, о поисках Бога,
Об ослепших солдатах,
О санитарных собаках,
О мексиканских танцах
И об ассонансах...

Наверно, я был несправедлив к Михаилу Осиповичу, но это диктовалось обстоятельствами: он был богатым, приветливым, слегка скучающим меценатом, а я — голодным поэтом.

Макс уговорил Цетлина дать деньги на эфемерное издательство «Зерна», которое выпустило сборник Волошина, мои «Стихи о канунах» и переводы Франсуа Вийона.

Цетлин писал поэму о декабристах, писал ее много лет. В зиму 1917/18 года в Москве Цетлины собирали у себя поэтов, кормили, поили; время было трудное, и приходили все — от Вячеслава Иванова до Маяковского. Когда я буду писать о Маяковском, я постараюсь рассказать об одном памятном вечере (о нем упоминают почти все биографы поэта) — Маяковский прочитал поэму «Человек». Михаилу Осиповичу нравились все: и Бальмонт, который импровизировал, сочинял сонеты-акростихи; и архиученый Вячеслав Иванов; и Маяковский, доказывавший, что фирме Высоцкого пришел конец; и полубезумный, полугениальный Велимир Хлебников с бледным доисторическим лицом, который то рассказывал о каком-то замерзшем солдате, то повторял, что отныне он, Велимир,— председатель Земного шара, а когда ему надоедали литературные разговоры, отходил в сторону и садился на ковер; и Марина Цветаева, выступавшая тогда за царевну Софью против Петра. Вот только Осип Эмилиевич Мандельштам несколько озадачивал хозяина: приходя, он всякий раз говорил: «Простите, я забыл дома бумажник, а у подъезда ждет извозчик...»

Цетлин не был убежден в конце фирмы Высоцкого, несмотря на то что сочувствовал эсерам и ценил поэзию Маяковского. Дом Цетлина на Поварской захватили анархисты во главе с неким Львом Черным. Цетлины надеялись, что большевики выгонят анархистов и вернут дом владельцам. Анархистов действительно выгнали, но дома Цетлины не получили и решили уехать в Париж. Уехали они летом 1918 года вместе с Толстым (Алексей Николаевич довольно часто бывал у Цетлиных).

В Париже Цетлины давали деньги на журнал «Современные записки», некоторое время поддерживали Бунина и других писателейэмигрантов. Потом они уехали в Америку; архив их пропал вместе с Тургеневской библиотекой.

Макс был в Коктебеле. Он не прославлял революцию и не проклинал ее. Он пытался многое понять. Он не цитировал больше ни Вилье де Лилль Адана, ни прорицания Казотта, а погрузился в русскую историю и в свои раздумья. Понять революцию он не смог, но в вопросах, которые он себе ставил, была несвойственная ему серьезность. Когда я был в Коктебеле, он показал себя мужественным: в мае 1920 года он спрятал на чердаке своего дома большевика И. Хмельницкого-Хмилько, участника подпольной конференции. Ночью пришли к Волошину врангелевцы, требовали выдать Хмельницкого: среди участников конференции оказался провокатор. Максимилиан Александрович заявил, что никого у него нет. Хмельницкий выдал себя неосторожным движением.

Белые арестовали поэта Мандельштама — какая-то женщина заявила, будто он пытал ее в Одессе. Волошин поехал в Феодосию, добился приема у начальника белой разведки, которому сказал: «По характеру вашей работы вы не обязаны быть осведомленным о русской поэзии. Я приехал, чтобы заявить, что арестованный вами Осип Мандельштам — большой поэт». Он помог Мандельштаму, а потом и мне выбраться из врангелевского Крыма. Он делал это не потому, что проникся идеями революции, нет, но он был человеком смелым, любил поэзию, любил Россию — как его ни звали за границу и те же Цетлины, и другие писатели, он остался в Коктебеле. Умер он в 1932 году.

Возле Коктебеля есть гора, которую называли Янычар, ее абрис напоминает профиль Макса. Там Волошина похоронили. Марина Цветаева писала осенью 1932 года:

> В век: «Распевай, как хочется
> Нам,— либо упраздним»,
> В век скопищ — одиночество:
> «Хочу лежать один»...
>
> . . . .
>
> Ветхозаветная тишина,
> Сирой полыни крестик...
> Похоронили поэта на
> Самом высоком месте.

Стихи его теперь мало известны, но его имя знают и писатели и люди, почему-либо связанные с литературным бытом: дача Макса вместе со вновь построенными флигелями — Дом творчества Литфонда. Возможно, что на этой даче какого-нибудь поэта осенило вдохновение, и Макс после смерти еще раз вывел в свет начинающего автора.

Иногда я спрашиваю себя, почему Волошин, который полжизни играл в детские, подчас нелепые игры, в годы испытаний оказался умнее, зрелее, да и человечнее многих своих сверстников-писателей? Может быть, потому, что был по своей природе создан не для деятельности, а для созерцания,— такие натуры встречаются. Пока все кругом было спокойно, Макс разыгрывал мистерии и фарсы не столько для других, сколько для самого себя. Когда же приподнялся занавес над трагедией века — в лето 1914 года и в годы гражданской войны,— Волошин не попытался ни взобраться на сцену, ни вставить в чужой текст свою реплику. Он перестал дурачиться и попытался осознать то, чего не видел и не знал прежде. Воспоминания о нем то смешат знавших его, то трогают, но никогда не принижают, а это не мало...

20

Если я скажу, что в 1911 году я познакомился с поэтом, мягкое, задумчивое лицо которого, волнистые, нежные волосы, рассеянные движения выдавали мечтательность натуры, что в нем минуты шумного веселья перебивались глубокой грустью, что в литературных кругах тогда говорили о его книжке, изданной «декадентским» издательством «Гриф», что Брюсов, всячески расхваливая «почти дебютанта», высказывал опасения, «сумеет ли он удержаться на раз достигнутой высоте и найти с нее пути вперед», вряд ли кто-нибудь догадается, о ком я говорю. И если я приведу некоторые строки, хорошо мне запомнившиеся, как, например:

> Ты зачем зашумела, трава?
> Напугала ль тебя тетива?
> Перепелочья ль кровь горяча,
> Что твоя закачалась парча? —

то разве что немногие любители поэзии или дотошные литературоведы поймут, что речь идет об А. Н. Толстом. А я хорошо помню такого Толстого...

В своей поздней автобиографии Алексей Николаевич писал о книге стихов «За синими реками»: «От нее я не отказываюсь и по сей день». Не только стихи 1911 года написаны рукой автора «Петра Первого», но и молодой поэт был уже тем самым Алексеем Николаевичем, которого

А. Н. Толстой. Париж. 1913 г.
А. Н. Толстой. Портрет работы П. Кончаловского. 1941 г.

многие помнят сильно пополневшим, полысевшим и, главное, научившимся одни свои черты скрывать, а другие нарочито подчеркивать. Стоит посмотреть опубликованные воспоминания людей, встречавшихся с Толстым в тридцатые годы, чтобы понять, о чем я говорю; эти воспоминания разнообразны по яркости происшествий, рассказов или шуток Толстого, но неизменно тот Алексей Николаевич, который со вкусом ест, вкусно рассказывает, вкусно смеется, а между двумя раскатами смеха говорит нечто весьма значительное, заслоняет художника.

Юрий Олеша рассказал о своей первой встрече с Толстым осенью 1918 года: «Развлекая и себя и друзей, он кого-то играет. Кого? Не Пьера ли Безухова? Может быть! А не показывает ли он нам, как должен выглядеть один из тех чудаков помещиков, о которых он пишет?» Нет, Алексей Николаевич очень часто играл (нужно признать — замечательно!) самого Алексея Николаевича — образ, созданный художником.

Когда я с ним познакомился, этот «почти дебютант» был уже известен: его рассказы о «чудаках» Заволжья сразу привлекли к нему внимание. В нем были все черты зрелого Толстого, но они еще не были оформившимися; лицо, которое впоследствии казалось созданным для рисовальщика, в молодости требовало палитры живописца. Это не обязательный закон природы: некоторые люди к вечеру жизни мягчеют, с годами сглаживается первоначальная резкость, прямолинейность, угловатость. Алексей Николаевич, напротив, был значительно мягче, если угодно, туманнее в молодости и, что наиболее существенно, не умел (или не хотел) ограждать свой внутренний мир от людей, с которыми сталкивался.

Не помню, кто меня привел к Толстому, кажется Волошин, а может быть, художник Досекин. Алексей Николаевич был в Париже в 1911 году, потом весной 1913-го; в один из этих приездов он и его жена, Софья Исааковна, жили в пансионе на улице д'Ассас. Рядом с пансионом находилось кафе «Клозери де лиля», где я сидел весь день и писал. Я познакомил Толстого с различными достопримечательностями заведения: с «принцем поэтов» Полем Фором, с итальянскими футуристами, с норвежским художником Дириксом. Во время первой мировой войны в Москве Алексей Николаевич написал очерк о Париже и там вспомнил «Клозери де лиля»: «На левом же берегу со всей французской страстью, мужеством и великолепием нищеты поэты, прозаики и журналисты отстаивали свободу творчества, независимость и в старом кабачке, под каштанами, у памятника маршалу Нею, венчали лаврами открывателей новых путей... В том кабачке, под каштанами, вы всегда встретите в вечерний час у окна высокого, седого человека, похожего на викинга, и седую даму, когда-то прекрасную. Это — норвежский художник и его жена. Они прожили двадцать лет в Париже, каждый день бывая под каштанами».

Он любил Париж и как-то сразу его увидел. «Париж, всегда занавешенный прозрачной, голубоватой дымкой, весь серый, однообразный, с домами, похожими один на другой, с мансардами, куполами церквей и триумфальными арками, перерезанный и охваченный, точно венком, зелеными бульварами...», «Весь день неустанно живет, грохочет, колышется, по ночам заливается светом огромный город, но не утомление вы чувствуете, проблуждав по нему весь день, а спокойную, тихую грусть. Вы чувствуете, что здесь поняли смерть и любят печальную красоту жизни...», «Стар, ужасно стар Париж. Особенно люблю его в сырые деньки. Бесчисленны очертания полукруглых графитовых крыш, откуда в туманное небо смотрят мансардные окна. А выше — трубы, трубы, трубы, дымки. Туман прозрачен, весь город раскинут чащей, будто выстроен из голубых теней...»

За несколько месяцев до своей смерти Алексей Николаевич говорил мне, что, когда кончится война, он поедет на год в Париж, поселится где-нибудь на набережной Сены и будет писать роман; помню его слова: «Париж располагает к искусству...» Чудак, который, по словам Ю. К. Олеши, играл нелепого героя «Заволжья», никогда не чувствовал себя в Париже туристом: не осматривал, не восхищался, не отплевывался, а сразу начинал жить в этом городе, бывал в нем порой очень печален, но и в печали этой счастлив. (Я не говорю о годах вынужденного пребывания в Париже, когда он неотвязно думал об оставленной им России. Я уже писал, что у эмиграции свой климат. В письме к матери, когда Толстому было четырнадцать лет, он приводил старую народную песню: «Ох, хохо-хохонюшки, скучно жить Афонюшке на чужой сторонушке без родимой матушки». В Париже, оказавшись эмигрантом, он написал рассказ «Настроения Н. Н. Бурова» и эпиграфом поставил «Ох, хохо-хохонюшки, скучно жить Афонюшке на чужой сторонушке». Лучше настроение человека, насильно оторванного от родной земли, пожалуй, не выразишь.)

Я хорошо знал того Толстого, которого написал П. П. Кончаловский,— лицо сливается с натюрмортом, человек с бытом. Но мне хочется рассказать о другом Толстом — преданном искусству. Его слова «Париж располагает к искусству» не были случайными. Как настоящий художник, он всегда был неуверен в себе, неудовлетворен, мучительно искал форму для выражения того, что хотел сказать. Он говорил об этом часто и в зрелом возрасте. В беседах с молодыми писателями он старался пристрастить их к работе; он не находил нужным делиться со многими своей бедой, недовольством, мучительными часами, когда с удивлением и тревогой прочитывал написанное им накануне. Сколько раз он говорил мне: «Илья, понимаешь,— пишешь и кажется хорошо, а потом вижу: пакость, понимаешь — пакость!..» В начале 1941 года вышла в новом издании его повесть «Эмигранты» (в первой редакции — «Черное золото»); вещь эта мне казалась неудавшейся, я о ней никогда с Толстым не говорил; он написал на книжке: «Илье Эренбургу — глубоко несовершенную и приблизительную повесть. Но, друг ты мой, важны конечные результаты жизни художника. Ты это понимаешь». Слово «приблизительно» он употреблял часто как осуждение: говорил о холсте, который ему чем-то не понравился, о строке стихотворения: «Это приблизительно...»

Он хотел было учиться живописи, но быстро это дело оставил. Когда мы познакомились, о картинах он говорил с увлечением; может быть, в этом сказывалось влияние Софьи Исааковны, которая была художницей; но Толстой обладал даром видеть природу, лица, вещи. Он водился с мастерами — краснодеревцами, литейщиками, переплетчиками, не только знавшими свое ремесло, но влюбленными в него, обладавшими фантазией. В своей автобиографии он рассказал, какое впечатление произвели на него в молодости стихи Анри де Ренье в переводе Волошина: «Меня поразила чеканка образов». Анри де Ренье не бог весть какой поэт, но писать он умел, и поразил он Толстого именно мастерством.

Алексей Николаевич писал также, что в поисках народного характера речи он учился у А. М. Ремизова, Вячеслава Иванова, Волошина. Еще до этого — в ранней молодости — он попал в знаменитую «башню» Вячеслава Иванова. Волошин рассказал мне смешную историю, относящуюся к тому времени, когда Толстой пытался усвоить идеи и словарь символистов. В Берлине он встретил Андрея Белого, который что-то ему наговорил об антропософии. Белого вообще было трудно понять, а тем паче когда он объяснял свою путаную веру. Вскоре после этого на «башне» зашел разговор о Блаватской, о Штейнере. Толстому захотелось показать, что он тоже не профан, и вдруг он выпалил: «Мне в Берлине говорили, будто теперь египтяне перевоплощаются...» Все засмеялись, а Толстой похолодел от ужаса. Много лет спустя я спросил Алексея Николаевича, не выдумал ли Макс историю с египтянами. Толстой рассмеялся: «Я, понимаешь, сел в лужу...»

Разговоры о перевоплощении, мистический анархизм, богоискательство, обреченность — все это никак не соответствовало натуре Толстого. Освоив несколько мастерство, натолкнувшись на свои темы, он расстался с символистами (с Волошиным он продолжал дружить); высмеял «декадентов» в рассказах, потом в трилогии. Но вот я возвращался с ним из Харькова в Москву в декабре 1943 года. Поезда тогда шли очень медленно. Мы с А. Н. Толстым заняли одно купе; в других купе ехали К. Симонов, иностранные журналисты. Толстой почти всю дорогу вспоминал прошлое; кажется, он хотел в эти два дня проделать то, что я пытаюсь сделать теперь: задуматься над своей жизнью. Неожиданно для меня он с любовью, с уважением вспоминал поэтов-символистов, говорил, что многому у них научился; вспомнил и «башню»; потом вдруг рассердился, что теперь у молодых поэтов нет ни почтения к прошлому, ни понимания всей трудности искусства; сказал, чтобы в купе позвали К. Симонова, долго ему внушал: нужно входить в дом искусства благоговейно, как он когда-то подымался на «башню».

Потом он заговорил о Блоке. В романе «Сестры» есть поэт-декадент Бессонов; в нем многие, причем справедливо, увидели карикатурное изображение Блока. Толстой разъяснял, что хотел высмеять «обезьян Блока». Но слов нет, сам того не сознавая, он придал Бессонову некоторые черты Блока; в этом он мне признался; и я поверил, что сделал он это без злого умысла. Психология творчества, печальные истории, выпадавшие на долю разных писателей (достаточно вспомнить ссору Левитана с Чеховым после «Попрыгуньи»), показывают, что отдельные черты, поступки, словечки живого человека могут незаметно войти в тот сплав, который мы называем «персонажем романа»; и художник не всегда дает себе отчет, где кончаются воспоминания и начинается творчество. Мысль о том, что в Бессонове увидели некоторые черты Блока, была тяжела для Алексея Николаевича. Он мне рассказывал о встрече с Блоком во время войны, о том, что Блок был очень человечен; потом замолк, а к вечеру стал повторять отдельные строки блоковских стихов.

(Вот еще одно свидетельство — «Воспоминания» Бунина. В восемьдесят два года Бунину захотелось очернить всех писателей, правых и левых, советских и эмигрантов. Горького и А. Н. Толстого, Блока и Маяковского, Леонида Андреева и Сологуба, Бальмонта и Брюсова, Хлебникова и Пастернака, Андрея Белого и Цветаеву, Есенина и Бабеля, Волошина и Кузмина. Бунин вспоминает: «Московские писатели устроили собрание для чтения и разбора «Двенадцати», пошел и я на это собрание. Читал кто-то, не помню кто именно, сидевший рядом с Ильей Эренбургом и Толстым. И так как слава этого произведения, которое почему-то называли поэмой, очень быстро сделалась вполне неоспоримой, то, когда чтец кончил, воцарилось сперва благоговейное молчание, потом послышались негромкие восклицания: «Изумительно! Замечательно!» Бунин далее излагает свое выступление — он поносил «Двенадцать», называя поэму «дешевым, плоским трюком». «Вот тогда и закатил мне скандал Толстой; нужно было слышать, когда я кончил, каким петухом заорал он на меня...» Я вспоминаю тот вечер. Алексей Николаевич тогда во многом сомневался, но слова Бунина о поэзии Блока он назвал «кощунством».)

Стихи он часто вспоминал, и всегда неожиданно — то шагая по улице, то на дипломатическом приеме, то разговаривая о чем-то сугубо деловом, изумляя своего собеседника. Зимой 1917/18 года мы часто бывали у С. Г. Кара-Мурзы, верного и бескорыстного друга писателей; там мы ужинали, читали стихи, говорили о судьбе искусства. Возвращались мы поздно ночью ватагой. Кара-Мурза жил на Чистых прудах, а мы — кто на Поварской, кто на Пречистенке, кто в переулках Арбата. Алексей Николаевич забавлял нас нелепыми анекдотами и вдруг останавливался среди сугробов — вспоминал строку стихов то Есенина, то Н. В. Крандиевской, то Веры Инбер.

Летом 1940 года я вернулся из Парижа в Москву. Толстой позвонил: «Илья, приезжай ко мне на дачу»,— дача у него была в Барвихе. (Перед этим мы долгие годы были в ссоре, даже не разговаривали друг с другом. Раз в Ленинграде в табачном магазине он меня увидел у прилавка и шепнул моей жене: «Скажите ему, что этот табак пакость. Вот какой нужно покупать...» Как я ни пытался, не могу вспомнить, почему мы поссорились. Я спросил жену Алексея Николаевича — может быть, он ей говорил о причине нашей размолвки. Людмила Ильинична ответила, что Толстой вряд ли сам помнил, что приключилось. Пожалуй, это лучше всего говорит о характере наших отношений.) На даче Толстой поил меня бургундским: «А ты знаешь, что ты пьешь? Это ро-ма-нея!» Он расспрашивал о Франции; рассказ, конечно, был невеселым. Потом я читал стихи, написанные в Париже после прихода немцев. Одна строка остановила его внимание, он несколько раз повторил:

Он был удивительным рассказчиком; тысячи людей помнят и теперь различные истории, которые он пронес через всю жизнь: о том, как в его детстве кухарка подала суп в ночном горшке, или о дьяконе, который загонял себе в рот бильярдные шары. Слушая его, можно было подумать, что он пишет легко, а писал он мучительно, иногда работал дни напролет, исправлял, писал заново, бывало — бросал начатое: «Понимаешь, не получается. Пакость!..»

В молодости он увлекался интригой, действием, разворачивающимся неожиданно для читателя. Он иногда записывал, иногда просто запоминал историю, которую ему кто-либо рассказал; такие истории становились канвой рассказа. Вот происхождение рассказа «Миссионер» (в первоначальной редакции «И на старуху бывает проруха»). В Париже было немало случайных эмигрантов; таким был один сапожник, в 1905 году принявший участие в солдатском бунте. Звали его Осипов. Он женился на француженке, кое-как жил, но был он тем Афонюшкой, которому скучно на чужой сторонушке; человек запил. Как-то ему стало не по себе: почему его сын католик? Он пошел в русскую церковь на улице Дарю, каялся, молил священника окрестить ребенка по-православному. Священник умилился, не только выполнил обряд, но дал Осипову двадцать франков. Осипов в бога не верил, ни в католического, ни в православного, а двадцать франков пропил. Месяц спустя, когда его взяла тоска, а денег на водку не было, он решил пойти к католическому священнику, рассказал, что православные его обманули, но он может «перегнать сына назад в католики». Эту историю я узнал от Тихона Ивановича Сорокина.

Я рассказал Алексею Николаевичу про сапожника; он долго смеялся; что-то записал в книжку. Слово «перегнать», которое ему сразу понравилось, в рассказе осталось, но Толстой «переиграл» — герой рассказа уже не просто запойный горемыка, а ловкач, который «перегоняет» детей оптом и шантажирует автора повествования.

Алексей Николаевич неоднократно мне говорил, что порой его рассказы рождаются «черт знает от чего»: от истории, рассказанной кем-то десять лет назад, от смешного словечка. Я вспомнил наши ночные прогулки в первую зиму после революции. Толстой уверял, что я должен довести его до дому — на Молчановке, так как моего вида страшатся бандиты. (Не помню, как я был тогда одет, помню только, что Алексея Николаевича смешила шапка, похожая на клобук. Несколько лет назад мне принесли копию фотографии: Алексей Николаевич и я, подписано рукой Толстого: «Тверской бульвар, июнь 1918». Алексей Николаевич в канотье, а на мне высочайшая шляпа мексиканского ковбоя.) Толстой прозвал меня «тухлым дьяволом». Вскоре он написал рассказ «Тухлый дьявол» о писателе-мистике и козле. Писатель на меня не похож, да и шапка у него низенькая, круглая, а тухлый дьявол не писатель, но козел; все же рассказ родился в ту минуту, когда Толстой, посмотрев на меня, сказал: «Ты знаешь, Илья, кто ты? Тухлый дьявол! От тебя любой бандит убежит...»

Он работал не как архитектор, а скорее как скульптор: очень рано распрощался с планами романов или рассказов; часто, начиная, не видел дальнейшего; много раз говорил мне, что еще не знает судьбы героя, не знает даже, что приключится на следующей странице,— герои постепенно оживали, складывались, диктовали автору сюжетные линии. (Это относится к зрелому периоду Толстого.)

Есть писатели-мыслители; Алексей Николаевич был писателем-художником. Очень часто человеку мучительно хочется сделать именно то, что ему несвойственно. Я помню, как Алексей Николаевич в молодости долго сидел над книгой — хотел, даря ее, надписать афоризм; ничего у него не выходило.

Он необычайно точно передавал то, что хотел, в образах, в повествовании, в картинах; а думать отвлеченно не мог: попытки вставить в рассказ или повесть нечто общее, декларативное заканчивались неудачей. Его нельзя было отделить от стихии искусства, как нельзя заставить рыбу жить вне воды. Его самые совершенные книги — «Заволжье», «Детство Никиты», «Петр Первый» — внутренне свободны, писатель в них не подчинен интриге, он повествует; особенно он силен там, где его рассказ связан с корнями, будь то собственное детство или история России, в которой он себя чувствовал легко, уверенно, как в комнатах обжитого им дома.

В своих идеях он был представителем добротной русской интеллигенции. (Это не определение рода занятий, а историческое явление; недаром в западные языки вошло русское слово «интеллигенция» в отличие от имевшегося понятия «работников умственного труда».)

Расскажу о первом столкновении Толстого с расизмом — задолго до второй мировой войны. Напротив «Клозери де лиля» помещалась огромная танцулька «Бал Билье» (теперь это здание снесли). Толстые иногда туда ходили. Раз Софью Исааковну пригласил танцевать негр; она его представила мужу. Негр Алексею Николаевичу понравился

С. Г. Кара-Мурза.

А. Н. Толстой и И. Эренбург. Москва. Тверской бульвар. 1918 г.

Е. Кузьмина-Караваева (Мать Мария) и А. Ахматова — стоят вторая и третья слева. 1912 г.

и был приглашен на обед в пансион. Среди пансионеров имелся американец; увидев, что Толстые привели в столовую черного, он возмутился. Алексей Николаевич наивно стал объяснять американцу, что этот негр весьма образованный человек, даже произвел его в князья. Американец ничего не хотел слушать: «У нас такие князья чистят ботинки». Тогда Толстой рассердился и выбросил американца по лестнице со второго этажа вниз — при плаче хозяйки, но при одобрительных возгласах других постояльцев — французов.

В 1917—1918 годы он был растерян, огорчен, иногда подавлен: не мог понять, что происходит; сидел в писательском кафе «Бом»; ходил на дежурства домового комитета; всех ругал и всех жалел, а главное — недоумевал. Иногда к нему приходил И. А. Бунин, умный, злой, и рассказывал умно, зло, но несправедливо; рассказывал, помню, как к нему пришел мужик — предупредить, что крестьяне решили сжечь его дом, а добро унести. Иван Алексеевич сказал ему: «Нехорошо»,— тот ответил: «Да что тут хорошего... Побегу, а то без меня все заберут. Чай, я не обсевок какой-нибудь!» Толстой невесело смеялся.

Часто бывала у него петербургская поэтесса Лиза Кузьмина-Караваева; она говорила о справедливости, о человеколюбии, о боге. Дальнейшая ее судьба необычна. Уехав в Париж, она родила дочку, а потом постриглась; в монашестве приняла имя Марии. Дочка подросла и стала коммунисткой. Когда Толстой приехал в Париж, девушка попросила его помочь ей уехать в Советский Союз. Во время войны монахиня Мария стала одной из героинь Сопротивления. Немцы ее отправили в Равенсбрук. Когда очередную партию заключенных вели в газовую камеру, мать Мария стала в колонну на место молоденькой советской девушки. В зиму, о которой я рассказываю, Лиза своим глубоким беспокойством заражала Толстого.

Он видел трусость обывателей, мелочность обид, смеялся над другими, а сам не знал, что ему делать. Как-то он показал мне медную дощечку на двери — «Гр. А. Н. Толстой» — и загрохотал: «Для одних граф, для других гражданин»,— смеялся он над собой.

«Мадам Кошке сказала, подавая блюдо индийскому принцу: «Вот дичь». Это он рассказывал, смеясь, за обедом. Потом, поговорив с молоденьким левым эсером, расстроился. Так рождался рассказ «Милосердия!»; Толстой впоследствии писал, что это была первая попытка высмеять либеральных интеллигентов; он не добавил, что умел смеяться и над своим смятением.

Весной 1921 года я приехал в Париж. Толстой позвал на меня гостей: Бунина, Тэффи, Зайцева. Толстой и его жена Н. В. Крандиевская мне обрадовались. Бунин был непримирим, прервал мои рассказы о Москве заявлением, что он может теперь разговаривать только с людьми своего звания, и ушел. Тэффи пыталась шутить. Зайцев молчал. Алексей Николаевич был растерян: «Понимаешь, ничего нельзя понять...» Вскоре после этого французская полиция выслала меня из Парижа.

Потом я встретил Алексея Николаевича в Берлине; он уже знал, что скоро вернется в Россию. В статьях о нем пишут про сменовеховцев, про «постепенный подход» к идеям революции. Мне кажется, что дело было и проще и сложнее. Две страсти жили в этом человеке: любовь к своему народу и любовь к искусству. Он скорее почувствовал, чем логически понял, что писать вне России не сможет. А любовь к народу была такова, что он рассорился не только со своими друзьями, но и со многим в самом себе — поверил в народ и поверил, что все должно идти так, как пошло.

Двадцать лет спустя я часто встречался с ним в очень трудное время, когда мало было одного сознания, требовались любовь и вера. Говорили, будто от уныния его всегда ограждал прирожденный оптимизм; нет, и в 1913 году, и в 1918-м я видел Алексея Николаевича не только унылым, но порой отчаявшимся (это, конечно, не мешало ему шутить, смеяться, придумывать комические истории). А вот в грозное лето 1942 года он сохранял душевную бодрость: он твердо стоял на своей земле, был освобожден от того, что особенно претило его натуре,— от сомнений, от необходимости искать выход, от ощущения одиночества.

В декабре 1943 года мы были с ним в Харькове, на процессе военных преступников. Я не пошел на площадь, где должны были повесить осужденных. Толстой сказал, что должен присутствовать, не смеет от этого уклониться. Пришел он с казни мрачнее мрачного; долго молчал, а потом стал говорить. Что он говорил? Да то, что может сказать писатель; то самое, что до него говорили и Тургенев, и Гюго, и русский поэт К. Случевский...

В последние годы его тянуло к друзьям прошлого. Часто встречался он с Алексеем Алексеевичем Игнатьевым и его женой Натальей Владимировной. Об Игнатьеве я расскажу, когда дойдет дело до первой мировой войны. Толстой его любил: в чем-то у них были сходные пути — оба пришли к революции из другой, прежней России. Бывали у Толстого В. Г. Лидин, П. П. Кончаловский, доктор В. С. Галкин, С. М. Михоэлс. Толстой ожесточенно работал над третьей частью «Петра Первого». Осенью 1944 года он был уже болен; я пришел к нему, он хмурился, старался шутить и вдруг как бы ожил — заговорил о своей работе: «Пятую главу кончил... Петр у меня опять живой...» Он боролся со смертью мужественно, и помогала ему не столько его живучесть, сколько страсть художника.

На Спиридоновке был прием в День Красной Армии. Все были в хорошем настроении: приближалась развязка. Вдруг по залам пронеслось: «Умер Толстой...» Мы знали, что он очень тяжело болен, и все же это показалось нелепостью — несправедливым, бессмысленным, ужасным.

Он мне как-то сказал: «Илья, ты должен быть мне признателен по гроб — я тебя научил курить трубку...» Я думаю о нем действительно с глубокой признательностью. Ничему он меня не научил — вот только что курить трубку... Был он на девять лет старше меня, но никогда я не воспринимал его как старшего. Он меня не учил, но радовал — своим искусством, своей душевной тонкостью, скрываемой часто веселой маской, своим аппетитом к жизни, верностью друзьям, народу, искусству. Он сформировался до революции и нашел в себе силы перешагнуть в другой век, был с Россией в 1941 году. Глядя на его большую, тяжелую голову, я всегда чувствовал: этот все помнит, но память его не придавила. Я ему признателен за то, что мы встретились в глухое, спокойное время, в 1911 году, и что я был у него на даче, когда он 10 января 1945 года, больной, справлял свой день рождения — за шесть недель до смерти; признателен за то, что в течение тридцати пяти лет я знал, что он живет, чертыхается, хохочет и пишет — с утра до ночи пишет, и так пишет, что читаешь, и порой дыхание захватывает от совершенства слова.

21

Есть распространенный образ башни из слоновой кости, которую облюбовали поэты и художники, пожелавшие уйти от действительности. В этой башне я никогда не был и не знаю, существовала ли она. Не был я и в той «башне» (вернее, на чердаке), где жил поэт В. И. Иванов и куда ходил молодой Алексей Толстой. Нас было человек сто, поэтов и художников, которые ненавидели существующее общество; французы, русские, испанцы, итальянцы, люди других национальностей, все чрезвычайно бедные, плохо одетые, голодные, но упрямые в своем желании создать новое, настоящее искусство. Мы жили в душном, полутемном кафе, и оно никак не походило на башню из слоновой кости.

В конце 1924 года Маяковский писал:

Париж
　　　фиолетовый,
　　　　　　　Париж в анилине,
　　вставал
　　　　　за окном «Ротонды».

Маяковский увидал «Ротонду», которую осматривали туристы, как достопримечательность — не паршивое, вонючее кафе, а памятник старины, отремонтированный, расширенный, заново выкрашенный. Иностранцы приходили и слушали объяснения гидов: «За этим столиком обычно сидели Гийом Аполлинер и Пикассо... Вот в том углу Модильяни рисовал присутствовавших и отдавал за рюмку коньяку рисунок...»

Теперь и туристов водить некуда: вместо «Ротонды» построили кинотеатр. Только в киностудиях иногда восстанавливают бутафорскую «Ротонду»: изготовляют фильмы о бурной и загадочной жизни «последних представителей богемы». Картины получаются вздорные, даже не потому, что герои не напоминают прототипов, а потому, что у постановщиков нет ключа к тем мыслям и чувствам, которые воодушевляли посетителей «Ротонды».

Кафе напоминало сотни других. У цинковой стойки извозчики, шоферы такси, служащие пили кофе или аперитивы. Позади была темная комната, прокуренная раз и навсегда, десять — двенадцать столиков. Вечером эта комната заполнялась; стоял крик: спорили о живописи, декламировали стихи, обсуждали, где достать пять франков, ссорились, мирились; кто-нибудь напивался, его вытаскивали. В два часа ночи «Ротонда» закрывалась на один час; иногда хозяин разрешал завсегдатаям, если они вели себя пристойно, просидеть часок в темном пустом помещении — это было нарушением полицейских правил; в три часа кафе открывалось, и можно было продолжать невеселые разговоры.

Владелец кафе Либион не мог представить себе, что его имя попадет в историю живописи. Это был добродушный толстый кабатчик, который купил небольшое кафе; случайно «Ротонда» стала генеральным штабом разноязычных чудаков, или, как говорил Макс Волошин, «обормотов», поэтов и художников, из которых некоторые впоследствии стали знаменитыми. Будучи обыкновенным средним буржуа, Либион вначале косо поглядывал на весьма странных клиентов; кажется, он принимал нас за анархистов. Потом он к нам привык, даже полюбил нас. Кто-то сказал ему, что некоторые люди разбогатели на живописи: покупали за гроши картины у никому не известных художников, а двадцать лет спустя продавали их за большие деньги. Идея такого заработка не очень соблазняла Либиона; как-то он сказал мне, что не любит азартных игр, а покупать картины — это лотерея: хорошо, если из тысячи художников один выйдет в люди. Он предпочитал зарабатывать на напитках. Конечно, порой он брал рисунок Модильяни за десять франков — ведь блюдечек гора, а у бедняги нет ни одного су... Иногда Либион совал пять франков поэту или художнику, сердито говорил: «Найди себе бабу, а то у тебя глаза сумасшедшие...» На его нижней губе неизменно красовался окурок погасшей сигареты. Ходил он по большей части без пиджака, но в жилетке.

Однажды, когда я сидел в «Ротонде», художница Мямлина попросила меня подержать ее грудного ребенка — ей нужно купить напротив сигареты. Прошло полчаса, прошел час — Мямлиной не было. Младенец начал кричать. Подошел Либион, выслушал меня и явно не поверил: «Знаю я вас — изготовляете ребят, а потом от них открещиваетесь. Ладно, неси его ко мне — у меня там старая женщина, она тебе поможет. Хорош папаша!..» Либион жил рядом с «Ротондой»; квартира была мещанской: красные портьеры, на стене красивенький пейзаж. Никогда бы он не повесил у себя Модильяни или Сутина, боже упаси! Он привязался к своим клиентам, но не к их произведениям...

После Февральской революции в «Ротонду» как-то пришли русские солдаты из бригады, которую царское правительство направило на Западный фронт: им сказали, что здесь они смогут разыскать русских эмигрантов. Солдаты требовали, чтобы их отправили в Россию. Полиция начала придираться к Либиону; говорили, будто «Ротонда» — главная квартира революционеров; запретили посещение этого кафе военными; Либиону нанесли серьезные убытки; ко всему он испугался: время было скверное, Клемансо решил закрутить гайки покрепче, полиция бесчинствовала. Повздыхав, покряхтев, Либион продал «Ротонду» другому кабатчику, а сам купил небольшое кафе в спокойном

Пабло Пикассо времен «Ротонды».

месте — подальше от художников. Но тогда-то он понял, что обыкновенные посетители ему не интересны. Иногда он приходил в «Ротонду», садился в темный угол, заказывал стакан пива и тоскливо глядел по сторонам. Несколько лет спустя он умер; хоронить его пришли художники, поэты; некоторые стали к тому времени известными, и Либион, как многие его клиенты, узнал посмертную славу.

Мой первый роман начинается с точной справки: «Я сидел, как всегда, в кафе на бульваре Монпарнас перед пустой чашкой и ждал, что кто-нибудь освободит меня и заплатит шесть су терпеливому официанту». Затем я рассказываю, что в кафе вошел Хулио Хуренито, которого я принял за черта; это, конечно, вымысел. Я встретил в «Ротонде» людей, сыгравших крупную роль в моей жизни, но ни одного из них я не принял за черта — мы все тогда были и чертями и мучениками, которых черти жарят на сковородке. В театры мы ходили редко, не только потому, что у нас не было денег,— нам приходилось самим играть в длинной запутанной пьесе; не знаю, как ее назвать — фарсом, трагедией или цирковым обозрением; может быть, лучше всего к ней подойдет определение, придуманное Маяковским,— «мистерия-буфф».

Конечно, внешне «Ротонда» выглядела достаточно живописно: и смесь племен, и голод, и споры, и отверженность (признание современников пришло, как всегда, с опозданием). Именно эта живописность прельщает кинопостановщиков. Когда случайный посетитель, шофер или банковский служащий, выпив у стойки кофе с рюмочкой, заглядывал в мрачную комнату, он изумленно улыбался или, возмущенный, отворачивался: публика была необычайной даже для привыкших ко всему парижан.

Поражала прежде всего пестрота типов, языков — не то павильон международной выставки, не то черновая репетиция предстоящих конгрессов мира. Многие имена я забыл, но некоторые помню; одни из них стали известны всем, другие померкли. Вот далеко не полный список. Французские поэты Гийом Аполлинер, Макс Жакоб, Блез Сандрар, Кокто, Сальмон, художники Леже, Вламинк, Андре Лот, Метценже, Глез, Карно, Рамэ, Шанталь, критик Эли Фор; испанцы Пикассо, Хуан Грис, Мария Бланшар, журналист Корпус Барга; итальянцы Модильяни, Северини; мексиканцы Диего Ривера, Саррага; русские художники Шагал, Сутин, Ларионов, Гончарова, Штеренберг, Кремень, Федер, Фотинский, Маревна, Издебский, Дилевский, скульпторы Архипенко, Цадкин, Мещанинов, Инденбаум, Орлова; поляки Кислинг, Маркусси, Готтлиб, Зак, скульпторы Дуниковский, Липшиц; японцы Фужита и Кавашима; норвежский художник Пер Крог; датские скульпторы Якобсен и Фишер; болгарин Паскин. Вспомнить трудно — наверно, я много имен пропустил.

Внешность посетителей также должна была удивлять несведущих. Никто, например, не может достоверно описать, как был одет Модильяни; в хорошие периоды на нем была куртка из светлого бархата, на шее красный фуляр; когда же он долго пил, нищенствовал, хворал, он был обмотан в яркое тряпье. Японский художник Фужита прогуливался в домотканом кимоно. Диего Ривера потрясал лепной мексиканской палкой. Его подруга, художница Маревна (Воробьева-Стебельская), любила пестро одеваться, голос у нее был громкий, пронзительный. Поэт Макс Жакоб жил на другом конце Парижа — на Монмартре; он приходил днем в вечернем костюме, блистала белоснежная манишка; в глазу всегда был монокль. Индеец с перьями на голове показывал всем свои пастели. Негритянка Айша, откидывая назад большую голову, покрытую черно-синими жесткими кудряшками, бурно хохотала, в полумраке сверкали ее зубы. Скульптор Цадкин появлялся в рабочей спецовке, его сопровождал огромный датский дог, славившийся крутым нравом. Натурщица Марго по привычке раздевалась; однажды она мне сказала, что ее мечта — стать королевой; я удивился, она объяснила: «Дурачок! Ведь королеву каждому хочется изнасиловать...» Неизменно в самом темном углу сидели Кремень и Сутин. У Сутина был вид перепуганный и сонный; казалось, его только что разбудили, он не успел помыться, побриться; у него были глаза затравленного зверя, может быть, от голода. Никто на него не обращал внимания. Можно ли было себе представить, что о работах этого тщедушного подростка, уроженца белорусского местечка Смиловичи, будут мечтать музеи всего мира?..

Дуэль между Кислингом и Готтлибом. Один из секундантов Диего Ривера. Дружеский шарж на Л. М. Козинцеву-Эренбург. Рисунок М. Ларионова.

Помню, как Давид Петрович Штеренберг привел в «Ротонду» А. В. Луначарского. Я сидел с ними за одним столиком. Луначарский хвалил рисунки Стейнлена, говорил, что Франц Штук — художник упадочный, но интересный. Я не соглашался, Стейнлен мне казался незначительным, а Штук — дурным и безвкусным декадентом, но мне было с Анатолием Васильевичем уютно: я почувствовал себя в Москве. Когда он ушел, Либион сказал мне: «Я не думал, что у тебя есть порядочные знакомства. Этот господин — твой земляк? Он может тебе помочь стать на ноги...»

Рассказывая о живописности посетителей «Ротонды», я должен признаться, что не отставал от других. Еще в период «Клозери де лиля» я выглядел несуразно. С. И. Толстая вспоминает, что Алексей Николаевич послал открытку в кафе, поставив вместо моей фамилии: «Au monsieur mal coiffé» — «Плохо причесанному господину»,— и открытку передали именно мне. А в «Ротонде» я совсем обосячился. Волошин в газетной статье 1916 года описывал «болезненного, плохо выбритого человека с очень длинными и очень прямыми волосами, спадающими несуразными космами, в широкополой фетровой шляпе, стоящей торчком, как средневековый колпак, сгорбленного, с плечами и ногами, ввернутыми внутрь». Макс уверял, что мое «появление в других кварталах Парижа вызывает смуту и волнение прохожих. Такое впечатление должны были производить древние цинические философы на улицах Афин и христианские отшельники на улицах Александрии».

Завсегдатаи «Ротонды» были неизвестны за ее пределами. Но Пикассо уже знали, о нем иногда писали в газетах; Либиону рассказали, что картины Пабло покупает «русский князь Шукэн» (Щукин), и он почтительно здоровался: «Добрый день, господин Пикассо!»

Пабло жил на Монмартре, потом перебрался на Монпарнас, снял мастерскую недалеко от «Ротонды». Я никогда не видал его пьяным. Он выглядел юношей; любил проказничать. Однажды он пришел с Диего, рассказал, что они исполнили серенаду под окнами Гийома Аполлинера: «Mère de Guillaume Apollinaire». В переводе это означает «мать Аполлинера», но по-французски звучит не вполне благозвучно.

Жизнь в «Ротонде» была, скорее, однообразной; порой приключались события, о которых несколько дней говорили. Кислинг и Готтлиб дрались на дуэли, одним из секундантов был Диего; о дуэли пронюхали журналисты, и на один день все газеты занялись «Ротондой». Среди посетителей кафе было много скандинавов; Либион для них выписывал иностранные газеты. Шведы пили больше всех, это были идеальные клиенты. Помню, рядом со мной сидел художник-швед; он то и дело заказывал двойную порцию коньяка; на столике красовался столб блюдечек. Коньяк не мешал шведу внимательно читать «Свенска дагблад»; газета закрывала его лицо. Вдруг газета упала — оказалось, что швед умер. Пришла полиция; мы молча отправились по домам. Однажды испанец, огромный детина, разъярился, схватил мраморный столик за ножку и начал им размахивать, кричал, что сейчас перебьет всех — ему опротивела жизнь. Мы отступили к стойке. У Либиона был твердый принцип: никогда не звать полицию. Испанец неожиданно улыбнулся, поставил столик на место и сказал: «А теперь можно выпить за жизнь номер два...»

При всем этом «Ротонда» была не притоном, а кафе; там владельцы картинных галерей назначали свидания художникам, ирландцы обсуждали, как им покончить с англичанами, шахматисты разыгрывали длиннейшие партии. Среди последних помню Антонова-Овсеенко; перед каждым ходом он приговаривал: «Нет, на этом вы меня не поймаете, я стреляный...»

В конце 1914 года из Италии приезжал в Париж брат Модильяни — социалист, депутат парламента. Эммануеле Модильяни был против вступления Италии в войну; в «Ротонде» он назначил свидание Ю. О. Мартову и П. Л. Лапинскому. Говорили, что он очень огорчился, увидав своего брата в безумном состоянии, и приписал это дурным знакомствам, «Ротонде».

Между тем «Ротонда» не могла никого лишить душевного спокойствия, она просто притягивала к себе людей, спокойствия лишенных. Журналисты не знали, о чем мы беседуем; порой они описывали драки, попойки, самоубийства. Дурная слава «Ротонды» росла. Во время войны я увидел за соседним столиком молодую скромную женщину, по ее виду было ясно, что она попала на Монпарнас случайно. Она робко заговорила со мной; оказалось, она модистка, приехала на один день в Париж из Пуатье и захотела познакомиться с жизнью художников. Я ей объяснил, что я не художник, а русский поэт. Это ей показалось еще более романтичным. Она меня проводила до гостиницы и попросила разрешения посмотреть, как я живу. Мои мысли были заняты художницей Шанталь, и я сухо сказал, что должен работать. «Вы работайте, а я тихонько посижу...» Она ужаснулась беспорядку в моей комнате, все прибрала; достала из шкафа рваные носки, заштопала, пришила пуговицы к рубашкам и ушла довольная — познакомилась с бытом богемы. А я сидел в холодной комнате и сочинял стихи:

> В колбасной дремали головы свиньи,
> Бледные, как дамы,
> Из недвижных глаз сочилось уныние
> На плачущий мрамор.
> Если хотите, я подарю вам фаршированного борова
> Или бонбоньерку с видами Реймского собора...

Я рассказываю о «Ротонде», и невольно вспоминаются анекдотические эпизоды; между тем все было куда печальней и куда серьезней. Модильяни по вечерам рисовал в кафе портреты, рисовал на почтовой бумаге, иногда двадцать рисунков подряд. Но ведь не поэтому он стал Модильяни. Работали мы не в «Ротонде», а в нетопленых мастерских, на чердаках, в грязных меблирашках, именуемых гостиницами. Мы приходили в «Ротонду» потому, что нас влекло друг к другу. Не скандалы нас привлекали; мы даже не вдохновлялись смелыми эстетическими теориями; мы просто тянулись друг к другу: нас роднило ощущение общего неблагополучия.

Я напишу о Пикассо, Модильяни, Леже, Ривере. Сейчас мне хочется забежать вперед, понять, что тогда приключилось с нами и с тем искусством, которым мы жили.

Итальянские футуристы предлагали сжечь музеи. Модильяни отказывался подписать их манифест, он не скрывал любви к старым мастерам Тосканы. Пикассо с восхищением говорил то о Греко, то о Гойе, то о Веласкесе. Макс Жакоб мне читал стихи Рютбефа. Никто из нас не отрицал старого искусства; но часто мы мучительно думали, нужно ли теперь искусство, хотя без него не могли прожить и дня.

В «Ротонде» собирались не адепты определенного направления, не пропагандисты очередного «изма»; нет ничего общего между сухим и бескрасочным кубизмом, которым увлекался тогда Ривера, и лирической живописью Модильяни, между Леже и Сутиным. Потом искусствоведы придумали этикетку «парижская школа»; пожалуй, вернее сказать — страшная школа жизни, а ее мы узнали в Париже.

Революция, которую произвели импрессионисты, а потом Сезанн, ограничивалась живописью. Мане был в жизни не бунтовщиком, а светским человеком. Сезанн видел только природу, холст, краски. Когда во время дела Дрейфуса Франция кипела, он недоумевал, как может его былой товарищ Золя интересоваться подобными пустяками. Мятеж художников и связанных с ними поэтов в годы, предшествовавшие первой мировой войне, носил другой характер, он был направлен не только против эстетических канонов, но и против общества, в котором мы жили. «Ротонда» напоминала не вертеп, а сейсмическую станцию, где люди отмечают толчки, неощутимые для других. В общем, французская полиция уж не так ошибалась, считая «Ротонду» местом, опасным для общественного спокойствия...

И. Эренбург в мастерской художника Федера.

Марк Шагал. Автопортрет. 1914 г.

Гийом Аполлинер. Шарж Макса Жакоба.

Г. Аполлинер после фронта. 1916 г.

Макс Жакоб. Портрет Модильяни. 1916 г.

Диего Ривера. Портрет Модильяни.

Как то бывает всегда, одни из участников бунта потом отошли или в изменившейся обстановке потускнели, исчезли из виду, другие — Модильяни, Гийом Аполлинер — рано умерли, третьи пронесли исступление тех лет через всю свою жизнь, их биография шла в ногу с историей века.

Самое трудное для писателя — придумать заглавие книги; обычно заглавия или претенциозны, или носят чересчур общий характер. Но заглавием «Стихи о канунах» я доволен куда больше, чем самими стихами. Годы, о которых я теперь пишу, были действительно канунами. О них многие говорят как об эпилоге. Есть белые ночи, когда трудно определить происхождение света, вызывающего волнение, беспокойство, мешающего уснуть, благоприятствующего влюбленным,— вечерняя это заря или утренняя? Смешение света в природе длится недолго — полчаса, час. А история не торопится. Я вырос в сочетании двойного света и прожил в нем всю жизнь — до старости...

22

Не знаю почему, в ту пору я больше дружил с художниками, чем с поэтами. Может быть, потому, что язык живописи интернационален, а может быть, просто потому, что художники больше часов просиживали в «Ротонде».

В начале 1914 года кто-то из художников подозвал меня к столику в темном углу «Ротонды»: «Я тебя познакомлю с Аполлинером». Я тогда увлекался этим поэтом, пробовал перевести несколько его стихотворений. Вот начало одного:

> Долина осенью пышна, но ядовита,
> И медленно бредут по ней коровы,
> Вбирая темный и тягучий яд.
> От крокусов долины той лиловой,
> Как крокус, пышен и лилов твой взгляд,
> И в жизнь мою из глаз твоих струится
> Такой же медленный и страшный яд...

Легко догадаться, как я волновался. Я ничего не мог выговорить, и даже не следил за беседой, а на Аполлинера глядел, видимо, с таким

восхищением, что он смеясь сказал: «Я не красивая девушка, а мужчина средних лет». Он не походил на завсегдатаев «Ротонды», ничего не было экзотичного в одежде или в поведении, говорил громко, смеялся и, хотя он был поляком Вильгельмом Костровицким, который родился в Риме, походил на добродушного фламандца. Была в нем восторженность, которую потом я увидел, пожалуй, только у чешского поэта Незвала.

Несколько раз я встречал его в «Ротонде». Он любил пошутить, однажды предложил нам написать мистерию о змее, яблоке и Пикассо. Пабло, как суеверный испанец, не мог спокойно слушать слово «змея» и делал под столом магические знаки, чтобы отогнать беду.

Стихи Аполлинера мне казались чересчур гармоничными, я его перевел в классики и жаловался Диего Ривере: «Аполлинер — это Гюго, Пушкин. Он пишет: «Сладкий Пан, любовь и Христос умерли. Кошки мяукают тоскливо. И я не в силах сдержать своих слез». Диего отвечал: «Это потому, что Аполлинер — француз, то есть он поляк, но пишет по-французски...» (Я не раз давал себе слово — не написать ни одной строки по-французски и выполнил это.) А к стихам Аполлинера я был несправедлив: он был не только большим поэтом, но и человеком нового века, чуть припудренным серебряной пылью древних европейских дорог.

В начале войны он пошел добровольцем на фронт; сначала прославлял войну, потом увидел ужас окопной жизни и написал об этом. Весной 1916 года снаряд разорвался возле окопа, осколок пробил шлем, и Аполлинер был тяжело ранен в голову. Сильные головные боли и паралич левой части тела потребовали трепанации черепа. Здоровье Аполлинера было подорвано, и в ноябре 1918 года, за два дня до конца войны, он умер от «испанки» — злостной формы гриппа.

Когда я начал работать над воспоминаниями, мне принесли из библиотеки связку книг о поэтах первой четверти века, среди них оказалась книга писем поэта Макса Жакоба. В 1915 году он писал Гийому Аполлинеру, старшине артиллерийской бригады: «У нас довольно крупный русский поэт Илья Эренбург; он перевел мне свои стихи. Он считает себя учеником Жамма, но он больше напоминает тебя или Гейне. У него в стихах нечто вроде Страшного суда: идут за стариком, который сидит в кафе,— разве вы не знаете, что пришел Страшный суд? Нужно идти! А старик отвечает: «Что там? Страшный суд? Не могу — меня к ужину ждут...» Не все его стихи достигают подобной силы, но хотелось бы побольше поэтов, таких сильных, как этот человек...» Максу Жакобу я тогда казался сильным, но это была сила отрицания, сам я часто думал о своей слабости.

Макс Жакоб сказал, что хочет перевести несколько моих стихотворений на французский язык. Работали мы у него; он жил на Монмартре, в маленькой комнате. По-прежнему он приходил в «Ротонду» чрезвычайно элегантным, а возвращаясь домой, снимал выходной костюм, аккуратно складывал его в сундук и облачался в замызганную курточку.

(В конце 1917 года в Москве я получил письмо от Макса Жакоба;

он сообщал, что переводы моих стихов читали на вечере современной поэзии в «Осеннем салоне». Я не ответил — мы жили в разных мирах...)

Были у Макса Жакоба некоторые черты, сближавшие его с другим Максом — Волошиным: оба, помимо поэзии, занимались живописью, оба обожали игру, дурачества, мистификацию. Когда Макс Жакоб попал под машину и «скорая помощь» отвезла его в госпиталь, он умолял, чтобы врачи предупредили его дочь, хотя никакой дочери у него не было. Он принял католичество: уверял, что к нему являлись Христос и Мария. Не знаю, что было от веры, что от игры. Он мне вполне серьезно рассказывал, что Богоматерь, явившись к нему, сказала (на арго): «Макс, ты паскудный...» Крестным отцом был Пикассо.

Подлинной страстью Макса Жакоба было искусство; он писал стихи нежные и насмешливые, то обличал самодовольных буржуа, то по-детски исповедовался, предвидел взлет физики, астрономии, обладал необыкновенным воображением и чувствительностью, которая позволяла ему многое предугадать: писал, что министры и эстеты ведут абстрактные разговоры о чистом искусстве, о величии Франции, а над ними оловянное небо, изрезанное молниями.

Много лет он прожил в аббатстве на Луаре; там его застала вторая мировая война. Вскоре Максу пришлось надеть на себя желтую звезду — он был евреем. Он писал друзьям печальные письма: знал, что ему предстоит. Однажды к нему приехал Поль Элюар, участник Сопротивления: он хотел рассказать Жакобу, чем молодая поэзия Франции ему обязана.

В январе 1945 года парижское радио передало, что немцы убили Макса Жакоба. Потом я узнал подробности его смерти. В начале 1944 года немцы увезли Макса на пересыльный пункт Дранси. Оттуда евреев отправляли в Освенцим (там погибли все родственники Жакоба). Максу было шестьдесят восемь лет; он заболел и умер в Дранси; спасшиеся рассказывали, что умирал он достойно, стараясь приподнять и пригреть других.

23

Редко я беседовал с Модильяни без того, чтобы он не прочитал мне несколько терцин из «Божественной комедии»: Данте был его любимым поэтом. В «Стихах о канунах» есть стихотворение, помеченное апрелем 1915 года:

> Ты сидел на низенькой лестнице,
> Модильяни.
> Крики твои — буревестника...
> А масленый свет приспущенной лампы,
> А жарких волос синева!..
> И вдруг я услышал: страшного Данта —
> Загудели, расплескались темные слова...

Данте не только грозен; я вспоминаю строки из «Чистилища»; поэт и его спутник, поднявшись в гору, присели и тихо смотрят на пройденный путь. Мне хочется посидеть сейчас с живым Модильяни (с Моди — так называли его друзья). Из него сделали героя ходкого фильма, написали о нем несколько пошлых романов. Разве постановщик фильма мог спокойно посидеть на каменной ступеньке и задуматься над петлями чужой для него дороги?..

Так создалась легенда о голодном, беспутном, вечно пьяном художнике, о последнем представителе богемы, который в редкие часы между двумя попойками писал своеобразные портреты, умер в нищете, а после смерти стал знаменитым.

Все здесь правда, и все ложь. Правда, что Модильяни голодал, пил, глотал зернышки гашиша; но объяснялось это не любовью к распутству или к «искусственному раю». Ему вовсе не хотелось голодать, он ел всегда с аппетитом, он и не искал мученичества. Может быть, больше других он был создан для счастья. Он был привязан к сладкой итальянской речи, к мягкому пейзажу Тосканы, к искусству ее старых мастеров. Он не начал с гашиша... Конечно, он мог бы писать портреты, которые нравились бы и критикам и заказчикам; у него были бы деньги, хорошая мастерская, признание. Но Модильяни не умел ни лгать, ни приспосабливаться; все встречавшиеся с ним знают, что он был очень прямым и гордым.

Я видел его в тяжелые дни и в дни просветов; видел спокойным, чрезвычайно вежливым, гладко выбритым, с бледным, чуть голубоватым лицом, с мягкими, ласковыми глазами; видел и неистового, обросшего черной щетиной — этот Модильяни пронзительно вскрикивал, как птица; может быть, как альбатрос; я ведь в стихах припомнил буревестника не ради аллегории.

(Модильяни любил стихотворение Бодлера об альбатросе, над которым потешаются матросы,— «крылатый путник жалок на земле...».)

Я сказал, что он был красив; женщины на него заглядывались; красота его мне всегда казалась итальянской. Он был, однако, сефардом — так называют потомков евреев, которые после изгнания из Испании поселились в Провансе, в Италии, на Балканах.

Как-то я зашел с Модильяни в кафе на бульваре Пастер; он перед этим работал, был спокоен. За соседним столиком почтенные люди играли в карты. Я переписывал стихи, которые мне показал Моди, и ничего не слышал. Вдруг Модильяни вскочил: «Заткни глотку! Я — еврей, и я могу с тобой поговорить. Понимаешь?..» Картежники молчали. Модильяни заплатил за кофе и громко сказал: «Жаль, что мы залезли в это кафе, сюда ходят свиньи...» Когда мы вышли, я спросил, что же говорили за соседним столиком. «То самое,— ответил Моди.— Обидно, что мажешь кистью,— ведь еще триста лет придется бить морду...»

Он мне рассказывал, что его дедушка был римлянином, хотел разводить лозу и купил маленький участок; но по закону евреям было запрещено владеть землей; рассердившись, дед перекочевал в Ливорно, где с давних пор проживало много еврейских семейств. Моди прочитал мне итальянские сонеты Иммануила Римского, еврейского поэта XIV

Анна Ахматова. Рисунок Модильяни. Париж. 1911 г.

столетия,— издевательские, горькие и полные в то же время восхищения жизнью. Модильяни мне рассказал, как некогда римляне праздновали карнавал: еврейская община обязана была поставлять еврея-рысака, который раздевался догола и под улюлюканье веселящейся толпы, епископов, послов, дам трижды рысью обегал город. (Я тогда написал об этом поэму.)

Познакомился я с Модильяни в 1912 году; он уже был старым парижанином. При одной из первых встреч он нарисовал мой портрет; все нашли его очень похожим. Потом он часто меня рисовал; у меня была папка с его рисунками. (Летом 1917 года я с группой политических эмигрантов возвращался в Россию. В Англии нам объявили, что нельзя вывозить ни рукописей, ни рисунков, ни картин, ни даже книг. Я отобрал то ценное, что у меня было,— натюрморт Пикассо, «Эду» Баратынского с его надписью, рисунки Модильяни — и оставил чемоданчик на временное хранение в посольстве Временного правительства. Правительство действительно оказалось временным, а чемодан пропал навсегда.)

Комната, где живет Анна Андреевна Ахматова, в старом доме Ленинграда, маленькая, строгая, голая; только на одной стене висит портрет молодой Ахматовой — рисунок Модильяни. Анна Андреевна рассказывала мне, как она в Париже познакомилась с молодым чрезвычайно скромным итальянским юношей, который попросил разрешения ее нарисовать. Это было в 1911 году. Ахматова еще не была Ахматовой, да и Модильяни еще не был Модильяни. Но в рисунке (хотя по манере он отличается от более поздних рисунков Модильяни) уже видны точность линий, их легкость, поэтическая убедительность.

Герой фильма и романов — это Модильяни в минуту отчаяния, безумия. Но ведь Модильяни не только пил в «Ротонде», не только рисовал на бумаге, залитой кофе, он проводил дни, месяцы, годы перед мольбертом, писал маслом ню и портреты.

Меня всегда удивляла его начитанность. Кажется, я не встречал другого художника, который так любил бы поэзию. Он читал на память и Данте, и Вийона, и Леопарди, и Бодлера, и Рембо. Его холсты не случайные видения — это мир, осознанный художником, обладавшим необычайным сочетанием детскости и мудрости. Когда я говорю «детскость», я, конечно, не думаю об инфантильности, о естественном неумении или нарочитом примитивизме; под детскостью я понимаю свежесть восприятия, непосредственность, внутреннюю чистоту. Все его портреты похожи на модели — сужу по тем, которых я знал,— Зборовского, Пикассо, Диего Риверу, Макса Жакоба, английской писательницы Беатрис Хестингс, Сутина, поэта Франса Элленса, Дилевского, наконец, жены Моди — Жанны. Он никогда не увлекался аксессуарами или чем-либо внешним; его холсты раскрывают природу человека. Диего Ривера, например, грузен, почти дик; Сутин хранит трагическое выражение непонимания, постоянную тоску о самоубийстве. Но удивительно, что различные модели Модильяни схожи между собой; их объединяет не затверженная манера, не внешние приемы письма, а мироощущение художника. Зборовский, с его лицом доброй лохматой овчарки, растерянный Сутин, нежная Жанна в рубашке, девочка, старик, натурщица, какой-то усач — все они похожи на обиженных детей, хотя у некоторых бороды или седые волосы. Мне думается, что жизнь представлялась Модильяни огромным детским садом, устроенным очень злыми взрослыми.

Конечно, в легенде есть правда, и легко понять, что биография Модильяни может прельстить сценариста. Недавно я прочитал в газете, что небольшой портрет работы Модильяни был продан на аукционе в Америке за сто тысяч долларов. За всю свою жизнь Модильяни не израсходовал и четверти этой суммы. Сколько раз я видел, как старая Розали, владелица крохотной итальянской харчевни на улице Кампань-Премьер, получала от Модильяни рисунок за кусок мяса или за порцию макарон; она не хотела брать, но он настаивал — он не нищий; и Розали, глядя на листочки бумаги, испещренные тонкими разорванными линиями, горестно вздыхала: «Бог ты мой...» Правда и то, что его не понимали даже просвещенные ценители живописи. Для тех, кому нравились импрессионисты, Модильяни был несносен равнодушием к свету, четкостью рисунка, произвольным искажением натуры. Все говорили о кубизме; художники, порой одержимые идеей разрушения, были в то же время инженерами, архитекторами, конструкторами; а для любителей кубистических полотен Модильяни был анахронизмом.

Биографы отмечают, что 1914 год был для Модильяни удачным: он нашел торговца картинами Зборовского, который сразу понял и полюбил его работы. Но Зборовский сам был неудачником: молодой польский поэт приехал в Париж, мечтал о рейсе на волшебную Цитеру и оказался на мели — перед чашкой кофе в «Ротонде». Денег у него не было; он жил с женой в маленькой квартире; Модильяни там часто работал. А Зборовский брал под мышку его холсты и с утра до ночи рыскал по Парижу, тщетно пытаясь соблазнить работами итальянского художника настоящих торговцев картинами.

Правда, наконец, то, что Модильяни порой овладевали беспокойство, ужас, гнев. Помню ночь в захламленной мастерской; было много народу — и Диего Ривера, и Волошин, и натурщицы. Модильяни был очень возбужден. Его подруга Беатрис Хестингс говорила с резко выраженным английским акцентом: «Модильяни, не забывайте, что вы джентльмен, ваша мать — дама высшего общества...» Эти слова действовали на Моди, как заклинание; он долго сидел молча; потом не выдержал и начал ломать стену; расковырял штукатурку, пробовал вытащить кирпичи. Его пальцы были в крови, а в глазах было такое отчаяние, что я не выдержал и вышел на грязный двор, заваленный обломками скульптуры, битой посудой, пустыми ящиками.

В годы войны он часто приходил вечером в столовку, где ужинали художники; сидел на ступеньке внутренней лестницы; иногда декламировал Данте, иногда говорил о бойне, о гибели цивилизации, о поэзии, обо всем, кроме живописи. Одно время он увлекался пророчествами французского медика, жившего в XVI веке, — Нострадамуса. Он уверял меня, что Нострадамус с точностью предугадал Французскую революцию, триумф и разгром Наполеона, конец папского государства, объединение Италии; приводил еще не осуществленные предсказания: «Вот мелочь — республика в Италии... А вот и поважнее — людей отправят в изгнание на острова, к власти придет жестокий властелин, посадят в тюрьму всех, кто не научится молчать, и людей начнут истреблять...» Вытаскивая из кармана растрепанную книжку, он начинал выкрикивать: «Нострадамус предвидел военную авиацию. Скоро всех людей, которые посмеют не вовремя улыбнуться или заплакать, пошлют на полюс — одних на Северный, других на Южный...»

Когда пришли первые известия о революции в России, Моди прибежал ко мне, обнял меня и начал восторженно клекотать (порой я не мог понять, что именно он говорит).

В «Ротонду» стала приходить молоденькая девушка Жанна, похожая на школьницу; у нее были светлые глаза, светлые волосы, она робко поглядывала на художников. Говорили, что она учится живописи. Незадолго до моего отъезда в Россию я увидел на бульваре Вожирар Модильяни с Жанной. Они шли, взявшись за руки, и улыбались. Я подумал: наконец-то Моди нашел свое счастье...

Я приехал снова в Париж в мае 1921 года. Мне стали поспешно рассказывать все новости. «Как, ты не знаешь, что Модильяни умер?..» Я ничего не знал о друзьях по «Ротонде». Моди всегда кашлял, мерз; открылся процесс в легких; организм был истощен. Он умер в госпитале в начале 1920 года. Жанны на кладбище не было; когда друзья после похорон вернулись в «Ротонду», они узнали, что час назад Жанна выбросилась из окна. Осталась маленькая дочь Моди — тоже Жанна.

Вот и все. Похоронили Модильяни в складчину. Год спустя в Париже открылась выставка его работ. О нем писали книги; на его картинах наживались. Впрочем, это настолько обычная история, что о ней не стоит много говорить...

В различных музеях мира — в Нью-Йорке и в Стокгольме, в Париже и в Лондоне — я встречался с Модильяни. Он писал иногда ню, но большинство его работ — портреты. Он создал множество людей; их печаль, оцепенение, их затравленная нежность и обреченность потрясают посетителей музея.

Может быть, иной ревнитель «реализма» скажет, что Модильяни пренебрегал природой, что у женщин на его портретах чересчур длинные шеи или чересчур длинные руки. Как будто картина — это анатомический атлас! Разве мысли, чувства, страсти не меняют пропорций? Модильяни не был холодным наблюдателем; он не разглядывал людей со стороны, он с ними жил. Это портреты людей, которые любили, томились, страдали; и даты — не только вехи пути художника, это вехи века: 1910—1920. Смешно говорить, что Модильяни не знал, сколько позвонков приходится на шею,— он этому учился много лет в художественных училищах Ливорно, Флоренции, Венеции. Он знал и другое: например, сколько лет в одном таком году, как 1914-й. И если менялись, казалось бы вековые, понятия человеческих ценностей, как мог художник не увидеть изменившимся лицо своей модели?

Холсты Модильяни о многом расскажут последующим поколениям. А я гляжу, и передо мной друг моей далекой молодости. Сколько в нем было любви к людям, тревоги за них! Пишут, пишут — «пил, буянил, умер»... Не в этом дело. Дело даже не в его судьбе, назидательной, как древняя притча. Его судьба была тесно связана с судьбами других; и если кто-нибудь захочет понять драму Модильяни, пусть он вспомнит не гашиш, а удушающие газы, пусть подумает о растерянной, оцепеневшей Европе, об извилистых путях века, о судьбе любой модели Модильяни, вокруг которой уже сжималось железное кольцо.

24

Лето 1914 года началось для меня хорошо. Я написал несколько стихотворений, которые показались мне менее подражательными, чем прежние (я их включил потом в книгу «Стихи о канунах»).

Лето было необычайно ясным, жарким, с редкими сильными ливнями. Все буйно цвело. Неожиданно я получил деньги из двух редакций и решил направиться в Голландию — ведь не запасаться же зимним пальто! Меня соблазняли и живопись Рембрандта, и описания своеобразного быта, и приветливые голландки в белых чепчиках, фотографии которых висели в «Бюро путешествий».

(Мне странно теперь представить себе, что можно было отправиться в другую страну, не заполнив анкеты, не проводя недели в ожидании —

впустят или не впустят; но слово «виза» я услышал впервые во время войны; прежде не спрашивали даже паспорта — на границе в вагон приходили только таможенники.)

Голландия оказалась тихой и живописной. Чепчики были действительно белыми; действительно кружились крылья ветряных мельниц; крестьяне медленно покуривали длинные глиняные трубки; выхоленные коровы меланхолично жевали нежно-зеленую траву, а к утреннему завтраку неизменно подавали сыр. Словом, путеводитель, которым я обзавелся в Париже, меня не обманул.

Повсюду были музеи, и утром, проглотив побольше бутербродов с сыром, чтобы не обедать, я направлялся в какой-либо музей. Обычно голландскую живопись определяют как сугубо реалистическую, говорят, что она вдохновлялась повседневной жизнью. Сюжеты картин как бы подтверждают такие суждения: портреты, жанровые сцены, пейзажи с обязательным в этой стране сочетанием плоской земли, воды и неба, натюрморты. Но в Италии музей не отделен от улицы, на которой он помещается, искусство там сливается с окружающей жизнью. А в Голландии меня удивил разрыв между искусством прошлого и действительностью. Крестьяне были вполне деловитыми; биржа Амстердама казалась национальным институтом, в будни все читали биржевые бюллетени, а в воскресенье — молитвенники; пляж возле Гааги был заполнен тучными дамами. Среди всего этого стояли здания музеев, и там висели полотна Рембрандта, как они висели в Лувре и в Эрмитаже.

Я спрашивал себя, чем объяснить такой разрыв. Кажется, голландские художники и три века назад жили в куда большем внутреннем отъединении, чем итальянцы; выполняя заказы, изображая всем понятные жанровые сцены, они вдохновлялись живописным мастерством. В 1914 году слово «формализм» применялось только к «человеку в футляре»; но, выражаясь по-теперешнему, скажу, что старые голландцы мне показались формалистами. Я восхищался ими, но, выходя из музея, думал о своем.

Все это не относится к Рембрандту: от него я не мог оторваться, он меня заражал своим беспокойством. Видимо, он не жил в стороне от людей; его страстность смущала, а порой и возмущала современников. Вряд ли и другим художникам XVII века нравились негоцианты или епископы; но процветающим купцам нравились холсты художников, за картины хорошо платили, ими украшали дома. Теперь именем Рембрандта называют и улицы, и гостиницы, и марки сигар. А при его жизни было не то — имущество художника описывали, продавали с торгов; бывали годы, когда никто не стучал молотком в дверь его дома.

Я бродил вдоль каналов, мимо опрятных домов и думал о судьбе художника, не обращая внимания на прохожих. Может быть, это в климате Голландии? Недавно я читал письма Декарта к Гезу де Бальзаку. Декарт писал, как он проводит время в Голландии (он прожил в этой стране двадцать лет): «Каждый день я прогуливаюсь среди множества людей и чувствую такую же свободу, такой же отдых, как вы, когда вы гуляете по вашим аллеям, и люди, которых я встречаю, для меня те же деревья, которые вы видите в вашем лесу...» Я вспомнил и потому о Декарте, что в то время впервые начал его читать, думал о существенности сомнений: «Я мыслю, следовательно, я существую».

Был жаркий день; я шел, как всегда, по улицам Амстердама, не вглядываясь в лица прохожих; внезапно что-то меня озадачило; все взволнованно читали газеты, говорили громче обычного, толпились возле табачных лавок, где были вывешены последние известия. Что приключилось? Я попытался понять сообщения; повсюду повторялось одно слово «oorlog» * — оно не походило ни на немецкие, ни на французские слова. Сначала я решил вернуться в гостиницу и почитать Декарта, но мною овладело беспокойство. Я купил французскую газету и обомлел; я давно не читал газет и не знал, что происходит в мире. «Матэн» сообщала, что Австро-Венгрия объявила войну Сербии, Франция и Россия собираются сегодня объявить о всеобщей мобилизации. Англия молчит. Мне показалось, что все рушится — и беленькие уютные домики, и мельницы, и биржа...

Я попробовал обменять русские деньги — у меня было двадцать рублей; но в банках отвечали, что со вчерашнего дня меняют только золотые монеты. На гостиницу денег не хватило, я оставил там вещи и побежал на вокзал.

В ночь на второе августа я добрался до последней бельгийской станции — во Францию поезда больше не шли. Бельгийцы отвечали, что их страна при любых условиях останется нейтральной (немцы вторглись в Бельгию на следующий день). Нужно было перейти пешком границу. Светало. Мы шли между золотых тяжелых колосьев, потом был зеленый луг; пели жаворонки. Мои попутчики молчали. По пустой дороге прошло стадо, звенели бубенцы коров. Наконец вдали показался человек — это был французский часовой; он зачем-то выстрелил в воздух, и среди тишины сельского утра выстрел меня потряс: я вдруг понял, что моя жизнь раскололась на две части. Какие-то солдаты нестройно затянули «Марсельезу». Навстречу шли немцы и немки, с ребятишками, с тяжелыми узлами — они пробирались в Германию. Часовой как-то неопределенно — не то осуждающе, не то беспечно — сказал: «Вот и война!..»

В последний раз я оглянулся назад — на белую пустую дорогу, на стадо коров, на бельгийскую деревушку. Я не знал, что через несколько дней деревню сожгут и по дороге двинутся к югу германские дивизии, не знал, что война надолго (все говорили «месяц, может быть, два»), но чувствовал, что в мире все перевернулось. Теперь я знаю: как бой часов обозначает условное начало нового года, бесцельный выстрел часового где-то возле Эркелинн обозначил начало нового века.

Я навсегда запомнил тот летний день. Часто говорят, что значит в жизни человека первая любовь. А то была первая настоящая война — и для меня, и для людей, меня окружавших. Сорок четыре года — немалый срок; участники франко-прусской войны успели умереть или

---

* Война (голландск.)

одряхлеть; над их рассказами молодые смеялись. Никто из нас не знал, что такое война.

Ко второй мировой войне долго готовились, успели привыкнуть к тому, что она неизбежна; накануне Мюнхенского соглашения французы увидали генеральную репетицию: проводы запасных, затемнение. А первая мировая война разразилась внезапно — затряслась земля под ногами. Только много недель спустя я вспомнил, что «Эко де Пари» призывала вернуть Эльзас и Лотарингию, что еще в России на собраниях я клеймил союз Франции с царем — «царь получил аванс под пушечное мясо», что владелец булочной много раз говорил мне: «Нам нужна хорошая, настоящая война, тогда сразу все придет в порядок». А когда я проезжал через Германию, я видел заносчивых немецких офицеров. Все готовилось давно, но где-то в стороне, а разразилось внезапно.

Меня взяли зуавы в свою теплушку. (Прежде я видел надписи на вагонах: в России — «40 человек, 8 лошадей», во Франции — «36 человек» и никогда не задумывался, о каких «людях» идет речь.) Было тесно, жарко. Поезд шел медленно, останавливался на разъездах, дожидаясь встречных эшелонов. На станциях женщины провожали мобилизованных; многие плакали. Нам совали в вагон литровые бутылки с красным вином. Зуавы пили из горлышка, давали и мне. Все кружилось, вертелось. Солдаты храбрились. На многих вагонах было написано мелом: «Увеселительная экскурсия в Берлин».

Французские солдаты были в нелепой старой форме: синие мундиры, ярко-красные штаны. Война еще рисовалась такой, какой ее изображали старые баталисты: вздыбленные кони, знаменосец на холмике, генерал машет рукой в белой перчатке. Рассказывали множество историй — то хвастливых, то комических. Никогда не рождается столько басен, как в первые недели войны; тогда я этого не знал и всему верил. Одни говорили, что французы заняли Мец, что убита тысяча немцев, что русские казаки несутся к Берлину; другие уверяли, будто немцы вторглись во Францию, подходят к Нанси, Англия объявила о своем нейтралитете, потоплен французский крейсер, царь в последнюю минуту сговорился с Вильгельмом. Никто ничего не знал. Зуавы горланили, пели песни, то жалостливые, то ернические.

Северный вокзал в Париже походил на табор. На перронах ели, спали, целовались, плакали.

Я пошел к русским друзьям. Все кричали, никто никого не слушал. Один повторял: «Франция — это свобода, я пойду воевать за свободу...» Другой уныло бубнил: «Дело не в царе, дело в России... Если пустят — поеду, нет — запишусь здесь в добровольцы...»

Трудно рассказать, что делалось в те дни. Все, кажется, теряли голову. Магазины позакрывались. Люди шли по мостовой и кричали: «В Берлин! В Берлин!» Это были не юноши, не группы националистов, нет, шли все — старухи, студенты, рабочие, буржуа, шли с флагами, с цветами и, надрываясь, пели «Марсельезу». Весь Париж, оставив дома, кружился по улицам; провожали, прощались, свистели, кричали. Казалось, что человеческая река вышла из берегов, затопила мир.

Когда я ночью валился измученный на кровать, в окно доносились те же крики: «В Берлин! В Берлин!»

Я не мог оторваться от вороха газет; перечитывал все, хотя повсюду было одно и то же: политические оттенки исчезли. Жореса убили, но его товарищи писали, что нужно воевать против германского милитаризма. Жюль Гед требовал войны до победного конца. Эрве, который славился тем, что его газета «Ля герр сосиаль» призывала солдат не повиноваться генералам, писал: «Это справедливая война, и мы будем сражаться до последнего патрона». Немецкие социал-демократы проголосовали за военные кредиты. Бетман-Гольвег назвал соглашение о соблюдении нейтралитета Бельгии «клочком бумаги». Бельгийский король призвал защищать родину; у него было симпатичное лицо, и все газеты печатали его портреты. Льеж героически сопротивлялся. Анатоль Франс попросил, чтобы его отправили на фронт,— ему было семьдесят лет; его оставили, конечно, в тылу, но выдали солдатскую шинель. Томас Манн, прославляя подвиги германской армии, вспоминал о Фридрихе Великом: «Это война всей Германии». Газеты сообщали из Петербурга об общем подъеме. Группа эсдеков и эсеров призывала эмигрантов записаться добровольцами во французскую армию: «Мы повторим жест Гарибальди... Если падет Вильгельм, рухнет в России ненавистное нам самодержавие...»

Я разворачивал «Патри» и жадно искал ответа. А кругом кричали, плакали, пели «Вперед, отечества сыны!..».

Я жил в маленькой дешевой гостинице «Ницца» на бульваре Монпарнас. Незадолго до войны хозяин гостиницы женился на милой эльзаске, почти девочке. Его призвали на четвертый или пятый день. Он собрал старых постояльцев (все они были русскими эмигрантами): П. Л. Лапинского, Ю. О. Мартова, меня — и попросил нас помочь его молодой жене, если ее будут обижать как бывшую немецкую поддан-

Французский солдат. Акварель И. Эренбурга. 1914 г.
Раненые солдаты в ожидании поезда в Россию. 1914 г. Открытка.
Анри Барбюс.
Солдаты в окопах. Рисунок Ф. Леже. 1916 г.

ную (особенно его волновало, что к жене приехал погостить брат, мальчишка лет пятнадцати, не знавший французского языка, который застрял в Париже); хозяин распорядился, чтобы с нас не брали денег за комнаты до конца войны.

Я встретил художника Леже, он сказал, что его призвали, направляют в саперный полк, завтра он уезжает. Я машинально спросил, как прошла выставка. Он усмехнулся и махнул рукой.

Ко мне пришел мой друг Тихон Иванович Сорокин с последними новостями: завтра во Дворце инвалидов начинается запись иностранных добровольцев. Он пойдет с утра.

Тяжелее всего было сидеть и смотреть, как уезжают другие. Я сказал Тихону: «Я тоже пойду...» Он долго мне говорил о значении этой войны для России. Разговора я не помню; помню только, что, уходя, он сказал: «Ну, ты, брат, просто с ума спятил...»

Мыслить я не мог и, следовательно, если Декарт прав, уже не существовал.

25

Большая площадь перед Дворцом инвалидов была заполнена людьми; колоннами выстроились итальянцы, поляки, греки, испанцы, румыны с флагами, с плакатами; было много русских — одни с трехцветными флагами, другие с красными. Образовалась первая военная очередь; если задуматься над судьбой добровольцев, можно сказать, что это была очередь на смерть; но все были веселы, пели, задорно кричали: «В Берлин!» Дни стояли знойные; люди пили лимонад и, вытирая потные лица, снова начинали петь.

Я был в хвосте и дошел до стола, где сидел усатый майор, только под вечер. Военный врач мрачно на меня посмотрел, приставил к сердцу трубку и крикнул: «Следующий!» Я думал, что мне сейчас выдадут красные штаны, но сержант меня обругал: «Ты что, . . ., по-французски не понимаешь?» Оказалось, меня забраковали. Какие изъяны во мне обнаружил военный врач, не знаю; может быть, я показался ему чересчур дохлым — нельзя безнаказанно в течение трех или четырех лет

предпочитать стихи говядине. Я убежден, что, если бы меня осмотрели на несколько месяцев позднее, я был бы признан вполне годным: стоит любому товару, в том числе пушечному мясу, стать дефицитным, как люди перестают привередничать.

В толпе я увидел многих знакомых — и русских эмигрантов, с которыми встречался в библиотеке Гобелен, и завсегдатаев «Ротонды». Я тогда не был знаком с В. Г. Финком, а он, наверно, стоял в той же колонне, что и я.

Вечером в «Ротонду» пришел Кислинг в военной форме. Либион его обнял, выставил всем шампанское; мы выпили за победу.

Тихон сказал мне, что его направляют в Блуа — там будут обучать добровольцев. Я ему позавидовал: хуже всего в такие дни быть зрителем. Мы провожали добровольцев, пели «Марсельезу», «Смело, товарищи, в ногу», какие-то сентиментальные куплеты.

Тогда вообще много пели — и на вокзалах, и на улицах, и в кафе. Очевидно, у войны свои законы: в первые недели все поют, пьют, плачут, ругаются и еще ловят шпионов. Меня несколько раз водили в полицию — из-за фамилии; каждый раз приходилось доказывать, что хотя я действительно Эренбург, но все же не немец. Рассказывали множество невероятных историй — о том, как немецкий разведчик был задержан в дамском платье, когда вывозил какие-то секретные планы, как в Елисейском дворце обнаружили кладовку, где прятался шпион с фотоаппаратом. Повсюду были надписи: «Молчите! Остерегайтесь! Вас слушают вражеские уши».

Разгромили молочные «Магги». Арестовали графа Карольи, хотя он выступал против Габсбургов. Людей лихорадило. Все жаждали победы и уверяли друг друга, что через несколько дней будет взят Страсбург.

Вдруг по городу поползли зловещие слухи: битва проиграна, армия в беспорядке отступает, немцы идут на Париж.

Под вечер прилетел немецкий самолет — скорее для устрашения, чем для уничтожения. Немцы его называли «Taube» — «голубь»; меня больше всего удивляло это название — ведь голубку мира придумал не Пикассо, это очень старая история о большом потопе, о маленьком ковчеге и о ветке маслины, которую голубь принес в клюве отчаявшимся людям. Парижане весело кричали: «Тоб» летит!», выбегали на улицу, жадно вглядывались в небо — все это было внове...

В богатых кварталах шли путевые сборы; из домов выносили большие сундуки; горничные и лакеи впопыхах говорили: «В Ниццу...», «В Тулузу...», «В По...» Потом позакрывались ставни, стало тихо. Правительство уехало в Бордо.

«Здорово они нас предали!» — это можно было услышать повсюду. Одни обвиняли Пуанкаре, другие — Кайо, третьи — генералов. Сводки напоминали «герметическую поэзию» — их могли расшифровать только посвященные; но, помимо сводок, имелись другие источники информации — привозили раненых, появились первые дезертиры; они рассказывали, что у немцев куда больше артиллерии, все потеряли голову, полки перемешались. Люди, обожающие стратегию, говорили, что генеральный штаб наделал глупостей — пошли зачем-то в Эльзас, а левый фланг остался неприкрытым...

Ночь позднего лета, горячая, темная. Я стою возле «Клозери де лиля». Все на улицах: идут солдаты — с юга на север, от Порт д'Орлеан к Восточному вокзалу. Женщины их обнимают, плачут, кричат: «Спасите!..» На штыках георгины, астры. Песни, слезы, маленькие бумажные фонарики. Я стою всю ночь, и всю ночь мимо проходят солдаты. Нет, люди зря паникуют, у французов еще много резервов!.. Но почему они отступают? Ничего нельзя понять — ни сводок, ни песен, ни слез...

Исчезли такси — генерал Галлиени их реквизировал, чтобы подбросить подкрепление на Марну; это тоже было новшеством — о моторизованной пехоте еще никто не мечтал. Техники было меньше, но не воображения: все рисовалось грандиозным, апокалипсическим.

Утром пришел убирать комнату брат хозяйки Эмиль. Хотя он был эльзасцем, но не скрывал своей любви к кайзеру. Русских он ненавидел; он говорил мне, что я ничего не умею делать, таковы все русские, нужно навести в России порядок. Я над ним посмеивался — мальчишка (ему еще не было пятнадцати лет). На этот раз он чуть ли не замахнулся на меня половой щеткой и торжествующе сказал: «Немцы в Мо! Завтра они будут в Париже...» Я ему не поверил, но все же выбежал и купил газету; сводка, как всегда, была туманная. Я дошел до «Ротонды». Либион сидел мрачный, даже не поздоровался со мной. Прибежал знакомый поляк и, задыхаясь, шепнул: «Они в Мо...»

Я помнил Мо, я там как-то был с Катей, это в тридцати километрах от Парижа... Черт возьми, почему военный врач придрался к моему сердцу? Я могу хорошо ходить, даже бегать.

Дальнейшее известно: началось контрнаступление; при битве на Марне погиб поэт Шарль Пеги; немцы отошли и окопались. (Потом я увидел деревянный крест с надписью «Лейтенант Шарль Пеги», а рядом столбик «34» — тридцать четыре километра от Парижа.)

В соборе Парижской Богоматери состоялось торжественное богослужение. Молившиеся кричали: «Да здравствует Господь Бог! Да здравствует Жоффр!» Кого это могло тогда рассмешить? Разве что химер, но, будучи каменными, они сидели и молча думали, как им положено.

Немцы отступили не так уж далеко; газеты, желая рассеять опасный оптимизм, писали: «Нужно помнить, что немцы в Нуайоне». Нуайон был в девяноста километрах от Парижа. «Немцы в Нуайоне» стало присказкой, но она мало-помалу теряла силу — жизнь вступала в свои права.

Я по-прежнему прочитывал десятки газет: может быть, кто-нибудь на свете мыслит, следовательно, существует? Я искал, что говорят писатели. Меня не удивили воинственные речи Киплинга, Гауптмана, Лоти. Я смеялся над оперными выступлениями Д'Аннунцио, который требовал крови. Но и другие — Верхарн, Анатоль Франс, Мирбо, Уэллс, Томас Манн — повторяли то же, что говорили Пуанкаре или фон Бюлов. В некоторых газетах были белые пятна — статьи или сообщения, зачеркнутые цензурой (французы почему-то называют цензуру женским именем — Анастасия). Эти белые пятна меня несколько обнадеживали — кто-то знает правду, но не может ее высказать.

С тех пор прошло много лет, много событий — фашизм, вторая мировая война, Освенцим, Хиросима; смятение, овладевшее мною осенью 1914 года, может показаться наивным. Однако первый убитый потрясает человека, дотоле не нюхавшего пороху, больше, чем впоследствии зрелище страшного поля боя. Блок писал еще в 1911 году:

> И отвращение от жизни,
> И к ней безумная любовь,
> И страсть и ненависть к отчизне...
> И черная, земная кровь
> Сулит нам, раздувая вены,
> Все разрушая рубежи,
> Неслыханные перемены,
> Невиданные мятежи...

Я сидел часами над ворохом газет; все было покрыто туманом лжи, свирепости, глупости.

Конечно, первая мировая война была черновиком. Различные правительства выпускали сборники документов — «белые книги», «желтые», «синие»,— пытались доказать, что не они начали войну. Немцы, разрушая Реймсский собор, ратушу Арраса или средневековый рынок Ипра, уверяли, что они неповинны в вандализме. Четверть века спустя бомбардировочная авиация перестала заглядывать в историю искусств. Немцы, французы, русские возмущались дурным обращением с военнопленными; никому не могло прийти в голову, что в годы следующей войны фашисты будут преспокойно убивать всех неработоспособных. Немцы в американских газетах негодовали: войска великого князя Николая Николаевича насильственно эвакуируют польских евреев. Гиммлеру тогда было четырнадцать лет, он гонял собак и не думал об организации Освенцима или Майданека. 22 апреля 1915 года немцы впервые применили удушливые газы. Это показалось всем неслыханным; и действительно, это было зверством. Разве мы могли вообразить, что такое атомная бомба?..

(Впрочем, немецкие шовинисты уже тогда показали, что будущее будет ужасающим. В 1950 году известный датский микробиолог, профессор Мадсен — ему было восемьдесят лет,— рассказал мне о примечательном случае, относящемся ко времени первой мировой войны. Мадсен работал в датском Красном Кресте и осматривал продовольственные посылки, которые направлялись из Германии немецким военнопленным в Россию. В одной из посылок он обнаружил бациллы, предназначавшиеся для заражения рогатого скота. Мадсен добавил, что он убежден в непричастности высшего германского командования к этой попытке бактериологической войны — посылка, по его мнению, была индивидуальным актом.)

Я помню, как смеялись над газетой «Матэн», которая сообщила, что русские находятся в пяти переходах от Берлина; но все спокойно читали в той же газете, что «гений Гёте сродни удушливым газам». Товарищ привез с фронта немецкую газету, я прочитал в ней, что русские — это «печенеги», вся культура России создана немцами, а коренное ее население способно выполнять только грубую физическую работу.

Кто-то дал мне книжку французской баронессы Мишо. Она изобрела новый термин «жидо-боши»; главным «жидо-бошем», по ее словам, был закоренелый враг Франции поэт Гейне. Баронесса также обличала Ромена Роллана и Георга Брандеса. Вскоре после этого фронтовик показал мне номер мюнхенской газеты, где какой-то журналист доказывал, что Яльмар Брантинг и Бласко Ибаньес, проявляющие симпатии к Франции, «полуевреи».

Я вдруг понял, что хотя Декарт высказывал очень умные мысли, не они определяют духовную жизнь миллионов людей. Выросший на идеях XIX века, я преувеличивал роль философов и поэтов; то, что мне казалось вошедшим в плоть и кровь общества, было только костюмом. Пиджаки сменили на френчи, гуманизм — на кровожадность, декартовские сомнения — на добровольный отказ от какого-либо мышления.

Как-то пришел ко мне мой сосед, польский социалист Павел Людвигович Лапинский, попросил перевести заметку, напечатанную в итальянской газете. (Италия еще была нейтральной, и в итальянских газетах можно было найти многое, неизвестное во Франции.) В заметке говорилось, что французский генеральный штаб по требованию владельцев лотарингских шахт запретил артиллерии обстреливать шахты, захваченные немцами. Павел Людвигович сказал: «Людей они не жалеют, а свое добро берегут...» Он объяснил мне, что использует сообщение для русской социалистической газеты «Наше слово», которая выступает против войны. Потом он регулярно приносил мне эту газету; тон статей напомнил мне эмигрантские собрания. Павел Людвигович говорил, что все происходящее основано на обмане, а долго обманывать народы капиталистам не удастся. Иногда я с ним соглашался, иногда начинал спорить. Война мне казалась отвратительной; я ненавидел и владельцев шахт, и Пуанкаре, и богомольных дам, раздававших солдатам ладанки, все лицемерие и трусливость тыла; но одновременно я повторял про себя стихи Шарля Пеги:

> Блаженны погибшие в большом бою
> за четыре угла родимой земли...

Эти «четыре угла» не позволяли мне до конца согласиться с Павлом Людвиговичем. Он мне очень понравился; мы подружились, часто по ночам беседовали. Иногда я встречал у него известного меньшевика Юлия Осиповича Мартова, человека привлекательного, мягкого, честнейшего. Меня он удивлял своей нежизненностью, книжностью. Он был подавлен крахом Второго Интернационала, кашлял, ходил в худом пальто, мерз и, как Лапинский, старался убедить не столько меня, сколько себя, что «расплата неизбежна» (вряд ли он догадывался, какой будет эта расплата). Несколько раз я разговаривал с В. А. Антоновым-Овсеенко; он горячился: «Обман, надувательство, безобразие, бойня — это им не сойдет!» — и снимал очки; его близорукие глаза были на редкость добрыми. В редакцию «Нашего слова» входили также Д. З. Мануильский и С. А. Лозовский.

Я не понимал ни событий, ни других людей, ни самого себя.

Жан Ришар Блок был одним из чистейших людей, которых я встретил в жизни; познакомился я с ним позднее — в двадцатые годы — и потом еще расскажу о встречах с ним; теперь я хочу сослаться на него как на свидетеля. Недавно опубликована его переписка с Роменом Ролланом в годы первой мировой войны. Жану Ришару было в 1914 году тридцать лет, его сразу призвали, он был трижды ранен. Ромен Роллан был на восемнадцать лет старше, находился в Женеве и писал статьи «Над схваткой». В первые месяцы войны Ромен Роллан писал своему младшему другу, что не хочет огульно обвинять всех немцев, что он дорожит духовным единством Европы, что лучше всего будет, если война закончится вничью. Жан Ришар в своих письмах говорил о зверствах немцев, об их одичании, верил, что это — последняя война,— стоит разбить кайзеровскую Германию, как восторжествует мир, свобода, счастье. Вероятно, Ромен Роллан видел происходившее куда яснее, он ведь был если не на горной вершине, то в стороне от катаклизма; но мне было понятнее смятение Жана Ришара Блока. Я как-то раздобыл «Журналь де Женев» со статьей Ромена Роллана, прочитал и обрадовался — хорошо, что где-то уцелел хороший, умный человек, который может говорить все, что думает! Но я чувствовал, что если до Нуайона действительно девяносто километров, то нейтральная Швейцария — на другой планете.

(Барбюс в начале войны думал и переживал события, как Жан Ришар Блок. Книга Ромена Роллана вызвала нападки шовинистов и сочувственные отклики людей, не потерявших головы, но никого не поколебала. «Огонь» Барбюса был продиктован не раздумьями одинокого человека, а горем людей, их гневом — он родился в крови, в грязи окопов; и эта книга сыграла огромную роль в отрезвлении миллионов людей.)

26

Война стала позиционной. В окопах продрогшие солдаты искали на рубашках вшей. Начался тиф. Шли атаки и контратаки за обладание знаменитым «домом паромщика». В Аргоннском лесу саперы закладывали мины. Сводка была короткой, а тысячи людей каждый день умирали.

Приходили письма от Тихона. Мы узнали, что русские добровольцы попали в Иностранный легион; унтер-офицеры грубы, называют добровольцев «метеками» (презрительная кличка иностранцев), говорят, что «метеки едят французский хлеб». (Как будто фронт в Шампани напоминал ресторан!)

История добровольцев, пошедших с флагами и песнями защищать Францию, трагична. Иностранный легион до войны состоял из разноплеменных преступников, которые меняли свое имя и, отбыв военную службу, становились полноправными гражданами. Легионеров отправляли обычно в колонии усмирять мятежников. Понятно, какие нравы царили в легионе. Русские (в большинстве политические эмигранты, евреи, покинувшие «черту оседлости» после погромов, студенты) настаивали, чтобы их зачислили в обыкновенные французские полки; никто их не хотел выслушать. Издевательства продолжались. 22 июня 1915 года добровольцы взбунтовались, избили нескольких особенно грубых унтер-офицеров. Военно-полевой суд приговорил девять русских к расстрелу. Военный атташе русского посольства А. А. Игнатьев, возмущенный несправедливостью, добился отмены приговора, но слишком поздно. Русские умерли с криком: «Да здравствует Франция!»

Об этом мне рассказал один из добровольцев, которого я встретил в «Ротонде» (он потерял на фронте ногу, и его освободили от дальнейшей службы). Признаюсь, впервые я подумал о военном враче, забраковавшем мое сердце, без обиды...

В Париже (хотя до Нуайона было всего девяносто километров) жизнь казалась крепко налаженной. Клемансо обличал Пуанкаре, Бриан, который был прекрасным оратором, произносил блистательные речи. Снова открылись театры; сначала ставили патриотические пьесы в пользу раненых солдат; потом перешли на обыкновенные комедии и мелодрамы. До войны дамы приглашали на «чай-танго». В начале войны начались «чай-вязание» — дамы собирались, чтобы посплетничать, и при этом вязали солдатские фуфайки. Кондитеры делали шоколадные конфеты в форме снарядов; ювелиры продавали брошки — золотые пушки; почтовая бумага для нежных цидулок была украшена трехцветными флагами.

Молоденькая жена владельца гостиницы, где я жил, начала пускать на час проституток с клиентами; смущенно улыбаясь (ей было двадцать лет), говорила: «Ничего не поделаешь — война...» Солдатам давали время от времени отпуск на шесть дней. Возле Восточного вокзала бродили тысячи проституток — ожидали отпускников. В газетах печатались объявления о каких-то чудодейственных панцирях, которые предохраняют солдат от пули. Озлобленные женщины искали «укрывающихся» в тылу; раз при мне человек, преследуемый двумя женщинами, которые не верили, что он инвалид, вынул из орбиты искусственный глаз. По тротуарам прыгали одноногие инвалиды. В кабаре пели куплеты о герое, который убил сто бошей и переспал с сотней красоток.

Мобилизованных художников отправили камуфлировать грузовые машины; оказалось, что для камуфляжа нужно разбивать плоскость, и по улицам шли грузовики, напоминавшие полотна кубистов.

Денег у меня не было; частные переводы из России не разрешались. Я работал ночью на товарной станции Монпарнас — помогал выгружать снаряды. (Там врачи не осматривали нанимающихся.) Рабочие вначале надо мной подтрунивали; я ходил в высокой шляпе, и они меня прозвали «шляпой» — впрочем, по-французски это не звучит обидно. Работали старики, больные; я с ними подружился; во время перерыва в полночь мы ели — это называлось «завтраком», и рассказывали смешные истории. Утром я шел в гостиницу и полдня спал, потом отправлялся в «Ротонду».

Многие из завсегдатаев «Ротонды» были на фронте: Леже, Кислинг, Гийом Аполлинер, Блез Сандрар, Глез. Диего Ривера хотел пойти добровольцем, но его не взяли, как меня, объяснили, что его ноги никуда не годятся. «Ротонда» и до войны была тем местом, где катастрофичность выдавалась каждому посетителю вместе с чашкой кофе; естественно, что когда смутные предчувствия стали будничным бытом Европы, Пикассо был этим менее удивлен, чем булочница, у которой он покупал хлеб. Булочница была вдовой, детей у нее не было; она приспособилась к войне, но вдруг начинала всхлипывать: «Нет, вы скажите, кто это придумал?.. Они все сошли с ума, вот что я вам скажу, и если мне кто-нибудь объяснит, почему они стреляют, я ему дам сейчас же двадцать франков! А вы знаете, сколько теперь стоит килограмм масла?..» Пикассо как будто знал заранее все, что должно было произойти. Он много работал; под вечер приходил в «Ротонду». Я встречался с ним, с Диего Риверой, с Модильяни. Я был измучен ночной работой, читал Достоевского и апокрифы, писал стихи, которые становились все более и более исступленными. Случайному посетителю могло показаться, что «Ротонда» расположена в нейтральном государстве, а на самом деле «Ротонда» жила в ощущении катастрофы еще задолго до 2 августа 1914 года. В 1913 году мы все читали поэму Блеза Сандрара «Проза сибирской магистрали и маленькая Жанна». Сандрар писал: «Я видел тихие эшелоны, черные эшелоны, они возвращались с Дальнего Востока, как призраки. Мой глаз их сопровождал — фонарь последнего вагона. На станции Тайга сто тысяч раненых лежали в агонии. В Красноярске я видел лазареты. Я видел эшелон потерявших рассудок. Пожар был на всех лицах, пожар занимался во всех сердцах...»

(Удивительным человеком был Блез Сандрар! Его можно было бы назвать романтическим авантюристом, если бы слово «авантюрист» не утратило своего подлинного значения. Сын шотландца и швейцарки, замечательный французский поэт, оказавший влияние на Гийома Аполлинера, человек, узнавший все профессии, исколесивший весь мир, он был дрожжами своего поколения. Когда ему было шестнадцать лет, он отправился в Россию, потом в Китай, в Индию, вернулся в Россию, уехал в Америку, в Канаду; был добровольцем в Иностранном легионе, потерял на войне правую руку; побывал в Аргентине, в Бразилии, в Парагвае; был истопником в Пекине, бродячим жонглером во Франции, снимал с Абелем Гансом фильм «Колесо», покупал в Персии бирюзу, занимался пчеловодством, работал трактористом, написал книгу о Римском-Корсакове; никогда я не видел его опустошенным, оробевшим, отчаявшимся.)

Начали налетать «цеппелины». В лунные ночи большой воздушный корабль повисал над городом; в него стреляли, но он едва шевелился — противовоздушная оборона была слабой. Мы любовались и ругались. Потом нас начали загонять в метро. Я впервые услышал крик сирены, и опять-таки больше всего меня поразило название: сирены Эллады очень нежно пели, именно пением они сводили с ума мореплавателей, и хитроумный Одиссей заткнул воском уши своих товарищей; а у сирен двадцатого века препротивный голос, их песни я слушал потом не раз и в Испании, и в Париже, и в Москве. Войны не походили одна на другую, но сирены в 1941 году выли точно так же, как в 1915-м. В метро было шумно, как на ярмарке; продавали китайские орешки и портреты Жоффра. Влюбленные целовались — глупо было терять время из-за каких-то «цеппелинов»... Утром мы глядели на распотрошенные дома; среди мусора валялись семейные портреты, осколки посуды, сплющенная детская кровать. Соседи стояли, рассказывали о жертвах, плакали. Смерть начала казаться старой знакомой.

Была среди завсегдатаев «Ротонды» художница Васильева; она занималась живописью, а кроме того, делала куклы — любители их покупали. Это была энергичная, общительная женщина; во время войны она организовала столовую, где художники могли дешево обедать. Иногда в столовой собирались вечером, пили, декламировали стихи, пророчествовали и просто кричали. Я порой приходил туда и, как все, прорицал или ругался.

Почти каждую ночь я еще ходил на товарную станцию и выгружал боеприпасы. Пуанкаре торговался с Сазоновым, кому достанется Константинополь. Павел Людвигович рассказал мне о Циммервальдской конференции. Газеты по-прежнему лгали, но я их больше не читал. Я жадно слушал рассказы отпускников, читал Кеведо, протопопа Аввакума, Вийона, Блока. Я окончательно отощал, ходил черт знает в чем. Клемансо продолжал обличать Пуанкаре. В сводках повторялись названия тех же деревень. Женщины плакали. Мне чудился трупный запах — война загнивала.

27

Фернан Леже приехал с фронта в обычный шестидневный отпуск и показал мне рисунки, которые он сделал в окопах. Я не художественный критик, да и пишу я книгу не об искусстве; мне хочется, оглянувшись назад, заглянуть в будущее. Я приведу сейчас то, что я писал

Блез Сандрар. Рисунок Модильяни.

Обнаженная в зеркале. А. Архипенко. 1915 г.

Фернан Леже в своей мастерской.

о военных рисунках Леже в 1916 году; это не оценка историка искусства, а свидетельство современника: «Леже привез с фронта много рисунков. Он рисовал на отдыхе, в землянках, порой в окопах. Некоторые рисунки забрызганы дождем, некоторые разодраны; почти все на грубой оберточной бумаге. Странные, таинственные рисунки. Да, я этого никогда не видел, но мне кажется, что я видел именно это, только это. Леже — кубист, порой он схематичен, порой страшит раздроблением всего, что мы видим, но передо мной — лицо войны. В его рисунках нет ничего личного, нет даже немцев или французов — просто люди. А может быть, нет и людей, люди подчинены машине. Солдаты в касках; крупы лошадей; трубы походных кухонь; колеса орудий, все это — детали механизма. Нет красок: и пушки и лица солдат на войне теряют цвет. Прямые линии, плоскости, рисунки, похожие на чертежи, отсутствие произвольного, увлекательно неправильного. На войне нет места мечте. Хорошо оборудованный завод для уничтожения человечества. Эти листочки — обрывки планов, а срисовал их добродушный нормандец, Фернан Леже...»

Помню один вечер. Мы сидели в «Ротонде», но Леже хотелось поговорить, а кафе во время войны закрывали в десять часов. Мы купили вина и пошли в мастерскую Фернана. Его первая жена, хорошенькая, смешливая Жанна, весело щебетала; она принесла стаканы, банки консервов. Леже вдруг помрачнел: вспомнил, как открывал консервы штыком, испачканным кровью. Выпив красного вина, он оживился, стал рассказывать: «Я там встретил настоящих людей. Кого я знал до войны? Аполлинера, Архипенко, Сандрара, Пикассо, Моди, Макса, тебя. А там я увидел обыкновенных людей. Они и говорят по-другому. Ты знаешь, когда я им сказал, что я живописец, они решили, что я маляр. Вот этим можно гордиться, это тебе не «Ротонда»!..»

Леже потом часто говорил, что война была решающим событием в его жизни, помогла ему найти себя; он говорил даже, что только после войны начал работать самостоятельно.

Я познакомился с Леже задолго до начала войны; он тогда еще жил в «Ля рюш», рядом с Шагалом и Архипенко. Это было время расцвета кубизма, влияние которого было настолько велико, что даже Шагал, этот поэт местечек Белоруссии, много взявший у маляров, расписывавших вывески парикмахерских или фруктовых лавчонок, на короткий срок заколебался.

Леже тогда дружил со скульптором Архипенко, который тоже стал кубистом. Глез, Метценже объясняли философское и эстетическое значение кубизма, говорили об углублении Сезанна, о необходимости разложить формы. Когда я спрашивал Архипенко, почему у его женщин квадратные лица, он улыбался и отвечал: «Гм... Именно потому...» Однажды я остался ночевать в его мастерской — мы выпили слишком много яблочной водки. Я проснулся от лучей солнца. Архипенко крепко спал. Я не хотел его будить и, лежа на полу, разглядывал статуи. Они казались мне гибридами: черт женился на швейной машине. Я тихонько выбежал на улицу и страшно обрадовался, увидев старьевщика, который рылся в мусорном ящике. Кубизм меня и привлекал и страшил.

Леже в ту пору уже был убежденным кубистом. Я сравниваю его работы 1913 года и 1918-го — по-моему, разрыва нет. Вообще в творчестве Леже не было резких поворотов. Он был очень верным; никогда не отступал от своего прошлого; дорожил старыми друзьями. В 1913 году он нанял мастерскую на улице Нотр-Дам-де-шан и там проработал около сорока лет.

Он говорил, что на войне увидел настоящих людей, с ними подружился, но эти люди на его рисунках напоминают детали какой-то чудовищной машины.

Леже не походил на свою живопись; не походил он и на завсегдатая «Ротонды»; в его облике было нечто близкое природе; вероятно, сказалось происхождение, детство — зеленая Нормандия, яблони, коровы, крестьянская семья. У Леже были большие руки; он был высокий, с широкой костью, с медленными движениями. Мне он казался скульптурой, только не из камня, а из теплого, живого дерева.

Его роднила с другими художниками, приходившими в «Ротонду», ненависть к лицемерию, к украшательству, к драпировке старых, затхлых комнат; но он не носил в себе того жестокого, истребляющего огня, который чувствовался в беглом взгляде молодого Пикассо. Леже в молодости хотелось строить, а не разрушать. Он дожил до семидесяти пяти лет, и в его биографии нет катаклизмов, только смена времен года и работа, постоянная, вдохновенная работа.

Некоторые посетители «Ротонды» увлеклись Октябрьской революцией как стихией разрушения. А потом, узнав, что в России не только продолжают учить детей таблице умножения, но и поощряют художников академического толка, вчерашние «большевизаны» (так газеты называли сочувствующих) превратились в противников коммунизма. Леже был человеком другого склада, да и другого калибра. Октябрьскую революцию он приветствовал как начало строительства нового общества, никогда от своих суждений не отрекался и умер коммунистом.

Умер он внезапно. Я был у него за год до его смерти; он показывал новые работы, казался здоровым, бодрым. Работал он до последнего дня и рухнул, как большое, еще зеленое дерево.

Маяковский, который был у него в 1922 году, писал: «Леже — художник, о котором с некоторым высокомерием говорят прославленные знатоки французского искусства,— произвел на меня самое большое, самое приятное впечатление. Коренастый, вид настоящего художника-рабочего, рассматривающего свой труд не как божественно предназначенный, а как интересное, нужное мастерство, равное другим мастерствам жизни».

Это была эпоха «Лефа», конструктивизма, желания стихами покончить с поэзией. Я расскажу в следующей части моей книги о трагическом поединке Маяковского с искусством. А Леже выстоял — у него были удивительно крепкие ноги и хороший, здравый ум. Когда я доходил до «точки», я шел к Леже, а если его не было в Париже, думал о нем: его живучесть помогала жить другим.

Не знаю, от каких «прославленных знатоков» слышал Маяковский пренебрежительные отзывы о работах Леже. В отличие от других посетителей «Ротонды» Леже рано нашел ценителей; в 1912 году он уже подписал договор с торговцем картинами. Конечно, у него как у художника была драма, но другая, чем у Модильяни или у Сутина. Леже покупали любители живописи, а он мечтал о фресках, о керамике, о работе вместе с архитектором, об искусстве для всех. Задолго до «Эспри нуво» Корбюзье, задолго до наших лефовцев он уже говорил об искусстве, связанном с индустриализацией.

Однако, в отличие от лефовцев, Леже признавал самостоятельное значение искусства: в 1922 году, отвечая на анкету журнала «Вещь», он писал: «Плохой художник копирует вещь и пребывает в состоянии уподобления. Хороший художник изображает вещь и находится в состоянии эквивалентности... Я — живописец, и бессмысленно стремиться передать на плоской поверхности объемные формы. Я оставил вещи. Я взял карандаш...»

В 1921 году я написал книгу «А все-таки она вертится», восхвалял машины, индустриальную архитектуру, конструктивизм. Обложку к этой книге нарисовал Леже. Когда я теперь попробовал ее перечитать, многое мне показалось смешным, если не глупым: я в жизни петлял. А путь Леже был прямым, и его рисунок 1921 года связан не только с его ранними рисунками, но и с последними работами.

Драма его была в том, что перед ним были стены гостиных, на которые знатоки вешали его картины, а стен новых общественных сооружений он так и не нашел.

Леже считал, что современная эстетика связана с машиной. Он говорил, что линия теперь важнее цвета. Ему нравился индустриальный пейзаж. Он не раз повторял, что искусство — от Шекспира до Чаплина — живет контрастами. Мне кажется, что есть резкий контраст между мягкостью, лиризмом, человечностью Леже и его художественными убеждениями. Люди на его полотнах часто выглядят роботами, а он ведь ненавидел общество, которое превращает человека в машину.

Еще в давние годы, до первой мировой войны, Леже удивлялся: «Зачем ты ходишь в музеи? Ты — молодой поэт, смотри лучше на самолет, на спортсменов, на заводы, на акробатов в цирке...» Он был исступленным патриотом своего времени; и многие критики его называют наиболее современным художником середины двадцатого века. Не знаю — может быть, я постарел; может быть, напротив, вторая половина нашего века не похожа на годы, когда формировался Леже; но я теперь люблю в искусстве не машины, а то неповторимое, единственное, живое, что отличает одно дерево от другого.

Да, но я говорил не о наших днях, а об эпохе первой мировой войны. Леже и тогда хотел строить, но своей смелостью, своим искусством он помог разрушить многое лицемерное и лживое. Он это делал спокойно, уверенно, без романтических присказок, без внутреннего раздвоения, как архитектор, которому поручили перепланировать город и снести заплесневевшие трущобы.

28

Я рассказал, как я стал поэтом,— это произошло по необходимости. Журналистом я стал случайно — только потому, что рассердился.

Русские газеты во время войны приходили в Париж с опозданием, сразу по десяти номеров. Мне высылали «Утро России». Я получил как-то пачку газет; прочитал сначала о русских делах; потом увидал статью о Париже «от нашего собственного корреспондента». Прочитал и рассердился. Общий дух статьи меня не удивил: я уже знал, что правда — это военная тайна, которую нужно скрывать, а фразы вроде «до победного конца», «священный союз», «нет больше богатых и бедных», «тыл живет фронтом» настолько примелькались, что их перестали замечать. Рассердило меня другое: автор статьи не знает, что военная форма теперь другая; Клемансо в газете «Эвр» не пишет; кафе, которое журналист красочно описывает, давно закрылось. Почему они говорят о «собственном корреспонденте»? Ведь это написано в Москве! (Я был наивен и не знал, как делают газету.)

Я пошел в «Ротонду», попросил бумаги и начал описывать парижскую жизнь. Несколько дней подряд, вместо того чтобы спать, я писал. (Я продолжал ночью возить ручные тележки на товарной станции.) Оказалось, написать статью не так просто; то и дело я сбивался на дурную поэтичность; выходило длинно, сентиментально, да и глуповато. Я начал вычеркивать — получилось сухо. Я написал все заново. Кажется, неделю я строчил. Наконец мне показалось, что мой очерк не хуже тех, которые печатали в газетах, и я его отправил с вежливым письмом в «Утро России». Ответа не последовало. Я решил, что «собственный корреспондент» — приятель редактора. Я с детства был упрямым; я не мечтал о карьере журналиста, мне только хотелось доказать редактору «Утра России», что его «собственный корреспондент» находится не во Франции и что я умею писать не хуже сотрудников этой газеты. Значит, нужно послать статью в другую газету. Тема

Обложка, выполненная Ф. Леже.
Акварель И. Эренбурга.

первого очерка мне показалась устаревшей; с большими усилиями я написал другой; показал Максу Волошину; он посоветовал отправить в вечернее издание «Биржевых ведомостей», там пишут если не свободнее, то, по крайней мере, живее. Название газеты показалось мне обидным; поэт — и вдруг «Биржевые ведомости»! Макс стал объяснять, что ничего тут нет предосудительного. Лучший литературный журнал называется «Меркурий Франции». А Меркурий был богом краснобаев, торговцев, шарлатанов и воров. Как он ни старался, от слова «Биржевка» меня подташнивало; статью я все-таки отослал. Одновременно Макс написал редактору «Биржевых ведомостей» рекомендательное письмо.

Вскоре я получил длиннущую телеграмму: редакция сообщала, что мой очерк напечатан, просила присылать другие и, если это возможно, выехать на фронт в качестве специального корреспондента; гонорар выслан.

Я пригласил Макса, Риверу, Маревну, Шанталь; мы чудесно поужинали в ресторане Бати, а потом пошли к Васильевой.

Я написал новые очерки, и мне показалось, что они лучше первых. Но тут пришла газета с моей статьей. Я так огорчился, что ее тотчас разорвал: статью «выправили» — кое-что выкинули, кое-что добавили; ирония исчезла, осталась одна патока. Удивительно, как действует на человека любая обида, если она внове! Потом он к ней привыкает. А привыкает он решительно ко всему: к нищете, к тюрьме, к войне. Но в первый раз даже незначительное унижение кажется неслыханным. Я ходил и все время думал: наверно, петроградские поэты меня презирают — пишу стихи о канунах и печатаю в «Биржевке» сусальные истории... Макс пытался меня утешить: газета не сборник стихов, а военный цензор вовсе не обязан разбираться в романтической иронии.

Я был в плохом виде: ночная работа, «Ротонда», чтение газет, романы Достоевского и Блуа, стихи превратили меня в неврастеника. А тут еще приключилось глупейшее происшествие.

У меня был грипп; я чихал, обливался потом; Либион посоветовал выпить два или три стакана пунша, причем рома он не пожалел. Я побежал домой за носовыми платками. Открыв шкаф, я обомлел — чужие вещи! Проверил — может быть, я попал в другую комнату? Нет, на столе мои акварели (я увлекался живописью и в свободное время изображал жизнь Вийона, виселицы, солдат, драконов, «Ротонду»). Все же я решил взять носовой платок, но из него выпала сырая отбивная котлета. На меня ползла меховая горжетка. Я кинулся к хозяйке и крикнул ей, что я сошел с ума: у меня галлюцинации. Хозяйка ничуть не удивилась и сказала своему брату (он к этому времени уже научился говорить по-французски): «Эмиль, беги в комиссариат! Пусть сейчас же придут...»

Вместо того чтобы расспросить хозяйку, почему она зовет полицию, я поднялся к себе и, не зажигая света, стал ждать конца. Меня знобило, все в голове путалось. Я знал, что сейчас за мной придут и отвезут в сумасшедший дом.

Полицейские начали описывать содержимое шкафа; я попытался

спросить, что это все означает, но они только усмехнулись. Среди моих рваных рубашек оказалось дамское белье с кружевами, бальные туфли, галстуки, флаконы духов, коньяк, всяческая живность. Описывали они долго, обсуждали, какие кружева, что за мех... Потом дали мне подписать протокол и сказали, что завтра утром я должен явиться в комиссариат. Я побежал к хозяйке, но было поздно — она уже спала. Я понял, что завтра меня посадят — только не в сумасшедший дом, а в тюрьму. Хорошо сидеть за решеткой, когда у тебя нашли прокламации! Но у меня нашли какие-то поганые котлеты... Все-таки я, наверно, спятил — Моди меня как-то угостил гашишем, вот и результаты! Я лежал в полузабытьи; должно быть, температура подскочила. В комнате стоял трупный смрад. Я зажег свет — трупа не было. Вонь усиливалась. Я решил просидеть остаток ночи на лестнице и вдруг увидел круглый сыр камембер — полицейские его не заметили, он выпал из шкафа и закатился под кровать. Я открыл настежь окно, хотя было холодно. Значит, завтра конец: тюрьма за воровство. А может быть, это все-таки галлюцинации?..

Рано утром ко мне пришла хозяйка и первым делом сказала: «Сколько раз я вас просила не оставлять ключ в двери...» На том же этаже, что я, жил русский, кажется скрипач; у него была подруга, молоденькая француженка, которую задержали в универмаге, когда она набивала товарами свою сумку. Ей удалось предупредить своего возлюбленного. Скрипач хотел поскорее освободиться от украденных раньше вещей, знал, что моя дверь всегда открыта, и засунул все в мой шкаф...

В комиссариате меня долго допрашивали, издевались, сказали, что я по меньшей мере соучастник. Выручила меня хозяйка гостиницы — она заявила, что видела, как скрипач выходил из моей комнаты. Меня отпустили, я пошел в «Ротонду» и рассказал Модильяни о происшедшем. Он улыбнулся: «Тебя скоро посадят в Санте — ты хочешь взорвать Францию, это все знают...»

Неделю спустя меня вызвали в префектуру. Я начал говорить, что ни горжетка, ни котлеты не имеют ко мне никакого отношения. Чиновник меня прервал: он не любит, когда его разыгрывают; котлеты его не интересуют; но вот я встречаюсь с господами, которые поддерживают Циммервальдскую конференцию. Интересно, почему корреспондент солидной русской газеты ходит в ободранном костюме и работает на товарном вокзале? Кстати, где теперь находится Альфред Кранц?.. Я не знал никакого Кранца и спросил: «Он художник?» Чиновник усмехнулся: «Вы все художники...» Я понял, что мои дела плохи. Может быть, Нострадамус и не предугадал военной авиации, но Моди — настоящий Нострадамус, он ведь говорил, что меня вскоре арестуют за подрывную деятельность...

Допрос длился все утро, а кончился внезапно: чиновник вдруг посмотрел на часы и сказал, что время обедать; меня вызовут в ближайшие дни.

Только позднее я узнал, почему меня допрашивали. В «Биржевых ведомостях» был напечатан мой очерк о дамах-благотворительницах:

я рассказал, как в церкви Мадлен они устроили крестины солдата-сенегальца, который испуганно спрашивал крестную мать: «А это не больно?..» Военные власти рассердились, узрев в статье издевательство над французской армией. Как ни старались «Биржевые ведомости» придать моим статьям пристойный характер, чувствовалось, что я ненавижу войну. Было решено выслать меня из Франции. Хотя я был эмигрантом, об этом поставили в известность русское посольство. Советник посольства Севастопуло рассказал об инциденте военному атташе. Алексей Алексеевич Игнатьев возмутился; он не имел обо мне никакого представления, но увидел в поведении французских властей умаление престижа России; статья ведь пропущена русской военной цензурой и опубликована в Петрограде. Вопросы печати не входили в обязанности Игнатьева; он вел переговоры с Пуанкаре, с Китченером о координации военных действий, о поставке России вооружения; но он добился отмены высылки.

Я узнал об этом месяц или два спустя, когда решил записаться в Ассоциацию иностранной печати; про то, как меня собирались выслать, мне рассказали корреспонденты «Речи» Дмитриев и «Нового времени» Павловский (тот самый, с которым встречался и переписывался Чехов).

А с Алексеем Алексеевичем Игнатьевым я познакомился двенадцать лет спустя на литературном вечере: бывший царский дипломат, граф Игнатьев стал скромным сотрудником торгпредства в Париже — он любил народ и верил в него. Работу ему дали не по специальности — он помогал устраивать стенды для выставочных павильонов; на него покрикивали люди, куда менее сведущие, чем он. Был он человеком обаятельным и прекрасным рассказчиком; слушая его, Алексей Николаевич Толстой всякий раз изумлялся его таланту. Принимая гостей, Алексей Алексеевич повязывался поварским фартуком и готовил в различных котелках изумительные французские рагу. Почти полвека он прожил душа в душу с бывшей актрисой Наташей Трухановой (этот брак в царское время считался мезальянсом, и графа за него попрека-

А. А. Игнатьев. Париж.

Борис Савинков. Фотография из следственного дела. 1910 г.

ли). Наталья Владимировна ненадолго его пережила. Несмотря на свое происхождение, на то, что он вырос и сформировался в прежней России, Игнатьев был настоящим демократом: он принял революцию не потому, что она сулила сильную Россию, а потому, что она уничтожала сословные и классовые перегородки.

В 1945—1946 годах молодые офицеры часто просили Алексея Алексеевича рассказать им, как проводили досуг офицеры царской России: некоторым казалось, что можно перенять не только погоны... Игнатьев в ответ рассказывал о кастовом чванстве, о порке солдат, о грубости, пьянстве. Помню, как один капитан разочарованно сказал: «Говорит, как агитатор...» А Игнатьев говорил о том, что его волновало и в 1916 году и в 1946-м.

Хорошо, что он написал книгу воспоминаний: история изобилует ущельями, пропастями, а людям нужны хотя бы хрупкие мостики, связывающие одну эпоху с другой.

Больше в префектуру меня не вызывали. Дмитриев направил меня в Дом прессы; там помещалась военная цензура; там же иностранных корреспондентов снабжали документацией и устраивали поездки на фронт. В Доме прессы работал человек, который сразу привлек мое внимание,— О. Милош. У него было северное лицо, легкий иностранный акцент; он родился в Литве, но писал стихи по-французски. Мне говорил о нем Макс Жакоб. О. Милош стал известен только после своей смерти — умер он в 1939 году, и несколько лет спустя впервые были изданы все его произведения. Иногда я разговаривал с Милошем не о газетных делах, а о поэзии, о будущем. Он глядел на меня бледными, как будто выцветшими глазами и тихо, спокойно говорил, что, вероятно, скоро изобретут машины, которые будут писать стихи, и тогда какой-нибудь гениальный мальчик в коротких штанишках повесится на галстуке своего отца от сознания, что не сможет никогда никого тронуть словом. Мне странно было это слышать от человека, который должен был меня наставлять: О. Милош мог бы спокойно перебраться из Дома прессы в «Ротонду».

После многократных заявлений французы повезли меня на фронт с группой журналистов. Для нас выбрали самый спокойный участок, провели быстро по окопам, показали артиллерию; потом мы поехали на командный пункт, где генерал Гуро угостил нас обедом. Все это походило на туристическое турне. (Впоследствии я не раз ездил на фронт, и эти поездки не напоминали первую.)

Шли жестокие бои на Сомме, где находились английские войска. Я начал хлопотать о пропуске. Англичане не спешили с ответом. Наконец меня вызвали в английскую военную миссию и дали подписать длинное заявление, в котором говорилось, что я обещаю не печатать ничего, не ознакомив предварительно с текстом английскую цензуру, что, в случае если меня убьют, мои наследники не будут предъявлять никаких претензий правительству его величества, что я буду подчиняться английским законам, а в случае их нарушения подлежу компетенции английского суда. Мне выдали английскую форму и отвезли в окрестности Амьена; там в комфортабельном доме, недалеко от главной ставки, жили военные корреспонденты — англичане, французы, итальянец Барзини, считавшийся крупным журналистом. По вечерам все пили виски; англичане рассказывали наивные анекдоты или показывали фокусы. Никто нами не занимался: мы могли на попутных машинах добираться до переднего края. Я увидел войну.

Читая в Париже газеты, я все же не мог себе представить, что фронт — это грандиозная машина, планомерно истребляющая людей. Подвиги, добродетели, страдания мало что решали; смерть была механической.

В Кале я увидел, как деловито подготовляют эту смерть. Две тысячи триста автомобильных частей. Цифры, повсюду цифры. «Часть 617 для танка крупного калибра», «Рули 1301 для мотоциклеток»... Выгружали баранов из Австралии, муку из Канады, чай с Цейлона. Выгружали также очередную партию солдат; они растерянно оглядывались. Огромная пекарня пекла в сутки двести тысяч хлебов. Солдаты жевали хлеб. Война пожирала солдат.

На переднем крае не было ничего — ни развалин, ни деревьев, хотя бы обломанных; голая, бурая земля, ровные ряды проволочных заграждений; в окопах копошились люди.

По прифронтовым дорогам двигались большие грузовики; я их увидел впервые; на них везли в окопы солдат, снаряды, мясные туши; на встречных грузовиках лежали раненые. Регулировщики помахивали флажками. Я рассказываю об этом, потому что теперь многие думают, что первая мировая война еще была романтичной...

Вот как я описывал в 1916 году первый танк, который я увидел: «В нем что-то величественное и омерзительное. Быть может, когда-то существовали исполинские насекомые, танк похож на них. Для маскировки он пестро расписан, его бока напоминают картины футуристов. Он ползет медленно, как гусеница; его не могут остановить ни окопы, ни кусты, ни проволочные заграждения. Он шевелит усами; это орудия, пулеметы. В нем сочетание архаического с ультраамериканским, Ноева ковчега с автобусом двадцать первого века. Внутри люди, двенадцать пигмеев, они наивно думают, что они властители танка...» С тех пор не прошло полувека, а танки мне кажутся изобретенными чуть ли не одновременно с порохом. У дипломатов, беседующих о разоружении, имеется термин «классическое вооружение», в отличие от ядерного, и танки, разумеется, стали классиками.

Война оказалась куда страшнее, чем я думал: все было налажено, вычислено. Конечно, в окопах сидели люди, они шли в атаку, умирали, корчились на койках лазарета, агонизировали перед проволочными заграждениями; эти люди, по большей части хорошие, искренне верили, что защищают родину, свободу, человеческие ценности; но они были крохотными деталями гигантской машины. Вскоре научились останавливать танки; а война медленно двигалась, шевеля усами — орудиями, пулеметами,— и никто не знал, как ее остановить.

Я понял, что я не только родился в девятнадцатом веке, но что в 1916 году я живу, думаю, чувствую, как человек далекого прошлого. Я понял также, что идет новый век и что шутить он не будет.

Я вернулся в Париж; вначале мне показалось, что я счастлив: после фронта бульвар Монпарнас с террасами кафе, с зелеными платанами, с беспечными девушками напоминал рай. Я сел за столик — художники, поэты; они говорили о том, что Дягилев заказал декорации Пикассо, о новой книге Поля Клоделя, еще о чем-то. И вдруг мне стало скучно: это не жизнь, а скверная подделка. Настоящая жизнь осталась там, откуда я приехал,— она шарахается от залпа батарей, путается в проклятой проволоке, зарывается в землю, и все-таки это жизнь...

Я попробовал разобраться в своих чувствах, понять себя — неужели и я хлебнул того спирта, который многим ударил в голову? Как будто нет... Война мне казалась преступлением; в то же время я жил войной. Все это было запутано и непонятно; я бросил думать. Мною овладело отчаяние. Я вдруг начинал придумывать бога — не церковного, а какого-то своего, то свирепого, то юродивого. Я писал стихи о том, что в письме к Брюсову называл «свинством». Теперь, когда я думаю о моем прошлом, годы 1914—1919 мне кажутся самыми трудными: я хотел той «общей идеи», о которой писал Чехов, а у меня не было даже ясной мысли, как прожить завтрашний день. Потом я выбрался если не на дорогу, то хотя бы на опушку леса; да и стал менее чувствительным — с годами человек обрастает броней; не случайно многие в ранней молодости пишут стихи и помышляют о самоубийстве.

Художница Шанталь пыталась мне помочь. Она была дочерью рабочего, училась в педагогическом институте и увлеклась живописью. Она тоже не знала, как жить, но она крепко стояла на земле. Когда она видела, что у меня опускаются руки, она говорила о запахе смородиновых почек, о холсте, натянутом на подрамник, о том, что на дворе весна и что мы оба молоды. Я отвечал «да»; потом шел к себе и писал стихи о светопреставлении.

Летом Катя позвала меня отдохнуть на юг Франции в Эз, где она жила со своим мужем Т. И. Сорокиным и моей дочкой Ириной. Тихон Иванович вернулся с фронта инвалидом; он читал Владимира Соловьева и был печален. Я старался быть полезным хотя бы в хозяйстве, научился варить макароны. Как-то Катя уехала в Ниццу и попросила меня уложить девочку. Ирине тогда было пять лет. Когда я начал расстегивать ее платьице, она строго сказала: «Не так... Ты ничего не умеешь делать». Это было правдой: я действительно ничего не умел делать — ни работать, ни писать стихи, ни даже отдыхать. Я вернулся в Париж еще более расстроенным.

Макс Волошин меня познакомил с Б. В. Савинковым. Никогда дотоле я не встречал такого непонятного и страшного человека. В его лице удивляли монгольские скулы и глаза, то печальные, то жестокие, он их часто закрывал, а веки у него были тяжелыми, виевыми. Он стал приходить в «Ротонду»; пил виноградную водку «мар»; одет был, в отличие от других «ротондовцев», корректно, выглядел средним французским буржуа; не снимал с головы котелка. Помню стихи, которые он часто повторял:

Кто-то серый в котелке
Сукин-сынет в уголке...

Борис Викторович был хорошим рассказчиком; слушая его в первый раз, можно было подумать, что он остался боевиком-террористом, завтра вырядится извозчиком и начнет выслеживать царского сановника. На самом деле Савинков ни во что больше не верил. Как-то он сказал мне, что его сломило дело Азефа. До последней минуты он принимал провокатора за героя. Эсеры были встревожены разоблачениями Бурцева, настаивали на проверке. Савинков возмущался: он не позволит чернить благороднейшего человека! Наконец устроили собрание. Азеф, увидав, что дела его плохи, заявил: дома у него документы, опровергающие клевету, через час он их доставит. Все запротестовали: нельзя его выпустить; но Савинков настоял, чтобы одному из старейших членов боевой организации предоставили возможность доказать свою невиновность. Азеф ушел и, разумеется, не вернулся.

Савинков махнул на все рукой и начал писать посредственные романы, показывающие душевную пустоту террориста, разуверившегося в своем деле. Меня всегда поражало, что Борис Викторович считал себя прежде всего боевиком, то есть террористом, а уж потом революционером. В годы войны он стал военным корреспондентом газеты «День», писал о необходимости обороны, восхвалял Гюстава Эрве. Все это было ему самому неинтересно: он оставался безработным террористом.

(У меня был диковинный разговор с левым эсером, террористом Блюмкиным, который убил графа Мирбаха. В начале 1921 года он стоял за Советскую власть. Савинков тогда находился в Париже и поддерживал интервенцию. Узнав, что я еду в Париж, Блюмкин меня спросил, увижу ли я Савинкова. Я ответил отрицательно — наши пути разошлись. Блюмкин сказал: «Может быть, вы его все-таки случайно встретите, спросите, как он смотрит на уход с акта...» Я не понял. Блюмкин объяснил: его интересует, должен ли террорист, убивший политического врага, попытаться скрыться или предпочтительнее заплатить за убийство своею кровью. Бесспорно, встретив Савинкова, он его убил бы как врага; вместе с тем он его уважал как террориста с большим стажем. Для таких людей террор был не оружием политической борьбы, а миром, в котором они жили.)

Савинков рассказывал, как в Севастопольской крепости он ждал казни. Прошлое было освещено мертвым светом разуверения: он говорил, что смерть — дело будничное, неинтересное, как жизнь. Его спас часовой, вольноопределяющийся Зильбеберг.

Зильбеберга повесили. Борис Викторович женился на его сестре. Он любил маленького сына Леву и, говоря о нем, на минуту оживал. Еще он прояснялся, припоминая очень далекое прошлое — детство, русскую природу, ссылку, где он был в ранней молодости вместе с Луначарским и писателем А. М. Ремизовым.

(Во время гражданской войны в Испании я познакомился с сыном Савинкова — Левой. Во Франции он работал шофером грузовика, писал стихи по-русски, рассказы из рабочего быта по-французски.

Один из его рассказов Арагон напечатал в журнале «Коммуна». Лева приехал в Испанию, чтобы сражаться в интербригаде. Люди узнали, что он сын «того самого Савинкова», и, веря, что яблоко падает недалеко от яблони, начали засылать его в тыл франкистов. В отличие от отца, Лева был мягким, общительным. Боевые задания он выполнял мужественно, получил тяжелое ранение и заболел туберкулезом. Вернувшись во Францию, он очень бедствовал. Когда началась война, ушел в партизаны, работал с русскими, убежавшими из лагерей. Я его встретил в Париже в 1946 году; он мечтал уехать в Советский Союз. О его дальнейшей судьбе я не знаю.)

Статьи о битве на Сомме или в Вердене Борис Викторович подписывал, как и романы, псевдонимом «В. Ропшин». В романах он рассказал, что больше не верит в самопожертвование, в военных корреспонденциях, напротив, говорил о величии солдатского подвига, о том, что война возродила людей. Однажды я спросил его, верит ли он в то, что пишет; он усмехнулся, сказал, что я еще очень молод. Я вышел из себя: «Но тогда нужно выть, как собака...» Он опустил свои чугунные веки: «Нет, выть не нужно. Можно написать еще одну статью, вы уже умеете это делать. Можно выпить рюмочку мара, две, только не больше...»

Савинков часто подсаживался к столику, за которым сидела Маревна — так все называли художницу Воробьеву-Стебельскую. Она выросла на Кавказе, попала в «Ротонду» девчонкой; выглядела экзотично, но была наивной, требовала правды, прямоты, честности. Она нравилась Савинкову, но была с ним строга, называла его «старым циником».

А для меня Борис Викторович был частицей военного пейзажа, он напоминал узкую полоску «ничьей земли», на которой нет и травинки, а среди проволоки виднеются поломанные винтовки, каски и останки солдат, не доползших до вражеского окопа.

Я откидывал газету: зачем читать, если все врут? В «Ротонде» обсуждали последние новости. У Дюбуа отняли ногу, Марго собирает деньги на протез. Люси сошла с ума; ее нашли ночью голой на паровозе. Жизнь продолжалась.

Вот и Модильяни! Сейчас он скажет, что все это давным-давно описано в книге Нострадамуса...

30

Я сидел в холодной мастерской Диего Риверы; мы говорили о том, как ловко теперь маскируют и броню танков, и «цели войны». Вдруг Диего закрыл глаза, казалось — он спит; но минуту спустя он встал и начал говорить о каком-то ненавистном ему пауке. Он повторял, что сейчас найдет паука и раздавит. Он пошел прямо на меня, я понял, что паук это я, и убежал в другой угол мастерской. Диего остановился, повернулся, снова пошел на меня. Я видел и до этого Диего в припадках сомнамбулизма, он всегда с кем-то сражался, но на этот раз он хотел уничтожить меня. Будить его было бесчеловечно: у него начиналась после этого невыносимая головная боль. Я кружился по мастерской не как паук, а как муха. Он находил меня, хотя его глаза были закрыты. Я еле выбрался на лестницу.

У Диего была желтая кожа; иногда он засучивал рукав рубашки и предлагал одному из приятелей кончиком спички что-либо написать на его руке или нарисовать; тотчас буквы, линии становились рельефными. (В Ботаническом саду Калькутты я видел тропическое дерево, на его листьях можно тоже написать кончиком спички, написанное постепенно выступает.) Диего говорил мне, что сомнамбулизм, желтая кожа, рельефные буквы — все это последствия тропической лихорадки, которой он болел в Мексике. Я рассказываю об этом потому, что думаю о жизни и об искусстве Диего Риверы: он часто шел на врагов с закрытыми глазами.

Диего любил рассказывать о Мексике, о своем детстве. Он прожил в Париже десять лет, стал одним из представителей «парижской школы»; дружил с Пикассо, с Модильяни, с французами; но всегда перед его глазами были рыжие горы, покрытые колючими кактусами, крестьяне в широких соломенных шляпах, золотые прииски Гуанахуато, непрерывные революции — Мадеро свергает Диаса, Уэрта свергает Мадеро, партизаны Сапаты и Вильи свергают Уэрту...

Слушая Диего, я начинал любить загадочную Мексику; древняя скульптура ацтеков как бы сливалась с партизанами Сапаты. Хулио Хуренито — мексиканец; когда я писал мой роман, я вспомнил рассказы Диего. Мне привелось читать, что Хуренито — портрет Риверы; сбивают некоторые черты биографии — и мой герой и Диего родились в Гуанахуато; Хуренито в раннем детстве отпилил голову живому котенку, желая понять отличие смерти от жизни, а Диего, когда ему было шесть лет, распотрошил живую крысу,— хотел проверить, как рождаются дети. Много других деталей детства Хуренито навеяно рассказами Риверы. Но, конечно, Диего не похож на моего героя: Хуренито думал больше, чем чувствовал, он брал ненавистную ему догму общества и доводил ее до абсурда, чтобы показать, как она порочна. Диего был человеком чувств, и если он иногда доводил до абсурда дорогие ему самому принципы, то только потому, что мотор был силен, а тормозов не было.

Я познакомился с Диего в начале 1913 года; он тогда начинал писать кубистические натюрморты. На стенах его мастерской висели холсты предшествующих лет; можно было различить вехи — Греко, Сезанн. Были видны и большой талант, и некоторая присущая ему чрезмерность. В Париже в начале нашего века был моден испанский художник Зулоага; он стал известен картинами, показывавшими гитан, тореадоров — словом, всего того, что испанцы называют «españolada», «испанщиной» — стилизацией фольклора. Диего на короткий период увлекся Зулоагой; историки искусств даже определяют некоторые холсты Риверы «периодом Зулоаги». К 1913 году он успел с Зулоагой распрощаться.

Незадолго до того он женился на художнице Ангелине Петровне Беловой, петербуржанке с голубыми глазами, светлыми волосами, по-

еверному сдержанной. Она мне напоминала куда больше девушек,
оторых я встречал в Москве на «явках», чем посетительниц «Ротон-
ы». Ангелина обладала сильной волей и хорошим характером, это ей
омогало с терпением, воистину ангельским, переносить приступы гнева
 веселья буйного Диего; он говорил: «Ее правильно окрестили...»

К кубизму различные художники пришли разными путями. Для
Пикассо он был не костюмом, а кожей, даже телом, не живописной
анерой, а зрением и мировоззрением; начиная с 1910 года по наше
ремя, кажется, не было года, чтобы Пикассо наряду с другими рабо-
ами не написал нескольких холстов, которые являются продолжением
го кубистического периода: манера устаревает, но свою природу ху-
ожник изменить не в силах. Для Леже кубизм был связан с любовью
 современной архитектуре, к городу, к труду, к машине. Брак говорил,
то кубизм позволил ему «полнее всего выразить себя в живописи».
Диего Ривере в 1913 году было двадцать шесть лет; но мне кажется, что
н еще не видел своего пути, ведь за год до кубизма он мог восхищаться
Зулоагой. А рядом был Пабло Пикассо... Диего как-то сказал: «Пикассо может не только из черта сделать праведника, он может заставить Господа Бога пойти истопником в ад». Никогда Пикассо не
проповедовал кубизма; он вообще не любит художественных теорий
 приходит в уныние, когда ему подражают. Он и Риверу ни в чем не
убеждал; он только показывал ему свои работы. Пикассо написал
натюрморт с бутылкой испанской анисовой настойки, и вскоре я увидел
такую же бутылку у Диего... Конечно, Ривера не понимал, что подра-
жает Пикассо; а много лет спустя, осознав это, начал поносить «Ротонду» — сводил счеты со своим прошлым.

Кубизм его многому научил; его работы парижского времени мне
 теперь кажутся прекрасными. Он иногда писал портреты; написал
портрет испанского писателя Рамона Гомеса де ля Серна, передал
пестроту и эксцентричность модели (Рамон выступил в Париже с до-

Диего Ривера.
Илья Эренбург. Портрет работы Д. Риверы.
Литография Д. Риверы для «Повести о жизни некой Наденьки» И. Эренбурга. 1916 г.

кладом о современном искусстве, стоя на спине циркового слона). Писал Диего Макса Волошина, скульптора Инденбаума, архитектора Асеведо. Портрет Макса Волошина передавал сочетание семипудового человека с легкостью, несерьезностью порхающей птички; голубые и оранжевые тона; розовая маска эстета из журнала «Аполлон» и вполне натуралистический завиток курчавой бороды фавна.

Позировал Ривере и я. Он сказал, чтобы я читал или писал, но попросил сидеть в шляпе. Портрет — кубистический и все же с большим сходством (его купил американский дипломат; Ривера потом не знал о дальнейшей судьбе этого холста). У меня сохранилась литография портрета. В 1916 году Диего сделал иллюстрации для двух моих книжонок: одну напечатал все тот же неунывавший Рираховский, другая была оттиснута литографским способом — я писал, а Ривера рисовал. Больше всего Диего увлекали натюрморты.

Ривера был первым американцем, которого я узнал. С Пабло Нерудой я познакомился много позднее — в годы испанской войны. Есть между ними нечто общее: оба выросли на искусстве старой Европы, оба потом захотели создать свое национальное искусство и внесли в него некоторые черты Нового Света — силу, яркость, пренебрежение чувством меры (в Америке обыкновенный дождь напоминает потоп). Диего вместе с Ороско создал мексиканскую школу живописи; во фресках Риверы сказались особенности и его характера и характера Америки — стихийность, техническое многообразие, наивность.

Мы подружились; мы были крайним флангом «Ротонды» — знали, что, помимо старого, печального и рассудительного Парижа, имеются другие миры, да и другие пропорции явлений. Диего мне рассказывал про Мексику, я ему про Россию. Хотя он говорил, что перед войной прочитал Маркса, восхищался он приверженцами Сапаты; его увлекал ребячливый анархизм мексиканских пастухов. А в моей голове тогда все путалось — большевистские собрания и Митя Карамазов в Мокром, романы Леона Блуа, этого запоздавшего Савонаролы, и распотрошенные скрипки Пикассо, ненависть к налаженному буржуазному быту Франции и любовь к французскому характеру, вера в особую миссию России и жажда катастрофы. Мы с Диего друг друга хорошо понимали. Вся «Ротонда» была миром изгоев, но мы, кажется, были изгоями среди изгоев.

Ривера часто встречался с Савинковым; от цинизма он был застрахован своей природой, любовью к жизни, а его увлекали рассказы о том, как этот корректный человек в котелке охотился на великого князя, на министров. Помню один вечер в начале 1917 года. Ривера сидел в «Ротонде» с Савинковым и Максом, я — с Модильяни и натурщицей Марго; за соседними столиками Лапинский и Леже о чем-то оживленно беседовали. Когда в десять часов «Ротонду» закрыли, Моди убедил нас пойти к нему.

Я почему-то хорошо запомнил длинный, бессвязный разговор о войне, о будущем, об искусстве. Постараюсь его резюмировать; может быть, отдельные фразы были сказаны и не тогда, но я правильно изложу мысли каждого.

Л е ж е. Война скоро кончится. Солдаты не хотят больше воевать. Немцы тоже поймут, что это бессмысленно. Немцы всегда соображают медленнее, но они обязательно поймут. Нужно будет отстраивать разрушенные области, страны. Я думаю, что политиков прогонят: они обанкротились. На их место посадят инженеров, техников, может быть, и рабочих... Конечно, Ренуар — хороший живописец, но трудно себе представить, что он живет в наше время. Танки — и Ренуар!.. Что должно вдохновлять? Наука, техника, работа. И еще спорт...

В о л о ш и н. По-моему, человеку этого мало. Может ли Европа превратиться в Америку? Война разворотила не только Пикардию, но и нутро человека. Гоббс называл государство «левиафаном». Люди могут стать автоматическими тиграми: у них есть опыт, и они приобрели вкус. Я предпочитаю холсты Леже машинам. Быть рабом неодухотворенных существ меня не соблазняет.

М о д и л ь я н и. Вы все чертовски наивны! Вы думаете, кто-то вам скажет: «Миленькие, выбирайте»? Меня это смешит. Теперь выбирают только самострелы, но их за это расстреливают. А когда война кончится, всех посадят в тюрьму. Нострадамус не ошибался... Всех облачат в костюмы каторжников. Самое большее — академикам предоставят право носить штаны не в полоску, а в клетку.

Л е ж е. Нет. Люди изменились, они просыпаются.

Л а п и н с к и й. Это правда. Конечно, капитализм ничего больше не может создать, он теперь только разрушает. Но сознание растет. Может быть, мы накануне развязки. Никто не знает, где это начнется — в Париже, в окопах или в Петербурге...

С а в и н к о в. «Сознание» — миф. В Германии было очень много социалистов, а когда скомандовали «айн, цвай», они зашагали. Самое поганое впереди.

Л а п и н с к и й. Нет, самое скверное позади. Социалисты могут...

М о д и л ь я н и. А вы знаете, на кого похожи социалисты? На плешивых попугаев. Я это сказал моему брату. Пожалуйста, не обижайтесь, социалисты все-таки лучше других. Но вы ничего не понимаете. Тома — министр! Какая разница между Муссолини и Кадорна? Ерунда! Сутин написал замечательный портрет. Это Рембрандт, можете верить или не верить. Но его тоже посадят за решетку. Слушай *(это к Леже)*, ты хочешь организовать мир. А мир нельзя измерить линейкой. Есть люди...

Л е ж е. Хорошие художники были и прежде. Нужен новый подход. Искусство выживет, если оно разгадает язык современности.

Р и в е р а. Искусство в Париже никому не нужно. Умирает Париж, умирает искусство. Крестьяне Сапаты не видали никаких машин, но они во сто раз современнее, чем Пуанкаре. Я убежден, что, если им показать нашу живопись, они поймут. Кто построил готические соборы или храмы ацтеков? Все. И для всех. Илья, ты пессимист, потому что ты чересчур цивилизован. Искусству необходимо хлебнуть глоток варварства. Негритянская скульптура спасла Пикассо. Скоро вы все поедете в Конго или в Перу. Нужна школа дикости...

Я. Дикости хватит и здесь. Мне не нравится экзотика. Кто поедет

в Конго? Цетлины, может быть Макс, он напишет еще один венок соне
тов. Я ненавижу машины. Нужна доброта. Когда я вижу рекламы мыл
«Кадум», я знаю, что младенец в мыльной пене чист и добр. Ужасно, что
Гинденбург или Пуанкаре тоже были детьми!..

Р и в е р а. Ты европеец, в этом твое несчастье. Европа издыхает
Придут американцы, азиаты, африканцы...

С а в и н к о в. Американцы скоро объявят войну и высадятся. О ка
ких азиатах вы говорите? О японцах?..

Р и в е р а. Хотя бы...

Диего вдруг закрыл глаза. Только Модильяни и я знали, что сейчас
произойдет. Лапинский спокойно разговаривал с Леже. Макс, не заме
чая, что происходит с Риверой, рассказывал ему о видениях Юлии
Круденер. Моди и я пробрались поближе к двери. Диего встал и крик
нул: «Здравствуйте, господа могильщики! Вы, кажется, пришли за
мной? Не тут-то было. Хоронить буду я...» Он направился к Волошину
и приподнял его; это было невероятно — Макс весил не меньше ста
килограммов. Ривера зловеще повторял: «Сейчас!.. Головой в дверь..
Я вас похороню по первому разряду...»

В 1917 году Ривера неожиданно увлекся Маревной, с которой был
давно знаком. Характеры у них были сходные — вспыльчивые, ребяч
ливые, чувствительные. Два года спустя у Маревны родилась дочь
Марика. (Недавно я встретил в Лондоне Маревну, она рисует, лепит
пишет мемуары, хотя смутно помнит прошлое. Марика очень похожа на
Диего; она актриса, внешность у нее мексиканская, родной язык фран
цузский, была замужем за англичанином и любит говорить, что она
наполовину русская.)

Приехав в Париж весной 1921 года, я, конечно, сразу разыскал
Риверу; он жил все в той же мастерской. Перед этим он побывал в Ита
лии, восхищался фресками Джотто и Учелло; рисовал; то были первые

Открытка-лубок. 1914 г.
Реймсский собор. 1919 г. Открытка.
Обложка, выполненная Воробьевой-Стебельской (Маревной). 1916 г.
Пабло Пикассо.

наброски его нового периода. Он был увлечен Октябрьской революцией, рассказами о Пролеткульте; собирался к себе на родину.

Вскоре он начал покрывать стены правительственных зданий Мексико грандиозными фресками. Я читал о нем, видел иногда репродукции его фресок, но с ним не встречался. В 1928 году он приехал в Москву; мы с ним не виделись — я тогда был в Париже. Как-то пришла ко мне одна из его бывших жен, красивая мексиканка Гваделупа Марин; она разыскивала в Париже ранние работы Диего.

Ривера стал знаменит; о нем писали монографии. Его пригласили в Соединенные Штаты; он написал портрет одного из автомобильных королей — Эсделя Форда; Рокфеллер заказал ему фрески. Ривера изобразил сцены социальной борьбы, Ленина. После долгих переговоров фрески были уничтожены.

В 1951 году в Стокгольме я пошел на большую выставку мексиканского искусства. Древняя скульптура меня потрясла; она напоминала древнюю скульптуру Индии, Китая. Поражали пути цивилизации: от архаики, от монументальности ацтеки сразу перешли к вычурному барокко. Потом я поднялся на второй этаж и увидел работы Риверы. Станковые полотна показывали живописную силу. Были и репродукции стенной живописи. Я ее не почувствовал, наверно, не понял. Порталы готических соборов представляют каменную энциклопедию эпохи, но люди тогда не умели читать. Фрески Риверы — это множество рассказов: то об истории мексиканской революции, то о прививках против оспы, то об экономике Нового Света. Он не забыл итальянских уроков, его мексиканки наклоняются, танцуют и спят, как флорентийские дамы пятнадцатого века. Он хотел соединить национальные традиции с современной живописью, как это пытались сделать многие индийские или японские живописцы. Я понял вдруг его упреки, обращенные к советским художникам: почему они пренебрегают «народным искусством — лаковыми коробочками». Вероятно, будь он русским, он попытался бы соединить раннего Риверу с Палехом...

Впрочем, я начинаю говорить о моих художественных вкусах, а это не к месту. Лучше сказать, что Ривера попытался разрешить одну из труднейших задач нашей эпохи: создать стенную живопись. Через всю жизнь он пронес верность народу; много раз ссорился и мирился с мек-

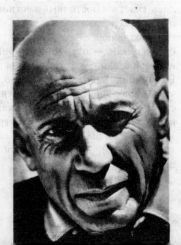

сиканскими коммунистами, но с 1917 года и до смерти считал Ленина своим учителем.

Он приезжал в Вену на Конгресс сторонников мира; это было в 1952 году. Я сказал ему, что на мексиканской выставке мне понравились работы художника Тамайо. Диего рассердился, обвинил меня в формализме; вместо встречи друзей после тридцатилетней разлуки вышел скучный диспут о станковой и стенной живописи. Потом он приезжал в Москву лечиться; пришел ко мне. Мы провели вечер в воспоминаниях — так разговаривают люди, когда чемоданы упакованы и полагается присесть перед длинной дорогой. Все, что в нем было детского, прямого, сердечного, что меня когда-то трогало, встало в этот последний вечер. Больше мы не видались.

Он был из тех людей, которые не входят в комнату, а как-то сразу ее заполняют. Эпоха теснила многих, а он не уступал, потесниться пришлось эпохе.

31

Я посылал в «Биржевку» письма, преисполненные негодования: почему мои фронтовые очерки появляются в исковерканном виде? Письма не помогали. Я продолжал писать очерки и постепенно привык к тому, что мои статьи приглаживают, а иногда даже приписывают мне чужие мысли. Шел третий год войны, и все ко всему привыкли; это было самым страшным.

В маленьком городке Пикардии Альбере, в полуразрушенном доме, жила кабатчица с четырьмя детьми. Она больше не обращала внимания на снаряды, жаловалась, что подорожало вино — сто шестьдесят франков гектолитр. Она бойко торговала — солдаты пили подорожавшее вино. Ее детям казалось, что люди всегда жили под обстрелом.

Возле английской батареи была мельница; конечно, она не работала, но старик мельник остался в своем домике. Немцы били по батарее, а старик думал об одном: боялся, что солдаты растащат мешки из-под муки или их испачкают.

В погребах Реймса шла будничная жизнь: в одном погребе печаталась газета «Восточный вестник», в другом была школа, в третьем — парикмахерская.

В маленьких французских городках до войны имелся обязательно crieur public — служащий мэрии, который обходил улицы с барабаном и выкрикивал: у такого-то сбежала собака, такой-то потерял портфель. Радиоприемников еще не было, и о мобилизации французы узнали от этих «герольдов». В Компьене я видел старика с барабаном; ложились снаряды, а он хрипло выкрикивал, что одна дама потеряла брошку, нашедшему будет дано вознаграждение.

В окопах шла окаянная и все же будничная жизнь: ждали почты, давили вшей, ругали офицеров, рассказывали похабные анекдоты; потом умирали.

Английские солдаты каждый день обязательно брились: смерть смертью, но нельзя не побриться.

Возле Ланса я как-то спросил французского солдата, который копошился подле чудом уцелевшего домика, можно ли пройти дальше — обстреливают ли немцы дорогу. Он ответил, что не знает — он ведь не на фронте, он приехал на шесть дней к жене, которая осталась в этом домике.

В одной деревне зуавы разыскали женщину, которой было далеко за сорок; они восторженно кричали; у домика выстроился хвост. Военное командование открыло публичные дома для солдат. В лагере Мальи были «французские дни», «бельгийские».

Зима была невиданно суровой, замерзла Сена. Не было угля. Люди мерзли. Правительство твердило об экономии; решили два дня в неделю обходиться без пирожных; в дорогих ресторанах можно было получить закуски, суп, рыбу, а после этого только одно мясное блюдо — или бифштекс, или утку,— ничего не поделаешь, третий год войны!.. Дамские портные, как всегда, диктовали новые моды: короткие юбки, маленькие шляпы, похожие на солдатские, костюмы голубоватого, защитного цвета. В газетах печатались рекламы духов, снотворных препаратов, протезов для инвалидов. Газеты писали, что аскетизм не к лицу французам, он — признак слабости, а Франция уверена в победе. Кинотеатры были переполнены; каждую неделю показывали новую серию «Тайн Нью-Йорка».

Однажды с Диего Риверой я увидел в маленьком кинотеатре незнакомого мне актера. Он бил посуду и мазал краской элегантных дам. Вместе с другими мы гоготали; но когда мы вышли из зала, я сказал Диего, что мне страшно: этот маленький смешной человечек в котелке показывает всю нелепость жизни. Диего ответил: «Да, это трагик...» Мы сказали Пикассо, чтобы он обязательно посмотрел фильм Шарло — так тогда называли никому не известного Чарли Чаплина.

В «Ротонде» художники продолжали толковать о кубизме. В штабе армии угрюмый капитан сидел над ворохом фотографий. Впервые я увидел землю, снятую с воздуха: это чрезвычайно напоминало рисунки Метценже или Глеза. (В 1948 году Пикассо прилетел во Вроцлав и, смеясь, сказал мне: «Мир сверху похож на некоторые мои холсты...»)

На английском фронте в бараках «Объединения молодых христиан» выдавали бутерброды; по воскресеньям утром там бывало богослужение, вечером — кино. На стенах висели назидательные плакаты: о любви к богу, о преимуществах трезвости, о том, что нужно остерегаться венерических заболеваний.

Все стали суеверными; мало кто решался закурить третьим от одной спички. Дамы-патронессы не теряли времени: всучали солдатам, уезжающим на передовые позиции, ладанки с изображением Лурдской богоматери. Ладанки охотно брали: кто знает?..

(Один сенегалец подарил мне талисман, сказал, что он лучше всяких ладанок; это были зубы — не знаю, немца или француза.)

Унтер-офицеры наказывали сенегальцев впрок — для острастки. Черных посылали на верную смерть. Сенегальцы кашляли, болели, не понимали, где они и почему их убивают. Угрюмо молчали жители Индокитая, маленькие загадочные люди, которых привезли на военные заводы. В те годы кровью выписывался счет, который много спустя был предъявлен к оплате.

Тысяча девятьсот шестнадцатый год был, кажется, самым кровопролитным: Сомма, Верден. На каждом шагу в Париже можно было увидеть заплаканных женщин. Солдаты стояли насмерть. Накануне второй мировой войны я прочитал дневники Пуанкаре. Вот записи, относящиеся к тем дням, когда шла битва за Верден: «Клемансо, считая, видимо, что отныне министерский кризис стал маловероятным, обрушивается теперь на меня... Буржуа находит, что Бриан слишком склонил весы в пользу противников Жоффра... Нуланс был агрессивен и сыграл на руку радикалам против Тома... Бриан в своей реплике щадил Клемансо...»

Иностранные корреспонденты жаждали сенсаций, старались завести знакомства с денщиком Галлиени, с шофером Жоффра, с горничной Бриана; в свободное время они волочились за француженками, пытались их подкупить американскими конфетами. Все ругали цензуру. Барзини сиял: ему удалось присутствовать при расстреле шпиона; он говорил с раздражением и с восхищением: «Этот мерзавец был удивительно спокоен!» В Париже я ходил в Дом прессы. Милош рассеянно объяснял мне, что наступление приостановилось из-за дурной погоды; он думал, наверно, о том, что человек обречен.

В том же Доме прессы мне давали бюллетени; речь шла неизменно о «возрастающих ресурсах». Людей становилось меньше, пушек и самолетов больше. Начались массированные танковые атаки. Депутат-социалист Брак рассказал мне, что парламентская комиссия рассматривает скандальное дело, связанное с поставками вооружения. Никогда люди не богатели так быстро, как в те дни. Война была большим предприятием. Я начал тогда думать о «Хулио Хуренито» — хорошо бы рассказать о грандиозном хозяйстве, занятом истреблением людей. В романе я его назвал «хозяйством мистера Куля».

(В моей книге Хулио Хуренито изобретает средство, с помощью которого можно истреблять людей оптом. Я бестолково описал само изобретение, признавшись, что «по моей прирожденной тупости к физике и математике я ничего не усвоил». Хуренито предложил мистеру Кулю использовать оружие массового уничтожения, но тот ответил: «Я прошу вас, дорогой друг, до поры до времени никому о вашем изобретении не говорить. Ведь если так просто и легко можно убивать людей, война через две недели закончится и все мое сложное хозяйство погибнет. А моя родина только еще собирается воевать».

Дальше я писал, что мистер Куль объяснил мне: «Немцев можно добить французскими штыками, а фокусы Хуренито лучше оставить впрок для японцев». Японцы меня часто спрашивают, почему в 1921 году, когда Япония была союзницей Америки, я написал, что новое смертоносное оружие американцы испробуют на японцах. Я не знаю, что им ответить. Почему в 1919 году — задолго до открытий Резерфорда, Жолио-Кюри, Ферми — Андрей Белый писал:

Мир — рвался в опытах Кюри
Атомной, лопнувшею бомбой
На электронные струи
Невоплощенной гекатомбой...

Может быть, такие обмолвки связаны с природой писателя?)

Я говорил, что первая мировая война была черновиком, но этот черновик никто не назовет детским лепетом. Шли газовые атаки (одной из жертв был Леже). Инвалидов, с лицами, изуродованными огнеметами, не выпускали из госпиталей: они слишком пугали встречных. Вот моя запись, относящаяся к 1916 году:

«В Пикардии немцы отошли на сорок — пятьдесят километров. Повсюду видишь одно — сожжены города, деревни, даже одинокие домики. Это не бесчинство солдат; оказывается, был приказ, и саперы на велосипедах объезжали эвакуируемую зону. Это — пустыня. Города Бапом, Шони, Нель, Ам сожжены. Говорят, что немецкое командование решило надолго разорить Францию. Пикардия славится грушами, сливами. Повсюду фруктовые сады вырублены. В поселке Шон я сначала обрадовался: груши, посаженные шпалерами, не срублены. Я подошел к деревьям и увидел, что все они подпилены, их было свыше двухсот. Французские солдаты ругались, у одного были слезы на глазах».

Эпоху выдает только одна деталь: саперы на велосипедах...

Осенью 1943 года в Глухове, накануне освобожденном нашей армией, я увидел фруктовый сад, а в нем аккуратно подпиленные яблони; листья еще зеленели, на ветках были плоды. И наши солдаты ругались, как французы в Шоне.

Это не новелла писателя, не статья о природе германского милитаризма, это только два дня одной жизни.

В начале войны немецкие солдаты сожгли занятый ими на короткий срок городок Жербевилле (около Нанси). Когда я приехал туда, жители ютились в бараках, землянках. Они рассказывали: из пятисот домов осталось двадцать; сто человек расстреляли. Почему? Этого никто не знал. Почему в Сенлисе или в Амьене солдаты, войдя в город, начали убивать жителей? Я видел в 1916 году немецкие объявления о казни заложников; такие объявления снова появились на стенах французских городов четверть века спустя...

Говорили, что многое придумал Гитлер; нет, он только многое усвоил, осуществил в грандиозном масштабе. В одном из очерков я приводил текст приказа германской комендатуры местечка Ольн в районе Сен-Кентена: для уборки урожая все население пятнадцати окрестных деревень (дети с пятнадцати лет) должно было работать с четырех часов утра до восьми вечера. Комендатура предупреждала, что «не вышедшие на работу мужчины, женщины и дети будут наказаны двадцатью палочными ударами».

В 1910 году я поехал из тихого Брюгге в тихий Ипр; там был средневековый рынок, украшенный изумительными статуями, один из немногих сохранившихся памятников гражданской готики. Я оказался в этом городе в 1916 году; его обстреливала немецкая артиллерия. Вместо рынка я увидел развалины; только одна каменная дама, случайно уцелевшая, продолжала улыбаться. Жители давно были эвакуированы, а солдаты жили в погребах и в землянках. Перед развалинами рынка я увидел двух английских солдат; они говорили о готике, один что-то записывал в книжечку.

Появилось слово «иприт» — так окрестили отравляющие газы, которые немцы применили впервые в битве за Ипр.

В 1921 году я снова увидел развалины Ипра. В землянках жили вернувшиеся жители. Предприимчивые люди построили бараки с вывесками «Гостиница победы», «Кафе союзников», «Ресторан мира». Тысячи туристов приезжали поглядеть на развалины. Инвалиды, безногие, слепые продавали открытки с видами разгромленного города.

Потом Ипр отстроили, и началась новая война.

Артиллерия два года громила один из древнейших городов Франции — Аррас. На башне ратуши был золотой лев, хранитель свободы. Рухнула башня; солдаты подобрали льва, отослали в Париж. Аррас потом отстроили; а вскоре на город упала первая бомба второй мировой войны. Это похоже на сказку про белого бычка или на миф о Сизифе в аду.

Младший лейтенант Жан Ришар Блок писал своей жене, что эта война должна быть последней. В письмах он непрестанно спрашивал жену о детях, его младшей дочери Франсуазе было тогда три года. В 1945 году немцы казнили Франсуазу («Франс») в Гамбурге.

В 1916 году, о котором я теперь рассказываю, никто из солдат не мог себе представить, как пережить еще один день; а война всем казалась вечной. На итальянском фронте в окопе сидел молодой Хемингуэй; о том, что было у него на сердце, мы знаем по роману «Прощай, оружие!». Напротив, в австро-венгерском окопе, сидел Мате Залка. Хемингуэй и генерал Лукач (так звали Мате Залку в Испании) в 1937 году встретились возле Мадрида на КП 12-й Интернациональной бригады. «Война — это всегда пакость»,— добродушно говорил генерал Лукач и глядел на карту; Хемингуэй его расспрашивал о боях за Паласио Ибарра.

Приехал в отпуск хозяин гостиницы; мы расцеловались. Он рассказал, что солдаты смертельно устали, ненавидят политиков, спекулянтов, не верят газетам. «Но что тут поделаешь,— повторял он,— от нас двести метров до бошей. Конечно, солдатам и у них плохо, но генералы приказывают. Я видал, что они сделали с Перроной...»

Я читал газеты, которые мне приносил Лапинский; там писали, что в войне заинтересованы только капиталисты. Я это знал и без газет: слишком много вокруг было лжи, лицемерия, жестокости. Помню карикатуру в благонамеренном журнале «Л'иллюстрасьон» — толстяк в котелке при слове «мир» плачет: «Я поставляю в день четыре тысячи снарядов, вы хотите меня разорить...» Да, в 1916 году это знали все. Но за спиной были не только толстяки в котелках, была еще Франция, ее тихие города со стенами, обвитыми лиловыми глициниями. А немцы в Нуайоне... Никто не знал, что тут можно сделать.

С каждым годом умирают люди, пережившие первую мировую

войну; входит в жизнь поколение, не знавшее и второй. Мы кончаем жить, я говорю о моих сверстниках; забыть мы ничего не можем. Пятнадцать последних лет я отдаю почти все свои силы, почти все время одному: борьбе за мир. Я пишу эту книгу между двумя поездками, часто откладываю недописанную главу. Друзья иногда говорят, что я поступаю глупо, мог бы посидеть, написать еще роман. А романов на свете много... Я вспоминаю 1916 год — наше бессилие, отчаяние. Если бы хоть чем-нибудь, хоть самым малым помочь отстоять мир!.. Я переворачиваю слова Декарта: можно по-разному думать о назначении жизни, о ее осмысленности, но для того, чтобы думать, необходимо существовать. Я гляжу в окно на малыша; у него чересчур серьезное лицо; он в огромных валенках; хотя снег посерел, он сейчас что-то лепит из последнего, апрельского снега. Этому Декарту всего восемь лет, но он о чем-то думает. Наверно, он додумает то, над чем мы не успели по-настоящему задуматься. Только не нужно, чтобы его убили!

32

Я спрашиваю себя, почему мне трудно писать о Пикассо. Может быть, потому, что он очень знаменит, что о нем написаны сотни книг, что имеются длиннейшие труды, посвященные не только каждой из его работ, но его мастерским, его голубям или собакам, его фуфайкам и кепкам? Да, конечно, Пикассо описывали многие — и его ближайшие друзья, и люди, случайно с ним встретившиеся, описывали умно или глупо, талантливо или бесцветно. Но не поэтому мне трудно писать о Пикассо; ведь сколько раз я, как любой писатель, садился за стол, хорошо зная, что хочу показать то, что давно показано. Слов нет, куда труднее описать обыкновенный осенний дождь, чем старт реактивного самолета; но в этой книге я часто пытаюсь рассказать о предметах, не раз описанных до меня, и описанных куда лучше. Трудность в другом — в самом Пикассо.

Один крупный художник мне как-то сказал: «Пикассо — гений, но он не любит жизни, а живопись утверждает жизнь». Это правда, как правда и то, что Пикассо страстно любит людей, природу, искусство, жизнь, что никогда в нем не остывает любопытство подростка; многие его холсты говорят не только о красоте жизни, но ее ощутимом тепле, вкусе, запахе. Люди, которые пишут о Пикассо, отмечают, что он стремится освежевать, распотрошить зримый мир, расчленить и природу и мораль, сокрушить существующее; одни видят в этом его силу, революционность, другие с сожалением или возмущением говорят о «духе разрушения». (В конце сороковых годов, читая рассуждения некоторых наших критиков о Пикассо, я поражался, до чего их приговор — разумеется, не по их желанию — совпадал с отзывами Черчилля и Трумэна, которые — один, будучи самодеятельным художником, другой самодеятельным музыкантом,— осуждали бунтаря Пикассо.) Я не раз в жизни ощущал разрушительную силу Пикассо, были периоды, когда я ощущал исключительно это, этому радовался, этим вдохновлялся. Но ведь это факт моей биографии, а не биографии Пикассо. (Теперь некоторые холсты Пикассо мне кажутся нестерпимыми: я не понимаю, почему он способен возненавидеть лицо прелестной женщины.) Справедливо ли назвать разрушителем человека, преисполненного жажды созидания, художника, который свыше шестидесяти лет подряд строил и строит, который смело примкнул к коммунистам, не предпочел анархизма, безразличия или позы скепсиса, куда более легкой для художника? Можно — и это тоже будет правдой — сказать, что Пикассо оживает в своей мастерской, что его раздражает эстетическая неграмотность различных «судей», что он предпочитает одиночество митингам или заседаниям. Но как при этом забыть его страстность в годы испанской войны, его голубок, участие в движении сторонников мира, партбилет, плакаты, рисунки для «Юманите» и многое другое?

В эпоху монмартрскую («Бато-лявуар»), которой я уже не застал, в эпоху «Ротонды», которую я попытался описать, мы были молодыми, любили озорничать, «обормотствовали». Но Пикассо сохранил страсть к шутке, к розыгрышу до восьмидесяти лет. Он и теперь позирует перед фотографами в голом виде, дурачит сиятельных посетителей, принимает участие в бое быков. У него есть большая серия литографий «Художник и его модели». Художник напоминает то Рубенса, то Матисса в старости; модели — голые натурщицы или персонажи Веласкеса и других старых мастеров; часто среди них молодой шут, и этот шут похож на Пикассо (он смеется над собой и, наверно, собой гордится). Никто в точности не знает, слушая его, где он кончает шутить; он умеет балагурить чрезвычайно серьезно, а серьезные вещи говорит так, что при желании их легко принять за шутку.

Меня иногда спрашивают, как правильно произносить «Пикассо» — с ударением на последнем слоге или на предпоследнем, то есть кто он: испанец или француз? Конечно, испанец — и по внешности и по характеру, по жестокости реализма, по страстности, по глубокой, опасной иронии. Гражданская война в Испании его потрясла; может быть, «Герника» останется самой значительной картиной нашего времени. В мастерской Пикассо на улице Сент-Огюстен я всегда встречал испанских эмигрантов. Испанцам Пабло никогда ни в чем не отказывает. Все это так, но стоит задуматься и над другим. Почему всю свою жизнь он добровольно прожил во Франции? Почему для него был и остался великим Сезанн? Почему его лучшими друзьями были три французских поэта — Гийом Аполлинер, Макс Жакоб, Поль Элюар? Нет, от Франции Пикассо не оторвешь.

Некоторые люди резко меняются, и такие перемены облегчают рассказ: жизнь приобретает элементы того «развития действия», которое прельщает начинающих драматургов. Увлекаясь неожиданными поступками, биографы часто забывают о характере человека. Так бывает и с исследованиями, посвященными поэтам или художникам: футуристический период Маяковского, некрасовский период Блока, испанский период Мане, импрессионистический период Сезанна. Пробуют расчленить и творчество Пикассо. Казалось бы, ничего нет легче: каждые два-три года он ошарашивал и ошарашивает критиков живоисными открытиями. Исследователи устанавливают много «периоов» — голубой, розовый, негритянский, кубистический, энгровский, омпейский и так далее. Беда в том, что Пикассо вдруг опрокидывает се деления. Маяковский, побывав в 1922 году в мастерской Пикассо, спокаивал своих друзей: слухи неверны, Пикассо не вернулся к класицизму. Молодого Маяковского, однако, удивило, что он не нашел Пикассо никакого «периода»: «Самыми различнейшими вещами олна его мастерская, начиная от реальнейшей сценки голубоватой розовым, совсем древнего античного стиля, кончая конструкцией кести и проволоки. Посмотрите иллюстрации: девочка совсем серовкая. Портрет женщины грубо реалистичный и старая разложенная крипка. И все эти вещи помечены одним годом». Маяковский считал, то поэт, который пишет стихи «лесенкой», не может увлечься сонетами. А Пикассо равнодушен к различным эстетическим концепциям. Я не стречал человека, настолько быстро меняющегося и вместе с тем настолько постоянного, верного себе. Когда я был у него в 1958 году в Каннах,— я все время ловил себя на мысли: что за наваждение, весь мир переменился так, что его не узнать, я сам не понимаю своего пролого, а Пикассо такой же, как сорок пять лет назад! И, думая так, я одновременно знал, что никто не шагал быстрее его.

Вот почему так трудно говорить о Пикассо: все, что ни скажешь, и правда и неправда. Форма присяги свидетелей на суде в разных страах звучит одинаково. От них сначала требуют говорить «только правду», а потом ставят перед ними задачу, порой непосильную,— казать «всю правду». Разумеется, если вопрос стоит о том, совершил и подсудимый преступление, то очевидцу нетрудно сказать всю правду; но когда прокурор или защита начинают допытываться, почему одсудимый стал подсудимым, то они требуют от свидетеля слишком ного — он ведь не Шекспир, не Стендаль и не Толстой. Некоторые вторы пишут, что жизнь и творчество Пикассо изобилуют противореиями. Это — отписка. Составляя путеводитель по Голландии, легко объяснить, какой в этой стране пейзаж и какой климат: плоские, зелеые поля, каналы, нежаркое лето с частыми дождями, мягкая зима. Но а вопрос, какой пейзаж, какой климат в Советском Союзе, несколькими фразами не ответишь. Вряд ли можно назвать «противоречивыи» горы Кавказа и тундры, персики Крыма и северную морошку. Бывают большие страны. Бывают и большие люди. Сложность всегда кажется изобилующей противоречиями людям, привыкшим к обычным масштабам.

Познакомившись с Пикассо, я сразу понял, нет, вернее, почувствоал, что передо мной большой человек. Это было незадолго до начала ойны — ранней весной 1914 года. Я сидел в «Ротонде» с Максом Жакобом; пришел Пикассо, сел за наш столик. Макс Жакоб начал расскаывать ему обо мне, Пикассо молчал, а потом сказал, что он любит оэтов и любит русских. Я не понял, говорит ли он всерьез или это ироическая формула вежливости. (Я уже отметил, что лучшими друзьями Пикассо были поэты; а русских он действительно любит, часто говорил не, что русские похожи на испанцев.) В ту весну на аукционе продавали картины новых художников, и большой холст Пикассо «розового периода» был куплен за огромную сумму; если память мне не изменяет — за десять тысяч франков. Пикассо становился известным.

(Задолго до этого некоторые любители «открыли» Пикассо, среди них московский коллекционер Щукин. Пикассо и Матисс рассказывали мне, что Щукин, приходя в мастерскую, тотчас замечал лучшие работы. Матисс пробовал всучить ему менее удавшиеся, а о тех, с которыми не хотелось расставаться, говорил: «Это не вышло... мазня...» Хитрость не удавалась, Щукин в итоге выбирал «неудавшуюся мазню». Вскоре после Щукина в мастерскую приходил Морозов: он доверял вкусу своего соперника, а выбор холстов предоставлял самим художникам. Благодаря коллекциям этих двух москвичей Эрмитаж и Пушкинский музей обладают поразительными собраниями французской живописи второй половины девятнадцатого и начала двадцатого века. Были любители Пикассо и в других странах. В 1950 году чешский поэт Незвал повел меня на окраину Праги, где жил старый пенсионер Крамарж. У него я увидел чудесные холсты Пикассо начала кубистического периода. Крамарж рассказал, что, будучи молодым человеком, он приехал в Париж к Пикассо, денег у него было в обрез; Пикассо был еще мало кому известен и дешево продал чеху десяток холстов. Крамарж преклонялся перед молодым художником; купив натюрморт с яблоками, который Пикассо только что написал, попросил дать ему яблоко, служившее моделью. Мумию этого яблока он мне показал. Мы вместе написали Пикассо письмо.)

В начале 1915 года, в холодный зимний день, Пикассо повел меня в свою мастерскую, которая находилась недалеко от «Ротонды», на улице Шельшер. Окна выходили на кладбище Монпарнас. Парижские кладбища лишены поэзии русских или английских, это абстрактные города с прямыми улицами, склепами, плитами. В мастерской нельзя было повернуться; повсюду лежали написанные холсты, куски картона, жесть, проволока, дерево. Угол занимали тюбики с красками; столько тюбиков я не видел и в магазине. Пикассо объяснил, что прежде у него часто не бывало денег на краски, и вот, продав недавно несколько холстов, он решил обзавестись красками «на всю жизнь». Я увидал живопись на стене, на поломанном табурете, на коробках от сигар; Пикассо признался, что порой не может видеть незаписанной плоскости. Работал он с каким-то невиданным исступлением. У других месяцы творчества сменялись теми пустотами, когда поэт или художник, по словам Пушкина, «вкушает хладный сон»; а Пикассо всю свою жизнь проработал и продолжает работать с той же яростью. Различные чудачества, которые увлекают репортеров или фотографов, это не жизнь Пикассо, это минуты перекура.

Я спросил, зачем у него жесть; он сказал, что хочет ее использовать, но еще не знает как. Не было, кажется, материала, над которым он не работал бы. Всю свою жизнь он учился: любит мастерство. Когда ему было сорок лет, он учился у испанского ремесленника Хулио Гонсалеса, как обрабатывать листовое железо; в шестьдесят лет учился искусству литографа, в семьдесят стал гончаром.

В мастерской была негритянская скульптура и большой холст таможенника Руссо, художника-любителя, вещи которого теперь украшают музеи всего мира. Картина Руссо изображала мирную конференцию. Пикассо объяснил мне, что негритянские скульпторы меняют пропорции головы, тела, рук вовсе не потому, что не видят людей, и не потому, что не умеют работать; у них другие понятия о пропорциях, как у японских художников другие представления о перспективе. «Ты думаешь, таможенник Руссо никогда не видал классической живописи? Он часто ходил в Лувр. Но он хотел работать иначе...» Пикассо первый понял, что наша эпоха требует прямоты, непосредственности, силы.

Ему тогда было тридцать четыре года, но выглядел он моложе: очень живые, пронзительные и невероятно черные глаза, черные волосы, небольшие, почти женские руки. Зачастую он сидел в «Ротонде» мрачный, почти ничего не говорил; порой им овладевало веселье, тогда он шутил, изводил приятелей. От него исходило беспокойство, и это меня успокаивало: глядя на него, я понимал, что происходящее со мной не частный казус, не заболевание, а особенность эпохи. Я уже говорил, что иногда Пикассо был мне дорог своей разрушающей силой; именно таким я его узнал и полюбил в годы первой мировой войны.

Принято считать, что в ту эпоху Пикассо был равнодушен ко всему, что называют «политикой». Если понимать под этим словом смену министерств или газетную полемику, то действительно Пикассо в «Матэн» искал скорее анекдоты, нежели декларации. Но я помню, как он обрадовался известиям о Февральской революции. Он подарил мне тогда свою картину; я с ним расстался на многие годы.

Говорят, что дружба, как и любовь, требует присутствия, при долгой разлуке она чахнет. Я порой не видал Пикассо восемь — десять лет; но ни разу я не встречал чужого, переменившегося человека. (Именно поэтому я не помню в точности, когда он мне сказал то-то — мог сказать в 1940-м, мог и в 1954-м...) Помню различные мастерские: на улице Ля Боеси, в парадной буржуазной квартире, где он казался случайным посетителем, чуть ли не взломщиком; на улице Сент-Огюстен, в очень старом доме, там мастерская была большая, с испанцами, с голубями, с огромными полотнами, с тем обдуманным и организованным беспорядком, который Пикассо порождает повсюду; сараи в Валлорисе, жестянки, глина, рисунки, стеклянные шарики, обрывки плакатов, чугунные столбы и хибарка, где он ночевал, кровать, заваленная газетами, письмами, фотографиями; большой светлый дом «Калифорния» в Каннах — дети, собаки и снова груда писем, телеграмм, огромные холсты, а в саду бронзовая пикассовская коза.

Я давно его прозвал шутя чертом. Это русское слово трудно выговорить французу, но по-испански звук «ч» существует, и, улыбаясь, Пабло говорит: «Я — черт».

Если он черт, то особенный — поспоривший с Богом насчет мироздания, восставший и неуступивший. Черт обычно не только лукав, но злобен. А Пикассо — добрый черт.

До чего наивны, несведущи или недобросовестны люди, считающие его большой, нелегкий творческий путь оригинальничаньем, желанием

«поразить буржуа», любовью к модным «измам»! Он не раз говори
мне, что ему смешно, когда критики пишут, что он «ищет новые формы
«Я ищу одного — выразить то, что хочу. Я не ищу новых форм, я и
нахожу...» Он как-то сказал мне, что иногда, садясь писать, не знае
будет ли холст кубистическим или сугубо реалистическим — это дикту
ется и моделью, и душевным состоянием художника.

В Валлорисе Пикассо позировала одна молодая, красивая амер
канка. Он сделал десятки рисунков, писал ее маслом. На перво
портрете американка выглядит такой, какой ее видят окружающие; н
один сторонник реализма в самом узком смысле этого слова не найде
что возразить. Постепенно Пикассо начал разлагать лицо. Видим
модель ему раскрылась не только в своей ангельской внешности; о
нашел черты, выдававшие ее характер, начал их изучать. «Но эт
свинья в кубе»,— сострил стоящий рядом со мной посетитель выставк
глядя на десятый портрет американки и не подозревая, что портре
красавицы, приведший его в восхищение, был первым портретом «куби
стической свиньи».

В 1948 году, после Вроцлавского конгресса, мы были в Варшаве
Пикассо сделал мой портрет карандашом; я ему позировал в номер
старой гостиницы «Бристоль». Когда Пабло кончил рисовать, я спро
сил: «Уже?..» Сеанс показался мне очень коротким. Пикассо рассме
ялся: «Но я ведь тебя знаю сорок лет...» Портрет Пикассо мне кажетс
не только очень похожим на меня (лучше сказать — я похожу на рису
нок), но и глубоко психологическим. Все портреты Пикассо раскрываю
(порой разоблачают) внутренний мир модели. Очень давно, ког
да я сказал Пикассо о моей любви к импрессионистам, Пикассо за
метил: «Они хотели изобразить мир таким, каким они его видели. Ме
ня это не увлекает. Я хочу изобразить мир таким, каким я его мыс
лю...»

Конечно, многие холсты Пикассо трудны для понимания: сложност
мысли и чувств, непривычность формы. Мне привелось быть переводчи
ком при первой беседе между Пикассо и А. А. Фадеевым во Вроц
лаве.

Ф а д е е в. Я некоторых вещей ваших не понимаю, лучше я эт
вам сразу скажу. Почему вы иногда выбираете форму, непонятную лю
дям?

П и к а с с о. Скажите, товарищ Фадеев, вас учили в школе чи
тать?

Ф а д е е в. Разумеется.

П и к а с с о. А как вас учили?

Ф а д е е в (со своим тонким пронзительным смехом). Бе-а — ба..

П и к а с с о. Как и меня — «ба»... Ну, хорошо, а живопись ва
учили понимать?

Фадеев снова рассмеялся и заговорил о другом.

Если задуматься над всем творчеством Пикассо, то станет ясным
как он изменил живопись. После импрессионистов люди увидели при
роду заново — без очков болонской школы. Художники писали исклю
чительно с натуры: портреты, пейзажи, натюрморты. Композиции стал

монополией художников академического направления. Больше всего художники боялись сюжета, как они говорили, «литературщины». Пожалуй, последней композицией, сделанной во Франции большим художником, остаются «Похороны в Орнане» Курбе; эта вещь написана в 1850 году. В 1937 году, почти сто лет спустя, Пикассо написал «Разрушение Герники».

Приехав из осажденного Мадрида в Париж, я сразу пошел в испанский павильон на Всемирной выставке и замер: увидел «Гернику». Потом я дважды ее видел — в 1946 году в нью-йоркском музее и в 1956 году в Лувре на ретроспективной выставке Пикассо,— и каждый раз я испытывал то же волнение. Как мог Пикассо заглянуть вперед? Ведь гражданская война в Испании еще велась по старинке. Правда, для немецкой авиации она была маневрами, но налет на Гернику был небольшой операцией, первой пробой пера. Потом была вторая мировая война. Потом была Хиросима. Полотно Пикассо — это ужас будущего, множества Герник, атомной катастрофы. Мы видим куски раздробленного мира, безумие, ненависть, отчаяние.

(Что такое реализм и реалистичен ли художник, который пытается изобразить драму Хиросимы, тщательно выписывая язвы на теле одного или десяти пораженных? Не требует ли именно реальность другого, более обобщенного подхода, где раскрыт не отдельный эпизод, а суть трагедии?)

Сила Пикассо в том, что самую глубокую мысль, самое сложное чувство он умеет выразить языком искусства. Еще подростком он рисовал, как мастер; его линии передают все, что он хочет,— они ему подвластны; он предан живописи, может сердиться, терзаться, если не сразу находит нужный ему цвет.

Была пора, когда у нас культивировалась исключительно живопись, похожая на огромные раскрашенные фотографии. Помню в ту пору смешной разговор Пикассо с молодым ленинградским художником.

П и к а с с о. У вас продаются краски?

Х у д о ж н и к. Конечно, сколько угодно...

П и к а с с о. А в каком виде?

Х у д о ж н и к (недоумевая). В тюбиках...

П и к а с с о. А что на тюбике написано?

Х у д о ж н и к (с еще большим недоумением). Название краски: «охра», «жженая сьена», «ультрамарин», «хром»...

П и к а с с о. Вам нужно рационализировать производство красок. На фабрике должны изготовлять смеси, а на тюбиках ставить: «для лица», «для волос», «для мундира». Это будет куда разумнее.

Некоторые авторы, писавшие о Пикассо, пытались изобразить его увлечение политикой как нечто случайное, как прихоть: оригинал, любит бой быков, почему-то стал коммунистом. Пикассо всегда относился очень серьезно к своему политическому выбору. Помню обед в его мастерской в день открытия Парижского конгресса сторонников мира. В тот день у Пабло родилась дочь, которую он назвал Паломой (по-испански «палома» — голубка). За столом нас было трое: Пикассо, Поль Элюар и я. Сначала мы говорили о голубях. Пабло рассказывал, как его отец, художник, часто рисовавший голубей, давал мальчику дорисовывать лапки — лапки успели надоесть отцу. Потом заговорили вообще о голубях; Пикассо их любит, всегда держит в доме; смеясь, он говорил, что голуби жадные и драчливые птицы, непонятно, почему их сделали символом мира. А потом Пикассо перешел к своим голубкам, показал сотню рисунков для плаката — он знал, что его птице предстоит облететь мир. Он говорил о конгрессе, о войне, о политике. Я запомнил его фразу: «Коммунизм для меня тесно связан со всей моей жизнью как художника...» Над этой связью не задумываются враги коммунизма. Порой она кажется загадочной и для некоторых коммунистов.

Пикассо потом сделал еще несколько голубок: для Варшавского конгресса, для Венского. Сотни миллионов людей узнали и полюбили Пикассо только по голубкам. Снобы над этим издеваются. Недоброжелатели обвиняют Пикассо в том, что он искал легкого успеха. Однако его голубки тесно связаны со всем его творчеством — с минотаврами и козами, со старцами и девушками. Конечно, голубка — крупица в богатстве, созданном художником; но ведь сколько миллионов людей знают и почитают Рафаэля по репродукциям одной его картины «Сикстинская мадонна», сколько миллионов людей знают и почитают Шопена только потому, что он написал музыку, которую они слышат на похоронах! Так что снобы напрасно смеются. Конечно, по одной голубке узнать Пикассо нельзя, но нужно быть Пикассо, чтобы сделать такую голубку.

Самого Пикассо не только не обижает, но бесконечно трогает любовь простых людей к его голубке и к нему. Мы с ним были в Риме

Илья Эренбург. Портрет работы Пикассо. 1948 г.

«Голубь мира». Пикассо. Литография была выполнена для афиши Второго Всемирного конгресса сторонников мира.

И. Эренбург открывает выставку Пикассо в Москве. 1956 г.

Пикассо показывает свою скульптуру Эренбургам. Валорис. Открытка.

И. Эренбург и Пикассо. Пикассо «улучшил» эту фотографию. 1963 г.

осенью 1949 года на заседании Комитета мира. После митинга, состоявшегося на одной из самых больших площадей города, мы шли по рабочей улице; прохожие его узнали, повели в маленькую тратторию, угощали вином, обнимали; женщины просили его подержать на руках их детей. Это было проявлением той любви, которой не выдумаешь. Конечно, эти люди не видали картин Пикассо, а увидав, многое не поняли бы, но они знали, что он, большой художник, за них, с ними, и поэтому его обнимали.

На конгрессах — во Вроцлаве, в Париже — он сидел все время с наушниками, внимательно слушал. Мне пришлось несколько раз обращаться к нему с просьбами: почти всегда в последнюю минуту оказывалось, что для успеха конгресса или какой-либо кампании в защиту мира необходимо получить рисунок Пикассо. И как бы ни был он поглощен другой работой, он всегда выполнял просьбу.

Порой некоторые из его политических единомышленников осуждали или отвергали его произведения. Он принимал это с горечью, но спокойно, говорил: «В семье всегда ругаются...»

Он знал, что его картины красуются в музеях Америки, знал, что, когда он хотел поехать в Соединенные Штаты с делегацией Всемирного Совета Мира, ему не дали визы. Знал и другое: в стране, которую он любил, в которую верил, долго его называли «формалистом» и держали его холсты в фондах.

Для меня была большой радостью его выставка в Москве осенью 1956 года. На открытие пришло слишком много народу: устроители, боясь, что будет мало публики, разослали куда больше приглашений, чем нужно. Толпа прорвала заграждения, каждый боялся, что его не впустят. Директор музея подбежал ко мне бледный: «Успокойте их, я боюсь, что начнется давка...» Я сказал в микрофон: «Товарищи, вы ждали этой выставки двадцать пять лет, подождите теперь спокойно двадцать пять минут...» Три тысячи человек рассмеялись, и порядок был восстановлен. Открыть выставку от имени «Секции друзей французской культуры» должен был я. Обычно церемонии мне кажутся скучными или смешными, но в тот день я волновался, как школьник. Мне дали ножницы, и мне казалось, что я разрежу сейчас не ленточку, а занавеску, за которой стоит Пабло...

Конечно, на выставке люди спорили; так бывает повсюду на выставках Пикассо — он восхищает, возмущает, смешит, радует, никого он не оставляет равнодушным.

«Противоречия»... Хорошо, пусть будет так: «В творчестве Пикассо множество противоречий...» Но вспомним даты: его первые вещи были выставлены в 1901 году, а теперь на дворе 1966-й. Мало ли было противоречий за эти шестьдесят пять лет? Пикассо выразил сложность, смятение, отчаяние, надежду своей эпохи. Он разрушает и строит, любит и ненавидит.

Мне все же повезло! Я встретил в моей жизни некоторых людей, которые определили облик века. Я видел не только туман и шторм, но и тени людей на капитанском мостике. К большим удачам моей жизни я отношу тот далекий весенний день, когда я впервые встретил Пикассо, это ведь веха в моей жизни.

33

Это было утром. Я сидел, как всегда, в пустой «Ротонде» и бился над переводом сонета Дю Белле, который из Рима взывал к Франции:

> Зову, кричу, а толка нет:
> Лишь эхо слышу я в ответ.
> . . . .
> Я — тот, что отстает от стада.

Меня схватил за руку чрезвычайно возбужденный Фотинский — я не заметил, как он вошел в кафе.

(Художник Серж, или Сергей Фотинский, приехал в Париж задолго до меня. Как все, он голодал, как все, писал пейзажи и свято верил в искусство. Он женился на француженке, но всегда говорил «у нас в России»; получил советский паспорт. Это человек очень добрый и восторженный. В 1935 году он решил съездить в Москву на две недели; прожил в Москве два года; глядел на все с восторгом и с испугом. В 1941 году немцы его посадили в Компьенский лагерь, случайно не убили. Он живет в Париже шестьдесят лет, но продолжает говорить: «У нас в Советской России...» Говорит он по-русски своеобразно: «Ты берешь авион?» Еще своеобразнее переходит улицу — подымает руку, как бы предупреждая водителей, что машины должны уважать пешехода, вид у него при этом Моисея, останавливающего морские волны.)

— Как, ты не знаешь? — кричал Фотинский.— Царя нет!

Я ничего не понял, но обрадовался и обнял Фотинского. На первой странице газеты было напечатано: «Государственный переворот в Петрограде. Николай II отрекся от престола в пользу своего брата Михаила». «Ну и что? — сказал я Фотинскому.— Чем Михаил лучше Николая?» Но Фотинского разочаровать трудно: он побежал за другой газетой, и мы нашли маленькую телеграмму: «В Петрограде забастовки, демонстрации». «Это настоящая революция!» — кричал Фотинский; я его снова обнял.

Стали понемногу приходить завсегдатаи «Ротонды»; нас поздравляли; спорили — удержится ли новый царь или будет республика. (Мы не знали, что французская цензура задерживала телеграммы и что в Петрограде никто больше не думает о Михаиле, а Совет рабочих депутатов обсуждает, как ему быть с Временным правительством.) Либион сначала сказал, что русские любят все делать не вовремя — достаточно поглядеть на Эренбурга; но, увидев, что мы радуемся, выставил бутылку шипучего вуврэ и выпил с нами за республику.

Трудно было понять, что происходит в России. Самая солидная газета «Тан» писала, что женщины взбунтовались из-за перебоев с доставкой продовольствия, что перебои объясняются снежными заносами, что Николай был связан с германофильскими кругами, а Михаил настроен в пользу союзников. Поскольку генерал Хабалов заявил, что в Петроград будут доставлены большие запасы муки, беспорядки можно считать оконченными.

Два или три дня спустя я пошел с Павлом Людвиговичем в русское посольство. Впервые я заглянул в старинный дом на улице Гренель. Ворота были раскрыты, и двор заполнен взволнованными эмигрантами. Люди что-то кричали, поздравляли друг друга, пели. Мне сказали, что царский посол Извольский принял делегацию и обещал помочь всем политическим эмигрантам вернуться на родину; он предупредил, однако, что дело это сложное: немцы усилили подводную войну; транспорты должны идти под эскортом английских миноносцев; англичане не любят торопиться. Люди не расходились. Все почему-то рвались к советнику Севастопуло; он говорил: «Господа, я вас прошу войти в положение...»

В коридоре на полу я увидел портрет царя — его успели снять со стены. Мне приходится снова повторить, что в первый раз все действует куда сильнее, чем при повторениях. Мне было четыре года, когда на престол взошел Николай II, я знал, что отец его «почил в бозе», а он «благополучно здравствует»; знал, что в Германии — Вильгельм с усами, в Австро-Венгрии — старый Франц-Иосиф, в Англии — Георг V, похожий на нашего Николая. И вдруг я вижу портрет Николая в царском посольстве на полу! А я, Илья Григорьев Эренбург, привлеченный по 102-й статье, стою и пою с товарищами «В бой роковой мы вступили с врагами...». И его превосходительство смотрит на нас умоляюще. Это было необычайно, и я строго сказал Севастопуло: «Вы должны нас немедленно отправить в Россию». Советник кивнул головой и снова попросил всех успокоиться.

«Ты уедешь и не вернешься»,—сказала мне Шанталь. Мы долго ходили по пустым темным улицам; накрапывал теплый весенний дождь.

Вскоре выяснилось, что отправлять будут группами; в первую очередь поедут эмигранты, связанные с политическими партиями, имеющими вес. Раньше лета мне не выбраться... Я вернулся к парижской жизни: ходил в «Ротонду», спорил с Диего об искусстве, переводил

Максу Жакобу мои стихи. Однако все время я думал о России; никак не мог представить себе, что там происходит. Я знал, что газеты лгут. А перед глазами вставали картины старой, сонной Москвы — палисадники с сиренью, вечера у Тани, явки, чайные...

Я пошел на эмигрантское собрание. Я думал, что там тоже будут поздравлять друг друга; но все переругались. Эсер Чернов красиво говорил: «Нужно защитить социализм и Россию». Его манера меня раздражала, но я ему аплодировал. Антонов-Овсеенко, как всегда, горячился, говорил сумбурно, но повторял, что главное — кончить войну; я и ему поаплодировал. Я понял, что отстал от политической жизни, разобраться трудно: на первый взгляд все правы. На следующее собрание я не пошел.

Потом был митинг, организованный в честь русской революции «Лигой прав человека». Огромный зал был переполнен. Выступал историк Олар; он говорил, что русская революция — социальная и что теперь нужно свернуть кайзера. Некоторые закричали: «Долой войну!» Выступала Северин; я ее знал по некоторым очеркам, немного сентиментальным, но написанным искренне; она была подругой и душеприказчицей Жюля Валлеса. Северин говорила о подвиге русских женщин, о женах декабристов, о Вере Засулич, о Фигнер, о работницах Петрограда. Я ей зааплодировал; сидевший недалеко от меня Гриша свистнул. Одни запели «Марсельезу», другие — «Интернационал». Праздник окончился дракой.

Газеты были полны восторженных статей об Америке: со дня на день в Гавре должны были высадиться первые американские отряды. Восхваляли всё — и президента Вильсона, и Лилиан Гиш, и американские консервы, и доллары,— это был медовый месяц. Зато о России газеты говорили, как о старой и неверной жене; особенно возмущал их Совет рабочих депутатов; они сочинили легенды о Чхеидзе — это была первая мишень. Чхеидзе изображался как фанатик, готовый отдать Францию в руки кайзера. Французы не могли выговорить его фамилию; Либион в тоске меня спрашивал, знаком ли я с этим «Шибидзе» и правда ли, что он ненавидит французов. (Н. С. Чхеидзе эмигрировал в 1921 году в Париж. Не знаю, как его встретили французы, но несколько лет спустя он покончил жизнь самоубийством.) В антирусской кампании первое место принадлежало газете «Матэн» — уже в апреле она начала печатать фельетончики, где доказывалось, что русские обожают пруссаков, они легкомысленны и склонны изменять своим друзьям.

Особенно горько пришлось русским бригадам, которых царское правительство прислало во Францию в 1916 году. С самого начала русские солдаты оказались в трагическом положении. Генерал Лохвицкий и его подчиненные пороли провинившихся «нижних чинов». Французы об этом узнали и начали относиться к русским с жалостью и презрением. Когда русских приводили на отдых в деревню, crieur public по приказу русского командования возвещал с барабанным боем, что русским солдатам строжайше запрещается продавать виноградное вино. Во Франции вино дают детям; и крестьяне боялись выглянуть из дому: привели на постой дикарей, которым даже вина нельзя пить, они и без вина пьяные...

В июне 1916 года в Марселе произошел первый бунт русских солдат: они убили офицера, отличавшегося особенной жестокостью. Девять «зачинщиков» были расстреляны.

В течение года русские и французы приглядывались друг к другу. У меня записаны некоторые суждения русских о французах — и осуждающие и благоприятные.

«Он говорит «камарад». А какой он товарищ? Нет у них этого, каждый у них за себя».

«Нас ругают, что мы грязные, а вы поглядите на них. У него на голове помада, а год в бане не был. Они грязь не смывают, а загоняют внутрь».

«Народ вежливый, зайдешь в лавчонку — «месье» и «мерси».

«Это у нас норовят драться. А я смотрю, он стоит и докладывает генералу, как будто он с приятелем говорит. Я видал в кафе — сидит французский солдат, пришел полковник, он даже ухом не повел».

«Разве это изба? Да у нас так и не всякий барин живет».

Помню смешной спор, из которого наши вышли победителями. Французы не едят гречневой каши; пробовали ее давать летчикам «Нормандии» — не стали есть. Так вот, французы начали смеяться над русскими солдатами: «У нас это только скотина ест». Русские не сдались: «А вот вы улиток едите, лягушек. У нас и скотина не станет такого есть...»

Все же до лета 1917 года отношения русских солдат с населением были мирными.

В апреле 1917 года французское командование попыталось провести наступление в районе Реймса; в боях приняли участие две русские бригады. Незадолго до этого генерал Нивель принял иностранных журналистов, он расхваливал боевой дух французов, а потом, обратившись ко мне, с нескрываемой иронией добавил: «Я надеюсь, что французский воздух предохранил ваших соотечественников от блеяния демагогов...» Русские бригады сражались хорошо, захватили форт, от которого зависела судьба Реймса, но, не поддержанные другими частями, вынуждены были его очистить. Потери были большие.

Первого мая русские солдаты стояли на отдыхе. Устроили большой митинг. Оркестр исполнил «Марсельезу», а потом «Интернационал». Крестьяне были ошеломлены; один сказал мне: «Я понимаю, что они взбунтовались, воевать всем надоело, наши тоже бунтуют... Но почему с ними офицеры! И почему они исполняют «Марсельезу»? Странный вы народ!»

Русские требовали одного: возвращения в Россию. Трагедия разыгралась позднее: перед моим отъездом я узнал, что русские бригады находятся в лагере Ля Куртин на положении пленных, их собираются отправить в Африку.

Неожиданно я получил от английского командования приглашение приехать на участок, где стояли «анзаки» — солдаты из Австралии и Новой Зеландии. Оказалось, что австралийские солдаты по закону должны принять участие в парламентских выборах; урны поставили недалеко от переднего края. Командир объяснил мне, что русским, наверно, полезно познакомиться с техникой выборов на фронте.

Мною заинтересовались различные люди, конечно не как автором «Стихов о канунах», а как корреспондентом петроградской газеты. Внук Маркса, социалист Жан Лонге, долго говорил мне о конфликте между антиимпериализмом и необходимостью спасти Францию, а потом вдруг уныло засмеялся: «Не помню, кто это сказал, кажется Ницше, что глупо читать нотации землетрясению». Военный министр Пенлеве говорил мне о своей любви к Толстому, Чехову, Горькому; у него были умные, хорошие глаза. Он был одаренным математиком, не знаю, почему он увлекся государственной деятельностью.

В Доме прессы мне возмущенно заявили, что в Сен-Рафаэле сенегальцы бунтуют и требуют для солдат «советов». Вскоре выяснилось, что сенегальцы требовали отпусков; но газеты уверяли, будто «русские пытаются подорвать дух храбрых колониальных войск».

В Париже начались забастовки. Первыми выступили «мидинетки» — так зовут модисток, белошвеек, шляпниц. Молоденькие девушки ходили по улицам с задорной песенкой; содержание ее было вполне невинно — работницы требовали «английской недели», то есть короткого рабочего дня в субботу, и надбавки заработной платы. Солдаты-отпускники присоединялись к демонстрациям мидинеток: им нравились девушки, кроме того, они пользовались случаем, чтобы познакомить парижан с другой, более серьезной песенкой: то и дело они кричали: «Долой войну!»

Начались солдатские бунты. В «Ротонду» пришел отпускник и рассказал, что его товарища, молодого скульптора, расстреляли.

Костюмы и декорации Пикассо к балету С. Дягилева «Парад». 1917 г.
Лондон. 1917 г.

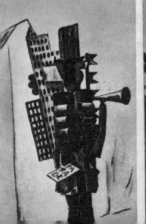

Мне дали пачку немецких газет. Немцы восхищались русской революцией и приветствовали французских солдат, которые протестут против войны. В Германии, однако, никто ничего не кричал. Неецкие дивизии по-прежнему стояли в Шампани, в Артуа, в Пикарии.

Все было тревожно и непонятно. Помню только одно веселое обытие. Дягилев поставил балет «Парад»; музыку написал Эрик Сати, екорации и костюмы сделал Пикассо. Это был очень своеобразный алет: балаган на ярмарке с акробатами, жонглерами, фокусниками дрессированной лошадью. Балет показывал тупую автоматизацию вижений, это было первой сатирой на то, что потом получило название американизма». Музыка была современной, декорации — полукубитическими. Публика пришла изысканная, как говорят французы — весь Париж», то есть богатые люди, желающие быть причисленными ценителям искусства. Музыка, танцы, а особенно декорации и остюмы возмутили зрителей. Я был до войны на одном балете Дягилеа, вызвавшем скандал,— это была «Весна священная» Стравинского. Но ничего подобного тому, что случилось на «Параде», я еще не видел. Люди, сидевшие в партере, бросились к сцене, в ярости кричали: «Занаес!» В это время на сцену вышла лошадь с кубистической мордой и начала исполнять цирковые номера — становилась на колени, танцеала, раскланивалась. Зрители, видимо, решили, что танцоры издеватся над их протестами, и совсем потеряли голову, вопили: «Смерть усским!», «Пикассо — бош!», «Русские — боши!» На следующий день Матэн» предлагала русским заняться не плохой хореографией, а хороим наступлением где-нибудь в Галиции.

Каждый день я ходил в какую-нибудь канцелярию: то в русское онсульство, то в английское, то во французскую полицию: выехать ыло не просто. Наконец мне выдали паспорт от имени Временного равительства; оставалось получить визы. Это слово я услышал впервые — до войны никаких виз не было. Настал день, когда у меня оказались все три визы — английская, норвежская и шведская.

Послезавтра я уезжаю! Либион считал, что в каждом порядочном ороде существуют кафе и там коротают вечера художники и поэты. Он меня угостил на прощание дивным арманьяком и сказал: «Когда ты будешь пить водку в московской «Ротонде», ты еще вспомнишь старика Либиона...» Диего Ривера радовался за меня — я еду на революцию, а он видел революцию в Мексике, это самое что ни на есть веселое дело. Модильяни мне сказал: «Может быть, мы увидимся, а может быть, нет. Мне кажется, что всех нас посадят в тюрьму или убьют...»

Помню последний вечер в Париже. Я шел с Шанталь по набережной Сены, глядел кругом и ничего больше не видел. Я уже не был в Париже и еще не был в Москве; кажется, я нигде не был. Я сказал ей правду: я счастлив и несчастен. В Париже я плохо жил, и все-таки я люблю этот город. Я приехал сюда мальчишкой, но я знал тогда, что мне делать, куда идти. Теперь мне двадцать шесть лет, я многому на учился, но ничего больше не понимаю. Может быть, я сбился с пути?..

Она меня утешала, сказала: «До свидания!» Мне хотелось ответить «Прощай!»

34

Французы писали на стенах: «Остерегайтесь, вас слышат вражеские уши!» Все только и говорили, что о бдительности. Однажды я поехал из Парижа в Эперне; на моем пропуске было пять печатей пяти различных ведомств: министерства иностранных дел, военного министерства, генерального штаба, «бюро передвижений в военной зоне», «контроля над иностранцами»; я должен был провести пять дней в пяти канцеляриях; я лелеял документ, добытый с таким трудом; но никто ни разу у меня его не потребовал.

Англичане ничего не писали на стенах, и на моем паспорте была всего одна английская виза; но я увидел, что значит бдительность. Меня обыскивали в жизни много раз, но никто, однако, не проявлял в этом деле такого мастерства, как англичане. Меня заставили разуться, куда-то уносили ботинки; просмотрели все швы на пиджаке и на брюках; отобрали записную книжку, стихи Макса Жакоба и после долгих пререканий вернули фотографию Шанталь. Все это англичанин делал с милой улыбкой, нельзя было даже на него рассердиться.

В Лондоне нам сказали, что неизвестно, когда мы поедем дальше: это военная тайна. Со мной ехал мой приятель эстонец Рудди, мы с ним часто встречались в «Ротонде». Мы пошли по очень длинному чужому городу. Все здесь было куда спокойнее, чем в Париже; может быть потому, что война была дальше, может быть и потому, что англичане не любят волноваться. Город мне показался красивым, величественным и унылым. Я подумал: здесь Модильяни посадили бы в сумасшедший дом...

Мы прожили два или три дня в Лондоне. Нас повезли на вокзал; куда мы едем, все еще оставалось тайной. Нас оказалось много — политические эмигранты и русские солдаты, убежавшие из немецкого плена. Все вагоны были переполнены. Эмигранты, разумеется, сразу начали спорить: одни были «оборонцами», другие стояли за Ленина. В одном купе дело чуть было не дошло до драки.

Повезли нас на север Шотландии. Я вышел на площадку, сказал Рудди, что хочу подышать свежим воздухом. На самом деле я понял, что дышу покоем. Здесь не чувствовалось присутствия истории. Одинокие домики, холмы, покрытые лиловым вереском, отары овец, розовый ирреальный свет северной белой ночи. Природа могла многое рассказать человеку; но мне в то лето было не до мудрости. Я постоял, подышал и вернулся в накуренный вагон, где кто-то хрипло кричал: «А чем твой Плеханов отличается от Гучкова?»

В Обердине нас погрузили на транспорт. Опять было тесно; мы

идели на палубе, прижавшись друг к другу. Нам сказали, что, если удет тревога, каждый должен занять свое место в шлюпке; но людей казалось больше положенного, и я остался без места в шлюпке. Ночью поры притихли; люди сидя дремали; а море рассказывало о чем-то воем — бурном, но постоянном. Вокруг нашего транспорта вальсировали два английских миноносца. Под утро нам объявили, что замечена подводная лодка. Я перед этим клевал носом. Посмотрев на Рудди, я начал так смеяться, что сидевшая рядом русская дама рассердилась: «В такие минуты можно быть посерьезнее...» Нет, нельзя было оставаться серьезным, глядя на Рудди!

Он был женат на милой француженке, которую мы называли «утконосом». Его теща убивалась: сумасшедший Рудди, он едет в страну, где все теперь вверх дном! Но еще больше ее страшил переезд через Северное море. Она причитала: «Вы не знаете бошей, они обязательно потопят Рудди!» Она увидела в газете объявление: какая-то фирма рекламировала чудодейственный костюм, в котором человек может сколько угодно держаться на воде. Теща купила спасательный костюм для Рудди. И вот он его надел... Можно ли было не смеяться? Я едва выговорил — меня душил приступ смеха: «Ты знаешь, на кого ты похож? На кубистическую лошадь Пикассо...» Рудди оправдывался: он дал слово теще. А я продолжал хохотать. Дама, не выдержав, отошла к шлюпке. Как я мог не смеяться? Тогда меня пугала скорее жизнь, чем смерть, а Рудди был действительно бесподобен.

Английский моряк дал мне спасательный пояс и улыбнулся. Я тоже улыбнулся, но пояса не надел. Я поморщился — вода, наверное, очень холодная; потом вспомнил, что не купил в Обердине английского табака. Солдаты, еще до того как транспорт отчалил, забрались в трюм; там было тепло и уютно. Когда была замечена подводная лодка, им сказали, что нужно подняться на палубу; но они не вышли из трюма — играли в карты, да и не верили в спасательные пояса.

Деревянные домики Бергена мне напомнили московские переулки. Но и здесь не было мира: незадолго до этого пожар уничтожил большую часть города. Христиания (так тогда назывался Осло) мне показалась идилличной. Вот на этой скамье, наверно, гамсуновский Иоганн мечтал о Виктории. А там, в домике на курьих лапках возле фьорда, Бранд говорил: «Все — иль ничего!» Станиславский хорошо играл доктора Штокмана, которого называли «врагом народа». За что? Он предпочел правду. Но что такое правда? Доктор Штокман знал, что целебные источники отнюдь не целебны, это легко проверить в лаборатории. А как проверить идеи?..

В Стокгольме мы задержались на несколько дней: ждали какой-то телеграммы из Петрограда. Стокгольм меня поразил. Я стоял на набережной против королевского дворца, глядел на камни, на воду, на небо, и мне хотелось писать стихи. (Я не знал, что сорок лет спустя этот город войдет в мою жизнь и Стокгольмским воззванием, и частыми посещениями, и новыми друзьями.) Я спрашивал себя: может быть, меня прельщает спокойствие нейтральной страны, где никто не волнуется за жизнь близких, не ждет воздушной тревоги, где в магазинах изобилие

товаров? Нет, это меня, скорее, сердило. Поразило меня другое: скал[ы]
среди домов. Построить дом здесь трудно, как взять крепость. Поразило море — оно входит в город, металлическое посвечивание воды[,]
чайки, вмешивающиеся в разговор прохожих. Здесь не было уныни[я]
Лондона, его роскоши и диккенсовской нищеты, его величия и спли[на]. Здесь цепенела каменная печаль, обдуманная и внезапная, ка[к]
строка поэта; стокгольмцы показались мне не благополучным[и]
нейтралами, нажившимися на чужой войне, а кандидатами в само[убийцы. Убийцы.

У Рудди оказались знакомые художники; они позвали нас вечеро[м]
в ресторан. Я оглядел нарочитую живописность помещения: стары[е]
бочки, медные подсвечники, кубистические картины на стенах — Пикассо уже дошел до этой северной окраины Европы. Девушки в белень-
ких чепчиках, улыбаясь, принесли закуски и водку. Я подумал: все-таки
это не «Ротонда»... Мы аккуратно говорили «сколь» и пили водку[.]
Потом к нашему столу подсел очень высокий швед с выпуклыми рачь-
ими глазами; художники объяснили, что это поэт, имени его я н[е]
запомнил. Он сказал, что говорит немного по-французски, но разговаривать не стал — молча пил водку. Только ближе к полуночи, выпи[в]
немало рюмочек, он сказал мне, что Европа — это Рим эпохи упадка.
Апостол Павел разбивал статуи греческих богинь, не задумываясь,
представляют ли они художественную ценность. Он был прав, но статуй
жалко. «Что вы собираетесь делать в России?» — спросил он меня[.]
Я ответил, что не знаю; может быть, меня возьмут в армию, может быть,
напишу новые стихи или роман. Он сказал, что теперь можно взять лом,
можно взять и носовой платок, чтобы утирать слезы. «Я лично люблю
и ломать и плакать, как старая дева над разбитой вазой...» Его рассуждения показались мне понятными; мы выпили еще и расцеловались.

Утром я вспомнил, что еду в Россию; нужно будет пойти к поэтам,
которых я знаю только по книгам; а Петроград или Москва — не «Ро[-

Стокгольм. 1917 г.

Белоостров. Граница Финляндия — Россия. 1917 г.

тонда»... У меня, например, нет крахмальных воротничков, а бритву я потерял на пароходе. К счастью, у меня оставалось немного денег; я купил бритву и несколько воротничков.

Поезд шел вдоль Ботнического залива. На тихих станциях белобрысые девушки гуляли с кавалерами. В буфетах на кусках льда лежали селедки. Все было чрезмерно тихо и непонятно. Ночь была совсем белой: солнце опустилось и сразу начало подыматься.

Путь был долгим; наконец мы доехали до последней шведской станции — Хапаранда. Перешли через мост. Вот и русские офицеры — это пограничная станция Торнио. Встреча была неласковой. Поручик, посмотрев на мой паспорт, злобно сказал: «Опоздали! Кончилось ваше царствие. Напрасно едете...» Это было 5 июля. Мы не знали о событиях в Петрограде и приуныли. Поезд шел теперь на юг. На станциях финны сосредоточенно молчали. В Хельсинки кто-то нам рассказал, что в Петрограде большевики попытались захватить власть, но их усмирили. В вагоне атмосфера накалилась. Один из «оборонцев» кричал о «пломбированном вагоне», о «предательстве» и вдруг сказал: «Мы поможем разобраться... Вы что хотите — бунтовать? Не выйдет, голубчики! Свобода свободой, а вам место в тюрьме...» Тотчас один из эмигрантов, присоединившийся к нам в Лондоне тщедушный еврей, который все время терял очки и глотал какие-то пилюли, вскочил и тоже стал кричать: «Не тут-то было! Пролетариат возьмет власть в свои руки. Кто кого посадит — это еще вилами на воде писано...»

Я как-то съежился: в Париже все говорили о «бескровной революции», о свободе, о братстве, и вот еще мы не доехали до Петрограда, а они грозят друг другу тюрьмой. Я вспомнил камеру в Бутырках, парашу, маленькое оконце... В Хельсинки офицер, захлебываясь от восторга, рассказывал: «Казаки им всыпали... А как прикажете с ними разговаривать? Ведь это босячье! Хорошая пулеметная очередь! Другого языка они не понимают...»

Я стоял в коридоре у окна. Кругом лежали солдаты, женщины прижимали к себе огромные тюки. Нельзя было повернуться. Я глядел в окно. Сколько солдат!.. Вид у них странный — измученные, плохо одеты, ругаются...

Почему все ругаются?..

А вот еще граница — Белоостров. Снова проверяют паспорта, осматривают вещи и снова ругаются. Офицер приказал меня обыскать. В кармане пальто обнаружили воротнички и бритву; офицер унес их в другую комнату, сказал, что на крахмальных воротничках теперь пишут секретные инструкции; о бритве не упомянул, но и ее вернуть отказался. Нас провели в грязное помещение, сказали, что в Петроград мы поедем под конвоем, как военнообязанные: нас сдадут воинскому начальнику. Все это сопровождалось бранью.

Действительно, нам дали конвойных. Поезд прошел немного и остановился на полустанке. Солдаты штурмовали переполненные вагоны. Кто-то сказал, что везут царских охранников. Солдаты улюлюкали, один крикнул мне: «Вот поставят тебя к стенке, это тебе не шампанское...» Офицер показал на меня даме: «Видишь — в шляпе — еще один «пломбированный». Хорошо, что сразу сцапали...»

Поезд двинулся и сейчас же остановился возле домика стрелочника. Маленькая девочка загоняла гусей. У нее была жиденькая косичка с ленточкой. Она посмотрела на меня: я улыбнулся и в ответ увидел ее застенчивую улыбку. Мне сразу полегчало.

Бабка на площадке истошно кричала: кто-то украл у нее мешок с сахаром. «Перебить их нужно всех»,— сказал старик в парусиновом пиджаке. Я не стал гадать, кого он хочет перебить — воришек или спекулянток; я вдруг обрадовался: все кругом говорят по-русски!

Заводские трубы. Пустырь с примятой травой, с желтыми цветами — совсем как на Шаболовке. Прокопченные дома. Вот я и дома...

1

Я походил на ягненка, отбившегося от стада, о котором писал Д[ю] Белле: ведь когда я уехал из России, мне не было и восемна[д]цати лет. Как приготовишка, я готов был учиться грамоте[,] спрашивал всех, что происходит, но в ответ слышал одн[о:] «Этого никто не понимает...» Я пробовал заводить длиннейши[е] разговоры — о миссии России, о гнили Запада, о Достоевском, но люд[и] были заняты другим: они не разговаривали, а ругались, проклинали [—] кто большевиков, кто Керенского, кто революцию.

На Финляндском вокзале нас встретила пожилая меньшевичк[а] в пенсне; она мне сказала: «Идите за мной». Я ответил, что меня сопр[о]вождает конвойный. Она начала ругать солдата, солдат ругал ее. Он[а] ему говорила, что он мешочник (он действительно вез с собой кулек[),] а он отвечал, что она, наверно, «жрет мармелад». Я стоял и дивилс[я.] Меньшевичка нас отвезла в общежитие: там было тесно и темно. К[а]кой-то юноша кричал своему соседу: «Какой ты революционер? Ты [—] Галифе, тебя нужно приставить к стенке!..»

Как всем политэмигрантам, мне дали отсрочку; поручик в участк[е] сказал, что в армии и без меня достаточно болтунов.

Я получил в «Биржевке» причитавшийся мне гонорар и поселилс[я] в меблированных комнатах на Мойке. С утра я шел на улицу и смотре[л.] Архитектура города, его проспекты казались мне необычайно ясным[и,] величественными, но понять что-либо было невозможно.

Я пошел на митинг в цирк Чинизелли. Народу было много, [и] я сразу почувствовал, что речи всем надоели: энтузиазм первых меся[ц]цев, видимо, успел иссякнуть, даже болтуны выговорились. Выступал[и] люди случайные. Седая дама доказывала, что революцию спасет эспе[ра]ранто; ее не слушали. Потом выступал анархист, он говорил, чт[о] необходимо сейчас же отменить государство; все на него кричали; тогд[а] он стал отчаянно свистеть — и его стащили с подмостков. Элегантн[о] одетый молодой человек умолял не отдавать Россию кайзеру. На нег[о] насели два солдата: «А ты, сукин сын, в окопе сидел?..»

Я попытался разыскать поэтов, с которыми переписывался; никог[о] из них в городе не оказалось, мне отвечали «на даче» или «в Крыму[».] Т. И. Сорокин как-то послал за мной: «Приходи, здесь сейчас Блок[».] Я побежал в Зимний дворец, но пришел слишком поздно — Блока уж[е] не было. Так я и не увидел поэта, стихи которого любил больше всег[о.]

В «Биржевке» мне посоветовали пойти в ресторан «Вена» — там п[о] вечерам собираются поэты и художники. Я решил, что «Вена» нечт[о] вроде «Ротонды». Но за столиками сидели обыватели, офицеры, спеку[ля]лянты. Один кричал: «Что же вы на карточке пишете, если этого нет[...]

Вы еще Николая поставьте!» Дама визжала: «Почему они прозевали Ленина?..»

На улицах ловили дезертиров; патрули, проверявшие документы, сами походили на дезертиров. Однажды я видел, как два офицера отобрали у женщины мешок с сахарным песком. Она вопила: «Ироды!..» Когда она ушла, один из офицеров крикнул вслед, что скоро ее приставят к стенке,— Керенский потакает мешочникам, но и на него найдется управа. Потом офицеры, не стесняясь прохожих, поделили между собой добычу.

В магазинах можно было купить гаванские сигары, севрские вазы, стихи графини де Ноай. В кондитерских подавали кофе с медом (сахара уже не было), а вместо пирожных — тоненькие ломтики белого хлеба и повидло. Извозчики больше не говорили про овес, только угрюмо ругались. Один поэт, с которым я познакомился в редакции «Биржевки», сказал: «Единственная надежда на генерала Корнилова. Его зовут Лавр — это символично...»

Солдаты говорили про «замирение». Дезертиры ничего не говорили, мрачно поглядывали на прохожих. По Невскому гуляли девушки в военной форме; они лихо козыряли, и груди у них были очень большие; они «митинговали» на углу Садовой, кричали, что нужно найти Ленина, а пока что арестовать Чернова.

Я услышал Чернова; он говорил, как в Париже, очень возвышенно. Но в марте он меня чем-то тронул, а в августе показался смешным. Он умел говорить и, в общем, напоминал французского радикал-социалиста, который клянется избирателям, что если его выберут, то он построит мост через речку. Чернов клялся, что даст крестьянам землю и спасет Россию от немцев. У него были хитрые глаза; по-моему, никто из слушавших ему не поверил. Слышал я и Керенского; это напоминало театр — казалось, что глава Временного правительства сейчас заплачет или убежит со сцены. К этому времени слава Керенского успела потускнеть; все же полсотни женщин истошно вопили, приветствуя его, одна кинула ему букетик полуувядших астр; он поднял цветы и почему-то их понюхал.

Я встретил двух-трех эмигрантов, которых знал по Парижу. Один из них, большевик (его звали Сашуней), сказал, что Антонов-Овсеенко сидит в Крестах, что меньшевики — предатели, время споров прошло. Я спросил его, не боится ли он, что немцы, воспользовавшись гражданской войной, захватят Петроград. Он стал кричать, что я рассуждаю, как меньшевик, что я интеллигент «с головы до ног», «интеллигенция путается в ногах», теперь не немцы страшны, а «оборонцы».

Я проговорил час или два с Савинковым. Он был помощником военного министра, и я не узнавал того Бориса Викторовича, который уныло усмехался в «Ротонде». Савинков говорил о крутых мерах, о диктатуре, о порядке. Керенского он назвал фразером, который упивается тембром своего голоса; о Временном правительстве отозвался презрительно: «Это растерявшиеся люди, они заседают не сидя, а стоя...»

В Зимнем дворце я увидел, как жил царь; жил он неинтересно; комнаты были заставлены безвкусной мебелью, мещанскими безделушками. (Такие же вещи я увидел потом в пекинском дворце, в покоях последнего китайского императора.) Среди пуфов стояли раскладушки; валялись винтовки — революция, которую Савинков хотел преждевременно похоронить, бродила по залам Зимнего дворца. На лестнице какая-то дама схватила помощника военного министра за борт пиджака: «Но вы мне скажите, почему Жоржа держат в остроге? Он еще в лицее читал Герцена...»

Савинков познакомил меня с Ф. А. Степуном. Я знал, что Степун — философ, что он написал интересную книгу «Письма прапорщика», в которой показал войну без обязательной позолоты. Менее всего я мог себе представить его исполняющим должность начальника политического управления военного министерства. Лицо у него было скорее мечтателя или пастора. Я начал бестолково и страстно твердить, как Сашуне, что немцы могут оккупировать Россию и задавить революцию. Он спросил, не хочу ли я стать военным комиссаром. Я усмехнулся — комиссар должен понимать, объяснять, а я занят другим: всех спрашиваю.

Был я и в Смольном. Там люди кидались на Чхеидзе, кричали, что Савинков сговаривается с генералами, а в тюрьму сажают рабочих. В коридорах спали солдаты.

Один из парижских эмигрантов мне строго сказал: «Здесь тебе не «Ротонда» — иди на фронт...» Я ответил, что меня не хотят брать в армию. Он зло рассмеялся: «Значит, ты большевик? Я тебя выведу на чистую воду...» Старушка прижала меня к стенке, плакала: «Ты им скажи, что у Андрюши дочка в консерватории, а сукно это Мишукин получил...»

В Петрограде тогда находились Тихон Иванович Сорокин и Катя с моей дочкой Ириной. Они жили у отца Кати, который не мог слышать моего имени: ко всем прочим грехам я был евреем. Катя тайком от отца

Н. Гумилев, З. Гржебин, А. Блок. Петроград. 1920 г.

Министр земледелия Временного правительства В. М. Чернов. 1917 г.

А. Ф. Керенский.

Временное правительство. 1917 г.

привела ко мне Ирину; девочке тогда было шесть лет. Я ее повел в кафе «Ампир», угостил белым хлебом с повидлом. Потом мы гуляли по Невскому. У Ирины одно время была няня итальянка, она ее научила молиться богу. Девочка попросила, чтобы мы зашли в Казанский собор; там она тотчас стала на колени и приказала мне последовать ее примеру. Я не послушался. Ирина начала кричать, плакала; женщины, молившиеся в соборе, возмутились: стыдно в святом месте обижать ребенка! К счастью, Ирине надоело молиться, и она спросила, нельзя ли снова пойти в кондитерскую.

Тихон сказал мне, что Степун направляет его на Кавказский фронт, а меня хочет сделать помощником Тихона. Я долго смеялся: Тихон разбирался в событиях еще меньше, чем я. Он хорошо знал книги Владимира Соловьева и архитектуру ранней готики. Интересно, о чем он будет говорить солдатам: о «вечной женственности» или о витражах Шартрского собора?..

(В архиве я нашел удостоверение военного министра от сентября 1917 года, в котором говорится, что «в согласии с фронтовой комиссией Центрального исполнительного комитета Всероссийского съезда Советов солдатских и рабочих депутатов» я назначен помощником военного комиссара Кавказского военного округа. Об этом назначении я узнал, когда уже исчезли и военный министр и Кавказский фронт.)

Все уверяли, что кто-то скоро «выступит»; одни считали, что выступит генерал Корнилов, другие — что выступят большевики. Я понял, что ничего не пойму, и уехал в Москву.

Вот и Остоженка... Здесь я знал все переулки, все вывески. Сначала город мне показался более спокойным; но это была видимость — люди и здесь ничего не понимали. Я попробовал разыскать старых знакомых. Прошло восемь лет, а это немалый срок. Один гимназист, ходивший в 1907 году на наши собрания, успел стать модным адвокатом; когда я назвал себя, он начал на меня кричать: «Доигрались! Мог бы сидеть в Париже, там, по крайней мере, не стреляют на улицах...» Гимназистка Люся, которая обожала стихи Лермонтова, оказалась полной дамой с усиками; она меня напоила чаем, но замучила жалобами: нет сахара, прислуга дерзит, ночью страшно выйти на улицу.

На Тверской помещалось кафе «Бом» с красными бархатными

ПЕТРОГРАДСКАЯ ГАЗЕТА

ВОСКРЕСЕНЬЕ, 30-го Іюля 1917 г.

НОВОЕ ВРЕМЕННОЕ ПРАВИТЕЛЬСТВО

диванами; там подавали кофе и пирожные. Туда приходили писатели. Там я познакомился с В. Г. Лидиным; он был розовым и очень опрятным; говорил о лошадях, о конюшнях, о мастерстве Бунина. Б. К. Зайцев задушевно рассказывал о красоте православных обрядов и о новелле. В. Ф. Ходасевич язвительно обо всех отзывался и писал нежные стихи о том, что его клонит к смерти, как девушек вечером клонит ко сну; у него было лицо, похожее на череп. А. Н. Толстой мрачно попыхивал трубкой и говорил мне: «Пакость! Ничего нельзя понять. Все спятили с ума...»

Алексей Николаевич уверял, что я похож на мексиканского каторжника. Я зашел в кафе на Арбате, начал что-то строчить; подошла девушка, сердито забрала пустой стакан и сказала: «Здесь вам не университет...» Я отвык от русского быта и часто выглядел смешным. Мне казалось, что именно поэтому я не могу разобраться в значении происходящих событий. Но и Алексей Николаевич был растерян не меньше меня. Недавно я перечитал дневники Блока, письма Короленко, статьи Горького; все тогда и принимали, и отвергали, и соглашались, и протестовали. Очевидно, «мексиканский каторжник» оказался при проверке заурядным русским интеллигентом... Я говорю это не для того, чтобы каяться или оправдываться; мне хочется объяснить мое состояние в 1917—1918 годы. Конечно, теперь я вижу все куда яснее, но гордиться здесь нечем — задним умом крепок каждый.

2

Говорят, что из-за деревьев не видно леса; это так же верно, как то, что из-за леса не видно деревьев. Читая о Франции 1793 года, мы видим Конвент, неподкупного Робеспьера, гильотину на площади Революции, клубы, где витийствовали санкюлоты, памфлеты, заговоры, битвы. А в том самом году Филипп Лебон сидел в маленькой лаборатории и думал о газе; Тальма репетировал ложноклассическую трагедию; модницы примеряли новые шляпы с лентами; домашние хозяйки рыскали по городу, разыскивая исчезающие продукты.

А. Н. Толстой так описал разговоры лета 1917 года: «Пропадем или не пропадем? Быть России или не быть? Будут резать интеллигентов или останемся живы?»; другой говорил: «Оставьте, батенька, зачем нас резать, чепуха, не верю, а вот продовольственные магазины громить будут»; третий сообщал из достоверного источника, что «к первому числу город начнет вымирать от голода».

Случайно у московских знакомых сохранилась моя записная книжка 1917—1918 годов. Записи настолько лаконичны, что порой я не могу их расшифровать, но некоторые строки помогли мне многое восстановить в памяти. Записал я и про первую встречу с В. Я. Брюсовым.

Это было в то самое лето, о котором писал Толстой. Я провел у Валерия Яковлевича несколько часов. Он прочитал мне недавно написанное им стихотворение об Ариадне, и мы поспорили. Если сформулировать эту часть беседы, то она будет выглядеть достаточно неожиданно для августа 1917 года:

1. Правда ли, что Тезей испытывал угрызения совести, оставив Ариадну на безлюдном острове?

2. Как правильнее писать — «Тезей» или «Фессей»? (Валерий Яковлевич настаивал на последней транскрипции.)

3. Нужно ли современному поэту писать о Тезее? (Я говорил, что не нужно.)

Можно подумать, что Брюсов был эстетом, формалистом, вечным декадентом, решившим противопоставить свой мир действительности. Это неверно; вскоре после Октябрьской революции, когда и его сверстники, и поэты более молодого поколения (в том числе я) недоумевали, метались, многое оплакивали, многим возмущались, Брюсов уже работал в первых советских учреждениях. Если он говорил со мной о Тезее, то потому, что верил в живучесть поэзии и уважал свою собственную работу. Всю жизнь он жил книгами — чужими и своими. В молодости он как-то признался, что у

В. Брюсов. Портрет М. Врубеля. 1906 г.

него «глупая чувствительность к романам, когда ее вовсе нет к событиям жизни».

Я шел к нему с двойным чувством: помнил его письма — он ведь неоднократно приободрял меня,— уважал его, а стихи его давно разлюбил и боялся, что не сдержусь, невольно обижу человека, которому многим обязан.

Валерий Яковлевич жил на Первой Мещанской; чтобы попасть к нему, я должен был пересечь знаменитую Сухаревку. Если Ватикан в Риме — независимое государство, то таким государством в Москве 1917 года была Сухаревка; она не подчинялась ни Временному правительству, ни Совету рабочих депутатов, ни милиции. Прекрасная башня высилась над грандиозным рынком; здесь, кажется, еще жила Древняя Русь с ее слепцами, певшими заунывные песни, с нищими, с юродивыми. Матерщина перебивалась причитаниями, древняя божба — разговорами о «керенках», о буржуях, о большевиках. Кого только тут не было: и дезертиры, и толстущие бабы из окрестных деревень, и оказавшиеся безработными гувернантки, экономки, приживалки, и степенные чиновницы, и воры-рецидивисты, и сопляки, торговавшие рассыпными папиросами, и попы с кудахчущими курами. Все это шумело, чертыхалось, покрикивало, притопывало — человеческое море...

«Восплакался Адамий: раю мой, раю!» — гнусавил слепец; его

песня еще звучала у меня в ушах, когда я подошел к дому Брюсова. Сухаревка была необходимым предисловием, ключом к разгадке сложного явления, именуемого «Валерием Брюсовым»; ведь если можно спорить о ценности стихов, посвященных Тезею, Ассаргадону, Кукулкану, то никто не станет отрицать значение Брюсова в развитии русской культуры. (Валерий Яковлевич как-то написал: «Желал бы я не быть «Валерий Брюсов»; но хорошо, что он им был.)

Конечно, не одна только Сухаревка имеет право значиться в предисловии; я сказал о ней, потому что Брюсов жил неподалеку; можно было бы припомнить и Зарядье с его лабазами, и «Общество свободной эстетики», и Китай-город, и купца Щукина, покупавшего холсты никому не ведомого Пикассо, и «Литературно-художественный кружок» на Большой Дмитровке, где Валерий Яковлевич проповедовал «научную поэзию», пока члены кружка, прекрасно обходившиеся и без науки и без поэзии, играли в винт. Брюсов одевался по-европейски, знал несколько иностранных языков, в письма вставлял французские словечки, на стены вешал не Маковского, а Ропса, но был он порождением старой Москвы, степенной и озорной, безрассудной и смекалистой.

Его трудолюбие, энергия поражали всех. При том первом свидании, о котором я рассказываю, он запальчиво возражал против моего, как он говорил, «безответственного» отношения к поэтической работе: «При чем тут вдохновение? Я пишу стихи каждое утро. Хочется мне или не хочется, я сажусь за стол и пишу. Даже если стихотворение не выходит, я нахожу новую рифму, упражняюсь в трудном размере. Вот черновики»,— и он начал выдвигать ящики большого письменного стола, заполненные доверху рукописями. Меня он укорял за легкомыслие, дилетантство; говорил, что нужно устроить высшую школу для поэтов: это — ремесло, хотя и «святое», оно требует обучения.

Он был великолепным организатором. Отец его торговал пробкой, и я убежден, что, если бы гимназист Брюсов не напал на стихи Верлена

В. Г. Лидин.

В. Ф. Ходасевич. Портрет Ю. Анненкова. 1921 г.

И. Эренбург. Шарж И. Матусевича.

Сухаревка. Москва. Начало 20-х годов.

и Малларме, у нас выросли бы леса пробкового дуба, как в Эстремаду-ре. Работоспособность в нем сочеталась с честолюбием. Когда ему было двадцать лет, он записал в дневнике: «Талант, даже гений, честно дадут только медленный успех, если дадут его. Это мало! Мне мало. Надо выбрать иное... Найти путеводную звезду в тумане. И я вижу ее: это — декадентство. Да! Что ни говорить, ложно ли оно, смешно ли, но оно идет вперед, развивается, и будущее будет принадлежать ему, особенно когда оно найдет достойного вождя. А этим вождем буду Я! Да, Я!»

Он организовывал издательства, создавал журналы, писал труды о стиховедении, переводил латинских авторов, спорил с признанными авторитетами, наставлял молодых; боялся одного — отстать от своего времени.

Он часто писал о хаосе — это шло от Тютчева; но Брюсову хотелось взять воспеваемый им хаос и его организовать. Помню, как я пришел к нему в конце 1920 года в маленький особняк, где помещался ЛИТО — так назывался отдел Наркомпроса, которому была вверена литература. Валерий Яковлевич говорил со мной как заведующий отделом, предла-гал работу; он показал на стену, там висела диковинная диаграмма: квадраты, ромбы, пирамиды — схема литературы. Это было наивно и вместе с тем величественно: седой маг, превращающий поэзию в кан-целярию, а канцелярию — в поэзию.

Его часто называли рационалистом, человеком сухого рассудка; многие уверяли, что он никогда не был поэтом. По-моему, это неверно: разум для Брюсова был не здравым смыслом, а культом, и в своей вере в разум он доходил до чрезмерности. Поэтом он был даже в самом обыденном, обывательском понимании этого слова: жил в условном мире исступленных схем. Его замечательно написал Врубель; сухие, обжигающие глаза, голова, как бы срезанная сзади.

Вспоминаю «Кафе поэтов» в Москве в 1918 году. Приходили туда люди, мало причастные к поэзии,— спекулянты, дамочки, молодые люди, именовавшие себя «футуристами». Валерий Яковлевич объявил, что будет импровизировать терцины на темы, заданные посетителями. Ему посылали дурацкие записки. Он как будто не замечал ни офици-антов с их криками «два кофе, два!», ни смеха подвыпивших матросов. Строгий, торжественный, он читал стихи; у него был странный голос,

когда он декламировал,— резкий, отрывистый. Читая, он откидывал голову назад. Он походил на укротителя, только перед ним были не цирковые львы, а слова. Он сочинял терцины то о Клеопатре, то о барышне, сидевшей за столиком, то о прозрачных городах будущего.

Ко всему он подходил серьезно; его эротические стихи — нечто вроде путеводителя по царству Афродиты. Окруженный поэтами, охваченными мистическими настроениями, он начал изучать «оккультные науки», знал все особенности инкубов и суккубов, заклинания, средневековую ворожбу.

Когда появились футуристы, Бальмонт наивно просил их помедлить с его низложением. Брюсов попробовал сам низвергать; написал стихотворение «Футуристический вечер». Маяковский писал:

> ...а за солнцами улиц где-то ковыляла
> никому не нужная, дряблая луна.

У Брюсова:

> Монетой, плохо отчеканенной,
> Луна над трубами повешена.

Футуристы, однако, не признали его своим, и среди их лозунгов значилось: «Стащить бумажные латы с черного фрака Брюсова».

Валерий Яковлевич разыскал во Франции мало кому известного поэта Рене Гиля, изобретателя «научной поэзии». Брюсову рассуждения Рене Гиля понравились: Валерий Яковлевич давно уже хотел быть колдуном с высшим образованием, магом-академиком.

Он изучил Пушкина, писал об анагорах, зевгмах, пролепсах, силлепсах, подсчитал, что в третьей главе «Онегина» семьдесят три процента рифм отличаются согласованием доударных звуков, а в четвертой главе всего пятьдесят четыре процента. Брюсов попытался дописать «Египетские ночи», создать обновленный вариант «Медного всадника»; эти его вещи не хочется перечитывать.

Несправедливо некоторые обвиняли Брюсова в отсутствии вкуса: эта черта присуща всем символистам — очевидно, такой у них был вкус. Разве не удивительно, что почти все они восхищались поэзами Игоря Северянина, которые нам кажутся образцом пошлости? Брюсов мог незадолго до смерти писать:

> Я — междумирок. Равен первым,
> Я на собранье знати — пэр,
> И каждым вздохом, каждым нервом
> Я вторю высшим духам сфер.

Я думаю сейчас о поэзии символистов. Это было замечательное явление; родился великий поэт Александр Блок; русский стих как будто раскрепостили. Но до чего мне по-человечески понятнее письма не только Чехова, но и его тусклых сателлитов, чем дневники Брюсова, путевые очерки Бальмонта или переписка между Блоком и Андреем Белым!..

К принятию революции Брюсова привел разум: он увидел зарашний день. Ему было уже под пятьдесят. Он работал над сохранением библиотек, над распространением поэзии, делал много доброго, важного. Есть довольно уродливое немецкое слово «культуртрегер»; о смыслу оно вполне подходит к деятельности Брюсова и до революции и после. Я предпочту более старомодное определение: Брюсов был росветителем.

Он верил, что революция коренным образом переменит все; говорил не, что социалистическая культура будет отличаться от капиталистиеской столь же сильно, как христианский Рим от Рима Августа. Он тел подойти к новому и как поэт, но был слишком тесно связан с прежним миром. Его стихи о революции наполнены мифологическими бразами, в них знакомый нам словарь символистов. В Октябрьские ни он увидел в Москве трех парок Эллады. Когда Г. В. Чичерин подпиал соглашение с Германской республикой, Брюсов писал:

> От совета Лемуров до совета в Рапалло...

Он обличал защитников капитализма:

> Было так, длилось под разными флагами,
> С Семирамиды до Пуанкаре...
> Кто-то, засев властелином над благами,
> Тесно сжимал роковое каре.

(Я вспоминаю аккуратного среднего француза месье Пуанкаре; он, есспорно, был бы польщен, что кто-то поставил его рядом с легендарой Семирамидой.) Порой Брюсовым овладевала тоска, и он жалоался как в молодости:

> Все люди, теперь и прежде,
> И в грядущем, взглянув на забор,
> Повтор все тех же арпеджий,
> Аккордов старый набор!..

Он умер осенью 1924 года в возрасте пятидесяти одного года. Я был Париже; мы устроили вечер памяти Брюсова. Когда человек умирает, друг его видишь по-новому — во весь рост. Есть у Брюсова прекрасые стихи, которые кажутся живыми и ныне. Может быть, над его олыбелью и не было традиционной феи, но даже если он не родился оэтом, он им стал. Он помог десяткам молодых поэтов, которые потом го осуждали, отвергали, ниспровергали. А молодой Советской России тот неистовый конструктор, неутомимый селектор был куда нужнее, ем многие сладкопевцы.

Не могу не вспомнить еще раз моих парижских лет. Валерий Яковевич меня поддержал; даже его упреки помогали мне жить.

При первой нашей встрече Брюсов заговорил о Наде Львовой — ана оказалась незажившей. Может быть, я при этом вспомнил предмертное стихотворение Нади о седом виске Брюсова, но только Валерий Яковлевич показался мне глубоким стариком, и в книжку записал: «Седой, очень старый» (ему тогда было сорок четыре года).

Записал я также: «Жизнь у него на втором плане»,— может быт думал при этом о Наде, может быть, о революции; но уже наверн помнил его слова о том, что «все в жизни лишь средство для ярк певучих стихов».

Он подарил мне на память маленькую книгу, надписал: «В зна близости в одном, расхождений в другом». Это относилось к нашем спору о поэзии. О событиях того грозового лета мы не говорили; тольк уходя, я не выдержал, спросил: что будет дальше? Валерий Яковлеви ответил стихами:

> Растет потоп... Но с небосвода,
> Приосеняя прах,
> Как арка радуги, свобода
> Гласит о светлых днях.

Я снова очутился на Сухаревке. Слепой с его «Адамием» исчез. Н углу Сретенки толпились люди — кого-то пырнули ножом. Я постоя и пошел дальше; а думал я не о Тезее — о потопе.

3

Марине Ивановне Цветаевой, когда я с нею познакомился, был двадцать пять лет. В ней поражало сочетание надменности и расте рянности; осанка была горделивой — голова, откинутая назад, с оче высоким лбом; а растерянность выдавали глаза: большие, беспомош ные, как будто невидящие — Марина страдала близорукостью. Волос были коротко подстрижены в скобку. Она казалась не то барышней недотрогой, не то деревенским пареньком.

Марина Цветаева.

М. Цветаева и С. Эфрон. 1911 г.

В Коктебеле перед домом М. Волошина. М. Цветаева с собакой, за ней С. Эфрон правее М. Волошин. 1914 г.

Последний номер журнала «Вещь», который выпускали И. Эренбург и Эль Лисицкий 1922 г.

В одном стихотворении Цветаева говорила о своих бабках: одна была простой русской женщиной, сельской попадьей, другая — польской аристократкой. Марина совмещала в себе старомодную учтивость и бунтарство, высокомерность и застенчивость, книжный романтизм и душевную простоту.

Когда я впервые пришел к Цветаевой, я знал ее стихи; некоторые мне нравились, особенно одно, написанное за год до революции, где Марина говорила о своих будущих похоронах:

> По улицам оставленной Москвы
> Поеду — я, и побредете — вы.
> И не один дорогою отстанет,
> И первый ком о крышку гроба грянет,—
> И наконец-то будет разрешен
> Себялюбивый, одинокий сон.
>
> И ничего не надобно отныне
> Новопреставленной болярине Марине...

Войдя в небольшую квартиру, я растерялся: трудно было представить себе большее запустение. Все жили тогда в тревоге, но внешний быт еще сохранялся; а Марина как будто нарочно разорила свою нору. Все было накидано, покрыто пылью, табачным пеплом. Ко мне подошла маленькая, очень худенькая, бледная девочка и, прижавшись доверчиво, зашептала:

> Какие бледные платья!
> Какая странная тишь!
> И лилий полны объятья,
> И ты без мысли глядишь...

Я похолодел от ужаса: дочке Цветаевой — Але — было тогда лет пять, и она декламировала стихи Блока. Все было неестественным, вымышленным: и квартира, и Аля, и разговоры самой Марины — она оказалась увлеченной политикой, говорила, что агитирует за кадетов.

В ранних стихах Цветаева воспевала вольницу Разина. По природе она была создана скорее для бунта, чем для добротного порядка, о котором тосковали летом 1917 года перепуганные обыватели. У Цветаевой с ними не было ничего общего; но она отшатнулась от революции,

создала в своем воображении романтическую Вандею; жалела цар:
(хотя и осуждала:

> Помянет потомство
> Еще не раз
> Византийское вероломство
> Ваших ясных глаз).

Повторяла:

> Ох, ты барская, ты царская моя тоска...

Почему ее муж, Сережа Эфрон, ушел в белую армию? Я знал в Париже старшего брата Сережи — актера Петра Яковлевича Эфрона, больного туберкулезом и рано умершего. Сережа походил на него — был очень мягким, скромным, задумчивым. Никак не могу себе представить, что ему захотелось стать шуаном.

Он уехал, а Марина писала неистовые стихи: «За Софью на Петра!» Писала:

> Андре Шенье взошел на эшафот,
> А я живу, и это страшный грех.

Она читала эти стихи на литературных вечерах; никто ее не преследовал. Все было книжной выдумкой, нелепой романтикой, за которую Марина расплатилась своей искалеченной, труднейшей жизнью.

Когда осенью 1920 года я пробрался из Коктебеля в Москву, я нашел Марину все в том же исступленном одиночестве. Она закончила книгу стихов, прославлявшую белых,— «Лебединый стан». К тому времени я успел многое повидать, в том числе и «русскую Вандею», многое продумал. Я попытался рассказать ей о подлинном облике белогвардейцев — она не верила; пробовал я поспорить — Марина сердилась. У нее был трудный характер, и больше всех от этого страдала она сама. У меня сохранилась ее книга «Разлука», на которой она написала: «Вам, чья дружба мне далась дороже любой вражды и чья вражда мне дороже любой дружбы. Эренбургу от Марины Цветаевой. Берлин, 29 мая 1922 года». (С ятями, даже с твердыми знаками, хотя к этому времени от прежних твердых позиций в ней оставалось мало что.)

Когда весной 1921 года я поехал одним из первых советских граждан за границу, Цветаева попросила меня попытаться разыскать ее мужа. Мне удалось узнать, что С. Я. Эфрон жив и находится в Праге; я написал об этом Марине. Она воспряла духом и начала хлопотать о заграничном паспорте. Она рассказывала, что паспорт ей сразу дали; в Наркоминделе Миркин сказал: «Вы еще пожалеете о том, что уезжаете...» Цветаева везла с собой рукопись книги «Лебединый стан».

Ее встреча с мужем была драматичной. Сергей Яковлевич был человек обостренной совести. Он рассказал Марине о зверствах белогвардейцев, о погромах, о душевной пустоте. Лебеди в его рассказах выглядели воронами. Марина растерялась. В Берлине я с ней как-то проговорил ночь напролет, и в конце нашего разговора она сказала, что не будет печатать свою книгу.

(В 1958 году сборник «Лебединый стан» был издан в Мюнхене. Уезжая накануне второй мировой войны в Советский Союз, Цветаева оставила часть своего архива в библиотеке Базеля («нейтральная страна»). Не знаю, как удалось издателям получить рукопись; преследовали они, конечно, политические цели, нарушив волю Цветаевой,— она ведь провела в эмиграции семнадцать лет, много раз ей предлагали издать «Лебединый стан», она всегда отказывалась.)

Мне хочется углубить, да и расширить разговор об опоэтизированной Мариной Цветаевой Вандее, сказать о том, как порой искусство становится позой, бутафорией, одеждой. (Я уже упоминал об этом, вспоминая свои ранние стихи.) Это относится не только к «Лебединому стану», но ко многим книгам многих поэтов, и этот разговор может хотя

М. Цветаева. Париж.

бы отчасти помочь понять дальнейшие главы моего повествования.

Как я говорил, у меня не сохранилось старых писем. Часть своего архива Цветаева привезла в Москву. Есть в нем черновики некоторых писем ко мне. В одном из них Марина писала: «Тогда, в 1918 году, Вы отметали моих донжуанов («плащ», не прикрывающий и не открывающий), теперь, в 1922 году,— моих Царь-девиц и Егорушек (Русь во мне, то есть вторичное). И тогда и теперь Вы хотели от меня одного — меня, то есть костяка, вне плащей и вне кафтанов, лучше всего ободранную. Замысел, фигуры, выявление через — все это для Вас было более или менее бутафорией. Вы хотели от меня главного — без чего я — не я... Я Вас ни разу не сбила (себя постоянно и буду), Вы оказались зорче меня. Тогда, в 1918 году, и теперь, в 1922 году, Вы были жестоки — ни одной прихоти!.. Вы правы. Блуд (прихоть) в стихах ничуть не лучше блуда (прихоти, своеволия) в жизни. Другие — впрочем, два разряда — одни, блюстители порядка: «В стихах — что угодно, только ведите себя хорошо в жизни»; вторые, эстеты: «Все, что угодно, в жизни — только пишите хорошие стихи». И Вы один: «Не блудите ни в стихах, ни в жизни. Этого Вам не нужно». Вы правы, потому что к этому я молча иду».

Она шла и пришла к той цели, которую перед собой поставила, пришла дорогой страданий, одиночества, отверженности.

Сложны и мучительны были ее отношения с поэзией. Она написала о В. Я. Брюсове много несправедливого: видела внешность и не попыталась заглянуть глубже, задуматься, но, разумеется, ее должны были возмутить строки:

> Быть может, все в жизни лишь средство
> Для ярко-певучих стихов,
> И ты с беспечального детства
> Ищи сочетания слов.

Цветаева отвечала: «Слов вместо смыслов, рифм вместо чувств? Точно слова из слов, рифмы из рифм, стихи из стихов рождаются...» Вместе с тем она жила в плену у поэзии. Вспоминая слова Каролины Павловой, Цветаева назвала одну из своих книг «Ремесло». В ней она писала:

> Ищи себе доверчивых подруг,
> Не выправивших чуда на число.
> Я знаю, что Венера — дело рук,
> Ремесленник,— и знаю ремесло!

Марина многих в жизни называла своими друзьями; дружба внезапно обрывалась, и Марина расставалась с очередной иллюзией. Был, однако, один друг, которому она оставалась верна до конца:

> Да, был человек возлюблен!
> И сей человек был — стол...

Ее рабочий стол — стихи.

Я встречал в жизни поэтов, знаю, как тяжело расплачивается художник за свою страсть к искусству; но, кажется, нет в моих воспоминаниях более трагического образа, чем Марина. Все в ее биографии зыбко, иллюзорно: и политические идеи, и критические суждения, и лич-

Книга стихов М. Цветаевой с дарственной надписью И. Эренбургу.
М. Цветаева с дочерью Ариадной. 1924 г.

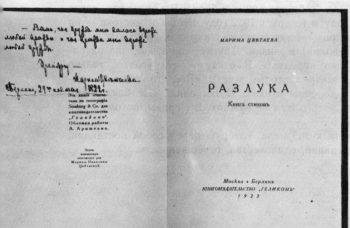

ные драмы — все, кроме поэзии. Мало осталось людей, которые знали Цветаеву, но ее поэзия только-только входит в мир многих.

С отрочества до смерти она была одинокой, и эта ее отверженность была связана с постоянным отталкиванием от окружающего: «Я все вещи своей жизни полюбила и пролюбила прощанием, а не встречей, разрывом, а не слиянием». Очутившись в эмиграции, Цветаева оказалась снова одинокой; ее неохотно печатали эмигрантские журналы, а когда она написала восторженно о Маяковском, заподозрили в «измене». В одном из писем Цветаева рассказывала: «В эмиграции меня сначала (сгоряча!) печатают, потом, опомнившись, изымают из обращения, почуяв не свое: тамошнее. Содержание будто «наше», «а голос — и х н и й».

В том, что обычно называют политикой, Цветаева была наивна, упряма, искренна. В 1922 году я выпускал вместе с художником Э. Лисицким журнал «Вещь» — он выходил по-русски, по-французски и по-немецки. Марина по своему желанию перевела для журнала на французский язык обличительное стихотворение Маяковского «Слушайте, сволочи!». В тридцатые годы, давно охладев к русской Вандее, она все еще не могла примириться с новым стилем — я говорю не об искусстве, а о календаре. (Я вспоминаю рассказы о первом годе Советской власти; в Петрограде на одном из совещаний Блок страстно отстаивал старую орфографию — все он принимал, а вот «лес» без ятя ему казался не лесом.)

В годы первой мировой войны Цветаева писала:

> Германия, мое безумье!
> Германия, моя любовь!

(Она не была одинока — Блок тоже говорил о своей приверженности к немецкой культуре.) Четверть века спустя немецкие дивизии вступили в преданную Прагу, и Марина их прокляла:

> О мания! О мумия
> Величия!
> Сгоришь,
> Германия!
> Безумие,
> Безумие
> Творишь.

Наши встречи в тридцатые годы были редкими, случайными, пустыми. Я не знал, как она живет, чем живет; не знал ее новых стихов. Это были для Цветаевой годы больших испытаний и большой работы: теперь я вижу, как она поэтически росла, освобождаясь от последних «плащей», находила простые и пронзительные слова.

Жилось ей очень плохо: «Муж болен и работать не может. Дочь вязкой шапочек зарабатывает пять франков в день, на них вчетвером (у меня сын 8-ми лет, Георгий) живем, то есть просто медленно подыхаем с голоду».

С. Я. Эфрон стал одним из организаторов «Союза возвращения на родину». Он показал себя мужественным. Обращаясь к своему сыну, к молодым, родившимся в эмиграции, Марина писала:

> Перестаньте справлять поминки
> По Эдему, в котором вас
> Не было!..

Аля уехала в Москву; вскоре за нею последовал С. Я. Эфрон.

Но не было в мнимом эдеме и самой Цветаевой. Прошлый мир никогда ей не казался потерянным раем.

> Я слишком сама любила
> Смеяться, когда нельзя!

Она многое любила именно потому, что «нельзя», аплодировала не в те минуты, что ее соседи, глядела одна на опустившийся занавес, уходила во время действия из зрительного зала и плакала в темном пустом коридоре.

Девочкой Марина увлекалась «Орленком» и всей условной романтикой Ростана. С годами ее увлечения стали глубже: Гёте, «Гамлет», «Федра». Она иногда писала стихи по-французски, по-немецки. Однако повсюду, кроме России, она чувствовала себя иностранкой. Все в ней связано с родным пейзажем — от «жаркой рябины» молодости до последней кровавой бузины. Основными темами ее поэзии были любовь, смерть, искусство, и эти темы она решала по-русски. Любовь для нее тот «поединок роковой», о котором говорил Тютчев. Цветаева писала о пушкинской Татьяне: «У кого из народов такая любовная героиня: смелая и достойная, влюбленная и непреклонная, ясновидящая и любящая?» Пуще всего Марина ненавидела заменители любви:

> Сколько их, сколько их ест из рук,
> Белых и сизых!
> Целые царства воркуют вкруг
> Уст твоих, Низость!

Она сама была «влюбленной и непреклонной».

Цветаева вернулась на родину с четырнадцатилетним сыном в 1939 году. Кажется, одним из ее последних стихотворений было написанное после того, как фашисты прикончили Испанию и вторглись в Чехословакию:

> Отказываюсь — быть.
> В Бедламе нелюдей
> Отказываюсь — жить.
> С волками площадей
> Отказываюсь — выть...

С. Я. Эфрон погиб. Аля была далеко — в лагере. Марина и в Москве оказалась одинокой.

Она пришла ко мне в августе 1941 года; мы встретились после многих лет, и встреча не вышла — по моей вине. Это было утром, «тарелка» успела уже рассказать: «Наши части оставили...» Мои мысли

...ии далеко. Марина сразу это почувствовала и придала разговору ...овую видимость: пришла посоветоваться о работе — о переводах. ...гда она уходила, я сказал: «Марина, нам нужно повидаться, погово-...ь...» Нет, мы больше не встретились: Цветаева покончила с собой ...Елабуге, куда ее занесла эвакуация.

...Сын Марины погиб на фронте. Алю я иногда вижу; она собрала ...изданные стихи Марины.

...От многих строк Цветаевой я не могу освободиться — они засели ...амяти на всю жизнь. Дело не только в огромном поэтическом даре. ...роги у нас были разные, и, кажется, мы ни разу не встретились на ...ом из тех перекрестков, где человек, в действительности или только ...воих иллюзиях, выбирает себе дорогу. Но есть в поэтической судьбе ...етаевой нечто мне очень близкое — постоянные сомнения в правах ...кусства и одновременно невозможность от него отойти. Марина ...ановна часто спрашивала себя, что важнее — поэзия или созидание ...льной жизни, отвечала: «За исключением дармоедов во всех их ...зновидностях — все важнее нас (поэтов)». Она писала после смерти ...яковского: «Прожил, как человек, и умер, как поэт...» Никогда ...етаева не пыталась укрыться от жизни; напротив, хотела жить с ...дьми: одиночество было для нее не программой, а проклятием; оно ...ло тесно связано с тем единственным другом Марины, о котором она ...азала: «Сей человек был — стол...» Она не была никогда в «Ротон-...», не знавала Модильяни, а написала:

Гетто избранничеств! Вал и ров.
По — щады не жди!
В сём христианнейшем из миров
Поэты — жиды!

Слово «избранничество» может сбить с толку; но Цветаева считала ...етто» не гордым отъединением, а обреченностью: «Какой поэт из ...вших и сущих не негр?»

Когда я перечитываю стихи Цветаевой, я вдруг перестаю думать ...поэзии, перехожу к воспоминаниям, к судьбе многих моих друзей, ...воему — люди, годы, жизнь...

4

Передо мной клочок желтой выцветшей газеты; это «Биржевка» за ...сентября 1917 года. Несколько театральных новостей: «Михайлов-...ий театр репетирует «Смерть Иоанна Грозного», но пьеса, весьма ...зможно, будет снята с репертуара, причины — малочисленность ...уппы и несоответствие политических тенденций самой пьесы с собы-...ями и настроениями наших дней». «Комиссия при Совете Р. и ...Д. устраивает в октябре ряд симфонических концертов. Участвуют ...листы и оркестр 171-го зап. пехотного полка. Дирижировать концер-...ми будут А. Глазунов, А. Зилоти и А. Коутс». Рядом напечатан мой ...ерк, присланный из Москвы:

«В квартире 6 у писателя-символиста изысканное общество: ма〉 Элеонора — теософка, офицер с орденами, еще писатель помоло несколько просто интеллигентов.

— Никто не слушает,— стонет интеллигент.— Недостоин наш род свободы — хамы, насильники, воры. В трамвае у меня два кл〉 украли. Палки требуют. Рано дали им свободу, не учли. Говорят, «уч их». Этих-то мужиков? Не-ет! Пускай попробуют, проявятся. Пере〉 друг друга, а потом приедет генерал на белом коне — усмирит. И луч будет...

— Что вы,— грустно вздыхает теософка,— вы говорите, на к〉 генерал, а я думала — Милюков...

— Так точно, палка необходима,— учтиво поясняет ей офицер〉 И возьмите, до этой «свободы» офицера, который, простите, и в мо〉 даст при случае, солдатики очень уважали, можно сказать, люби А теперь комитеты и прочее безобразие. Чтобы «земляки» наши резо〉 ции выносили?.. Не могу! Они мне георгия за храбрость присуд〉 хотели. Отказался — хитрость! Так точно, палка необходима, дисц лина...

Писатель-символист недоумевающе оглядывает гостей, закатыв〉 глаза и вещает:

— Уходите! Прячьтесь! Спасайте нашу культуру, мудрость, вер〉 этих варваров! Все достояние в библиотеках, в музеях, в ваших душ Храните музеи! Замкните от голоса улицы ваши уши! Я не раскрыв〉 этих треклятых газет, почти не выхожу из дома. В моих ушах зве〉 пеон...

— А я, мэтр,— заявляет молодой писатель,— занял нескол〉 иную позицию. В душе я бесстрастен, но слежу за игрой страст〉 Я выше ее, но сколько материала для моего грядущего романа!..

Все начинают беседовать о пеонах и ямбах, о символистах и футу〉 стах. Лишь четверть часа спустя по поводу пастилы, стоящей с〉 рублей и заменяющей сахар, все возвращаются на землю. И сн〉 стонет интеллигент:

— Хамы! Палку! Генерала!..»

Издеваясь над другими, я издевался над собой: я не мечтал о палке, ни о генерале, ни о дешевой пастиле, но понять происходя〉 не мог.

Москва жила, как на вокзале,— в ожидании третьего звон〉 Устраивали облавы на дезертиров. Ругались повсюду, а особенн〉 трамваях, которые ползли, облепленные людьми. В «Метрополе» от〉 явшиеся либералы пили французское шампанское, расплачива〉 большими листами неразрезанных «керенок»; по привычке они бор〉 тали, что нужно спасти Россию, может быть, им и хотелось спасти се〉 но они больше ни во что не верили. В кафе «Бом» новоиспеченные из〉 тели уверяли, что издадут «Гавриилиаду», мемуары Распутина и〉 лное собрание сочинений любого из нас; некоторые быстро остыв〉 к издательскому делу и переходили на мануфактуру или на сах〉 В чайных на Шаболовке люди угрюмо ждали развязки.

Моя мать была в Ялте; мне хотелось повидать ее после дол〉

…злуки. С трудом я купил билет и прорвался в вагон. Мать я нашел …льно постаревшей; она кашляла, куталась в оренбургский платок …бояась выстрелов (стреляли часто и неизвестно почему).

Я заехал в Коктебель к Волошину. Он говорил о стихии, о протопопе …вакуме, о трех эринниях со змеями; а глаза его напоминали окна …закрытыми ставнями.

В поезде пассажиры поймали воришку, мальчика лет двенадцати; …е на него кинулись, били. Я до сих пор вижу детское лицо в крови... На …дной станции поезд простоял часа три; все пошли на базар, накупили …леба и яблок; потом начали митинговать. Барышня, прижимая к груди …уханку, истерически вопила, что теперь даже калеки обязаны идти на …ронт. Солдат ее крыл матом, но она не унималась. Мешочники сле… …или за своими мешками и загадочно усмехались.

Когда я приехал в Москву, шли уличные бои. У Красных ворот … увидел на мостовой старика — его убила шальная пуля.

В 1921 году автор «Хулио Хуренито» так описывал переживания …ерсонажа, именуемого в романе «Ильей Эренбургом»: «Я проклинал …вое бездарное устройство; одно из двух: надо было вставить другие …лаза или убрать эти никчемные руки. Сейчас под окном делают—не …озгами, не вымыслом, не стишками, нет, делают руками историю... …ажется, нет ничего лучше — беги через ступеньки вниз и делай ее …корее, пока под руками глина, а не гранит, пока ее можно писать пуля… …и, а не читать в шести томах ученого немца. Но нет, я сижу в каморке, …кую холодную котлету и цитирую Тютчева. Проклятые глаза, косые, …одслеповатые или дальнозоркие, во всяком случае нехорошие! Зачем …идеть тридцать три правды, если от этого не можешь зажать в кулак …дну, пусть куцую, но свою, кровную, крепкую? Кругом, по крайней …ере, охают, радуются и по различным обстоятельствам прославляют …оспода. «Слава богу, идет Алексеев, этих разбойников прогнали!» — …ричит Леля. «Слава тебе, господи,— умиляется ее прислуга Матре… …а,— большаки берут верх». Я даже на это не способен... Запомните, …оспода из так называемого «потомства», чем занимался в эти един… …твенные дни русский поэт Илья Эренбург».

Я писал далее все в том же «Хуренито»: «Пошла повсеместная …анихида; причем многие оплакивали то, чего раньше не замечали или, …амечая, не одобряли: Леля — великодержавность, Сережа (тот, что … Михайловским) — церковь, гимназист Федя — промышленность и …инансы. Это было все-таки делом, и за отсутствием другого я занялся …плакиванием... Я вспоминал, отпевал, писал стихи и читал их со сред… …им успехом в многочисленных «кафе поэтов».

На этот раз автор «Хуренито» говорил не о воображаемом герое, … о самом себе, говорил откровенно, отнюдь не пытаясь себя оправдать …ли приукрасить. Однако я издевался над собой не только три года …пустя, но и в те самые дни, когда недоумевал, искал тридцать три …равды и оплакивал мир, который никогда не был моим. Я писал тогда …чень плохие стихи: искусство не терпит лжи, а я старался обмануть …амого себя — молился богу, в которого не верил, рядился в чужую …дежду.

В дневниках Блока есть запись от 31 января 1918 года: юноша Стэ
рассказывает Блоку об отношении молодежи к поэзии: «Сначала был
3 Б (Бальмонт, Брюсов, Блок); показались пресными — Маяковски
и он пресный — Эренбург (он ярче всех издевается над собой; и потом
скоро мы все будем любить только Эренбурга)».

Стэнг — это молодой поэт В. О. Стенич. Познакомился я с ни
позднее. Он читал вперемежку стихи Блока, Маяковского, Хлебников
свои собственные; печально зубоскалил; почему-то мне запомнила
его шутливая пародия на Анненского:

> Бывают такие миги,
> Когда не жаль и малых овец.
> Об этом писала в поваренной книге
> Елена Молоховец.

Погиб он в тридцатые годы. Если бы я тогда услышал от Стенич
что кому-то могут нравиться мои стихи, я, наверно, удивился бы: мн
самому они не нравились; в записной книжке я себя уговаривал
«Нужно перестать писать, заняться огородничеством или, когда вс
успокоится, купить аппарат со штативом и снимать портреты на ярмар
ках».

> Блажен, кто посетил сей мир
> В его минуты роковые!

Эти строки написаны двадцатисемилетним поэтом, вторым секрета
рем российского посольства в Мюнхене. Молодой Тютчев читал в газе
тах о Французской революции 1830 года и, находясь в спокойной
сонной Баварии, позавидовал свидетелю бури:

> Он их высоких зрелищ зритель...

А на самом деле, когда история переходит со страниц учебника н
окрестные улицы, ничего нет глупее и унизительнее роли зрителя. На
прасно лжемудрец пытается осмыслить происходящее: если подойти
вплотную к большому зданию, будь оно самым прекрасным, самым
величественным, видишь только детали. Участник событий понимае
куда больше, чем холодный наблюдатель; слепота поражает не того
кто любит и ненавидит, а того, кто пытается, сидя в зале, расшифроват
мелькающие кадры фильма.

Как-то я встретил Алексея Ивановича Окулова. Я знал его в Па
риже угрюмым, он много пил, не понимал, что ему делать; записыва
что-то в блокнот; потом раскладывал на постели листочки и сшива
рассказ; получил даже как-то премию. Числился он писателем, но
выпив, кричал: «Какой я писатель? Уж если я на что-нибудь годен, та
стрелять...» Биография его была бурной: боевые дружины, тюрьмы
эмиграция, подполье, снова тюрьмы и снова эмиграция. В революци
онной Москве он чувствовал себя уверенно; он мне сказал, что чере
несколько дней уезжает на фронт. Такое душевное веселье—привиле
гия активного участника событий. Удел наблюдателей куда горше

М. Горький писал: «...В 17—18 годах мои отношения с Лениным или далеко не таковы, какими я хотел бы их видеть, но они не могли ыть иными. Он — политик. Он в совершенстве обладал тою четко работанной прямолинейностью взгляда, которая необходима рулему столь огромного, тяжелого корабля, каким является свинцовая естьянская Россия. У меня же органическое отвращение к политике, и плохо верю в разум масс вообще, в разум же крестьянской массы — особенности». Горький оказался наблюдателем и тринадцать лет устя написал: «Пусть же читатели знают эту мою ошибку. Было бы рошо, если б она послужила уроком для тех, кто склонен торопиться выводами из своих наблюдений».

(Мне кажется, что Горький в одном не прав: люди учатся на своих шибках, а не на чужих — уж слишком часто в истории повторяются дни и те же ошибки.)

Я не могу сказать, что я всегда чуждался политики, точнее — йствия: я начал с подпольной работы, потом, в зрелом возрасте, не аз оказывался участником событий; в дальнейших частях моих воспоинаний политические события будут не раз заслонять книги или лсты. Но в 1917 году я оказался наблюдателем, и мне понадобилось а года для того, чтобы осознать значение Октябрьской революции. ля истории два года — ничтожный срок, но в человеческой жизни это ного смутных дней, сложных раздумий и простой человеческой боли.

С тех пор прошло почти полвека... Мне хочется напомнить, какой ыглядела Франция полвека спустя после революции 1789 года. Позади ыл калейдоскоп событий — термидор, госпожа Тальен, молодой кориканец, наполеоновские войны, казаки в Париже, снова Бурбоны, елый террор, маленькая революция,— и в итоге Людовик-Филипп, емократизм которого состоял в том, что он прогуливался с зонтиком руке и отвечал на поклоны верноподданных. Для парижанина 839 года революция 1789 года была событием давно минувшей, загаочной эпохи. Из сотни людей, с которыми я вчера разговаривал, вряд и один помнит дореволюционную Россию: для пятидесятилетних, не говоря уж о более молодых, советский строй не идея, о которой можно порить, не программа одной партии, а естественная форма общества.

Конечно, на Западе и спорят, и сомневаются, и отрицают; но теперь ожно сравнивать, можно аргументировать сложной жизнью большого осударства. Русской интеллигенции в 1917—1918 годах было куда руднее...

Я не оплакивал ни имений, ни заводов, ни акций: я был беден богатство сызмальства презирал. Смущало меня иное. Я вырос с тем онятием свободы, которое нам досталось от XIX века; со школьных лет уважал неуважение, прислушивался к голосу ослушников. Я не поял, что меняются не только порядки, но и понятия, новый век многое ринес и многое унес, а я пытался подойти к завтрашнему со вчерашней еркой.

Впрочем, и это не главное. Если говорить честно, я еще не знал, что акое жизнь, хотя мне было уже двадцать шесть лет. Оговорки, описки, шибки мешали мне понять значение текста. Я замечал много уродливого, видел злобу, невежество, но не видел главного: осуществляло то, о чем я мечтал подростком, что мерещилось мне в тюремных камерах. Жизнь никогда не похожа на мечты. Гадалки говорят про «линию жизни»; такая линия действительно существует — не на ладони, а в судьбе человека, и чем раньше ее увидишь, осознаешь, тем легче буде преодолеть сомнения. Эта линия складывается не только из высоки идей, но и из реальных событий, не только из притяжений, но и из отталкиваний, не только из страстных чувств, но и из раздумий. Менее все я хочу этим сказать, что, по ходячему определению, цель оправдыва средства, я слишком хорошо знаю, что средства могут изменить любу цель. Я думаю только о верности линии жизни — человека, народ века.

Потом мне, как и всем моим современникам, пришлось пережи немало испытаний; я оказался к ним подготовленным: в сорок шесть ле линия жизни мне была куда яснее, чем в двадцать шесть... Я знал, чт нужно уметь жить, сжав зубы, что нельзя подходить к событиям, ка к диктовке, только и делая, что подчеркивая ошибки, что путь в буду щее — не накатанное шоссе. Как сказал поэт Твардовский, «тут н убавить, ни прибавить» — в истории, как и в жизни отдельного челове ка, много горьких страниц, не все разворачивается так, как хотело бы... Теперь каждому ясно, какой подвиг совершил наш народ в нище темной, голодной стране, когда осенью 1917 года пошел по новом непроторенному пути. А тогда не только я, но и многие писатели ста шего поколения, да и мои сверстники не понимали масштаба событи Но именно тогда молодой петроградский поэт, которого считали с лонным, ложноклассическим, далеким от жизни, тщедушный и мни тельный Осип Эмильевич Мандельштам написал замечательны строки:

> Ну, что ж, попробуем: огромный, неуклюжий,
> Скрипучий поворот руля.
> Земля плывет. Мужайтесь, мужи,
> Как плугом, океан деля,
> Мы будем помнить и в летейской стуже,
> Что десяти небес нам стоила земля.

Впрочем, обо всем этом мне еще придется говорить — и о Мандел штаме, и об огромном повороте руля, и, главное, о той земле, котора нам стоила десяти небес.

5

Вскоре после моего приезда в Москву я встретил Б. Л. Пастернака который повел меня к себе (жил он тогда возле Пречистенского бульва ра). В моей записной книжке есть короткая пометка: «Пастернак Стихи. Странность. Лестница».

Беру другую записную книжку, 5 июля 1941 года. После сло «немцы говорят, что перешли Березину» и до «5 ч. Лозовский» записа но: «Пастернак. Безумие».

1917—1941... В течение двадцати четырех лет я встречался

стернаком, порой редко, порой чуть ли не каждый день. Казалось,
достаточный срок для того, чтобы узнать даже очень сложного
овека; но зачастую Борис Леонидович мне казался таким же зага-
ным, как при первой встрече; этим объясняется и запись 1941 года.
го любил, любил и люблю его поэзию; из всех поэтов, которых я
речал, он был самым косноязычным, самым близким к стихии музы-
самым привлекательным и самым невыносимым. Я попытаюсь
сать его таким, каким видел и понимал. Это будет главным образом
стернак 1917—1924 годов, когда мы подолгу беседовали, переписы-
ись. Мы встречались довольно часто и в 1926, 1932, 1934 годах —
Москве, в 1935 году в Париже, потом снова в Москве — накануне
йны, в ее первые недели. Мы не поссорились, а как-то молча разо-
ись; случайно встречаясь, жали друг другу руки, говорили, что
жно обязательно повидаться, и расставались до новой случайной
речи. Конечно, я не надеюсь показать всего Пастернака, даже моло-
го,— многого в нем я не понимал, многого и не знал; но то, что
напишу, будет не иконой и не шаржем, а попыткой портрета.

Начну с самого начала. Когда мы познакомились, Борису Леонидо-
чу было двадцать семь лет, и было это летом того года, когда, по
овам Пастернака,

> Все жили в сушь и впроголодь.
> В борьбе ожесточась,
> И никого не трогало,
> Что чудо жизни с час.

Я был растерян и мрачен, Пастернак радостен, приподнят. Тот год
ıл для него особенно памятным:

> Он незабвенен тем еще,
> Что пылью припухал,
> Что ветер лускал семечки,
> Сорил по лопухам,
>
> Что незнакомой мальвою
> Вел, как слепца, меня,
> Чтоб я тебя вымаливал
> У каждого плетня.

В тот год Пастернак узнал большое чувство, рождалась книга
Сестра моя жизнь». Вот как я описал нашу первую встречу: «Он читал
не стихи. Не знаю, что больше меня поразило: его стихи, лицо, голос
ли то, что он говорил. Я ушел, полный звуков, с головной болью. Дверь
низу была заперта — я засиделся до двух. Я поискал швейцара, его не
казалось. Я пошел назад, но не смог разыскать квартиру, где жил
Пастернак. Это был дом с переходами, коридорами и полуэтажами.
понял, что мне не выбраться до утра, и покорно сел на ступеньку.
естница была чугунная, под ногами копошилась ночь. Вдруг дверь
ткрылась. Я увидал Пастернака. Ему не спалось, он вышел погулять.
просидел добрый час возле той самой квартиры, где он жил. Он ни-
колько не удивился, увидав меня; я тоже не удивился».

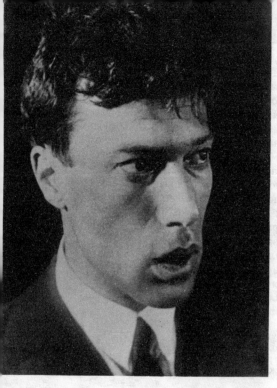

Б. Пастернак выступает на панихиде по В. Маяковскому. 1930 г.

Борис Леонидович часто го[во]рил междометиями. Есть у него с[ти]хотворение «Урал впервые»; [оно] похоже на восторженное мычан[ие]. Сила его ранней поэзии — жизнь впервые. Он отнюдь тогда [не] слыл отшельником, охотно вст[ре]чался с людьми, был радостным [и] стихи тех лет радостные. Мне он [ка]зался счастливым не только по[то]му, что ему был отпущен боль[шой] поэтический дар, но и потому, [что] он умел создать высокую поэзию[из] будничных деталей. Нас всех в [то] время подташнивало от черес[чур] громких слов, которыми злоуп[от]ребляли символисты: «вечност[ь]», «бесконечность», «безбрежност[ь]», «тленный», «бренный», «гран[ь]», «жребий», «рок». Пастернак пис[ал]:

Всесильный бог деталей,
Всесильный бог любви.

О женщине, которую он люб[ил], он сказал так:

Грех думать — ты не из весталок[.]
Вошла со стулом,
Как с полки, жизнь мою достала[,]
И пыль обдула.

Он недаром назвал свою книгу «Сестра моя жизнь»: в отличие[не] только от старших поэтов-символистов, но и от большинства сво[их] сверстников он жил с жизнью в ладу. Реализм его стихов не связ[ан] с литературной программой (Пастернак много раз говорил, что е[му] непонятны различные направления и школы), а продиктован природ[ой] поэта. В 1922 году Пастернак писал: «Живой действительный мир э[то] единственный, однажды удавшийся и все еще без конца удачный зам[ы]сел воображения. Вот он длится, ежемгновенно успешный. Он все е[ще] действителен, глубок, неотрывно увлекателен. В нем не разочаровыв[а]ешься на другое утро. Он служит поэту примером в большей е[ще] степени, нежели натурой и моделью».

Один юноша недавно сказал мне, что, наверно, Пастернак б[ыл] мрачным, нелюдимым, да и глубоко несчастным. А я в 1921 году пис[ал] о Пастернаке: «Он жив, здоров и современен. В нем ничего нет от осен[и], от заката и прочих милых, но неутешительных вещей». Год спус[тя] В. Б. Шкловский, встречавшийся с Пастернаком в Берлине, написа[л]: «Счастливый человек. Он никогда не будет озлобленным. Жизнь сво[ю] он должен прожить любимым, избалованным и великим».

В 1923 году Маяковский и О. Брик формулировали (на жарго[не] эпохи) искания художников: «Маяковский. Опыт полифонического ритма в поэме широкого социально-бытового охвата». «Пастернак. Применение динамического синтаксиса к революционному заданию».

Все это может удивить тех зарубежных читателей, которые узнали о существовании Пастернака только в 1958 году. Им представляется злосчастный человек, вступивший в поединок с историей. На самом деле Пастернак был счастливым, и жил он вне общества не потому, что данное общество ему не подходило, а потому, что, будучи общительным, даже веселым с другими, знал только одного собеседника: самого себя.

В конце 1918 года он восхищался Кремлем:

> Несется, грозный, напролом,
> Сквозь неистекший в девятнадцатый.
> . . . .
> За морем этих непогод
> Предвижу, как меня, разбитого,
> Ненаступивший этот год
> Возьмется сызнова воспитывать.

(Пастернак тогда не понимал, что никто на свете не возьмется всерьез его «сызнова воспитывать».)

Позднее, в 1930 году, после самоубийства Маяковского он писал: «...Наше государство, наше ломящееся в века и навсегда принятое в них, небывалое, невозможное государство»; он говорил о кровной связи между этим государством и Маяковским. Он писал восторженные строки все о том же «ломящемся в века» государстве и в 1944 году. Он восхищался со стороны: у каждого, даже самого большого поэта есть не только потолок, но и стены; общество было вне стен того мира, в котором жил Пастернак.

Шкловский в одном ошибался, когда он писал: «Этот счастливый и большой человек чувствовал среди людей, одетых в пальто, жующих

Борис Пастернак. 1928 г. Печатается впервые.
Дарственная надпись Б. Пастернака И. Эренбургу.
Б. Пастернак, О. Ивинская и ее дочь Ирина. 1957 г.

бутерброды у стойки «Дома печати»... тягу истории». Пастернак чувствовал природу, любовь, Гёте, Шекспира, музыку, старую немецкую философию, живописность Венеции, чувствовал себя, некоторых близких ему людей, но никак не историю; он слышал звуки, неуловимые для других, слышал, как бьется сердце и как растет трава, но поступи века не расслышал.

Слово «эгоцентризм» столь часто применяли, что оно стерлось, да и есть в нем уничижительный характер, а другого я не нахожу. Борис Леонидович жил не для себя — эгоистом он никогда не был, но он жил в себе, с собой и собой. Я вспоминаю наши давние встречи — два поезда неслись, каждый по своему пути. Я знал, что Пастернак меня слушает, но не слышит: не может оторваться от своих мыслей, своих чувств, своих ассоциаций. Беседы с ним, даже задушевные, напоминали два монолога.

Мне вспомнился забавный эпизод. Пастернак летом 1935 года был в Париже на Конгрессе в защиту культуры. Группа советских писателей приехала раньше, потом, по просьбе французских писателей, дополнительно приехали Пастернак и Бабель. Пастернак сердился, говорил, что не хотел ехать, не умеет выступать. В короткой речи он сказал, что поэзию незачем искать в небе, нужно уметь нагнуться, поэзия — в траве. Может быть, эти слова, а скорее всего, облик Пастернака поразили аудиторию; ему устроили овацию. Несколько дней спустя он сказал мне, что хотел бы встретиться с некоторыми французскими писателями; мы решили, что пригласим их обедать. Моя жена позвонила Борису Леонидовичу: приходите в такой-то ресторан в час дня. Он возмутился: «Почему так рано? Лучше в три». Люба объяснила, что в Париже обедают между двенадцатью и двумя, а ужинают между семью и девятью, в три часа все рестораны закрыты. Тогда Борис Леонидович заявил: «Нет, в час мне еще не хочется есть...»

Сосредоточенность в себе (возраставшая с годами) не помешала, да и не могла помешать Пастернаку стать большим поэтом. Мы часто, скорее, по привычке говорим, что писатель должен быть наблюдательным. В дневниках А. Н. Афиногенова, недавно опубликованных, есть интересная запись: «Если б искусство писателя состояло в умении наблюдать людей — самыми лучшими писателями были бы доктора и следователи, учителя и проводники вагонов, секретари парткомов и полководцы. Однако — этого нет. Потому что искусство писателя заключается в умении наблюдать себя!» Афиногенов правильно отводит старое понятие «наблюдательности»; в создании героев романа или трагедии огромную роль играет пережитое автором, им осознанное — ведь внутренний мир других людей понятен писателю, только поскольку ему знакомы и, следовательно, понятны те или иные страсти.

Искусство, однако, многообразно. В лирическом стихотворении автор раскрывает себя; как бы ни был он своеобразен, его чувства — восхищение весенним днем или ощущение неизбежности смерти, радость любви или разуверение — понятны тысячам, миллионам других людей. Для того чтобы написать «О, как на склоне наших лет нежней мы любим и суеверней...», Тютчеву не нужно было наблюдать стареющих людей, захваченных страстью, ему достаточно было на пороге старости встретить молодую Е. А. Денисьеву. Молодому А. П. Чехову, для того чтобы в «Скучной истории» показать дружбу между старым профессором и молодой его воспитанницей, нужно было очень хорошо знать людей, их чувства, привычки, характеры, манеру говорить, даже манеру одеваться. Борис Пастернак, один из лучших лирических поэтов нашего времени, был, как и всякий художник, ограничен своей природой; когда он попытался изобразить в романе десятки других людей, эпоху, передать воздух гражданской войны, воспроизвести беседы в поезде, он потерпел неудачу — он видел и слышал только себя.

Его привлекали, особенно в конце жизни, загадки чужих судеб. В одной из написанных им автобиографий он попытался понять, что пережили в последние минуты Маяковский, Марина Цветаева, Фадеев. Когда я читал эти догадки, мне было как-то неловко: у Бориса Леонидовича было очень богатое сердце, но ключей к чужим сердцам у него не было.

Я не берусь строить домыслы о том, что он сам пережил в последние годы своей жизни; я его не встречал; да, может, и встречая, не знал бы — чужая душа потемки. Не знаю, почему в той же автобиографии он отрекся от своей давней дружбы с Маяковским. А мне хочется рассказать об этой дружбе: я был ее свидетелем.

Шутя, мы говорили, что у Маяковского второй, запасной голос для женщин. И вот этим вторым голосом, необычно мягким, ласковым, при мне он разговаривал только с одним мужчиной — с Пастернаком. Помню, в марте 1921 года в Доме печати был литературный вечер Бориса Леонидовича, читал он сам, а потом его стихи читала молоденькая актриса В. В. Алексеева-Месхиева. При обсуждении кто-то осмелился, как у нас говорят, «отметить недостатки». Тогда встал во весь рост Маяковский и в полный голос начал прославлять поэзию Пастернака; он защищал его с неистовством любви.

В «Охранной грамоте» (1930 год) Пастернак говорит о своем отношении к Маяковскому накануне войны, в годы войны, в первые годы революции: «я был без ума от Маяковского», «я его боготворил», «вершиной поэтической участи был Маяковский», «я почти радовался случаю, когда впервые как с чужим говорил со своим любимцем» (после одной из размолвок), «я присутствие Маяковского ощущал с двойной силой. Его существо открывалось мне во всей свежести первой встречи».

Размолвки были частыми и бурными. Борис Леонидович иногда мне рассказывал о них. У меня сохранился сборник «Современник» (1922 год) с такой надписью Пастернака: «Другу и соратнику с благодарностью и радостью за «Хуренито», восхищение которым объединило редко на чем сходившихся и чаще разбредавшихся Маяковского, Асеева и других друзей и соратников».

После одной из размолвок Маяковский и Пастернак встретились в Берлине; примирение было столь же бурным и страстным, как разрыв. Я провел с ними весь день: мы пошли в кафе, потом обедали, снова сидели в кафе. Борис Леонидович читал свои стихи. Вечером Маяковский выступал в Доме искусств, читал он «Флейту-позвоночник», повернувшись к Пастернаку.

Впоследствии их пути разошлись. Однако и в 1926 году Маяковский, приводя четверостишие Пастернака «В тот день всю тебя от гребенок до ног», назвал его «гениальным». Рассказывая о смерти Маяковского, Пастернак писал: «Я разревелся, как мне давно хотелось».

Почему, оглядываясь на свое прошлое, Пастернак попытался многое перечеркнуть? Может быть, в этом сказалось недовольство собой? Не знаю. Для меня его последние стихи тесно связаны с «Сестрой моей жизнью», а он, видимо, ощущал разрыв. Недавно я прочитал письмо Бориса Леонидовича одному из его французских переводчиков, опубликованное в журнале «Эспри». Борис Леонидович пытался убедить переводчика не опубликовывать переводов некоторых его старых произведений. Рассказывали, что, когда с ним заговаривали о его прежних книгах, он уверял, что все написанное прежде было только школой, подготовкой к тому единственно стоящему, что он недавно написал,— к роману «Доктор Живаго».

Прочитав рукопись «Доктора Живаго», я огорчился. Когда-то Пастернак писал: «Неумение найти и сказать правду — недостаток, которого никаким умением говорить неправду не покрыть». В романе есть поразительные страницы — о природе, о любви; но много страниц посвящено тому, чего автор не видел, не слышал. К книге приложены чудесные стихи, они как бы подчеркивают душевную неточность прозы.

Никогда прежде мне не удавалось убедить зарубежных ценителей поэзии в том, что Пастернак большой поэт. (Это, конечно, не относится к некоторым крупным поэтам, знавшим русский язык: Рильке еще в 1926 году восторженно говорил о стихах Пастернака.) Слава пришла к нему с другого хода. Когда-то он писал:

> Но ты мне шепнул, вестовой, неспроста,
> В посаде, куда ни один двуногий...
> Я тоже какой-то... Я сбился с дороги:
> — Не тот этот город, и полночь не та.

Я был в Стокгольме, когда разразилась буря вокруг Нобелевской премии. Я выходил на улицу и видел афиши газет, на них стояло одно имя; пытался что-то понять, открывал радио — и только одно понимал: «Пастернак»... Это было одним из эпизодов «холодной войны». Не тот город, не та полночь. Да и не та слава, которую заслужил Пастернак. (Обо всем этом я расскажу в одной из последующих частей моей книги — ведь связь газетной бури с Пастернаком была случайной, дело относится к летописи «холодной войны».)

Нужно ли добавить, как тяжело было мне читать некоторые выступления моих товарищей? Я убежден, что в помыслах Пастернака не было нанести ущерба нашей стране. Виноват он только в том, что был Пастернаком, то есть изумительно понимая одно, не мог понять другого. Он не подозревал, что из его книги создадут дурную политическую сенсацию и что на удар неизбежно последует ответный.

Все это позади: смерть ставит вещи на свое место. Вряд ли кто-нибудь теперь, перечитывая стихи Пастернака, будет думать о печальной истории, воистину злободневной — и злоба в ней сказалась, и была она историей-однодневкой. А стихи остались.

Когда-то составители поэтических сборников любили прибегать к делению по сюжету. Если подойти к Пастернаку с такой меркой, то большинство его стихотворений окажется посвященным природе и любви; но мне думается, что основной, постоянной его темой было искусство, то есть та тема, которая породила «Портрет» Гоголя, «Неведомый шедевр» Бальзака, «Чайку» Чехова.

> О, знал бы я, что так бывает,
> Когда пускался на дебют,
> Что строчки с кровью — убивают,
> Нахлынут горлом и убьют!

И кончил он эти стихи о стихах признанием:

> И тут кончается искусство,
> И дышат почва и судьба.

Он не застрелился, не умер молодым, но цену, которой оплачивается искусство, узнал сполна — силу строк, которые медленно, настойчиво убивают.

Поль Элюар как-то сказал: «Поэт должен быть ребенком, даже если у него седые волосы и склероз сосудов». Было в Пастернаке нечто детское. Его определения, казавшиеся наивными, ребячливыми,— определения поэта. Он сказал об одном авторе: «Ну как же он может быть хорошим поэтом, когда он плохой человек...» Увидав впервые Париж, он воскликнул: «Да это и не похоже на город, это скорее пейзаж...» Он говорил: «Описать весеннее утро легко, да это никому и не нужно, а вот быть простым, ясным и внезапным, как весеннее утро,— это чертовски трудно...»

В то время, о котором я теперь рассказываю, когда я ходил растерянный, неприкаянный, Борис Леонидович был для меня и порукой живучести искусства, и мостком к живой жизни. Молодой, веселый, красивый, похожий на вдохновенного араба — таким он мне навсегда запомнился, хотя я его и видел постаревшим, седым.

Так уж полвека — вдруг начинаю про себя бормотать стихи Пастернака. Из мира их не выгонишь: они живут...

6

Не помню, кто меня познакомил с Маяковским; сначала мы сидели в каком-то кафе и говорили о кино; потом он повел меня к себе — в маленький номер меблирашек «Сан-Ремо» в Салтыковском переулке, около Петровки. Незадолго до этого я прочитал его книгу «Простое как мычание»; он мне представлялся именно таким, каким я его увидел,— большим, с тяжелой челюстью, с глазами то печальными, то суровыми,

В. Маяковский. 1928 г.

громким, неуклюжим, готовым в любую минуту вмешаться в драку, — сочетанием атлета с мечтателем, средневекового жонглера, который, молясь, ходил на голове, с непримиримым иконоборцем.

Когда мы шли в гостиницу, он бубнил эпитафию Франсуа Вийона, написанную в ожидании виселицы:

> Я — Франсуа, чему не рад,
> Увы, ждет смерть злодея,
> И сколько весит этот зад,
> Узнает скоро шея.

Едва мы вошли в номер, как он сказал: «Сейчас я вам прочитаю...» Я сел на стул, он стоял. Он прочитал мне незадолго до этого законченную поэму «Человек». Комната была маленькой, никого, кроме меня, не было, но читал он так, как будто перед ним толпа на Театральной площади. Я глядел на гнусные обои и улыбался: голенища действительно становились арфами.

Маяковский меня поразил: в нем уживались поэзия и революция, взбудораженные улицы Москвы и то новое искусство, о котором мечтали завсегдатаи «Ротонды». Мне даже показалось, что он может помочь мне найти правильный путь. Случилось иначе: Маяковский для меня огромное явление и в поэзии и в жизни века; но непосредственно на меня он никак не повлиял, оставался близким и одновременно бесконечно далеким.

Может быть, в этом особенность гения, может быть, особенность характера Маяковского — он говорил, что поэты должны быть «разными», был вдохновителем «Лефа», «Нового лефа», «Рефа», хотел привлечь многих, объединить, но вокруг него оказывались только его приверженцы, порой эпигоны. Он рассказал, как на даче под Москвой он беседовал с Солнцем; он сам был солнцем, вокруг которого кружились спутники.

Я встречался с ним и в Москве — в 1918 году, в 1920-м, и в Берлине в 1922-м, и в Париже, и снова в Москве, и снова в Париже (в последний раз мы виделись весной 1929 года — за год до его смерти). Порой встречи были беглыми, порой значительными. Мне хочется рассказать о моем понимании Маяковского; я знаю, что этот рассказ будет односторонним, субъективным, но могут ли быть иными показания современника? Из множества различных, порой противоречивых рассказов легче воссоздать облик человека. Беда в том, что Маяковский, будучи страстным разрушителем различных мифов, с необычайной быстротой превратился в мифического героя. Ему как будто положено быть не таким, каким он был. Есть воспоминания очевидцев, запомнивших несколько свирепых шуток. Есть страницы школьного учебника. Есть, наконец, статуя. Подросток зубрит отрывки из «Хорошо!». Домохозяйка в троллейбусе озабоченно спрашивает: «Вы на Маяковской сходите?..» Трудно говорить о человеке...

До середины тридцатых годов Маяковский вызывал страстные споры. Во время Первого съезда советских писателей, когда кто-либо произносил его имя, одни страстно аплодировали, другие молчали; я тогда писал в «Известиях»: «Не потому аплодировали мы, что кто-то захотел канонизировать Маяковского,— мы аплодировали потому, что имя Маяковского означает для нас отказ от всех литературных канонов». Менее всего я мог себе представить, что год спустя Маяковского действительно начнут канонизировать. Я не был на его похоронах. Друзья рассказывали, что гроб был слишком коротким. Мне кажется, что слишком короткой, а главное, слишком узкой оказалась для Маяковского его посмертная слава.

Я прежде всего хочу рассказать о человеке; он отнюдь не был «монолитом» — большой, сложный, с огромной волей и с клубком порой противоречивых чувств.

«Мертвые остаются молодыми» — так назвала свой роман Анна Зегерс. Почти всегда более поздние впечатления заслоняют первоначальные. Я попытался в этой книге рассказать о молодом А. Н. Толстом; он был одним из первых писателей, с которым я встретился. Но часто, думая о нем, я вижу его грузным, признанным, с громким смехом и с утомленными глазами — таким, каким видел его в последние годы. Вот я гляжу на фотографию — рядом с Маяковским А. А. Фадеев, молодой, мечтательный, с мягкими глазами. Мне очень трудно припомнить Александра Александровича таким: я вижу волевые, порой холодные глаза... А Маяковский остался в памяти молодым.

До конца жизни он сохранял некоторые черты, может быть вернее сказать, некоторые привычки своей ранней молодости. Критики не любят задерживаться на так называемом «футуристическом периоде» Маяковского, хотя без его первых стихов непонятны его поэмы. Но я сейчас говорю не о поэзии, а о человеке. Конечно, Маяковский быстро расстался не только с желтой кофтой, но и с лозунгами ранних футуристических манифестов. Однако в нем остался тот дух, который продиктовал «Пощечину общественному вкусу»,—в манере себя держать, в шутках, в ответах на записки.

Помню «Кафе поэтов» зимой 1917/18 года. Помещалось оно в Настасьинском переулке. Это было очень своеобразное место. Стены были покрыты диковинной для посетителей живописью и не менее диковинными надписями.

Я люблю смотреть, как умирают дети —

эта строка из раннего, дореволюционного стихотворения Маяковског‹
красовалась на стене для того, чтобы ошарашить приходящих. «Каф‹
поэтов» никак не походило на «Ротонду» — здесь никто не разговари‹
вал об искусстве, не спорил, не терзался, имелись актеры и зрители
Посетителями кафе были, по тогдашнему выражению, «недорезанны‹
буржуи» — спекулянты, литераторы, обыватели, искавшие развлече‹
ний. Маяковский вряд ли их мог развлечь: хотя многое в его поэзии им
было непонятно, они чувствовали, что есть тесная связь между этим‹
странными стихами и матросами, прогуливавшимися по Тверской
А песенку, сочиненную Маяковским о буржуе, который напоследок ес‹
ананасы, понимали все; ананасов в Настасьинском переулке не было
но кусок вульгарной свинины застревал у многих в горле. Развлекало
посетителей другое. На эстраду, например, подымался Давид Бурлюк
сильно напудренный, с лорнеткой в руке, и читал:

> Мне нравится беременный мужчина...

Оживлял публику также Гольцшмидт; на афишах он именовался
«футуристом жизни», стихов не писал, а золотил порошком два локона
на голове, отличался необычайной силой, ломал доски и вышибал из
кафе скандалистов. Однажды «футурист жизни» решил поставить себе
памятник на Театральной площади; статуя была гипсовая, не очень
большая и отнюдь не футуристическая — стоял голый Гольцшмидт.
Прохожие возмущались, но не решались посягнуть на загадочный
монумент. Потом статую все же разбили.

Все это дела далекого прошлого. Года два назад в Москву приехали
американские туристы — Давид Бурлюк с женой. Бурлюк в Америке
рисует, прилично зарабатывает, стал почтенным, благообразным; нет
ни лорнетки, ни «беременного мужчины». Футуризм мне теперь кажется
куда более древним, чем Древняя Греция. Но для Маяковского, который рано умер, он оставался если не живым, то близким.

В «Кафе поэтов» я довольно часто бывал, даже как-то выступил
и получил от Гольцшмидта причитавшиеся мне за это деньги.

Помню вечер, когда в кафе пришел А. В. Луначарский. Он скромно
сел за дальний столик, слушал. Маяковский предложил ему выступить.
Анатолий Васильевич отказывался. Маяковский настаивал: «Повто-
рите то, что вы мне говорили о моих стихах...» Луначарскому пришлось
выступить: он говорил о таланте Маяковского, но критиковал футуризм
и упомянул о ненужности саморасхваливания. Тогда Маяковский
сказал, что вскоре ему поставят памятник — вот здесь, где находится
«Кафе поэтов»... Владимир Владимирович ошибся всего на несколько
сот метров — памятник ему поставлен недалеко от Настасьинского
переулка.

Нескромность? Самоуверенность? Такие вопросы часто ставили
многие современники Маяковского. Он отпраздновал, например, двенадцатилетний юбилей своей поэтической деятельности. Он не раз
называл себя самым большим поэтом. Он требовал прижизненного
признания — это было связано с эпохой, с тем низвержением «идолов»,

на которое жаловался Бальмонт, с желанием любым способом привлечь внимание к искусству.

Я люблю смотреть, как умирают дети...

Маяковский не мог видеть, как бьют лошадь. Однажды в кафе мой знакомый порезал себе ножиком палец — Владимир Владимирович поспешно отвернулся. Самоуверенный? Да, конечно, он резко отвечал на критические замечания, оскорблял своих литературных противников. Помню такой диалог. Записка: «Ваши стихи не греют, не волнуют, не заражают». Ответ: «Я не печка, не море, не чума». На своих книгах он надписывал читателям: «Для внутреннего употребления». Все это общеизвестно. Менее известно другое.

Помню вечер Маяковского в парижском кафе «Вольтер». На нем присутствовала Л. Н. Сейфуллина. Было это весной 1927 года. Кто-то в зале крикнул: «Почитайте теперь ваши старые стихи!» Маяковский, как всегда, отшутился. Когда вечер кончился, мы пошли в ночное кафе возле бульвара Сен-Мишель: Маяковский, Л. Н. Сейфуллина, Э. Ю. Триоле, другие. Играла музыка, кто-то танцевал. Владимир Владимирович то шутил, изображал поэта Георгия Иванова, присутствовавшего на вечере, то надолго замолкал, мрачно оглядываясь по сторонам, как лев в клетке. Мы с ним условились, что на следующее утро, чем раньше, тем лучше, я к нему зайду. В крохотном номере гостиницы «Истрия», где он всегда останавливался, постель была не раскрыта — он не ложился. Встретил он меня мрачный и сразу, не поздоровавшись, спросил: «Вы тоже думаете, что я раньше писал лучше?..» Никогда он не был самоуверенным; обманывала раз и навсегда затверженная поза. Мне думается, что такая поза была продиктована скорее разумом, нежели характером. Ему была свойственна романтика, но он ее стыдился, обрывал себя: «Кто над морем не философствовал?» (после горьких раздумий о своей жизни), и тотчас ироническое «вода». В статье «Как делать стихи» все выглядит логично и просто. На самом

В. Маяковский. 1911 г.

Б. Пастернак, В. Маяковский, С. Эйзенштейн и Л. Брик с японским актером. 1924 г.

деле Маяковский хорошо знал те мучения, которые неизменно связаны с творчеством. Он подробно рассказывал о заготовках рифм: были у него и другие «заготовки», о которых он не любил говорить,— душевные терзания. Он написал в предсмертном стихотворении, что «любовная лодка разбилась о быт» — это было данью много раз им осмеянной романтике; на самом деле его жизнь разбилась о поэзию. Обращаясь к потомкам, он сказал то, чего не хотел говорить современникам:

> Но я
>   себя
>   смирял,
>   становясь
>   на горло
>   собственной песне.

Он казался чрезвычайно крепким, здоровым, жизнерадостным. А был он порой несносно мрачным; отличался болезненной мнительностью: носил в кармане мыльницу и, когда приходилось пожать руку человеку, который был ему почему-то физически неприятным, тотчас уходил и тщательно мыл руки. В парижских кафе он пил горячий кофе через соломинку, которую подавали для ледяных напитков, чтобы не касаться губами стакана. Он высмеивал суеверия, но все время что-то загадывал, обожал азартные игры — орел и решку, чет или нечет. В парижских кафе были автоматы-рулетки; можно было поставить пять су на красный, зеленый или желтый цвет; при выигрыше выпадал жетон для оплаты чашки кофе или кружки пива. Маяковский часами простаивал у этих автоматов; уезжая, он оставлял Эльзе Юрьевне сотни жетонов; жетоны ему были не нужны, ему нужно было угадать, какой цвет выйдет. Он и в барабане револьвера оставил одну пулю — чет или нечет...

Когда Владимир Владимирович разговаривал с женщинами, его голос менялся, обычно резкий, настойчивый, становился мягким. Я прочитал в книге Виктора Шкловского: «Владимир Владимирович поехал за границу. Там была женщина, могла быть любовь. Рассказывали мне, что они были так похожи друг на друга, так подходили друг к другу, что люди в кафе благодарно улыбались при виде их...» Недавно было опубликовано стихотворение Маяковского, обращенное к Т. А. Яковлевой, о которой упоминал Шкловский. А у меня сохранилась рукопись «Клопа», подаренная Маяковским Тате (Т. А. Яковлевой), выкинутая Татой за ненадобностью. Нет, она не походила на Маяковского, хотя была, как он, высокого роста, красива. Я не хочу рассказывать о том, что Маяковский справедливо называл «сплетнями»; и упомянул я об этом эпизоде (отнюдь не самом значительном в жизни поэта) только для того, чтобы еще раз показать, как не походил живой Маяковский на бронзовую статую или на богатыря Владимира Красное Солнышко.

Маяковский, когда ему было восемнадцать лет, поступил в училище живописи — хотел стать художником. Он сохранил живописное ви́дение мира и в поэзии: его образы не придуманы, но увидены. Он любил живопись, чувствовал ее; любил и среду художников. Мир он скорее видел, чем слышал. (Шутя он говорил, что слон ему наступил на ухо.)

Я упоминал о вечере у Цетлиных, когда Маяковский читал «Человека». Вячеслав Иванов иногда благожелательно кивал головой. Бальмонт явно томился. Балтрушайтис, как всегда, был непроницаем. Марина Цветаева улыбалась, а Пастернак влюбленно поглядывал на Владимира Владимировича. Андрей Белый слушал не просто — исступленно и, когда Маяковский кончил чтение, вскочил настолько взволнованный, что едва мог говорить. Его восторг разделяли почти все присутствовавшие. Но Маяковского рассердила чья-то холодная, вежливая фраза. Так с ним всегда бывало: он как бы не замечал лавров, искал терний. В его стихах непрерывные бои с реальными и воображаемыми противниками новой поэзии. Что скрывалось за этими обвинениями? Может быть, спор с самим собой?

Мне привелось читать некоторые статьи о Маяковском, написанные за границей, авторы которых пытаются доказать, что революция погубила поэта. Трудно придумать большую нелепость: без революции не было бы Маяковского. В 1918 году он меня справедливо обозвал «испуганным интеллигентом»; мне понадобилось два года, для того чтобы понять происходящее. А Маяковский революцию сразу понял и принял. Он был не только увлечен — поглощен строительством социалистического общества. Он ни к чему не приспосабливался и, когда некоторые хотели его приручить, огрызался:

> «Лицом к деревне» —
>   заданье дано,—
>   за гусли,
>   поэты-други!
> Поймите ж —
>   лицо у меня
>   одно —
>   оно лицо,
>   а не флюгер...
> Идею
>   нельзя
>   замешать на воде.
> В воде
>   отсыреет идейка.
> Поэт
>   никогда
>   и не жил без идей.
> Что я —
>   попугай?
>   индейка?

Никогда у него не было конфликта с революцией; это выдумка людей, которые не брезгают ничем в борьбе против коммунизма. Драма Маяковского была не в разладе между революцией и поэзией, а в отношении лефовцев к искусству:

> Пусть ропщут поэты,
>   слюною плеща,
>   губою
>   презрение вызмеив.

                              Я,
                  душу похерив,
                              кричу о вещах,
                  обязательных при социализме.

(Газета в свое время изменила несколько слов: «Я, душу не снизив» вместо «я, душу похерив».) Стихотворение это — свидетельство поэтического и человеческого подвига Маяковского.

Маяковский любил Леже; было нечто общее в их понимании роли искусства в современном обществе. Леже увлекался машинами, урбанизмом, хотел искусства в повседневном быту, не заходил в музеи. Он писал свои холсты и создал хорошую живопись, на мой взгляд, декоративную, никак не подрывающую нашу любовь к Ван Гогу или Пикассо, но, бесспорно, связанную с новым временем. Маяковский в течение ряда лет боролся против поэзии не только в манифестах или в статьях — хотел стихами уничтожить стихи. В «Лефе» был напечатан смертный приговор искусству — «так называемым поэтам», «так называемым художникам», «так называемым режиссерам». Художникам рекомендовалось вместо станковой живописи заняться эстетикой машин, текстилем, утварью; режиссерам — организовывать народные празднества, демонстрации и распрощаться с рампой; поэтам — оставить лирику, писать для газет, подписывать плакаты, сочинять рекламы.

Отказаться от поэзии оказалось нелегко. Маяковский был человеком сильным и мужественным. Однако порой и он отступал от своей программы. В 1923 году, когда «Леф» еще отрицал лирику, Маяковский написал поэму «Про это». Ее не поняли даже близкие, ее поносили и союзники Маяковского, и его литературные противники, но ею он обогатил русскую поэзию.

С годами его отрицание прошлого искусства слабело. В конце 1928 года «Новый леф» сообщал, что Маяковский публично заявил:

Л. Брик и В. Шкловский. На даче у В. Маяковского в Сокольниках. Фото А. Родченко. 1925 г.

Л. Брик и В. Маяковский в Крыму. 1926 г.

«Я амнистирую Рембрандта». Еще раз напомню — он умер молодым. Он жил, думал, чувствовал, да и писал не по плану — прежде всего он был поэтом. Помню, с каким восхищением он говорил о новой, индустриальной красоте Америки в те далекие годы, когда электрификация нашей страны была еще только замыслом, когда на Театральной площади, темной, занесенной снегом, горели тусклые лампочки: «Дети — цветы жизни». Я встретил его, когда он вернулся из Америки. Да, конечно, Бруклинский мост хорош, да, там много машин. Но сколько там дикости, бесчеловечности! Он ругался, говорил, как обрадовался, увидев крохотные садики Нормандии. Из программы «Лефа» вытекало и отрицание Парижа, где каждый дом — обломок старины, и восхваление сугубо новой, индустриализованной Америки. Но Маяковский проклинал Америку и, не стыдясь показаться сентиментальным, объяснялся в любви Парижу. Откуда такое противоречие? Да, «Леф» был журналом, просуществовавшим несколько лет, а Маяковский был большим поэтом. В декларативных стихах он издевался над поклонниками Пушкина, над посетителями Лувра, а его восхищали и строфы «Онегина», и старая живопись.

Он сразу понял, что Октябрьская революция переменила ход истории, но детали будущего видел условно: не на полотне — на плакате. Нам трудно теперь соблазниться гигиенической идиллией последнего действия «Клопа». Искусство прошлого представлялось Маяковскому не столько чуждым, сколько обреченным. Его иконоборчество было обетом, подвигом. Он вел бой не только с тем или иным критиком, не только с авторами чувствительных романсов, но и с самим собой. Он написал:

> Я хочу быть понят моей страной,
> а не буду понят —
> что ж?!
> По родной стране
> пройду стороной,
> как проходит
> косой дождь.

Он зачеркнул эти строки, найдя их чересчур чувствительными. А родная страна его поняла, поняла также выброшенные им прекрасные стихи...

Я вспоминаю его осенью 1928 года — он пробыл тогда больше месяца в Париже. Мы часто встречались. Вижу его мрачным в маленьком баре «Куполь». Он заказывал виски марки «уайт хорс» («белая лошадь»); пил он мало, но сочинил песенку:

> Хорошая лошадь
> «уайт хорс».
> Белая грива,
> белый хвост...

Как-то он сказал: «А вы думаете, это легко?.. Я мог бы писать стихи лучше их всех...» Он был до конца предан своей идее.

Много говорили, почему он покончил с собой,— то про неудачи с выставкой его литературных работ, то про нападки рапповцев, то про сердечные дела. Мне не по душе догадки: я не могу подойти к жизни человека, которого я знал, как подходят к плану романа... Хочу сказать одно: люди часто забывают, что поэт обладает обостренной чувствительностью, на то он поэт. Владимир Владимирович себя называл «волом», даже «волищем», о своих стихах говорил, что они «бегемоты», на одном собрании сказал, что у него «слоновая шкура», которой не пробить никакой пулей. На самом деле он жил и без обыкновенной человеческой кожи.

По христианским легендам, язычник, уверовав в Христа, начал крушить статуи богов и богинь. Статуи были совершенны, но неофит сумел побороть в себе чувство прекрасного. Маяковский сокрушал не только красоту прошлого, но и себя самого; в этом величие его подвига, в этом и ключ к его трагедии.

Был в Петербурге литератор Андрей Левинсон, который считался знатоком хореографии. В 1918 году в журнале «Жизнь искусства» он опубликовал пасквиль на Маяковского. Ему тогда ответили и многие художники, и А. В. Луначарский. Андрей Левинсон уехал в Париж. Когда пришло известие о трагической смерти Маяковского, он напечатал в газете «Ле нувель литтерер» отвратительную клеветническую заметку. Вместе с несколькими французскими писателями я составил письмо в редакцию этой газеты, выражавшее наше негодование. Под письмом подписались все пристойные писатели Франции самых различных воззрений; не помню, чтобы кто-нибудь отказался поставить свою подпись. Я отнес письмо редактору Морису Мартен дю Гару. (Это был малопримечательный литератор, никак не похожий на большого писателя Роже Мартен дю Гара.) Редактор спокойно прочитал чрезвычайно резкое письмо и сказал: «Я попрошу вас сделать одно маленькое изменение». Я ответил, что текст не может быть смягчен. «Я этого и не прошу. Но, может быть, вы прибавите во фразе «мы возмущены тем, что

Автограф В. Маяковского на титульном листе своей книги (поэма «Про это»).

В. Маяковский. 1930 г. На смертном одре.

В день похорон В. Маяковского. Слева направо: художник М. Файзильберг, Евг. Петров, В. Катаев, жена Ю. Олеши, Ю. Олеша, И. Уткин. Фото И. Ильфа.

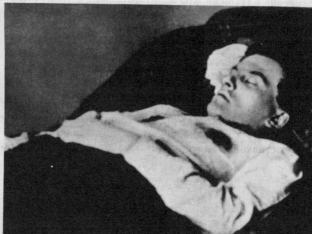

литературная газета» два слова — «самая крупная литературная газета». Он соглашался получить пощечину, но просил отметить, что щека у него большая. Маяковский об этом, наверно, хорошо бы написал...

Необычайна судьба Маяковского в мире. Совсем недавно мне говорили о нем писатели Черной Африки — он дошел и туда. Он обходит мир. Конечно, стихи с трудом поддаются переводу, да и многое в той форме, которую Маяковский утверждал как форму будущего, стало формой прошлого. Но, человек и поэт, он по-прежнему молод. Ни Арагон, ни Пабло Неруда, ни Элюар, ни Тувим, ни Незвал никогда не писали «под Маяковского»; но все они многим Маяковскому обязаны — он научил их не новым формам стихосложения, а мужеству выбора.

Нужно уметь отделить современность от злободневности, дух новаторства от тех или иных новинок, которые четверть века спустя кажутся старомодными. Один поэт несколько месяцев назад сказал мне, что после сложных рифм Маяковского нельзя употреблять глагольные рифмы. Это, конечно, наивно. Можно писать и глагольными рифмами, и вовсе без рифм. В 1940 году девять десятых начинающих поэтов писали стихи «лесенкой», теперь подражают другим образцам: моды меняются. Маяковского били по голове книгами Пушкина, Некрасова, Блока. Стоит ли дубасить молодых томами Маяковского?

Я говорил, что Маяковский мог бы мне помочь во многом разобраться. Помню ночной разговор; было это в феврале или в марте 1918 года. Мы вышли вместе из «Кафе поэтов». Маяковский расспрашивал про Париж, про Пикассо, про Аполлинера. Потом он сказал, что ему понравились мои стихи о казни Пугачева. «Вам бы радоваться, а вы скулите... Нехорошо!» Я охотно согласился: «Конечно, нехорошо». Политически он был прав, я это вскоре понял; но мы всегда думали и чувствовали по-разному. В 1922 году он говорил мне, что «Хуренито» ему понравился: «Вы поняли многое лучше других...» Я засмеялся: «А по-моему, я все еще ничего не понимаю...» Мы часто встречались и ни разу не встретились.

О Маяковском я думал и думаю; иногда спорю с ним, но всегда восхищаюсь его поэтическим подвигом. На статую я не гляжу — статуя

стоит на месте; а Маяковский идет — и по новым кварталам Москвы, и по старому Парижу, по всей нашей планете идет с «заготовками» — не новых рифм, а новых дум и чувств...

7

Каждое утро обыватели тщательно изучали наклеенные на стены, еще старые, топорщившиеся декреты: хотели знать, что разрешается, что запрещено. Однажды я увидел толпу возле листка, который назывался «Декретом № 1 о демократизации искусств». Кто-то читал вслух: «Отныне вместе с уничтожением царского строя отменяется проживание искусства в кладовых, сараях человеческого гения — дворцах, галереях, салонах, библиотеках, театрах». Бабка взвизгнула: «Батюшки, сараи отбирают!..» Очкастый человек, читавший декрет вслух, разъяснил: «Про сараи ничего не сказано, а вот библиотеки закроют, ну и театры, конечно...» Листок был сочинением футуристов, и внизу значились подписи: Маяковский, Каменский, Бурлюк. Имена ничего не говорили прохожим, зато все знали магическое слово «декрет».

Вспоминаю 1 мая 1918 года. Москва была изукрашена футуристическими и супрематистскими полотнами. На фасадах облупленных домов, ампирных особняков с колоннами обезумевшие квадраты воевали с ромбами; пестрели лица с треугольниками вместо глаз. (Искусство, которое теперь именуется «абстрактным» и вызывает немало споров как у нас, так и на Западе, тогда выдавалось советским гражданам в неограниченном размере.) Первое мая совпало в тот год со страстной пятницей. Возле Иверской часовни толпились молящиеся. Мимо них проезжали грузовики (бывшие фирмы Ступина), задрапированные беспредметными холстами; актеры на грузовиках изображали различные сцены: «Подвиг Степана Халтурина» или «Парижскую коммуну». Одна старушка, глядя на кубистическое полотно с огромным рыбьим глазом, причитала: «Хотят, чтобы мы дьяволу поклонялись...»

Я смеялся, но смех был невеселым.

Сейчас я перечитал мою статью, напечатанную летом 1918 года в газете «Понедельник» и озаглавленную «Среди кубистов»; в ней я рассказывал о Пикассо, Леже, Ривере. Я говорил, что можно рассматривать произведения этих художников как «сумасшедшие орнаменты готового рухнуть дома или как фундамент иного, еще невиданного даже в творческом сне строения».

Конечно, не случайно Пикассо, Леже, Ривера стали коммунистами. В 1918 году на Красной площади оказались не художники академического направления, а футуристы, кубисты, супрематисты. Что же меня смущало в торжестве тех художников и поэтов, которые напоминали (хотя бы внешне) лучших друзей моей ранней молодости?

Прежде всего — отношение к искусству прошлого. Всем известно, что Маяковский рос, менялся, но в то время он был страстным иконоборцем:

Белогвардейца
найдете — и к стенке.
А Рафаэля забыли?
Забыли Растрелли вы?
Время
пулям
по стенке музеев тенькать.
Стодюймовками глоток старье расстреливай!
...Выстроили пушки по опушке,
глухи к белогвардейской ласке.
А почему
не атакован Пушкин?

Этого я не мог понять. Часто, бродя по московским переулкам, я повторял стихи Пушкина; с нежностью вспоминал я холсты старых итальянских мастеров. Приехав в Москву, я чуть ли не сразу побежал в Кремль. Живопись XV века меня потрясла — я ведь до того не имел представления о русском раннем Возрождении.

Споры о ценностях прошлого вскоре улеглись. Маяковский написал стихи о Пушкине, а материалы о Маяковском теперь выходят в издании Академии «Литературное наследство».

(Я уже упоминал о журнале «Вещь»; среди его сотрудников были многие представители нашего «левого искусства»: Маяковский, Малевич, Мейерхольд, Татлин, Родченко. В статье, посвященной задачам журнала, я писал: «Теперь смешно и наивно «сбрасывать Пушкина с парохода». В течении форм есть связь, и классические образцы не страшны современным мастерам. У Пушкина и Пуссена можно учиться... «Вещь» не отрицает прошлого в прошлом, она зовет делать современное в современном...»)

Маяковского нетрудно понять: его стихи встречались гоготом. Над картинами художников, которые пошли с футуристами (Малевич, Татлин, Родченко, Пуни, Удальцова, Попова, Альтман), в дореволюционное время издевались. После Октября эпигоны классической поэзии начали укладывать вещи в чемоданы. Бунин и Репин уехали за границу. Остались футуристы, кубисты, супрематисты. Подобно их западным единомышленникам, довоенным завсегдатаям «Ротонды», они ненавидели буржуазное общество и в революции увидели выход.

Футуристы решили, что вкусы людей можно изменить столь же быстро, как экономическую структуру общества. Журнал «Искусство коммуны» писал: «Мы действительно претендуем и, пожалуй, не отказались бы от того, чтобы нам позволили использовать государственную власть для проведения своих художественных идей». Конечно, это было скорее мечтой, чем угрозой. Улицы Москвы расписывались супрематистами и кубистами прежде всего потому, что художники академического толка находились в оппозиции (не художественной, а политической). Все же результаты оказались печальными. Дело не в бабке, принявшей кубистический холст за черта, а в той художественной реакции, которая последовала за кратковременным выходом на улицы «левого искусства».

Открытия в области точных наук доказуемы, и вопрос о том, прав или не прав Эйнштейн, решали математики, а не миллионы людей, помнящих всего-навсего таблицу умножения. Новые формы искусства всегда входили в сознание людей медленно, извилистыми путями; причем сначала их понимали и принимали немногие. Да и вообще предписать, внедрить или навязать вкусы невозможно. Боги древней Эллады потребляли нектар, который поэты называли божественным напитком; но если бы нектар стали вводить через зонд в желудки афинских граждан, то, наверно, дело кончилось бы всеафинской рвотой.

Впрочем, сейчас все это (не только споры о том, кто будет украшать площади Москвы, но и «левое искусство») — древняя история. Еще раз я нарушу правила, которые предписывают мемуаристу придерживаться хронологической последовательности. Мне хочется понять, что приключилось со мной, со многими поэтами и художниками моего поколения. Не знаю, кто перепутал нити — наши художественные противники или мы сами; но я попытаюсь размотать клубок.

Прежде всего скажу о себе. Вскоре я увлекся тем, что тогда называли «конструктивизмом»; признаюсь, однако,— идея растворения искусства в жизни меня и вдохновляла и отталкивала. В 1921 году я написал книгу «А все-таки она вертится», шумливую и наивную, напоминавшую декларации лефовцев (журнал «Леф» отмечал, что «группа И. Эренбурга во многом совпадает в выводах с нами»). Я уверял, будто «новое искусство перестает быть искусством». Одновременно я издевался над своими идеями; в том же 1921 году я написал «Хулио Хуренито»; мой герой доводит до абсурда тезисы книги «А все-таки она вертится». Хуренито говорит: «Искусство — очаг анархии, художники — еретики, сектанты, опасные бунтовщики. Итак, не колеблясь, надо запретить искусство, как запрещены изготовление спиртных напитков или ввоз опиума... Картины кубистов или супрематистов могут быть использованы для различных целей — чертежи киосков на бульварах,

И. Эренбург в Москве 20-х годов. Коллаж Гоффмейстера.
Иверская часовня. 20-е годы.
Рисунок Д. Бурлюка.
Иван Пуни в своей мастерской. Париж.
Рисунок В. Татлина.

орнамент набойки, модели новых ботинок и так далее. Поэзия переходит к языку газет, телеграмм, деловых разговоров...» Я не двурушничал — двурушничество ведь всегда связано с опаской или с расчетом. Просто я не очень-то верил в провозглашаемую многими, в том числе и мною, смерть искусства.

Футуризм родился в начале нашего века в технически отсталой Италии; там на каждом шагу можно было увидеть изумительные памятники прошлого; а в магазинах продавали немецкие ножи, французские кастрюли, английские материи — заводские трубы еще не пытались затесаться в изысканное общество старинных башен. (Теперь Северная Италия может посоперничать с наиболее индустриализированными странами, но теперь в Италии не сыщешь футуриста, требующего сжечь все музеи, а бывшие футуристы Карра или Северини вдохновляются фресками Джотто или равеннской мозаикой.) Увлечение Маяковского, Татлина, других представителей русского «левого искусства» индустриальной эстетикой в первые годы революции вполне понятно: тогда на Сухаревке продавали поштучно не только куски сахара, но даже спички. В «Мистерии-Буфф» Маяковский так мечтал о будущем: «Громоздятся в небо распахнутые махины прозрачных фабрик и квартир. Обвитые радугами, стоят поезда, трамваи и автомобили...» (Когда художник изображает природу или человеческие чувства, его произведения не устаревают. Никто не скажет, что женщина XX века прекраснее, совершеннее Ники Акрополя, созданной двадцать пять веков назад; терзания Гамлета и Джульетты никому не смешны. Но стоит художнику увлечься техникой, как его утопии оказываются превзойденными или опровергнутыми временем. Уэллс был человеком весьма образованным, ему казалось, что он видит будущее, однако открытия современной физики сделали его утопические романы смешными. Как мог Маяковский предвидеть, что трамвай вскоре разделит судьбу конки, а поезда начнут казаться архаическим способом передвижения?..)

Кубистические полотна Пикассо были рождены не тоской по машинам, а стремлением живописца изобразить человека, природу, мир, освободившись от случайных подробностей. Мало кого теперь интересуют книги Метценже, Глеза и других теоретиков кубизма; а хол-

сты Пикассо, Брака, Леже живы, нас радуют, огорчают, волнуют. Пикассо себя считает наследником Веласкеса, Пуссена, Делакруа, Сезанна, и никогда он не видел в электрическом поезде или в реактивном самолете наследников живописи.

Разумеется, искусство всегда постепенно входило в быт, меняло здания, одежду, словарь, жесты, утварь. Средневековая поэзия с ее культом любимой женщины помогла людям найти формы для выражения своих чувств. Холсты Ватто и Фрагонара перекочевали в быт, изменили планировку парков, костюмы, танцы, повлияли на диваны или на табакерки. Кубизм помог современным урбанистам освободиться от домов, заляпанных ненужными украшениями, он отразился на мебели, даже на коробках сигарет. Утилитарное использование искусства, его декоративное применение не может быть целью художника, оно естественно вытекает из его творческого взлета. Обратный процесс свидетельствует о творческом оскудении. Беспредметный орнамент вполне уместен на ткани или на керамике, когда же он претендует на звание станковой живописи, то это не взлет, а спад.

Недавно я был в Брюсселе на ретроспективной выставке Малевича. Его ранние работы (период «Бубнового валета») очень живописны. В 1913 году он написал черный квадрат на белом фоне. Так родилось абстрактное искусство, которое сорок лет спустя обворожило тысячи западных художников. Оно мне кажется прежде всего декоративным. Холсты Пикассо — мир, в них столько мыслей и чувств, что они порождают восторг или подлинную ненависть; а холсты абстракционистов остаются элементами ткани или обоев. Женщина может надеть на себя шарф с беспредметным орнаментом, этот шарф может быть красивым или некрасивым, может оказаться к лицу женщине или нет, но он никогда не заставит задуматься о природе, о человеке, о жизни.

Стремительное развитие техники требует от художника еще более углубленного понимания внутреннего мира человека. Это быстро поняли сторонники «левого искусства», защищавшие индустриальную эстетику. Повидав Америку, Маяковский заявил, что необходимо обуздать технику. Конечно, он думал при этом о роли художника, не отрицая необходимости технического процесса (в Москве тогда — это было в 1925 году — техники было чрезвычайно мало); Маяковский понимал, что если не надеть на технику гуманистического намордника, то она искусает, загрызет человека. Мейерхольд, забыв про биомеханику, увлекся «Лесом», «Ревизором», мечтал поставить «Гамлета». Татлин занялся станковой живописью; Альтман писал портреты; Пуни стал мастером маленьких пейзажей. Что касается зонда с нектаром, то он перешел в другие руки, куда более подходящие для подобных операций.

Наши музеи обладают превосходными коллекциями «левого искусства» первых послереволюционных лет. Обидно, что эти коллекции не открыты для посетителей. Из цепи кольца не выкинешь. Я знаю молодых советских художников, которые в 1960 году открывают Америку: делают (вернее, хотят сделать) то, что в свое время делали Малевич, Татлин, Попова, Розанова. Может быть, если бы они могли взглянуть на историю развития названных художников, они пытались бы не вернуться к 1920 году, а найти нечто новое, соответствующее нашему времени? Молодые поэты знают стихи Хлебникова, ценят его мастерство, но не пытаются ему слепо подражать. Почему же Татлин «опаснее» Хлебникова? Может быть потому, что идея монополии одного направления особенно утвердилась в области пластических искусств?..

Конечно, представители нашего «левого искусства» в первые годы революции во многом ошибались. Об ошибках художников, писателей, композиторов говорят часто и охотно; вряд ли это объясняется тем, что ошибаются только они... Но сейчас, оглядываясь назад, я думаю с признательностью даже о том холсте, который испугал бабку возле Иверской часовни. Многое было сделано; а эссенцию всегда разбавляют. Благотворные следы «левого искусства» можно увидеть в произведениях ряда писателей, художников, режиссеров, кинорежиссеров, композиторов последующих десятилетий.

Я никогда в жизни не был страстным адептом какой-либо художественной школы. Апостола Павла, до того как он обратился в новую веру, звали Савлом. В 1922 году, когда я защищал конструктивизм и издавал журнал «Вещь», В. Б. Шкловский в книге «Цоо» назвал меня Павлом Савловичем — это зло, но справедливо. Через всю мою жизнь я пронес любовь ко многим художественным произведениям прошлого — к романам Стендаля, к рассказам Чехова, к стихам Тютчева, Бодлера, Блока. Это мне не мешало ненавидеть подделку под старое и любить Пикассо или Мейерхольда. В общем, у Павла должно быть отчество, и лучше вылепить новую статую, чем разбить даже с самыми высокими побуждениями статую, некогда созданную. Для скульптора, который высекал изображения индийских богов и богинь в Эллоре, Брахма, Вишну или Шива были богами; для нас это люди, созданные человеческим гением, с близкими нам страстями, с понятной нам гармонией.

Идолы отжили свой век не только в религии, но и в искусстве. Вместе с почитанием икон умерло иконоборчество. Но разве от этого может исчезнуть стремление сказать новое по-новому? Недавно я прочитал в одном журнале слова «скромное новаторство»; они меня сначала рассмешили, потом опечалили. Художник должен быть скромным в своем поведении, но отнюдь не умеренным, тепленьким, ограниченным в творческих дерзаниях. Право же, достойнее писать каракулями свое и по-своему, чем каллиграфически переписывать прописи прошлого. Мне кажется, что колхозники, изображаемые в манере академической (болонской) школы, мало кого могут порадовать и нельзя передать ритм второй половины XX века тем изобилием придаточных предложений, которым блистательно пользовался Л. Н. Толстой.

8

В Пречистенском комиссариате мне пришлось заполнить первую анкету, это было внове, и я задумывался над каждым вопросом. Какая, например, у меня профессия? Журналист? Переводчик? Поэт? Я написал «поэт» — это звучало наиболее благородно — и рассмеялся: менее всего я чувствовал себя профессиональным писателем.

Помимо дурных стихов, я писал очерки в газеты; написал вместе с А. Н. Толстым пьесу для театра «Летучая мышь», называлась она «Рубашка Бланш» и была основана на французском фаблио XIII века, которое я перевел еще в Париже. Я писал стихотворный текст, а Алексей Николаевич старался оживить его забавными репликами.

Внешне я как-то устроился, снял комнату в Левшинском переулке, в профессорской квартире, за сто рублей, иногда обедал в вегетарианской столовой — кажется, она называлась «Примирись», но примириться ни с чем я не мог.

Иногда я вспоминал «Ротонду», Пикассо, Модильяни, наши споры об искусстве. Бог ты мой, как давно это было!.. Я попробовал написать Шанталь и тотчас порвал письмо: нельзя писать в другой мир. Даже если письмо дойдет, никогда ей не понять, что со мною происходит...

Появилось много новых слов: «мандат», «чека», «рабис», «комфуты», «домком», «уплотнение», «излишки», «пша», «спецы», «пролеткульт», «кубаршины», «ликбез», «рабкрин», «разверстка». Я продолжал приставать ко всем с наивными вопросами; никто мне не отвечал.

Неожиданно для себя я очутился в среде писателей, даже стал одним из наиболее типичных ее представителей: у других ведь были семьи, знакомые, налаженный быт, а я попал в революционную Москву с тремя сменами белья, без профессии и потеряв из виду друзей отрочества.

Я упоминал о кафе «Дом» на Тверской, куда часто заглядывали писатели; там мы пили кофе и делились новостями. Были другие кафе, где мы работали,— за тридцать или за пятьдесят рублей читали свои произведения перед шумливыми посетителями, которые слушали плохо, но глядели на нас с любопытством, как посетители зоопарка глядят на обезьян. Кафе эти были эфемерными — названия то и дело менялись: «Кафе поэтов», «Трилистник», «Музыкальная табакерка», «Домино», «Питторекс», «Десятая муза», «Стойло Пегаса», «Красный петух».

Цетлины нас кормили пышно, как подобало последним представителям чайной династии. Собирались мы часто у Кара-Мурзы; там нас тоже подкармливали, и атмосфера там была куда проще, сердечнее. Иногда мы ходили к Толстому; иногда в Афанасьевском переулке встречались у актрисы Людмилы Джалаловой.

Еще происходили скучноватые собрания «Среды»; там бытовики читали рассказы и литераторы монотонно требовали различных «свобод»; во главе «Сред» стоял брат Бунина, милейший Юлий Алексеевич.

Председателем Всероссийского Союза писателей был Юргис Казимирович Балтрушайтис, человек очень добрый и очень угрюмый. Лицо у него было пустынное, бледные глаза, горестно сжатый рот. Когда Маяковский сокрушал Бальмонта или когда Толстой рассказывал анекдоты, Юргис Казимирович, в черном, наглухо застегнутом сюртуке, непоколебимо молчал. Его комната напоминала его самого — голые стены и распятие. Такими же унылыми, горькими, отвлеченными были и его стихи:

> И всех равняет знаком сходства,
> Приметой божьего перста,
> Одно великое сиротство,
> Одна великая тщета!

Помню, как мы ездили в Кимры на литературный вечер. Балтрушайтис читал стихи. Потом Лидин прочитал рассказ о конюшнях и скачках. Зал был шумным; кого-то вывели. На эстраду взобрался паренек и запел:

> Дезертиром я родился,
> Дезертиром и умру,
> Коль хотите, расстреляйте,
> В коммунисты не пойду...

Мы пили водку; нас отвели в пустую комнату — поезд отправлялся утром; спали мы на полу. Юргис Казимирович, как всегда, молчал; только когда мы приехали в Москву, он неожиданно сказал: «В общем, глупо... А все-таки хорошо, что поехали...» Мне кажется, что те годы были для Юргиса Казимировича лучшими в его жизни. (В 1921 году он стал послом Литвы в Москве. Ему хотелось по-прежнему встречаться с писателями, но он числился дипломатом, и его дипломатично избегали. Он продолжал писать угрюмые стихи; писал и на литовском языке. Жизнь его сложилась нелепо, но он не удивлялся — с детства знал, что такое пустыня.)

Помню светящееся окно на Зубовском бульваре — там жил поэт Вячеслав Иванович Иванов. Он казался мне мудрым старцем (ему тогда было пятьдесят два года); походил он на ибсеновского пастора; одевался по-старомодному; блестела золотая оправа очков. Был он человеком большой культуры; писал сложно и патетически; его называли «Вячеславом Великолепным». Я слушал, как он, волнуясь, будто импровизируя, читал отточенные сонеты, и во мне боролись два чувства: благоговение и жалость; время рванулось вперед, а где-то на Зубовском бульваре остался чудак в сюртуке, с менадами, с Изольдой,

Юргис Балтрушайтис.

Вячеслав Иванов.

М. О. Гершензон с детьми.

с розами Суристана, с акафистами. В домах появились печки, окрещенные «буржуйками», на них варили пшенную кашу, а Вячеслав Иванович писал:

> Охапку дров свалив у камелька,
> Вари пшено,— и час тебе довлеет.
> Ах, вечности могила глубока!..

Он хорошо говорил о древней Элладе, а когда события заглядывали в его кабинет, терялся. Он писал Г. И. Чулкову:

> Да, сей пожар мы поджигали,
> И совесть правду говорит,
> Хотя предчувствия не лгали,
> Что сердце наше в нем сгорит.

Мне кажется, сердце Вячеслава Иванова в те годы не горело, а замерзало... (Несколько лет спустя он уехал в Италию, преподавал славистику в католическом университете, писал, как прежде, сонеты и умер в глубокой старости.)

Как-то я возвращался после литературного вечера с М. О. Гершензоном, который жил в одном из переулков Арбата. Я знал его книги о декабристах, о Чаадаеве и думал, что для Михаила Осиповича самое важное — сохранить те духовные ценности, о которых говорил Вячеслав Иванов. Но Гершензон неожиданно рассмеялся и, остановившись возле сугроба, который был выше его, стал меня наставлять: важнее всего внутренняя свобода, нечего плакать об истлевших ризах. Он смеялся, а глаза у него были ласковые и печальные: «Почему вы огорчаетесь? Вы ведь молоды... Разве не счастье почувствовать себя свободным от всего, что представлялось нам вечным, незыблемым? Я вот радуюсь...» Михаилу Осиповичу не было и пятидесяти, но мне он, конечно, казался стариком. Я тогда не понял, чему он радуется, а теперь с восхищением думаю о его словах; если он страдал дефектом зрения, то в отличие от многих писателей, в том числе молодых, был не близоруким, а дальнозорким. Его заслуги перед нашей литературой велики, и только болезнью века — амнезией можно объяснить то, что о нем быстро забыли: ведь он был не эфемерным автором парадоксов, а серьезным и глубоким историком русской интеллигенции XIX века. Его книги об Огареве, о Чаадаеве, о декабристе Кривцове, о грибоедовской Москве написаны с точностью летописца и с вдохновением поэта. Он умер в 1925 году.

Позднее я расскажу об Андрее Белом — я часто с ним встречался в Германии в 1922 году. В годы, о которых я говорю, он казался мне призраком. Он не сидел на стуле, как все, а приподымался; казалось, еще минута — и он превратится в облако; говорил он не с собеседником, а с воображаемым обитателем воображаемой планеты. Слово «эфир» давно стало техническим термином работников радиовещания, они говорят «выпускаем в эфир», даже когда идет речь о беседе, как предохранить себя от желудочных заболеваний. А тогда слово «эфир» еще звучало таинственно: «Тебя я, вольный сын эфира, возьму в надзвездные края...» Так вот, мне казалось, что Андрей Белый говорит исключительно в лермонтовский эфир: Россия — мессия, разруше-

ие — созидание, бездна — взлет... Он восхищал меня, но я думал: тебе
орошо, ты и не сидишь на стуле, ты взлетаешь, а я не умею ни развоп-
ощаться, ни испаряться, ни вещать...

Все выводило из себя Бальмонта. Однажды мы должны были
роехать от Покровских ворот к Арбату. Войти в трамвай было нелегко;
, вскочив на подножку, пытался пробиться, а Константин Дмитриевич
ачал вопить: «Хамы, расступитесь! Идет сын солнца...» Это не про-
звело никакого впечатления, и Бальмонт объявил, что, поскольку ни
него, ни у меня нет денег на извозчика, мы пойдем пешком: «Я не могу
асаться моим телом этих бесчувственных амфибий».

И. А. Бунин уверял, что во всем повинны «декаденты» — и в том, что
азорили его усадьбу, и в том, что исчез сахар. Однажды у Толстого
прочел свои стихи о казни Пугачева, написанные еще в Париже в
915 году; там были строки:

> И останется от русского царства икра рачья
> Да на высоком колу голова Пугачья...

унин встал, сказал Наталье Васильевне: «Простите, подобного я слу-
ать не могу» — и ушел. Кто-то сочинил тогда стихи, которые оказа-
ись в моей записной книжке:

> Вы дружбой связаны со мною,
> Бандит и черт, парижский сноб
> В огромной шляпе, вышиною
> Напоминающей сугроб,
> Вы, что стихами без нагана
> Спугнули Бунина Ивана.
> Желаю вам от сей поры
> Отборных раков без икры.

У Толстых, несмотря на душевное беспокойство, овладевшее Алек-
ем Николаевичем, было уютно: Толстой умел не только вкусно
адоваться, но и вкусно огорчаться. Неизменно он рассказывал за-
авные истории, причем сам смеялся первый. Как-то, вернувшись
репетиции своей пьесы, он рассказал, будто в первые дни революции

ндрей Белый. Силуэт Е. Кругликовой. 1921 г.

, А. Степун, И. Н. Буньков, И. А. Бунин, И. П. Демидов. Грасс, 1931 г.

солдаты нашли в Малом театре голову Иоканаана, которой в пьесе Уайльда тешится Саломея; голова им понравилась, и они начали ею играть в футбол. В другой раз Толстой рассказывал, как во время выборов в Учредительное собрание в подмосковной деревне одна бабка взяла со стола не тот бюллетень, что хотела. Агитатор сказал ей: «Да это не твой номер», а она ему ответила: «Наследить боюсь... Если бог поможет, мы и с этим управимся...» «Ха-ха-ха!» — грохотал Алексей Николаевич, а было ему, как я говорил, совсем не весело.

Из писателей старшего поколения я встречал Б. К. Зайцева, больного, недоумевающего; он охотно вспоминал Италию, а про то, что делается вокруг, говорил откровенно: «Не понимаю...» Ходили мы иногда к поэту Г. И. Чулкову, который жил на Смоленском бульваре. В молодости Георгий Иванович принимал участие в революционном движении, побывал в тюрьмах, в ссылке. Около 1907—1908 годов он оказался в центре литературной жизни, о нем Блок спорил с Андреем Белым. Я его узнал постаревшим и печальным; он походил на большую больную птицу, больше не проповедовал ни «соборности», ни «мистического анархизма», иногда, помолчав, повторял строки Тютчева. Иван Алексеевич Новиков предпочитал цитировать Пушкина; он был радушным хозяином, никого не обижал; глаза у него были ласковые, спокойные, и дома держался старый быт — на пасху пекли куличи, красили яйца.

У Кара-Мурзы собирались главным образом молодые — там Алексей Николаевич был классиком. Поэт Липскеров нараспев читал стихи о красотах Востока. Приходила В. М. Инбер. (С нею я познакомился еще в Париже; она должна была уехать в горный санаторий в Швейцарии и попросила меня присмотреть за изданием ее первой книги «Печальное вино». Иллюстрации к книге сделал мой приятель, скульптор Цадкин.) Вера Михайловна читала шутливые стихи:

> Вилли, милый Вилли,
> Отвечайте мне без долгих дум,
> Вы когда-нибудь кого-нибудь любили,
> Вилли-грум?

В то время я подружился с В. Г. Лидиным. В молодости он был наивным и жаждал романтики. Людмила Джалалова его называла «розовым Марабу», эта кличка прижилась.

В одном из писем Маяковского к Л. Ю. Брик я нашел такие строки «Кафе омерзело мне. Мелкий клоповничек. Эренбург и Вера Инбер слегка еще походят на поэтов, но и об их деятельности правильно заметил Кайранский:

> Дико воет Эренбург,
> Одобряет Инбер дичь его...»

В «Литературном наследстве» не приведен конец эпиграммы:

> Ни Москва, ни Петербург
> Не заменят им Бердичева.

Сочинил эти стишки критик А. А. Кайранский на вечере у Кара Мурзы. Я тогда еще многого не предвидел и не рассердился.

Мы развлекались, как умели. Сфинкс ставил людям загадки, они и не могли решить, и Сфинкс их пожирал. Эдип знал, что если он н

азгадает головоломки, то его ждет гибель; все же я думаю, что,
огда Сфинкс на минуту оставлял Эдипа в покое, Эдип развле-
ался...

Вот только Андрей Михайлович Соболь редко смеялся, и улыбка
него была печальная. В ранней молодости он был связан с эсеровским
одпольем, восемнадцатилетним юношей был приговорен к каторжным
аботам, сослан в свирепый Зерентуй, с поселянами бежал за границу.
 с ним познакомился в итальянской деревушке Кави ди Лаванья, где
очему-то обосновались, вернее, бедствовали, русские эмигранты. Во
ремя войны Соболь с чужим паспортом вернулся в Россию. Не знаю,
очему он был так печален, может быть потому, что хлебнул в жизни
оря, может быть потому, что действительность не походила на мечты
одростка: крестьяне жгли в усадьбах библиотеки, матросы увлекались
амосудами, а по Мясницкой вместо героев Степняка-Кравчинского
еловито шагали мешочники. В 1923 году в «Правде» было напечатано
Открытое письмо» Андрея Соболя... «В бурные, грозовые годы, про-
едшие перед нами, над нами и сквозь нас, ошибалась, спотыкалась
 падала вся Россия. Да, я ошибался, я знаю, где, когда и в чем были
ои ошибки, но они являлись органическим порождением огромной
ложности жизни. Безукоризненными могли себя считать или безна-
ежные глупцы, или беспардонные подлецы. В отсутствии глупости
 подлости в себе я не нахожу повода для раскаяния. Одни сознают
вои ошибки раньше, другие — позднее. Я позднее многих сознал, быть
ожет, потому, что всегда был и оставался социалистом и всегда верил
 тот час, когда рикша из Калькутты протянет, аннулируя моря и оке-
ны не только воды, но и слез и крови, руку Федьке Беспятому из
едоеловки...» Андрей Михайлович был человеком болезненным, с
бостренно чувствительной совестью, добрым, мягким. В 1926 году он
окончил с собой на скамейке Тверского бульвара.

Газеты сообщали об огромных событиях: наступление немцев,
рестский мир, переезд правительства в Москву, мятеж левых эсеров,
ачало гражданской войны на Дону. В Москве то и дело постреливали.
а Поварской чуть ли не в каждом особняке был штаб анархистов.
 кафе поэтов я часто видел на столике рядом с пирожными маузер.
очью на прохожих нападали бандиты. На собраниях повторяли:
Социалистическое отечество в опасности!» Появилось сообщение о
ом, что организована «Чрезвычайная комиссия по борьбе с контрре-
юцией и саботажем».

А жизнь продолжалась... Я встретил поэта Михаила Герасимова; он
овел меня на собрание пролеткультовцев; там издевались над футури-
тами. Маяковский называл стихи пролеткультовцев «протухшим то-
аром». Толстой говорил, что нужно уехать в Париж. Бунин называл
олстого «полубольшевиком».

Сфинкс требовал ответа. А мы все-таки ходили к Кара-Мурзе,
урачились, сочиняли пародии, покупали на Сухаревке табак, ссори-
ись друг с другом, влюблялись...

Пошел я на выставку «Бубновый валет»; там были холсты и некото-
ых бубнововалетцев, и супрематистов, и салонных стилизаторов —

вывеска обманывала. А живопись тех художников, которые действительно были в прошлом организаторами группы «Бубновый валет», мне понравилась. Я почему-то считал (да так думают многие и поныне), что бубнововалетцы слепо подражали французам. Конечно, они любили Сезанна, знали Матисса, но к опыту французских мастеров они добавили нечто свое, национальное. В ранних холстах Лентулова, Машкова, Кончаловского, Ларионова, Шагала, да и Малевича (до супрематизма) есть нечто от вывесок парикмахерских, фруктовых или табачных лавок, которые в дореволюционное время в провинциальных городах являлись подлинно народным творчеством.

Увлекали меня и театры; судя по записной книжке, я за один месяц побывал в Художественном на «Трех сестрах» и на «Селе Степанчикове», увидел в Камерном «Фамиру Кифаред» Иннокентия Анненского, был в Драматическом театре на «Павле» Мережковского. Глядел я в филиале Художественного театра пьесу «Потоп». На сцене было кафе, люди заказывали коньяк, подзывали официанта. Рядом со мной сидел художественный критик Я. А. Тугендхольд, незадолго до того вернувшийся из Парижа. Когда опустился занавес, Яков Александрович полез в карман за деньгами: ему показалось, что он в кафе и должен расплатиться с официантом. А я посмеивался, хотя пьеса была скорее мрачная: смешил меня натурализм театра — актеры действительно пили что-то, все было как «на самом деле». В 1909 году в Париже мне показался неправдоподобным трагический актер Муне-Сюлли в роли царя Эдипа, а вот теперь меня смешила неправдоподобность чересчур правдоподобного...

Искусство искушало, но я продолжал думать о вопросах Сфинкса. Жизнь становилась внешне все труднее и труднее: все жили впроголодь. Говорили о перестрелках, о пайках, о сыпняке. Я переносил

Борис Зайцев с дочерью И. Эренбурга Ириной.
Андрей Соболь.
Михаил Герасимов.
К. Бальмонт в кругу близких. Прага.
В. Г. Короленко в кругу семьи.

лишения легче, чем многие из моих новых друзей: в Париже прошел школу голода.

Как-то с оказией пришло письмо от Шанталь, она писала, что ждет меня. На минуту передо мной встал Париж — Сена, каштаны, друзья и маленькая уличка Кур де Роан, где жила Шанталь. Ответ я писал долго — хотел объяснить, что война продолжается, что у меня нет денег, а главное, я не могу уехать из России, не поняв, что здесь происходит... Письмо получилось глупое, и я его порвал.

9

Моя мать умерла в Полтаве осенью 1918 года. Я знал, что она тяжело больна, торопился. Когда я добрался до дома моего дядюшки, отец, сгорбившись, сидел в передней: он только что вернулся с кладбища. Я опоздал на два дня и не простился с матерью. В жизни почти каждого человека смерть матери многое внутренне меняет. Я с семнадцати лет жил далеко от родителей, и все же почувствовал себя сиротой. Шел холодный дождь, цветы на могиле быстро почернели от ранних заморозков. Я не знал, что сказать отцу; мы оба молчали. Я пробыл с ним две или три недели; об этом можно было бы многое рассказать, можно и промолчать.

Однажды на улице я увидел В. Г. Короленко. Он шел сутулясь; лицо его поражало добротой и печалью. Казалось, это идет последний представитель интеллигенции прошлого века. (Словарь Ушакова дает и такое толкование «интеллигента»: «Человек, социальное поведение которого характеризуется безволием, колебаниями, сомнениями». А русская интеллигенция XIX века не была безвольной; она умела расплачиваться за свои идеи и житейскими невзгодами, и тюрьмой, и каторгой. Сомнения ее часто объяснялись не боязливостью, а совестливостью. Именно совестливым был и Короленко.) Я вспомнил, как он пригрел начинающего поэта на чужбине. Студент, который бывал у него, сказал: «Хотите, я вас представлю...» Я знал, что Владимир Галактионович плохо себя чувствовал, подавлен событиями, тревожится за своего зятя, которого арестовали немцы. Я не решусь ни о чем

Добрую память. К. Бальмонт.

его спросить... А просто подойти, поблагодарить за то, что он живет на свете, я постеснялся; так и не подошел к нему...

В Киеве я оказался в скверное время. Я расскажу о том, как я там жил и что увидел; но прежде всего мне хочется сказать о самом Киеве. Мальчишкой я часто бывал в этом городе — гостил у деда; побывал в Киеве и после тюрьмы, без прописки, без крова. Моя жизнь протекала в двух городах — в Москве и в Париже. Но я никогда не мог забыть, что Киев — моя родина. Очевидно, такова власть слова, сила воображения. Не знаю, когда мои предки оказались на Украине и откуда их пригнали ветры истории; может быть, из Кордовы или Гренады. В Киев мой дед (по материнской линии) приехал из Новгород-Северска, древнего уездного городка Черниговской губернии, и было это, разумеется, не во времена князя Игоря, а относительно недавно — в начале царствования Александра Второго. Где пан таскал его за пейсы — в Новгород-Северске, в Киеве или, может быть, в том самом Бердичеве, о котором рассказывали сотни анекдотов и который помог Кайранскому сочинить едкий стишок? Не знаю. Не берусь доказать, что я добротный, потомственный киевлянин. Но у сердца свои законы, и о Киеве я неизменно думаю как о моей родине. Осенью 1941 года мы теряли город за городом, но я не забуду день 20 сентября — тогда мне сказали в «Красной звезде», что по Крещатику идут немецкие дивизии.

«Киев, Киев! — повторяли провода.—
Вызывает горе. Говорит беда».
«Киев, Киев!» — надрывались журавли...

Помню, как мальчишкой я подъезжал к Киеву. Поезд останавливался на каждой станции, не торопился (торопился я), и названия станций были странные — Бобрик, Бобровица, Бровары. Потом начинались пески; мне они казались Сахарой. Я высовывался из оконца. Киев показывался внезапно — купола Лавры, сады, широчайший Днепр с островками, на которых зеленели деревья. Поезд долго грохотал на мосту...

В Киеве были огромные сады, и там росли каштаны; для московского мальчика они были экзотическими, как пальмы. Весной деревья сверкали канделябрами свечей, а осенью я собирал блестящие, будто отполированные каштаны. Повсюду были сады — и на Институтской, и на Мариинско-Благовещенской, и на Житомирской, и на Александровской; а Лукьяновка, где жила тетя Маша с грушами и с курами, мне казалась земным раем. На Крещатике был писчебумажный магазин Чернухи, там продавали школьные тетради в блестящих цветных обложках; в такой тетради даже задача на проценты выглядела веселее. Был магазин кондитерских изделий Балабухи, в нем продавали сухое варенье (его называли «балабухой»); в коробке лежала конфета, похожая на розу, она пахла духами. В Киеве я ел вареники с вишнями, пампушки с чесноком. Прохожие на улице улыбались. Летом на Крещатике в кафе сидели люди — прямо на улице, пили кофе или ели мороженое. Я глядел на них с завистью и с восхищением.

Потом всякий раз, приезжая в Киев, я поражался легкости, приветливости, живости людей. Видимо, в каждой стране есть свой юг

свой север. Итальянцы считают жителей Турина северянами — они
уховаты, сдержанны, деловиты. Гасконцы живут на той же географи-
еской широте, что туринцы, но Гасконь — юг Франции, и по-француз-
ки «гасконец» означает фантазер, насмешник, балагур. Для испанца
арселонцы — северяне, а если отправиться из Барселоны на север
пересечь границу, то можно доехать до Тараскона, где жил Тарта-
ен...

На севере человек иногда улыбается: он вспомнил что-то приятное.
А почему улыбается южанин? Вероятно, потому, что ему нравится
лыбаться. Украинская фантазия, украинский юмор красили суровый
блик старой России. Гоголь был болезненным человеком с очень тяже-
ым характером, но скольких он лечил своими книгами! Я знаю, что
оголь — «великий реалист», это стоит в любом учебнике, и я в гимна-
ии учил наизусть «Чуден Днепр при тихой погоде». Там сказано:
Редкая птица долетит до середины Днепра». Птицы перелетают через
оря, но Гоголь прав: и Днепр широк, и широко искусство.

После революции в русскую литературу вошли яркие, несдержан-
ые, насмешливые и романтичные южане; они нас слепили, смешили,
дохновляли — Бабель, Багрицкий, Паустовский, Катаев, Светлов,
Зощенко, Ильф, Петров, Олеша...

Мальчиком я гостил у тети Маши; она арендовала хутор возле
Борисполя; там на ярмарке я слышал, как слепцы пели старые песни.
Много лет спустя я услышал, как М. Ф. Рыльский читал свои стихи,
и было в этом нечто мне знакомое — лукавая и нежная музыка украин-
кой речи.

В киевской Софии я провел немало часов. Часто противопоставляют
изантийское искусство древнегреческому; разумеется, Христос-Пан-
ократор, требовательный и суровый, связанный не только с синим
ебом Греции, но и с фанатично-полицейским строем великой империи,
е входит в мир кентавров и нимф. И все же Византия сохраняла гармо-
ию Эллады; ее отсвет дошел до древнего Киева. В Софии я чувствовал
е только груз веков, но и легкость, крылья искусства.

Я люблю барокко Киева; его вычурность смягчена каким-то есте-
твенным добродушием; это не гримаса, а улыбка. Мне жаль Михай-
ловского монастыря, он хорошо стоял, был милый дворик. Конечно,
Андреевская церковь лучше, но зря его снесли... (Футуристов обвиняли
в неуважении к искусству прошлого; но у футуристов были перья, а не
ломы. В тридцатые годы порой так рубили лес, что летели не щепки —
вековые камни. В 1934 году я видел, как в Архангельске взрывали
здание таможни петровского времени, я спрашивал — почему, мне
отвечали: «Мешает уличному движению», а в Архангельске автомобили были наперечет.)

Война нанесла Киеву много ран. Немцы взорвали собор Лавры.
Крещатика не стало. Потом сделали тротуары, поставили вазы с цветами, милиционеров. А потом улицу отстроили. На старом Крещатике не
было памятников старины, и он мне мил только воспоминаниями. А в
Москве я живу на улице Горького и пригляделся к той архитектуре,
которую теперь называют «украшательской», хотя ничего она украсить

не способна. Зато я восхитился, увидев новый проспект над Днепром Киев теперь может присесть на скамеечку (разумеется, в тихую погоду и проверить, до чего чуден Днепр... Похорошели зеленые Липки. С По дола сняли клеймо отверженности.

Нет, Киев мне не чужой! Первые мои воспоминания — это большо двор, куры, бело-рыжая кошка, а напротив дома (на Александровской красивые фонарики — там помещалось летнее увеселительное заведе ние «Шато де флер».

С Киевом связано немало событий в моей жизни. В 1918—1919 го дах там существовала художественная школа Александры Александ дровны Экстер, «левой» художницы, которая выставлялась в Москв вместе с бубнововалетцами и делала постановки в Камерном театре В школе учились дюжина молоденьких девушек и несколько юношей Среди учениц А. А. Экстер была восемнадцатилетняя девушка Люб Козинцева. Она заинтересовалась мною, узнав, что я знаком с Пикассо Что касается меня, то я заинтересовался ею, хотя она была знаком только с Александрой Александровной. Я начал ходить на Мариинско Благовещенскую, где жил доктор Козинцев. Конечно, репутация у мен была шаткая; но шатким тогда было все. Гетмана сменил Петлюра Петлюру прогнала Красная Армия. Люба с товарищами расписывал агитпароход. Швейцар «Литературно-артистического клуба» философ ствовал: «Сегодня навыворот, а завтра за шиворот». Я продолжа. писать стихи, но в многочисленных анкетах на вопрос о роде заняти отвечал уже не «поэт», а «служащий» — я работал в нескольких со ветских учреждениях. Впрочем, все это к делу не относится. Люб украдкой приходила ко мне — я снимал тогда комнату на Рейторской Несколько месяцев спустя мы, никого об этом не предупредив, направи лись в загс, пробираясь через спящих красноармейцев и тюки, ото бранные продкомом.

Софийский собор. Киев.

Эскиз костюма для спектакля «Ромео и Джульетта», выполненный А. Экстер.

Л. Козинцева — одна из учениц А. Экстер. 1918 г.

Немецкие солдаты на Крещатике. Киев. 1918 г.

В октябре 1943 года вместе с другими корреспондентами «Красной звезды» я жил в сожженном селе Летки на Десне. Мы ждали, когда освободят Киев. Вокруг шумел высокий камыш. Иногда мы ездили в Дарницу, оттуда можно было рассмотреть город. Иногда переправлялись на правый берег Днепра. Ждать было трудно. Поэт Семен Гудзенко потом написал:

> Но и в сугробах Подмосковья,
> и в топях белорусских рек
> был Киев первою любовью,
> незабываемой вовек.

Я увидел пески Бабьего Яра; там гитлеровцы убили семьдесят тысяч евреев. Мне показали объявление: «Жиды г. Киева и окрестностей. В понедельник 29 сентября к семи часам утра вам надлежит явиться с вещами, документами и теплой одеждой на Дорогожицкую улицу, возле Еврейского кладбища. За неявку — смертная казнь». По длинной Львовской шло шествие обреченных; матери несли грудных детей; парализованных везли в тележках. Потом людей раздевали и убивали. Среди погибших не было моих близких, но, кажется, нигде я не пережил такой тоски, такого сиротства, как на песках Бабьего Яра. Иногда чернела зола, обугленные кости (немцы незадолго до эвакуации приказали военнопленным выкопать тела жертв и сжечь их). Почему-то мне казалось, что здесь погибли мои родные, друзья, сверстники, что сорок лет назад я видел их — они играли в детские игры на смутных улицах Подола или Демиевки.

В Киеве жило много евреев. Когда я еще был мальчишкой, мой двоюродный брат, студент, показал мне на Крещатике человека в очках, с длинными волосами и почтительно пояснил: «Это — Шолом-Алейхем». Я тогда не знал о таком писателе, и мне он показался одним из ученых чудаков, которые сидят над книгой и выразительно вздыхают. Много позднее я прочитал книги Шолом-Алейхема, я и вздыхал и смеялся, мне хотелось вспомнить лицо ученого чудака, мелькнувшее на Крещатике. Шолом-Алейхем называл Киев «Егупцем», и люди этого города заполняют его книги. Их дети и внуки простились с Егупцем в Бабьем Яру...

В Киеве я пережил еврейский погром. Для меня рассказ украинского писателя Коцюбинского вдвойне дорог — и потому, что я понимаю муку Эстерки, и потому, что автор рассказа не резник Абрум, а Михаил Михайлович, сын Михаила Матвеевича и Гликерии Максимовны.

Я много пережил в Киеве, но дело не в этом. Говорят, что можно родиться в случайном месте — на узловой станции или в далекой стране, куда судьба на месяц или на год закинула родителей. Что же, в таком случае узловая станция перестает быть одним из кружков на карте, далекая страна становится близкой.

Киев, Киев, родина моя...

Всякий раз, когда я попадаю в Киев, я обязательно подымаюсь один по какой-нибудь крутой улице; мальчишкой быстро взбегал, а постарел — и задыхаюсь; подымаюсь, и кажется мне, что только с Липок или с Печерска я могу взглянуть на годы, на десятилетия, на прожитый век.

Все это, если угодно, присказка. Я прожил в Киеве с осени 1918 года по ноябрь 1919-го — один год. Менялись правительства, порядки, флаги, даже вывески. Город был полем гражданской войны: громили, убивали, расстреливали. Вот об этой недоброй сказке мне предстоит рассказать. Если я начал с лирического отступления, то потому, что почти все пословицы лгут (точнее, излагают истины наоборот), в том числе и классические пословицы классических римлян, которые говорили: «Ubi bene, ibi patria» — где хорошо, там и родина. На самом деле родина и там, где бывает очень плохо...

10

В Париже мы в тоске повторяли: «Немцы в Нуайоне». И вот я увидел немцев на Крещатике. Навстречу мне шел высокий офицер с вильгельмовскими усами. Возле Думы стояли немецкие часовые в высоких сапогах, они выстукивали чечетку деревянными подошвами. На одной из станций по пути в Киев я заметил в ресторане чистую половину с надписью: «Только для господ немецких офицеров».

Газеты заверяли, что правит Украиной гетман Скоропадский. Фамилия его звучала плохо — правительства тогда слишком часто падали. Я его никогда не видел, может быть, внешность у него была подходящая. Когда петлюровцы подошли к городу, гетман уехал в Германию; однако возле дома, где он жил, по-прежнему стояли молоденькие добровольцы, уверенные в том, что защищают главу государства. Киевляне, смеясь, говорили, что гетман поторопился. Что же, он не торопился умереть. Он прожил в эмиграции почти тридцать лет, восхищался Гитлером и увидел вторично разгром Германии. Один немец мне рассказал, что Скоропадского до самой смерти величали «господином гетманом»; наверно, с годами он привык к этой кличке, но в 1918 году он играл плохо, как дебютант. Ему полагалось защищать независимость Украины, но, будучи офицером царской армии, он явно предпочитал петербургских гвардейцев киевским гайдамакам. Гетманом его сделали немцы — естественно, что он им объяснялся в любви, но во Франции союзники начали большое контрнаступление, и Скоропадский послал своего человека в Одессу, где сидел представитель союзников, французский консул мосье Энно.

На толкучке демобилизованные в ободранных шинелях продавали хрустальные люстры и винтовки. На толкучке пели:

> Украина моя хлеборадная,
> Немцу хлеб отдала,
> А сама голодная.

Немцы не могли пожаловаться на отсутствие аппетита; ели они повсюду — в ресторанах, в кафе, на рынках; ели венские шницели и жирные пончики, шашлыки и сметану.

Немцы были веселы и довольны жизнью; в киевских паштетных было куда уютнее, чем на Шмен-де-дам или у Вердена. Они казались фигурами с одного из тех памятников, которые в Германии ставились в честь военных побед. Они верили, что подчинят себе мир. (Двадцать два года спустя я увидел сыновей тех немцев, что некогда прогуливались по Крещатику, они шли по парижским бульварам; дети походили на отцов: много ели и свято верили в свое превосходство.)

Киев напоминал обшарпанный курорт, переполненный до отказа. Киевляне терялись среди беженцев с севера. Крещатик был первым этапом русской эмиграции — до одесской набережной, до турецких островов, до берлинских пансионов и парижских мансард. Сколько будущих шоферов такси в Париже прогуливалось тогда по Крещатику! Были здесь и сиятельные петербургские сановники, и пронырливые журналисты, и актрисы кафешантанов, и владельцы доходных домов, и заурядные обыватели — северный ветер гнал их, как листья осенью.

Каждый день открывались новые рестораны, паштетные, шашлычные; северяне после жизни «в сушь и впроголодь» тучнели на глазах. Открывались также казино с азартными играми, театры миниатюр, кабаре. В маленьком театре, известном петербуржцам, актеры подпрыгивали, пели куплеты, написанные Агнивцевым:

> И было всех правительств десять,
> Но не успели нас повесить...

Пооткрывалось множество комиссионных магазинов; это было внове и удивляло; продавали меха, нательные кресты, иконы с ризами, столовое серебро, серьги, шотландские пледы, кружева — словом, все, что удалось вывезти из Москвы и Петрограда. Деньги ходили разные — царские, керенки, украинки; никто не знал, какие из них хуже. Возле Думы спекулянты предлагали желающим германские марки, австрийские кроны, фунты, доллары. Когда приходили известия о неудачах немцев во Франции, марки падали, а фунты подымались. Особенно привлекательными казались покупателям доллары; причем спекулянты, то ли чтобы проявить некоторую фантазию, то ли чтобы побольше заработать, делили доллары на различные категории, дороже всех расценивались те, что «с быками».

Офицеры тоже делились на категории: были сторонники Деникина, красновцы, кубанцы и даже представители «астраханского войска». Все они, кажется, входили в «особый русский корпус», но между собой ссорились. Все, однако, ругали большевиков, самостийников и евреев. На Крещатике я впервые услышал боевой клич: «Бей жидов, спасай Россию!» Евреев они убили немало, но своей, старой России этим не спасли.

Поползли слухи: союзники разбили немцев; в Германии неспокойно: во главе нового правительства стоит какой-то немецкий Керенский, его зовут «Макс Баденский». Белые офицеры не знали — радоваться им или огорчаться; с одной стороны, они клялись в верности союзникам и клеймили Брестский мир, с другой — хорошо понимали, что если немцы уйдут, то город захватят, как они говорили, «бандиты», то есть петлюровцы.

Немцы упаковывали чемоданы деловито, не торопясь. Кайзер из Берлина уехал в Голландию. Военные действия на Западе кончились. Газеты сообщили, что в Киеве образовался немецкий «Совет солдатских депутатов». Не знаю, чем он занимался. Что касается немецких офицеров и солдат, то они старались вывезти на родину побольше трофеев: сало, масло, сахар.

Эсеры и кадеты, заседавшие в городской думе, хотели было объявить, что берут в свои руки власть как демократические избранники населения; но из Одессы приехал эмиссар от мосье Энно и объявил, что союзники приказывают «демократическим силам Киева» поддерживать гетмана Скоропадского.

Петр Пильский, который в дореволюционные годы был известен тем, что высмеивал поэтов-символистов, издавал в Киеве юмористический журнал «Чертова перечница». Посмеяться было над чем: гетман, поставленный немцами, спешно разучивал «Марсельезу»; мосье Энно говорил, что он за гетмана, и предлагал Директории снабдить ее оружием; правительство новой Германской республики называло себя социалистическим и договаривалось с французскими генералами о военном походе на Советскую Россию. Об этом в «Чертовой перечнице» не было ни слова: перец молол не черт, а петербургский литератор, который знал, что вскоре ему придется просить визу — французскую или немецкую.

Поезда в Одессу штурмовали: все говорили, что там высадятся войска союзников; высадятся они слишком поздно, чтобы оградить Киев от петлюровцев или от большевиков, а вот Одесса — это рай, крепость, спокойная жизнь. Скептики добавляли, что если даже из Марселя не приедут французские «пуалю», то беженцы смогут из Одессы уехать в Марсель: море есть море.

Я говорил, что никогда не рождается столько басен, как в начале войны. Гражданская война длилась долго, но противники Советской власти то и дело менялись, и все они фантазировали, как это делают люди в самом начале войны. Различные «осведомленные» беженцы клялись, что у союзников имеются ультрафиолетовые лучи, которыми

они могут в течение нескольких часов уничтожить и «красных» и «самостийников».

Шли разговоры о «бандах». Повстанческих отрядов было много;
внешне они походили друг на друга, но среди повстанцев были люди,
думавшие по-разному: одни верили в Директорию, другие считали, что
нужно покончить с буржуями, а пока что раздевали крестьян; были
и любители пограбить, непокаявшиеся Опанасы, которые набили себе
руку на еврейских погромах. Не помню, когда на сцену появился тот
или иной «батько» — в 1918 году или в 1919-м, но за год я наслушался
историй о Струке, Тютюннике, Ангеле, Зеленом, Заболотном и, разумеется, о самом знаменитом из всех — Махно.

Войска Директории подошли к городу. Напоследок белые офицеры
опорожнили винные погреба, пили, пели, ругались, плакали и расстреливали «подозрительных».

Когда солдаты занимают город, настроение у них хорошее; когда им
приходится оставлять город, они полны злобы, лучше им не попадаться
на глаза. В тот год мне приходилось очень часто слышать три определения: «в штаб Духонина», «эксцессы» и «хлопнуть дверью».

Петлюровцы шли по Крещатику веселые, никого не трогали.
Московские дамы, не успевшие выбраться в Одессу, восхищались:
«Какие они милые!» Белых офицеров собрали и заперли в Педагогическом музее (очевидно, дело было в размерах помещения, а не в педагогике). Помню, как все перепугались: вдруг раздался грохот, во многих
домах повылетали стекла. Обыватели поспешно стали набирать воду
в ванны — может, не будет воды — и жечь петлюровские газеты. Оказалось, что кто-то бросил бомбу в Педагогический музей.

Названия газет изменились. Вывесили желто-голубые флаги. На
ассигнациях был трезубец. Приказали переделать вывески магазинов,
и повсюду можно было увидеть лесенки, на них стояли маляры с кистями — вместо «и» ставили «i».

На двух домах в Липках появились гербы — английский и французский. Газеты сообщали, что мосье Энно обещал защитить независимость Украины и от «красных» и от «белых».

Иногда мне казалось, что я смотрю фильм и не понимаю, кто за кем
гонится; кадры мелькали так быстро, что нельзя было не только задуматься, но рассмотреть. Петлюровцы вели переговоры с большевиками
и с деникинцами, с немцами и с мосье Энно. В Киев войска Директории
вошли в декабре и пробыли недолго — шесть недель.

Никто не знал, кто кого завтра будет арестовывать, чьи портреты
вывешивать, а чьи прятать, какие деньги брать и какие постараться
всучить простофиле. Жизнь, однако, продолжалась. У меня долго не
было комнаты, и я спал на диване в квартире моего двоюродного брата,
профессора-венеролога А. Г. Лурье. Порой утром на улицах стреляли,
а в приемной уже сидели мрачные пациенты; они неизменно отворачивались друг от друга, некоторые пытались закрыть лицо газетой.
Названия газет менялись, и писали там совсем другое, чем вчера, но это
не смущало пациентов.

Был дом на Липках, где обычно допрашивали арестованных; уходя, жгли бумаги, выбивали стекла. Приходили новые власти, стекла вставляли, привозили кипы бумаги и начинали допрашивать арестованных

Я упомянул о «Литературно-артистическом клубе»; помещался он на Николаевской и назывался весьма неблагозвучно «Клак» («Киевский литературно-артистический клуб»). В месяцы Советской власти его переименовали в «Хлам» — не из презрения к искусству, а потому что все и всё переименовывали; «Хлам» означал: «Художники, литераторы, актеры, музыканты». Я туда частенько приходил. После очередного переворота некоторые завсегдатаи исчезали: уходили с армией или, как говорил философический швейцар, их «хватали за шиворот» Оставшиеся пели или слушали пение, читали стихи, ели биточки.

Когда в феврале пришли с левого берега красноармейцы, почти все им обрадовались. Помню одного из посетителей «клуба», лысого московского адвоката; возбужденный, он кричал: «Я против их идей, но все-таки у них есть идеи, а мы здесь жили черт знает как!..»

Были, разумеется, непримиримые; они считали, что через месяц Городской сад снова станет Купеческим и начнет выходить в свет дорогой им «Киевлянин». Ведь мосье Энно обещал, что союзники высадятся в Одессе, в Севастополе, в Новороссийске и первым делом освободят от большевиков «мать городов русских»...

С кем только не договаривался общительный мосье Энно! Вокруг Киева рыскали «курени смерти» и отряды различных атаманов. Горели дома; летел пух из перин. Каждый день рассказывали о новом погроме, об изнасилованных девочках, о стариках с распоротыми животами. Союзники заседали в Париже; вдохновленные романтикой Венеции дожей, они организовали «совет десяти»; этот «совет» договаривался с Деникиным. Мосье Энно обещал винтовки батьке Зеленому. Люди умирали от голода, от шальной пули, от погромов, от тифозных вшей.

При петлюровцах кто-то принес в «Клак» французскую газету «Матэн». Я узнал, что в Париже появилась новая мода — мужчины носят пиджаки, чрезвычайно узкие в талии, победители кайзера напоминают элегантных дам. Вслед за модами была напечатана статья, объяснявшая, что союзники в России защищают свободу, гражданские права и высокие человеческие ценности.

Я говорил, что Скоропадский дожил на немецких хлебах до глубокой старости. Петлюру застрелил в Париже часовых дел мастер Шварцбард. Не знаю, что стало с мосье Энно, он был маленьким человеком, историки им не занимаются. Но часто, откладывая газету с сообщениями о событиях — в Гватемале или в Конго, в Иране или в Ираке,— я вспоминаю 1919 год, истерзанный Киев и тень таинственного мосье Энно.

11

Красноармейцы пришли в феврале 1919 года, а в августе город заняли белые. Шесть месяцев были яркими, шумными. Для Киева это была пора надежд, порывов, крайностей, смятения, пора весенних гроз.

Начну с себя. Я уже говорил, что стал тогда советским служащим.

В Париже я был гидом, потом на товарной станции разгружал вагоны, писал очерки, которые печатала «Биржевка». Все это, включая газетную работу, не требовало большой квалификации. Но дальнейшая страница моей трудовой книжки воистину загадочна; я был назначен заведующим «секцией эстетического воспитания мофективных детей» при киевском собесе. Читатель улыбнется, улыбаюсь и я. Никогда до того времени я не знал, что такое «мофективные дети». Читатель тоже, наверно, не знает. В первые годы революции были в ходу таинственные термины. «Мофективный» — означало морально дефективный; под это понятие подходили и несовершеннолетние преступники, и дети трудновоспитуемые. (Когда это мне объяснила сухопарая фребеличка, я понял, что в детстве я был наимофективнейшим.) Почему мне поручили эстетическое воспитание детей, да еще свихнувшихся? Не знаю. К педагогике я никакого отношения не имел, а когда в Париже моя дочка начинала капризничать, знал только один способ ее утихомирить, отнюдь не педагогический: покупал за два су изумрудный или пунцовый леденец.

Впрочем, в те времена многие занимались не своим делом. М. С. Шагинян, читавшая лекции по эстетике, начала обучать граждан овцеводству и ткацкому делу, а И. Л. Сельвинский, закончив юридический факультет и курсы марксизма-ленинизма для профессоров, превратился в инструктора по сбору пушнины.

В «мофективной секции» два или три месяца проработал юноша, случайно не обнаруженный угрозыском: он торговал долларами, аспирином и сахаром. Кроме того, он писал неграмотные стихи (он говорил: «Извиняюсь, но жутко эротические»). Многие черты героя романа «Рвач», написанного мною в 1924 году, взяты из биографии этого моего сослуживца. В педагогике он разбирался еще меньше меня, но был самоуверен, развязен, вмешивался в разговоры педагогов или врачей. Помню одно заседание; говорили о влиянии на нервную систему ребенка белков, жиров, углеводов. Молодой автор «жутко эротических» стихов вдруг прервал седого профессора и заявил: «Эти штучки вы бросьте! Я сам вырос нервный. Уж если разбирать по косточкам, то и жиры полезны, а главное, белки...»

Я предупреждал педагогов и психиатров, что я круглый невежда, но они отвечали, что я хорошо работаю. Создалась репутация: Эренбург — специалист по эстетическому воспитанию детей; и осенью 1920 года, когда я вернулся в Москву, В. Э. Мейерхольд предложил мне руководить детскими театрами Республики.

Мы долго разрабатывали проект «опытно-показательной колонии», где малолетних правонарушителей можно будет воспитывать в духе «творческого труда» и «всестороннего развития». То была эпоха проектов. Кажется, во всех учреждениях Киева седоволосые чудаки и молодые энтузиасты разрабатывали проекты райской жизни на земле. Мы обсуждали, как действуют на чрезмерно нервных детей чересчур яркие краски, влияет ли на коллективное сознание многоголосая декламация и что может дать ритмическая гимнастика в борьбе с детской проституцией.

Несоответствие между нашими дискуссиями и действительностью было вопиющим. Я занялся обследованием исправительных заведений, приютов, ночлежек, где ютились беспризорные. Мне пришлось составлять доклады, речь шла уже не о ритмической гимнастике, а о хлебе и ситце. Мальчишки убегали к различным «батькам», девочки зазывали военнопленных, возвращавшихся из Германии.

В секции работал молодой художник Паня Пастухов, человек крайне застенчивый. Однажды я его направил в приют для девочек-беженок, организованный в 1915 году. Пастухов пришел потрясенный. Оказывается, девочки успели вырасти и, при смене различных правительств брошенные на произвол судьбы, стали добывать себе хлеб; у некоторых уже были грудные дети. Когда Пастухов начал говорить о том, что ученье — свет, одна из девиц игриво ему сказала: «Мужчина, лучше угостите папиросой...»

Помещалось наше учреждение в особняке на Липках. Помню в большом зале ампирный секретер с наляпанным при описи большим ярлыком. Как-то на секретере я обнаружил грудного младенца — его подкинули ночью. В соседнем особняке помещалась губчека; туда то и дело подъезжали машины. В саду быстро все зазеленело; я слушал споры о методе Далькроза и глядел в окно: цвела акация.

В те времена люди работали зачастую в нескольких учреждениях. Помимо «мофективной секции», я делал много другого, например заседал в «секции прикладного искусства». Время, казалось, было для искусства неблагоприятным — то и дело на улицах постреливали; мосье Энно не терял времени, и Киев был окружен всевозможными бандами; «стратеги» спорили, кто раньше ворвется в город — петлюровцы или деникинцы. Но «секция прикладного искусства» сделала многое. Говорю не о себе, я и в этом деле был если не профаном, то дилетантом, а в секции работали хорошие специалисты, киевские художники — В. Меллер, Прибыльская, Маргарита Генке, Спасская. Мы устраивали выставки народного искусства, мастерские вышивок и керамики. Я познакомился с талантливой крестьянкой Ганной Собачка; у нее было удивительное чувство цвета. На Крещатике появились огромные декоративные панно с украинским орнаментом.

Я увидел глиняных зверей, вылепленных Гончаром. Иван Тарасович был одним из последних художников, представлявших традиционное народное творчество. В те годы его звери не были ни баранами, ни собаками, ни львами — они принадлежали к неизвестной зоологам породе, каждый был неповторим. (Народное творчество вдохновляется природой, но никогда ее не копирует; и если вологодские кружевницы изучали заиндевевшее окно, то именно потому, что узоры инея похожи на джунгли, на звездное небо, на буквы несуществующего алфавита.)

В Киеве я познакомился с писательницей С. З. Федорченко, автором интересной книги «Народ на войне»; в годы войны она работала сестрой милосердия в военном лазарете и записывала разговоры солдат между собой. Я переписал тогда размышления одного солдата об искусстве: «Вот у нас один вольноопределяющийся рисует, так так похоже все, будто на самом деле, даже скучно глядеть...» Устарели различные литературные манифесты, всяческие художественные «измы», а слова солдата, оброненные в 1915 году, мне кажутся теперь не только живыми, но и злободневными.

Работал я также в «литературной студии»: учил начинающих стихосложению. (Хотя я в то время писал расхлябанным «свободным стихом», ямб от хорея отличить я все же мог.) Брюсов мне долго доказывал, что можно научить мало-мальски способного человека писать хорошие стихи; Гумилев, разделяя это мнение, говорил, что он даже из Оцупа сделал поэта. А я в обучение поэзии не верил и не верю: в школе, как бы она ни называлась — студией, курсами, институтом или академией,— можно только научить читать стихи, то есть поднять эстетическую культуру учащихся.

Среди учеников студии был вежливый, застенчивый юноша Н. Н. Ушаков. Я рад, что недолгая эпопея моего учительства в киевской студии не помешала ему стать хорошим поэтом. Я с ним потом встречался и убедился, что он на меня не в обиде.

В доме на Николаевской помещались и Союз писателей, и рабис, и литературная студия, и многое другое; там спорили о футуризме, распределяли художников для украшения улиц, читали лекции о марксизме, выдавали охранные грамоты и всевозможные удостоверения.

Внизу, в подвале, помещался «Хлам», он же бывший «Клак». Там я встречал киевского поэта Владимира Маккавейского. Незадолго перед этим он издал сборник сонетов «Стилос Александрии». Он великолепно знал греческую мифологию, цитировал Лукиана и Асклепиада, Малларме и Рильке, словом, был местным Вячеславом Ивановым. Заглянув теперь в его книгу, я нашел всего две понятные строки — о том,

> Что мумией легла Эллада
> В александрийский саркофаг.

Маккавейскому очень хотелось быть александрийцем, но время для этого было неподходящее.

Другим киевским поэтом — правда, не домоседом — был Бенедикт Лившиц. Я помнил его неистовые выступления в сборниках первых футуристов. К моему удивлению, я увидал весьма культурного, спокойного человека; никого он не ругал, видимо, успел остыть к увлечениям ранней молодости. Он любил живопись, понимал ее, и мы с ним беседовали предпочтительно о художниках. Он мало писал, много думал: вероятно, как я, как многие другие, хотел понять значение происходящего. (Он погиб в лагере в 1938 году.)

Среди «северян» в «Хламе» выделялся О. Э. Мандельштам — он уже был известен по книге «Камень». Помню, как Осип Эмильевич прочитал чудесные стихи «Я изучил науку расставанья...».

Метеором промелькнул В. Б. Шкловский; прочитал доклад в студии Экстер, блистательный и путаный, лукаво улыбался и ласково ругал решительно всех.

В «Хламе» я познакомился с мечтательным, кудреватым Л. В. Никулиным; он как-то прочитал нам стихи, очень меланхоличные,— про гроб.

Натан Венгров писал стихи для детей. Он устроил «день детской книги» — на Крещатике поставили огромные панно, и улицу заполнили медвежата, слоны, крокодилы. Венгров мне доказывал, что я — детский поэт и случайно занимаюсь не своим делом. (Я в жизни многое перепробовал, но для детей никогда не писал.)

Приходила в «Хлам» известная актриса Вера Юренева; часто ее сопровождал юноша, почти подросток, с неизменно насмешливым выражением лица; когда нас познакомили, он буркнул: «Миша Кольцов».

Среди украинских поэтов самым шумным был футурист Семенко; он был невысокого роста, но голос у него был сильный, он отвергал все авторитеты и уважал только Маяковского. Встречал я П. Г. Тычину, молчаливого, мечтательного; казалось, что он все время к чему-то прислушивается; была в нем мягкость, доходящая до смущения. Поглядев на него, я как-то сразу поверил, что он настоящий поэт.

В секции еврейских писателей шла лихорадочная работа: нужно было в короткий период между петлюровцами и деникинцами успеть подумать, написать, напечатать. В Киеве тогда находились Бергельсон, Маркиш, Квитко, Добрушин. Перец Маркиш выглядел красивым юношей, с копной волос, неизменно вздыбленных, с насмешливыми и печальными глазами. Все его называли «бунтарем», говорили, что он покушается на классиков, низвергает кумиры, а мне он при первом знакомстве напомнил бродячего еврейского скрипача, который на чужих свадьбах играет печальные песни.

В Киеве я познакомился со многими художниками. Александра Александровна Экстер немало времени провела в Париже, дружила с Леже, числилась кубисткой. Однако ее работы были бесконечно да-

Николаевская улица в Киеве, где в 1918 году помещался «Хлам». Открытка.
Бенедикт Лившиц. Портрет Д. Бурлюка. 1911 г.
Эскиз А. Тышлера к спектаклю «Фрейлехс» для Еврейского театра. 1945 г. Режиссер К. А. Марджанов.

леки от урбанистических видений Леже; больше всего увлекал Экстер театр (она работала в киевских театрах). Не знаю, почему так получилось, но и среди учеников Александры Александровны, и среди молодых художников, с нею встречавшихся, можно было тоже обнаружить страсть к театру, к зрелищу. Почти все художники, которых я тогда встречал в Киеве, стали художниками театра: Тышлер, Рабинович, Шифрин, Меллер, Петрицкий.

«Страсть к театру»... Я написал эти слова и невольно подумал об одном из учеников Экстер — о двадцатилетнем Саше Тышлере. Его дальнейшая судьба лучше всего подтверждает ту страсть к театру, которая характеризует художников Киева. Дело, конечно, не в том, работал ли Икс или Игрек для театра: этим занимались почти все советские художники хотя бы потому, что были периоды, когда красочность, фантазия, мастерство допускались скорее на сцене, нежели в выставочном зале. А. Г. Тышлера москвичи знают именно по театральным постановкам. Его декорации к «Королю Лиру» условны и реальны, как стих Шекспира. Но поразительно другое: Тышлер и в станковой живописи сохраняет театральное восприятие мира. Помню его картину, изображавшую расстрел солдатами почтового голубя; он написал ее лет за двадцать до пикассовской голубки. Только художник, способный воспринять пир небожителей, о котором писал Тютчев, как феерическую трагедию, мог в тридцатые годы двадцатого века взяться за подобную тему.

Первые года революции были годами не только взлета сценического искусства, но и повального увлечения театром. В маленьких городах Украины бродячие актеры, мечтавшие наконец-то поесть досыта, потрясали зал, заставляя зрителей забыть о недоданных пайках, о нетопленых квартирах, о ночных перестрелках. А Киеву повезло: он получил Константина Александровича Марджанова. Это был человек взволнованный, полный смелых замыслов, мягкий и, однако, непримиримый. Помню, как он горячился (мы сидели в буфете, пили поганый чай, и я ему рассказывал об Испании — он готовил пьесу Лопе де Вега): «Театр — это театр! Я сказал в горисполкоме, что горисполком — это горисполком. Им хочется, чтобы актеры на сцене пили чай взаправду. А что они скажут, если люди, которые пьют чай в буфете гориспол-

кома, начнут произносить монологи, заламывать руки и говорить о восстановлении городского хозяйства гекзаметром?..» Киев увидел «Фуэнте овехуна», и в зал старого соловцовского театра ворвался ветер. Мы долго не расходились, стояли и аплодировали.

Марджанову понравилась пьеса «Рубашка Бланш», которую я написал с А. Н. Толстым, и он решил ее поставить. Декорации писал Н. А. Шифрин. Кажется, после второй или третьей репетиции в город ворвались деникинцы.

Я часто встречал двух поклонников Марджанова, неразлучных приятелей малолетних (но не «мофективных») — брата Любы Гришу Козинцева и Сережу Юткевича. Они пригласили меня в помещение, где прежде был «Кривой Джимми»: устроили «народный балаган», то есть один из тех эксцентричных спектаклей, которые в голодные и холодные годы тешили зрителей.

На Софийской улице, возле Думской площади, было маленькое грязное кафе; держал его худущий грек с длинным и страстным лицом моделей Эль Греко. В окне была вывеска: «Настоящий свежий простокваш». Грек готовил душистый турецкий кофе, и мы к нему часто ходили — поэты, художники, актеры. Для меня это кафе связано с моей дальнейшей судьбой. Там я иногда рассказывал Любе, молоденькой студентке Педагогического института Ядвиге, Наде Хазиной, которая потом стала женой О. Э. Мандельштама, о моих заграничных похождениях. Я фантазировал: что делал бы добрый французский буржуа или римский лаццарони, оказавшись в революционной России? Так рождались персонажи романа «Хулио Хуренито», который я написал два года спустя.

Я продолжал писать стихи; лучшими они не становились, но тон изменился. Я еще не понимал всего значения событий, но, несмотря на различные беды того времени, мне было весело.

> Наши внуки будут удивляться,
> Перелистывая страницы учебника:
> «Четырнадцатый... семнадцатый, девятнадцатый...
> Как они жили?.. бедные!.. бедные!..»
> Дети нового века прочтут про битвы,
> Заучат имена вождей и ораторов,
> Цифры убитых
> И даты.
> Они не узнают, как сладко пахли на поле брани розы,
> Как меж голосами пушек стрекотали звонко стрижи,
> Как была прекрасна в те годы
> Жизнь.

Если задуматься над далеким прошлым, многое открывается. Внешне все выглядело странно. Вокруг города рыскали банды; каждый день рассказывали о погромах, убийствах. Тревожно вскрикивали машины. Деникинцы и петлюровцы состязались, кто скорее дойдет до Киева. Не раз я слышал злой шепот: «Недолго им царствовать...» А мы сидели над проектами, обсуждали, когда сдадут в печать третий том сочинений Чехова или Коцюбинского, где лучше поставить памятник Революции... Мы читали стихи, смотрели картины, и то внутреннее веселье, о котором я говорил, светилось в глазах не только четырнадцатилетнего Гриши Козинцева, но и Константина Александровича Марджанова, а ему тогда было под пятьдесят. Дело не в возрасте — или, если угодно, в возрасте революции: ей было по московскому исчислению два года, а по местному — несколько месяцев...

12

Есть воспоминания, которые радуют, приподымают, видишь порывы, доброту, доблесть. Есть и другие... Напрасно говорят, что время все исцеляет; конечно, раны зарубцовываются, но вдруг эти старые раны начинают ныть, и умирают они только с человеком.

Мне предстоит рассказать о нехорошем. За два века до нашей эры Плавт веселил римлян своими комедиями; от них в памяти остались четыре слова: «Homo homini lupus est». И мы часто говорим о морали того общества, которое построено на корысти, на борьбе за кусок пирога: «Человек человеку — волк». Плавт напрасно приплел к делу волков. П. А. Мантейфель, изучавший жизнь этих животных, мне говорил, что волки редко дерутся друг с другом, да и на людей нападают только доведенные голодом до безумия. А я в моей жизни не раз видел, как человек травил, мучил, убивал других безо всякой к тому нужды. Если бы звери могли размышлять и сочинять афоризмы, то, наверно, какой-нибудь седой волк, у которого его сосед вырвал клок шерсти, пролаял бы: «Волк волку — человек».

Что мне сказать о киевском погроме? Теперь никого ничем не удивишь. В черных домах всю ночь напролет кричали женщины, старики, дети; казалось, это кричат дома, улицы, город.

Перец Маркиш написал в те годы поэму о погроме в Городище; там убили пятьсот человек. В Бабьем Яру убили свыше семидесяти тысяч евреев, в Европе — шесть миллионов... Я себя ловлю на этом сопоставлении. Недавно я слышал машину, которая сама сочиняет музыку. Так вот мне кажется, что вместо сердца отстукивает цифры мыслящая машина. Да, в 1919 году палачи еще не додумались до газовых камер; зверства были кустарными: вырезать на лбу пятиконечную звезду, изнасиловать девочку, выбросить в окно грудного младенца.

Во дворе лежал навзничь старик и пустыми глазами глядел на пустое осеннее небо. Может быть, это был молочник Тевье или его зять, старожил обреченного Егупца? Рядом была лужица: не молока — крови. А ветер беспокойно теребил бороду старика.

Как во всякой трагедии, были и фарсовые сцены. В квартиру моего тестя, доктора М. И. Козинцева, вбежал рослый парень в офицерской форме и крикнул: «Христа распяли, Россию продали!..» Потом он увидел на столе портсигар и спокойно, деловито спросил: «Серебряный?..»

Я решил пробраться в Коктебель, к Волошину; его дом казался мне убежищем. Мы ехали неделю до Харькова. На станциях в вагоны врывались офицеры или казаки: «Жиды, коммунисты, комиссары, выходи!..» На одной станции из нашей теплушки выбросили художника И. Рабиновича.

Харьков, потом Ростов, потом Мариуполь, Керчь, Феодосия... Мы ехали добрый (нет, недобрый) месяц, зарывались в темные углы теплушек, валялись в трюме пароходов, среди больных сыпняком, которые бредили и умирали, лежали, густо обсыпанные вшами. Снова и снова раздавался монотонный крик: «А кто здесь пархатый?..» Вши и кровь, кровь и вши...

На замызганных заборах красовались портреты Деникина, Колчака, Кутепова, Май-Маевского, Шкуро. На улицах подвыпившие кубанцы проверяли документы. Кто-то вопил: «Держи комиссара!..» В харьковской гостинице «Палас» помещалась контрразведка; прохожие обходили этот дом. В кафе за одним столиком сидели французские офицеры, за другим — спекулянты; они пили кофе по-варшавски. Повсюду пестрели плакаты «освага»: «Вперед, на Москву!» — конь Георгия Победоносца попирал копытами носатого еврея.

Метались из города в город московские адвокаты, питерские литераторы, аристократки, повязанные пятью платками, с шляпными коробками, куда они клали еду, актеры, гувернантки, беспризорные. Какой-то шутник декламировал в разбитой, загаженной гостинице:

> Бежать? Но куда же? На время — не стоит труда,
> А вечно бежать невозможно...

Сумасшедшая старуха в солдатской шинели, в шляпе с фиолетовыми перьями шептала: «Нет, Клемансо нас не оставит на произвол судьбы...» Из ночного кабака гурьбой выходили пьяные офицеры, они пели:

Надежда Хазина. Киев. 1919 г.

Н. Шифрин.

Ядвига Соммер.

Жертвы киевского погрома. 1919 г.

Майя Кудашева.

> Генерал у нас Шкуро,
> Чхать нам на Европу,
> Мы поставим ей перо...

Дальше шло непечатное.

(В 1925 году я увидел на парижских стенах афишу: цирк «Буффало» показывает публике новый аттракцион — джигитовку казаков под руководством «знаменитого генерала Шкуро». Бывший погромщик продолжил свою карьеру на цирковой арене.)

Обыватели, выходя утром на базар, прислушивались, не стреляют ли. Все были стреляными, и никто ничему не верил. В людях смелых, понимавших, за что они борются, гражданская война рождала ненависть, стойкость, доблесть. А в надышанных, насиженных домишках копошились перепуганные людишки; эти не хотели спасать ни революцию, ни старую Россию, они хотели спасти себя. Из страха они доносили то чекистам, то контрразведчикам, что у соседки племянник в продотряде или что сосед выдал свою дочку за белого офицера. Они боялись шагов на лестнице, скрипа дверей, шепота в подворотне. Самые хитроумные прятали под половицей «пятаковки» и портреты Маркса, готовясь через неделю или через месяц положить под ту же половицу портрет Май-Маевского, царские деньги, даже Николу Чудотворца.

На вокзалах приходилось прыгать через тела: лежали тифозные, беженцы, мешочники.

Вот этот кудрявый паренек еще вчера пел:

> Смело мы в бой пойдем
> За власть Советов...

Теперь он горланит:

> Смело мы в бой пойдем
> За Русь святую
> И всех жидов побьем
> Напропалую.

Ни в какой бой он не собирался и не собирается; он торгует валенками, украденными на складе.

Казаки были лютыми; здесь сказались и традиции, и злоба за развороченную, разрубленную жизнь, и смятение.

В белой армии были черносотенцы, бывшие охранники, жандармы, вешатели. Они занимали крупные посты в администрации, в контрразведке, в «осваге». Они уверяли (а может быть, сами верили), что русский народ обманут коммунистами, евреями, латышами; его следует хорошенько выпороть, а потом посадить на цепь.

Много лет спустя я купил в Париже сборник стихов некоего Посажного, который называл себя «черным гусаром». Он работал на заводе Рено, проклинал «лягушатников-французов» и сокрушался о прошлом великолепии, вспоминая своего боевого коня:

> Пегас в столовую вступил
> И кахетинского попил,
> Букет покушал белых роз,
> Покакал чинно на поднос.
> Была не хамская пора,
> Кричала публика «ура»,
> Играли громко зурначи.
> Воспоминанье, замолчи!

Свои идеалы он выразил так:

> Погибнут те, что нынче алы.
> Давно им к дьяволу пора!
> И вновь запенятся бокалы
> У тех, кто были юнкера.

Читая эти заклинания в 1929 году, я смеялся, а в 1919 году этакий Посажной врывался в теплушки, бил наотмашь по лицу, расстреливал.

Но больше всего среди белых было людей, потерявших голову, с телом, расчесанным от вшей, с сердцем, расчесанным от настоящих и предполагаемых обид, от резни, арестов, расстрелов, от плача городов, переходивших из рук в руки, от сознания, что завтра их приставят к той же грязной стенке, к которой сейчас они тащат очередную партию «подозрительных».

Леонгард Франк назвал одну из своих книг «Человек добр». А человек не добр и не зол: он может быть добрым, может быть и очень злым. Конечно, среди белых были не только садисты, было много обыкновенных людей, по природе добродушных и прежде никого не обижавших; но доброту им пришлось оставить дома вместе с уютом и семейными безделками. Злоба диктовалась отчаянием. Даже осенью 1919 года, когда белые захватили Орел, они не чувствовали себя победителями. Они неслись вперед, как по чужой стране, повсюду видели врагов. В кабачках белые офицеры требовали, чтобы дежурный певец спел им модный романс:

> Ты будешь первый.
> Не сядь на мель!
> Чем крепче нервы,
> Тем ближе цель.

Попойки часто кончались стрельбой то в посетителей, то в зеркала, то в воздух — офицерам мерещились партизаны, подпольщики, большевики. Чем больше они кричали о своих крепких нервах, тем вернее эти нервы сдавали; цель расплывалась в тумане спирта, ненависти, страха, крови.

Попадались среди «добровольцев» люди случайные, наивные романтики или слабовольные, поддавшиеся уговорам товарищей, загипнотизированные разговорами о «верности», о «чести», о «присяге».

Встретил и я одного из растерявшихся; это был прапорщик, который любил стихи Блока. Бог знает, какими судьбами он оказался в белой армии. Он спас мне жизнь, и мне горько признаться, что я не запомнил его имени. Было это между Мариуполем и Феодосией. На пароходе мы ехали долго: сначала был пожар; потом суденышко оказалось в Азовском море, скованном льдами. Не было хлеба. Больные сыпняком ползли по льду. В одну из последних ночей огромный детина в папахе вытащил меня на обледеневшую палубу. Все спали. Офицер был куда сильнее меня, но он перепил. Мы боролись. Он тупо повторял: «Сейчас я тебя буду крестить...» Он толкал меня к борту. Помню, я подумал: хорошо, что в воду мы скатимся вместе... Ядвига, которая ехала с нами, услыхав крики, кинулась в кубрик к прапорщику, тому самому, фамилию которого я запамятовал. Он поднялся на палубу: «Стой! Стрелять буду!..» Увидев револьвер, мой «крестный отец» разжал объятия.

В Феодосии висели те же портреты, и генерал Шкуро лихо улыбался. Я увидел чистых, аккуратно выбритых англичан. Возле их походной кухни толпились голодные детишки: белые насильно эвакуировали железнодорожников (не помню, из Орла или Курска). Эвакуированные ютились в жалких хибарках в Карантинной слободке. Англичане глядели уныло на голодных, ободранных людей — они были вне игры; их послали сюда, как могли послать в Найроби или в Карачи; они выполняли приказ. Конечно, они ничего не знали ни о нефтяных акциях, ни о распоротых животах, ни о судьбе детей, которые жадно нюхали воздух — пахло мясом...

Волошин меня ласково встретил; я сбивчиво рассказал о путевых приключениях. Глаза у Макса были, как всегда, приветливые и далекие. Он заговорил о судьбе России, о предсказаниях пророка Иезекииля. Пришла мать Волошина, Пра, и его оборвала: «Макс, хватит! Они голодные, им не до твоих историй...» Она принесла сковородку с картошкой.

13

Моя дочь иногда проводит отпуск в Коктебеле, загорает на пляже, где много красивых камешков, купается, лазит по горам. Когда она мне рассказывает об этом, я вспоминаю далекое прошлое: мне трудно себе представить, что в Коктебеле можно отдыхать. Я там тоже бродил по берегу и собирал не камешки, а куски дерева, выброшенные морем; ими я топил жаровню или, как говорят в Крыму, мангалку. Раз на берегу я нашел дохлую чайку, выпотрошил ее, сварил; она пахла протухшей рыбой, но мы ее съели.

Вскоре после нашего приезда я обменял рваный парижский пиджак на дрова; зима была суровая, все время дул ледяной норд-ост. Я топил печь, и в комнате мы не мерзли. Но никогда, кажется, я не знал такого постоянного, неуемного голода, как в Коктебеле. Часто я варил суп на стручках перца.

Мы прожили там девять месяцев, мне теперь кажется, что это были долгие годы. Сначала было очень холодно, потом очень жарко. Мать Любы надавала ей свои кольца, брошки. Мы их продавали. Потом стало нечего продавать. О литературном заработке было глупо мечтать. Весной я надумал устроить детскую площадку для крестьянских детей; очевидно, киевские фребелички меня убедили в моих педагогических способностях.

В деревне жили болгары, по большей части кулаки. Они не очень-то одобряли белых, которые реквизировали продовольствие, а иногда и без расписки забирали свинью или бочку вина, но больше всего боялись прихода большевиков. Правда, я нашел болгарскую семью, которая помогала подпольщикам и ненавидела белогвардейцев,— это были Стамовы. Они пользовались уважением других крестьян, считались честными, трудолюбивыми, но, когда заходил разговор о политике, их не слушали. Жил еще в деревне портной, русский, он тоже ждал прихода Красной Армии, иронически комментировал военные сводки белых: «возле Умани «заняли более выгодные позиции», это значит — пятки замелькали, не иначе...» Но портной был пришлым и справедливо боялся, как бы на него не донесли.

Крестьяне хотели, чтобы я обучил их детей хорошим городским манерам, а я читал ребятам «Крокодила» Чуковского; дома они повторяли: «И какой-то малыш показал ему шиш»; родителям это не нравилось. Я хотел приобщить детей к искусству, развить в них фантазию, рассказал им про соловья Андерсена; мы решили устроить спектакль; написанных ролей не было. Мальчик, исполнявший роль соловья, сам должен был придумать, чем он восхищал богдыхана. В конце представления старый богдыхан лежал на смертном ложе, и его окружали воспоминания — хорошие и дурные поступки. Одни ребята повторяли то, что слышали дома: «А ты помнишь, как ты украл у старухи гуся?», или: «А ты помнишь, как ты дал на свадьбу мандарину двадцать рублей золотом?..» Другие дети придумывали более сложные истории; некоторые я записывал; помню девочку, которая сурово спрашивала: «Скажи, богдыхан, ты помнишь, как ты позвал в Китай актрису? Она пела почти как соловей, ты ей дал большую медаль, ты ее кормил золотыми рыбками. А потом она спела одну песенку, и ты рассердился. А почему ты рассердился, богдыхан? Она полюбила чужого солдата. Разве это плохо? У солдата устроили обыск и нашли одну книжку, ты сказал, что книжка нехорошая, и ее заперли в сарае, допрашивали с утра до ночи, ничего не давали есть и били китайскими палками, и она умерла, очень молодая. А теперь ты хочешь, чтобы соловей к тебе вернулся? Нет,

огдыхан, он никогда не вернется, потому что у него крылья, ты его не
осадишь в сарай, он когда улетит, его не поймать...» Пьесу мы долго
репетировали; наконец назначили спектакль, пригласили родителей.
После этого по деревне пошли толки, что я «красный». Некоторые
крестьяне запретили детям ходить на площадку.

Роковыми, однако, оказались занятия лепкой. Я и в этом не хотел
стеснять фантазию детей; они притащили домой загадочных зверей,
людей с огромными головами, а один мальчишка вылепил рогатого
черта. Вот тогда-то вмешался поп; он обходил дворы, говорил: «Это
жид и большевик, он хочет перегнать детей в дьявольскую веру...»
Площадку пришлось закрыть; просуществовала она три или четыре
месяца. Не знаю, дала ли она что-нибудь детям, но я иногда приносил
домой бутылку молока или несколько яиц. Платить полагалось натурой, сколько и как, обусловлено не было. Некоторые родители ничего не
давали. Дети приходили на площадку с едой, и мне трудно было смотреть, как они ели,— я боялся выдать голод. Один малыш, уплетая хлеб
с салом и ватрушки, сказал мне: «Отец говорил, чтобы тебе ничего не
давать...»

Было уже тепло. Я ходил в пижаме, привезенной из Парижа,
босиком. Один раз я пошел в деревню — хотел купить молоко или
каймак. Зашел во двор кулака. На меня спустили собаку, которая
схватила меня за икру. Дело было не в укусе, но она разорвала штанину
в клочья. Пришлось обрезать и другую. Теперь я ходил в коротких
штанишках. Может быть, это меня молодило, не знаю (судя по фотографии, вид у меня был страшноватый — я очень отощал). Я прыгал
с детишками в костюме, которому мог бы позавидовать любитель античной простоты Раймонд Дункан. А в общем, чего только человеку не
приходится делать, особенно в эпохи, которые называют историческими!..

Иногда я убегал на час-другой в горы. Окрестности Коктебеля
красивы трудной для человека красотой, они сродни Арагону или Старой Кастилии — то лиловатые, то рыжие склоны гор, ни дома, ни
дерева, макет жестокого мира, некогда вдохновлявшего Эль Греко.
Впрочем, может быть, таким мне казался Коктебель от всего, что происходило кругом.

Войдя впервые в мастерскую Волошина, я вспомнил Париж: та же
царевна Таиах, полки, на них книги, предпочтительно французские.
Макс был скорее мрачен, исчезло прежнее легкомыслие; и все же он
часто дурачился, мистифицировал; получалось смешно, но я не смеялся. Иногда мы подолгу беседовали — это было как будто продлением
разговоров в мастерской Риверы или в «Ротонде»; но говорили мы не
потому, что темы, волновавшие нас пять лет назад, казались нам живыми, а потому, что нам хотелось на несколько часов уйти в прошлое.

В доме Волошина жила Майя Кудашева с матерью, француженкой.
Отец Майи был русским, и родилась она в России, но картавила, как
парижанка, а стихи писала по-французски. Волошин описал ее внешность:

Волною прямых лоснящихся волос
Прикрыт твой лоб.
Над головою сиянье вихрем завилось.
Твой детский взгляд улыбкой сужен,
Недетской грустью сужен рот,
И цепью маленьких жемчужин
Над бровью выступает пот.

В Москве, откуда Майя приехала, она вращалась в литературной среде, знала В. Иванова, Андрея Белого, дружила с Мариной Цветаевой. Ее мать была подавлена событиями, которые никак не вязались ни с ее понятиями о порядочности, ни с пьесами Ростана. А Майя, несмотря на холод, голод и прочие беды, жила своей жизнью... Дальнейшая ее судьба такова: начав переписываться с Роменом Ролланом, она поехала к нему в Швейцарию и стала его женой. Несколько лет назад мы встретились в Париже. Мария Павловна была занята организацией музея Роллана, просила меня помочь ей русскими экспонатами. О Коктебеле мы не поговорили, хотя было что вспомнить...

В. В. Вересаев так писал про три года, проведенные им в Коктебеле: «За это время Крым несколько раз переходил из рук в руки, пришлось пережить много тяжелого; шесть раз был обворован; больной, с температурой в 40 градусов, полчаса лежал под револьвером пьяного красноармейца, через два дня расстрелянного; арестовывался белыми; болел цингой». В начале 1920 года Викентию Викентьевичу было трудно; несколько поддерживала его врачебная практика. Смеясь, он рассказывал мне, что сначала крестьяне не верили, что он врач,— кто-то рассказал им, что он писатель. В окрестных деревнях свирепствовал сыпняк. Вересаев как-то осмотрел больного и подсчитал, когда должен наступить кризис; в указанный срок температура упала, и крестьяне поверили, что Вересаев действительно доктор. Платили ему яйцами или салом. Был у него велосипед, а вот одежда сносилась. У меня оказался

Коктебель. Двадцатые годы.
В. В. Вересаев. Портрет Н. Андреева. 1923 г.
Л. Козинцева-Эренбург. Коктебель.
Феодосия. Двадцатые годы. Открытка.

странный предмет — ночная рубашка доктора Козинцева, подаренная мне еще в Киеве. Мы ее поднесли Викентию Викентьевичу, в ней на велосипеде он объезжал больных.

Когда Люба заболела сыпняком, Вересаев к нам часто приходил, и я с ним подолгу беседовал. Прежде я знал некоторые его книги и думал, что он человек рассудочный, прямолинейный; а он обожал искусство, переводил древнегреческих поэтов, страдал от грубости и примитивизма. Конечно, в борьбе против белогвардейцев все его симпатии были на стороне Москвы, но многого он не понимал и не принимал. Потом я прочитал его роман «В тупике», где он рассказывал о жизни русской интеллигенции в первые годы революции. Я нашел мысли Викентия Викентьевича, вложенные в уста то ученого-демократа, то его дочки-большевички. Вересаев был на семь лет моложе Чехова, но, конечно, его следует отнести к тому же поколению; да и по природе он чем-то напоминал Антона Павловича: были в нем снисходительность к чужим слабостям, культ добра и спокойная, постоянная печаль, порождаемая не столько обстоятельствами, сколько глубоким знанием людей. В романе Вересаева Катя с горечью говорит своему отцу, старому русскому интеллигенту: «Милый мой, любимый!.. Честность твоя, благородство твое, любовь твоя к народу — ничего, ничего это никому не нужно...» Так рассуждали многие юноши в 1920 году. В 1960 году их дети и внуки поняли, что им до зарезу нужны честность, благородство, любовь к народу, которые когда-то вдохновляли Антона Павловича и его духовных друзей.

Об Осипе Эмильевиче Мандельштаме я расскажу в следующей главе. С ним приехал его брат Александр Эмильевич, человек добрый, вполне реальный, который не раз помогал и своему брату и нам. Жили в Коктебеле литературовед Д. Д. Благой и его жена — врач. Жена писателя Андрея Соболя, Рахиль Сауловна, тоже была врачом; она нянчила годовалого сына Марка. (В 1949 году поэт Марк Соболь подарил мне мою книжку, на которой стояла надпись Андрея Соболя, и написал стихи, кончавшиеся так: «Сын вписывает через четверть века слова любви под подписью отца».)

Сыпняк вообще скверная болезнь, а в тогдашних условиях выходить больного было трудно. Ухаживать за Любой мне помогала Ядвига; но

Θεοδοσία. Итальянская ул.
Théodosie

она сама была хрупкой двадцатилетней девушкой. Болезнь проходила тяжело. Врач хотел впрыснуть камфару, а не было шприца. Александр Эмильевич поехал верхом в Феодосию, с трудом достал шприц, торопился и по дороге его разбил; ему пришлось вторично поехать в город. Потом понадобился спирт. Я обходил дома, где жили родители моих учеников, просил водку; мне отвечали, что белые все выпили. В одном доме справляли свадьбу; увидев на столе большие бутыли, я обрадовался, но хозяева сказали: «Хочешь пить, садись, нальем, а навынос нет...»

Вересаев приказал мне все время проверять, какой пульс у Любы. Ночью пульс исчез. Вересаев, на беду, уехал в другую деревню. Я побежал к Благой и Соболь; они нервничали, говорили, что положение безнадежное, незачем мучить больную; все же я их заставил впрыснуть стрихнин.

После того как температура спала, у Любы оказалось осложнение — она была убеждена, что умерла и мы зачем-то устраиваем ей посмертную жизнь. С великим трудом я доставал для нее продукты, готовил, глотал слюнки, а она говорила: «Зачем мне есть? Я ведь умерла». Легко себе представить, как это на меня действовало, а тут нужно было идти на площадку и прыгать с детишками в хороводе.

Потом мы достали машинку для стрижки овец; ею Вересаев обкорнал Любу. К счастью, в наш флигелек начал заглядывать Волошин, он обожал заумные разговоры. Люба говорила, что она видит все сквозь стены, это Максу нравилось. Осип Эмильевич любил передразнивать разговоры поэтов-символистов: «Как поживаете, Иван Иванович?» — «Да ничего, Петр Петрович, предсмертно живу». Несмотря на трагизм положения, Макс не мог расстаться с любовью ко всему потустороннему. Он искренне увлекался беседами с Любой, а я гадал, что со мной приключится: сойду ли я с ума, заболею тифом или, наперекор всему, выживу? Тоненькая смуглая Ядвига, похожая на героиню итальянских неореалистических фильмов, с утра до ночи стирала белье.

Я говорил, что у меня были собеседники — и Вересаев, и Волошин, и Мандельштам. Но со дня моего приезда в Коктебель меня ждал главный собеседник — тот Сфинкс, что задал мне в Москве загадки и не получил ответа. Зимние ночи были длинными. Люба спала. Под окном шумело рассерженное море. А я сидел и думал. Я начинал понимать многое; это оказалось нелегким — у меня ведь позади были и стихи, и вера, и безверье, мне нужно было связать розовый отсвет Флоренции, неистовые проповеди Леона Блуа, пророчества Модильяни со всем, что я увидел.

Самое главное было понять значение страстей и страданий людей в том, что мы называем «историей», убедиться, что происходящее не страшный, кровавый бунт, не гигантская пугачевщина, а рождение нового мира с другими понятиями человеческих ценностей, то есть перешагнуть из XIX века, в котором, сам того не сознавая, я продолжал жить, в темные сени иной эпохи. Я понял, что старый мир, который я обличал в «Стихах о канунах», нельзя изменить ни древними заклинаниями, ни ультрановым искусством. Конечно, я оставался самим собой:

меня страшили и бессмысленные жертвы, и свирепость расправ, и упрощение сложного мира эмоций; но я понял, что мои оценки спорны:

> Рожденный вчера, люблю я вчерашнюю мудрость...

Я написал книжицу «Раздумья» и хочу привести несколько строф из одного стихотворения, помеченного январем 1920 года; стихи слабые, но они выражают мои мысли не только той зимы, а и последующих лет:

> Распухла с голоду, сочатся кровь и гной из ран отверстых.
> Вопя и корчась, к матери-земле припала ты.
> Россия, твой родильный бред они сочли за смертный,
> Гнушаются тобой, разумны, сыты и чисты.
> Бесплодно чрево их, пустые груди каменеют.
> Кто древнее наследие возьмет?
> Кто разожжет и дальше понесет
> Полупогасший факел Прометея?
> Суровы роды. Час высок и страшен.
> Не в пене моря, не в небесной синеве,
> На темном гноище, омытый кровью нашей,
> Рождается иной, великий век.
>
> . . . .
>
> На краткий срок народ бывает призван
> Своею кровью напоить земные борозды —
> Гонители к тебе придут, Отчизна,
> Целуя на снегу кровавые следы.

Меня теперь коробит от нарочито книжного языка «гноище», «чрево», «борозды». Удивительно, как после «Стихов о канунах» и восхищения кубизмом я вдруг сбился на словарь символистов! Впрочем, новый словарь звучал не лучше: выражаясь на нем, я должен был бы объявить, что становлюсь на советскую платформу. А какая у меня могла быть «платформа»? Детская площадка, да и ту вскоре прикрыли...

Жили мы в Коктебеле отнюдь не спокойно: то и дело из Феодосии приезжали военные или охранники — искали подпольщиков, партизан, «смутьянов». Арестовали Мандельштама. Его вскоре выпустили, но это было лотереей — могли расстрелять. Я поглядывал на дорогу с опаской. Много раз в жизни мне приходилось чувствовать себя дичью — прислушиваться к шагам на лестнице или к лифту; это очень противное ощущение — унизительное; но я себя утешал тем, что я по природе не охотник — никого не выслеживал и не арестовывал.

Иногда по ночам мне мерещились герои «Хуренито»: они как будто стучались в двери ненаписанной книги; но у меня не было мысли сесть за роман (можно для шутки добавить, что не было даже бумаги, стихи я записывал на обороте старых конторских счетов). Я думал тогда о другом: как добраться до Москвы? Войне, казалось, не будет конца; разбили Колчака, но в поход двинулись поляки. Как-то я нашел в Феодосии несколько номеров парижских газет. Я узнал, что на выборах во Франции победили правые, что союзники никогда не отдадут плацдармов в России, что они защищают «свободный мир». (Формулы куда долговечнее правительств.) Действительно, в Феодосии я видел много иностранных офицеров. В порту царило оживление: выгружали пушки, боеприпасы.

О. Мандельштам. Двадцатые годы.

В Феодосию я ездил редко: нелегко было найти крестьянина, который согласился бы за весьма скромную плату подвезти человека на своей телеге (на четырех бревнах, все время расползавшихся), да и не стоило искушать судьбу и охранников. Город был красивым, он напоминал мне Италию, может быть аркадами или ярусами домов на горе; но в городе шла нехорошая жизнь: никто просто не шел по улице — одни покрикивали, другие поеживались.

У Осипа Эмильевича было в Феодосии много знакомых: либеральные адвокаты, еврейские купцы, любители литературы, начинающие поэты, портовые служащие. С некоторыми он меня познакомил; были среди них люди симпатичные, но мне казалось, что они побаиваются с нами встречаться.

Мандельштамы уехали: им помог, насколько я помню, начальник порта. Я докучал и Волошину, и моим феодосийским знакомым, чтобы они помогли нам выбраться. Наконец Макс сказал: «Кажется, выходит»... Кончалась затянувшаяся глава: не книги — жизни.

14

Я говорил, что, когда врангелевцы арестовали Осипа Эмильевича Мандельштама, Волошин тотчас отправился в Феодосию. Вернулся он мрачный, рассказал, что белые считают Мандельштама опасным преступником, уверяют, будто он симулирует сумасшествие: когда его заперли в одиночку, он начал стучать в дверь, а на вопрос надзирателя, что ему нужно, ответил: «Вы должны меня выпустить — я не создан для тюрьмы»... На допросе Осип Эмильевич прервал следователя: «Скажите лучше, невинных вы выпускаете или нет?..» Я понимаю, что в 1919 году в контрразведке такие слова звучали фантастически и что белый офицер мог принять их за симуляцию душевного заболевания; но если задуматься, забыть о тактике, даже о стратегии, то разве не было в поведении Мандельштама глубоко человеческой правды? Он не пытался доказать палачу свою невинность, откровенно спросил — стоит

ему вообще разговаривать; он сказал тюремщику, что «не создан
я тюрьмы», это ребячливо и в то же время мудро. «Не по времени»,—
чально заметила Пра. Конечно. У Мандельштама есть стихи про
емя:

> Мне на плечи кидается век-волкодав,
> Но не волк я по крови своей.
> Запихай меня лучше как шапку в рукав
> Жаркой шубы сибирских степей...

Познакомился я с Осипом Эмильевичем в Москве; потом мы часто
гречались в Киеве — в греческой кофейне на Софийской; там он
очитал мне свои стихи о революции:

> Восходишь ты в глухие годы, о солнце, судия-народ.

Видел я его в тот день, когда Красная Армия оставляла Киев. Потом
об этом рассказал:

> Не гадают цыганочки кралям,
> Не играют в Купеческом скрипки,
> На Крещатике лошади пали,
> Пахнут смертью господские Липки.
>
> Уходили с последним трамваем
> Прямо за город красноармейцы,
> И шинель прокричала сырая:
> — Мы вернемся еще, разумейте!..

Вместе мы пережили в Киеве ночь погрома. Вместе хлебнули горя
Коктебеле. Вместе пробирались из Тбилиси в Москву. Летом
)34 года я искал его в Воронеже.

> (Пусти меня, отдай меня, Воронеж,
> Уронишь ты меня иль проворонишь,
> Ты выронишь меня или вернешь —
> Воронеж — блажь, Воронеж — ворон, нож.)

В последний раз я его видел весной 1938 года в Москве.

Мы оба родились в 1891 году; Осип Эмильевич был старше меня на
ве недели. Часто, слушая его стихи, я думал, что он старше, мудрее
еня на много лет. А в жизни он мне казался ребенком, капризным,
бидчивым, суетливым. До чего несносный, минутами думал я и сейчас
е добавлял: до чего милый! Под зыбкой внешностью скрывались
оброта, человечность, вдохновение.

Был он маленьким, щуплым; голову с хохолком закидывал назад. Он
юбил образ петуха, который разрывает своим пением ночь у стен
крополя; и сам он, когда запевал баском свои торжественные оды,
оходил на молоденького петушка.

Он сидел на кончике стула, вдруг куда-то убегал, мечтал о хорошем
беде, строил фантастические планы, заговаривал издателей. В Феодо-
ии он как-то собрал богатых «либералов» и строго сказал им: «На

Страшном суде вас спросят, понимали ли вы поэта Мандельштама, ответите «нет». Вас спросят, кормили ли вы его, и, если вы ответи «да», вам многое простится». В самые трагические минуты он смеш нас газеллами:

Почему ты все дуешь в трубу, молодой человек?
Полежал бы ты лучше в гробу, молодой человек.

Тому, кто впервые встречал Мандельштама в приемной издатель ства или в кафе, казалось, что перед ним легкомысленный челове неспособный даже призадуматься. А Мандельштам умел работать. О сочинял стихи не у стола — на улицах Москвы или Ленинграда, в степ в горах Крыма, Грузии, Армении. Он говорил о Данте: «Сколько подм ток, сколько воловьих подошв, сколько сандалий износил Алигьери з время своей поэтической работы, путешествуя по козьим тропам Ита лии». Эти слова прежде всего относятся к Мандельштаму. Его стих рождались от строки, от слова; он сотни раз менял все; порой ясно вначале стихотворение усложнялось, становилось почти невнятным порой, наоборот, прояснялось. Он вынашивал восьмистишие долг иногда месяцами, и всегда бывал изумлен рождением стихотворени

В первые годы революции его словарь, классический стих многим воспринимались как нечто архаическое:

Я изучил науку расставанья
В простоволосых жалобах ночных.

Мне эти строки теперь кажутся вполне современными, а стих Бурлюка — данью давно сгинувшей моде. Мандельштам говорил «Идеал совершенной мужественности подготовлен стилем и практиче

Осип Мандельштам. 1920 г.

Санаторий в Старом Крыму. В первом ряду второй слева А. Белый, во втором – крайний справа О. Мандельштам, слева от него Н. Мандельштам. 1933 г.

О. Мандельштам. Воронеж. 1936 г.

Старый Тифлис, двадцатые годы.

Сидят: Паоло Яшвили, Ядвига Соммер, Л. Козинцева-Эренбург. Стоят: Ходотов А. Мандельштам (брат поэта). И. Эренбург. Тифлис. 1920 г.

ими требованиями нашей эпохи. Все стало тяжелее и громаднее». Это
было канонами, направлением: «Не стоит создавать никаких школ.
: стоит выдумывать своей поэтики». Стих Мандельштама потом
скрепостился, стал легче, прозрачнее.

Одним поэтам присуще звуковое восприятие мира, другим — зри-
льное. Блок слышал, Маяковский видел. Мандельштам жил в различ-
х стихиях. Вспоминая свои детские годы, он писал: «Чайковского об
у пору я полюбил болезненным нервным напряжением, напоминав-
им желание Неточки Незвановой у Достоевского услышать скрипич-
й концерт за красным полымем шелковых занавесок. Широкие, плав-
е, чисто скрипичные места Чайковского я ловил из-за колючей изго-
ди и не раз изорвал свое платье и расцарапал руки, пробираясь бес-
атно к раковине оркестра...» О его чувстве живописи можно судить
тя бы по нескольким строфам, посвященным натюрморту (вспомина-
ь холсты Кончаловского):

> Художник нам изобразил
> Глубокий обморок сирени
> И красок звучные ступени
> На холст, как струпья, положил...
>
> . . . .
>
> Угадывается качель,
> Недомалеваны вуали,
> И в этом сумрачном развале
> Уже хозяйничает шмель.

Мы с ним часто разговаривали о живописи; в двадцатые годы его
ольше всего привлекали старые венецианцы — Тинторетто, Тициан.

Он хорошо знал французскую, итальянскую, немецкую поэзию;
онимал страны, где пробыл недолго.

> Я молю, как жалости и милости,
> Франция, твоей земли и жимолости,
>
> Правды горлинок твоих и кривды карликовых
> Виноградарей в их разгородках марлевых.
>
> В легком декабре твой воздух стриженый
> Индевеет денежный, обиженный...

Я много лет прожил во Франции, лучше, точнее этого не скажешь. Размышления о прекрасной «детскости» итальянской фонетики пора жали итальянцев, которым я переводил строки из «Разговора о Данте.

Однако самой большой страстью Осипа Эмильевича были русски язык, русская поэзия. «По целому ряду исторических условий живы силы эллинской культуры, уступив Запад латинским влияниям и нена долго загащиваясь в бездетной Византии, устремились в лоно русско речи, сообщив ей самобытную тайну эллинистического мировоззрения тайну свободного воплощения, и поэтому русский язык стал именн звучащей и горящей плотью...» Он отвергал символизм, как чуждо русской поэзии явление. «Бальмонт, самый нерусский из поэтов, чуже странный переводчик... иностранное представительство от несуществу ющей фонетической державы...» Андрей Белый — «болезненное и отри цательное явление в жизни русского языка...».

Мандельштам, однако, почитал и любил Андрея Белого; после ег смерти написал несколько чудесных стихотворений.

> На тебя надевали тиару — юрода колпак,
> Бирюзовый учитель, мучитель, властитель, дурак!
>
> Как снежок на Москве, заводил кавардак гоголек,
> Непонятен-понятен, невнятен, запутан, легок.
>
> Собиратель пространства, экзамены сдавший птенец,
> Сочинитель, щегленок, студентик, студент, бубенец...

Писал он с нежностью и о поэтах пушкинской плеяды, и о Блоке и о своих современниках, о Каме, о степи, о сухой, горячей Армении о родном Ленинграде. Я помню множество его строк, твержу их, ка заклинания, и, оглядываясь назад, радуюсь, что жил с ним рядом...

Я говорил о противоречии между легкомыслием в быту и серьезно стью в искусстве. А может быть, и не было никакого противоречия? Когда Осипу Эмильевичу было девятнадцать лет, он написал статью о Франсуа Вийоне; он находил оправдание для смутной биографии поэта жестокого века: «бедный школяр» по-своему отстаивал достоин ство поэта. Мандельштам писал о Данте: «То, что для нас безукориз ненный капюшон и так называемый орлиный профиль, то изнутри был мучительно преодолеваемой неловкостью, чисто пушкинской, камер юнкерской борьбой за социальное достоинство и общественное положе ние поэта». Опять-таки эти слова применимы к самому Мандельштаму: множество нелепых, порой смешных поступков диктовалось «мучитель но преодолеваемой неловкостью».

Некоторые критики считали его несовременным, музейным. Разда вались и худшие обвинения; передо мной том «Литературной энцикло педии», изданный в 1932 году; там сказано: «Творчество Мандель штама представляет собой художественное выражение сознания круп ной буржуазии в эпоху между двумя революциями... Для миросозерца ния Мандельштама характерен крайний фатализм и холод внутреннего равнодушия ко всему происходящему... Это лишь чрезвычайно «субли мированное» и зашифрованное идеологическое увековечение капита лизма и его культуры...» (Статья написана была молодым критиком,

торый не раз прибегал ко мне, восторженно показывал неопублико-
нные стихотворения Мандельштама, переписывал его стихи, перепле-
л, дарил друзьям.) Трудно сказать бо́льшую нелепость о стихах
андельштама. Вот уж воистину кто менее всего выражал сознание
ржуазии, и крупной, и средней, и мелкой! Я уже говорил, как в
18 году он меня поразил глубоким пониманием грандиозности собы-
ий: стихи о корабле времени, который меняет курс. Никогда он не
ворачивался от своего века, даже когда волкодав принимал его за
угого.

> Пора вам знать — я тоже современник —
> Я человек эпохи Москвошвея,
> Смотрите, как на мне топорщится пиджак,
> Как я ступать и говорить умею!
> Попробуйте меня от века оторвать! —
> Ручаюсь вам, себе свернете шею!
>
> . . . .
>
> За гремучую доблесть грядущих веков,
> За высокое племя людей...

О Ленинграде:

> Я вернулся в мой город, знакомый до слез,
> До прожилок, до детских припухлых желез.
>
> Ты вернулся сюда,— так глотай же скорей
> Рыбий жир ленинградских речных фонарей...
>
> Петербург, я еще не хочу умирать:
> У тебя телефонов моих номера.
>
> Петербург, у меня еще есть адреса,
> По которым найду мертвецов голоса...

Это стихотворение было напечатано в «Литературной газете»
1932 году. А в 1945-м я слышал, как его повторяла ленинградка,
ернувшаяся домой.

Мандельштама не в чем упрекнуть. Разве в том, что и слабость
сила любого человека — в любви к жизни.

> Я все отдам за жизнь — мне так нужна забота —
> И спичка серная меня б согреть могла.
>
> . . . .
>
> Колют ресницы, в груди прикипела слеза.
> Чую без страха, что будет и будет гроза.
> Кто-то чудной меня что-то торопит забыть.
> Душно, и все-таки до смерти хочется жить.

Кому мог помешать этот поэт с хилым телом и с той музыкой стиха,
оторая заселяет ночи? В начале 1952 года ко мне пришел брянский
гроном В. Меркулов, рассказал о том, как в 1938 году Осип Эмильевич
мер за десять тысяч километров от родного города; больной, у костра
н читал сонеты Петрарки. Да, Осип Эмильевич боялся выпить стакан

некипяченой воды, но в нем жило настоящее мужество, прошло чер
всю его жизнь — до сонетов у лагерного костра...

В 1936 году он писал:

> Не мучнистой бабочкою белой
> В землю я заемный прах верну —
> Я хочу, чтоб мыслящее тело
> Превратилось в улицу, в страну —
> Позвоночное, обугленное тело,
> Осознавшее свою длину.

Его стихи остались, я их слышу, слышат их другие; мы идем
улице, на которой играют дети. Вероятно, это и есть то, что в торж
ственные минуты мы именуем «бессмертием».

А в моей памяти живой Осип Эмильевич, милый беспокойн
хлопотун. Мы трижды обнялись, когда он прибежал, чтобы проститьс
наконец-то он уезжает из Коктебеля! Про себя я подумал:

> Кто может знать при слове — расставанье,—
> Какая нам разлука предстоит...

15

В соляных озерах северной части Крыма добывается поваренна
соль; добывалась она и до революции. Наверно, я об этом узнал
третьем или четвертом классе гимназии, но школьные познания быст
забываются. Притом я никогда не интересовался происхождением сол
которая стояла на столе. И вот соль, притом крымская, сыграла важ
ную роль в моей жизни.

Путь из Феодосии в Москву лежал тогда через меньшевистску
Грузию, которая торговала с белым Крымом и где было советско
посольство. Из Феодосии в Грузию отправлялся ценный товар — пова
ренная соль. Я говорю о его ценности отнюдь не шутя: в то время сол
продавалась на рынках стаканами, как потом сахар.

Один предприимчивый феодосиец решил доставить в Поти соль; е
нагрузили большую дряхлую баржу. На буксире должен был отпр
виться владелец соли. После длительных и сложных переговоро
в которых мои покровители говорили и о поэзии и о рублях, капита
буксира и владелец соли согласились взять на баржу меня, Любу и Я
вигу. Белые, разумеется, осматривали уходящие суда, и мы должн
были прибыть на баржу накануне, а до того, как выйдем в открыто
море, сидеть тихо в душном трюме, где лежала драгоценная соль. Эт
не было самым приятным местом, но нам дали хлеб и помидоры, а сол
было сколько угодно, и мы не роптали.

Пришлось пережить несколько неприятных минут: над нами прогр
хотали сапоги офицеров, проверявших, нет ли на барже пассажиро
Я вспомнил строчку Волошина: «Застыть, как соль»,— и, кажетс
застыл. Шаги стали приглушенными, как уходящая гроза.

Буксир взял курс на юг, будто мы шли к берегам Турции. Объясн

ь это тем, что в Новороссийске была Советская власть, и владелец
и боялся, как бы большевики не захватили его товара. А баржа
ла предназначена только для небольших рейсов вдоль берега; при-
, как я сказал, у нее был возраст, мало подходящий для авантюр.
Был конец сентября, то есть время, когда на Черном море часто
вают штормы. Мы проплыли несколько часов среди идиллии: сияло
нце, белели барашки волн, и баржу лениво покачивало. Мы радова-
ь, что вырвались из Крыма, и ели хлеб с солью. Шторм начался
езапно; мы не поняли, что происходит, когда высокая волна пере-
еснула палубу. Мы легли в самом защищенном месте и покрылись
езентом. Шторм крепчал; навалилась быстрая южная ночь.

На барже было три или четыре матроса. Они нам сказали, что дела
охи: мы находимся далеко от берега, вода попала в трюм и груз
перь чересчур тяжелый. Они ругали капитана буксира, владельца
и, белых, красных, грузин и вообще все на свете.

Мы пробовали уснуть, но это было невозможно — несмотря на
езент, нас заливало; хотя баржа, по словам матросов, была перегру-
ена, ее швыряло, как крохотную лодку. А волны росли. Я старался
ипомнить различные смешные истории, и мы не унывали.

Самое неприятное было, однако, впереди. Капитан буксира решил
осить баржу: боялся, что она может разбить буксир. Нам это прокри-
ли в рупор и предложили по канату добираться до буксира. Мы были,
нако, не спортсменами, а людьми, сильно отощавшими от супа на
рце (Люба незадолго до путешествия перенесла сыпняк); перейти на
ксир среди сильных волн мы, разумеется, не могли и решили остать-
— будь что будет.

Я не раз в жизни замечал, что страх — капризное чувство, зачастую
связанное с рассудком. Мой друг, писатель О. Г. Савич, в Испании
вершенно спокойно беседовал о поэзии под нестерпимыми бомбежка-
, но я помню, что когда мы с ним ехали из Бельгии во Францию, он
ертельно боялся таможенного осмотра, хотя не вез никакой контра-
нды. Я был в Толедо с испанским художником Фернандо Херасси; он
л тогда офицером и не раз удивлял товарищей храбростью. В толед-
ом Алькасаре сидели фашисты и время от времени лениво, для
иличия, постреливали в анархистов. Фернандо мне признался, что не
чет лезть со мной на крышу дома — боится: фронт — это фронт,
в Толедо он поехал со мной за компанию, и здесь ему страшно. Что
сается меня, то я испытывал страх не на фронтах, не в Испании, не
и бомбежках, а в мирной обстановке, когда ждал звонка или стука
верь, но об этом я уже писал. Ни я, ни мои молоденькие попутчицы не
пугались мысли, что мы останемся в разъяренном море на дырявой
рже и пойдем ко дну вместе с драгоценной солью. Мы разговаривали,
утили, и если дрожали, то не от страха, а от холода: промокли на-
возь.

Капитан все же не бросил баржу. Когда мы благополучно прича-
ли к Сухуми, он сказал Любе, что пожалел ее. По-моему, это было
сточным комплиментом. На буксире находился владелец соли, и он
стоял свой товар.

Сухуми нам показался невыразимо прекрасным; это действитель красивый город, но дело было не только в его живописности — в яркое, солнечное утро мы восхищались возвращенной жизнью. На казалось, что все трудности не только путешествия в Москву, но и жи ненного пути позади. Какой-то грузин предложил нам обменять деньг и вот мы сели в кафе прямо на улице, пили турецкий кофе, кейфовал Крикливые усатые люди улыбались нам. Продавали золотистый тепл виноград. Было жарко, как летом, и мы не думали ни о цене соли, о цене человеческой жизни. Мы развлекались — нам троим вместе бы. меньше лет, чем теперь мне одному.

Потом мы снова спали на барже, но это была обыкновенна спокойная ночь: вдоль берега мы шли на Поти. Оттуда поездом добр лись до Тбилиси. Куда идти? Где посольство? И где Москва? М несколько растерялись в чужом городе, без документов, без денег.

Бывают все-таки в жизни те счастливые случайности, на котор иногда ссылаются писатели, приклеивая к безвыходной истории благ получнейшую развязку. Навстречу нам по Головинскому проспекту ше Осип Эмильевич Мандельштам. Мы обрадовались ему, он — нам. С уже чувствовал под ногами почву и деловито сказал: «Сейчас мы по дем к Тициану Табидзе, и он нас поведет в замечательный духан...

16

Мандельштам рассказал нам о своих злоключениях. В Батум опасались эпидемии чумы, и квартал, в котором нашли комнату Оси Эмильевич и его брат, был оцеплен. Мандельштам гадал, от чего с умрет: от романтической чумы или от вульгарного голода. Его размы ления были прерваны меньшевистскими охранниками, которые отвел Осипа Эмильевича в тюрьму. Напрасно он пытался еще раз объяснит что не создан для тюремного образа жизни,— это не произвело ника кого впечатления. Он говорил, что он — Осип Мандельштам, авто книги «Камень», а ему отвечали, что он агент генерала Врангеля большевиков. Достаточно было взглянуть на Осипа Эмильевича, чтоб понять, насколько он мало походил на агента — не только двойного, н и обыкновенного. Однако у охранников не было времени для размышле ний: они выполняли, а может быть, перевыполняли план. (Автор даж самого вздорного приключенческого романа и тот заботится о некото рой правдоподобности, а полицейские не ломают себе головы – предпочитают проламывать чужие головы.) Случайно в Батуми прие хали грузинские поэты и прочитали в газете, что «двойной агент Оси Мандельштам» выдает себя за поэта. Они добились освобождени Осипа Эмильевича.

Рассказав все это, Мандельштам не стал философствовать на особенностями эпохи, а повел нас к Тициану Табидзе, который вос торженно вскрикивал, обнимал всех, читал стихи, а потом побежал з своим другом Паоло Яшвили. Мы обомлели, увидав на столе духан различные яства, о существовании которых успели давно позабыть.

С Паоло Яшвили я познакомился в Париже, в «Ротонде»; было это в 1914 году. Паоло тогда был худым и порывистым юношей (ему было двадцать лет). Он расспрашивал меня: «А в каком кафе сидел Верлен? Когда сюда придет Пикассо? Правда, что вы пишете в кафе? Я не мог бы... Посмотрите, как они целуются! Возмутительно! Меня это чересчур вдохновляет...» Увидев Паоло в Тбилиси, я ему обрадовался, как одно-полчанину, хотя наша встреча в Париже была случайной и беглой.

Не успели мы сесть за стол, как Паоло и Тициан объяснили нам, что они основатели поэтического ордена «Голубые рога». Я подумал, что это не имеет никакого отношения к обеду: есть ведь журнал «Голубой всадник», выставки «Голубой розы». Но духанщик притащил огромные рога (правда, не голубые). В рог, который Паоло поднес мне, он налил кварту вина. Рог не стакан, на стол его не поставишь, я подержал его несколько минут, а потом в отчаянии выпил вино залпом. Если вспом-нить, что в Коктебеле я сильно отощал, то легко догадаться, чем это для меня кончилось. Грузинские друзья зачем-то поволокли меня на кон-церт знаменитого виртуоза. Смутно помню, как я валялся в одной из комнат консерватории среди арф и лент от венков.

На следующее утро я пошел с Мандельштамом в советское посо-льство. Нас ласково приняли, обещали переправить в Россию; при-дется, однако, подождать неделю-другую.

Паоло устроил нас в старой, замызганной гостинице. Свободных комнат в городе не было, и нам пришлось поместиться в одном номере: братья Мандельштамы, Люба, Ядвига и я. Осип Эмильевич от кровати отказался — боялся клопов и микробов; спал он на высоком столе. Когда рассветало, я видел над собой его профиль; спал он на спине, и спал торжественно.

Мы прожили в Тбилиси две недели; они показались мне лирическим отступлением.

Каждый день мы обедали,— более того, каждый вечер ужинали. У Паоло и Тициана денег не было, но они нас принимали с роскошью средневековых князей, выбирали самые знаменитые духаны, потчевали изысканными блюдами. Порой мы шли из одного духана в другой — обед переходил в ужин. Названия грузинских яств звучали, как строки стихов: сулгуни, соцхали, сациви, лоби. Мы ели форель, наперченные супы, горячий сыр, соусы ореховый и барбарисовый, куриные печенки и свиные пупки на вертеле, не говоря уже о разноликих шашлыках. В персидских харчевнях нам подавали плов и баранину, запеченную в горшочках. Мы проверяли, какое вино лучше — телиани или ква-рели.

Никогда дотоле я не бывал на Востоке, и старый Тбилиси мне показался городом из «Тысячи и одной ночи». Мы бродили по несконча-емому Майдану; там продавали бирюзу в смоле и горячие лепешки, английские пиджаки и кинжалы, кальяны и граммофоны, пахучие травы и винтовки, портреты царицы Тамары и доллары, древние руко-писи и подштанники. Торговцы зазывали, торговались, расточали цветистые комплименты, клялись жизнью многочисленных домочадцев.

Мы побывали в серных банях; на меня взобрался огромный банщик и облепил меня чудодейственной грязью, которая уничтожала растительность; Паоло пресерьезно уверял, что я похож на Нарцисса.

Мы попивали вино в Верийских садах; внизу нетерпеливая Кура играла с красными и желтыми огоньками, а на столе благоухали тархун и киндза.

В древних храмах мы глядели на каменных цариц, к которым ласкались барсы. Мы восхищались в духанах картинами Пиросманишвили, грузинского Руссо, художника-самоучки, который за шашлыки и вино расписывал стены погребков. Он был прост, патетичен, поражал умелой композицией и полнотой цвета.

Тбилиси был случайным полустанком, на котором остановился поезд времени. Глава меньшевистского правительства Ной Жордания, в прошлом сотрудник различных марксистских журналов, ссылался то на Каутского, то на царицу Тамару. Каутский писал, что меньшевистская Грузия — государство с будущим, а петербуржцы и москвичи, застрявшие на полустанке, торопливо упаковывали чемоданы; одни спешили на север, другие за границу. Некоторых из них я встретил. Артист Н. Н. Ходотов собирался домой, в Петроград. Поэты Агнивцев и Рафалович ждали французских виз. Жители Тбилиси ругали меньшевиков, говорили, что их песенка спета.

Различные века сосуществовали в этом удивительном городе. Я увидел праздник мусульман-шиитов — «шахсей-вахсей». На носилках, изукрашенных цветистыми коврами, несли безликих персиянок. Вокруг сновали молодые люди; костюмированные всадники нещадно хлестали их кнутами. За ними следовали сотни полуголых мужчин, ударявших себя в спину железными цепями. Гремела музыка. Главными актерами были люди в белых халатах; раскачиваясь, они выкрикивали «шахсей-вахсей!» и били себя саблями по лицу. На ярком солнце кровь казалась краской. Самоистязание было поминками по

Паоло Яшвили.
АКМЭ (1-й сборник поэтов).
Тициан Табидзе.

сыну халифа Хусейну, который погиб в битве тысячу четыреста лет назад...

А на соседней улице мастеровые читали листовку: «Красное знамя Советской власти реет над Баку. Не сегодня завтра оно взовьется над Тифлисом...»

Мне подарили «Сборник тифлисского цеха поэтов». Эта книжка случайно у меня сохранилась. Среди авторов много поэтесс с поэтичными фамилиями: Нина Грацианская, Бел-Конь-Любомирская, Магдалина де-Капрелевич. Поэты «тифлисского цеха» писали сонеты о Свароге, Эросе, Суламите, Санаваллате, Монфоре и о других, столь же близких персонажах.

Впрочем, я не заглянул тогда в сборник: все время я был с новыми друзьями, которых сразу полюбил,— с Паоло Яшвили и Тицианом Табидзе.

Они были связаны между собой не только общими поэтическими воззрениями, но и крепкой дружбой; эта дружба оказалась долговечней литературных школ; и погибли они вместе. А до чего они не походили один на другого! Паоло был высоким, страстным, чрезвычайно энергичным, умел все организовать — и декларацию «Голубых рогов», и обед в духане. Стихи у него были живые, умные, крепкие. А Тициан поражал мягкостью, мечтательностью. Он был красив, всегда носил в петлице красную гвоздику; стихи читал нараспев, и глаза у него были синие, как горные озера. Трудно понять поэзию в переводах. Я слушал стихи и по-грузински. Тициан, помню, сказал мне, что поэзия — обвал. Много лет спустя я прочитал в переводе его стихотворение, где были строки:

> Не я пишу стихи. Они, как повесть, пишут
> Меня. И жизни ход сопровождает их.
> Что стих? Обвал снегов. Дохнет — и с места сдышит,
> И заживо схоронит. Вот что стих.

Кажется, в этих словах раскрытие Тициана, его чистоты, приподнятости; был он прежде всего поэтом.

Яшвили и Табидзе прекрасно знали, любили русскую и французскую поэзию, Пушкина и Бодлера, Блока и Верлена, Некрасова и Рембо, Маяковского и Аполлинера. Они сломали старые формы грузинской версификации. Но трудно, кажется, найти поэтов, которые так бы любили свою родину, как они. Их можно было глубоко порадовать, сказав, что то или иное грузинское слово выразительно, заметив горный цветок или улыбку девочки на проспекте Руставели. О том, что они были прекрасными поэтами, можно теперь прочитать в любом справочнике. Мне хочется добавить, что они были настоящими людьми. Я приехал снова в Тбилиси в 1926 году, приехал к Тициану и Паоло. Потом я встречался с ними в Москве: дружба выдержала испытание временем.

В конце 1937 года я приехал из Испании, прямо из-под Теруэля, в Тбилиси на юбилей Руставели. Паоло и Тициана не было. О том, что с ними случилось, скажу словами Гурама Асатиани, автора книги о Тициане Табидзе: «Табидзе, как и его замечательные сверстники, известные советские писатели П. Яшвили, М. Джавахишвили, Н. Мицишвили и другие, стали жертвами преступной руки заядлых врагов народа». Тициана арестовали, а Паоло, когда за ним пришли, застрелился из охотничьего ружья. В Тбилиси я нашел только одного поэта — голуборожца Г. Леонидзе, с которым познакомился в 1926 году. Он позвал меня к себе под Новый год. Вдруг тосты оборвались: мы подняли стаканы и ничего не сказали — перед нами были Тициан и Паоло... Я часто думаю о стихах Яшвили, написанных за несколько лет до трагической развязки:

> Не бойся сплетен. Хуже — тишина,
> Когда, украдкой пробираясь с улиц,
> Она страшит, как близкая война
> И близость про меня сужденной пули.

Тициана и Паоло любили многие русские поэты — и Есенин, и Пастернак, и Тихонов, и Заболоцкий, и Антокольский. А мы были первыми советскими поэтами, которые нашли в Тбилиси не только душевный отдых, но романтику, ощущение высоты, толику кислорода — я говорю и о горах и о людях, нельзя ведь отделить Паоло и Тициана от окружавшего их пейзажа. Я писал после поездки в Грузию в 1926 году: «Условимся: горы не только астма альпиниста, не только семейные охи любителей каникулярной красоты. Это еще некоторое беспокойство природы, ее требовательность, которая глубоко соответствует человеческому естеству... Звери и лозы Ананурского монастыря резвятся, зреют, живут. На них любовно смотрят пастухи и звезды. В Верийских садах зурна плачет, как любимая женщина, голос которой нельзя не узнать и через тысячу лет. Пусть поэты «Голубых рогов» любят Рембо и Лотреамона; неискушенные души повторяют их стихи доверчивым девушкам возле могилы Грибоедова, когда в одно сливаются созвездия астрономов, огни Сололак и взволнованные зрачки. А на стенах духанов истекают кровью арбузы, написанные Нико Пиросманишвили...»

Альпы во Франции — спорт, туризм, санатории, лыжи, гостиницы, рюкзаки, открытки. А без Кавказа трудно себе представить русскую поэзию: там она отходила душой, там была ее стартовая площадка.

Но я сейчас пишу всего-навсего о двух коротких неделях осени 1920 года, когда грузинские друзья приютили, пригрели нас. Друзей этих уже нет, остается поклониться горам Грузии. Яшвили и Табидзе проводили нас по Военно-Грузинской дороге до первого привала, и сейчас еще в моих ушах звучит высокий, пронзительный голос Тициана:

> На холмах Грузии лежит ночная мгла;
> Шумит Арагва предо мною.
> Мне грустно и легко; печаль моя светла;
> Печаль моя полна тобою...

17

Я уже говорил, что у меня в жизни было немало разнообразных и неожиданных профессий; теперь мне предстоит рассказать о самой неправдоподобной); она была кратковременной, но бурной — посол сказал мне, что я поеду из Тбилиси в Москву как дипломатический курьер. Это не было ни почетной синекурой, ни маскировкой, чтобы пересечь границу, нет, я должен был отвезти пакет с почтой и три огромных тюка, снабженных множеством печатей.

Мне часто приходилось и приходится ездить за границу; если со мной едут другие товарищи, среди них обязательно имеется «руководитель делегации». А вот из Тбилиси я отправился с семью лицами; одни из них в документе именовались «сопровождающими» (Люба, Ядвига, братья Мандельштамы и весьма серьезный товарищ, возвращавшийся, кажется, из Англии); другие числились моей «охраной» — краснофлотец и молоденький актер Художественного театра. Таким образом, на новом поприще я сразу сделал карьеру.

Теперь я часто встречаю в самолетах дипкурьеров; это спокойные, солидные люди, привыкшие к своей работе; в далекий путь они отправляются вдвоем — когда один спит, другой присматривает за почтой. Поглядывая на них, я вспоминаю далекое прошлое: небось не догадываются, что я тоже вез такие мешки, только не в самолете, где проводницы угощают пассажиров конфетами, а в разбитом вагоне, прицепленном к бронепаровозу...

Осенью 1920 года советские дипломаты были новичками. Дипломатические отношения тогда поддерживались только с Афганистаном, с новоиспеченными государствами Прибалтики да с меньшевистской Грузией. Все было внове и не проверено. Большевики хорошо помнили жаркие дискуссии с меньшевиками на нелегальных собраниях; иногда приходила полиция и забирала всех. Теперь картина была иной: меньшевистский публицист А. Костров, он же Ной Жордания, стал главой грузинского правительства, и его полиция начала сажать недавних оппонентов в Метехскую тюрьму. Конечно, дипкурьер пользуется неприкосновенностью, никто не вправе посягнуть на груз, который он везет. Посол об этом хорошо знал, но он не знал, знают ли об этом меньшевики, и мне строго наказал, чтобы на границе я ни в коем случае не позволил вскрыть пакет, завернутый в коричневую оберточную бумагу и запечатанный десятком сургучных печатей. Я держал этот пакет в руках и не расставался с ним восемь дней, пока не сдал его в Москве в Наркоминдел.

Сначала дорога была идиллической. Мы ужинали в духане и заночевали в пути; все мои попутчики, как «сопровождающие» так и «охрана», спокойно спали, а я бодрствовал, прижимая к себе заветный пакет. Утром мы поехали дальше; сверкали снега, внизу шумели горные реки, паслись отары овец.

Мы приближались к границе, и я стал обдумывать, что мне делать, если грузинские пограничники вздумают вскрыть пакет. У краснофлотца был наган, но, когда я с ним заговорил о предстоящей угрозе, он равнодушно ответил, что пакет везу я, а он везет фрукты. Товарищ, приехавший из Англии, был гладко выбрит, пах лавандой и беспечно глядел в бинокль на вечные снега. Осип Эмильевич читал стихи нашим попутчицам.

Грузинский офицер, командир пограничного отряда, оказался милейшим человеком. Узнав, что моя жена — художница, он начал ее расспрашивать, что делают теперь русские живописцы. Он хочет перебраться в Москву и поступить во Вхутемас. Может быть, Люба за него походатайствует?..

Мы долго перетаскивали тюки через «нейтральную полосу». Советские пограничники были заняты: поймали трех контрабандистов. Нам обещали машины к вечеру. Я запротестовал: «Почта срочная, нельзя терять ни часа...» (Именно так сказал мне посол.)

Ночью мы въехали во Владикавказ; нас отвезли в гостиницу, где полгода назад помещались деникинцы; все было загажено, поломано; стекол в окнах не было, и нас обдувал холодный ветер. Город напоминал фронт. Обыватели шли на службу озабоченные, настороженные; они не понимали, что гражданская война идет к концу, и по привычке гадали, кто завтра ворвется в город.

Я начал обсуждать с представителями горсовета и военным командованием, как нам добраться до Минеральных Вод: поезда не ходили, по дороге шли стычки с небольшими отрядами белых. Мы съели борщ в столовой, где обедали руководящие товарищи; нам даже выдали три буханки хлеба. Под вечер было решено отправить до Минеральных Вод бронепоезд. Однако бронепоезда не оказалось, и к бронепаровозу прицепили два обыкновенных вагона. Охрана на этот раз была посерьезнее: красноармейцы с пулеметами.

В вагоне я увидел нового пассажира, который, улыбаясь, говорил всем, что он грузинский дипломат. Один из чекистов объяснил мне, что в чемодане дипломата нашли около тысячи брошек, браслетов и колец с бриллиантами и ценными камнями. Москва приказала доставить задержанного в Наркоминдел. Обращались с грузином учтиво, как с настоящим дипломатом, и я себя почувствовал дилетантом, но не спускал глаз с тюков.

Когда мы отъехали сорок или пятьдесят километров, поезд остановился. Мы услышали выстрелы. Затараторил пулемет. Военные сказали, что белые разобрали путь и собираются напасть на поезд; мы должны взять винтовки и стрелять. Все это вывело из себя Осипа Эмильевича, который чувствовал к любому виду оружия непреодолимое отвращение. В его голове созрел фантастический план: он с Любой уйдет в горы... Люба не поддалась его увещаниям, а белых скоро отогнали.

На станции Минеральные Воды люди неделями ждали посадки. Красноармейцы помогли мне пробиться к вагону; кто-то кричал: «Дипломатический курьер!», но это не действовало. Можно было с таким же успехом кричать «римский папа» или «Шаляпин»... Не помню, как мы все же очутились в набитом до отказа вагоне. Здесь-то начались мои главные мучения: тюки занимали очень много места, и на них все норовили сесть; я понимал, что от сургучных печатей ничего не останется, и неистово кричал: «Прочь от диппочты!..» Действовали не столько слова, сколько мой голос, преисполненный отчаяния.

Вначале краснофлотец помогал мне отбивать атаки; но вскоре

случилось несчастье: на какой-то станции он купил два большущих мешка соли. Проклятая соль снова вмешивалась в мою жизнь. Краснофлотец теперь оберегал не диппочту, а соль и цинично отгонял всех от мешков: «Это диппочта». Я выглядел самозванцем.

На четвертый или на пятый день нас ожидали новые неприятности: где-то между Ростовом и Харьковом к поезду подошли махновцы. Я знал по опыту, что это значит. Но теперь у меня почта, заветный пакет... Что мне делать? Товарищ, возвращавшийся из Англии, вез в термосе горячий чай, а в дорожной фляжке коньяк; он мне говорил: «Выпейте, и все обойдется...»

Все действительно обошлось. Мы доехали до Москвы. Я прижимал пакет к груди, как младенца. Пассажиры постепенно разошлись, а я стоял над тюками. Под вечер Александру Эмильевичу и краснофлотцу удалось нанять телегу, на которую мы положили багаж (пакет с почтой я нес в руке). Мы шли вслед за телегой; больше всего это напоминало деревенские похороны.

Осип Эмильевич уже успел с кем-то поговорить по телефону, нашел ночевку для себя и брата и объявил нам, что вечером мы должны прийти в Дом печати на Никитском бульваре — там дают бутерброды.

Наркоминдел помещался в здании «Метрополя», вход был позади, с небольшой площади. Дежурный принял у меня почту. К маленькому пакету он отнесся уважительно, и я снова вырос в своих глазах; но тюки пренебрежительно оттащил в кладовку. Я ему пытался объяснить, что противная бабенка, несмотря на всю мою бдительность, повредила одну из многочисленных печатей, но он равнодушно сказал: «А там только газеты...»

Случилось чудо: это ведь были первые годы революции, романтика... Узнав, что мне некуда деться, дежурный пожалел меня, объявил кому-то по телефону, что приехал дипкурьер из Тбилиси, и начал обзванивать различные общежития. Я получил бумажку о том, что в Третьем общежитии Наркоминдела должны приютить Эренбурга с женой. Третье общежитие оказалось бывшими меблированными комнатами «Княжий двор», где я когда-то жил с отцом. Там было тепло, и я понял, что я в раю...

Вечером мы пошли в Дом печати; я увидел многих знакомых. В буфете действительно давали крохотные ломтики черного хлеба с красной икрой и воблой; кроме того, там можно было получить чай, который благоухал не то яблоками, не то мятой, разумеется, без сахара. Все это было восхитительным, и я сразу погрузился в литературный спор, кто больше соответствует действительности — футуристы или имажинисты.

Несколько огорчил нас инцидент с Мандельштамом. Он сидел в другом углу комнаты. Вдруг вскочил Блюмкин и завопил: «Я тебя сейчас застрелю!» Он направил револьвер на Мандельштама. Осип Эмильевич вскрикнул. Револьвер удалось вышибить из руки Блюмкина, и все кончилось благополучно.

Мы шли по Арбатской площади, мимо церквушки Бориса и Глеба. Было очень темно, но в окнах копошились слабые огоньки. Вот и

Москва, город, на который смотрит весь мир! Здесь нет хлеба, нет угля, людям трудно, но они упрямы, и войну они уже выиграли, пробили путь в историю...

Так я думал по дороге в Третье общежитие. Мне хотелось что-то делать, писать, а главное — ломать прежнее, ломать с душой: теперь я знал, чем оно пахнет.

18

Коменданта Третьего общежития Наркоминдела звали товарищем Адамом; но, если говорить откровенно, Адамом чувствовал себя я: я оказался в раю, откуда меня легко могли выгнать. Мне нужно было представить удостоверение с места службы, и хотя я довез в сохранности почту, о дипломатической карьере мечтать не приходилось. Товарищ Адам поселил нас в комнате, которая не отапливалась, и все же «Княжий двор» был раем. Утром нам выдавали паек: двести граммов хлеба, крохотный кусок масла и два куска сахара. Днем мы получали кашу — пшенную или ячневую. Конечно, древние князья ели лучше, но в Москве 1920 года такой паек был воистину княжеским.

Я встретил старых друзей, познакомился с молодыми поэтами, написал несколько стихотворений. Люба разыскала А. А. Экстер и поступила во Вхутемас. Неожиданно мне сообщили, что В. Э. Мейерхольд хочет со мною поговорить и предоставить мне интересную работу. Я не знал, о какой работе идет речь, но чувствовал себя окрыленным.

В Доме печати решили устроить вечер моих стихов. Я прочитал стихотворения, написанные в Коктебеле и в Москве. Одет я был непристойно, но на это тогда не обращали внимания, а стихи были патетическими. Я, например, обращался к человеку будущего, который случайно найдет в библиотеке мою книгу:

> Средь мишуры былой и слов убогих,
> Средь летописи давних смут,
> Увидит человека, умирающего на пороге,
> С лицом, повернутым к нему.

Когда я кончил читать, все стремительно ринулись в буфет. Там ко мне подошел дежурный член правления поэт Венгров и шепнул, что меня требуют представители Чека; они внизу, у вешалки. «Вы не волнуйтесь,— дружески добавил он,— это явная ошибка».

У вешалки меня ждали два молодых человека; они мне показали ордер. Мы пришли к площади; там стояла машина, которая отвезла меня на Лубянку, в дом, принадлежавший ранее «Страховому обществу «Россия», где помещалась Чека: этот дом вошел в историю. Мало кто помнит, что улица Кирова называлась Мясницкой, Кропоткинская — Пречистенкой, улица Горького — Тверской, а слово «Лубянка» осталось.

Меня обыскали, нашли фотографию Любы и снимки ее живописных работ. Молодые люди стали меня расспрашивать, что означает кубизм.

Но моя голова была занята другим: что означает мой арест? Лекции о живописи не получилось. Молодые люди сказали, что предупредят мою жену (действительно, они поехали к ней, успокаивали — «наверно, его скоро выпустят» — и просили объяснить им современную живопись).

Меня отвели в камеру, где уже помещалось человек восемь,— это были командиры военно-морского флота, люди мужественные и симпатичные; они потеснились, и я лег спать. На следующее утро мне объяснили, что в камере не принято говорить о приключившейся с людьми неприятности. Каждый рассказывает о том, в чем он специалист. Первым был доклад о подводной лодке, сконструированной Налетовым, второй — о плавании по Индийскому океану. В свою очередь, я рассказал о Париже, о стихах Франсуа Вийона, об итальянской живописи. (Несколько месяцев спустя я встретил моих товарищей по кратковременному заключению в Камерном театре, на премьере «Принцессы Брамбиллы». Мы обрадовались друг другу и сразу перешли к вопросу о том, чей театр лучше — Таирова или Мейерхольда.)

Вечером меня повели по длинным и сложным коридорам на допрос. Следователь дружески со мной поздоровался, сказал, что встречал меня в «Ротонде». Я его не помнил, но мы поговорили о Париже; потом он сказал: «Видите ли, к нам поступило сообщение, что вы — агент Врангеля. Докажите обратное». Моя беда в том, что я всю жизнь не могу освободиться от некоторых доводов Декарта; знаю, что логикой не проживешь, и все же всякий раз ловлю себя на том, что требую от других именно логики. Я ответил, что автор доноса должен доказать, что я — агент Врангеля; если мне сообщат, на чем основано его утверждение, я смогу его опровергнуть. Следователь попросил рассказать, как я добрался до Москвы, посочувствовал нашим дорожным невзгодам, крепко обругал хозяина соли и наконец сказал: «Мы с вами еще поговорим...» Я сделал товарищам по камере доклад об испанской поэзии и услышал лекцию о влиянии развития авиации на действия военно-морского флота. Два дня спустя следователь снова вызвал меня. «Скажите, почему вам поручили доставить в Москву диппочту?» Я ответил, что этот вопрос следует поставить нашему послу в Тифлисе; что касается меня, я просто просил посольство отправить меня в Москву. Мы снова вспомнили Париж, и меня отвели в камеру. Я прочитал доклад об архитектуре Версаля и познакомился с анализом подводной войны в 1917—1918 годах. Третий допрос начался знакомыми словами: «Докажите, что вы не агент Врангеля...» Следователь был в дурном настроении, он сказал, что я упрям и это может меня погубить, контрреволюция не хочет разоружиться, а пролетариат не повторит ошибок Коммуны.

Я решил, что меня, наверно, расстреляют; но утром выступил с докладом о живописи Пикассо и настолько увлекся, что даже позабыл о грозных намеках следователя.

Прошел еще день, и неожиданно меня освободили.

Это было замечательное время! Еще шли бои с врангелевцами, еще не унимались различные банды, еще постреливали террористы. Борьба

шла где-то под землей, в темных сапах. Иногда арестованных расстре
ливали, а тех, кого не расстреливали, освобождали.

Выпустили меня вечером. Я пошел в «Княжий двор», но меня туд
не впустили: товарищ Адам, который был всемогущ, как господь бог
выгнал из рая Еву, то есть Любу. Я не знал, где она; не знал, куда мн
пойти. На улице было очень холодно, и вдруг я с тоской подумал о тес
ной камере: там, по крайней мере, было тепло...

Я отправился в Дом печати. Было поздно, и застал я только де
журного распорядителя. Он долго объяснял мне, что ночевать в поме
щении никто не имеет права; но, поглядев на меня, дрогнул духом
«Ладно! Идем наверх...» Наверху находились комнаты различны
литературных группировок. Он меня устроил в комнате пролетарски
писателей, где стоял большой диван. К сожалению, верхний этаж н
отапливался. Мое парижское пальто, пережившее три бурных года
походило на трухлявую шинель Акакия Акакиевича. Я лежал и чув
ствовал, что замерзаю. В темноте я сорвал со стены полотнище и заку
тался; теплее не стало, но, к счастью, я заснул.

Проснулся я от громкого смеха: надо мной стояли пролетарски
писатели, среди них мой парижский приятель Миша Герасимов. Стоя
и смеются... Оказалось, я завернулся в материю с лозунгом и на мн
значится: «Вся культура пролетариату!» Я сам рассмеялся.

Я прочитал написанное мною и задумался: почему в этой части мое
книги столько веселых, почти легкомысленных страниц? Ведь события
о которых я рассказываю, отнюдь не были идиллическими: барж
с солью могла легко затонуть; бандитам ничего не стоило прикончит
наивного дипкурьера; да и мои беседы со следователем могли кончить
совсем иначе. Все это так; но человек может сохранять душевное ве
селье в часы самых трудных испытаний, как он может тосковать, даж
отчаиваться, когда ничто лично ему не угрожает. Я писал с нежностью
но и с горечью о моей ранней молодости. Да и предстоит мне в последу
ющих частях моей книги рассказать о многом, что никак не назовеш
веселым. Не опасность пригнетает человека, а внутренние обиды, разу
верения, ощущение собственного бессилия.

Гашек и Кафка родились оба в Праге в 1883 году; но говорили он
несхожими голосами, и в роман Кафки не вставишь размышлени
бравого Швейка: диссонанс будет ужасающим. А жизнь не писатели
она не заботится о единстве стиля; одну главу она пишет с улыбкой
в другой выворачивает душу героя.

Вернусь к моему рассказу. Герасимов раздобыл кусок хлеба, ча
и мы позавтракали. В коридорах Дома печати молодые поэты уж
спорили о судьбах искусства, а я отправился разыскивать Любу.

19

Мальчишкой я несколько раз видел В. Э. Мейерхольда на сцен
«Художественного Общедоступного театра»; помню его сумасшедши
стариком в роли Иоанна Грозного и взволнованным, негодующи
юношей в «Чайке».

Сидя в «Ротонде», я не раз вспоминал слова чеховского героя: «Когда поднимается занавес и при вечернем освещении, в комнате с тремя стенами, эти великие таланты, жрецы святого искусства, изображают, как люди едят, пьют, любят, ходят, носят свои пиджаки; когда из пошлых картин и фраз стараются выудить мораль — мораль маленькую, удобопонятную, полезную в домашнем обиходе; когда в тысяче вариаций мне подносят все одно и то же, одно и то же, одно и то же,— то я бегу и бегу, как Мопассан бежал от Эйфелевой башни, которая давила ему мозг своей пошлостью... Нужны новые формы. Новые формы нужны, а если их нет, то лучше ничего не нужно». (Чехов написал «Чайку» в 1896 году, Мопассан умер в 1893 году, Эйфелева башня

В. Мейерхольд.
Портрет П. Кончаловского. 1938 г.

была построена в 1889 году. В 1913 году мы принимали эту баш ню и отвергали Мопассана; но слова о «новых формах» мне казались живыми и близкими.)

Я пропустил возможность познакомиться с Мейерхольдом в 1913 году: он приезжал в Париж по приглашению Иды Рубинштейн, чтобы вместе с Фокиным поставить «Пизанеллу» Д'Аннунцио. Я тогда мало знал о постановках Мейерхольда; зато знал, что Д'Аннунцио — фразер и что Ида Рубинштейн — богатая дама, которая жаждет театральных успехов; в 1911 году я видел «Святого Себастьяна», пьесу того же Д'Аннунцио, написанную для той же Иды Рубинштейн, и был раздосадован помесью декадентской красивости с парфюмерным сладострастием. (В. Э. Мейерхольд подружился в Париже с Гийомом Аполлинером, который, видимо, сразу понял, что дело не в Д'Аннунцио, не в Иде Рубинштейн, не в декорациях Бакста, а в душевном смятении молодого петербургского режиссера.)

Осенью 1920 года, когда я познакомился с Мейерхольдом, ему было сорок шесть лет: он был уже седым; черты лица успели заостриться, выступали мохнатые брови и чрезвычайно длинный горбатый нос, похожий на птичий клюв.

ТЕО (театральный отдел Наркомпроса) помещался в особняке напротив Александровского сада. Мейерхольд носился по большой комнате, может быть потому, что ему было холодно, может быть потому, что не умел сидеть в начальническом кресле у традиционного стола с папками «на подпись». Он, казалось, клокотал; говорил, что ему понравились мои «Стихи о канунах»; потом вдруг подбежал ко мне и, закинув назад свою голову не то цапли, не то кондора, сказал: «Ваше место — здесь. Октябрь в искусстве! Вы будете руководить всеми детскими театрами Республики...» Я попытался возразить: я не педагог, хватит с меня мофективных киевлян и коктебельской площадки; да я и не смыслю ничего в сценическом искусстве. Всеволод Эмильевич меня оборвал: «Вы — поэт, а детям нужна поэзия. Поэзия и революция!.. К черту сценическое искусство!.. Мы с вами еще поговорим... А приказ о вашем зачислении я подписал. Приходите завтра вовремя...»

Мейерхольд тогда был одержим (как Маяковский) иконоборчеством. Он не заведовал отделом — он воевал с той эстетикой и удобопонятной моралью, о которой говорил герой «Чайки».

Недавно я выступал в Женеве в студии телевидения. Молоденькая девушка преградила мне дорогу и сказала, что должна меня загримировать. Я запротестовал: мне предстоит говорить о голоде в экономически отсталых странах, при чем тут красота, да и не пристало мне на старости лет впервые румяниться. Девушка ответила, что таковы правила, все должны подвергнуться операции; она наложила на мое лицо тонкий слой желтоватого крема. Я сейчас подумал, что свет памяти столь же резок, как и свет телевизионных студий, и что, говоря в этой книге о некоторых людях, я невольно кладу слой краски, смягчающей слишком острые черты. А вот со Всеволодом Эмильевичем мне не хочется этого делать; я попытаюсь дать его не с притушенными, но с жесткими деталями.

Характер у него был трудный: доброта сочеталась с запальчивостью, сложность духовного мира — с фанатизмом. Как некоторые большие люди, с которыми мне привелось столкнуться в жизни, он страдал болезненной подозрительностью, ревновал без оснований, видел часто козни там, где их не было.

Первая наша размолвка была бурной, но кратковременной. Один военмор принес мне пьесу для детей; все персонажи были рыбами (меньшевики — карасями), и в последнем акте торжествовал «рыбий

Г. Аполлинер и В. Мейерхольд. Париж. 1913 г.

Спектакль «Зори». Трагедия Верхарна. Постановка В. Мейерхольда. 1920 г.

овнарком». Пьеса мне показалась неудачной, я ее забраковал. Вдруг
меня вызывает Мейерхольд. На столе у него рукопись. Он раздраженно
прашивает, почему я отклонил пьесу, и, не дослушав, начинает кри-
ать, что я против революционной агитации, против Октября в театре.
Я, в свою очередь, рассердился, сказал, что это «демагогия». Всеволод
Эмильевич потерял самообладание, вызвал коменданта: «Арестовать
Эренбурга за саботаж!» Комендант выполнить приказ отказался и по-
оветовал Мейерхольду обратиться в ВЧК. Я, возмущенный, ушел
решил, что больше в ТЕО не будет моей ноги. На следующее утро
Всеволод Эмильевич позвонил: ему необходимо посоветоваться со мной
театре петрушки. Я пошел, и вчерашней сцены будто не было...

Всеволод Эмильевич заболел. Несколько раз я был у него в больни-
е; он лежал с забинтованной головой. Он мне рассказывал о своих
ланах, расспрашивал, что происходит в ТЕО, был ли я на новых поста-
овках. Вероятно, в моих репликах и рассказах проскальзывала
рония, потому что Мейерхольд иногда упрекал меня в безверии, даже
цинизме. Однажды, когда я сказал о расхождении многих проектов
действительностью, он приподнялся и захохотал: «Вы — в роли заве-
ующего всеми детскими театрами Республики, нет, Диккенс не
ридумал бы лучше!..» Бинты походили на чалму, а Всеволод Эмиль-
вич, худой и носатый,— на восточного кудесника. Я тоже рассмеялся
сказал, что приказ о моем назначении подписан не Диккенсом, а Мей-
рхольдом.

Несколько раз я был на «Зорях». Это слабая пьеса, да и в поста-
овке было много случайного. Мейерхольд боролся против «трех стен»,
которых говорил Треплев, против рампы, против написанных декора-
ий. Он хотел приблизить сцену к зрителям. Помещение было безвкус-
ым — знаменитый кафешантан «Омон», где москвичи когда-то рас-
матривали полуголых «этуалей»; впрочем, зал был в таком состоянии,
то его убранство не бросалось в глаза. Театр не отапливали, все си-
ели в шинелях, в полушубках, в тулупах. Изо ртов актеров вырыва-
ись грозные слова и нежнейшие облака. Часть актеров разместили
партере; они неожиданно взбегали на сцену, где стояли серые кубы
зачем-то висели веревки. Иногда на сцену подымались и зрители:
расноармейцы с духовым оркестром, рабочие. (Мейерхольд хотел
осадить несколько актеров в ложу; они должны были изображать
серов и меньшевиков и подавать соответствующие реплики. Всеволод
мильевич с сожалением мне рассказывал, что ему пришлось отка-
аться от этой идеи: зрители могут подумать, что это всамделишные
онтрреволюционеры, и начнется потасовка.) Был я и на спектакле,
огда один из актеров торжественно прочитал только что полученную
одку: взят Перекоп. Трудно описать, что делалось в зале...

На диспуте постановку ругали; Маяковский защищал Мейерхольда.
е знаю, что сказать о самом спектакле: его не оторвешь от времени; он
сно связан с агитками Маяковского, с карнавальными шествиями,
траивавшимися «левыми» художниками, с климатом тех лет. Таким
е представлением эпохи показалась мне на репетициях «Мистерия-
уфф». Любить эти спектакли было трудно, но хотелось их защищать,

даже возвеличивать. Я писал в 1921 году: «Неудачные по выполнению, великолепные по замыслу постановки Мейерхольда: не только собирать театральность, но и немедленно ее растворить, уничтожить рампу, смешать комедиантов со зрителями». А Маяковский кончил свою речь на диспуте о «Зорях» так: «Да здравствует театр Мейерхольда, если даже на первых порах он и сделал плохую постановку!» Молодой Багрицкий писал:

> Пышноголового Мольера
> Сменяет нынче Мейерхольд.
> Он ищет новые дороги,
> Его движения — грубы...
> Дрожи, театр старья, в тревоге:
> Тебя он вскинет на дыбы!

Летом 1923 года я жил в Берлине; туда приехал Мейерхольд. Мы встретились. Всеволод Эмильевич предложил мне переделать мой роман «Трест Д. Е.» для его театра, говорил, что пьеса должна быть смесью циркового представления с агитационным апофеозом. Переделывать роман мне не хотелось; я начинал охладевать и к цирковым представлениям, и к конструктивизму, зачитывался Диккенсом и писал сентиментальный роман со сложной интригой — «Любовь Жанны Ней». Я знал, однако, что Мейерхольду трудно перечить, и ответил, что подумаю.

Вскоре в театральном журнале, который издавали единомышленники Мейерхольда, появилась статья, где рассказывалось в форме фантастической новеллы о том, как меня похитил Таиров, для которого я подрядился переделать мой роман в контрреволюционную пьесу.

(Мейерхольд много раз в жизни подозревал добрейшего и чистейшего Александра Яковлевича Таирова в стремлении уничтожить его любыми средствами. Это относится к той подозрительности, о которой я говорил. Никогда Таиров не собирался ставить «Трест Д. Е.».)

Приехав в Советский Союз, я прочитал, что Мейерхольд готовит пьесу «Трест Д. Е.», написанную неким Подгаецким «по романам Эренбурга и Келлермана». Я понял, что единственный довод, который может остановить Мейерхольда, — сказать, что я хочу сам инсценировать роман для театра или для кино. В марте 1924 года я написал ему, начав «Дорогой Всеволод Эмильевич» и кончив «сердечным приветом»: «Наше свидание прошлым летом, в частности беседы о возможности переделки мною «Треста», позволяют мне думать, что Вы дружественно и бережно относитесь к моей работе. Поэтому решаюсь первым делом обратиться к Вам с просьбой, если заметка верна, отказаться от этой постановки... Я ведь не классик, а живой человек...»

Ответ был страшен, в нем сказалось неистовство Мейерхольда, и никогда бы я о нем не рассказал, если бы не любил Всеволода Эмильевича со всеми его крайностями. «Гражданин И. Эренбург! Я не понимаю, на каком основании обращаетесь Вы ко мне с просьбой «отказаться от постановки» пьесы т. Подгаецкого? На основании нашей беседы в Берлине? Но ведь эта беседа в достаточной мере выяснила то, если бы даже Вы и взялись за переделку Вашего романа, Вы сделали бы пьесу так, что она могла бы быть представлена в любом из городов Антанты...»

Я не был на спектакле; судя по отзывам друзей и по статьям расположенных к Мейерхольду критиков, Подгаецкий написал слабую пьесу. Всеволод Эмильевич поставил ее интересно: Европа гибла шумно, убегали щиты декораций, актеры впопыхах перегримировывались, грохотал джаз. За меня неожиданно вступился Маяковский; на обсуждении постановки «Треста Д. Е.» он сказал о переделке: «Пьеса «Д. Е.» — абсолютный нуль... Переделывать беллетристические произведения в пьесу может только тот, кто выше их авторов, в данном случае Эренбурга и Келлермана»... Спектакль, однако, имел успех, и табачная фабрика «Ява» выпустила папиросы «Д. Е.». А я из-за этой глупой истории в течение семи лет не встречался с Всеволодом Эмильевичем...

Приезжая в Москву, я глядел постановки Мейерхольда: «Великодушного рогоносца», «Смерть Тарелкина», «Лес». Я покупал билет и боялся, что Всеволод Эмильевич меня увидит в зале. (Трудно было найти в этих пьесах агитационный апофеоз, их могли бы играть и в «городах Антанты». Всеволод Эмильевич никогда не стоял на месте.)

Мейерхольд не шел ровной, прямой дорогой; он подымался в гору, и его путь был петлистым. Когда его последователи кричали на всех перекрестках, что нужно разрушить театр, Всеволод Эмильевич уже готовил постановку «Леса». Многие не поняли, что же приключилось с неистовым иконоборцем: почему его прельстили Островский, трагедия искусства, любовь? (Так последователи Маяковского не поняли, почему в 1923 году, осудив перед этим лирическую поэзию, он написал «Про это». Интересно, что «Лес» был поставлен вскоре после того, как была написана поэма «Про это». Маяковский-поэт уже возвращался

В. Мейерхольд. Двадцатые годы.

Афиша спектакля «Д. Е.» по И. Эренбургу и Б. Келлерману.

Эль Лисицкий работает над макетом декорации к постановке В. Мейерхольда «Хочу ребенка» по пьесе С. Третьякова.

к поэзии, а Маяковский-лефовец сурово осудил Всеволода Эмильевича за его возвращение к театру: «Для меня глубоко отвратительна постановка «Леса»...»)

Картины висят в музеях, книги имеются в библиотеках, а спектакли, которых мы не видели, остаются для нас сухими рецензиями. Легко установить связь между «Про это» и ранними стихами Маяковского, между «Герникой» Пикассо и его холстами «голубого периода». А вот мне трудно судить, что перешло от дореволюционных постановок Мейерхольда в его «Лес» и «Ревизора». Бесспорно, многое: петли петлями, но ведь это — петли одной дороги...

«Лес» был чудесной постановкой, и спектакль волновал зрителей. Мейерхольд многое в нем открыл; по-новому передал трагедию искусства. Была, однако, в этой постановке деталь, которая выводила из себя (а может быть, радовала) противников Мейерхольда: зеленый парик на одном из актеров. Пьеса шла много лет подряд. Как-то после одного из спектаклей в Ленинграде состоялось обсуждение. Всеволода Эмильевича закидали записками: он радовался, сердился, шутил. «Скажите, что означает зеленый парик?» Он повернулся к актерам и недоумевающе сказал: «А действительно, что он означает? Кто его придумал?..» С того вечера зеленый парик исчез. Не знаю, сыграл ли Мейерхольд сцену изумления или искренне удивился: запамятовал деталь, придуманную, конечно же, им. (В жизни мне часто приходилось слышать недоуменные вопросы: «А кто действительно это придумал?», порой исходившие от авторов различных нелепостей, куда более важных, чем злосчастный парик.)

Мейерхольд был пугалом для людей, которым претило новое; его имя стало нарицательным; некоторые критики не замечали (или не хотели заметить), что Мейерхольд шел дальше; они его облаивали на полустанке, о котором он успел давно забыть.

Всеволод Эмильевич не страшился отступаться от эстетических концепций, которые еще накануне казались ему правильными. В 1920 году, когда он ставил «Зори», он рвал с «Сестрой Беатрисой» и с «Балаганчиком». Потом он вышучивал придуманную им «биомеханику».

Треплев в первом акте говорит, что главное — новые формы, а в последнем, перед тем как застрелиться, признается: «Да, я все больше и больше прихожу к убеждению, что дело не в старых и не в новых формах, а в том, что человек пишет, не думая ни о каких формах, пишет, потому что это свободно льется из его души». В 1938 году Всеволод Эмильевич говорил мне, что спор идет не о старых и новых формах в искусстве, а об искусстве и о подделке под него.

Он никогда не отрекался от того, что считал существенным, отбрасывал «измы», приемы, эстетические каноны, а не свое понимание искусства; постоянно бунтовал, вдохновлялся, горел.

Ну что страшного было в чеховских водевилях? О «левом искусстве» к тому времени все успели позабыть. Маяковский был признан гениальным поэтом. А на постановку Мейерхольда все равно накинулись. Он мог говорить самые обыкновенные вещи, но было что-то в его голосе, глазах, улыбке выводившее из себя людей, которым не по душе творческое горение художника.

Весной 1930 года в Париже я увидел мейерхольдовского «Ревизора». Это было в небольшом театре на улице Гэтэ, где обычно показывали жителям окраины вздорные водевили или раздирающие душу мелодрамы, с тесной и неудобной сценой, без фойе (в антрактах зрители выходили на улицу), словом, в помещении скорее мизерном. «Ревизор» меня потряс. Я успел давно охладеть к эстетическим увлечениям моей молодости и боялся идти на спектакль — слишком ревниво любил Гоголя. И вот я увидел на сцене все то, чем меня притягивал Гоголь: щемящую тоску художника и зрелище неизбывной, жестокой пошлости.

Я знаю, что Мейерхольда обвиняли в искажении текста Гоголя, в кощунственном к нему отношении. Конечно, его «Ревизор» не походил на те спектакли, которые я видел в детстве и в молодости; казалось, текст раздвинут, но в нем не было отсебятины — все шло от Гоголя. Можно ли на одну минуту поверить, что обличение провинциальных чиновников эпохи Николая I — единственное содержание пьесы Гоголя? Разумеется, для современников Гоголя «Ревизор» был прежде всего жестокой сатирой на общественный строй, на нравы; но, как всякое гениальное произведение, он пережил стадию злободневности, он волнует людей сто лет спустя после того, как исчезли с лица земли николаевские городничие и почтмейстеры. Мейерхольд раздвинул рамки «Ревизора». В этом ли кощунство? Ведь различные театральные инсценировки романов Толстого или Достоевского считаются благородным делом, хотя они сужают рамки произведений...

Андрей Белый не только любил Гоголя, он был им болен, и, может быть, многие художественные неудачи автора «Серебряного голубя» и «Петербурга» следует отнести к тому, что он не мог преодолеть власти Гоголя. И вот Андрей Белый, увидев в театре Мейерхольда «Ревизора», выступил со страстной защитой этого спектакля.

Зинаида Райх и Михаил Царев. Сцена из спектакля «Дама с камелиями».
В. Мейерхольд и З. Райх у себя дома. 1939 г.

А в Париже на спектакле были по большей части французы — режиссеры, актеры, любители театра, писатели, художники; это напоминало смотр знаменитостей. Вот Луи Жувэ, вот Пикассо, вот Дюллен, вот Кокто, вот Дерен, вот Бати... И когда спектакль кончился, эти люди, казалось бы объевшиеся искусством, привыкшие дозировать свои одобрения, встали и устроили овацию, какой я в Париже не видел.

Я пробрался за сцену. В маленькой артистической уборной стоял взволнованный Всеволод Эмильевич. Еще белее стали волосы, длиннее нос. Семь лет прошло... Я сказал, что не мог вытерпеть, пришел поблагодарить. Он крепко обнял меня.

С тех пор ни разу не было между нами отдаления или холода. О вздорной ссоре мы не заговаривали. Мы встречались в Париже или в Москве, подолгу разговаривали, иногда и молчали, как можно молчать при настоящей близости.

Когда Мейерхольд решил поставить «Ревизора», он сказал актерам: «Вы видите аквариум, в нем давно не меняли воду, зеленоватая вода, рыбы кружатся и пускают пузыри». Мне он говорил, что, работая над «Ревизором», часто вспоминал Пензу гимназических лет.

(В 1948 году я шел по одной из пензенских улиц с А. А. Фадеевым. Вдруг Фадеев остановился: «Это дом Мейерхольда...» Мы молча постояли; потом Александр Александрович в тоске сказал «эх», махнул рукой и быстро зашагал к гостинице.)

Мейерхольд ненавидел стоячую воду, зевоту, пустоту; он часто прибегал к маскам именно потому, что маски его страшили — не каким-то мистическим ужасом небытия, а одеревеневшей пошлостью быта. Заключительная сцена «Ревизора», длинный стол в «Горе от ума», персонажи «Мандата», даже чеховские водевили — все это тот же поединок художника с пошлостью.

То, что он стал коммунистом, не было случайностью: он твердо знал, что мир необходимо переделать. Он основывался не на чужих доводах, а на своем опыте. Среди нас он был стариком. Маяковский родился с революцией, а у Мейерхольда позади был клубок исхоженных им дорог: и Станиславский, и Комиссаржевская, и питерские символисты, «Балаганчик», Блок, исхлестанный снежными метелями, «Любовь к трем апельсинам» и много другого. Еще сидя в «Ротонде», мы гадали, как должен выглядеть таинственный доктор Дапертутто (литературный псевдоним Мейерхольда).

Из всех людей, которых я вправе назвать моими друзьями, Всеволод Эмильевич был по возрасту самым старым. Я только родился в XIX веке, а он в нем жил, бывал в гостях у Чехова, работал с В. Ф. Комиссаржевской, знал Скрябина, Ермолову... И самое удивительное, что он оставался неизменно молодым; всегда что-то придумывал, бушевал, как гроза в мае.

Всю жизнь его сопровождали нападки. В 1911 году нововременец Меньшиков возмущался постановкой «Бориса Годунова»: «Я думаю, что г. Мейерхольд взял приставов из своей еврейской души, а не из Пушкина, у которого нет ни приставов, ни кнутьев...» Некоторые статьи, написанные четверть века спустя, были, право же, не чище и не справедливее приведенных выше слов...

Он не походил на мученика: страстно любил жизнь — детей и шумные митинги, балаганы и холсты Ренуара, поэзию и леса строек. Он любил свою работу. Несколько раз я присутствовал на репетициях: Всеволод Эмильевич не только объяснял — он сам играл. Помню репетиции чеховских водевилей. Мейерхольду было за шестьдесят, но он поражал молодых актеров неутомимостью, блеском находок, огромным душевным весельем.

Я говорил, что спектакли умирают — их не воскресишь. Мы знаем, что Адре Шенье был прекрасным поэтом, но мы можем только верить, что его современник Тальма был прекрасным актером. И все же творческий труд не исчезает: он может быть на время незримым, как река, уходящая под землю. Я смотрю спектакль в Париже, кругом восхищаются: «Как ново!», а я вспоминаю постановки Мейерхольда. Я вспоминаю их и сидя во многих московских театрах. Вахтангов писал: «Мейерхольд дал корни театрам будущего — будущее и воздаст ему». Перед Мейерхольдом преклонялся не только Вахтангов, но и Крэг, Жувэ, многие другие крупнейшие режиссеры, Эйзенштейн мне как-то сказал, что его не было бы без Мейерхольда.

Еще в августе 1930 года он писал мне: «...Театр может погибнуть. Враги не дремлют. Много есть в Москве людей, для которых театр Мейерхольда бельмо на глазу. Ох, долго и скучно об этом рассказывать!»

Наши последние встречи были невеселыми. Я приехал из Испании в декабре 1937 года. Театр Мейерхольда был уже закрыт. От пережитого жена его, Зинаида Николаевна Райх, душевно заболела. Поддерживал Мейерхольда К. С. Станиславский, который часто ему звонил по телефону, пытался приободрить.

В это время П. П. Кончаловский написал замечательный портрет Мейерхольда. Многие портреты Кончаловского декоративны, но Петр Петрович горячо любил Мейерхольда и в портрете раскрыл его вдохновение, тревогу, душевную красоту.

Всеволод Эмильевич подолгу сидел у себя, читал, рассматривал художественные монографии. Он все еще дерзал: ему мерещилась постановка «Гамлета»; он говорил: «Я, кажется, теперь смогу справиться. Прежде не решался. Если бы исчезли все пьесы мира, а «Гамлет» остался, то остался бы и театр...»

Мне хочется еще сказать, что Мейерхольда поддерживала в это трудное для него время Зинаида Николаевна. Передо мною копия письма Всеволода Эмильевича жене, написанного в октябре 1938 года из дачной местности Горенки: «...Приехал я в Горенки 13-го, глянул на березки и ахнул... Смотри, эти листья рассыпаны по воздуху. Рассыпанные, они застыли, как будто замерзли... Застывшие, они чего-то ждут. Как их подстерегли! Секунды их последней жизни я считал, как пульс умирающего. Застану ли я их в живых, когда снова я буду в Горенках через день, через час. Когда я смотрел 13-го на сказочный мир золотой осени, на все эти чудеса, я мысленно лепетал: Зина, Зиночка, смотри на эти чудеса и не покидай меня, тебя любящего, тебя — жену, сестру, маму, друга, возлюбленную, золотую, как эта природа, творящая чудеса!.. Зина, не покидай меня! Нет на свете ничего страшнее одиночества!»

Мы расстались весной 1938 года — я уезжал в Испанию. Обнялись. Тяжелым было это расставание. Больше я его не видел: в июне 1939 года Мейерхольд был арестован в Ленинграде, 1 февраля 1940 года был приговорен к десяти годам без права переписки. Справка о смерти помечена 2 февраля.

В 1955 году молодой прокурор, никогда прежде не слыхавший имени Мейерхольда, рассказал мне о том, как был оклеветан Всеволод Эмильевич, он прочитал мне его заявление на закрытом заседании военного трибунала. «...Мне шестьдесят шесть лет. Я хочу, чтобы дочь и мои друзья когда-нибудь узнали, что я до конца остался честным коммунистом». Читая эти слова, прокурор встал. Встал и я.

20

Вскоре я вернулся в потерянный рай: товарищ Адам, прочитав записку заместителя наркома Л. Карахана, составленную абстрактно и возвышенно, а именно: «Эренбург остается жить», предоставил нам комнату. Я получал паек, а с февраля мне дали карточку на обеды в «Метрополе»; там отпускали пустой суп, пшенную кашу или мороженую картошку. При выходе нужно было сдать ложку и вилку — без этого не выпускали.

Кто-то сказал мне, что я родился в рубашке. Однако я не только родился в рубашке, я ходил в одной рубашке; а Москва зимой не Бразилия...

Давным-давно я описал в журнале «Прожектор», как в конце 1920 года я раздобыл себе одежду. Это не очень серьезная история, но она восстанавливает некоторые бытовые черты тех лет, да и показывает, что житейские трудности нас не обескураживали.

Я уже упоминал о моем парижском пальто, с годами превратившемся в дырявый капот. Я не сказал о самом главном — о костюме; пиджак еще как-то держался, но брюки расползлись.

Тогда-то я понял, что́ означают штаны для тридцатилетнего мужчины, вынужденного жить в цивилизованном обществе,— обойтись без штанов действительно невозможно. На службе я все время сидел в пальто, боясь неосторожным движением распахнуть полы: ведь со мною работали поэтесса Ада Чумаченко и молодые фребелички.

Краснофлотец-драматург пригласил меня к себе; жил он в «Лоскутной». Я пережил у него немало мучений; он накормил меня замечательными оладьями, но эти оладьи приготовляла молодая женщина. В комнате было жарко, меня уговаривали снять пальто, а я упирался и никак не мог объяснить почему.

Однажды меня не впустили в Камерный театр; я показывал приглапение, мандаты, различные удостоверения; но контролер был неумолим: «Товарищ, в верхнем платье не разрешается...»

Хотя я заведовал всеми детскими театрами Республики и получал полтора пайка, я чувствовал себя неполноценным: у меня не было штанов.

Наступила суровая зима. Мое пальто грело не больше, чем кружевная шаль. Я простудился, чихал, кашлял. Наверно, у меня была температура, но мы тогда этим мало интересовались. Случайно я встретил одного из товарищей по подпольной гимназической организации; поглядев на меня, он рассердился: «Почему вы мне раньше не сказали?..» Он написал записку председателю Моссовета и шутя добавил: «Лорд-мэр Москвы вас оденет».

Попасть на прием к «лорд-мэру» было нелегко, в приемной толпились всевозможные просители. Наконец я проник в просторную комнату; за письменным столом сидел почтенный человек с аккуратно подстриженной бородкой, которого я хорошо знал по Парижу. Я понимал, что у него уйма дел, и стеснялся. Он был чрезвычайно любезен, говорил о литературе, спрашивал, какие у меня творческие планы. Ну как здесь было заговорить о штанах? Наконец, набравшись храбрости и воспользовавшись паузой, я в отчаянии выпалил: «Кстати, мне совершенно необходимы брюки...»

«Лорд-мэр» смутился: он внимательно меня оглядел: «Да вам не только костюм нужен, а и зимнее пальто...» Он дал мне записку к заведующему одним из отделов МПО; на записке было сказано лаконично: «Одеть т. Эренбурга».

На следующее утро, встав пораньше, я пошел в МПО (эти буквы не имеют ничего общего с противовоздушной обороной, обозначали они «Московское потребительское общество» — ведомство, которому было поручено снабжать население продовольствием и одеждой). С легкомыслием баловня судьбы я спросил: «Где здесь выдают ордера на одежду?» Кто-то мне показал длиннейший хвост на Мясницкой.

Было очень холодно; и, стоя в очереди, я малодушно забыл про брюки — мечтал о теплом зимнем пальто. Под вечер я приблизился к заветной двери. Но тут приключилось нечто непредвиденное. Ко мне подошла молодая женщина, повязанная теплым платком, и возмущенно завизжала: «Нахал какой! Я здесь с пяти утра стою, а он только пришел — и на мое место...» Она навалилась на меня, а весила она немало; я сопротивлялся, но безуспешно — она вытеснила из очереди. Я обратился к людям, стоявшим позади: «Товарищи, вы ведь видели, что я весь день стою...» Люди были голодные, усталые, безучастные; никто меня не поддержал. Я понял, что справедливости не дождаться, отошел на несколько шагов, разбежался и с ходу вытолкнул самозванку из очереди. Люди продолжали равнодушно молчать: они явно предпочитали нейтралитет. А женщина преспокойно ушла и начала искать уязвимое место в длиннущей очереди.

Наконец я вошел в кабинет заведующего, который, прочитав записку, сказал: «У нас, товарищ, мало одежды. Выбирайте — пальто или костюм». Выбрать было очень трудно; замерзший, я готов был попросить пальто, но вдруг вспомнил унижения предшествующих месяцев и крикнул: «Брюки! Костюм!..» Мне выдали соответствующий ордер.

Я пошел в указанный распределитель; там мужских костюмов не оказалось, мне предложили взамен дамский или же плащ. Я, разумеется, отказался, и меня направили в другой распределитель, где мне показали костюм, сшитый, видимо, на карлика и поэтому уцелевший с царских времен. Наконец в распределителе на углу Петровки и Кузнецкого я нашел костюм по росту, надел брюки и почувствовал себя человеком. В детской секции ТЕО я сразу составил десять проектов.

Стояли, однако, сильные морозы, и я продолжал отчаянно кашлять. Сознание, что на мне брюки, придавало мне бодрости, и я начал разыскивать зимнее пальто.

Будучи страстным курильщиком, я раз в месяц на Сухаревке менял хлеб на табак. На Сухаревке торговали всем — китайскими вазами, кусочками сахара, рассыпными папиросами, камнями для зажигалок, бухарскими коврами, дореволюционным, заплесневевшим шоколадом, романами Бурже в сафьяновых переплетах. На Сухаревке можно было купить и рваный полушубок, но стоил он не менее пятидесяти тысяч. А денег у меня не было. В карманах новенького пиджака я держал мандаты, проекты, стихи, старую, насквозь прожженную трубку, табачную труху и порой кусочек сахара, который уносил из гостеприимного дома заведующего ИЗО Д. П. Штеренберга.

Недавно мне попался в руки каталог рукописных книг, которыми торговала «Книжная лавка писателей»; среди авторов — Андрей Белый, В. Лидин, М. Герасимов, Шершеневич, Марина Цветаева, И. Новиков, много других. Проставлена и моя книжка: «Испанские песни», цена 3000 рублей. Книжка, переписанная Шершеневичем, снабжена примечанием: «По себестоимости 4 куска сахара — 2000 рублей, кружка молока — 1800, 50 папирос — 6 000». Деньги были настолько обесценены, что о них мало кто думал; мы жили пайками и надеждой.

Все же я решил набрать деньги на пальто и подрядился прочитать стихи в кафе «Домино». Там было нестерпимо холодно; посетителям давали чай с сахарином или смертельно-бледную, голубоватую простоквашу. Не понимаю, почему туда приходили люди. В морозном полумраке раздавался зловещий вой Шершеневича, Поплавской или Дира Туманного. Ходили в «Домино» спекулянты, агенты уголовного розыска, любознательные провинциалы и чудаки-меланхолики.

Я снял с себя шинель Акакия Акакиевича, чихнул и начал выть — тогда все поэты выли, даже когда читали нечто веселое. Один спекулянт сочувственно высморкался, двое других не выдержали и ушли. Я получил три тысячи.

Мне повезло: несколько дней спустя я набрел на весьма подозрительного гражданина, который предложил мне достать полушубок за семь тысяч рублей. Это было почти даром. Я продал хлебный паек за две недели и притащил полушубок в «Княжий двор».

Полушубок был чересчур тесен и сильно вонял, но мне он казался горностаевой мантией с картины Веласкеса. Я его надел и хотел было тправиться в Дом печати, но тут пришла из Вхутемаса Люба и потребовала, чтобы я снял с себя обновку: на груди полушубка красовалась ольшущая печать. Гражданин недаром мне показался подозрительым: он продал краденый военный полушубок.

Мною овладела резиньяция: лучше чихать, кашлять, чем попасть поганую историю. Но Люба недаром была конструктивисткой, училась у Родченко и говорила весь день о фактуре, о вещности, о производственной эстетике — она нашла выход.

В Москве существовали тогда «магазины ненормированных продуктов»; там продавали мороженые яблоки, химический чай «Шамо», ахарин, швабры, сита. Я продал два фунта паечного пшена и в «магазине ненормированных продуктов» купил краску для кожи. Люба ривычной рукой взялась за кисти. Полушубок с каждой минутой орошел: он превращался в черную куртку шофера. Но, к сожалению, ожа жадно впитывала краску; один рукав так и остался незакрашеным, а больше не было ни краски, ни рублей, ни пшена.

Конечно, я мог бы ходить в черном полушубке с желтым рукавом; никто на меня не обернулся бы. Все были одеты чрезвычайно своеобразно. Модницы щеголяли в вылинявших солдатских шинелях и зеленых шляпках, сделанных из ломберного сукна. На платья шли бордовые гардины, оживляемые супрематическими квадратами или треугольниками, вырезанными из покрышек рваных кресел. Художник И. М. Рабинович прогуливался в полушубке изумрудного цвета. Есенин время от времени напяливал на голову блестящий цилиндр. Но я боялся, что желтый рукав отнесут к эксцентричности, примут не за беду, а за эстетическую программу.

Под Новый год в ТЕО всем сотрудникам выдали по банке гуталина. Это было воспринято как несчастье, тем паче что накануне в МУЗО выдавали кур. Но Люба нашла применение сапожной мази: она покрыла ею желтый рукав.

Новый год мы встречали у художника Рабиновича. Говорили, что будет ужин, даже водка; но никто ничего не раздобыл. Мы ели кашу и чокались кружками с чаем, а веселились, как будто пили шампанское.

Проклятый гуталин, однако, не высыхал; стоило пойти снегу, как рукав становился марким. Я испачкал несколько чужих пальто; меня начали побаиваться, и я предупреждал: «Пожалуйста, идите слева — справа я пачкаю...»

Все же я мог теперь, не замерзая, бродить ночью по улицам Москвы. Все тогда ходили по мостовой — не было ни машин, ни лошадей, а тротуары напоминали каток. Днем многие тащили салазки — дрова, керосин, пшено. Люди «прикреплялись» или «откреплялись» — это относилось к продовольственным карточкам. (Помню стихи:

Что сегодня, гражданин, на обед?
Прикреплялись, гражданин, или нет?)

А по ночам бродили мечтатели. Никогда не забуду я тех прогулок! Мы медленно продвигались между сугробами; порой шли цепью — один за другим. Так идут в пустыне караваны. Мы говорили о поэзии, о революции, о новом веке; мы были караванами, которые пробирались в будущее. Может быть, поэтому с такой легкостью мы переносили и голод, и холод, и многое другое. Караваны шли по всем русским городам, и двадцатипятилетний Н. С. Тихонов, которого я тогда не знал, наверно, читал кому-нибудь свои стихи:

> Гвозди б делать из этих людей:
> Крепче б не было в мире гвоздей.

Мы шли гуськом, над нами сверкали звезды — улицы были темными, никто не мешал звездам сверкать. В день моего рождения Ядвига печально сказала, что не смогла раздобыть подарка — ни цветов, ни леденца; шутя она добавила, глядя на звездное небо: «Я тебе дарю Кассиопею...» Мы не подозревали, что доживем до того времени, когда в Организации Объединенных Наций будут рассуждать, как оградить небесные светила от захвата, и когда все девушки смогут подносить своим друзьям пристойные галстуки из шелка, шерсти или химической массы...

21

Я продолжал работать в детской секции ТЕО. Конечно, к нашим трудам можно подойти недоверчиво: мы главным образом составляли проекты детских театров да еще добывали пайки для актеров. Время было трудное; напомню для его характеристики слова В. И. Ленина, написанные им в феврале 1921 года по поводу работы Наркомпроса: «Мы нищие. Бумаги нет. Рабочие холодают и голодают, раздеты, разуты. Машины изношены. Здания разваливаются». Мы старались поддержать различные начинания. Существовал Детский театр, которым руководила актриса Генриетта Паскар. Скульптор Ефимов и его жена давно занимались кукольным театром. Появилась молоденькая Наташа Сац, потом много сделавшая для художественного воспитания детей. В различных рабочих клубах устраивались спектакли для детворы. Наконец, знаменитый клоун и дрессировщик животных В. Л. Дуров задумал показывать детям четвероногих артистов.

Тогда все больше проектировали, чем осуществляли: фантазии было много, средств мало. Все же мне кажется, что наша на первый взгляд совершенно бессмысленная работа дала некоторые результаты: мы помогли будущим драматургам, режиссерам, актерам создать пять или десять лет спустя интереснейшие театры для детей.

Внешне было много забавного. Мы работали рядом с секцией цирка, ею руководила актриса Рукавишникова, жена поэта. Иногда она уезжала домой в санях. Около Манежа лошадь неожиданно становилась на задние ноги, как будто она пудель, или начинала вальсировать, пугая прохожих: это была цирковая лошадь, которую заставляли выполнять обязанности битюга, и она, видимо, не могла преодолеть страсти к искусству. Наша детская секция, впрочем, не уступала циркачам: к особняку порой подбегал тощий, аскетический верблюд, запряженный в сани,— его посылал за мной В. Л. Дуров.

К Рукавишниковой приходили живописные посетители. Жонглеры, подымавшие пудовые гири, требовали академических пайков. Иностранные акробаты протестовали против уплотнения. Один клоун истошно вопил: «При чем тут марксистское объяснение событий? Я не могу допустить, чтобы мои шутки брали всерьез. Не для этого мы делали революцию!..» Ко мне приходили куда более скучные посетители — неудачливые драматурги. В одной из газет была напечатана статья о том, что нет пьес для детей; и вот в Москву начали приезжать люди различных профессий из Тамбова, из Челябинска, из Твери; они загромождали маленькую комнату кипами рукописей. Пьесы были написаны зелеными чернилами на обороте нотариальных актов, на листочках, вырванных из тетрадей, даже на оберточной бумаге. Один автор изображал героические похождения малолетнего Лассаля, другой доказывал, что русалки — продукт буржуазного сознания, третий изобличал козни Антанты (я почему-то запомнил стихи: «Зарубите на носу, как мы дали Клемансу»). Некоторые начинали здесь же читать вслух свои произведения. Один просидел в секции несколько дней: требовал охранной грамоты на комнату и академического пайка.

Был я в клубе возле Таганской площади; там сборная труппа поставила для детей пьесу никому не известного драматурга под названием «Судьба Паши». Актеры на сцене натурально крякали, пили чай и все время говорили о пользе учения. Девочку Пашу играла пожилая актриса, она повторяла с психологическими паузами: «Так вот, значит, поняла я темп жизни и захлопнула книжку...»

Театр Паскар инсценировал «Джунгли» Киплинга. Пантера на сцене сладострастно потягивалась и кривлялась, как будто она не зверь, а Саломея из пьесы Уайльда. Мне это показалось декадентством, и я рассердился. (Теперь спутались многие понятия. Большая Советская Энциклопедия причисляет к декадентам Сезанна, Гогена, Рембо, Гамсуна, Дебюсси, Равеля — словом, почти всех крупных писателей и художников конца XIX и начала XX века. А ведь декадентство действительно существовало — достаточно вспомнить ту же «Саломею», романы Пшибышевского или картины Штука.) Выслушав мою критику, Г. Паскар спокойно ответила, что я могу ставить другие пьесы, где мне заблагорассудится, и вообще заняться чем-либо иным. Подумав, я решил, что она права, и начал посвящать свободное от проектов время работе с В. Л. Дуровым — его звери не были ни натуралистами, ни декадентами.

Была у меня и другая служба. На Пречистенке, в доме, который меня волновал, когда я был гимназистом (там был Институт для благородных девиц), помещалась Военно-химическая академия, и курсанты предложили мне обучать их стихосложению. Им хотелось писать ямбом, хореем и даже свободным стихом. Они прилежно считали слоги и подыскивали рифмы. Вряд ли из них вышли поэты, но я убежден, что на всю жизнь они запомнили свое тяготение к поэзии, как помнят люди свою первую любовь.

Для прозы тогда не было ни времени, ни бумаги; кроме того, проза требует душевного опыта, наблюдений, критического подхода, умения осмыслить происходящее; проза начала появляться несколько лет спустя. Зато было раздолье для стихов. Теперь у нас устраивают День поэзии; поэты выступают в книжных лавках и соблазняют любителей автографами. А тогда стихи декламировали повсюду — на бульварах, на вокзалах, в морозных цехах заводов, и это был не День поэзии, а целая ее эпоха.

Помню, как в Союз поэтов поступило заявление: отряд Красной Армии, который направлялся на юг для ликвидации врангелевцев, просил прислать в казармы Маяковского, Есенина, Пастернака или какого-нибудь другого поэта, чтобы бойцы услышали на прощание стихи.

Был «Суд над современной поэзией», потом «Суд над имажинизмом», различные поэтические диспуты. Было множество литературных школ: комфуты, имажинисты, пролеткультовцы, экспрессионисты, фуисты, беспредметники, презентисты, акцидентисты и даже ничевоки. Конечно, немало глупостей несли иные теоретики, выступавшие в кафе «Домино» или в Доме печати; за нагромождением непривычных слов порой ничего не скрывалось, кроме жажды славы или озорства. Но мне хочется защитить то далекое время. Раскрывая теперь книги поэтов, известных далеко за пределами нашей страны, мы видим, сколько прекрасных стихотворений было написано в годы военного коммунизма. Никогда люди так плохо не жили, и, кажется, никогда в них не было такого творческого горения.

В домах было холодно, темно, неприглядно, и вечером люди осаждали театры. На сцене кружились персонажи Гофмана, Гоцци, Кальде-

А. Родченко и В. Степанова. 1922 г.

Киоск для газет. Проект А. Родченко. 1919 г.

Обложка рукописной книжки И. Эренбурга. На форзаце надпись: «Переписал и картинки нарисовал И. Эренбург».

Проект памятника III Интернационалу В. Татлина. 1919—1920 гг.

Обложка, выполненная Эль Лисицким.

рона, Шекспира. Художники Веснин, Якулов, Экстер ослепляли зрителей великолепием костюмов и декораций.

Романтизм был литературным направлением в первой половине XIX века; что касается романтики, то она всегда присутствует в искусстве: художник видит то, чего уже нет или еще не было в действительности. Мейерхольд поставил в Театре революции «Озеро Люль», Таиров — «Человека, который стал четвергом», и на сцене взвивались к небу лифты, а в Москве тогда лифты бездействовали. Ученики Вхутемаса работали над новой конструктивной формой телефонных аппаратов; большинство номеров в городской сети было выключено. Помню, на одной из репетиций «Мистерии-Буфф» в Театре РСФСР I Маяковский, улыбаясь, сказал мне: «Вы подождите — в последней картине мир будущего: небоскребы, электротракторы и большущие сахарные головы...»

Люба училась у А. М. Родченко. Он рисовал кубистические проекты киосков для газет. Сорок лет спустя в различных странах я увидел киоски, выставочные павильоны, даже жилые дома, напоминающие, разумеется в смягченном, приглаженном виде, старые проекты Родченко. Лисицкий работал над макетами книги будущего. Сильнее всего меня потряс Татлин. В Доме профсоюзов был выставлен его проект памятника Третьему Интернационалу. Два цилиндра и пирамида вращались; залы из стекла были опоясаны стальной спиралью. Конструктивисты любили говорить о логике, об утилитарном назначении искусства. По проекту Татлина, зал, в котором должен был заседать Совнарком, вращался. Это было с точки зрения утилитарной бессмысленно, и все же это было доподлинной романтикой эпохи. Я долго стоял перед большой моделью и вышел на улицу потрясенный: мне казалось, что я заглянул в щелку и увидел XXI век. Теперь я думаю иначе: меня поразила своеобразная красота проекта, искусство — вне вопросов о градостроительстве грядущего или о преимуществе индустриализированной архитектуры.

Пути искусства очень сложны. Сервантес, желая высмеять рыцарские романы, создал рыцаря, который один пережил свою эпоху и на жалком Россинанте проскакал в наши дни. Бальзак думал, что он возвеличивает аристократию, а он ее хоронил.

Конечно, я, как и все друзья, с которыми встречался, жадно вглядывался в будущее. Никаких газетных киосков не было — ни кубистических, ни обыкновенных; и газеты мы читали не за утренним завтраком, а на улице — их расклеивали на стенах. Врангелевцев разбили; гражданская война было выиграна. На субботниках люди с большим мужеством пытались победить голод, разруху, нищету. В мире происходили различные, порой противоречивые события. Реакция торжествовала; но то вспыхивало восстание в Саксонии, то начиналась забастовка английских горняков; Индия требовала независимости. Мировая революция казалась нам не смутным идеалом, а делом завтрашнего дня. Порой, однако, мною овладевали сомнения: я не мог понять, почему во Франции, которую я хорошо знал, после страшных лет войны, после первых солдатских бунтов ничего, ровно ничего не происходит...

О человеке порой говорят: «Ему не сидится на месте»; это относится к пространству. А я сейчас говорю о времени: нам не терпелось перешагнуть в следующее столетие. Все понятия были опрокинуты: одна из самых отсталых стран Европы очутилась впереди других. Она жила теми идеями, теми литературными и художественными концепциями, которые несколько десятилетий спустя потрясли Запад. А жизнь (я говорю о быте) была доисторической, буднями пещерного века.

Все хотели все знать. Есть много книг, описывающих штурм укреплений, фортов, крепостей. А то было время, когда народ штурмовал знание. Старые женщины сидели над букварями. Школьные учебники стали редкостью, как первопечатные книги. Вузы были переполнены молодыми энтузиастами. Нельзя было пройти на доклад или на лекцию: в аудитории Политехнического музея прорывались, как в вагон полуразвалившегося трамвая. Лекторов закидывали записками, и о чем только люди не спрашивали — о забастовках в Вестфалии, о рефлексах Павлова, о супрематизме, о борьбе за нефть, о евгенике, о рифмах Маяковского, о теории относительности, о заводах Форда, о преодолении смерти и о множестве других предметов.

Товарищ Адам раздобыл уголь, и «Княжий двор» начали отапливать. По вечерам к нам часто приходили друзья. Почти каждый вечер приходил Б. Л. Пастернак, который жил в соседнем доме. Мы спорили о мировых событиях, о поединке между футуристами и имажинистами, о живописи Розановой и Альтмана, о постановках Мейерхольда: нам хотелось перевернуть страницу истории.

Я часто сбивался, противоречил самому себе. Меня восхищали города будущего, похожие на проекты Татлина, но, будучи Павлом Савловичем, я писал:

Провижу грозный город — улей,
Стекло и сталь безликих сот,
И карнавал средь гулких улиц,
Похожий на военный смотр.
На пустыри ложатся тени
Спиралей будущих времен,
Ярмо обдуманных равнений
И рая нового бетон.

Среди сугробов московских переулков, в полушубке, частично покрашенном ваксой, я ни на минуту не сомневался, что различные проекты станут действительностью и что вместо покосившихся деревянных домишек, памятных мне с детства, вырастет новый, необычайный город. Будь я на десять лет моложе, я бы восторженно улыбался; но, родившийся в 1891 году, рядовой представитель русской дореволюционной интеллигенции, с детства запомнивший слова Короленко о том, что человек создан для счастья, как птица для полета, я часто мучительно гадал, какой будет жизнь человека в этом городе будущего.

Во мне боролись пафос с иронией, вера с логикой. В Третьем общежитии Наркоминдела я как-то встретил бельгийского гостя. Он говорил о плачевном состоянии нашего транспорта и о преимуществах конституционных гарантий. Я резко возражал: буржуазный мир обречен, голодные крестины куда привлекательнее самых пышных похорон. Он назвал меня «фанатиком». А если говорить откровенно, я никак не походил на шестнадцатилетнего мальчонку, высмеивавшего Надю Львову за ее любовь к стихам Блока. Многое меня смущало, даже возмущало: упрощенность, нетерпимость, пренебрежение к культуре прошлого, слова, которые мне приходилось часто слышать: «А чего тут туман наводить, все ясно...» Но теперь я знал, что история делается не по щучьему велению, не по своему хотению, да и не по прекрасным романам XIX столетия. Я знал, что моя судьба тесно связана с судьбой новой России.

В эту зиму мне исполнилось тридцать лет. Цифра меня смутила, я в тоске подумал, что ничего еще не сделал: все было только пробами пера, примерками, черновыми репетициями. Удивительно: ритм жизни ускорился, появились авиация и кино, исторические события обгоняли одно другое, а мои сверстники формировались куда медленнее, чем люди тихого, неторопливого XIX века. Бабель начал по-настоящему писать в тридцать лет. Сейфуллина — в тридцать два, Паустовский — в тридцать четыре. А ведь Гоголь написал «Ревизора», когда ему было двадцать семь лет. Одно из самых изумительных произведений русской литературы — «Герой нашего времени» — написано двадцатишестилетним юношей. Не знаю, может быть, поспешность событий, их лихорадочность не давали нам возможности призадуматься, осознать происходящее, понять себя и других.

Жалеть о тех годах не приходится. Даже если мы были хворостом, который подкидывали в костер, это не обидно: костер разгорелся, он оказался куда длиннее человеческой жизни.

Мне хотелось многое описать: довоенный Париж, окопы Соммы, революцию, гражданскую войну, макеты, проекты, сугробы, а главное — забежать вперед. Я понимал, что не сумею это сделать в стихах. Замысел романа обрастал плотью. Как-то, вспомнив рассказы Диего Риверы, я решил, что герой моего сатирического романа будет мексиканцем.

Отрываясь от проектов кукольного театра, я неожиданно для себя начинал думать о главах «Хулио Хуренито».

Хотя В. Л. Дуров не одобрял футуристов, он сам был эксцентриком, и спектакль, которым он открыл свой театр для детей, назывался: «Зайцы всех стран, соединяйтесь!» Я хорошо помню его содержание. Вначале заяц приподымал деревянный переплет большой книги, на котором значилось «Капитал»; он перелистывал страницы, потом подзывал к себе других зайцев; их было не менее двадцати. В следующей картине на сцене был макет дворца; его охраняли кролики с ружьями. Из-за кулис выбегали зайцы, выталкивая игрушечную пушку; зайцы стреляли из пушки в кроликов и, одержав победу, подымали над дворцом красный флаг.

Занавес подымал и опускал медвежонок в синей блузе.

Восторг детей был неописуем; бледненькие и худые, они хохотали до упаду. А после того как падал занавес, зайцы и кролики выбегали на авансцену, и происходило то общение зрителей с актерами, о котором тщетно мечтал постановщик «Зорь». (При входе дети получали кусочки морковки, ими они покоряли актеров.)

Спектакль продолжался полчаса, но потребовал длительной работы. Владимир Леонидович Дуров объяснил мне с самого начала, что хочет опровергнуть неправильные представления о животных. Принято, например, считать, что заяц трус и что заяц косой; значит, нужно показать, как ловко заяц стреляет из пушки.

Владимиру Леонидовичу тогда исполнилось пятьдесят семь лет; он был самым знаменитым клоуном России; мальчиком я его видел в цирке и запомнил смешного человека в ярком одеянии со множеством фантастических медалей. Да и задолго до того, как я родился, братья Дуровы были любимцами России. А. П. Чехов смеялся, глядя на фокусы дворняжки В. Л. Дурова Запятайки. Может быть, я видел в детстве и не Владимира Леонидовича, а его брата Анатолия, который одно время был более популярным? Братья сначала выступали вместе, потом рассорились. Владимир Леонидович стал писать на афишах «Дуров-старший»; Анатолий Леонидович называл себя «Дуров-настоящий». (Он умер перед революцией и завещал, чтобы на его могиле поставили те же слова: «Дуров-настоящий».)

Так или иначе, когда я познакомился с Владимиром Леонидовичем, он был «Дуровым-единственным». Сотрудники цирковой секции ТЕО зазывали его к себе, а он был увлечен зверями. Помню, как он впервые пришел ко мне: нужно помочь устроить в его особняке на Божедомке театр для детей. Он говорил о работах Павлова, об условных и безусловных рефлексах; казалось, что это не прославленный клоун, а почтенный профессор.

Я был приглашен на одну из первых репетиций. Владимир Леонидович старался вылечить зайцев от страха; это было нелегко. Хотя животные, по словам Дурова, повинуются различным рефлексам, а человек, если Декарт не ошибался, мыслит, следовательно, существует, между поведением людей и зверей много общего; в частности, легче запугать самого смелого человека, чем сделать из труса героя. Дуров говорил, что когда червяк ползет от цыпленка, цыпленок его пожирает, а когда червяк ползет на цыпленка, цыпленок поспешно ретируется. (Есть, кстати, пословица «Молодец против овец, а на молодца и сам овца», которую придумали не цыплята и не зайцы.) Репетиции происходили ночью. Владимир Леонидович терпеливо кормил премьера труппы, милейшего зайца, морковью, причем рука дрессировщика пугливо пятилась. Что касается пушки, то она откровенно убегала от зайца. Через две или три недели зайцы поняли, что они сильнее всех. Этот метод дрессировки Дуров называл «трусообманом».

Морковь играла в режиссуре величайшую роль: она лежала между страницами книги, и, чтобы получить морковь, заяц дергал шнур, который приводил пушку в действие.

В ходе работы выяснилось, что кролики ничего не имеют против головных уборов, но зайцы выходят из строя, когда им напяливают на головы шапки. Владимир Леонидович уступил, и зайцы штурмовали дворец без шлемов.

Морковь кто-то Дурову доставлял, но медвежонку приходилось трудно. Я обратился в МПО с просьбой взять на снабжение медведя как участника спектакля. Несмотря на скудный паек, медвежонок рос, и блуза больше на него не налезала. Дуров настаивал, чтобы я выпросил ситцу на новую блузу. Напрасно я говорил, что это чрезвычайно сложно, что я потратил много времени, добывая для себя штаны, что медвежонок может выступать и без блузы. В итоге ситец мы раздобыли.

Дуров тяжело переживал гибель молодого слоненка Бэби, которого он временно поместил в Зоологическом саду. Угля не было, Бэби мерз, простудился и умер. Он весил около трех тысяч килограммов; мясо роздали сотрудникам и рабочим зоопарка. А Владимир Леонидович уныло повторял: «Вы его не видели... У него были редкие способности...» Пять лет спустя он писал: «Погиб лучший мой, честный, пре-

В. Дуров со своей любимой обезьянкой Мимусом.

В. Дуров показывает «мышиную» железную дорогу, созданную им в двадцатых годах.

данный товарищ, погиб мой Бэби — дитя, которое я воспитал и в которое вложил часть своей души».

Второй постановкой была сцена, которую Дуров показал впервые в начале века под названием «Гаагская мирная конференция». Теперь название изменилось. За столом рядышком сидели заклятые враги: волк и козел, кошка и крыса, лисица и петух, медведь и свинья.

Владимир Леонидович подробно мне объяснил, как он подготовлял эту сцену. Клетка, в которой сидела крыса, была обвешана бубенцами и на колесиках по рельсам спускалась со стола к корзине, где находилась кошка. Шум, бубенцы пугали кошку, и мало-помалу она начала побаиваться крысы. А крыса с каждым часом смелела. Так Дуров дрессировал и других участников спектакля. Сильные переставали быть уверенными в своей безнаказанности, а слабые вылечивались от страха; на этом было построено «мирное сосуществование».

В зиму, о которой я рассказываю, я часто видался с Владимиром Леонидовичем, старался ему помочь и пристрастился к нему. Потом мы встречались редко, но всякий раз Дуров меня забавлял, восхищал, вдохновлял. Он был одним из самых фантастических людей, которых я встретил в жизни. На цирковой арене он хотел проповедовать, учить, давал научные объяснения, твердил о рефлексах и одновременно выезжал в своем ослепительном костюме на шестерке собак или верхом на свинье. А у себя на Божедомке, куда приходили ученые — Челпанов, Бехтерев, он вдруг прерывал серьезные объяснения клоунской шуткой. Был он по природе поэтом и поэзию нашел в мире четвероногих актеров.

Он часто путался, говоря с людьми. Материализм у него смешивался с толстовством, марксизм — с христианством. Научные труды он подписывал «Дуров-самоучка». Но по-настоящему легко и просто он чувствовал себя с животными. Он обращался к человеку с просьбой: «пусть он почувствует в животном личность, сознающую, думающую, радующуюся, страдающую».

В голове Владимира Леонидовича рождались фантастические планы.

В одной из книг Дурова приведен текст письма, полученного им в августе 1917 года: «Морской генеральный штаб рассмотрел предложение г-на Дурова о дрессировке им животных: морских львов и тюленей, для целей морской войны, и находит это предложение весьма интересным...» Письмо подписал начальник штаба, контр-адмирал. Легко догадаться, в каком состоянии находились тогда военные начальники, если они всерьез надеялись применить дрессированных тюленей против немецких подводных лодок...

Потом все встало на свое место. Идея мобилизации тюленей никого больше не соблазняла. В 1923 году Владимир Леонидович получил командировку в Германию и приобрел там морских львов. Он ими очень дорожил, ставил их выше собак. Помню, как он привел меня к бассейну и представил: «Илья Григорьевич, поэт и друг животных». Морские львы вылезли, начали аплодировать своими ластами и обдали меня ледяной водой. А Дуров говорил: «Если бы вы видели извилины их мозга...»

Дуров был убежден, что люди не понимают животных. Почему говорят «слепая курица»? Да курица видит ястреба задолго до того, как его заметит человек. Осел упрям? Ничего подобного: осла нещадно эксплуатируют, иногда он оказывает пассивное сопротивление. Свинья — чистоплотнейшее существо и в грязи выкатывается, чтобы освободиться от паразитов; дайте ей чистое помещение, и она будет брезгливо отворачиваться от многих людей.

Почему все-таки не приняли предложения об использовании морских львов против подводных лодок? Почему никто не рассмотрел проекта, как с помощью ручных орлов поджигать бомбардировщики? Нет, с людьми очень трудно!

В давние годы, заболев, Дуров составил завещание, писал, что если он умрет, то на кладбище его должны сопровождать животные. Духовенство сочло такое пожелание кощунством. Ах, люди не понимают, что у животных есть душа! Прошло десять или пятнадцать лет, и слово «душа» исчезло, душу заменили «рефлексы». Но люди по-прежнему скептически улыбались. Физиологи, например, утверждали, что собаки не различают цвета предмета. Владимир Леонидович негодовал: «Все мои собаки могут отличить зеленый мяч от красного, даже начинающие щенки...»

Жена Дурова, Анна Игнатьевна, любила животных. Но Владимир Леонидович мне как-то печально рассказал, что в спальню имеют доступ только обезьяны, собаки, кошки и попугаи. Барсуку или гусю вход туда запрещен. «Неправильно... несправедливо...»

Однажды он пошел с очередной просьбой к Луначарскому; попросил подписать бумагу. Анатолий Васильевич ответил, что нужно проверить, подумать. Тогда из кармана Дурова выскочила его любимица, крыса Финька, и встала перед наркомом на задние лапы. Луначарский боялся крыс, крикнул: «Уберите!» Дуров вздыхал: «Не могу, Анатолий Васильевич, она за своих товарищей просит. Солидарность...»

Десять лет спустя в Париже он пришел в кафе «Куполь» тоже с крысой и очень удивился, когда дамы начали истерически вопить; он объяснял, что это крыса-артистка, но его не слушали.

Он шел в гости, говорил о научной работе, о прогрессе и неожиданно вынимал из кармана вместе с носовым платком сырую рыбу или кусок мяса: все его карманы были набиты угощением для зверей.

Глядя на людей, он думал о животных. Он описывает, как его тойтерьеры, радуясь, улыбаются и виляют задом, и добавляет: «Природа выражения ощущений во многих случаях одинакова. Возьмем хотя бы виляние задом. Я часто наблюдал, в особенности на балах, как молодой человек подходил к даме, виляя довольно заметно своим задом...»

Когда он приехал с Анной Игнатьевной в Париж, мы повели их в танцульку на улице Бломэ, куда приходили негры-студенты, художники, натурщицы. Владимир Леонидович внимательно следил за танцевавшими парами и вдруг радостно крикнул: «Мамочка, ты погляди: трутся животами — тот же рефлекс, что у попугаев...»

Анна Игнатьевна рассказала моей жене: «Я думала в Париже немного приодеться, но Володя купил жирафа. Жирафы очень дороги, потом, его нужно везти в специальном вагоне...»

Владимир Леонидович обожал шимпанзе Мимуса; он мне подробно рассказывал о его успехах: «Мимус научился произносить слоги, говорит несколько слов. Начинает писать; пока твердо усвоил только букву «о», теперь я показал ему «ш».

И вот случилось несчастье. Дуров должен был поехать на гастроли в Минск. Мимуса он берег, не показывал на арене; а взял с собой, чтобы ничего с ним не случилось. Обезьяна и перед этим часто хворала, она простудилась, схватила воспаление легких. Владимир Леонидович рассказал мне о ее конце: «Она спала в моей кровати в гостинице. Самое трудное — научить обезьяну быть чистоплотной в комнате. Котенок ведет себя прилично. А обезьяны рассеянные. Она знает, что ей нужно выйти, но ее отвлекает какая-нибудь забава — и вот в итоге пачкает... А Мимус никогда... Я вижу: он встает, берет туалетную бумагу, идет к ночному горшку. Не дошел — умер...» И в глазах Дурова показались слезы.

Я говорил, что трудно было порой понять его мировоззрение; но он страстно ненавидел войну, говорил об этом и на цирковой арене, и на научных заседаниях. В 1924 году он писал: «Советская Россия в свое время первая сделала смелый почин в деле разоружения и до сих пор открыто призывает брать с нее пример...» (Тяжело подумать, что с той поры прошло почти сорок лет, что была невиданная в истории война и что слова Дурова кажутся выписанными из свежего номера газеты...)

Вся жизнь Владимира Леонидовича была эксцентрикой и поэзией. В третьем классе Московской военной гимназии при экзамене по закону божьему сын дворянина, Дуров Владимир, вошел в класс на руках. Экзаменаторы не знали о богомольных жонглерах средневековья и прогнали дерзкого мальчика. В старости Дуров был окружен учеными; к его книге написали предисловие профессора Кожевников и Леонтович. Казалось, что́ у Владимира Леонидовича общего с «рыжими»? Но нет, он до конца оставался артистом цирка, проклинал арену и не мог без нее жить.

Когда Владимир Леонидович скончался — летом 1934 года,— похоронная процессия продвигалась с Божедомки к цирку. На катафалке сидела любимица Дурова, шотландская овчарка Рыжка. Тысячи людей приходили, чтобы проститься с клоуном, который смешил много поколений.

А собаки слушали, нюхали — ждали; ждали морские львы; ждал ворон, напрасно повторяя свое имя: «Воронок... Воронуша»... Дуров не приходил. Такого второго и не будет...

В начале 1921 года я как-то ехал с ним из ТЕО на Божедомку. Вез нас отощавший, но неунывающий верблюд. Дуров вдруг сказал мне: «Почему они на все отвечают «клоун... клоун»... Знаете, я вам скажу по секрету — клоуны самые серьезные люди...»

23

В очень холодный зимний день я встретил на Тверской С. А. Есенина; он предложил пойти пить настоящий кофе в таинственном месте, которое называл «Кисловкой».

Женщина, открывшая нам дверь, радостно защебетала: «Ах, Сергей Александрович! Я вас заждалась...» Судя по безделкам на комоде, по старым английским гравюрам, она была в прошлом состоятельной дамой, а теперь держала «подпольную» столовую для актеров, писателей и спекулянтов. Есенин что-то шепнул ей, и вскоре на столе появились кофейник, сахарница, пирожные, даже графинчик с ликером. Я жил, скорее, по-монашески и не подозревал о существовании подобных заведений. Увидев, что я изумлен, Есенин обрадовался, как ребенок: «Ну чем не парижское кафе?..»

Хозяйка похвалила его галстук, и он снова обрадовался. Он был в светлом пиджаке и черных лакированных ботинках. Форсил он, как деревенский паренек, и улыбался, когда прохожие его узнавали.

Выпили мы немного — графинчик был крохотным; но уходить из уютной теплой комнаты не хотелось. Есенин меня удивил: заговорил о живописи; недавно он смотрел коллекцию Щукина, его заинтересовал Пикассо. Оказалось, что он читал в переводе Верлена, даже Рембо. Потом он начал декламировать Пушкина:

И горько жалуюсь, и горько слезы лью,
Но строк печальных не смываю.

Вдруг обрушился на Маяковского: «Тит да Влас... А что он в этом понимает? Да если бы и понимал, какая это поэзия?..» Меня его слова не удивили: незадолго до того я слушал весь вечер в Политехническом музее, как Маяковский и Есенин друг друга ругали. Все же я спросил Есенина, почему его так возмущает Маяковский. «Он поэт для чего-то, а я поэт от чего-то. Не знаю сам от чего... Он проживет до восьмидесяти лет, ему памятник поставят... (Есенин всегда страстно жаждал славы, и памятники для него были не бронзовыми статуями, а воплощением бессмертия.) А я сдохну под забором, на котором его стихи расклеивают. И все-таки я с ним не поменяюсь». Я попытался возразить. Есенин был в хорошем настроении и нехотя признал, что Маяковский — поэт, только «неинтересный». Он начал спорить с футуристами. Искусство вдохновляет жизнь, оно не может раствориться в жизни. Конечно, он, Есенин, писал похабные стихи на стенах Страстного монастыря, но это — озорство, а не программа. Народ? Уж на что был народен Шекспир, не брезгал балаганом, а создал Гамлета. Это не Тит и не Влас (он цитировал агитку Маяковского, где упоминались Тит и Влас). Он снова декламировал Пушкина, говорил: «Написать бы одно четверостишие такое — и умереть не страшно... А я обязательно скоро умру...»

На улице, когда мы прощались, Есенин сказал: «Поэзия не пирожные, рублями за нее не расплатишься...» Эти слова я запомнил — они меня поразили: в тот день я впервые увидел Есенина. А познакомились мы раньше, и стихи его я давно любил.

С. Есенин. 1925 г.

Осенью 1917 года в Петрограде меня позвала к себе молодая поэтесса М. М. Шкапская, которую я знал по Парижу. За столом сидел Н. А. Клюев в крестьянской рубахе и громко пил чай из блюдца. Он мне сразу показался актером, исполняющим в тысячный раз затверженную роль. Разговор иссякал, как пришел новый гость, молодой, красивый паренек, похожий на Леля из оперы; улыбаясь, он представился: «Есенин. Сергей. Сережа...» У него были глаза ясные и наивные. Мария Михайловна попросила его почитать стихи. Я понял, что передо мной большой поэт; хотел с ним поговорить, но он, поулыбавшись, ушел.

Потом мы несколько раз встречались в Москве: говорили о стихах, о событиях. В отличие от Клюева он менял роли; говорил то об индоклаве, то о динамичности образа, то о скифстве; но не играть не мог (или не хотел). Часто я слышал, как, поглядывая своими небесными глазами, он с легкой издевкой отвечал собеседнику: «Я уж не знаю, как у вас, а у нас, в Рязанской...» В мае 1918 года он говорил мне, что нужно все повалить, изменить строение вселенной, что крестьяне пустят петуха и мир сгорит. Он подарил мне свою книгу с такой надписью: «Милому недругу в наших воззрениях на Русь и Бурю И. Эренбургу на добрую память от искренне любящего С. Есенина».

И вот после долгой беседы на Кисловке я увидел подлинного Есенина. Скольких он разыгрывал! Иванов-Разумник, прослушав его «Инонию», восхищался: «Вот подлинный революционный субъективизм...» Различные «скифы» считали Есенина выразителем своей идеологии, и я помню, как в Берлине А. А. Шрейдер доказывал, что призыв Есенина «Господи, отелись» потрясет буржуазную Европу. А молодые поэты видели в Есенине создателя новой поэзии; «имажинизм» подавался не как одно из многочисленных литературных направлений, но как скрижали завета.

Неправильно было бы думать, что Есенин обманывал или, если угодно, мистифицировал других; часто он разыгрывал самого себя; различные чувства, обуревавшие его, требовали формы, и тогда он уступал себе: из тоски делал программу, из душевного смятения — литературную школу.

Маяковский подчинял свои настроения идее. Есенин мог (как он раз признался мне) «валять дурака» в «Домино» или в «Стойле Пегаса», но писал он, не задумываясь, как ему в ту минуту хотелось.

Признав в конце свое духовное поражение, он говорил:

> Приемлю все.
> Как есть все принимаю.
> Готов идти по выбитым следам.
> Отдам всю душу Октябрю и Маю,
> Но только лиры милой не отдам.

Он был счастлив.

Маяковскому пришлось бороться с непониманием, издевками одних, душевным холодом других, а Есенина понимали и любили при жизни. Была в его стихах та сердечность, то необыкновенное звучание, которые покоряли даже людей, против него настроенных, слыхавших о его нелепых кабацких похождениях. Он мечтал о славе, и он ею пресытился. Когда ему было двадцать пять лет, он в стихах обращался к своим родителям:

> О, если б вы понимали,
> Что сын ваш в России
> Самый лучший поэт!

Его полюбила знаменитая танцовщица Айседора Дункан, на танцы которой я с восхищением смотрел в гимназические годы. Она была на семнадцать лет старше его, но он обрадовался ее любви, как мировому признанию. Он хотел поглядеть мир и одним из первых пронесся по всей Европе, увидел Америку. Женщины в него влюблялись. Старые негры и парижские сорванцы ему сочувственно подмигивали. Горький плакал, когда он ему читал стихи. Он делал все, что ему хотелось, и даже строгие блюстители советских нравов глядели сквозь пальцы на его буйные выходки.

И трудно себе представить человека более несчастного. Он нигде не

Мария Шкапская. 1917 г.

Сергей Есенин выступает на открытии памятника А. А. Кольцову. Москва.

находил себе места; тяготился любовью, подозревал в кознях друзей; был мнительным, неизменно считал, что скоро умрет. Я знаю объяснения досужих обывателей: «Спился». Но ведь нельзя принимать следствия за причину. Почему он спился? Почему надорвался в самом начале жизненного и поэтического пути? Почему столько неподдельной горечи даже в его ранних стихах, когда он не пил и не буянил? Говорят, что при нэпе выползли из щелей подонки, и тогда родилась «Москва кабацкая»; но «Исповедь хулигана» написана до нэпа, в ту зиму, когда Москва напоминала фаланстер или монастырь со строгим уставом. Почему Есенин повесился в возрасте тридцати лет, в зените славы, не услышав даже далеких шагов старости?

Мне приводилось читать, что драма Есенина — в его расхождении с эпохой. А по-моему, дело не в эпохе. Конечно, Есенин жил в очень трудные годы и не раз огрызался на время; но не раз он и объяснялся этому времени в любви. Революцию он принимал на свой лад: в 1921 году его еще прельщала стихия бунта, он мечтал написать поэму «Гуляй-поле». Мы с ним встретились незадолго до моего отъезда в Париж; он подарил мне свою книгу «Трерядница» и сделал на ней такую надпись: «Вы знаете запах нашей земли и рисуночность нашего климата. Передайте Парижу, что я не боюсь его, на снегах нашей родины мы снова сумеем закрутить метелью, одинаково страшной для них и этих». Это было весной 1921 года; но Есенину все еще мерещилась озорная вольница, которая носится на резвых конях по всей нашей планете.

Прошло сорок лет. Есенина у нас читают, любят, и никому не придет в голову задуматься над запутанным мотком его политических идей. Он писал в 1920 году:

> Я хочу быть желтым парусом
> В ту страну, куда мы плывем.

А пять лет спустя, незадолго до смерти, признавался, что на корабле он был не парусом, но одним из пассажиров:

> Ну кто ж из нас на палубе большой
> Не падал, не блевал и не ругался?
> Их мало, с опытной душой,
> Кто крепким в качке оставался.
> . . . .
> Теперь года прошли.
> Я в возрасте ином.
> И чувствую и мыслю по-иному.
> И говорю за праздничным вином:
> Хвала и слава рулевому!

Он промчался по Европе, по Америке и ничего не заметил. Он писал в письмах: «...Мой цилиндр и сшитое берлинским портным манто привели всех в бешенство... Такая гадость, однообразие, такая духовная нищета, что блевать хочется...», «Кроме фокстрота, здесь почти ничего нет, здесь жрут и пьют, и опять фокстрот...» Конечно, на Западе тогда был не только фокстрот, но и кровавые демонстрации, и голод, и Пикассо, и Ромен Роллан, и Чаплин, и много другого. Но состояние

Есенина мне понятно. Дело не только в любви к березкам, о которой много писали, дело и в том, что он издали увидел во весь рост народ, ринувшийся к будущему.

Вернувшись в Россию, он попытался сделать выводы: «Наше едва остывшее кочевье мне не нравится. Мне нравится цивилизация. Однако я очень не люблю Америку. Америка — это тот смрад, где пропадает не только искусство, но и вообще лучшие порывы человечества». Он напечатал в газете очерк, наивный и беспомощный, но Америку окрестил необычайно точно «Железным Миргородом». Нужно напомнить, что было это в 1923 году, когда Леф прославлял красоту нью-йоркских небоскребов, когда был в моде НОТ (научная организация труда) — за два года до поездки в Америку Маяковского.

Есенин был прежде всего поэтом; исторические события, любовь, дружба — все это отступало перед стихами. Он обладал редким певческим даром. Для зоолога соловей — одна из птиц отряда воробьиных; но никакие описания птичьей гортани не могут объяснить, почему пение соловья издавна чаровало людей во всех краях мира. Никто не может объяснить, почему нас трогают многие стихи Есенина. Бывают поэты, полные высоких мыслей, блистательных наблюдений, страстных чувств, которые десятилетиями осваивают искусство передать другим свое духовное богатство. А Есенин писал стихи только потому, что родился поэтом:

> Не каждый умеет петь.
> Не каждому дано яблоком
> Падать к чужим ногам.
> . . . .
> Сие есть самая великая исповедь,
> Которой исповедуется хулиган.

Глубокая грусть была свойственна поэтическому голосу Есенина: ее нельзя приписать эпохе, даже если эта грусть многое эпохе приписывала:

> Хорошо им стоять и смотреть,
> Красить рты в жестяных поцелуях,—
> Только мне, как псаломщику, петь
> Над родимой страной аллилуйя.

Он сам знал, что в его тоске, в его одиночестве никто не повинен:

> Кого позвать мне? С кем мне поделиться
> Той грустной радостью, что я остался жив?
> Здесь даже мельница — бревенчатая птица
> С крылом единственным — стоит, глаза смежив.
> Я никому здесь не знаком.
> А те, что помнили, давно забыли...

Такие чувства могут возникнуть в любую эпоху. Может быть, поэтому стихи Есенина не стареют.

> Ах, увял головы моей куст,
> Засосал меня песенный плен.
> Осужден я на каторге чувств
> Вертеть жернова поэм.

Или:

> И уже говорю я не маме,
> А в чужой и хохочущий сброд:
> — Ничего! Я споткнулся о камень,
> Это к завтраму все заживет!

Когда написаны эти строки? Сорок лет назад? Сто лет назад? Вчера? Не знаю. Не имеет значения.

В годы войны я часто слышал от молодых лейтенантов, попавших на передний край прямо со школьной скамьи, да и теперь мне говорят молодые люди: «Люблю Есенина». Мне это понятно. Молодые, если они не поэты и не особые любители поэзии, когда им радостно, легко на душе, редко берут с полки томик стихов; они идут на матч футбола, танцуют, гуляют с девушками, вслух мечтают или жарко спорят. Стихи им нужны в часы печали, и тогда на выручку приходит Есенин, который давно умер и о котором они ничего не знают, кроме самого важного: он писал за них и про них.

Он не писал о том, как делать стихи, никогда не приравнивал труд поэта к производству, но смешно уверять, что он был наивным песенником. Да и были ли когда-нибудь такие? Пять веков ходила легенда о «бесхитростном поэте» Франсуа Вийоне, пьянице и преступнике, который писал, как ему господь бог на душу положит. Недавно Тристан Тцара сделал открытие: заключительные строки баллад Вийона — шифрованные, в них поэт рассказывает правду и о своих любовных горестях, и о своих преступлениях. Нужно воистину великое мастерство, чтобы строки, где каждая пятая или седьмая буква — шифр, показались естественными, чтобы никто не догадывался о трудностях шифровальщика. Есенин много раз говорил мне, что подолгу работает над стихом, черкает, рвет. Маяковский о нем сказал: «Звонкий забулдыга подмастерье». Есенин писал: «Я пришел, как суровый мастер...»

Дарственная надпись С. Есенина И. Эренбургу.
С. Есенин с матерью.
Айседора Дункан и Сергей Есенин. Италия.
С. Есенин. Последняя фотография. 1925 г.

(Прав был Есенин: «забулдыгой» он стал от печали, «звонким» никогда не был, а вопрос о звании — «мастер» или «подмастерье» — разрешен временем.) Есенин не раз себя называл «хулиганом»; но в одном он был почтителен: ценил мастерство. На что уж чужд ему был Брюсов, но, узнав о смерти Валерия Яковлевича, Есенин написал: «Эта весть больна и тяжела, особенно для поэтов. Все мы учились у него. Все знаем, какую роль он играл в развитии русского стиха...»

Поэзия Есенина мягка, человечна; нет в ней ни жестокости, ни душевного холода. Его стихи о собаке, у которой утопили щенят, написаны в годы войны, когда люди уже начали привыкать к равнодушию. Незадолго до самоубийства он написал стихотворение «Черный человек». Образ, видимо, навеян Пушкиным: «черный человек» преследует Моцарта. Но «черный человек» Моцарта — смерть. А Есенин узнал и угрызения совести; «черный человек» жесток, но поэт помнит об Айседоре Дункан:

> Был он изящен,
> К тому же поэт,
> Хоть с небольшой,
> Но ухватистой силою,
> И какую-то женщину
> Сорока с лишним лет
> Называл скверной девочкой
> И своею милою...
> — Слушай, слушай! —
> Хрипит он, смотря мне в лицо,
> Сам все ближе
> И ближе клонится,—
> Я не видел, чтоб кто-нибудь
> Из подлецов
> Так ненужно и глупо
> Страдал бессонницей.

В жизни он бывал и нежен, трогателен, и несносен — в буйстве душевного разора. Я видал его мягким, спокойным, внимательным; видал и в состоянии, граничившем с помешательством. Мне не хочется рассказывать о том, что имеет большее отношение к патологии, чем к душевной структуре поэта.

В Берлине несколько раз я встречал его с Айседорой Дункан. Она

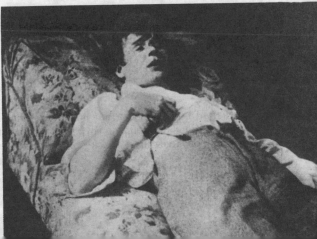

понимала, что ему тяжело, хотела помочь и не могла. Она обладала не только большим талантом, но и человечностью, нежностью, тактом; но он был бродячим цыганом; пуще всего его пугала сердечная оседлость.

Рядом с ним всегда бывали его спутники: имажинисты, Кусиков с гитарой или «крестьянские поэты», как будто сошедшие с лакированных коробок Палеха. Поэтов оттесняли просто пьяницы, довольные тем, что допущены к столу знаменитого человека.

Если футуризм, несмотря на желтую кофту и на лорнетку Бурлюка, был художественным и общественным явлением, то имажинизм мне всегда казался наспех сделанной вывеской для группы литераторов. Есенин любил драки; и как в гимназии «греки» дрались с «персами», так он охотно пошел к имажинистам, чтобы драться с футуристами. Все это даже не страница его биографии, а несколько сносок, способных заинтересовать только литературоведа.

Обиднее всего было видеть возле Есенина людей глубоко случайных, ту окололитературную банду, которая любила (да и поныне любит) пить чужую водку, греться у чужой славы и прятаться за чужой авторитет. Но не потому Есенин дошел до гибели, что вокруг него кружилась эта черная мошкара — он ее к себе притягивал. Он знал ей цену; но в том состоянии, в котором он находился, ему было легче среди людей, им презираемых.

В 1924 году у общих знакомых я видел в последний раз Есенина. Он много пил, был в плохом виде, хотел уйти — бушевать, скандалить. Несколько часов я его уговаривал, удерживал силой, а он уныло повторял: «Ну, пусти!.. Я ведь не против тебя... Я вообще...»

В одном из последних стихотворений Есенина есть такие строки:

> Как не любить мне вас, цветы?
> Я с вами выпил бы на «ты».
> Шуми левкой и резеда.
> С моей душой стряслась беда.
> С душой моей стряслась беда,
> Шуми левкой и резеда.

Все понимают, что левкой не дуб и резеда не липа, шуметь они не могут. И все-таки это хорошо, а почему хорошо, объяснить невозможно: такова поэзия. И, вспоминая Есенина, я всегда думаю: был поэт...

24

Когда я вспоминаю Александра Яковлевича Таирова, мне приходят в голову пушкинские стихи:

> Жил на свете рыцарь бедный,
> Молчаливый и простой,
> С виду сумрачный и бледный,
> Духом смелый и прямой.

Жизнь Таирова проста, как притча. Юношей он полюбил театр; стал актером в провинциальной труппе; оказался в Петербурге, познакомился с передовыми поэтами и художниками. Мейерхольд ставил

«Балаганчик» Блока; Таиров играл роль Голубой маски. Но Таирова еще не было.

В 1914 году он организовал Камерный театр, который стал целью, содержанием, страстью его жизни. С ним рядом была замечательная актриса Алиса Георгиевна Коонен. Таирову тогда было без малого тридцать лет. Он боролся за театр, который ему казался самым передовым.

Он не был безучастен к огромным переменам, происшедшим в России. Он охотно отказывался от заблуждений; искал; неутомимый, работал с утра до поздней ночи. У Камерного театра было много друзей, много и недругов; и если снова вернуться к пушкинскому стихотворению, то можно сказать, что десятки лет недруги повторяли:

> Он-де богу не молился,
> Он не ведал-де поста...

В 1949 году недруги победили: Камерный театр исчез. Александру Яковлевичу было шестьдесят четыре года. Год спустя он умер. В ту далекую зиму, о которой я пишу, молодой Таиров показал «Принцессу Брамбиллу», прошедшую с большим успехом. Он начал работать над «Федрой»; выпустил книгу «Заметки режиссера», отстаивал свои позиции и от сторонников натуралистического театра, и от Мейерхольда. Он был окрылен. И печальные встречи конца сороковых годов не могут заслонить в моей памяти веселого и счастливого Таирова первых революционных лет.

Москва восхищалась веселым карнавалом на сцене. Декорации Якулова были ослепительны, сказочны. Актеры все время прыгали, дурачились, танцевали, шутили. Москва также хорошо понимала муки Адриенны Лекуврер. Сентиментальную мелодраму Скриба Таиров превратил в трагедию. Игра Алисы Коонен потрясала зрителей. Это может показаться удивительным: разжалобить людей тогда было трудно; к смерти все пригляделись. Смерть Адриенны трогала, вероятно, потому, что была не натуральной, как в пьесе Скриба, а преображенной искусством — не кончиной в клинике Склифосовского, а концом Эвридики или Офелии.

Таиров хорошо понимал две формы театрального представления: арлекинаду и трагедию. В годы, о которых я рассказываю, люди жили без промежуточных состояний; были веселье и отчаяние, пещерный быт и макеты XXI века.

Таиров не только был скромным в жизни, он и в искусстве подчинял свои мечты строжайшей дисциплине. Говорят, что чувство меры подрезает крылья романтике; это верно, когда речь идет о житейском расчете, о мещанском благоразумии. Но вспомним: даже художники неистовой поры романтизма хорошо знали, что такое чувство меры,— без него искусство превращается в ходульность, в ложный пафос, в истерику.

Александр Яковлевич не раз говорил со мной о своем понимании театра. Он ушел от бытовизма, от показа на сцене, как актеры натурально пьют чай или тихо позевывают. Он любил приводить историю, рассказанную знаменитым французским актером прошлого века Кокленом. Бродячий актер на ярмарке показывал, как кричит поросенок. Все восхищались, аплодировали. Но один нормандский крестьянин предложил пари — он сделает это не хуже актера. Хитрый нормандец спрятал под свою одежду живого поросенка и стал его щипать. Поросенок кричал, но все присутствующие шикали — они нашли, что крестьянин не умеет подражать поросенку. Таиров знал, что такое искусство, и не признавал театра, стремящегося имитировать жизнь. Он часто говорил: «Театр должен стать театральным»; на первый взгляд это нелепо, как «вода должна быть жидкой». Но ведь кругом были театры, отказавшиеся от понятия «зрелище». А Таиров не верил ни в описательную поэзию, ни в литературную живопись, ни в театр, напоминающий комнату, у которой почему-то ампутировали четвертую стену.

Таиров не отрицал значения драматурга или роли художника; но он хотел, чтобы все элементы на сцене были подчинены одному — театру.

Вначале он отдал дань декадентству: поставил «Саломею». Этой пьесой увлекался не он один. Таиров ее поставил в 1917 году, Марджанов — в 1919-м. Никто потом не вспоминал о грехах Марджанова, а Таирову «Саломею» не хотели простить. Между тем декадентством переболели в свое время многие. Я слышал, как А. В. Луначарский в 1909 году восхищенно декламировал самые наидекадентские стихи Бальмонта. Брюсов не только писал в молодости декадентски-эротические стихотворения, не только вешал на стены Ропса, он восторгался поэзами Игоря Северянина, который, хоть и называл себя «эгофутуристом», был декадентом для парикмахеров и невзыскательных шаркунов. На сцене Художественного театра стоял декадентский «Некто в сером» и, как чревовещатель на ярмарке, глухо объявлял: «Человек родился». В Малом театре ставили злополучную «Саломею». Все это быстро забылось. Но есть люди, которые, видимо, рождаются под не-

А. Я. Таиров перед афишей организованного им Камерного театра. Двадцатые годы.
Сцена из спектакля «Принцесса Брамбилла» в Камерном театре. Художник Г. Якулов. 1920 г.

Афиша, выполненная А. Экстер.

И. Эренбург, Р. Фальк, А. Таиров на репетиции.

счастливой звездой. Таиров проделал большой и сложный путь, а когда он лежал в гробу, на гражданской панихиде один из режиссеров по бумажке еще припоминал его былые заблуждения...

Когда его просили рассказать или написать о своей жизни, он начинал перечислять постановки: это был человек одной страсти. Нельзя о нем рассказывать, не рассказывая о Камерном театре. Это был прекрасный театр, но который тоже родился под несчастливой звездой. Начну с того, что его неудачно окрестили. (Я встречал много людей, страдавших оттого, что родители дали им претенциозное или неблагозвучное имя — нежного юношу Тита, опытного инженера Каина, кокетливую девушку Конституцию.) В 1914 году слово «камерный» звучало, как «студия»,— оно указывало, что молодой театр, преисполненный дерзаний, не рассчитывает на коммерческий успех. Имя осталось; и в течение тридцати лет недоброжелатели его обыгрывали. «Камерный — значит интимный, домашний, театр для знатоков, для гурманов...» (Название театра для многих было попросту непонятным. Александр Яковлевич рассказывал, что в каком-то сибирском городе, где театр гастролировал, его спрашивали перед началом спектакля: «У вас только камерники или есть вольнонаемные?» — считали, что выступает кружок тюремной самодеятельности.)

Таирова ценили и защищали многие — и Луначарский, и старые актеры Малого театра, и М. Кольцов в «Правде», и рядовые зрители. А. В. Луначарский, восхищаясь постановкой «Федры», писал, что во многом Камерный театр приблизился к старому театру середины XIX века, к «великолепному Каратыгину». Я рассказал, как меня рассмешил старый французский актер Муне-Сюлли, который, наверно, играл, как некогда играл Каратыгин. Когда я гоготал над игрой Муне-Сюлли, я был мальчишкой, не понимавшим, что такое искусство. Прошли годы. И вот я увидел Алису Коонен в «Федре». Я не смеялся. Я узнал ту полноту искусства, от которой становится легко и немного страшно. (Может быть, нечто подобное чувствуют люди, впервые поднявшись над сферой земного притяжения.)

Я бывал на гастролях Камерного театра в Париже, в Берлине, видел восхищение зрителей. Таиров осмелился повезти во Францию расиновскую «Федру» и победил. Антуан и Пикассо, Леже и Жемье, Кокто

и Жан Ришар Блок восторженно отзывались о спектаклях Камерного театра. В Японии о Таирове до сих пор вспоминают актеры театра «Кабуки». Кажется, немногие художники сделали столько для того, что на газетном языке называется «развитием культурных связей».

Камерный театр нельзя себе представить без Алисы Коонен. Эта добрая, душевная женщина на сцене терзала сердца зрителей; кто раз ее видел, помнит глаза, руки, голос. Она как будто пришла в театр из другого века, не знала прошлого или будущего. Люди были большими, большими были дела, но когда в тысячах театров подымался занавес, на сцене хлопотливо барахтались инженю, первые любовники, комические старухи, резонеры. И вдруг пришла актриса трагедии, и пришла она в ту эпоху, которую никто не назовет эпохой комедии нравов или семейных драм.

Александр Яковлевич в жизни никак не походил на актера, разговаривал просто, сдержанно, всегда владел собой. Я видел, как в дни большой беды он аккуратно шел за кулисы, и перед актерами был спокойный, чисто выбритый, невозмутимый Таиров.

Признаюсь, я не театрал; но я не могу забыть многих спектаклей в Камерном — от давней «Принцессы Брамбиллы» до «Госпожи Бовари», поставленной в эпоху упадка, в 1940 году. За них я признателен Таирову и Коонен: они меня часто поддерживали своим мастерством. Они меня поддерживали и своей дружбой; я знал черный ход в Камерный театр — квартиру, где они жили; любая обида смягчалась их участием и лаской.

В 1949 году Таирова направили на работу в чужой театр. Он был человеком большой дисциплины, ждал работы, но ее не оказалось.

В давней книге, вспоминая о начале своей театральной деятельности, Таиров писал: «Когда на улицах Москвы появились, наконец, первые афиши с заголовком «Камерный театр», то мы просили прохожих читать нам их вслух, чтобы с непреложностью убедиться, что это действительно быль, а не мираж». В последние недели своей жизни больной Александр Яковлевич тихонько выходил из дому. Беспокоясь за него, близкие проследили, куда он идет. Он доходил до стены, на которой были расклеены театральные афиши, долго и внимательно их разглядывал. Афиши Камерного театра не было...

25

Как-то зимой, раздобыв несколько листов бумаги, я попытался начать тот роман, о котором давно мечтал; написав несколько строк, я порвал лист. Время не благоприятствовало романам. Дело не в холоде и голоде (хотя, признаться, я часто мечтал о куске мяса). Дело даже не в различных заседаниях, на которых мы просиживали дни. Слишком близки и слишком грандиозны были события. Романист не стенографистка, ему нужно опомниться, подумать, отойти на несколько шагов (или на несколько лет) от того, что он хочет описать.

Кажется, в 1920 году в России не было написано ни одного романа.

То было время стихов и литературных манифестов. Я думаю сейчас о писателях моего поколения, о Сейфуллиной, Фурманове, Лавреневе, Паустовском, Малышкине, Федине, Бабеле, Тынянове, Пильняке. Они воевали, демобилизовывались, выполняли различные задания, кочевали, правили чужие статьи, заседали, читали лекции, писали фельетоны, за крупные произведения почти все сели несколько позднее.

Роман, пережитый, продуманный, но не написанный, способен извести. Мне казалось, что стоит мне сесть в каком-нибудь парижском кафе, попросить у официанта кофе, несколько бутербродов, бумагу, и книга будет написана.

Я хотел написать сатирический роман, показать довоенные годы, войну, революцию; но последняя глава была закрыта туманом. Как я ни старался, я не мог себе представить, что делали люди на Западе, пока русские низвергали, жгли, проектировали, дрались на десяти фронтах, голодали, болели сыпняком и бредили будущим. Я говорил себе, что круг должен быть завершен и что необходимо взглянуть на послевоенный Париж.

(Я много думал о книге. Я думал не только о ней. Моя молодость прошла в Париже; я полюбил этот город, оставил там много друзей. Порой я тосковал по Парижу и не хочу об этом умолчать.)

Однажды я рассказал про это моему давнему другу по большевистской школьной организации, рассказал не как о реальном пожелании, а, скорее, как о мечте и очень удивился, когда меня вызвали в Наркоминдел и предложили заполнить анкету.

Хотя я жил в Третьем общежитии Наркоминдела, я никогда не заглядывал в дом, куда привез осенью тюки с печатями. Не знаю, чем занимались многочисленные сотрудники этого комиссариата (некоторых я встречал в коридорах общежития). Наверно, заседали. Ведь дипломатических отношений с другими государствами в ту пору почти не было. Потерпев поражение в попытках низвергнуть Советскую власть, правительства западных держав пытались убедить если не себя, то других, что России нет. (Германская республика признала существование Советской России только в 1922 году, Англия и Франция — в 1924-м, а Соединенные Штаты — в 1933-м.)

В приемной Наркоминдела бушевала немолодая, но чрезвычайно темпераментная женщина. Она истерзала секретаря наркома, а потом почему-то накинулась на меня: «Они не имеют никакого права! Можете спросить любого адвоката. У меня швейцарский паспорт, я не позволю со мной так обращаться!.. Я не буржуйка, я служила гувернанткой, меня нужно ограждать. Конечно, у меня сбережения в золоте, я не сумасшедшая, чтобы держать бумажки, когда они каждый день падают. Я напишу в Берн, я этого так не оставлю...» С трудом я от нее освободился и сел за анкету.

На вопрос о цели моей поездки за границу я ответил: «Хочу написать роман». Секретарь улыбнулся и заставил меня все переписать, продиктовал: «Художественная командировка».

Прошло еще несколько недель, и комендант общежития, товарищ

Адам, сказал, что меня вызывают в Чека; увидев мое волнение, он добавил: «С главного подъезда — к товарищу Менжинскому».

В. Р. Менжинский был болен и лежал на чересчур короткой кушетке. Я думал, что он начнет меня расспрашивать, не путался ли я с врангелевцами; но он сказал, что видел меня в Париже, спросил, продолжаю ли я писать стихи. Я ответил, что хочу написать сатирический роман. Поскольку разговор зашел о литературе, я поделился с ним сомнениями: печатается слишком много ходульных стихов, а вот Блок замолк... Менжинский иногда улыбался, кивал головой, иногда хмурился. Вдруг я спохватился: человек занят, да еще плохо себя чувствует, а я затеял дискуссию, как в Доме печати... Менжинский сказал: «Мы-то вас выпустим. А вот что вам скажут французы, не знаю...»

Я получил заграничный паспорт с латвийской визой; такой же паспорт дали моей жене.

Был яркий весенний день. Сугробы оседали, рушились, ползли. Капало с крыш. Звонко кричали мальчишки.

Весна в Москве необычайна; ничего подобного не знают жители благословенного юга; это не смена времен года, а исключительное событие в жизни любого человека; и хотя сегодняшняя Москва мало напоминает ту, по которой я шел в апреле 1921 года, весны те же, одна похожа на другую, и каждая ни на кого и ни на что не похожа. Нужно пережить длиннущую зиму, в декабре, просыпаясь, зажигать свет, мерзнуть, видеть землю неизменно закутанную в саван, нужно в марте слепнуть от метелей для того, чтобы по-настоящему оценить оттепель, ледоход, шумное новоселье жизни.

Именно в такой буйный солнечный день, возвращаясь в «Княжий двор» с заграничным паспортом, я вдруг задумался: вот я уезжаю...

Трудно было оторваться от московской жизни; может быть, потому, что эта жизнь была очень трудной. После того как Мейерхольд ушел из ТЕО, заседания в детской секции, где мы продолжали по инерции разрабатывать различные проекты, начали мне казаться бессмысленными. Куда разумнее попытаться написать роман. И все же мне было трудно уехать: я понимал, что настоящая жизнь — здесь, в Москве...

В тот ли день или в один из последующих, не помню, но было это незадолго до отъезда, я долго и настойчиво убеждал себя: пора подвести итоги!

«Подвести итоги» — это было одной из последних наивностей уходившей молодости. Я не знал, что мне понадобится не час и не два для того, чтобы осознать все значение тех лет, когда я метался по неприветливым улицам Москвы, по раскромсанной, растерзанной России, воспитывал «мофективных» детей, спорил о «левом искусстве», отчаивался, шутил, голодал, добывал хлеб или махорку. Мы все тогда говорили в стихах или в прозе об «исторической эпохе». А живя изо дня в день, эпохи не видишь: деревья заслоняют лес, и лес не дает возможности разглядеть отдельное дерево.

Сейчас мне хочется оглянуться назад, задуматься над давнишним клубком надежд и сомнений.

Я говорил, что история делается не по щучьему велению; она делается и не по той безупречной логике, которой сильна наука. Мальчишкой я часто слышал в кружке П. Г. Смидовича, что путь к социализму откроет пролетариат передовых индустриализированных стран.

В 1946 году один рабочий, проживавший в «Железном Миргороде», или, говоря точнее, в Детройте, сказал мне: «Почему вы все время говорите об американских капиталистах, о монополиях, об эксплуатации? Вы думаете, мы не знаем этого? Знаем. Но нам с нашими капиталистами живется лучше, чем вам без капиталистов...» Отсутствие классового сознания? Конечно. Но не только это — другое отношение к жизни, культ благополучия, страх перед подвигом, перед жертвами, перед неизвестностью.

Так или иначе, первым государством, где победила социалистическая революция, была Россия с ее отсталой промышленностью. Из трех граждан молодой Советской республики двое вместо подписей ставили крестики. В 1918 году мне привелось побывать в деревнях Московской и Тульской губерний. В избах можно было увидеть кресла, обитые плюшем, граммофоны, даже пианино, вывезенные из усадеб или полученные от горожан за мешок картошки. А люди еще жили жизнью дореволюционной деревни, описанной Чеховым и Буниным. Было много жестокости, невежества, темноты. Жгли библиотеки. Ненавидели горожан («дармоеды»), иные радовались, что города умирают от голода. Может быть, этим частично объясняется смятение, порой овладевавшее левой интеллигенцией и нашедшее свое выражение в статьях Горького.

Молодежь, пришедшая в город и захваченная вихрем событий, легко воспринимала упрощенные идеи крайних «пролеткультовцев», будущих «напостовцев». Мне не раз приходилось слышать: «Чего усложнять?..» Интеллигентщина, гниль... Газету читал? Значит, ясно. А «почему», «зачем» — буржуйские разговоры... Нечего голову ломать...»

Осенью 1920 года В. И. Ленин обратился к комсомольцам с такими словами: «Если коммунист вздумал бы хвастаться коммунизмом на основании полученных им готовых выводов, не производя серьезнейшей, труднейшей, большой работы, не разобравшись в фактах, к которым он обязан критически отнестись, такой коммунист был бы очень печален. И такое верхоглядство было бы решительным образом губительно».

Я говорил о жажде знания, которая тогда охватила миллионы юношей и девушек. Народ раскрыл букварь. Нужно сказать и о тех, кто учил грамоте, кто читал лекции по истории или по геологии, кто спасал книги от огня, отстаивал здания музеев и, голодая, может быть, сильнее всех, защищал культуру,— о русской интеллигенции. Я говорю, конечно, не о той ее части, которая уехала за границу и там пыталась опорочить свой народ, но об интеллигенции, принявшей Октябрьскую революцию и в то же время полной сомнений. Когда перечитываешь первые рассказы Всеволода Иванова, Малышкина, Пильняка, Н. Огнева, ранние стихи Тихонова, становится ясным, что эти сомнения вытекали из той жажды критически подойти к фактам, о которой говорил Ленин.

На Страстной площади висел плакат: «Да здравствует электрификация!» Под этим плакатом Есенин однажды прочитал мне монолог Пугачева:

> О Азия, Азия! Голубая страна,
> Обсыпанная солью, песком и известкой.
> Там так медленно по небу едет луна,
> Поскрипывая колесами, как киргиз с повозкой.
> Но зато кто бы знал, как бурливо и гордо
> Скачут там шерстожелтые горные реки!
> Не с того ли так свищут монгольские орды
> Всем тем диким и злым, что сидит в человеке?
>
> Уж давно я, давно я скрывал тоску
> Перебраться туда, к их кочующим станам,
> Чтоб разящими волнами их сверкающих скул
> Стать к преддверьям России, как тень Тамерлана.

Стихи были хорошие. Но я сейчас думаю не о стихах. По стране рыскали банды. В деревнях обстреливали продотряды. Поля стояли незасеянными. Возле вокзалов уже бродили беспризорные дети. Города голодали: смертность быстро возрастала.

Все это кажется теперь давней историей. «Голубая Азия» увлечена индустриализацией, и ей помогает в этом Советский Союз. Если еще в конце тридцатых годов некоторые западные политики называли наше государство «колоссом на глиняных ногах», то вскоре они убедились, что ноги у «колосса» вполне доброкачественные.

Этим летом в моем саду цвели чудесные рудбекии, большие и яркие, как звезды древних мозаик; семена я купил в Париже у знаменитого селекционера Вильморэна, и назывались они русским словом «Спутник».

Когда я гляжу на Москву, я не могу себе представить, что это город, где прошло мое детство. Едешь к Внукову и каждый раз дивишься — растут уже не дома, а улицы, кварталы.

Конечно, у нас умеют лучше сделать реактивный самолет, чем обыкновенную кастрюлю; научатся делать и кастрюли. Но теперь западные политики только и говорят, что о баллистических ногах «колосса».

По своей природе я принадлежу к людям, которых называют «Фома неверный». (Прилагательное может сбить с толку: Фома был очень верным и, по христианской легенде, стойко перенес пытки; но он был не верящим на слово — захотел проверить правильность того, о чем ему рассказали, то есть критически подойти к факту.) В те годы, над которыми я сейчас размышляю (1920 — 1921), у меня было немало сомнений, но эти сомнения не походили на разговоры людей, считавших, что Россия разваливается, что придут варяги — носители порядка, что дело закончится умеренно либеральным буржуазным строем. В одном я не сомневался: в победе нового социального строя.

Быт был страшен: пша или вобла, лопнувшие трубы канализации, холод, эпидемии. Но я (как и все люди, с которыми я дружил) знал, что народ, победивший интервентов, победит и разруху. Несколько месяцев спустя я сел за свой первый роман. Хулио Хуренито, рассказывая о необычайном городе будущего, стальном, стеклянном и организованном, восклицает: «Так будет! Здесь, в нищей, разоренной России, я говорю об этом, ибо строят не те, у кого избыток камня, а те, кто эти невыносимые камни решается скрепить своей кровью...»

Сомнения мои были связаны не с мыслями о доме, а с мыслями о людях, которые будут в этом доме жить. В пьесе Юрия Олеши героиня составляет два списка: в один она заносит «благодеяния» революции, в другой — ее «преступления». Потом она осознает свою ошибку, и пьеса озаглавлена «Список благодеяний». Я таких списков не составлял ни на бумаге, ни мысленно: жизнь сложнее начальной логики, многие преступления могут привести к благодеяниям, и есть благодеяния, чреватые преступлениями.

(Говоря о теневых сторонах нашей жизни, порой добавляют — «пережитки капитализма». Иногда это верно, иногда нет. Яркий свет усиливает тени, и хорошее может сопровождаться некоторыми дурными последствиями. Возьму наиболее примелькавшийся пример — бюрократизм; о нем писал В. И. Ленин, и о нем продолжают говорить наши газеты сорок лет спустя. Разве бумажная водянка, гипертрофия регистрирующих, обсуждающих, проверяющих, скрепляющих — это только пережитки? Разве такое заболевание не связано с развитием организации, учета, контроля производства, то есть с вещами прогрессивными и правильными?)

Помню, как уборщица в Военно-химической школе, молодая деревенская девушка, пела частушку:

> Наживу себе беду —
> В сортир без пропуска пойду.
> Я бы пропуск рада взять,
> Только некому давать.

Я засмеялся, потом задумался.

Рабочий хорошо знает, что машина, даже самая сложная, сделана человеком и человеку служит. В 1932 году я был на строительстве Кузнецкого комбината. Люди, пришедшие из деревни, глядели на машины с ненавистью или с благоговейным ужасом; одни ломали станки — если машина не работала, они налегали в сердцах на рычаги, как хлестали в деревне замученного конягу; другие почтительно называли доменную печь «Домной Ивановной», мартеновскую — «дядей Мартыном».

Конечно, я прежде всего думал о судьбе искусства. Диаграмма, висевшая в кабинете В. Я. Брюсова, меня не только удивила, но и напугала. Литература была квадратами, кругами, ромбами — винтами огромной машины.

Однажды я поделился с Луначарским моими сомнениями. Он ответил мне, что коммунизм должен привести не к однообразию, а к многообразию, что творчество художника нельзя подогнать под один образец. Анатолий Васильевич говорил, что есть «держиморды», которые не понимают природы искусства. Год спустя он написал статью в журнале «Печать и революция» и в ней прибег к тому же определению; говоря, что в переходное время необходима цензура, он продолжал: «Человек же, который скажет: «Долой все эти предрассудки о свободе слова, нашему коммунистическому строю соответствует государственное руководство литературой, цензура есть не ужасная черта переходного времени, а нечто присущее упорядоченной, социализированной социалистической жизни»,— тот, кто сделает из этого вывод, что самая критика должна превратиться в своего рода донос или в пригонку художественных произведений на примитивно революционные колодки, тот покажет только, что под коммунистом у него, если его немного потереть, в сущности, сидит Держиморда и что, сколько-нибудь подойдя к власти, он ничего другого из нее не взял, как удовольствие куражиться, самодурствовать и в особенности тащить и не пущать...»

Еще не было журнала «На посту». Еще устраивались одновременно выставки художников различных направлений — от Бродского до Малевича. Еще Мейерхольд неистовствовал неподалеку от Художественного театра. А мне все мерещилась диаграмма с квадратами и ромбами...

Мы осторожно, как рыбу, ели восьмушку колючего хлеба. Полонская писала:

> Но грустно мне, что мы утратим цену
> Друзьям смиренным, преданным, безгласным:
> Березовым поленьям, горсти соли,
> Кувшину с молоком и небогатым
> Плодам земли, убогой и суровой...

В те годы мы все были романтиками, хотя и стыдились этого слова. Я спорил не с эпохой, а с самим собой. В моих мыслях было много путаного. Я ведь стоял за индустриальную эстетику, за планированную экономику, ненавидел хаос, лицемерие, позолоту капитализма (его я знал не по книгам). Но не раз я спрашивал себя: что станет в новом, более разумном и более справедливом обществе с разнообразием человеческих характеров, не подменят ли усовершествованные машины, восхваляемые мною, искусство, не подавит ли техника смутных, но дорогих людям чувств?

Сорок лет спустя я напечатал в «Комсомольской правде» письмо ленинградской девушки, которая рассказывала о превосходном инженере, презирающем искусство, равнодушном к трагедии Глезоса, сухом к матери и к товарищам, считающем, что любовь в атомный век — анахронизм. В той же газете я прочитал письмо специалиста по кибернетике; он издевался над девушкой, способной «плакать в подушку», над людьми, которые в наше время восхищаются музыкой Баха или поэзией Блока.

Многие из моих сомнений 1921 года были наивными и опровергнуты жизнью; многие, но далеко не все...

Пуще всего я боялся равнодушия, механизации не производства, а чувств, захирения искусства. Я знал, что лес вырастет, и думал о судьбе живого, теплого дерева, с его сложной корневой системой, с причудливыми ветвями, с кольцами сердцевины.

Может быть, такие мысли приходили ко мне, потому что в тридцать лет я готовился сдать экзамен на право называться писателем. Конечно, я не знал, какие трудности меня ждут; но мне было ясно, что дело не только в том, как построить роман или как отчеканить фразу. В одном из писем Чехов говорил, что дело писателя — вступаться за человека. Это звучит просто, и, однако же, это очень трудно...

26

Время тогда шло быстро, а поезда ходили медленно. До Риги мы ехали долго, можно было многое передумать.

В соседнем купе разместились наши дипкурьеры. Я поглядел на мешки с сургучными печатями и улыбнулся. У нас был только ободранный чемодан, а в нем журналы «Уновис», «Искусство Коммуны», «Художественное слово», книги Маяковского, Есенина, Пастернака.

Когда наконец мы доползли до Себежа, дипкурьер сказал нам: «Товарищи, скоро латвийская граница. Там буфет, помните о советском престиже — не набрасывайтесь на еду...» Я решил не выходить из вагона.

В Ригу мы приехали вечером, и, втащив чемодан в маленькую гостиницу, я сказал Любе: «А теперь в ресторан...» Я оглядывался, как будто шел на нелегальную явку: неудобно — скажут, советский гражданин только приехал и сразу ужинать...

Не знаю, были ли порции большие или мы отвыкли от еды, но я не смог одолеть даже половину бифштекса. Мне стало грустно: вот кусок мяса, о котором я столько мечтал, а я не могу больше есть...

Нелегко было унять психологический голод. Пообедав, я останавливался возле булочной или колбасной — разглядывал хлебцы различной формы, сосиски, пирожки. Так смотрят любители на редкие безделки в витрине антиквара. Я изучал меню, вывешенные у входа в многочисленные рестораны; названия блюд звучали, как стихи.

Я захватил с собой паспорт, выданный мне представителем Временного правительства в 1917 году, чтобы доказать французам, что я проживал в Париже. Документ этот успел обветшать и напоминал музейный экспонат. Когда я протянул французскому консулу советский паспорт, он отдернул руку, как будто я совал ему раскаленный утюг. Рваную бумажку он прочитал и сказал с отвращением: «Вы были политическим эмигрантом? Это не рекомендация...» Он спросил, чем я занимался в Москве и почему хочу направиться в Париж. Я ответил добродушно, что последние месяцы я помогал Дурову дрессировать кроликов, а в Париже собираюсь написать толстую книгу. Консул мрачно сказал: «Не думаю, что вы ее напишете в Париже».

Я отправил письма друзьям, жившим в Париже: просил похлопотать о визах. Я успел отъесться и перестал разглядывать колбасы. Знакомых в Риге у меня не было. Зарядили холодные дожди. Однажды пришел печальный человечек, сказал, что он открывает издательство, хочет печатать советских авторов, показал мне различные рукописи и купил мой сборник стихов «Раздумья». Иногда я заходил в наше посольство, читал «Правду», спорил с секретарем, которому нравились имажинисты. Французский консул мне отвечал однообразно: «Как я и думал, для вас ничего нет...»

Визы пришли, когда я потерял надежду. Консул наотрез отказался поставить их на советские паспорта и выдал особые пропуска. Я пошел в немецкое консульство, чтобы получить транзитные визы. Консул очень удивился, что я, будучи советским гражданином, получил французскую визу. Это показалось ему подозрительным, и он сказал, что не может пропустить нас через Германию. Пришлось выбрать очень сложный маршрут: на пароходе до свободного города Данцига, оттуда морем в Копенгаген и дальше через Лондон в Париж.

В Данциге нас выпустили в город. На узких, средневековых улицах толпились спекулянты, торговавшие различной валютой.

Датчане нас задержали и посадили в машину. Я решил, что нас везут в тюрьму; но отвезли нас в баню и, пока мы мылись, одежду подвергли дезинфекции. Это можно было объяснить: в России еще свирепствовал тиф. А вот в Лондоне полицейские меня приняли за сумасшедшего только потому, что на вопрос, как нам удалось бежать из России, я ответил, что мы уехали с заграничными паспортами.

В следующих частях моей книги я расскажу о жизни Западной Европы в годы после первой мировой войны; а когда я ехал из Москвы в Париж, мне было не до наблюдений. Хотя я хорошо знал Запад, все меня ошеломляло. Вещей было слишком много. Люди казались сонными и равнодушными.

В Копенгагене мы были первого мая. По улицам прошла чинная демонстрация; пели и жевали бутерброды. Перед ратушей объевшиеся голуби, казалось, не могли взлететь с земли. Возле королевского дворца стояли часовые в высочайших шапках. В рабочих кварталах люди толпились у лавчонок и, видимо, были озабочены не ликвидацией капитализма, а покупкой маргарина, входившего в моду.

В Лондоне имелись тоже дворец и тоже часовые в огромных шапках. В Гайд-парке какой-то крикун объяснял прохожим, что в Фиуме и в Вильно нарушены права человека и что британцы должны опекать свободу. Я вспомнил английских солдат на улицах Феодосии и пошел дальше.

Наконец я добрался до «Ротонды». Все было на месте. Какой-то художник, поздоровавшись со мной, сказал: «Что-то вас давно не было видно. Уезжали?» — и, не дожидаясь ответа, начал рассказывать местные сплетни.

Хозяин гостиницы «Ницца», где я прожил много лет, вернулся с фронта невредимым. Мы дружески обнялись.

Да, все было, как прежде. Но я был другим... Происшедшую со мной перемену я понял, только очутившись в «Ротонде». Вещи, которые прежде мне казались естественными, теперь меня удивляли, порой злили. Париж был прекрасен; восхищенный, я бродил по набережным

Сены, обошел все места, где протекала моя молодость. С городом мне было легко; куда труднее с людьми. Я не знал, как объяснить им, что́ произошло с нами в России.

Я уехал из Парижа в лето жестоких боев, и мне трудно было понять, что парижане как будто забыли годы войны; о недавнем прошлом напоминали только рекламы туристических компаний — «Дешевые экскурсии в Верден. Осмотр полей сражений».

Одна из газет объявила конкурс: «Какой маршал пользуется наибольшей любовью французов». Мужчины на улицах были странно одеты: пиджачки в талию, выпуклая грудь; благонравные отцы семейств выглядели педерастами. Я увидел впервые фокстрот; парочки тряслись, как заводные куклы.

Все, о чем я рассказываю, показательно не столько для Парижа 1921 года, сколько для моего душевного состояния. Я написал стихи (с архаизмами, которые продолжали меня пленять, несмотря на увлечение «левым искусством»):

> ...Да, страна моя, не зная меры,
> Скарб столетий на костер снесла.
> Не согреет темные пещеры
> Тусклая остывшая зола.
> Да, конечно, радиатор лучше...
> Что же, Эренбург, попав в Париж,
> Это щедрое благополучье
> В холеные оды претвори.
> Но язык России дик и скорбен,
> И не русский станет славить днесь
> Триумфатора, что мчится в «форде»
> Привкус смерти трюфелем заесть...

Впрочем, в русских, готовых прославить «великодушных хозяев», недостатка не было. Эмиграция еще не поняла, что́ ей предстоит на чужбине. Страсти гражданской войны еще не успели остыть. В Париже выходила газета Бурцева «Общее дело», Россию в ней называли не иначе как «совдепией». Помню одно сообщение, напечатанное в этой газете: уцелевших зверей московского Зоологического сада кормят телами расстрелянных. Зинаида Гиппиус обвиняла всех оставшихся в России в том, что они «продались большевикам»,— и Блок продался, и Белый, и даже А. Ф. Кони... Бунин, с которым я встретился у Толстого, не захотел со мной разговаривать. А милейший Алексей Николаевич растерянно и ласково ворчал: «Ты, Илья, там набрался ерунды...» Как только я говорил, что выехал с советским паспортом, эмигранты отворачивались, одни возмущенные, другие с опаской.

Дружески меня встретили бывшие «ротондовцы»: я говорю «бывшие», потому что старая «Ротонда» исчезла; я это понял через два или три дня после приезда. Дело было не только в том, что сменился владелец кафе. Сменилась эпоха. Художников или поэтов вытесняли иностранные туристы. Бестолковая жизнь былых лет стала модным стилем людей, игравших в богему. Вокруг «Ротонды» были другие кафе, старые и новые, где укрывались некоторые ветераны и куда приходили новички. В кафе «Дом» я нашел старых друзей — Фотинского, Диего

Риверу, Маревну, Цадкина. Иногда в «Ротонду» заглядывал Леже. В кафе «Селект» сидели молодые американцы; я их не знал и много лет спустя, познакомившись с Хемингуэем, узнал, что в «Селекте» он обдумывал свой первый роман.

Я рассказывал о московских выставках, о постановках Мейерхольда, читал на память стихи Маяковского, Есенина, Пастернака.

Пикассо меня обнял и сразу заявил: «Ты знаешь, мое место там. Что мне делать во Франции мосье Мильерана?» Альбер Глез рассказал, что он выставил недавно панно «Проект росписи одного из московских вокзалов». Леже мечтал работать в московском театре. Диего Ривера спрашивал, как ему пробраться в Россию. Поэт Андре Сальмон прочитал мне свою поэму, озаглавленную русским словом «Приказ», в ней он прославлял подвиг русского народа.

Буржуазная Франция, казалось, могла бы несколько успокоиться: опасные годы были позади. Демобилизованные успели забыть о солдатских бунтах. Волна забастовок спадала. Но на стенах еще можно было увидеть плакаты, изображавшие страшнейшего человека, который держит нож в зубах: это был тот бука, которым правящие круги пугали среднего француза. Пропаганда была не очень сложной: коммунисты — это азиаты, дикари, они провели национализацию женщин и заставляют всех маршировать по команде. Был довод сильнее «национализации женщин» — русские займы, сбережения средних французов, купивших в банке выгодные бумаги. «Плакали наши денежки», — причитали рантье со злобой, с отчаянием.

Да и неправильно было бы сказать, что французская буржуазия успела отдышаться. Правда, во Франции было спокойно, но всего полгода назад в соседней Италии рабочие захватывали один завод за другим. Всего два месяца назад газеты писали о восстании в Саксонии. На стенах Парижа можно было увидеть надписи — краской, углем, мелом: «Да здравствуют Советы!»

Я был во Франции весной 1946 года. Буржуазия тогда тоже нервничала. Ей не нравилось, что в рабочих предместьях Парижа муниципалитеты называли улицы именем Сталина. Но «холодная война» только-только начиналась, официально Советский Союз еще числился союзной державой, и на церемонии переименования улиц представители правых партий со смешанным чувством ненависти, страха и почтения приветствовали «великого маршала».

В 1921 году во Франции не было улицы Ленина; но Ленин как будто жил в рабочих предместьях. Он был не маршалом, а человеком, который много лет провел в Париже, которого некоторые встречали, помнили. Удивительная история о том, как человек в рабочей кепке стал главой огромной загадочной страны, как русские рабочие, голодные, раздетые, со старыми винтовками, отбили атаки интервентов, ходила по парижским предместьям и не давала спать победителям.

Я начал понимать, что мои первые, поверхностные впечатления были обманчивыми. На Западе было много нового. Я купил брошюру — популярное изложение теории относительности. Меня увлекла новая книга Блеза Сандрара «Светопреставление», иллюстрированная Леже,— сатира, показывающая конец капиталистического мира и похожая на киносценарии.

Я увидел несколько фильмов Чарли Чаплина, который успел стать знаменитым. На выставке Пикассо тридцать холстов спорили один с другим, и все они были объединены неукротимой потребностью выразить пластически новую эпоху. Я понял, что мне нужно многое прочитать, посмотреть, продумать.

Диего обрадовался, узнав, что герой моего романа будет мексиканцем. Он собирался в Италию, но сказал, что расскажет мне о той обстановке, в которой прошло детство и ранняя молодость Хулио Хуренито.

Я купил блокнот и решил сесть за роман. Однако в мои литературные планы неожиданно вмешались французские власти. Товарищ Менжинский был прав...

Не знаю в точности причин моей высылки. Когда я спросил, почему меня высылают, чиновник префектуры мне ответил: «Франция — самая свободная страна в мире. Если вас выселяют, значит, на это имеются резоны...» Одному из приятелей, который хлопотал об отмене высылки, сказали: «Но вы не знаете — он занимался большевистской пропагандой». Вероятно, на террасе кафе, где я встречался с друзьями, сидели секретные осведомители; французы их называют «мухами»; они действительно назойливы, как осенние мухи, но мухи живут недолго; а осведомители порой переживают не только смену министров, но и смену режимов.

Рано утром ко мне явился плюгавый человек с тусклыми глазами и жидкими усиками, который показал мне значок — агент префектуры. Другой шпик задержал мою жену. Хозяин гостиницы негодовал: «Мне стыдно за Францию!..» На шпиков это не произвело никакого впечатления. Меня отвезли в префектуру и там объявили, что мы должны сегодня же покинуть Францию.

— Но куда мы можем поехать без виз? — наивно спросил я.

— Ближайшая граница — бельгийская.

— У нас нет бельгийских виз.

— Вы их и не получите. Бельгийцы вас отошлют назад — на французскую границу.

— И тогда?..

— Тогда мы вас задержим за незаконный переход границы. Вы отбудете наказание, и вас тогда уж не выселят, а вышлют.

Я не понял различия между двумя понятиями: «выселение» и «высылка». Чиновник разъяснил:

— До границы вы проследуете в обыкновенном вагоне за свой счет. Вас будет сопровождать наш сотрудник в штатском. А когда вас вышлют, вы сможете не беспокоиться о билетах — вас отправят до границы под конвоем. Сейчас вы свободны. Вас будет только сопровождать наш сотрудник...

— Но когда бельгийцы нас вернут и когда я отсижу положенное, куда вы нас вышлете?

— В ту же Бельгию.

Я понял, что из нас хотят сделать футбольные мячи, которыми будут играть французы и бельгийцы. Это показалось мне мало соблазнительным. Все же нужно было пообедать. Мы пошли в ресторан напротив «Ротонды» и там встретили знакомого скульптора. Мы рассказали, что нас высылают. Он побежал в «Ротонду», в «Дом», и вскоре мы оказались окруженными десятком друзей. Все возмущались. Шпики сидели за соседним столиком и ели с аппетитом: к тому, что они «грязные флики» (так называют французы полицейских), они давно привыкли, ибо слышали это ежедневно, а в ресторане Бати кормили хорошо, и у «фликов» были подотчетные на подобного рода расходы.

Я подумал о том, что приказ о моем выселении подписал толстяк Бриан, один из самых умелых ораторов, парламентский соловей, и развеселился. В годы войны я был ему представлен как корреспондент «Биржевых ведомостей». Он спел мне короткую, но нежную арию... Теперь я напугал Бриана. Как зайцы Дурова, я начинал понимать, что я — грозный зверь.

Поезд уходил поздно вечером. На вокзале один из шпиков сказал, что купит для нас билеты: «Конечно, в третьем классе?..» Мы приехали в третьем классе, но тон шпика меня рассердил, и я ответил: «Конечно, в первом...» Пожалуй, это нас и выручило.

В купе были трое: Люба, я и шпик, который вышел на французской границе. Я посоветовал Любе лечь и прикинуться спящей. Вошел бельгийский жандарм; я ему жестом показал на Любу — не нужно ее будить. Бельгиец добродушно кивнул головой: к пассажирам первого класса полицейские относятся с уважением. Я показал полуистлевший лист — паспорт 1917 года. Тщетно жандарм искал бельгийскую визу. Сложив осторожно лист, он шепнул: «У вас чересчур старый паспорт, нужно его обменять». Я тоже шепотом ответил: «Вы правы, я собираюсь это сделать в Брюсселе...»

Футбольный матч не состоялся — мы спокойно поехали дальше.

27

В Брюсселе, напротив Южного вокзала, мы увидели две гостиницы: одна называлась «Провидение», другая «Упование». Мы не хотели терять надежду и направились в «Упование»; но там нас попросили заполнить карточки, в которых имелся коварный вопрос о въездных визах.

Моя молодость прошла в архаическую эпоху, когда не было ни гражданской авиации, ни радиовещания, ни виз. Самолеты — изобретение замечательное; радиоприемник бывает полезен, притом его не обязательно включать — это дело вкуса; но вот визы никак нельзя отнести к открытиям, облегчающим жизнь человека. Не берусь подсчитать, сколько в жизни я потратил на них времени, сил, нервов. Причем визы бывают разные, как бактерии; их можно разделить на классы, на семейства: есть въездные и выездные, транзитные с остановкой или без остановки, однократные и многократные, с указанием пограничного пункта или без; разобраться в них нелегко; еще труднее их получить.

Мы поспешно вышли из вестибюля гостиницы; вместо ответа на вопрос о въездных визах я поставил игривую черточку. Наша ночная удача могла кончиться крупными неприятностями средь бела дня: мы проникли в Бельгию без въездных виз.

Я рассказывал, что перед войной в Париже я издавал поэтический журнальчик «Вечера» вместе с ростовчанином Немировым. У него была очень милая жена, веселая, чуть раскосая, певунья. Ее звали Марусей. Вскоре она разошлась с Немировым; во время войны я часто встречал ее на юге Франции. Перед моим отъездом в Россию мне рассказали, что Маруся вышла замуж за бельгийского поэта Элленса.

Выйдя из гостиницы, я думал об одном: как разыскать Элленса? Адресного стола в западных странах не существует — люди хотят спокойствия, и о том, кто где живет, знают только господь бог да полиция. В телефонном справочнике Элленса не оказалось (я не знал, что Элленс — псевдоним). Я зашел в книжный магазин; мне сказали, что здесь торгуют серьезными книгами, а не стихами. Я начал изучать витрины книжных лавок и нашел такую, где красовалась книга Элленса; я радостно вбежал в магазин, но ничего не добился: мне предложили написать письмо на адрес издательства. Я не мог объяснить, что, пока письмо дойдет до Элленса, я буду уже не в гостинице «Упование», а в обыкновенной каталажке.

Мне повезло: в пятом или в десятом магазине я набрел на любителя поэзии, который оказался сердобольным. Он мне сказал, что я найду Франса Элленса в палате представителей; его фамилия Ван Эрменгем, и он заведует парламентской библиотекой. У меня сразу выросли крылья: парламент — не «Ротонда»!

Элленс и Маруся приняли нас, как старых друзей. Я бубнил про визу. Маруся вспоминала прошлое. Элленс молчал и нежно улыбался. Ему было сорок лет; на суровом северном лице светились глаза мечтателя и ребенка.

Элленс рассказал одному из министров, что я — поэт, меня почему-то выслали из Франции и я хочу провести несколько месяцев в Бельгии, чтобы написать книгу. Формальности заняли две недели. Я бродил по Брюсселю, очень шумному возле биржи и очень тихому в старых кварталах, где много пепельно-черных домов с позолотой, опрятных старух и неторопливых мечтателей, которые после конца рабочего дня курят трубки и бледными глазами смотрят на бледное небо.

Я подружился с Элленсом. Это удивительно чистый и печальный человек. Он прежде всего поэт, не только потому, что писал и пишет стихи, а потому, что его проза, да и вся его жизнь пропитаны эссенцией поэзии.

Весной, когда мы познакомились, он писал роман «Басс-Бассина-Булу» — так он назвал негритянского бога, который стоял в его комнате. В романе этот бог, мудрый и наивный, всесильный и бессильный, попадает из дебрей Африки в Европу и рассказывает с грустной иронией о том, что делается вокруг. Я читал письмо Горького об этой книге, оно продиктовано не простой вежливостью, а любовью. (Познакомились они позднее — в 1925 году, в Сорренто; и в другом письме Горький вспоминал глаза Элленса, в которых, несмотря на суровость, угадываешь детскую печаль и нежность.) «Басс-Бассина-Булу» понравился Стефану Цвейгу, он написал предисловие к немецкому переводу этой книги.

Я много рассказывал Элленсу о Москве. Он увлекся стихами Есенина и с помощью Маруси начал их переводить на французский язык.

Потом я иногда встречал Элленса — в Париже, в Брюсселе. Шли годы; прошла жизнь. Все теперь другое; а Элленс тот же: дети не старятся, мечтатели не изменяют,— значит, и не изменяются...

Элленс как-то познакомил меня с художником Пермеке, теперь известным всем любителям живописи, а тогда еще причисляемым к «молодым» (ему было тридцать пять лет; но из жизни художника выпали годы войны; он был тяжело ранен при защите Антверпена, выжил наперекор прогнозам). Не знаю, в чем объяснение — в крепости традиций или в особенности пейзажа Фландрии, точнее, ее света, но бельгийцы — прекрасные живописцы. Незачем говорить о Мемлинге или Ван-Эйке, достаточно взглянуть на холсты Энзора. Пермеке почему-то причисляли к экспрессионистам, хотя в нем не было пренебрежения к живописи ради литературной выразительности. Он любил писать рыбаков, обветренных и угрюмых, крестьян прибрежной полосы, матерей, старух. Его длинные пейзажи показывают плоскую землю — едва возвышается то стог сена, то одинокое и обязательно приземистое, прибитое ветрами дерево; огромную роль играет небо, зеленоватое или свинцовое. Его натуре были присущи беспокойство, трагизм. Я надолго потерял Пермеке из виду; встретились мы четверть века спустя, незадолго до его смерти. Я поехал к нему — он жил возле Остенде,— большой, больной, одинокий: он потерял жену, с которой прожил жизнь. На стене мастерской висел холст, который я не могу забыть: Пермеке написал

Алиса Коонен в роли Эммы Бовари.
Мария и Франц Элленсы у себя в саду. 1956 г.
Франц Элленс. Портрет А. Архипенко.
Пейзаж Пермеке.

жену в кровати, когда она умерла, красками выразил свое душевное состояние.

Я все ждал ответа министра. Под окном «Упования» до поздней ночи кружились карусели и шарманки старались перекричать одна другую.

Наконец я получил разрешение на пребывание в Бельгии. Был июнь, мы поехали на побережье, в местечко Ля-Панн, возле французской границы. Гостиницы пустовали — до каникул оставалось несколько недель. Кое-где на побережье попадались развалины: дома, разрушенные во время войны, еще не были отстроены. Море было большим и рассерженным; в отлив оно уходило вдаль, затаив злобу, а потом яростно кидалось прямо к гостинице.

Когда море уходило, на песке оставались водоросли, морские звезды и много обломков дерева. Я машинально подымал их — вспоминал, как в Коктебеле искал на берегу куски дерева, для того чтобы зажечь мангалку...

Кругом были песчаные холмы — дюны, кое-где поросшие колючей серой травой. Эти холмы путешествуют: ветер сгоняет и нагоняет пески. Подымаясь на дюны, я видел Францию.

Я работал с утра до поздней ночи в маленькой комнате с окошком на море. «Хулио Хуренито» я написал за один месяц, писал как будто под диктовку. Порой уставала рука, тогда я шел к морю. Неистовый ветер валил стулья на пустых террасах кафе. Море казалось непримиримым. Этот пейзаж соответствовал моему состоянию: мне казалось, что я не вожу пером по листу бумаги, а иду в штыковую атаку.

Писать я не умел. В книге много ненужных эпизодов, она не обстругана, то и дело встречаются неуклюжие обороты. Но эту книгу я люблю.

Говорят, будто все авторы любят свою первую книгу. Это неверно. Я знаю писателей, которые не выносят, когда при них вспоминают их ранние произведения. Да что говорить о других: мне смешон и противен мой первый сборник стихов. О времени, когда я писал стихи про маркизов, я вспоминаю с нежностью, даже о типографе, а стихи скверные и, главное, чужие. Люблю я «Хулио Хуренито» потому, что эта книга, при множестве недостатков, написана мною, мною пережита, это действительно моя книга.

Я много раз как писатель обезьянничал. Я рассказывал о подража тельности моих ранних стихов. Но вот позднее, вскоре после «Хурени то», я стал жертвой той литературной моды, которая тогда свирепство вала. Как некоторых моих литературных сверстников, меня соблазнил ритмическая проза Андрея Белого и причудливый синтаксис Ремизова То, что у этих писателей было органично, у меня походило на пародию Я не могу перечитывать иные из книг того периода: все время хочется поставить прилагательные и существительные на место. «Хулио Хуре нито» написан порой неуклюже, но просто, нет в нем словесных вы вертов.

Я узнал из критических статей, что мой роман — подражани «Кандиду». Должен, к стыду, признаться, что «Кандида» я прочита. только после этих статей; в молодости я читал много, но бестолково, да и до сих пор в моих литературных познаниях большие провалы. Однак догадки критиков мне понятны. В «Хуренито» сказались годы молодо сти, прожитые во Франции. Конечно, рабочие на товарной станци Вожирар, как и я, не читали «Кандида», но в их шутках нашли выраже ние те же черты французской иронии, которые нас покоряют в книга Вольтера. Да и, может быть, автор «Кандида» повлиял на формирова ние национального гения Франции.

Я люблю «Хуренито», потому что я написал его по внутренне необходимости: я ведь еще не считал себя писателем. Книгу эту я вына шивал долго. Может быть, в ней недостаточно литературы (не был опыта, мастерства), но нет в ней никакой литературщины.

Я написал много книг и далеко не все из них люблю. О некоторы я редко вспоминаю, не перечитываю их. Для молодых читателей я ка писатель родился в годы второй мировой войны. О «Хуренито» помня у нас предпочтительно пенсионеры, а он мне дорог: в нем я высказа много того, что определило не только мой литературный путь, но и мо жизнь. Разумеется, в этой книге немало вздорных суждений и наивны парадоксов; я все время пытался разглядеть будущее; одно увидел в другом ошибся. Но в целом это книга, от которой я не отказываюсь

В «Хуренито» я клеймил всяческий расизм и национализм, обличал войну, жестокость, жадность и лицемерие тех людей, которые ее начали и которые не хотят отказаться от войн, ханжество духовенства, бла гословляющего оружие, пацифистов, обсуждающих «гуманные спо собы истребления человечества», лжесоциалистов, оправдывающ ужасное кровопролитие. Я подписываюсь и теперь под этими мыслями и если я ненавижу расизм и фашизм, если нахожу силы, чтобы участво вать в борьбе за мир, то потому, что человек за полвека снашивае много костюмов, но остается при этом самим собой.

В «Хуренито» я показывал ханжество мира денег, ложную свободу которую регулирует чековая книжка мистера Куля и социальная иерар хия мосье Дэле, установившего шестнадцать классов даже для погре бения. За двенадцать лет до прихода к власти Гитлера я вывел герра Шмидта, который «может быть одновременно и националистом и соци алистом», который говорит французам и русским: «нам необходимо вас организовать», «колонизировать Россию, разрушить как можно осно вательнее Францию и Англию... Мы оставим голую землю... Убить для блага человеческого одного умалишенного или десять миллионов — различие арифметическое. А убить необходимо...» Если бы я не написал этого в 1921 году, то в 1940 году не сумел бы написать «Падение Парижа».

Я иногда ошибался, иногда видел достаточно ясно. Задолго до печей Освенцима и Бабьего Яра в книге напечатано следующее объявление: «В недалеком будущем состоятся торжественные сеансы уничтожения иудейского племени... В программу войдут, кроме излюбленных уважаемой публикой традиционных погромов, также реставрированные в духе эпохи: сожжение иудеев, закапывание живьем в землю, опрыскивание полей иудейской кровью и новые приемы «эвакуации», «очистки от подозрительных элементов» и пр. и пр.».

Я знал, что «Хулио Хуренито» должен вызвать гнев блюстителей порядка: «Какой консул положит теперь на мой паспорт визу? Какая мать семейства пустит меня на порог своего дома, где живут честные юноши и чистые девушки?» Меня не удивило, что белые эмигранты встретили мой роман с возмущением. Но огонь был перекрестным: «напостовцы» называли «Хуренито» не иначе как «клеветой на революцию». Почти в каждом номере их журнала к моему имени добавлялось «клеветник».

В предыдущей главе я рассказывал о моем страхе перед механизацией чувств, перед регламентацией творчества. Эти мысли нашли отражение в «Хуренито». Одни опасности я тогда преувеличивал, других не видел. Критики меня называли «циником», «нигилистом», а если следовало меня в чем-либо обвинить, то скорее в гипертрофии романтики.

«Хулио Хуренито» читатели читали, критики ругали, ругали крепко и длительно: говоря о моих последующих книгах, всегда припоминали первый роман как главную улику. Мне случайно попался номер «Нового мира», вышедший тридцать пять лет назад; в нем статья обо мне, длинные цитаты из «Хулио Хуренито» и выводы: «Разбитая в открытой схватке русская буржуазия борется духовно... Эренбург служит своему классу по-настоящему... Эренбург — последыш буржуазной культуры... История русской литературы ничего бы не потеряла, если бы Эренбург «не пожелал» сделаться писателем...» Я привел выдержки из статьи, пожалуй, наиболее мягкой.

В 1924 году в Киеве я пошел на спектакль — инсценировку «Хулио Хуренито». На сцене показывали Илью Эренбурга, у него на плечах сидел американец мистер Куль и покрикивал: «Живей, живей, моя буржуазная кляча...» Мой тесть, доктор Козинцев, возмущался, а мне было смешно.

Конечно, бывали часы, когда я огорчался: на меня падали снаряды не врагов, а своих. Но, к счастью, в тот период снаряды были бумажными. Постепенно я привык к различным обвинениям; выработался частичный иммунитет, который впоследствии не раз спасал меня от полного отчаяния.

Нападали и на форму моего первого романа. Мне думается, что она раздражала не погрешностями языка, а непривычностью. С той поры критики неизменно утверждают, что я журналист, который пишет романы, как фельетоны; по их мнению, я незаконно вторгся в художественную литературу. Для меня же вторжение газеты в роман было связано с поисками современной формы повествования. Есть люди, которые считают, что детальное описание внешности героя или ландшафта позволяет сухим тезисам обрасти плотью, передовой статье стать новеллой или романом. А это, говоря откровенно, принудительный ассортимент, освещение театральными прожекторами затянувшегося заседания. Право же, «Былое и думы» с бо́льшим правом могут быть причислены к «чистому искусству», нежели «Накануне»...

В 1922 году «Хуренито» был издан в Берлине издательством «Геликон», в Москве — Государственным издательством. Мне было приятно, что моя книга понравилась Маяковскому, что о ней одобрительно отозвались некоторые писатели Петрограда, которых я ценил. (В 1942 году А. Н. Толстой в одной из статей вспомнил о моих сатирических романах и добрым словом помянул «Хулио Хуренито».) Позднее я прочитал в воспоминаниях Н. К. Крупской о том, как принял мой первый роман В. И. Ленин; это было для меня большой моральной поддержкой.

Вскоре «Хуренито» вышел по-немецки, изданный коммунистическим издательством, по-французски с предисловием Пьера Мак-Орлана, на других языках.

Я стал профессиональным писателем.

Но я снова забегаю вперед. Вот я кончил последнюю страницу «Хуренито». На ней я написал: «Довольно обильная седина, частые перебои сердца, слабость утешают меня — я миновал уже трудный перевал...»

Я вышел к морю. Ревел прибой. Была ночь, и вдали метались огоньки рыбацких суденышек. Я шел против ветра; мне было тревожно и весело.

О многом человек и писатель может догадаться, но далеко не обо всем. Седые волосы видишь в зеркале, когда бреешься, а в будущее заглянуть труднее. Я не понимал, что впереди еще много труднейших перевалов и что ветер не уляжется, пока бьется сердце...

КНИГА III

1

оздней осенью 1921 года после сытого и спокойного Брюсселя я увидел Берлин. Немцы жили, как на вокзале, никто не знал, что приключится завтра. Продавцы газет выкрикивали: «Бе Цет! Последний выпуск! Коммунистическое выступление в Саксонии! Подготовка путча в Мюнхене!» Люди молча читали газету и шли на работу. Владельцы магазинов каждый день меняли этикетки с ценами: марка падала. По Курфюрстендамму бродили табуны иностранцев: они скупали за гроши остатки былой роскоши. В бедных кварталах разгромили несколько булочных. Казалось, все должно рухнуть, но дымили трубы заводов, банковские служащие аккуратно выписывали многозначные цифры, проститутки старательно румянились, журналисты писали о голоде в России или о благородном немецком сердце Людендорфа, школьники зубрили летопись былых побед Германии. На каждом шагу были танцульки «диле»; там методически тряслись отощавшие парочки. Грохотал джаз. Помню две модные песенки: «Вы любите ль бананы» и «Моя черная Соня» («Шварце Сониа»). В одной из танцулек хриплый тенор выл: «Завтра светопреставление...» Светопреставление, однако, со дня на день откладывалось.

Келлерман выпустил роман о революции в Германии — «9 ноября». Не знаю, скажет ли что-нибудь эта дата молодым читателям. 9 ноября 1918 года кайзер поспешно отбыл в Голландию, и социал-демократы объявили республику. В министерствах, однако, сидели прежние сановники и чиновники, швейцар почтительно говорил: «Добрый день, господин тайный советник». Я остановился в пансионе на Прагерплац; рядом был широкий проспект Кайзераллее; я пошел бродить по городу и попал на огромную площадь, она называлась Гогенцоллернплац. В комнатах пансиона висели портреты усатого Вильгельма.

Я подружился с поэтом Карлом Эйнштейном. Это был веселый романтик, лысый, с огромной головой, на которой красовалась шишка. Он рассказывал, что был на Западном фронте солдатом и заболел психическим расстройством. Он напоминал мне моих давних друзей, завсегдатаев «Ротонды», и любовью к негритянской скульптуре, и кощунственными стихами, и тем сочетанием отчаяния с надеждой, которое уже казалось воздухом минувшей эпохи. Карл Эйнштейн написал пьесу о Христе. Его предали суду за богохульство. Я пошел на судебное разбирательство. Происходило это в полутемном, мрачном зале. Обычно понятие религиозного фанатизма связывают с католицизмом, с папскими буллами, с инквизицией. Однако медика Сервета сожгли не католики, а кальвинисты, которых католики считали вольнодумцами,— сожгли за то, что он не связывал функций организма с провидением. Эксперты на процессе Карла Эйнштейна цитировали труды просвещенных теологов XX века.

(В 1945 году я увидел размолотый войной Берлин. От здания, где когда-то судили Карла Эйнштейна, оставалась стена, на которой русский сапер написал, что район очищен от мин.)

В Берлине 1921 года все казалось иллюзорным. На фасадах домов по-прежнему каменели большегрудые валькирии. Лифты работали; но в квартирах было холодно и голодно. Кондуктор вежливо помогал супруге тайного советника выйти из трамвая. Маршруты трамваев были неизменными, но никто не знал маршрута истории. Катастрофа прикидывалась благополучием. Меня поразили в витринах магазинов розовые и голубые манишки, которые заменяли слишком дорогие рубашки; манишки были вывеской, доказательством если не благоденствия, то благопристойности. В кафе «Иости», куда я иногда заходил, бурду, именуемую «мокка», подавали в металлических кофейниках, и на ручке кофейника была перчаточка, чтобы посетитель не обжег пальцев. Пирожные делали из мерзлой картошки. Берлинцы, как и прежде, курили сигары, и назывались они «гаванскими» или «бразильскими», хотя были сделаны из капустных листьев, пропитанных никотином. Все было чинно, по-хорошему, почти как при кайзере.

Как-то вечером мы шли с В. Г. Лидиным, который только что приехал из Москвы. Кафе закрывались рано: «полицайштунде» был остатком военных лет. К нам подошел человек и предложил провести в ночное кафе — «нахтлокаль». Мы ехали в метро, долго шли по скудно освещенным улицам и наконец оказались в добропорядочной квартире. На стенах висели портреты домочадцев в офицерской форме и картина, изображавшая закат солнца. Нам дали шампанское — лимонад с примесью спирта. Потом пришли две дочки хозяина, голые, и начали танцевать. Одна из них разговорилась с Владимиром Германовичем; оказалось, ей нравятся романы Достоевского. Мать с надеждой поглядывала на иностранных гостей: может быть, они соблазнятся ее дочками и заплатят — разумеется, в долларах, с марками беда, за ночь они снова упадут. «Разве это жизнь? — вздыхала почтенная мамаша.— Это светопреставление...»

Незадолго до моего приезда в Берлин исступленные националисты убили одного из руководителей партии центра — Эрцбергера. Приверженцы монархического союза «Бисмарк», не стесняясь, одобряли убийство. Законники делали вид, что изучают параграфы уложения, социал-демократы стыдливо вздыхали, а будущие эсэсовцы учились стрелять в живую цель.

Все это не мешало выдавать катастрофу за естественную, хорошо налаженную жизнь. Протезы инвалидов не стучали, а пустые рукава были заколоты булавками. Люди с лицами, обожженными огнеметами, носили большие черные очки. Проходя по улицам столицы, проигранная война не забывала о камуфляже.

Газеты сообщали, что из ста новорожденных, поступающих в воспитательные дома, тридцать умирают в первые дни. (Те, что выжили, стали призывом 1941 года, пушечным мясом Гитлера...)

«Уфа» поспешно изготовляла кинокартины; они были посвящены всему, кроме минувшей войны. Зрители, однако, требовали аффектации страданий, исступленной жестокости, трагических развязок. Я случайно попал на съемку одного фильма. Героиню отец пытался замуровать, любовник бил ее плеткой, она кидалась вниз с седьмого этажа, а герой вешался. Режиссер рассказал мне, что в картине будет и другой, счастливый конец — для экспорта. Не раз я видел, с каким восхищением глядели бледные, тщедушные подростки на экран, где крысы загрызали человека или ядовитая змея жалила красавицу.

Я смотрел выставки «Штурма»; передо мной были не холсты, не живопись, а истерика людей, у которых вместо револьверов или бомб оказались кисти и тюбики с красками. В моих заметках остались названия нескольких холстов: «Симфония крови», «Радиохаос», «Цветная гамма конца света». Душевный разлад требовал выхода, и то, что критики называли «неоэкспрессионизмом» или «дадаизмом», было куда более связано с памятью о битве на Сомме, с восстаниями и путчами, с манишками на голом теле, чем с живописью. У вдохновителя «Штурма» Вальдена было лицо осунувшейся птицы и длинные космы. Он любил говорить о двойниках, об интуиции, о конце цивилизации. В картинной галерее, где стены метались, он чувствовал себя уютно, как в обжитом доме, угощал меня кофе и тортом со взбитыми сливками — их приносили из соседнего кафе.

Я поехал в Магдебург; фасады домов, трамваи, газетные киоски были щедро покрыты все той же истерической живописью. Во главе строительного управления города стоял талантливый архитектор Бруно Таут. Корбюзье вдохновлялся геометрией. Что ж, он жил во Франции... А Бруно Таут жил в стране, где все путалось: голод и спекуляция, вчерашние мечты о Багдаде и завтрашний поход в Индию, «пивные путчи» и рабочие восстания. (После прихода к власти Гитлера Бруно Таут уехал в Японию и обрадовался, увидав там современную архитектуру — традиционные японские дома, светлые и голые.)

Я помнил полотна супрематистов на улицах Москвы и все же в Магдебурге растерялся. Как бы ни был непривычен, порой сух язык Татлина, Малевича, Поповой, Родченко, то был язык искусства. В немецкой живописи меня стесняла литературщина, да и полное отсутствие чувства меры: холсты вопили.

Помню обложку стихов Газенклевера: человек с отчаянным лицом кричит. В поэзии свирепствовала инфляция прорицаний; и Верфель и Унру сулили миру гибель. А на улице прохожие, равнодушные к поэзии, подозрительно молчали.

Я встречался с Леонгардом Франком. Ему исполнилось сорок лет, он был уже известным писателем, но оставался мечтательным юношей: стоит людям поглядеть друг другу в глаза, улыбнуться — и сразу исчезнет злое наваждение. Да и потом он мало менялся; ничто не могло его ожесточить. Я встречал его в годы фашизма в Париже, после войны, когда, проживая в Западной Германии, он приезжал в Берлин и дружески беседовал с писателями ГДР. Одна из его книг называется «Человек хорош»; это очень субъективная оценка — Франк узнал, что такое эсэсовцы, но он-то сам действительно был хорошим человеком.

Артур Голичер потрясал седыми кудрями. «Ты увидишь — не пройдет и года, как рабочий Берлин протянет руку Москве...»

В квартале, облюбованном иностранными мародерами и новыми богачами, которых звали «шиберами», помещалось «Романишес кафе» — приют писателей, художников, мелких спекулянтов, проституток. Там можно было увидеть итальянцев, убежавших от касторки Муссолини, венгров, спасшихся от тюрем Хорти. Там венгерский художник Моголи Надь спорил с Лисицким о конструктивизме. Там Маяковский рассказывал Пискатору о Мейерхольде. Там итальянские фантазеры мечтали о международном походе рабочих на Рим, а ловкачи покупали или продавали мелкие купюры долларов. Солидные бюргеры, направляясь в воскресенье на богослужение в Гедехтнискирхе, пугливо поглядывали на «Романишес кафе» — им казалось, что напротив церкви разместился штаб мировой революции.

Западный Берлин и тогда был «западным»: это связано не только с ветрами истории, но и с обыкновенными ветрами: в Берлине, в Лондоне, в Париже западные районы облюбованы богатыми людьми — обычно ветры дуют с океана и заводы размещаются на восточных окраинах.

В западном Берлине надеялись на Запад и в то же время его ненавидели: мечты о защите против коммунистов смешивались с мечтами о реванше. В витринах магазинов можно было увидеть надписи: «Здесь не продают французских товаров»; это редко соответствовало действительности, и жене шибера не приходилось ломать себе голову над вопросом, где купить духи Герлена: патриотизм отступал перед жаждой наживы. Однако московскому Камерному театру, когда он приехал в Берлин на гастроли, пришлось переименовать французскую оперетку

«Романишес кафе» в Берлине. Двадцатые годы.
Кадр из немецкого фильма «Кабинет доктора Калигари». 1919 г.

«Жирофле-Жирофля» в «Близнецов», а «Адриенну Лекуврер» — в «Морица Саксонского».

В восточном и северном Берлине можно было порой услышать «Интернационал». Там не торговали долларами и не оплакивали кайзера. Там люди жили впроголодь, работали и ждали, когда же разразится революция. Ждали терпеливо, может быть слишком терпеливо... Я видел несколько демонстраций. Шли ряды хмурых людей, подымали кулаки. Но демонстрация заканчивалась ровно в два часа — время обедать... Помню разговор с одним рабочим. Он мне доказывал, что число членов в его профсоюзе возрастает, значит, пролетариат победит. Страсть к организации — почтенная страсть; однако в Германии она мне казалась чрезмерной. (В 1940 году я увидел Берлин без автомобилей — берлинские машины носились по дорогам Европы: третий рейх завоевывал мир. Но прохожие, увидев красный свет, цепенели, никто не осмеливался перейти пустую улицу.) Мой собеседник в 1922 году жил начальной арифметикой. А на дворе была эпоха Ленина и Эйнштейна...

В пивной на Александерплац я впервые услышал имя Гитлера. Какой-то посетитель восторженно рассказывал о баварцах: вот кто молодцы! Скоро они выступят. Это свои люди, рабочие и настоящие немцы. Они всех приберут к рукам: и французов, и евреев, и шиберов, и русских... Соседи запротестовали, но сторонник некоего Гитлера упрямо повторял: «Я говорю как немец и как рабочий...»

Марка продолжала падать; когда я приехал, газета стоила одну марку; вскоре приходилось платить за нее тридцать. Открыли новую линию метро. В «диле» парочки танцевали до изнеможения, танцевали старательно, будто выполняли тяжелую работу. Ллойд-Джордж заявил, что немцы выплатят репарации до последнего пфеннига. Смертность на почве хронического недоедания возрастала. Все говорили о Стиннесе и Шпенглере. Стиннеса знали хорошо: он был некоронованным кайзером, властителем Рура, Гефестом нового Олимпа. Мало кто читал труды Шпенглера, но все знали название одной из его книг — «Закат Западного мира» (по-русски перевели «Закат Европы»), в которой он оплакивал гибель близкой ему культуры. На Шпенглера ссылались и беззастенчивые спекулянты, и убийцы, и лихие газетчики,— если пришло время умирать, то незачем церемониться; появились даже духи «Закат Запада».

То и дело вспыхивали забастовки. В кафе «Иости» прилично одетый посетитель упал на пол. Врач, сидевший за соседним столиком, осмотрел его и громко сказал: «Дайте ему настоящего кофе... Истощение на почве хронического недоедания...» Жить становилось все труднее, но люди продолжали аккуратно, старательно работать.

В переполненном трамвае меня обозвали «польской собакой». На стене хорошего буржуазного дома, где возле парадной двери значилось «Только для господ», я увидел надпись мелом: «Смерть евреям!»

Все было колоссальным: цены, ругань, отчаяние.

Поэты из журнала «Акцион» писали, что после нэпа они больше не верят в Россию, немцы покажут миру, что такое настоящая революция. Один из поэтов сказал: «Нужно начать с того, чтобы в различных стра-

нах одновременно убили десять миллионов человек, это минимум...»
(Герцен писал о «Собакевиче немецкой революции» Гейнцене, который
мечтал: «Достаточно избить два миллиона человек на земном шаре,
и дело революции пойдет как по маслу».) Один из сотрудников «Роте
Фане» мне говорил: «Ваш «Хуренито» — безобразная книга! Не понимаю, как могли ее издать в Москве. Когда мы придем к власти, у нас
такого не будет...»

У власти стоял канцлер Вирт. Он пытался спасти Германскую
республику и в Рапалло подписал соглашение с Советской Россией.
Англичане и французы возмутились. Что касается немцев, то они продолжали ждать: одни ожидали революции, другие — фашистского
путча.

Канцлера Вирта я встретил в 1952 году в Вене, на Конгрессе сторонников мира. Ему тогда было семьдесят пять лет. Как-то после
затянувшегося заседания мы разговорились. Вирт сказал: «Когда
писатель заканчивает роман, он должен испытывать удовлетворение —
хотя бы несколько страниц удались. Другое дело — вечер жизни
политического деятеля; здесь важны не отдельные удачи, а концовка.
Я могу сказать, что моя жизнь перечеркнута. Сначала пришел Гитлер.
Я знал, что будет война. Мне пришлось уехать за границу. Когда война
кончилась, пришел Аденауэр. Мы с ним были в одной партии, он старше
меня на три года. Я ему говорил, что он повторяет ошибки своих предшественников. Он умный человек, но этого понять он не может... Я не
хочу дожить до третьей войны. А что я могу сделать? Разве что выступать на ваших конгрессах. Но это, простите меня, ребячество». Он
закрыл свои тусклые, утомленные глаза...

В летний день на улице Груневальда фашист из организации
«Консул» застрелил министра иностранных дел Ратенау. Когда поли-
ция набрела на след убийц, они покончили жизнь самоубийством.
Фашистов похоронили с воинскими почестями.

Владельцы магазинов не успевали менять цены; они придумали
выход: цены якобы оставались неизменными, но их нужно было мно-
жить на «шлюссельцаль» — на коэффициент. Вчера он был четыреста,
сегодня шестьсот. На экранах окраинных кино продолжал безумство-
вать все тот же доктор Калигари. За один день в Берлине было зареги-
стрировано девять самоубийств. Начал выходить журнал «Дружба»,
посвященный теории и практике гомосексуализма.

Германия тех лет нашла своего портретиста — Георга Гросса. Он
изображал шиберов, у которых пальцы напоминали короткие сосиски.
Он изображал героев минувшей и будущей войны, человеконенавистни-
ков, обвешанных железными крестами. Критики его причисляли к экспрессионистам; а его рисунки — сочетание жестокого реализма с тем
предвидением, которое люди почему-то называют фантазией. Да, он
осмелился показать тайных советников голыми за письменными столами, расфуфыренных толстых дамочек, которые потрошат трупы, убийц,
старательно моющих в тазике окровавленные руки. Для 1922 года это
казалось фантастикой, в 1942 году это стало буднями. Рисунки Гросса
в их жестокости поэтичны, они сродни деревянным Ледам Гильдесгей-

ма, типографским гномам готической азбуки, кабачкам под ратушами, запаху горя и солода, который стоит на узких средневековых улицах.

У Гросса были светлые глаза младенца, застенчивая улыбка. Он был мягким и добрым человеком, ненавидел жестокость, мечтал о человеческом счастье; может быть, именно это помогло ему беспощадно изобразить те хорошо унавоженные парники, в которых укоренялись будущие оберштурмфюреры, любительницы военных трофеев, печники Освенцима.

Весь мир тогда глядел на Берлин. Одни боялись, другие надеялись: в этом городе решалась судьба Европы предстоящих десятилетий. Все мне здесь было чужим — и дома, и нравы, и аккуратный разврат, и вера в цифры, в винтики, в диаграммы. И все же я тогда писал: «... Мои любовные слова о Берлине я снабдил столь непривлекательными описаниями, что ты, вероятно, обрадуешься, что ты не в Берлине... Я прошу тебя, поверь мне за глаза и полюби Берлин — город отвратительных памятников и встревоженных глаз». Два года я прожил в этом городе в тревоге и в надежде: мне казалось, что я на фронте и что короткий час, когда замолкают орудия, затянулся. Но часто я спрашивал себя: чего я жду? Мне хотелось верить, и не верилось...

Маяковский, приехав впервые в Берлин осенью 1922 года, объяснялся в любви:

> Сегодня
> хожу
> по твоей земле, Германия,
> и моя любовь к тебе
> расцветает все романнее и романнее.

«Романнее» звучит для нас странно; видимо, оно произведено от «романа» не в литературном, а в разговорном значении этого слова. Иногда поэт видит то, чего не видят критики, и тогда поэта обвиняют в ошибках. Иногда поэт ошибается вместе с другими, и критики, как добрые экзаменаторы, одобрительно кивают головами. Говоря о Германии, Маяковский повторил то, что думали в 1922 году миллионы людей. Правда, позади были разгром Советской республики в Баварии, убийство Карла Либкнехта и Розы Люксембург; но впереди маячили огни Гамбургского восстания. Для современников ничего еще не было решено, и осенью 1922 года я вместе с другими ждал революцию.

Напрасно немцам приписывали умеренность, любовь к золотой середине; не только искусство экспрессионистов, но и слишком многие страницы немецкой истории помечены чрезмерностью.

Маяковский писал, что «сквозь Вильгельмов пролет Бранденбургских ворот» пройдут берлинские рабочие, выигравшие битву. История решила иначе: одиннадцать лет спустя сквозь эти ворота прошли бесновавшиеся гитлеровцы, а в мае 1945 года советские солдаты...

2

Не знаю, сколько русских было в те годы в Берлине; наверно, очень много — на каждом шагу можно было услышать русскую речь. Открылись десятки русских ресторанов — с балалайками, с зурной, с цыганами, с блинами, с шашлыками и, разумеется, с обязательным надрывом. Имелся театр миниатюр. Выходило три ежедневных газеты, пять еженедельных. За один год возникло семнадцать русских издательств; выпускали Фонвизина и Пильняка, поваренные книги, труды отцов церкви, технические справочники, мемуары, пасквили.

Где-то в Сербии врангелевские генералы еще подписывали военные приказы. Газета «Двуглавый орел» публиковала рескрипты «его императорского величества». Суворин-сын в «Новом времени» составлял списки будущего правительства; иностранные дела предполагалось поручить Маркову-второму, внутренние — Бурцеву. Какие-то прохимцы вербовали изголодавшихся людей в фантастические «отряды смерти». Однако вчерашние поручики и корнеты мечтали уже не о штурме российских городов, а о французской или немецкой визе. Атаман Краснов, отложив батожок, единым духом написал длиннейший роман «От двуглавого орла к красному знамени».

Некоторым головорезам трудно было сразу стать шоферами такси или рабочими; они пытались продлить прошлое. Большевики были далеко, приходилось сводить счеты с товарищами по эмиграции. На лекции Милюкова монархисты застрелили кадета Набокова. Черносотенцы обрушились на Керенского, уверяя, будто он сын известной революционерки Геси Гельфман. «Черный гусар» Посажной писал:

Языком, что без оков,
Глупости болтает,
Забывает Милюков,
Что терпенье тает.

Германия двадцатых годов. Рисунок Г. Гросса.

Стоят: В. и А. Вишняки (в матросских костюмах), Дуся Рысс, Лекаж, Р. Фальк, Самсараган, Грановский. Сидят: Миля Грановская, И. Эренбург, Л. Козинцева-Эренбург, Маревна. На полу — Воловик. Париж. Тридцатые годы.

Загораются огни,
Мщения пожары.
Он погибнет от меня,
Черные гусары!

Помню, как нас веселила книга некоего Бостунича «Масонство
и русская революция», в которой говорилось, что эсер Чернов на самом
деле Либерман, а октябрист Гучков — масон и еврей по имени Вакье;
Россию погубили вечные ручки Ватермана и шампанское Купферберга,
помеченные дьявольскими пентаграммами.

Известный в дореволюционные годы журналист Василевский — Не-
Буква писал, что «большевики растлили Сологуба», ссылаясь на роман
«Заклинательница змей», написанный до революции. Бурцев называл
Есенина «советским Распутиным», К. Чуковского за статью «Ахматова
и Маяковский» объявили «советским прихвостнем»; а тот самый Кайранский, что сочинил про меня юдофобские стишки, острил: «Музы-
кальный инструмент Маяковского — канализационная труба». Не
уступали журналистам и писатели с именем. Зинаида Гиппиус травила
Андрея Белого. Беллетрист Е. Чириков, который многим был обязан
Горькому, написал пасквиль «Смердяков русской революции». Бунин
чернил всех. Белые газеты, что ни день, объявляли о близком конце
большевиков.

Все это было бурей в стакане воды, истерикой низверженных
помпадуров, работой десятка иностранных разведок или бредом отдельных фанатиков. Среди эмигрантов было много людей, не понимавших, почему они очутились в эмиграции. Одни убежали в припадке
страха, другие от голода, третьи потому, что уезжали их соседи. Кто-то
остался, кто-то уехал; один брат ходил на субботники в Костроме,
другой мыл тарелки в берлинском ресторане «Медведь», взгляды у них
были одинаковые, да и характеры сходные. Судьбу миллионов людей
решила простая случайность.

Казалось бы, все стало на свое место, твердь отделилась от хляби;
а на самом деле еще царила неразбериха переходного времени. Издатель Ладыжников выпускал книги Горького и Мережковского. Другой
издатель, З. И. Гржебин, на своих изданиях ставил: «Москва — Петербург — Берлин», а печатал он произведения самых различных
авторов — Брюсова и Пильняка, Горького и Виктора Чернова.

Издательство, выпустившее «Хулио Хуренито», называлось поэтично — «Геликон». Горы, где обитали некогда музы, не оказалось;
была маленькая контора на Якобштрассе, и там сидел молодой человек
поэтического облика — А. Г. Вишняк. Он сразу подкупил меня своей
любовью к искусству. Абрам Григорьевич издавал стихи Пастернака
и Цветаевой, книги Андрея Белого, Шкловского, Ремизова. Эмигрантские критики его называли «полубольшевиком». А мы его прозвали
«Мурзуком». Он внес в берлинский быт нравы московской зеленой
богемы. Марина Цветаева посвятила ему цикл стихотворений в книге
«Ремесло», писала о глазах Абрама Григорьевича:

Орлы и гады в них, и лунный год,
Весь грустноглазый твой, чужой народ...

Я подружился с ним и с его женой Верой Лазаревной. Потом Вишняки перебрались в Париж. Когда гитлеровцы оккупировали этот город, мы часто обедали у старых друзей. Расстался я с ними в тревоге, а потом узнал, что эти хорошие, добрые люди погибли в Освенциме.

В Берлине существовало место, напоминавшее Ноев ковчег, где мирно встречались чистые и нечистые; оно называлось Домом искусств. В заурядном немецком кафе по пятницам собирались русские писатели. Читали рассказы Толстой, Ремизов, Лидин, Пильняк, Соколов-Микитов. Выступал Маяковский. Читали стихи Есенин, Марина Цветаева, Андрей Белый, Пастернак, Ходасевич. Как-то я увидел приехавшего из Эстонии Игоря Северянина; он по-прежнему восхищался собой и прочитал все те же «поэзы». На докладе художника Пуни разразилась гроза; яростно спорили друг с другом Архипенко, Альтман, Шкловский, Маяковский, Штеренберг, Габо, Лисицкий, я. Вечер, посвященный тридцатилетию литературной деятельности А. М. Горького, прошел, напротив, спокойно. Имажинисты устроили свой вечер, буянили, как в московском «Стойле Пегаса». Пришел как-то Е. Чириков, сел рядом с Маяковским, спокойно слушал.

Теперь мне самому все это кажется неправдоподобным. Года два или три спустя поэт Ходасевич (я уже не говорю о Чирикове) никогда не пришел бы в помещение, где находился Маяковский. Видимо, не все кости еще были брошены. Горького некоторые называли «полуэмигрантом». Ходасевич, ставший потом сотрудником монархического «Возрождения», редактировал с Горьким литературный журнал и говорил, что собирается вернуться в Советскую Россию. А. Н. Толстой, окруженный сменовеховцами, то восхвалял большевиков как «собирателей земли русской», то сердито ругался. Туман еще клубился.

Успеху Дома искусств немало содействовал его первый председатель, поэт-символист Николай Максимович Минский. Ему тогда было шестьдесят семь лет; он был низеньким, круглым, улыбался и мурлыкал, как ласковый кот. Теперь его имя всеми забыто, а когда я был юношей, о нем много говорили; с ним спорил Вячеслав Иванов, про него писал Блок; барышни зачитывались его стихами, попавшими в «Чтец-декламатор»: «Сны мимолетные, сны беззаботные снятся лишь раз...»

В 1905 году Минский, как многие поэты-символисты, пережил увлечение революцией. У него имелось разрешение на издание газеты, и по иронии судьбы проповедник культа «абсолютной личности» стал официальным редактором первой легальной большевистской газеты «Новая жизнь». В редакционную работу он не вмешивался, но напечатал в газете стихи:

> Пролетарии всех стран, соединяйтесь!
> Наша сила, наша воля, наша власть.
> В бой последний, как на праздник, собирайтесь.
> Кто не с нами, тот наш враг, тот должен пасть.

Поэтом он был посредственным, но роль его в развитии эстетической культуры в конце прошлого века бесспорна.

Газету «Новая жизнь» царские власти вскоре закрыли, а Николая Максимовича предали суду. Он уехал за границу и прожил там до смерти (умер он в возрасте восьмидесяти трех лет).

Может быть, именно потому, что он не видел ни революции, ни гражданской войны, он благодушно беседовал и с советскими писателями, и с самыми непримиримыми эмигрантами. По-моему, он не совсем ясно понимал, что именно их разделяет, и часто попадал впросак: доказывал Л. Шестову, что и у коллектива свои права, требовал от Маяковского признания свободы слова, ссылаясь при этом на традиции Короленко, а обращаясь к А. Н. Толстому, неизменно восхвалял футуризм, имажинизм и другие новшества. Но говорил он все это доброжелательно, и никто на него не обижался. Улыбался он всем, а особенно нежно — женщинам.

Мне он неизменно доказывал: «Мало победы работников физического труда, необходимо объединить работников умственного труда. Нужно воспитывать детей — от них зависит будущее. Очаги воспитания — такова задача молодых». Он был очень оторван от жизни, особенно русской. Я едва удерживался, чтобы не рассмеяться, когда он называл проектируемые им детские приюты «альмами»; по-латыни «альма» — «кормилица», но по-русски звучит странно, и как раз у моих знакомых была овчарка, которую звали Альмой. А Николай Максимович мурлыкал и улыбался. При встрече Нового года в Доме искусств он прочитал стихотворный тост:

> Встретим, радуясь, как дети,
> Год тысяча девятьсот двадцать третий...
> Конец распрям вздорным,
> Андрей Белый подружится с Сашей Черным...
> Шкловский примирится с содержаньем Шекспира.
> Пастернаку достанется Лермонтова лира.
> А председателю Минскому в награду за старанья
> Достанутся бурные рукоплесканья...

Был в Берлине еще один клочок «ничьей земли», где встречались советские писатели с эмигрантскими,— страницы журнала «Новая русская книга». Издавал его профессор Александр Семенович Ященко, юрист и любитель литературы; из России он уехал с советским паспортом и, подобно Минскому, старался объединить всех. Кто только не сотрудничал в его журнале! Я прославлял работы Татлина и возражал эмигрантским хулителям советской поэзии. Александр Семенович вздыхал: «Резко, чересчур резко»,— но статьи мои печатал. А рядом ставил заклинания бывшего толстовца, монархиста И. Наживина: «Старая Русь быстро стала царством Хама... Но молодежь погибала, генералы пьянствовали, крали, беззаконничали, а тылы спекулировали на крови и похабничали... В эмиграции я стал энергично продолжать национальную и монархическую работу, но с каждым днем во мне грозно нарастали сомнения... И все оподлели, и все обессилели. Будущее наше мучительно и мрачно...» А в следующем номере выступал Маяковский: «Стал писать в «Известиях». Организую издательство МАФ. Собираю футуристов коммуны...»

Кругом был Берлин, с его длинными, унылыми улицами, с дурным искусством и с прекрасными машинами, с надеждой на революцию и с выстрелами первых фашистов. Поэт Ходасевич описывал берлинскую ночь глазами русского:

> Как изваянья — слипшиеся пары.
> И тяжкий вздох. И тяжкий дух сигары...
> Жди: резкий ветер дунет в окарино
> По скважинам громоздкого Берлина,—
> И грубый день взойдет из-за домов
> Над мачехой российских городов.

Понять «мачеху российских городов» было нелегко. В ее школах сидели чинные мальчики, которым предстояло двадцать лет спустя исполосовать мать городов русских. Впрочем, Ходасевич, как и большинство русских писателей, отворачивался от жизни Германии.

Сидел у себя дома, сгорбившись, А. М. Ремизов и причудливой вязью писал «Россию в письменах». Андрей Белый говорил, что пишет о Блоке. А. Н. Толстой вместе с художником Пуни работал над книгой о русском искусстве. Марина Цветаева в Берлине написала одну из своих лучших книг — «Ремесло».

Я много работал; за два года написал «Жизнь и гибель Николая Курбова», «Трест Д. Е.», «Тринадцать трубок», «Шесть повестей о легких концах», «Любовь Жанны Ней». После «Хулио Хуренито» мне казалось, что я вышел на дорогу, нашел свои темы, свой язык; на самом деле я блуждал, и почти каждая новая книга перечеркивала предшествующую. Об этом я расскажу дальше. Теперь скажу о другом: вместе с художником-конструктивистом Эль Лисицким я издавал журнал «Вещь».

Лисицкий твердо верил в конструктивизм. В жизни он был мягким, чрезвычайно добрым, порой наивным; хворал; влюблялся, как влюблялись в прошлом веке,— слепо, самоотверженно. А в искусстве он казался непреклонным математиком, вдохновлялся точностью, бредил трезвостью. Был он необычайным выдумщиком, умел оформить стенд на выставке так, что бедность экспонатов казалась избытком; умел по-новому построить книгу. В его рисунках видны и чувство цвета, и мастерство композиции.

«Вещь» выпускало издательство «Скифы». Легко догадаться, насколько революционные славянофилы и неисправимые народники были далеки от идей конструктивизма, которые мы проповедовали. После первого номера они не выдержали и печатно от нас «отмежевались».

Что касается меня самого, то я в каждой книге «отмежевывался» от самого себя. Именно тогда В. Б. Шкловский назвал меня «Павлом Савловичем». В его устах это не могло звучать зло. В жизни он делал то, что делали почти все его сверстники, то есть не раз менял свои воззрения и оценки, делал это без горечи, даже с некоторым задором; только глаза у него были печальными — с такими он, видимо, родился. В книге «Цоо», написанной в Берлине, он писал: «Из-за холода отрекся апостол Петр от Христа. Ночь была свежая, и он подходил к костру, а у костра было общественное мнение, слуги спрашивали Петра о Христе, а Петр отрекался... Хорошо, что Христос не был распят в России: климат у нас континентальный, морозы с бураном...» Шкловский никогда ни от чего не отрекался для того, чтобы подойти поближе к костру; но мне кажется, что этому пылкому человеку холодно на свете. Холодно ему было и в Берлине. Там он написал, на мой взгляд, лучшую свою книгу «Сентиментальное путешествие». Ее построение — внезапные переходы от одного сюжета к другому («в огороде бузина, а в Киеве дядька»), ассоциации по смежности, мелькание кадров и подчеркнуто личная интонация,— все это диктовалось содержанием: Шкловский описывал страшные годы России и свое внутреннее смятение. Потом он продолжал писать о предметах куда более спокойных, даже академических, так, как писал прежде о теплушках восемнадцатого года. В нем очень много блеска; отдельные его фразы вошли в фольклор нашей эпохи; это — фейерверк, который на минуту озаряет все вокруг; читать при фейерверке трудно.

В Берлине печальные глаза Шкловского были печальны вдвойне; он никак не мог приспособиться к жизни за границей; писал он тогда «Цоо».

Эта книга имела непредвиденное продолжение в жизни: она способствовала рождению писательницы, которую некоторые молодые читатели считают француженкой. Эльза Юрьевна Триоле жила тогда в Берлине, и мы с ней часто встречались. Она — москвичка, сестра Лили Юрьевны Брик. В начале революции она вышла замуж за француза Андре Триоле, Андрея Петровича, которого мы вслед за Эльзой называли просто Петровичем, и уехала с ним на Таити. (Петрович был своеобразным человеком, основной его страстью были лошади. Как-то в Париже он сказал мне, что на каникулы едет в Данию: там чудесные

В редакции журнала «Новая русская книга». А. Ремизов, А. Белый, Б. Пильняк, А. Толстой, И. Соколов-Микитов, Ященко. Берлин. 1922 г.

«Проун» Эль Лисицкого.

Илья Эренбург. Берлин. 1923 г.

Виктор Шкловский. Берлин. Начало двадцатых годов.

Борис Пильняк.

пастбища, и его лошади смогут хорошо отдохнуть.) Андре Триоле после возвращения с Таити остался в Париже, а Эльза Юрьевна уехала в Берлин. Была она очень молода, привлекательна — розовая, как некоторые холсты Ренуара, и печальная. В. Б. Шкловский включил в свою книгу «Цоо» четыре или пять писем Эльзы. Когда книга вышла, Горький сказал Виктору Борисовичу, что ему понравились женские письма. Два года спустя московское издательство «Круг» издало первую книгу Эльзы Триоле «На Таити». Эльза Юрьевна потом жила в Париже, почти каждый вечер я видел ее на Монпарнасе. Там в 1928 году она познакомилась с Арагоном и вскоре начала писать по-французски.

Шкловский в «Цоо» упрекал свою героиню за то, что она слишком любит «общеевропейскую культуру» и, следовательно, может жить вне России. Чувства Виктора Борисовича понятны: случайно очутившись в Берлине, он тосковал и рвался домой.

Борис Андреевич Пильняк, приехав в Берлин, с любопытством разглядывал чужую жизнь. Был он человеком талантливым и путаным. Он хорошо знал то, о чем писал, поразил читателей и русских и зарубежных не только жестокими деталями описываемого быта, но и непривычной формой повествования. На книгах Пильняка двадцатых годов, как и на книгах многих его сверстников, лежит печать эпохи — сочетание грубости и вычурности, голода и культа искусства, увлечения Лесковым и услышанной на базаре перебранкой. Он погиб одним из первых в начале 1937 года, и трудно сказать, как пошел бы дальше его писательский путь. В Берлине в 1922 году он говорил, что революция «мужицкая», «национальная», ругал Петра, который «оторвал Россию от России». Простота его была с хитрецой: он обожал юродство (это слово, кажется, не существует ни в одном из европейских языков) — древнюю русскую форму самозащиты.

Есенин прожил в Берлине несколько месяцев, томился и, конечно же, буянил. Его неизменно сопровождал имажинист Кусиков, который играл на гитаре и декламировал:

> Про меня говорят, что я сволочь,
> Что я хитрый и злой черкес.

Они пили и пели. Напрасно Айседора Дункан пыталась унять Есенина; одна сцена следовала за другой. Пильняк, выпив, пытался построить на русском разоре философию, а Есенин в отчаянии бил посуду.

Начала выходить газета «Накануне». Мне привелось раза два или три разговаривать с ее идеологами. Сменовеховцы откровенно признавались, что коммунизм им не по душе, но хорошо, что большевики создали армию, выгнали интервентов, дали отпор Польше. «Мы за твердую власть,— говорили они,— а остальное образуется». Я писал поэтессе М. М. Шкапской: «Накануновцы» не хотят простить мне отказа писать у них, но, что делать, я для них слишком левый...» Журналист Василевский — Не-Буква напечатал в «Накануне» хлесткую статью обо мне, вспоминая, как в «Хуренито» мулатка хлестала героя романа Эренбурга ломтями ростбифа по щекам, говорил, что меня следует бить по лицу окороком с хорошей костью.

Алексей Николаевич Толстой сидел мрачный, попыхивая трубкой, молчал и вдруг, успокоенный, улыбался. Как-то он сказал мне: «В эмиграции не будет никакой литературы, увидишь. Эмиграция может убить любого писателя в два-три года...» Он уже знал, что скоро вернется домой.

«Скифы» были за Разина, за Пугачева, цитировали то «Двенадцать», то стихи Есенина о «железном госте». Сменовеховцы говорили, что большевики — наследники Ивана Грозного и Петра. Все они клялись Россией, и все твердили о «корнях», о «традициях», о «национальном духе». А рядовые эмигранты, выпив в ресторане «Тройка» несколько стопок и услышав «Выплывают расписные...», плакали и ругались, как плакали и ругались в последней русской теплушке, улепетывая за границу.

Толстой был прав: для большинства русских писателей эмиграция была смертью. В чем тут дело? Действительно ли любая эмиграция убивает писателя? Не думаю. Вольтер прожил в эмиграции сорок два года, Гейне — двадцать пять лет, Герцен — двадцать три года, Гюго — девятнадцать лет, Мицкевич — двадцать шесть; в эмиграции написаны и «Кандид», и «Германия. Зимняя сказка», и «Былое и думы», и «Отверженные», и «Пан Тадеуш». Дело не в разлуке с родиной, как бы тяжела она ни была. В эмиграции могут оказаться разные писатели — и разведчики и обозники. Дантон сказал, что нельзя унести родину на подошвах своих ботинок; это верно; но можно унести родину в сознании, в сердце. Можно уехать за тридевять земель не с мелкой злобой, а с большими идеями. Тем и отличается судьба Герцена от судьбы Бунина.

«Скифы», «евразийцы», «сменовеховцы» сходились на одном: гнилому, умирающему Западу противопоставляли Россию. Эти обличения Европы были своеобразным отголоском давних суждений славянофилов.

(Четверть века спустя после тех лет, о которых я пишу, неожиданно воскресли некоторые мысли, да и словечки. Бесспорно, низкопоклонство — непривлекательное зрелище, оно унижает и того, кто кланяется, и того, кому кланяются. Еще сатирики XVIII века высмеивали русских дворян, старавшихся «французить». Мне противен советский мещанин, который, увидев пошлый американский фильм, говорит своей супруге (у такого не жена, а обязательно супруга): «Далеко нам до них!» Я готов, однако, низко поклониться не только Шекспиру или Сервантесу, но и Пикассо, Чаплину, Хемингуэю, не думаю, что это может меня принизить. Непрерывные разговоры о своем превосходстве связаны с пресмыкательством перед чужестранным — это различные проявления того же комплекса неполноценности; и мне не менее противен другой мещанин, готовый искренне или лицемерно оплевать все хорошее, если это хорошее — чужое.)

В «Записках писателя» Е. Г. Лундберга есть запись, относящаяся к началу 1922 года: «Группа русских писателей собралась пить чай и ликеры в нарядном кафе над рестораном Вилли. Начались тосты. Кто пил за литературу, кто за мудрость, кто за свободу. «Против насилия!» — поднял бокал, закусывая от внутренней боли губы, экспатриированный философ. Все стихли. Ясно было, против кого направлен тост. Помолчали, обнялись, выпили. Только И. Эренбург и я остались в стороне. О чем думал Эренбург, я не знаю. А я — о рабстве полунищего среднего человека на этом милом сердцам культурных людей кладбище Европы». Я не помню, конечно, о чем я думал в кафе Вилли; смутно припоминаю самую встречу. Но я хорошо знаю, о чем я думал в те годы.

«Скифы» родились от известного стихотворения Блока. Как ни сильна блоковская магия слова, некоторые строфы этого стихотворения мне были и остались чуждыми:

> Мы широко по дебрям и лесам
>   Перед Европою пригожей
> Расступимся! Мы обернемся к вам
>   Своею азиатской рожей!

> Идите все, идите на Урал!
>   Мы очищаем место бою
> Стальных машин, где дышит интеграл,
>   С монгольской дикою ордою!

Нет, я не хотел принять «азиатской рожи»! Слова эти звучат исторически несправедливо, и, конечно же, в Индии не меньше философов и поэтов, чем в Англии. Е. Г. Лундбергу Европа тогда казалась милым сердцу кладбищем. А я Европу не отпевал. Мой роман «Трест Д. Е.», написанный в те годы,— история гибели Европы в результате деятельности американского треста. Это сатира; я мог бы ее написать и сейчас с подзаголовком — «Эпизоды третьей мировой войны». Европа для меня была не кладбищем, а полем битвы, порой милым, порой немилым: такой я ее видел юношей в Париже, такой нашел в тревожном Берлине 1922 года. (Такой вижу ее и теперь. Можно, разумеется, поразному относиться к Европе — «открывать окно», законопачивать двери, можно и вспомнить, что вся наша культура — от Киевской Руси до Ленина — неразрывно связана с культурой Европы.)

О чем еще я думал в то время? О том, как примирить «интеграл» с человечностью, справедливость с искусством. Я знал, что можно гордиться подвигом народа, который первым решился пойти по неисследованному пути, но этот путь мне казался куда более широким, чем традиции одной страны или душа одной нации.

Не помню, кто именно пил чай и ликеры в кафе Вилли. Может быть, один из находившихся там потом направился в «Тройку» и за рюмкой водки бубнил о миссии России. Чехов записал монолог: «Патриот: «А вы знаете, что наши русские макароны лучше, чем итальянские! Я вам докажу! Однажды в Ницце мне подали севрюги — так я чуть не зарыдал...»

Со временем тостов в кафе Вилли прошло сорок лет. Старая эмиграция исчезла: люди состарились, умерли; их дети стали исправными французами, немцами, англичанами. Сын кадета Набокова, убитого некогда ультрамонархистом, теперь один из самых читаемых писателей Америки; он писал сначала по-русски, потом по-французски, теперь пишет по-английски.

Газеты не раз отмечали недостатки наших рыбных промыслов. Но та севрюга, о которой писал Чехов, осталась...

3

В 1922 году в бюргерский скромный пансион на Траутенауштрассе, где я жил, пришел неизвестный мне человек, застенчиво и гордо сказал: «Я — Тувим». Я тогда не знал его стихов, но сразу почувствовал смятение: передо мной был поэт. Все знают, что стихотворцев на свете много, а поэтов мало, и встречи с ними потрясают. Пушкин говорил, что вне часов вдохновения душа поэта «вкушает хладный сон». Не этот ли мнимый холод обжигает окружающих? «Хладный сон» Тувима был страстен, горек, неистов.

Он расспрашивал меня про русских поэтов, про Москву. Он жил двумя страстями: любовью к людям и трудной близостью к искусству. Мы сразу нашли общий язык.

Почти всю жизнь мы прожили в разных мирах и встречались редко, случайно (прежде говорили — «как корабли в море», я скажу — как пассажиры на шумном аэровокзале, где громкоговорители ревут: «Производится посадка...»). А вот мало кого я любил так нежно, суеверно, безотчетно, как Юлиана Тувима...

При первой встрече меня поразила его красота. Ему тогда было двадцать восемь лет. Впрочем, красивым он оставался до конца своей жизни. Большое родимое пятно на щеке придавало строго обрисованному лицу трагический характер, а улыбался он печально, почти виновато; порывистые движения сочетались с глубокой застенчивостью.

Поэтам не положено долго засиживаться на земле, и молодые литераторы называли Тувима «стариком», а он не дожил до шестидесяти.

Линии жизни извилисты не только на ладони. Некоторые начетчики укоряли Тувима: он тогда-то того-то не понял, отвернулся, отступился, забежал вперед, отошел в сторону. В годы второй мировой войны Тувим писал: «Политика не является моей профессией. Она — функция моей совести и темперамента». Конечно, его путь не был прямой столбовой дорогой, но где и когда поэты маршировали по бетонированным шоссе?.. Тувим страдал болезнью пространства — агорафобией: ему трудно было перейти большую площадь. А пришлось ему переходить через пустыри и пустыни, перешагнуть из одной эпохи в другую.

Юлиан Тувим в своем кабинете. 1931 г.

Маяковский писал о нем: «беспокоящийся, волнующийся» и, отмечая противоречия, приписывал их условиям жизни в Польше 1927 года: «Ему, очевидно, нравилось бы писать вещи того же порядка, что «Облако в штанах», но в Польше и с официальной поэзией и то не просуществуешь,— какие тут «облаки». А ведь Маяковский написал «Облако в штанах» в царской России, и Тувим перевел эту поэму в реакционной Польше. Если он не написал «Облако в штанах», то только потому, что поэты не похожи один на другого.

В 1939 году советский знаток польской литературы уверял, что для Тувима характерны «безыдейность, бегство от жизни». За несколько месяцев до смерти Тувима я слышал радиопередачу «Конгресса за свободу и культуры» (организация, поддерживаемая американцами); комментатор говорил, что Тувим предал Польшу, изменил поэзии, потерял совесть.

Путь человека нельзя понять, увидев один его шаг; дорога жизни видна с горы, а не из подворотни. Годы меняют и облик государства, и мысли людей, но нечто самое существенное поэт проносит через все свое творчество. Маяковский правильно назвал Тувима «беспокоящимся, волнующимся»; таким он остался до самой смерти: и когда ходил в кафе «Малая Земянская» со своими друзьями «скамандритами» — Слонимским, Ивашкевичем, Лехонем (группа поэтов, хотевших обновить польскую поэзию, окрестила себя «Скамандр»), и когда порвал со многими из давних друзей, решив вернуться в новую Польшу, и когда в ранней молодости проклинал классические каноны, дерзил, куролесил, и когда незадолго до смерти восклицал: «Я полон таких шаблонов, как вера, надежда, любовь к благородным людям, ненависть к подлецам...»

В ноябре 1950 года в Варшаве проходил Второй Конгресс сторонников мира. Один очень сведущий и в то время очень влиятельный человек, показав мне на Тувима, который скромно сидел в глубине зала, сказал: «Видите, что значит перековка? Поэт беглых настроений теперь участвует в борьбе за мир...» Я в ответ усмехнулся: вспомнил давнее стихотворение Тувима, за которое его ругали на всех перекрестках,— он писал о нефти, о крови и призывал солдат бросить винтовки. Это было за четверть века до Первого Конгресса сторонников мира. Но у некоторых людей, которые ездят в машинах, а из конного транспорта запомнили только образ обязательной подковы, длинные руки и короткая память.

Марина Цветаева писала, что «каждый поэт — в гетто». Эти строки нравились Тувиму, он их не раз мне повторял. А когда ему еще не было тридцати лет, он написал о тех, кто сажает поэтов в гетто, и о тех, кто в гетто не сдается:

> Нет, вам не добиться ни службой, ни лестью
> Моего свободного званья Поэта.
> Господь не нацепит вон те созвездья
> На ваши мундиры и эполеты.

Польша не всегда была ласкова к Тувиму, но он всегда любил Польшу. Природа польского патриотизма связана с трагической историей трех разделов; я никогда об этом не забывал, слушая признания Тувима. (Они, правда, были приправлены той долей иронии, которая диктуется стыдливостью.) Он страстно любил родную Лодзь, город, менее всего созданный для любования. В 1928 году я был в Варшаве, потом в Лодзи — читал отрывки из моих книг. Тувим заклинал меня не забыть посмотреть в Лодзи и Петроковскую улицу, и базар, и гостиницу «Савой», и фабрики, и нищие Балуты. Я остановился в лодзинском «Савое», видел фабрики, Балуты, большую тюрьму, видел литераторов, рабочих, жандармов, гимназистов, фабриканта Познанского, подпольщиков. Я записал тогда: «Короткое имя «Лодзь». Короткие фразы: «пять ящиков», «три вагона», «порцию гуся», «врача», «полицию», «похоронное бюро». Мысли еще короче. «Доллар — восемь злотых», «Сдохну!», «Выбьюсь!», «К черту!», «Арестовать!». Хороший город, откровенный город! Во всей Европе вы не найдете ни такой злобы, ни такой воли к жизни, ни такой тоски». Когда я встретился с Тувимом, я ему сказал: «Чудесный город!» Он улыбнулся,— наверно, он видел Лодзь другой: я был там неделю, а он там вырос; да и тем сильна любовь, что она многое преображает. Только недавно я прочитал стихи Тувима:

> Пусть те восхваляют Сорренто, Крым,
> Кто на красоты падок.
> А я из Лодзи. И черный дым
> Мне был отраден и сладок.

Вероятно, Тувим был куда сложнее, чем он казался не только начетчикам из различных монастырей, но и друзьям. Впрочем, об этом я еще скажу. Продолжаю о его любви к Польше.

В 1940 году Тувим добрался до Парижа. Странная то была зима

или, как говорили французы, «странная война»! По ночам город был затемнен; но в ресторанах, в кафе за щитами окон было светло и шумно — военные развлекались. На фронте солдаты скучали, а в Париже полицейские работали без устали: никто в точности не знал, с кем Франция воюет — с немцами или с коммунистами. Стекла окон были покрыты узорами из тонких полосок бумаги — парижане страховали стекла от предполагаемых бомбежек; но все было тихо, невыносимо тихо, и вряд ли кто-нибудь догадывался, что через несколько месяцев разлетится вдребезги не окно предусмотрительной консьержки, а вся Франция. В ту зиму я болел и мало кого видел — многие друзья не хотели со мной встречаться: кто побаивался, а кто сердился — дружба дружбой, политика политикой. Тувим, однако, меня разыскал. Он думал об одном — о Польше, и Париж в ту зиму был ему чужим. Наша дружба выдержала трудное испытание; мы обнялись и поняли друг друга.

Мы расстались на шесть лет. Незачем говорить, какие это были годы. Осенью 1941 года, когда сводки Совинформбюро каждый день сообщали: «Наши войска оставили...», а по московским переулкам нестройно маршировали пожилые ополченцы, когда на Западе нас отпевали, я получил телеграмму из Нью-Йорка — Тувим говорил о дружбе, о любви, о вере. (Ничего у меня не сохранилось, кроме нескольких записных книжек, и я не помню текста телеграммы.) Тувим потом писал: «В период самых больших «триумфов» Гитлера на Восточном фронте я послал телеграмму Эренбургу — телеграмму, исполненную веры в грядущую победу Красной Армии».

Весной 1946 года я сидел в нью-йоркской квартире Тувима, среди сундуков и чемоданов: через неделю он должен был уехать во Францию, а оттуда в Варшаву. Он был необычайно весел, приподнят. Многие поляки, жившие тогда в Нью-Йорке, пробовали его отговорить: возвращение в Варшаву они называли «предательством». Конечно, Тувиму было нелегко рвать с иными из своих друзей, но жил он одним — близкой встречей с Польшей, радовался, волновался, как подросток, который идет на первое свидание.

Осенью 1947 года я был в Польше. Тувим днем, вечером, ночью водил меня по развалинам Варшавы. «Нет, ты посмотри — какая красота!..» Город был страшен. Прекрасны развалины древних городов: время — гениальный зодчий, оно умеет и запустению придать гармонию; а города, только что разрушенные войной, терзают и глаз и сердце — груды щебня, развороченные дома с клочьями обоев, с повисшей в небе винтовой лестницей, люди, которые ютятся в подвалах, в землянках, в щелях. Но Тувим видел красоту и в сожженной, истерзанной Варшаве: на то он был поляком, и на то он был поэтом.

Мне хочется сказать о любви Тувима к русскому народу и к русской поэзии. Казалось, прошлое могло бы заслонить многое: он ведь хорошо помнил царские порядки и городовых на улицах Лодзи. В течение двадцати лет правящие круги Польши разогревали неприязнь: все русское поносилось. Тувима это не коснулось. Много лет он отдал переводам русских поэтов. Когда он читал мне свой перевод «Медного всадника», я слышал сложный пушкинский ритм. При одной из последних встреч он сказал мне: «Русский язык как будто нарочно создан для поэзии...»

Еще в двадцатые годы он мечтал поехать в Советский Союз. Он приехал в Москву весной 1948 года. В день его приезда мы пошли в ресторан. Он рассказывал, чтó именно хочет увидеть, а хотел он увидеть все. В тот же вечер он заболел; его отвезли в Боткинскую больницу. Врачи заподозрили, что у него рак. Больного Тувима отправили в сопровождении врача в Брест, куда был вызван польский доктор. Советский врач на латыни сообщил коллеге диагноз. Тувим знал латинский язык лучше молодых медиков. Он ждал быстрой развязки. Однако польские врачи установили, что у Тувима язва желудка, его оперировали, и он как будто воскрес. Пять лет спустя он умер от инфаркта. Так он и не увидел Москвы, кроме больничной палаты да номера в «Национале», о котором говорил, что он удивительно напоминает ему номера лодзинского «Савоя».

Есть у меня близкие друзья иностранцы; беседуя с ними, я вдруг чувствую — вот граница... Уж слишком по-разному мы жили и живем. Никогда с Тувимом я ничего подобного не испытывал, между нами было не только «железного занавеса», но и легонькой занавески.

Гейне писал: «Когда я умру, они вырежут язык у моего трупа». Книги поэта, который прославил Германию, обогатил немецкую лирику, сто лет спустя горели на кострах в его родном Дюссельдорфе: расисты не могли простить автору «Зимней сказки», что он еврей. Когда я был в Польше в 1928 году, антисемиты травили Тувима; он показал мне газету, где говорилось, что его поэзия «отдает чесноком».

Есть у Тувима стихотворение о нищем еврейском мальчике, который поет грустную песню под окнами, надеясь, что какой-нибудь пан швырнет ему медяк. Тувиму хочется бросить мальчику свое сердце, уйти с ним, вместе петь песни печали под чужими окнами.

> Только нет приюта в мире человечьем
> Странникам-евреям с песней сумасшедшей.

В 1944 году Тувим написал обращение, озаглавленное «Мы — польские евреи». Я приведу несколько выдержек: «И сразу я слышу вопрос: «Откуда это «мы»? Вопрос в известной степени обоснованный. Мне задавали его евреи, которым я всегда говорил, что я — поляк. Теперь мне будут задавать его поляки, для подавляющего большинства которых я был и остаюсь евреем. Вот ответ и тем и другим. Я — поляк, потому что мне нравится быть поляком. Это мое личное дело, и я не обязан давать кому-либо в этом отчет. Я не делю поляков на породистых и непородистых, я предоставляю это расистам иностранным и отечественным. Я делю поляков, как евреев, как людей любой национальности, на умных и глупых, на честных и бесчестных, на интересных и скучных, на обидчиков и на обиженных, на достойных и недостойных. Я делю также поляков на фашистов и антифашистов... Я мог бы добавить, что в политическом плане я делю поляков на антисемитов и антифашистов, ибо антисемитизм — международный язык фашистов... Я — поляк, потому что в Польше я родился, вырос, учился, потому что в Польше узнал счастье и горе, потому что из изгнания я хочу во что бы то ни стало вернуться в Польшу, даже если мне будет в другом месте уготована райская жизнь... Я — поляк, потому что по-польски я исповедовался в тревогах первой любви, по-польски лепетал о счастье и бурях, которые она приносит. Я — поляк еще потому, что береза и ветла мне ближе, чем пальма или кипарис, а Мицкевич и Шопен дороже, нежели Шекспир и Бетховен, дороже по причинам, которых я опять-таки не могу объяснить никакими доводами разума... Я слышу голоса: «Хорошо. Но если вы — поляк, почему вы пишете «мы — евреи»? Отвечу: «Из-за крови».— «Стало быть, расизм?» — «Нет, отнюдь не расизм. Наоборот. Бывает двоякая кровь: та, что течет в жилах, и та, что течет из жил. Первая — это сок тела, ее исследование — дело физиолога. Тот, кто приписывает этой крови какие-либо свойства, помимо физиологических, тот, как мы это видим, превращает города в развалины, убивает миллионы людей и в конце концов, как мы это увидим, обрекает на гибель свой собственный народ. Другая кровь — это та, которую главарь международного фашизма выкачивает из человечества, чтобы доказать превосходство своей крови над моей, над кровью замученных миллионов людей... Кровь евреев (не «еврейская кровь») течет глубокими, широкими ручьями; почерневшие потоки сливаются в бурную, вспененную реку, и в этом новом Иордане я принимаю святое крещение — кровавое, горячее, мученическое братство с евреями... Мы, Шлоймы, Срули, Мойшки, пархатые, чесночные, мы, со множеством обидных прозвищ, мы показали себя достойными Ахиллов, Ричардов Львиное Сердце и прочих героев. Мы в катакомбах и бункерах Варшавы, в зловонных трубах канализации дивили наших соседей — крыс. Мы, с ружьями на баррикадах, мы, под самолетами, которые бомбили наши убогие дома, мы были солдатами свободы и чести. «Арончик, что же ты не на фронте?» Он был на фронте, милостивые паны, и он погиб за Польшу...»

Эти слова, написанные кровью, «той, что течет из жил», переписывали тысячи людей. Я прочитал их в 1944 году и долго не мог ни с кем говорить: слова Тувима были той клятвой и тем проклятием, которые жили у многих в сердце. Он сумел их выразить.

Прошли годы. Гитлер отравился. Лидеры польских антисемитов эмигрировали в Англию, в Америку. Но в сердце Тувима не зажила рана. Помню последнюю встречу с ним; было это в злое время — в 1952 году... Многое мы вспомнили, о многом происходящем говорили. Юлек (да позволено мне будет здесь назвать его именно так) вдруг встал, подошел, обнял меня и тотчас, желая скрыть волнение, сказал: «А теперь пойдем в «Золушку», там готовят кофе по-итальянски...»

Я упомянул о Гейне: было у Тувима с ним нечто общее помимо того, что интересует знатоков человеческих пород,— ирония, порождаемая обостренной чувствительностью. Тувим мог порой показаться высокомерным; многие его стихи обижали людей, уважающих иерархию; он отпускал едкие словечки. «Ты знаешь, у ежа, наверно, нежнейшее сердце»,— как-то сказал он. Будучи растроганным, он обычно пытался шутить. В 1950 году на Конгрессе мира к Тувиму подошла молоденькая девушка и стала восторженно рассказывать, как она любит его книгу «Седьмая осень». Тувим застеснялся и неожиданно, повернувшись ко мне, сказал: «А ты помнишь, как шпик оказался моим поклонником?..» Это было в 1928 году; в Варшаве за мной присматривали два шпика: один был рослый, с лицом и повадками боксера, другой — тщедушный, чернявый и очень близорукий: на улице он часто терял меня из виду. Я к ним привык, просил иногда купить газету или пакет табаку, словом — приручил. Однажды я шел по улице с Тувимом, мы говорили о поэзии; вдруг я увидел, что чернявый, вместо того чтобы трусить позади, идет рядом с Тувимом. Я рассердился и напомнил шпику о правилах приличия, но он ответил: «Это я не по службе... Как же мне не слушать, когда говорит Тувим?..» Мы рассмеялись от неожиданности.

Есть у Тувима много злых стихов о мещанах. Я вспоминаю кафе «Малая Земянская» зимой 1928 года. Приходили туда не только поэты-«скамандриты», не только блистательный адъютант Пилсудского, Длугошовский-Венява, обожавший мир искусства,— там варшавяне, желавшие прослыть изысканными, за час до обеда пили кофе и поглощали пирожные с кремом. Тувим над ними издевался:

> В час дня благоговейно
> Балбес вошел в кофейню,
> Сел важный, энергичный,
> Почти что заграничный,
>
> Из кожи лез бедняга.
> Изображая гордо
> Боксера иль варяга,
> А может быть, и лорда...
>
> Никем замечен не был
> И, улыбаясь криво,
> Решился быть испанцем
> Де Мендос-и-Олива,
>
> Дельцом из Пампелоны,
> Певцом из Аликанте,
> Испанцем-монархистом,
> Испанцем-эмигрантом.
>
> Но было все напрасно,
> Хоть был он из Толедо,
> И посему пошел он
> До Ватер-и-Клозедо.
>
> И там, изливши горе
> Старухе бестолковой,
> Вернулся в дом семнадцать
> На Малой Кошиковой.

Порой многим казалось, что Тувим готов в сердцах повторить пушкинские слова: «Подите прочь — какое дело поэту мирному до вас!» На самом деле Тувим любил тех, кого называл «простыми людьми», когда эти слова еще не стали газетным штампом. Не случайно одно из лучших стихотворений, «Парикмахеры», он посвятил Чарли Чаплину — трогательному насмешнику, который в наш грозный век попытался защитить смешного маленького человека:

Вдоль стен пустой парикмахерской парикмахеры дремлют часами,
Ждут, глядят — нет клиентов, томятся, без дела шатаются,
Сами бреются, сами стригутся — все сами и сами,
Перемолвятся словом, задремлют, всхрапнут и опять просыпаются...

Назревает гроза, посинело вокруг, петухи распевают,
Парикмахерам страшно, забегали — слышите гром!
Парикмахеры плачут, поют, парикмахеры ошалевают,
То стоят истуканами, то мечутся чуть не бегом.

Вряд ли в 1926 году политики Польши, сидя в парикмахерских или даже в зале сейма, слышали первые раскаты грома. Их услышал поэт.

В 1928 году я писал о Тувиме: «Спорить с ним нельзя. Он думает ассоциациями, аргументирует ассонансами...» Да, Тувим был прежде всего лириком; это не помешало ему понять эпоху лучше, чем ее поняли иные трезвенники сознания, которые думают схемами и аргументируют цитатами. Тувим в стихах выражал себя; может быть, поэтому его стихи воспринимались людьми как выражение их мыслей и чувствований, как нечто общее. Один поляк мне рассказывал, что, будучи в годы войны партизаном, он повторял, как заклинание, стихи Тувима:

Я, может, лишь день там прожил,
А может, прожил век...
Я помню только утро
И белый-белый снег.

В молодости Тувим страстно любил Артюра Рембо, озорника и провидца, мятежника и подростка с лицом отчаявшегося ангела. При последней нашей встрече он вдруг сказал: «А лучше Блока, кажется, никто не сказал о самом трудном...» Поэтов он любил бескорыстно, переводил с равным увлечением «Облако в штанах» и «Слово о полку Игореве», не пытаясь ни у кого заимствовать. А Блок ему был все-таки сродни... Я очень люблю стихотворение Тувима «За круглым столом» с эпиграфом, взятым из песни Шуберта «О высокое искусство, сколько раз в часы печали...»:

А может, снова, дорогая,
В Томашув на день закатиться.
Там та же вьюга золотая
И тишь сентябрьская длится...

В том белом доме, в том покое,
Где мебель сдвинута чужая,
Наш давний спор незавершенный
Должны мы кончить, дорогая.

Может быть, это и есть «самое трудное» — поэзия здесь обнажена, она кажется сделанной из ничего, как в «Ночных часах» Блока, как в песенках Верлена.

Говоря, что Тувима порой не понимали даже его друзья, я думал именно об этом: о необычайной сложности, которая становится простотой, о человеке, много знавшем, мудром и в то же время ребячливом, об авторе смешных фарсов и трудной лирики. Он писал стихи для детей, и в одном стихотворении рассказал о чудаке Янеке, который все делает наоборот. Дети, слушая стихи, смеялись, а Тувим виновато улыбался: он сам походил на высмеянного им Янека.

Когда в последний раз я был у него дома, он шутил с восьмилетней Евой. Почему-то нам было грустно обоим; но не думал я, что больше его не увижу.

Он любил деревья. Помню его стихи: в лесу он пытался опознать то дерево, из которого ему сколотят гроб; по светлой печали это стихотворение сродни «Брожу ли я вдоль улиц шумных...».

В парках Варшавы, за городом, в саду поэта Ивашкевича, глядя на деревья, я думал о дереве Юлиана Тувима. Он был на три года моложе меня, и вот уже много лет прошло с его смерти. Я привык к потерям и все же не могу примириться: больно.

Но как хорошо, что я его встретил!

4

В кафе «Прагер-диле» иногда приходили русские писатели. Разговоры между ними были шумливыми и путаными; и кельнеры никак не могли привыкнуть к загадочным завсегдатаям. Однажды Андрей Белый поспорил с Шестовым; говорили они о распаде личности, и говорили на том языке, который понятен только профессиональным философам. Потом настал роковой «полицейский час», в кафе погасили свет, а философский спор не был закончен.

Как забыть последующую сцену? В створках вращающейся двери кричали Андрей Белый и Шестов. Каждый, сам того не замечая, толкал вперед дверь, и они никак не могли выйти на улицу. Шестов, в шляпе,

Андрей Белый, Ася Тургенева (жена А. Белого), Илья Эренбург. Берлин. 1922 г.
Илья Эренбург и Юлиан Тувим. Варшава. 1928 г.

с бородой, с большой палкой, походил на Вечного жида. А Белый неистовствовал, метались руки, вздымался пух на голове. Старый кельнер, видавший виды, сказал мне: «Этот русский, наверно, знаменитый человек...»

Андрей Белый.

В 1902 году Андрею Белому, или, вернее сказать, Борису Николаевичу Бугаеву, студенту московского физико-математического факультета, было двадцать два года. Он писал тогда слабые символистические стихи и предстал перед В. Я. Брюсовым, который считался мэтром новой поэзии. Вот что записал Валерий Яковлевич в дневнике: «Был у меня Бугаев, читал свои стихи, говорил о химии. Это едва ли не интереснейший человек в России. Зрелость и дряхлость ума при странной молодости». А. А. Блок был связан с Андреем Белым многолетней дружбой; все было в их взаимоотношениях — и близость, и тяжелые разрывы, и примирения. Казалось, Блок мог бы привыкнуть к Белому; но нет, к Борису Николаевичу привыкнуть было невозможно. В 1920 году после встречи с Белым Блок записал: «Он такой же, как всегда: гениальный, странный».

Гений? Чудак? Пророк? Шут?.. Андрей Белый потряс всех с ним встречавшихся. В январе 1934 года, узнав о смерти Бориса Николаевича, Мандельштам написал цикл стихотворений. Он видел величие Белого:

> Ему кавказские кричали горы
> И нежных Альп стесненная толпа,
> На звуковых громад крутые всхоры
> Его ступала зрячая стопа.

И все же, выражая смятение других, писал:

> Скажите, говорят, какой-то Гоголь умер?
> Не Гоголь, так себе писатель, гоголек.
> Тот самый, что тогда невнятицу устроил,
> Который шустрился, довольно уж легок,
> О чем-то позабыл, чего-то не усвоил,
> Затеял кавардак, перекрутил снежок...

В 1919 году я так описал Андрея Белого: «Огромные, разверстые глаза — бушующие костры на бледном, изможденном лице. Непомерно высокий лоб с островком стоящих дыбом волос. Читает он стихи, как вещает Сивилла, и, читая, машет руками: подчеркивает ритм — не стихов, а своих тайных помыслов. Это почти что смешно, и порой Белый кажется великолепным клоуном. Но когда он рядом — тревога и томление, ощущение какого-то стихийного неблагополучия овладевает всеми... Белый выше и значительнее своих книг. Он — блуждающий дух, не нашедший плоти, поток вне берегов... Почему даже пламенное слово «гений», когда говорят о Белом, звучит как титул? Белый мог бы стать пророком — его безумие юродивого озарено божественной мудростью. Но «шестикрылый серафим», слетев к нему, не закончил работы: он разверз очи поэта, дал ему услышать нездешние ритмы, подарил «жало мудрыя змеи», но не коснулся его сердца...»

Когда я писал эти строки, я знал Андрея Белого только по книгам да по беглым московским встречам. В Берлине и в приморском местечке Свинемюнде я часто встречался с Борисом Николаевичем и понял, что, говоря о серафиме и сердце, ошибался: принимал за душевный холод несчастье, поломанные крылья, разбитую личную жизнь и чрезмерный блеск словаря.

Теперь, думая о судьбе этого воистину необычайного человека, я не могу найти разгадки. Вероятно, пути художников великих (да и не только великих) неисповедимы. Рафаэль умер молодым, но успел сказать все, что в нем было. А Леонардо да Винчи прожил долгую жизнь, открывал, изобретал, причем его научные труды были изданы тогда, когда все его открытия и изобретения имели только историческую ценность, писал красками, им изготовляемыми, которые быстро жухли, тускнели, осыпались, и миллионы людей знают не живописный гений Леонардо, а придуманную легенду о «таинственной улыбке» Джиоконды... Есть писатели, которые меньше написанных ими книг: вспоминаешь человека и дивишься, как он мог такое написать?.. Есть другие. Я и теперь, как сорок лет назад, думаю, что Андрей Белый был крупнее всего им написанного.

Я не хочу сказать, что его произведения незначительны или малоинтересны. Некоторые стихи из книги «Пепел» мне кажутся совершенными; роман «Петербург» — огромное событие в истории русской прозы; мемуары Андрея Белого захватывают. Но эти книги не переиздаются, их не переводят, не знают ни у нас, ни за границей.

Большая Советская Энциклопедия нашла доброе слово для отца Белого, математика Н. В. Бугаева, а Борису Николаевичу не повезло — он назван в манере 1950 года «клеветником». (Снова я думаю о преимуществе точных наук: к работе математика этикетки «клеветник» не приклеишь...)

Современному читателю трудно одолеть книгу Андрея Белого: мешают придуманные им словообразования, произвольная перестановка слов, нарочито подчеркнутый ритм прозы. Даже в замечательных мемуарах, написанных незадолго до смерти, Андрей Белый то и дело старался «перекрутить снежок»: «Балтрушайтис, угрюмый, как скалы, которого Юргисом звали, дружил с Поляковым... И не раздеваясь садился, слагал на палке свои две руки; и запахивался, как утес облаками, дымком папироски; с гримасой с ужаснейшей пепел стрясал, ставя локоть углом и моргая из-под поперечной морщины на собственный нос в красных явственных жилках...» Это кажется написанным на древнем языке, нужно расшифровывать, как «Слово о полку Игореве». Не всякий из молодых советских прозаиков знаком с книгами Андрея Белого. Однако без него (как и без Ремизова) трудно себе представить историю русской прозы. Вклад Андрея Белого чувствуется в произведениях некоторых современных авторов, которые, может быть, никогда не читали «Петербурга» и «Котика Летаева».

Пути развития литературы еще более загадочны, чем пути отдельных писателей. Эфирные масла, извлекаемые из корневищ ириса или из цветов иланг-иланга, никогда не применяются в чистом виде, но ими пользуются все парфюмеры мира. Эссенция неизменно разбавляется водой. Мало кто способен прочитать от доски до доски собрание сочинений Велимира Хлебникова. А этот большой поэт продолжает оказывать влияние на современную поэзию — скрытыми, обходными путями: влияют те, на кого повлиял Хлебников. То же самое можно сказать и о прозе Андрея Белого.

Его путь был запутанным и малопонятным, как его синтаксис. В 1932 году неподалеку от Кузнецка, в поселке, где жили шорцы, я видел последнего шамана. Он понимал, что его дни сочтены, и начинал шаманить неохотно, может быть с голоду или по привычке; но несколько минут спустя впадал в экстаз и вдохновенно выкрикивал никому не понятные слова. Вспоминая некоторые выступления Андрея Белого, я думаю об этом шамане. Мне кажется, что Борис Николаевич и говорил и писал часто в состоянии исступления, если угодно, шаманил — торопился, всегда что-то видел и предвидел, но не мог подобрать для увиденного понятных слов.

Он вдохновился Штейнером, антропософией, строил храм в Дорнахе, строил не как Волошин, нет, всерьез, исступленно. В Берлине в 1922 году было множество танцулек; растерянные полуголодные немки и немцы часами танцевали входивший в моду фокстрот. Что приснилось Андрею Белому, когда он услышал впервые джаз? Почему он начал неистово танцевать, пугая глазами пророка молоденьких приказчиц? Он рано поседел; лицо было темным от загара, а глаза все сильнее и сильнее отделялись от лица, жили своей жизнью.

Все в нем было несчастьем: и сердечные драмы, и дружба с Блоком, и постоянные разуверения, и литературное одиночество. Еще в 1907 году он написал эпитафию себе:

> Золотому блеску верил,
> А умер от солнечных стрел.
> Думой века измерил,
> А жизни прожить не сумел.

Умер он в возрасте пятидесяти четырех лет не от солнечных стрел, а от усталости: хотел идти в ногу с веком, но то обгонял его, то оставался позади — «жизни прожить не сумел». Все, кажется, он испробовал — и мистику, и химию, и Канта, и Соловьева, и Маркса; был после Дорнаха руководителем литературной студии Пролеткульта, писал для советских газет очерки о росте социалистической экономики, написал заумную «Глоссалалию», не раз хоронил себя и снова «затевал кавардак».

Непримиримые эмигранты его ненавидели: он им казался перебежчиком — ведь он проводил вечера в беседах с Шестовым, с Бердяевым, дружил с Мережковским и вдруг в Берлине в 1922 году заявил, что подлинная культура в Советской России, а убежавшие от революции мертвы и смердят.

«Скифы» считали его своим, трудно сказать почему, вероятно потому, что он восхищался гражданским мужеством Блока. Ничего «скифского» в Андрее Белом не было, он боялся «панмонголизма», о котором писал Соловьев и которым вдохновился Блок. Автоматизм западноевропейской буржуазной жизни Андрей Белый обличал не как скиф, мечтающий о древних кочевьях, а как гуманист эпохи Возрождения.

Помню два его признания. Разговаривая с Маяковским в Берлине (я писал, как высоко ценил Белый поэму «Человек»), Борис Николаевич сказал: «Все в вас принимаю — и футуризм, и революционность, одно меня отделяет — ваша любовь к машине как к таковой. Опасность утилитаризма не в том, что молодые люди увлекутся утилитарной стороной науки — это я только приветствую. Опасность в другом — в апологии Америки. Америки Уитмена больше нет, побеги травы высохли. Есть Америка, ополчившаяся на человека...» В другой раз Белый поспорил с крупным писателем, близким к сменовеховцам. Борис Николаевич кричал: «Вам не по душе революция, вы верите в нэп, вы восхищаетесь порядком, твердой рукой. А я за Октябрь! Понимаете? Если мне что-нибудь там не по душе, это именно то, что вам нравится...»

Я писал в этой книге, что Андрей Белый в 1919 году предсказал атомную бомбу. Беседуя со мной, он часто говорил о том, что математики, инженеры, химики отрекаются от своего долга служить человечеству, работают над усовершенствованием гибели, катастрофы, смерти. (Он писал об этом в своем дневнике 1915—1916 годов «На перевале»).

Гений? Бесспорно. Бессильный гений. Незадолго до смерти он сам попытался разобраться в этом противоречии. «Тридцать лет припевы сопровождали меня: «Изменил убеждениям. Литературу забросил... В себе сжег художника, став, как Гоголь, больным!.. Легкомысленнейшее существо, лирик!.. Мертвенный рационалист!.. Мистик!.. Материалистом стал!..» Я подавал много поводов так полагать о себе: перемудрами (от преждевременного усложнения тем), техницизмами контрапунктистики в оркестрировании мировоззрения, увиденного мною многоголосной симфонией; так композитор, лишенный своих инструментов, не может напеть собственным жалким, простуженным горлом — и валторны, и флейты, и скрипки, и литавры в их перекликании». Вероятно, это самое правильное объяснение: сложнейшая партитура и слабый человеческий голос.

Отсюда и одиночество. На берегу моря, крепкий, казалось бы бодрый, он говорил мне: «Всего труднее найти связь с людьми, с народом». Подарив мне «Петербург», надписал: «...с чувством постоянной связи». Я говорю не о случайном совпадении слов, а о навязчивой идее. Он так хотел живой связи с людьми! А судьба его обошла. Личное горе выглядело холодом, «золотом в лазури». В стихотворении, посвященном Андрею Белому, Мандельштам писал:

> Меж тобой и страной
> Ледяная рождается связь.

Эти строки были написаны на следующий день после кончины Бориса Николаевича.

5

Я писал, что на развитие нашей прозы повлияли Андрей Белый и А. М. Ремизов, хотя их книги теперь почти всеми забыты. Эти писатели не походили друг на друга. Андрей Белый витал в небесах, не мог прожить и дня без философских обобщений, много ездил по свету, восторгался, горячился, спорил. Алексей Михайлович Ремизов был домоседом, жил на земле, даже под землей, походил на колдуна и на крота, вдохновлялся корнями слов, не мудрил, как Белый, а чудил.

В 1921—1922 годах в литературу вошли молодые советские прозаики — Борис Пильняк, Всеволод Иванов, Зощенко, многие другие; почти все они пережили увлечение Андреем Белым или Ремизовым. Я как-то заглянул в мои книги того времени («Неправдоподобные истории», «Жизнь и гибель Николая Курбова», «Шесть повестей о легких концах») и удивился: запутанные или оборванные фразы, переставленные или придуманные словечки; а когда я так писал, подобный язык мне казался естественным. Так были написаны и «Голый год» Пильняка, и многие произведения молодых «Серапионов». Если это можно назвать болезнью, то, говоря по-газетному, она была болезнью роста.

Влияние Белого и Ремизова на молодых писателей было настолько очевидным, что А. М. Горький писал К. А. Федину: «Но — не поймите, что я рекомендую Вам Белого или Ремизова в учителя — отнюдь! Да, у них — изумительно богатый лексикон, и, конечно, это достойно внимания, как достоин его и третий обладатель сокровищами чистого русского языка — Н. С. Лесков. Но — ищите себя. Это тоже интересно, важно и, может быть, очень значительно».

Я рассказал об Андрее Белом. Теперь мне хочется вспомнить А. М. Ремизова, с которым я познакомился в 1922 году в Берлине. В мещанской немецкой квартире, в комнате, заставленной чужими вещами, сидел маленький сгорбленный человек с большим любопытным носом и с живыми, лукавыми глазами. Его жена, Серафима Павловна, хлопотливо потчевала гостей чаем. На письменном столе я увидел рукописи, написанные, вернее, нарисованные мастером каллиграфии. А на веревочках покачивались различные черти, вырезанные из бумаги:

домашние и злые, хитрые и простодушные, как новорожденные козлята. Алексей Михайлович тихо посмеивался: в тот день, кроме привычных игрушек, у него была новенькая — Пильняк, который рассказывал фантастические истории о жизни в Коломне.

В Берлине Ремизов был таким же, как в Москве или в Петрограде, писал такие же сказки, играл в те же игры, разводил тех же чертяк — я говорю это, читая теперь записи людей, встречавшихся с ним до его отъезда за границу. Вот что писал В. Г. Лидин в 1921 году: «Не перевелись еще человечки такие, русские, земляные, мышиные,— живет и здравствует, и дай бог лета долгие человечку российскому, в ночи перышком скрипящему да скрипящему — в голодуху и холод — царю обезьяньему Алексею Михайлычу Ремизову». В 1944 году в книге «Горький среди нас» К. А. Федин вспоминал первые годы революции: «Сутулый, схожий чем-то с Коньком-горбунком, чуть-чуть вприсядочку бежит по Невскому человек, колюче выглядывающий из-за очков, в пальтеце и в шапочке... Он прячет большой, многоумный затылок в поднятый воротник, а подбородок и губы выпячивает, и крючковатый немалый нос его чувствительно движет кончиком, вероятно принюхиваясь к тому, что излетает из выпяченных уст». (Лидин написал приведенные мной строки в годы повального подражания Ремизову, Федин — двадцать лет спустя, но и он, рассказывая об Алексее Михайловиче, невольно заговорил на давно забытом ремизовском языке...)

Среди прочих игр Ремизов играл в некий таинственный орден, созданный им,— «Обезьянья великая и вольная палата» или «Обезвелволпал». Он производил в кавалеры, в князья, в епископы друзей-писателей: Е. И. Замятина, П. Е. Щеголева, «Серапионов». Я числился «кавалером с жужелиным хоботком».

В 1946 году, приехав в Париж, я пошел к Алексею Михайловичу. Я не видел его перед тем лет двадцать. Незачем напоминать, какие это были годы. Много несчастий перенес и Алексей Михайлович. В годы

Алексей Ремизов.

Автограф А. Ремизова на книге «Русалия». 1923 г.

А. М. Ремизов. Париж. 1948 г.

немецкой оккупации он голодал, бедствовал, мерз. В 1943 году умерла Серафима Павловна. Я увидел согнутого в три погибели старика. Жил он один, забытый, заброшенный, жил в вечной нужде. Но тот же лукавый огонек посвечивал в его глазах, те же черти кружились по комнате и так же он писал — древней вязью, записывал сны, писал письма покойной жене, работал над книгами, которые никто не хотел печатать.

Недавно Н. Кодрянская прислала мне книгу, посвященную последним годам жизни Алексея Михайловича. Я гляжу на его фотографии. Он терял зрение, с трудом писал, называл себя «слепым писателем», но, удивительно, глаза сохраняли прежнюю выразительность, и работал он до последнего дня; писал все о том же и все так же — «Мышкину дудочку», «Павлинье перо», «Повесть о двух зверях». Умер он в 1957 году, в возрасте восьмидесяти лет. Незадолго до смерти писал в дневнике: «Напор затей, а осуществить не могу — глаза!.. Сегодня весь день мысленно писал, а записать не мог». Он и дурачился до смерти — на книгах, изданных в последние годы, значится: «Цензуровано в верховном совете Обезвелволпала».

Кажется, можно позавидовать такой устойчивости, верности себе, душевной силе. А завидовать нечему: Ремизов узнал всю меру человеческого несчастья. Его часто упрекали за то, что в его книгах нагромождение неправдоподобностей, а его судьба куда нелепее всего, что он мог придумать.

Писатель всегда старается обосновать поступки своих героев; даже если они идут вразрез с общепринятой логикой. Поэты логически оправдывают свои алогизмы. Мы понимаем, почему Раскольников убивает старуху, почему Жюльен Сорель стреляет в госпожу Реналь. А жизнь не писатель, жизнь может без всяких объяснений все перепутать или, как говорил Алексей Михайлович, перекувырнуть. Ремизов был наирусейшим изо всех русских писателей, а прожил за границей тридцать шесть лет и говорил: «Не знаю, почему так вышло...»

В ранней молодости, будучи студентом, Ремизов увлекся политикой, стал социал-демократом, угодил в тюрьму, шесть лет провел в ссылке вместе с Луначарским, Савинковым и будущим пушкинистом П. Е. Щеголевым. В ссылке он встретил свою будущую жену — Серафиму Павловну, наивную эсерку. Ремизов в разговорах всегда подчеркивал, что от революционной работы он отошел, потому что счел себя плохим организатором и еще потому, что увлекся писательством. О том, как он пришел к революционной работе, он писал в дневнике незадолго до своей смерти: «Как в России делалась революция. Переустройство жизни — уклада жизни. Мое чувство начинается — нищие на паперти и фабричные каморки». Он продолжал три месяца спустя: «История мне представляется кровожадной, война и расправа, надо кого-то мучить и замучить. Человек хочет сытно есть, спокойно спать и свободно думать. А впроголодь не всякому удается. Не насытившись и не выспишься. Забота глушит и убивает мысль. Революция начинается с хлеба».

В одной из последних книг, говоря о Тургеневе, Ремизов возвращается к той же проблеме: «В революцию все бросились на «Бесов»

Достоевского, искали о революции... И никто не подумал о неумиренной пламенной Марианне «Нови», которая, я знаю, никогда не успокоится, и о ее сестре, открытой к мечте о человеческой свободе на земле, о Елене «Накануне», а кстати поискать «бесов» совсем не там — жизнь человека трудная и в мечте человека облегчить эту жизнь, какие там «бесы»! — нет, не там, и уж если говорить о бесах, вот мир, изображенный Тургеневым, Толстым, Писемским и Лесковым,— вот полчища бесов, а имя которым праздность и самовольная праздность».

В книгах «Пруд», «Крестовые сестры» Ремизов показал подлинных бесов дореволюционной России. Ромен Роллан в предисловии к французскому переводу «Крестовых сестер» писал, что эта книга показывает неправду старого общества, объясняет и оправдывает бурю.

Бунин знал, почему он жил и умер в изгнании, а Ремизов о белой эмиграции всегда говорил недружелюбно — «они», повторял: «Что они ни говорят, а живая жизнь в России». Н. Кодрянская приводит такие слова Алексея Михайловича: «Из 1947 года мне памятны три крепких отзыва: «ретроград», «подлец», «советская сволочь». Когда я был у него летом 1946 года, он говорил «паспорт у меня советский» — хотел хоть этим утешить себя и печально улыбался.

За границей он мыкался, его выселяли, высылали. В Берлине за него вступился Томас Манн. В Париже его обвинили в том, что он развел в доме мышей. Всегда он был в долгах, не знал, чем заплатить за маленькую квартиру.

К. А. Федин писал: «Ремизов мог быть и в действительности был своеобычнейшим «правым фронтом» литературы». Слово «правый» относится, конечно, не к политике, но к эстетике: Ремизов у Федина противопоставлен лефовцам. А мне кажется, что страсть к старым народным оборотам, к корням слов, отличающая Ремизова, была присуща и Хлебникову, без которого нельзя себе представить Лефа.

Ремизов говорил, что из современников ему ближе других Андрей Белый, Хлебников, Маяковский, Пастернак. Не очень-то «правые» вкусы были у Алексея Михайловича. В живописи он любил Пикассо, Матисса. Архаизмы диктовались не консервативными наклонностями, а стремлением найти новый язык.

Ремизов часто с любовью вспоминал М. М. Пришвина. В предсмертном письме он радовался, что в Москве торжественно почтили память Михаила Михайловича. В своей автобиографии Пришвин, желая объяснить природу искусства, писал: «Писатель Ремизов в свое время тоже имел революционную прививку и дружил с Каляевым. Ремизов не был легкомысленным дезертиром в искусстве. Каляев продолжал к нему относиться с тем же самым уважением, когда он стал писать свои утонченнейшие, изящные словеса. Однажды, близко к своему концу, Каляев случайно встретился на вокзале с Ремизовым, улыбнулся приветливо и так наивно-простодушно спросил на ходу: «Неужели все о своих букашках пишешь?»

Конечно, Ремарка читают больше, чем Гофмана, и Апухтин был куда популярнее Тютчева. Но статистика не решает дела: есть крылья разного калибра для разных полетов.

Ремизов был поэтом и сказочником. На одной из книг, которую он мне подарил, он написал: «Здесь все для елки». Елки одно время были у нас не в почете; потом их восстановили в правах. Алексей Михайлович в книгах был таким же, как в жизни: играл, выдумывал, иногда веселил своими нелепостями, иногда печалил. Елку любят не только дети, и редко встретишь человека, которому хотя бы раз в жизни не понадобилась до зарезу сказка. В этом оправдание «букашек» — долгих трудов большого писателя Алексея Михайловича Ремизова.

6

Произведя меня в кавалеры «Обезвелволпала», А. М. Ремизов определил «с хоботком жужелицы» не случайно: жужелица, защищаясь, выделяет едкую жидкость. Критики называли меня скептиком, злым циником.

В начале этой книги я сказал, что хочу написать исповедь; вероятно, я обещал больше, чем могу выполнить. В католических церквах исповедальни снабжены занавесками, чтобы священник не видел, кто ему поверяет тайны. Говорят, что биография писателя — в его книгах; это верно; однако, придавая вымышленным героям свои черты, автор маскируется, заметает следы — есть у него помимо книг личная жизнь, любовь, радости, потери. Пока я писал о моем детстве, о ранней молодости, я не раз отодвигал занавеску исповедальни. Дойдя до зрелых лет, я о многом умалчиваю, и чем дальше, тем чаще придется опускать те события моей жизни, о которых мне трудно было бы рассказать даже близкому другу.

И все же эта книга — исповедь. Я сказал, что меня часто называли скептиком. В Ленинграде в 1925 году вышла книга Н. Терещенко «Современный нигилист — И. Эренбург». (Тургенев, пустивший в ход словечко «нигилист», писал: «Не в виде укоризны, не с целью оскорбления было употреблено мною это слово; но как точное и уместное выражение проявившегося — исторического — факта; оно было превращено в орудие доноса, бесповоротного осуждения,— почти в клеймо позора».) Я хочу сейчас разобраться в правильности этикетки, которую часто на меня вешали.

С детских лет я жил сомнениями в абсолютности тех истин, которые слышал от родителей, преподавателей, взрослых. Так было и потом; слепая вера мне казалась иногда прекрасной, иногда отвратительной, но неизменно чужой. Порой в молодости я пробовал пересиливать себя, а дойдя до возраста, который Данте называл «серединой жизненного пути», понял, что можно изменить суждения, но не натуру. Уже в старости я написал о моем отношении к слепой вере, которой противопоставлял критическое мышление и верность идее, людям, да и себе.

> Не был я учеником примерным
> И не стал с годами безупречным.
> Из апостолов Фома Неверный
> Кажется мне самым человечным.

Услыхав, он не поверил просто —
Мало ли рассказывают басен?
И, наверно, не один апостол
Говорил, что он весьма опасен.
Может, был Фома тяжелодумом,
Но, подумав, он за дело брался,
Говорил он только то, что думал,
И от слов своих не отступался.
Жизнь он мерил собственною меркой,
Были у него свои скрижали.
Уж не потому ль, что он «неверный»,
Он молчал, когда его пытали?

Я упоминал не раз в этой книге о характере моих сомнений. Будь я социологом или физиком, астрономом или профессиональным политиком, наверно, мне легче было бы перейти поле жизни. Я не хочу этим сказать, что путь политических деятелей или ученых устлан розами; но, переживая временные неудачи или поражения, они видят, что побеждает разум. А я стал писателем, то есть человеком, который по характеру своей работы должен интересоваться не только устройством общества, но и внутренним миром индивидуума, не только судьбами человечества, но и судьбой отдельных людей.

Мы теперь частенько говорим о потускнении литературы, искусства, о том, что «физики» опередили «лириков». В 1892 году А. П. Чехов писал: «Разве Короленко, Надсон и все нынешние драматурги не лимонад? Разве картины Репина или Шишкина кружили Вам голову? Мило, талантливо. Вы восхищаетесь и в то же время никак не можете забыть, что Вам хочется курить. Наука и техника переживают теперь великое время, для нашего же брата это время рыхлое, кислое, скучное, сами мы кислы и скучны, умеем рожать только гуттаперчевых мальчиков, и не видит этого только Стасов, которому природа дала редкую способность пьянеть даже от помоев». Порой, заглядывая в прошлое, успокаиваешься: когда Антон Павлович писал процитированное мною письмо, он не знал, что его путь идет в гору, что в тифлисской газете напечатан первый рассказ Максима Горького, что двенадцатилетний мальчик Саша Блок станет великим поэтом и что русская поэзия находится накануне подъема. Приливы всегда чередовались с отливами. Иногда прилив затягивался. Французские импрессионисты выступили в семидесятые годы прошлого века. Многие из них еще были в расцвете сил, когда на смену им пришли Сезанн, Гоген, Ван Гог, Тулуз-Лотрек; в начале нашего века впервые выставили свои работы Боннар, Матисс, Марке, Пикассо, Брак, Леже, и только четверть века спустя начался отлив. Современная американская литература создана писателями, родившимися вокруг 1900 года,— Хемингуэем, Фолкнером, Стейнбеком, Колдуэллом; их называли «потерянным поколением», но не они, а последующее поколение потеряло дорогу, завязло в трясине. Между смертью Некрасова и первым сборником стихов Александра Блока прошло почти тридцать лет.

Я видел появление крупных писателей, художников и не могу пожаловаться, что жил в эпоху спада искусства. Нет, тяжело было другое: я жил в эпоху необычайного взлета и столь же необычайного падения человека, в эпоху разлада между быстрым прогрессом естествознания, развитием техники, победами справедливых социалистических идей и душевным запустением миллионов человеческих существ. Слишком часто мне приходилось видеть необыкновенно сложные машины и необычайно примитивных людей — с предрассудками, с грубостью чувств пещерного века.

Я рассказал, какой была Москва моего детства — темной, с «Московским листком», со снобами, не сводившими глаз с Парижа, с неграмотными рабочими, с заграничными товарами. На Западе о России тогда говорили редко: страна кнута, с храбрыми казаками, с пшеницей и пушниной, край бомб и виселиц. Стоит заглянуть теперь в любую газету любого континента, чтобы увидеть, сколько пишут про нас; на Москву смотрят все — одни с надеждой, другие с опаской; зеленый, сонный город моего детства стал подлинной столицей. Родился новый Китай. Добилась независимости Индия; поднялась буря: и одна за другой страны Азии и Африки скидывают господство «белых». Да, все переменилось. Мог ли я мальчиком себе представить, что буду перелетать за несколько часов океан, что появятся радио и телевидение, что человек отправится в космос? Чудеса, семимильные шаги!

Но разве в те же годы отрочества я мог себе представить, что впереди Освенцим и Хиросима? Мы воспитывались на книгах прошлого столетия, и я знал два полюса: прогресс и варварство, просвещение и невежество. А XX век многое перепутал. Я вспоминаю дневник немецкого офицера, который мне принесли на фронте в 1943 году. Автор был студентом, цитировал Гегеля и Ницше, Гёте и Стефана Георге, увлекался перспективами современной физики, и вот он записал: «Сегодня в Кельцах мы ликвидировали четырех еврейских детенышей, они прятались под полом, и мы потом смеялись, что умеем вымаривать крыс...» Недавно мы видели, как терзали Патриса Лумумбу. Репортеры фотографировали пытки, и аппараты у них были превосходные.

Дикость, если она связана с невежеством, объяснима; труднее ее понять в людях образованных, порой одаренных. Будущие эсэсовцы учились в школах той Германии, которую я знал; с детских лет им говорили, что Кант написал «Критику чистого разума» и что Гёте, умирая, воскликнул: «Больше света!» Все это не помешало им десять лет спустя швырять русских младенцев в колодцы. «Изуверские идеи маньяка» — скажут мне. Конечно. Но меня потрясло не появление на арене истории Гитлера, а то, как быстро изменился облик немецкого общества: люди с высшим образованием превратились в людоедов; тормоза цивилизации оказались хрупкими и при первом испытании отказали.

Но что говорить о фашистах! Я видел, в другом лагере некоторые люди, казалось бы приобщенные к благородным идеям, совершали низкие поступки, во имя личного благополучия или своего спасения предавали товарищей, друзей; жена отрекалась от мужа; расторопный сын чернил попавшего в беду отца.

Не знаю, оттого ли, что шла борьба за построение нового общества, борьба подчас кровавая, в которой противники не брезгали ничем, оттого ли, что приходилось за несколько лет наверстывать упущенное веками, но многие люди развивались односторонне. Автор книги «Современный нигилист», о которой я упомянул, ставил мне в вину «культ любви», называя его мещанством: «В частных случаях по отношению к слабым или малоразвитым людям половая любовь еще может сыграть роль двигателя вперед, но при условии, если любовь поставлена на свое место...» Я помнил Петрарку, Лермонтова, Гейне, и мне казалось, что мой обвинитель — «слабый или малоразвитый человек» и что, хотя он считает себя коммунистом, его понимание любви, «поставленной на свое место»,— апология мещанства.

Вправду ли я скептик, циник, нигилист? Я оглядываюсь на свое прошлое. Я хотел сам многое понять, проверить и не раз ошибался. Но я твердо знал, что, как бы меня ни огорчали, ни возмущали те или иные вещи, я никогда не отступлюсь от народа, который первый решился покончить с ненавистным мне миром корысти, лицемерия, расового или национального чванства. Думаю, скептик просидел бы с горькой усмешкой всю свою жизнь где-нибудь в нейтральном закутке, а циник писал бы именно то, что устраивает самых придирчивых критиков.

Сартр говорил мне как-то, что детерминизм — ошибка, что у нас всегда есть свобода выбора. Думая теперь о его пути, я лишний раз вижу, насколько мы связаны в своем выборе историческими обстоятельствами, средой, чувством ответственности за других, той общественной атмосферой, которая неестественно повышает голос человека или, наоборот, глушит его, меняет все пропорции.

Бывают эпохи, когда, облюбовав место «над схваткой», можно сохранить любовь к людям, человечность; бывают и другие, когда духовно независимые киники становятся циниками, а бочка Диогена превращается в ту самую хату, которая всегда с краю. Уж что-что, а эпохи человек не выбирает.

В чем же были правы критики? Да в том, что по своему складу я вижу не только хорошее, но и дурное. Правы и в том, что я склонен к иронии; чем больше я взволнован, растроган, тем резче выступают иглы, шипы; это явление довольно распространенное; в свое время был даже литературный термин — «романтическая ирония».

В моих ранних книгах преобладала сатира; на авансцену часто вырывались рвачи, злые мещане, лицемеры. Потом я увидел, что сплошь да рядом доброе и дурное сосуществуют в одном человеке. Я написал «День второй». Однако этикетка оставалась. А. Н. Афиногенов, с которым я познакомился в тридцатые годы, писал в своем дневнике: «У Эренбурга взгляд на все происходящее скептический...» Это написано дружеской рукой, но в замечании сказалась инерция установившегося реноме. Да зачем говорить о том, что было четверть века назад? В 1953 году я написал «Оттепель»; само название книги, казалось бы, показывало доверие автора к эпохе и людям; но критиков возмутило, что я показал директора завода, человека бесчувственного и нехорошего.

Есть писатели, которые как бы видят вокруг только хорошее, доброе. Это не связано с личной добротой автора. Мне кажется, что в жизни Чехов был мягче, снисходительнее, добрее Толстого. Но Чехов справедливо писал: «Каждую ночь просыпаюсь и читаю «Войну и мир». Читаешь с таким любопытством и с таким наивным удивлением, как будто раньше не читал. Замечательно хорошо. Только не люблю тех мест, где Наполеон. Как Наполеон, так сейчас и натяжка и всякие фокусы, чтобы доказать, что он глупее, чем был на самом деле. Все, что делают и говорят Пьер, князь Андрей или совершенно ничтожный Николай Ростов,— все это хорошо, умно, естественно и трогательно...» Толстой сделал из Николая Ростова обаятельного человека, а Наполеона описать не сумел. Что касается Чехова, то он очень хорошо показывал людей, обижающих других, да и обиженные в его рассказах отнюдь не ангелы.

Что нужнее людям — раскрытие пороков, душевных изъянов, язв общества или утверждение благородства, красоты, гармонии? Вопрос, по-моему, праздный: людям нужно все. В одно время жили Державин и Фонвизин; остались «Глагол времен! металла звон!», остался и «Недоросль». Никогда не существовало, не существует, да и вряд ли будет существовать общество, лишенное пороков; долг писателя, если только он чувствует к этому призвание, говорить о них, не страшась, что с чьей-то легкой руки его причислят к скептикам или циникам.

Я люблю Белинского и за его гражданскую страсть, и за страсть к искусству, за глубокую честность. Часто я вспоминал его слова: «...когда же мы находим в романе удачными только типы негодяев и неудачными типы порядочных людей, это явный знак, что или автор взялся не за свое дело, вышел из своих средств, из пределов своего таланта и, следовательно, погрешил против основных законов искусства, то есть выдумывал, писал и натягивал риторически там, где надо было творить; или что он без всякой нужды, вопреки внутреннему смыслу своего произведения, только по внешнему требованию морали ввел в свой роман эти лица и, следовательно, опять погрешил против основных законов искусства».

Порой я грешил против законов искусства; порой попросту ошибался в оценках событий и людей. В одном я только неповинен: в равнодушии.

Мои рассуждения могут показаться литературной полемикой. Я ведь говорил об исповеди, а то и дело цитирую Белинского, Толстого, Тургенева, Чехова. Но я должен был сказать о глазах и о сердце, о верности времени, которая оплачивается и бессонными ночами, и неудачными книгами. Без этой главы мне было бы трудно продолжать мое повествование.

7

Я говорил, что мое поколение может сосчитать на пальцах относительно спокойные годы; к ним следует отнести то время, о котором я начинаю рассказывать.

Осенью 1923 года всем казалось, что Германия накануне гражданской войны. Стреляли в Гамбурге, в Берлине, в Дрездене, в Эрфурте.

Говорили о коммунистических «пролетарских сотнях», о «черном рейхсвере» фашистов. Канцлер Штреземан взывал к патриотизму. Генерал Сект проверял, достаточно ли у артиллеристов снарядов. Иностранные корреспонденты не отходили от телефона. Гроза представлялась неминуемой. Прокатились слабые раскаты грома. Ничего, однако, не произошло. Рабочие были обескуражены, измучены. Все мешалось в голове мещанина; он никому больше не верил; ненавидел Стиннеса и французов; побаиваясь блюстителей порядка, он в то же время мечтал о добротном и длительном порядке. Социал-демократы хвастали образцовой организацией. Профсоюзы аккуратно собирали членские взносы. А решимости не хватило... Канцлер приказал распустить рабочие правительства Саксонии и Тюрингии. Я видел листовку с призывом к восстанию; люди читали и молча шли на работу.

Мюнхен считался главной квартирой фашистов. Известный всем генерал Людендорф и еще мало кому известный Гитлер попытались захватить власть. Черновая репетиция трагедии вошла в историю под названием, скорее подходящим для фарса,— «пивной путч». Берлинцы равнодушно пробегали телеграммы из Мюнхена: еще один путч, капитан Рем, какой-то Гитлер... Приближалась пора «плана Дауэса», хитроумной дипломатии Штреземана, внезапного достатка после десяти лет беспросветной нужды. Газеты перешли на сенсационные убийства или на похождения кинозвезд.

Заводы не успевали выполнять заказы. Пустовавшие магазины начали заполняться покупателями. Герои художника Гросса в ресторанах Курфюрстендамма пили французское шампанское «за новую эру».

О переходе военной экономики на мирную имеется обширная литература. Не менее трудно обыкновенному человеку перейти от жизни, перенасыщенной историческими событиями, к будням. Два года я прожил в Берлине с постоянным ощущением надвигающейся бури и вдруг увидел, что ветер на дворе улегся. Признаться, я растерялся: не был подготовлен к мирной жизни.

Дом искусств давно закрылся. Лопнули эфемерные издательства. Русские писатели поразъехались кто куда: Горький — в Сорренто, Толстой и Андрей Белый — в Советскую Россию, Цветаева — в Прагу, Ремизов и Ходасевич — в Париж.

Уехали из Берлина и чужеземные спекулянты: марка становилась на ноги. Газеты писали о том, что новый американский президент добьется ухода французов из Рура; начинается восстановление Германии. Некоторые немцы чистосердечно наслаждались покоем; другие говорили, что надо готовиться к реваншу,— оккупированные не расставались с мечтой снова стать оккупантами. Однако стрелка барометра шла вверх; люди думали не о будущей войне, а о предстоящих каникулах.

Я много писал, и, пожалуй, в те месяцы (как и не раз потом) меня выручало ремесло. Не знаю, «святое» ли оно или попросту очень трудное; говорю сейчас не о замыслах, не о фантазии, а только о поте. Вот я отмечал: написал столько-то книг (следовал перечень заглавий); а за этим скрывался прежде всего труд, разорванные страницы, по десяти раз переделанная строка, бессонные ночи — словом, все то, что известно любому писателю. Бывали дни, когда я настолько сердился на самого себя, что готов был отказаться от писательства; но потом снова сидел над листом бумаги — втянулся в это дело, поздно было гадать, есть ли у меня способности или нет.

Я закончил и отослал в Петроград сентиментальный роман «Любовь Жанны Ней» — отдал дань романтике революционных лет, Диккенсу, увлечению фабульной стороной романов и своему (уже не литературному) желанию писать не только о тресте, занимающемся уничтожением Европы, но и о любви.

Шагая по длинным улицам Берлина, удивительно похожим одна на другую, я иногда сочинял стихи, которые потом не печатал. Вот одно из стихотворений, написанных в то время:

> Так умирать, чтоб бил озноб огни,
> Чтоб дымом пахли щеки, чтоб курьерский —
> «Ну ты, угомонись, уймись, нишкни»,—
> Прошамкал мамкой ветровому сердцу,
> Чтоб — без тебя, чтоб вместо рук сжимать
> Ремень окна, чтоб не было «останься»,
> Чтоб, умирая, о тебе гадать
> По сыпи звезд, по лихорадке станций,
> Так умирать, понять, что гам и чай,
> Буфетчик, вечный розан на котлете,
> Что это — смерть, что на твое «прощай!»
> Уж мне никак не суждено ответить.

Форма как будто была заемной — пастернаковской, но содержание моим: я продолжал работать, бушевать и, разумеется, иронизировать, а на сердце скребли кошки.

(Мориак в одном из старых романов говорит: «Даже страдания — это роскошь». Да, слишком часто выпадали на нашу долю годы, когда люди не могли себе позволить роскошь быть печальными, страдать от душевной обиды, от неразделенной любви или от одиночества.)

Навстречу шли чинные бюргеры, франтихи, чиновники, школьники. Таксы, привязанные возле дверей колбасных, ждали хозяек и тоскливо позевывали.

Я расставался с Берлином без сожаления. А вот с некоторыми иллюзиями, жившими в сердце «нигилиста», расстаться было куда труднее...

Мы высмеивали романтизм, а на самом деле были романтиками. Мы жаловались, что события разворачиваются слишком быстро, что мы не можем задуматься, сосредоточиться, осознать происходящее; но стоило истории затормозить ход, как мы помрачнели — не могли приспособиться к другому ритму. Я писал сатирические романы, слыл пессимистом, а в глубине сердца надеялся, что не пройдет и десяти лет, как изменится облик всей Европы. В моих мыслях я уже похоронил старый мир, и вдруг он ожил, даже прибавил в весе, заулыбался.

Наступала эпоха, которую наши историки именуют «временной стабилизацией капитализма». Возможно, что, читая эту часть моей книги, читатели подумают: первые части были куда интереснее, чувствуется спад... Что ж, антракт не спектакль, а 1924 год не 1914-й и не 1919-й.

В годы передышки писатели поняли, что они могут писать; именно тогда были написаны прекрасные романы Хемингуэя, «Конармия» Бабеля, «Про это» Маяковского, «Семья Тибо» Мартен дю Гара, поэмы Цветаевой, «Волшебная гора» Томаса Манна, «Парижский крестьянин» Арагона, «Разгром» Фадеева и много других замечательных произведений. А рассказать о годах, когда не было ни мобилизации, ни боев, ни концлагерей, когда люди умирали в своей постели, да так рассказать, чтобы это было интересно, очень трудно. Флобер мечтал написать роман без фабулы, но не написал его: очевидно, даже для спокойного повествования требуются какие-то события. Впрочем, читателей можно успокоить: передышка была недолгой.

8

Кажется, в сентябре 1923 года из Праги приехал в Берлин друг Маяковского и Э. Ю. Триоле рыжий Ромка — лингвист Роман Осипович Якобсон, работавший в советском представительстве. В стихотворении, ставшем хрестоматийным, Маяковский вспоминал, как дипкурьер Нетте, «глаз кося в печати сургуча, напролет болтал о Ромке Якобсоне и смешно потел, стихи уча». Роман был розовым, голубоглазым, один глаз косил; много пил, но сохранял ясную голову, только после десятой рюмки застегивал пиджак не на ту пуговицу. Меня он поразил тем, что все знал — и построение стиха Хлебникова, и старую чешскую литературу, и Рембо, и козни Керзона или Макдональда. Иногда он фантазировал, но, если кто-либо пытался уличить его в неточности, улыбаясь отвечал: «Это было с моей стороны рабочей гипотезой».

Роман Якобсон начал меня уговаривать съездить в Прагу, соблазнял и домами барокко, и молодыми поэтами, и даже моравскими колбасами (он любил поесть и начинал полнеть, хотя был еще очень молод).

В конце года я приехал в Прагу. Молодые поэты меня встретили дружески, расспрашивали о Маяковском, Мейерхольде, Пастернаке, Татлине — я был первым советским писателем, которого они видели. (Об этом написал Незвал в изданной посмертно книге воспоминаний.)

Франтишек Кубка, рассказывая о своих встречах с советскими писателями и художниками, пишет, что часто видел меня в Праге и не помнит, к какой встрече относится та или иная беседа. Я тоже не могу вспомнить, когда я впервые встретился со многими из моих пражских друзей — в 1923 году или позднее, но я хорошо помню один из первых пражских вечеров, когда Роман Якобсон привел меня в кафе «Народна каварня», облюбованное участниками «Деветсила» — так окрестили себя чешские сторонники левого искусства. На диване у длинного стола сидели поэты Витезслав Незвал, Ярослав Сейферт, прозаик Владислав Ванчура и теоретик «Деветсила» критик Карел Тейге. Были еще молодые художники, но не помню, кто именно. Незвал пил сливовицу и восторженно вскрикивал. Потом Ванчура ушел домой, а мы начали переходить из одной «винарни» в другую и на рассвете оказались в пустой холодной закусочной, где по местным обычаям полагалось есть суп из требухи.

В присутствии Незвала трудно было кого-либо заметить: он заполнял не только комнату, но, кажется, всю Прагу. Он вдохновенно кричал, читал стихи, вскочив на стол, обнимал каждого из нас и все время помахивал короткими, широкими руками, похожими на ласты. Он вообще походил на морского льва. Его облик был настолько своеобразен, что художник Адольф Гоффмейстер рисовал его, как дети рисуют дерево или домик — несколькими линиями, рисовал не глядя, в одну минуту, и все портреты отличались удивительным сходством. Как-то ночью на тихой улице Малой Страны Незвал громко декламировал стихи. Полицейский попросил его не будить людей. Незвал продолжал кричать. Удостоверения личности у него не оказалось, но, порывшись в кармане, он вытащил измятый клочок газеты с карикатурой Гоффмейстера и снисходительно показал полицейскому: «Незвал. Поэт».

Сила поэзии Незвала прежде всего в непосредственности, наивности. Обычно говорят «наивен, как ребенок». Я говорил, что Франсуа Вийон, считавшийся бесхитростным слагателем баллад и рондо, на самом деле был искуснейшим мастером. Незвал обладал высокой поэтической культурой, любил чешских романтиков, Новалиса, Бодлера, Рембо, Гийома Аполлинера, Маяковского, Пастернака, Элюара, Бретона, Тувима. Он не обошел ни одной из поэтических форм — от сонетов до стиха, связанного только внутренним ритмом, от классики до сюрреализма — и, любя сопротивление материала, неизменно выходил победителем. Наивен он был не как ребенок, а как соловей, как анемон, как летний дождь. Ежечасно он открывал мир; он подходил к природе, к человеческим чувствам, даже к предметам обихода, как будто до него не существовало тысячелетий цивилизации. Он был нов не потому, что хотел быть новатором, а потому, что видел и ощущал все по-новому:

> Выставлены розовые холсты
> Под открытым небом средь равнины.
> Крыши там из обожженной глины —
> Это вид Милана с высоты.
> Зорька вдрызг рассыпалась на мелкие кусочки.
> Солнышко, солнышко, лопай пирожочки!

Поэзия была для него стихией, водой для рыбы; отлученный от нее хотя бы на день, он задыхался. Он любил поэтов, чувствовал с ними родство, общность — от давней дружбы с Бретоном и Элюаром до поздних встреч с Назымом Хикметом; восторгался, открывая других поэтов. Как-то он попросил меня прочитать ему вслух стихи Леонида Мартынова, восхищался, обнимал ластами воздух. У него было очень доброе лицо, и это лицо не обманывало. В последние годы своей жизни он писал книгу воспоминаний; он говорил мне, что писать ее нелегко: знал, что многое на свете изменилось, но не хотел изменить друзьям своей молодости; никого не предал, писал мужественно и нежно. Мне кажется, что он сумел это сделать именно потому, что был поэтом. (Я вспоминаю простые и мудрые слова Пастернака о том, что плохой человек не может быть хорошим поэтом.)

Незвал часто в стихах писал о стихах:

> Будьте строги и прекрасны! В добрый час!
> Звездопады слез, и клятвы женских глаз,
> И любовь в горах, где сотни звезд
> Прямо в руки падают из гнезд!
>
> До свиданья! До свиданья! Так и быть!
> Снова буду я будильник заводить.
> Сколько здесь людей живет вокруг,
> Вот она, поэзия, мой друг!

Когда я познакомился с Незвалом, ему было двадцать три года. Годы шли. Критики, как им и подобает, корили Незвала: он отходит от революции, становится формалистом, хуже того — он влюбился в сюрреализм, он отходит от поэзии, он весь в политике, он чересчур сложен, он чересчур прост, он не одолел мастерства, он исписался. А Незвал оставался все тем же. Никогда я не встречал человека, который так упорно сопротивлялся бы обстругиванию, стрижке под гребенку, корректуре годов.

Юношей он написал, что отдает себя революции. Он считал, что справедливость и красота — сестры. Часто этого не хотели понять ни поэты, ни догматики. А Незвал стоял на своем. Может удивить его наивность: в 1934 году он обратился в ЦК Коммунистической партии Чехословакии, пытаясь доказать, что сюрреализм, которым он тогда увлекался, вполне совместим с историческим материализмом. Но и много позднее, в конце своей жизни, он не высмеял прошлого, не от-

Герои художника Г. Гросса пьют за «новую эру». 1925 г.

Л. Брик, О. Брик, Р. Якобсон и В. Маяковский в Германии. 1923 г.

Витезслав Незвал. Дружеский шарж А. Гоффмейстера.

И. Эренбург. Дружеский шарж А. Гоффмейстера. 1927 г.

И. Эренбург и В. Незвал. Прага. 1950 г.

рекся от былых друзей, даже если дороги разошлись. В 1929 году, когда многие крупные чешские писатели вышли из коммунистической партии, Незвал не последовал их примеру. Двадцать лет спустя он не захотел отступиться от того, что считал искусством.

Революция для него была не абстрагированным политическим понятием, но сутью жизни. Он и в искусстве страстно любил все то, что порывало с канонами прошлого. Я знал его друзей — и смелого театрального режиссера Эмиля Буриана, который вдохновлялся в те годы Мейерхольдом, и художников — Шиму, Филлу, молодого Славичека, Штырского, Тоайен. Когда в конце сороковых годов их причислили к «формалистам», Незвал не мог с этим примириться. Как-то он сказал мне: «Почему у одного нет головы, у другого нет сердца, а у третьего и голова и сердце, но нет глаз — он не видит живописи, и все же обязательно судит художников». Эпоха не раз ему говорила: «Выбирай — или-или...» Он не соглашался: был слишком широк для любых рамок. Его стихи, как разлившиеся реки, не признавали берегов, а его доброта всех обескураживала.

В конце сороковых годов он работал в отделе кино; но и в службе он нашел поэзию: фильмы Трнки. Мы с ним смотрели вместе «Соловья» по сказке Андерсена. Механическая игрушка не могла заменить живой птицы. И Незвал радовался: «С живописью теперь плохо. И вот Трнка... Гони искусство в дверь, все равно оно ворвется в окно...»

Он любил деревья Моравии и новую архитектуру Праги, любил пейзажи импрессиониста Славичека, написал о нем книгу, любил фильмы Чаплина, мансарды Парижа, задушевные беседы. Когда он написал «Песнь мира», самые суровые критики умилились. А ведь Незвал всегда писал о мире...

Очень давно, в двадцатых годах, когда мы бродили по Праге, я ему сказал, что многое мне открыли глубокие дворы старого города, где дети играют, старушки судачат, где есть полутемные трактиры, в которых Швейк рассказывал свои замысловатые истории. Незвал вспомнил о нашей беседе в 1951 году и написал, что я знаю Прагу не только по Градчанам или по Вацлавскому наместью, что я люблю ее дворы. Он ведь знал каждый двор, каждый тупичок Праги. Мы с ним встречались и в Париже и в Москве, но, думая о нем, я его неизменно вижу на набе-

режной Влтавы или на узкой, надышанной уличке возле Старого Места. Он посвятил любимому городу много чудесных стихов, одна из его книг называется «Прага с пальцами дождя».

Он увидел женщину, утонувшую во Влтаве, потом вспомнил маску, которую видел в Париже, и написал поэму «Неизвестная с Сены». Его поразила посмертная улыбка утопленницы.

> Незнакомка мертвая! Мы пасынки судьбы.
> Разве смерть откроет нам звездные сады?..

Через всю жизнь Незвала прошла зыбкая и вместе с тем плотная, реальная мечта. Где-то я прочитал, что он был последним романтиком; нет, не подходит к нему слово «последний» — он всегда и во всем начинал.

Я вспоминаю сейчас его старое стихотворение из книги «Женщина во множественном числе». Поэт идет по незнакомому городу мимо огромного дома, там, наверно, музей с чучелами птиц; улицы пусты, на углу он видит женщину, она одета слишком тепло для летнего дня, шляпа закрывает половину лица, женщине кажется, что она знакома с Незвалом, и Незвалу кажется, что он ее знает, а город чужой, хотя и знакомый, город нелюбимый, и вот они доходят до дома, поднимаются на третий этаж, она садится, не снимая шляпы, и Незвал ей говорит: «Вас нет. Вы здесь. Всю жизнь я писал для вас». Но женщины снова нет. Он снова идет по улицам, ищет. Кажется, она... «Я чувствую, что она близко, как мы чувствуем близость смерти...»

Это не книга о поэзии, а история моей жизни, именно поэтому я должен был рассказать о стихах Незвала — они вошли в мои дни.

Недавно с Гоффмейстером мы вспомнили прошлое; очень мало осталось в живых наших общих друзей, завсегдатаев пражских кафе «Метро», «Славия» и других. Ванчуру, мягкого, но непримиримого, немцы расстреляли. Из поэтов первым в 1949 году умер Галас. Трагически оборвались жизни Библа и Тейге. Еще в тридцатые годы застрелился архитектор Фейерштейн, который делал декорации для пьес Незвала. Умер художник Филла.

О смерти Незвал думал давно. В стихотворении, написанном в 1935 году, он говорил, что у людей, которые пытаются отгородиться от смерти, «лицо лиловое, а ногти впиваются в ладонь». Смерть была ему противопоказана.

> Лучше ссутулиться в жизни,
> Чем распрямиться в смерть.
> Лучше вся тяжесть жизни,
> Чем облегченная смерть.

Всю свою жизнь он составлял гороскопы. О смерти он думал всерьез. В 1955 году в стихах, написанных на юге Франции, он повторял:

> Море, растет вода,
> Море, не в счет года,
> Что тебе горе?

Растет трава, идет вода,
Человек хочет жить,
Человек умирает.
Что тебе до него? Ты — море...

Мне он казался морем: столько в нем было постоянной и бурной жизни. Вскоре после окончания войны Незвал повел Галаса и меня в винный погребок — он обнаружил бутылки старого вина, припрятанные от немцев. Позади были годы, каждый с десятилетие. Галас был печален. А Незвал радовался и бушевал: я невольно подумал — вот кому годы не в счет...

Как-то, приехав в Прагу, я нашел Незвала примолкшим. Друзья сказали, что у него плохо с сердцем, врачи запретили ему пить вино, курить. А дня два или три спустя я снова увидел буйного Незвала, он размахивал ластами, восхищался женщинами, пил вино, читал стихи и, конечно, по-прежнему составлял гороскопы. Однажды он мне сказал, что гороскоп предсказывает ему недоброе: он предпочитал умереть не по данным электрокардиограммы, а по волшебной карте созвездий.

В последний раз мы встретились весной 1958 года в аэропорту Праги. Я сидел в буфете и ждал самолета.

Вдруг я увидел Незвала — он только что прилетел из Италии. Он сказал мне, как всегда восхищенный: «Италия — дивно!» Потом обнял меня и тихо добавил: «А мне плохо»,— показал рукой на сердце.

Вскоре после этого он умер.

В одном из его лучших произведений, в поэме «Эдисон», написанной в 1931 году, есть строки о страсти, о смерти, о бессмертии:

Только клад не пропал бы безвестно.
Смерть сражается с нами нечестно,
Нас насильно уложат в кровать,
Чтоб лекарства моря выпивать.
Ты, спешивший в грядущее время,
Будешь предан столетьями всеми...
И могу ли я быть хладнокровен,
Что ни шаг, то собранье диковин.
Предо мною речной перевоз,
Плесень мельничных мокрых колес...
Вы, потомки, простите меня.
Нас крутила времен шестерня,
Лихорадка войны нас трепала,
Нам разлука платками махала...
Может статься, на души в бреду
Надевал я искусства узду,
Может, сам, уходя от надлома,
Вас спасал я от желтого дома?
Люди, люди, не может пропасть,
Что сказали страданья и страсть!

Не думаю, чтобы будущий историк понял пережитую нами эпоху только по газетам, по протоколам заседаний, по архивам академий или трибуналов; ему придется прибегнуть к поэзии, и одной из первых книг, к которой он потянется, будут стихи неуемного Незвала.

9

Увидев снова Москву, я изумился: я ведь уехал за границу в последние недели военного коммунизма. Все теперь выглядело иначе. Карточки исчезли, люди больше не прикреплялись. Штаты различных учреждений сильно сократились, и никто не составлял грандиозных проектов. Пролеткультовские поэты перестали писать на космические темы. Поэт М. Герасимов сказал мне: «Правильно, но тошно...»

Машинистка ТЕО, рыжая девушка, которую мы почему-то называли Клеопатрой, давно позабыла «Октябрь в театре» и клекот Всеволода Эмильевича. Она стояла на Петровке, возле Пассажа, и торговала бюстгальтерами.

Старые рабочие, инженеры с трудом восстанавливали производство. Появились товары. Крестьяне начали привозить живность на рынки. Москвичи отъелись, повеселели. Я и радовался и огорчался. Газеты писали о «гримасах нэпа». С точки зрения политика или производственника, новая линия была правильной; теперь мы знаем: она дала именно то, что должна была дать. Но у сердца свои резоны: нэп часто мне казался одной зловещей гримасой.

Помню, как, приехав в Москву, я застыл перед гастрономическим магазином. Чего только там не было! Убедительнее всего была вывеска: «Эстомак» (желудок). Брюхо было не только реабилитировано, но возвеличено. В кафе на углу Петровки и Столешникова меня рассмешила надпись: «Нас посещают дети кушать сливки». Детей я не обнаружил, но посетителей было много, и казалось, они тучнели на глазах.

Пооткрывалось множество ресторанов: вот «Прага», там «Эрмитаж», дальше «Лиссабон», «Бар». Официанты были во фраках (я так и не понял, сшили ли фраки заново, или они сохранились в сундуках с дореволюционных времен). На каждом углу шумели пивные — с фокстротом, с русским хором, с цыганами, с балалайками, просто с мордо-

Москва 1923 года.
Эдуард Багрицкий. Автопортрет. 1933 г.

боем. Пили пиво и портвейн, чтобы поскорее охмелеть; закусывали горохом или воблой, кричали, пускали в ход кулаки.

Возле ресторанов стояли лихачи, поджидая загулявших, и, как в далекие времена моего детства, приговаривали: «Ваше сиятельство, подвезу...»

Здесь же можно было увидеть нищенок, беспризорных; они жалобно тянули: «Копеечку». Копеек не было: были миллионы («лимоны») и новенькие червонцы. В казино проигрывали за ночь несколько миллионов: барыши маклеров, спекулянтов или обыкновенных воров.

На Сухаревке я услышал различные песенки, они, может быть, лучше многих описаний расскажут читателю о «гримасах нэпа». Была песенка философическая:

> Цыпленок жареный, цыпленок пареный,
> Цыпленки тоже хочут жить...
> Я не советский, я не кадетский,
> Я только птичий комиссар.
> Я не обмеривал, я не расстреливал,
> Я только зернышки клевал...

Была песня торговки бубликами:

> Отец мой пьяница,
> Он к рюмке тянется,
> Он врет и чванится,
> А брат мой вор,
> Сестра гулящая,
> Совсем пропащая,
> А мать курящая —
> Какой позор!

Была бандитская, кажется завезенная из Одессы:

> Товарищ, товарищ, болят мои раны...
> Товарищ, товарищ, за что мы боролись,
> За что проливали мы кровь —
> Буржуи пируют, буржуи ликуют...

Встретил я цыганку, которая до революции пела в ресторане. В 1920 году она каждый день приходила к Мейерхольду, требовала, чтобы он ей устроил паек. Всеволод Эмильевич ее направил в МУЗО. Улыбаясь, она рассказывала: «Четыре года кочевала. А теперь осела — пою в «Лиссабоне».

Знакомая актриса позвала меня к себе. Не знаю, как ей удалось сохранить отдельную квартиру в особняке возле Кропоткинской. Было много гостей, танцевали фокстрот, торжественно, как будто выполняли обряд. В полночь пришел молодой человек в узеньком ярко-рыжем пиджаке, начал снисходительно объяснять: в Москве не умеют отличить фокстрот от уанстепа — он ездил недавно в командировку и видел, как танцуют в Лейпциге. Все внимательно слушали. Завели патефон — те же куплеты, что в дансингах Парижа и Берлина: «Вы любите ль бананы», «Ищу мою Титину». Актриса мне рассказала, что юноша, ездивший в Лейпциг, учился с нею в театральной студии, а теперь работает во Внешторге. «Его, наверно, скоро посадят, уж очень он хапает...»

Буржуа с детства знали достаток; трата денег для них была привычным занятием. Старая буржуазия рассеялась по миру; многим за границей пришлось плохо; переход от богатства и праздности к нужде, к черной работе доводил людей до отчаяния, до самоубийства, до преступлений. Социальное происхождение нэпманов было пестрым. Бывший помощник присяжного поверенного, прослуживший два года в Наркомюсте, вдруг начал торговать местами в спальных вагонах. Я знал поэта, который в 1921 году читал полуфутуристические стихи в «Домино»; теперь он перепродавал французскую парфюмерию и эстонский коньяк. Судили бывшего рабочего завода Гужона, участника гражданской войны,— он похитил вагон мануфактуры и попался случайно: напился в ресторане, разбил зеркало; на нем нашли восемь миллионов. Конечно, он не походил на наследственного буржуа, как не походил на пролетария какой-нибудь поручик, в прошлом сын богатой домовладелицы, которого нужда загнала на парижский завод. Миллионы бросались в голову нэпманам, они сумасбродствовали, скандалили, быстро гибли. Редко кто откладывал на черный день: люди не верили ни в долголетие нэпа, ни в ассигнации. Грань между дозволенной наживой и наказуемой спекуляцией была тонкой. Время от времени сотрудники ГПУ арестовывали десяток или сотню наиболее предприимчивых деляг; это называлось «снять накипь нэпа». Повар знает, когда ему снять накипь с ухи, но вряд ли все нэпманы понимали, кто они — рыбешка или накипь. Неуверенность в завтрашнем дне придавала развлечениям новой буржуазии особый характер. Та Москва, которую Есенин называл «кабацкой», буянила с надрывом; это напоминало помесь золотой лихорадки в Калифорнии прошлого века и уцененной достоевщины.

Рядом была другая Москва. Бывший «Метрополь» оставался Вторым домом Советов; в нем жили ответственные работники; в столовой они ели скромные биточки. Они продолжали работать по четырнадцать часов в сутки. Инженеры и врачи, учителя и агрономы если не с прежним романтизмом, то с прежней настойчивостью восстанавливали страну, разоренную гражданской войной, блокадой, годами засухи. На лекции в Политехническом по-прежнему было трудно пробиться; книги в магазинах не залеживались — штурм знаний продолжался.

В 1924 году я писал: «Не знаю, что выйдет из этой молодежи — строители коммунизма или американизированные специалисты; но я люблю это новое племя, героическое и озорное, способное трезво учиться и бодро голодать, голодать не как в студенческих пьесах Леонида Андреева, а всерьез, переходить от пулеметов к самоучителям и обратно, племя, гогочущее в цирке и грозное в скорби, бесслезное, заскорузлое, чуждое влюбленности и искусства, преданное точным наукам, спорту, кинематографу. Его романтизм не в творчестве потусторонних мифов, а в дерзкой попытке изготовлять мифы взаправду, серийно — на заводах; такой романтизм оправдан Октябрем и скреплен кровью семи революционных лет». (Конечно, в формулировках сказалось былое увлечение конструктивизмом; но мне кажется, что я верно подметил некоторые черты, присущие молодежи тех лет.) Я добавлял: «Хорошо, что они умеют критически подойти к фактам. Когда кто-нибудь начинает поддакивать любому докладчику, над ним смеются, называют «такальщиком» — от односложного «так, так»...»

Рабфаковцы, о которых я писал, были людьми, родившимися в первые годы нашего века. Я был старше их всего на десять — двенадцать лет; но смена поколений была резкой. Моими сверстниками были Маяковский, Пастернак, Цветаева, Федин, Мандельштам, Паустовский, Бабель, Тынянов. Мы прожили молодость в дореволюционные годы; многое помнили; иногда это нам мешало, иногда помогало. А студенты 1924 года увидали революцию глазами подростков, они формировались в годы гражданской войны и нэпа. Это — поколение Фадеева и Светлова, Каверина и Заболоцкого, Евгения Петрова и Луговского. Оно рано начало редеть. Теперь те, что выжили, выходят на пенсию; у них есть время, чтобы изучить тот предмет, который Гюго называл «искусство быть дедушкой»; и я заметил, что молодые скорее находят общий язык с ними, нежели со своими отцами.

Снег белой сострадательной пеленой покрывает все. Когда приходит первая оттепель, земля обнажается. В годы нэпа нас потрясала, порой доводила до отчаяния живучесть мещанства; ведь мы тогда были наивными и не знали, что перестроить человека куда труднее, чем систему управления государством.

Маяковский в 1921 году, в медовый месяц нэпа, возмущался:

> Опутали революцию обывательщины нити.
> Страшнее Врангеля обывательский быт.
> Скорее
> головы канарейкам сверните —
> чтоб коммунизм
> канарейками не был побит!

Он писал о чиновниках, которые «засели во все учреждения. Намозолив от пятилетнего сидения зады, крепкие, как умывальники». Перечитывая эти стихи, я невольно улыбаюсь: кабинеты и спаленки («гарнитуры») те же, а зады стали крепче...

Комнаты у меня в Москве не было, меня приютили в ЦЕКУБУ на Кропоткинской. Туда приходили старые ученые, беседовали или молча вздыхали — им трудно было понять, что к чему.

Вздыхали в те годы и многие поэты; и так как они это делали не в столовой ЦЕКУБУ, а на страницах журналов, их за вздохи ругали: улыбка считалась аттестатом политической стойкости. Выходил журнал «На посту»; название казалось романтическим, в действительности пост был скорее милицейским, чем боевым. Напостовцы ругали всех — А. Толстого и Маяковского, Всеволода Иванова и Есенина, Ахматову и Вересаева. Поэты, однако, продолжали вздыхать. Асеев написал печальную поэму о любви — «Лирическое отступление», и напостовцы, обрадованные, цитировали вырванные из нее строки:

> Как я стану твоим поэтом,
> коммунизма племя,
> если крашено рыжим цветом,
> а не красным время?

Я пошел к Маяковскому. У Бриков было, как всегда, много гостей; пили чай, ели холодные котлеты. Маяковский, мрачный, здесь же дорисовывал какой-то плакат. Несколько дней спустя я его встретил в клубе; он доказывал, что нужно помочь государству бороться с частной торговлей; писал рекламы:

> Все, что требует желудок,
>   тело или ум,—
> Все человеку предоставляет
>   ГУМ.

Или:

> Разрешаются все мировые вопросы,—
>   лучшее в жизни — «Посольские» папиросы.

Ночью он вдруг начал читать прекрасные отрывки из поэмы «Про это»; в стихах он пытался убедить себя, что добровольно никогда не расстанется с жизнью...

Наступило время для прозы: можно было продумать пережитое. Фадеев писал «Разгром», Бабель — «Конармию», Тынянов — «Кюхлю», Зощенко — «Рассказы Синебрюхова», Федин — «Города и годы», Леонов — «Барсуков».

Мне хотелось поездить по стране; денег у меня не было, и я соблазнился предложением одного из многочисленных в то время организаторов литературных вечеров. Он предложил мне поехать в Петроград, Харьков, Киев, Одессу и прочитать лекции о жизни Западной Европы. Импресарио хотел идти в ногу со временем,— следовательно, хорошо заработать; он был человеком немолодым и неизменным неудачником. Задумал он все безупречно: лекции устраивались Обществом Красного Креста, которое должно было получить часть доходов; в различные города выехали разведчики; один был сыном импресарио, Леней, молоденьким студентом, застенчивым нахалом, который решил, не теряя времени, написать книгу обо мне и все время ошарашивал меня вопросами: «Расскажите, как вы впервые влюбились», «Кого вы ставите выше — Вольтера или Анатоля Франса», «Какой, по-вашему, Эрос — крылатый или бескрылый»; другой организатор был человеком вполне деловым, он ел со смаком гуся, на станциях находил скучающих девиц и заманивал их в купе спального вагона, торговался с учреждениями, сдававшими залы, и говорил мне: «Я должен сегодня заработать двадцать червонцев, и вы увидите, что я их заработаю...»

Нужно было найти название для лекций. Маяковский приучил публику к афишам, которым позавидовал бы любой американец: «Поэзия — обрабатывающая промышленность», «Анализ бесконечно малых», «Дирижер трех Америк», «Белые сосиски Лизистраты», «А все-таки Эренбург вертится», «Курящийся Вересаев», «Бал в честь юной королевы», «Брюсов и бандаж». Импресарио молил: «Что-нибудь непонятное...» Я выбрал первое, что мне пришло в голову,— «Пьяный оператор».

В Харькове импресарио снял цирк «Миссури». Никаких микрофонов в то время не было. Я, надрываясь, кричал что-то о фильмах Чаплина, а публика ревела: «Не слышно». Я хотел уйти; меня удержал импресарио: «Потребуют деньги за билеты. У меня большая семья... Постарайтесь!.. Жена вам уже взбивает гоголь-моголь...»

Я увидел впервые Одессу; я знал ее по забавным анекдотам, и «Одесса-мама» меня удивила: она оказалась печальной. В порту было пусто. Кое-где чернели развалины. Исчезло, видимо, былое легкомыслие; жизнь не налаживалась. На одной из площадей я увидел голову бородатого удельного князя, под ней значилось: «Карл Маркс». Молоденькая билетерша в театре, где я читал лекцию, потрясла студента Леню — неожиданно ему сказала: «Что вы мне все строите глазки?.. Это уже пройденный этап. Пригласите меня поужинать в «Лондонскую», и тогда мы поговорим, потому что я теперь на хозрасчете...»

«Лондонская гостиница» была живописным местом. В некоторых номерах по-прежнему жили ответственные работники; жены готовили на примусах обед, нянчили детей; вечером шли разговоры о последней передовице «Правды», о повестке дня Тринадцатого съезда. В других номерах останавливались спекулянты, журналисты, актеры эстрады, «красные купцы»; там пили, иногда дебоширили. На базаре я услышал песенку «Ужасно шумно в доме Шнеерсона...». А у Шнеерсона было очень тихо; тихо было на улицах, носивших новые имена: Интернациональная, Пролетарская, Лассаля, Коммуны. В кафе Печеского спекулянты, заказывая стакан чаю, старались перепродать друг другу трухлявые зеленые или оранжевые доллары. Маклеры на час нервно позевывали — время от времени происходила облава и всех забирали.

В местной газете секретарь редакции показал мне стихи молодого одессита; он писал о море, о птицах, о клетках для птиц; стихи мне понравились, я спросил, как зовут поэта; секретарь ответил: «Эдуард Багрицкий».

Я разбил стекло ручных часов и пошел к часовщику. Он долго подгонял стеклышко; я молча ждал, а он говорил не замолкая: «Се-

И. Эренбург с дочерью Ириной в комнате ЦЕКУБУ. Москва. 1924 г.

«Серапионовы братья». Стоят: Л. Лунц, Н. Тихонов, К. Федин, И. Груздев, В. Каверин. Сидят: М. Слонимский, Е. Полонская, Н. Никитин, Вс. Иванов, М. Зощенко. Ленинград. 1923 г.

годня в газете напустились на Керзона. Но я вам скажу, что Керзон их не боится. Это я их боюсь. Во-первых, я боюсь фининспектора, во-вторых, я боюсь ГПУ, в-третьих, я боюсь вас — откуда я знаю, что вы за человек и зачем вы хотите, чтобы я вам все выкладывал...»

Нищенки говорили: «Подайте, товарищ», «Ради господа бога, гражданин миленький», «Копеечку, барин»... Путались слова, путались и эпохи.

В Киеве я ехал по Крещатику, вдруг санки распались, лошадь с извозчиком уехали, а я с сиденьем саней очутился в сугробе. Санки не выдержали, но на базарах продавали добротные дореволюционные вещи: самовары, швейные машины Зингера, часы Мозера, пузатые купеческие чашки.

Крепче всего держалось прошлое в сознании. На одной из станций крестьянка с мешком по ошибке вошла в мягкий вагон. Проводник заорал: «Куда прешь? Вылезай! Это тебе не семнадцатый!..»

В Гомеле, в вокзальном буфете, висело изречение: «Кто не трудится, тот пусть и не ест». За столиками обедали пассажиры спального вагона. Здесь же бродили беспризорные в надежде на подачку. Один пассажир протянул девочке тарелку с остатками мяса в соусе: «Жри!» Подбежал официант (или, как тогда говорили, гражданин услужающий) и, вырвав из рук девочки тарелку, вытряхнул кусок мяса, картошку на лохмотья, заменявшие девочке платье. Я возмутился; никто меня не поддержал. Девочка плакала и поспешно ела. Я видел в Гомеле спичечную фабрику; директор, бывший рабочий, раненный в боях против Деникина, больной, работал с утра до ночи: не было клея для намазки коробок; он повторял: «Стране нужны спички...» Гомельские юноши говорили о боях в Гамбурге, о стихах Маяковского, о будущем. А перед моими глазами стояли тупые, равнодушные физиономии в вокзальном буфете и затравленный ребенок...

Деловой помощник импресарио был доволен: он перевыполнил план. Леня книги обо мне не написал, говорил всем: «А зачем о нем писать? Я его знаю как облупленного...» Отец Лени погорел, хотя сборы были хорошими: по пути из Одессы в Ленинград из-за заносов мы простояли на полустанке два дня, и мой импресарио уплатил неустойку за зал. Ничего не поделаешь — он был вечный неудачник. Что касается меня, то я был доволен: многое увидел.

После каждой лекции меня засыпа́ли вопросами, некоторые я записал: «Почему не вышла революция в Германии», «Какие теперь моды в Париже», «Что вы хотели сказать вашим "Хуренито" — да или нет», «Кто хуже — социал-предатели или фашисты», «Объясните коротко теорию относительности», «Почему школы снова платные», «Почему вы, писатели, настраиваете девчат на всяческие объяснения», «Берут ли в Индии иностранных борцов за независимость», «Правда ли, что вы приятель Вандервельде», «О вас пишут, что вы продукт разложения, скажите в таком случае, сколько вы получаете за лекцию», «Маяковский говорит, что поэзия — продукция, а у Пушкина не так: кто, по-вашему, прав», «Откроет ли коммунизм возможность победить смерть», «Вы за футбол или признаете также регби», «Расскажите о работах

Резерфорда в области трансформации атомов», «Чем тустеп отличается от уанстепа и что больше танцуют в Берлине», «Почему у нас переводят «Тарзана», а роман Марселя Пруста не существует в переводе», «Повлияет ли, по-вашему, денежная реформа на сокращение ножниц», «Знакомы ли вы с Пикассо, что он теперь делает», «Половая любовь — это буржуазный пережиток, почему этого не говорят прямо», «Недавно у нас выступал лектор, он говорил, что искусство сохраняется в переходный период, а при коммунизме исчезнет, я с этим не согласна, помогите разобраться».

Я привел эти вопросы в том порядке, вернее, беспорядке, в котором их переписал; мне кажется, что они могут помочь понять те, уже далекие, годы.

Я часто беседовал с молодыми людьми; разные попадались: умные и глупые, честные и карьеристы. Нэп помог восстановлению экономики, но вряд ли он был хорошей школой для юношей и девушек. У всех еще были в памяти годы гражданской войны: подвиги, слава, зверства, героика, грабежи. Молодежь, пришедшая в университеты с фронта, из деревень, была горячей, напористой. Студенты хорошо учились, да и вели себя хорошо, колеблясь между наивным утилитаризмом и свойственной их возрасту романтикой. Но было немало и таких, что теряли голову,— честолюбцев, фантазеров без азов морали, слабовольных, которые, очутившись в дурной компании, шли на все. Рядом со скромной студенческой жизнью шел разгул. «Москва кабацкая», где агонизировал Есенин, дышала в лицо угаром, сбивала многих с пути.

Один юноша рассказал мне длинную, путаную, но не очень-то сложную историю: еще недавно он был честным комсомольцем, хорошо учился. Товарищ втянул его в нехорошую затею; выглядело все благородно — ему поручили собирать деньги на воздушный флот, оказалось, что сборами занималась шайка мошенников. Студент возмутился, хотел пойти в ГПУ, но, получив пачку ассигнаций, соблазнился мишурой жизни. Он влюбился в девушку, которая требовала подарков, стал спекулировать; из комсомола его вычистили; он ждал ареста. У него были очень выразительные руки, они рвались кверху, грозили, умоляли.

Мне захотелось написать о нем, о таких, как он. Я начал ходить на судебные заседания; получил разрешение беседовать с заключенными в изоляторах (так тогда называли тюрьмы). Привлекала меня, конечно, не живописность среды, не уголовщина, а история взлета и падения тех крутых, скользких лет.

Тогда входило в обиход новое словечко «рвач», и я назвал моего героя, сына киевского официанта, рвачом. Я описал его детство, стремление к славе, себялюбие, подъем в первые годы революции, участие в гражданской войне, учебу, падение. У Михаила Лыкова (так звали моего героя) был брат, Артем, честный, не очень разбирающийся в сердечных делах, но добрый, старавшийся удержать Михаила от падения. Герой мой не был Растиньяком; в нем жили различные, порой противоречивые чувства. Полюбив корыстную, пустую женщину, он вел себя с ней, как мальчишка. Вместе с тем он верил в свою исключительность, в свое превосходство над товарищами. Если угодно, он чем-то напоминал Жюльена Сореля, родившегося сто лет спустя, в стране социалистической революции. Осужденный, он в тюрьме кончил жизнь самоубийством.

Я писал в одном из писем: «Я заканчиваю «Рвача». Я даже привязался к моему герою, хотя он пакостник, сволочь, склонная к романтике, патетический спекулянтик...» Мне и теперь кажется, что писатель, освещая внутренний мир тех героев, которых критики называют «отрицательными», привязывается к ним: он ведь видит хорошие начала, которые были заложены в сердце человека, опустившегося на дно. Никогда я не думал оправдывать рвачей. Эпиграфом к книге я взял слова древней молитвы, осуждающей индивидуализм: «Да будет воля твоя, чтобы этот год был росистым и дождливым, и да не проникнут в тебя молитвы путников на путях по поводу дождя, который им помеха, когда весь мир нуждается в дожде».

Я знал, что меня снова будут упрекать: зачем писать о каком-то жалком рваче, когда кругом столько благородных и вдохновенных героев? Мне думается, что обязанностью врача является поставить диагноз, и только сумасшедшему может прийти в голову, что доктор, констатируя случай эпидемического заболевания, тем самым распространяет эпидемию. В романе «Рвач» попытка показать душевный мир свихнувшегося Михаила Лыкова сопровождалась сатирическим описанием быта тех лет. Даже напостовцы признавали в теории необходимость сатиры, но каждую попытку показать ту или иную уродливую сторону нашей жизни они немедленно объявляли клеветой. («Нам нужны наши Щедрины и Гоголи» — это я услышал много позже. Сатира по-прежнему считалась в теории необходимой, а на практике — чуть ли не актом диверсии; и один поэт сочинил стишок:

> Я за смех, но нам нужны
> Подобрее Щедрины
> И такие Гоголи,
> Чтобы нас не трогали...)

Я писал в 1924 году: «Если в моих книгах так называемые «отрицательные типы» отличаются большей выразительностью, то в этом следует видеть отсутствие универсальности, ограниченность человеческой природы, а не хитрые козни. Как бы я хотел, вместо обличений моих книг, прочитать прекрасную эпопею нового, здорового, бодрого человека! Увы, благонамеренные критики не торопятся ее писать, они предпочитают осуждать меня. Я же предпочитаю отдаваться работе, к которой чувствую прирожденную склонность. Не дожидаясь часа, когда будет написана вдохновенная книга об Артеме, я хочу рассказать современникам историю его брата...»

Двадцать шестого января 1925 года я сообщал: «Попов отказался от «Рвача», следовательно, он вряд ли выйдет...» (Не помню, о каком Попове шла речь.)

Один из наиболее видных напостовцев, называя меня «откровенным врагом революции», писал: «Пафос «Рвача» — любование нэпаческой хищнической средой, утверждение о захвате буржуазными хищниками

сего нашего хозяйственного аппарата. Вот конечное падение вче-
ашнего кандидата в русские Шпенглеры...»

В минуту тоски Эдуард Багрицкий написал:

> Чуть ветер,
> Чуть север —
> И мы облетаем.
> Чей путь мы собою теперь устилаем?
> Чьи ноги по ржавчине нашей пройдут?
> Потопчут ли нас трубачи молодые?
> Взойдут ли над нами созвездья чужие?
> Мы — ржавых дубов облетевший уют...

На Кузнецком в витрине книжного магазина я увидел «Дерево
оветской литературы». Ветви были сопровождены пояснительными
тикетками: «Пролетарские писатели», «Лефовцы», «Крестьянские поэ-
ы», «Левые попутчики», «Попутчики-центр», «Правые попутчики»,
Необуржуазная литература» и так далее. Под деревом валялись
опавшие листья, и на одном из них значилось: «Эренбург».

Ветра потом было вдоволь, ветра и севера. Чудом я не облетел.

10

Недавно я разыскал в библиотеке полуистлевший номер однодне́в-
ой литературной газеты «Ленин», вышедший в день похорон Вла-
имира Ильича. Есть там и моя статья, написанная наспех, в том
ушевном состоянии, когда не думаешь о стиле. Я хочу привести от-
ывки из этой корявой статьи — они могут объяснить последующие
асти моей книги.

Вспоминая Париж довоенных лет, я писал:

«Что знали мы в те годы канунов? Беспокойство и бродяжничество,
омбы и стихи.

...Разве не ему принадлежат эти пронзительные и достойные слова:
«Мы ошибались, мы много раз ошибались». Да, здесь могли быть и
рывы и ошибки, ибо здесь была жизнь. А там, среди грустных сизых
омов, в стране, где краснобай не устает говорить о свободе, о величии
ичности, там не оказалось ни героев, ни строителей, ни вождей. Там не
могло быть и ошибок: там не было жизни.

...За четыре года страшной войны Европа получила Версаль,
а Россия выстрадала Октябрь...

...Чтобы понять творческую мощь Ленина, стоит только взглянуть
туда, где Пуанкаре над развалинами и крестами каждое воскресенье
бурно кричит: «Мы?.. Нет, мы никогда не ошибались!»

...Он знал. Мы не знали. Мы не знали, что национальная революция
полудикой крестьянской России вырастет в эру мира. Мы не знали, что
«Даешь землицу!» февраля станет в Октябре «Даешь Землю!». Он это
знал. Знал, сидя в Женеве. Знал, работая по ночам в маленькой комнате при свете керосиновой лампы.

И вот несколько месяцев тому назад в Сан-Паули — в Гамбурге, после подавленного восстания, я слышал такой разговор. Спорили два родных брата, оба рабочие. Братья. Враги. Один участвовал в восстании, другой его подавлял. И тот, что участвовал в восстании, был ранен. Его тихонько от «зеленых» отвезли домой. Подавлявший говорил: «Зачем было восставать? Ведь социалисты в сенате обещали выдать по полфунта маргарина... Ты слышишь?..» Тот, что участвовал в восстании, ответил: «А мы получим его». И, говоря это, он показал на портрет, висевший в его комнате, как он висит в сотнях тысяч рабочих комнат всех городов всех стран.

...Мы часто недоумевали. У нас было наше новое искусство, наше беспокойство, наше бродяжничество по миру. И нам казалось, что все это чуждо ему. Мы не знали, что вне его работы нет нам ни роста, ни жизни. Пусть дом не достроен. Пусть в нем очень трудно и очень холодно. Но ведь стены его растут. А там, где целы все дома, где десять лет назад писатели бунтовали и томились,— в городе сизых домов? Там нам нет места. Маленькая буря в стакане воды окончилась. Остались оды в честь академика Фоша да приличный обед из трех блюд. Отчаяние великой европейской ночи — он знал и это. Он был однодумом, он думал об одном для того, чтобы другие, счастливые, могли думать о многом...»

Когда уходит большой человек, люди невольно оглядываются и на то, что мы называем историей, и на свою маленькую жизнь. Так было и со мной, когда я писал о кончине Ленина: я вспомнил кануны, «Ротонду», бунт писателей, художников и в сердцах, наверно несправедливо, обозвал это все «бурей в стакане воды». Самоуничижение диктовалось горечью потери, осознанием того решающего и воистину всеобщего, что осуществил человек, отнятый у человечества смертью.

Мои давние слова о значении Октября, противопоставление трудного пути России духовному оскудению Запада мне кажутся правильными и теперь.

Траурная марка памяти В. И. Ленина. 1924 г.
Литературная газета «Ленин», вышедшая в день похорон В. И. Ленина.
Крестьянин, приехавший на похороны Ленина.

Прощание с В. И. Лениным.

«Пусть дом не достроен...» Да, в 1924 году мы не знали, каким потом, какими слезами, какой кровью будет оплачен тот дом, стены которого уже высились при Ленине. Мы не знали, что в тридцатые, сороковые годы нам не скажут дружески, по-товарищески об ошибках. А дом построен; и душевная сила нашего народа сказалась в том, что он его строил несмотря ни на что.

В те январские дни стояли редкие и для московской зимы морозы. Напрасно пытались уговорить детей оставаться дома. Взрослые несли на плечах малышей. Красноармейцы плакали. Ночью в Охотном ряду, на Дмитровке, на Петровке — повсюду горели костры, и у костров хмурые люди в тулупах молчали. Было много бородатых ходоков: крестьянская Россия в те времена еще носила бороду.

Я не мог оставаться дома. Видел похоронную процессию на Балчуге. Помню, как несли гроб ближайшие товарищи Ленина (имена многих исчезли из учебников истории). Был в Колонном зале, где рыдания перебивали траурный марш. Москва, та, что, согласно поговорке, не верит слезам, плакала навзрыд. Я пошел к Николаю Ивановичу, моему товарищу по нелегальной школьной организации, он жил во Втором доме Советов. Обычно веселый, он молчал, и вдруг я увидел в его глазах слезы. Плакала старая дворничиха ЦЕКУБУ. Горе народа было большим, неподдельным.

В те жестокие январские ночи я как бы издали — в перспективе веков — увидел, чтó осуществил наш народ; и какими бы ни были мои сомнения в последующие, куда более тяжкие десятилетия, передо мной всегда стоял замысел Ленина, приподымал меня, удерживал от недоброго. Я был молодым беспартийным писателем; для одних — «попутчиком», для других — «врагом», а в действительности — обыкновенным советским интеллигентом, сложившимся в дореволюционные годы. Как бы нас ни ругали, как бы ни косились на наши рано поседевшие головы, мы знали, что путь советского народа — на[ш] путь.

Мне несколько раз довелось в Париже разговаривать с В. И. Лен[и]ным; я знал, что он любил Пушкина, любил классическую музыку, б[ыл] человеком сложным, душевно широким. Но всю свою страсть, всю сил[у] творческого гения он вложил в одно — в борьбу за освобождение раб[о]чих от эксплуатации, в создание нового, социалистического обществ[а]. Вот почему я писал в 1924 году: «Он думал об одном, чтобы други[е], счастливые, могли думать о многом».

Слово «счастливые» может резануть ухо. Малыши, которых нес[ли] на плечах в Колонный зал,— это сироты тридцатых годов, солдат[ы] Отечественной войны, люди с проседью, читавшие отчеты о Двадцато[м] съезде... И все же слова о счастье — правда; когда я бываю теперь [на] собраниях нашей молодежи, я вижу, что юноши и девушки о мног[ом] думают, многим увлекаются, многое знают.

Мне хочется еще вспомнить Владимира Ильича, сказать буднично[-]простое. Когда я разговаривал с ним в Париже, он вдруг прервал мен[я]: «Комнату нашли? Гостиницы здесь очень дорогие...» И обратилс[я] к Надежде Константиновне: «Кто ему здесь поможет? Людмила? [Да,] она знает...» Н. И. Альтман в кабинете Владимира Ильича лепил е[го] голову, и раз ему пришлось быстро уйти — к Ленину пришли товарищ[и], Владимир Ильич позаботился смочить глину, не забыл. А. В. Лунача[р]ский мне рассказывал, что, когда он спросил Ленина, можно л[и] предоставить «левым» художникам украсить к Первому мая Красну[ю] площадь, Владимир Ильич ответил: «Я в этом не специалист, не хоч[у] навязывать другим свои вкусы...»

У Сталина есть статья о политическом стиле Ленина. Она написан[а] еще в двадцатые годы, и, наверно, все в ней правильно. Но человече[с]ский стиль Ленина оказался неповторимым: дерзость творческо[го] замысла и редкостная скромность, сила, решимость, не исключавша[я] ни мягкости, ни глубокого уважения к духовным ценностям, к разум[у] к искусству,— человечность, подлинная человечность.

11

В мае 1924 года я поехал с Любой в Италию. Там было мног[о] разноязычных туристов; среди них немцы, которые приехали с твердо[й] маркой и с не менее твердой уверенностью, что они спаслись от землет[ря]рясения и могут наслаждаться краем, где зреют лимоны.

(Французы говорят, что кот, который однажды обжегся, боитс[я] и холодной воды. Люди легкомысленнее котов. Десять тысяч жителе[й] новых Помпеев смотрят на Везувий как на отца-кормильца: они вед[ь] живут любознательностью туристов. В 1944 году Везувий, на минут[у] проснувшись, уничтожил городок Сан-Себастьяно. Жители соседни[х] городов, однако, никуда не уехали.)

В Венеции была международная выставка, в которой впервы[е] участвовали советские художники. Мы сидели в кафе Флориана н[а] лощади Сан-Марко; помню художницу А. А. Экстер, Б. Н. Терновца. Кафе Флориана было тогда сто шестьдесят три года; теперь ему стукнуло двести — можно было устроить юбилей. Наверно, в нем сиживали за чашкой шоколада Лонги, Каналетто, Гольдони, Гоцци. Я не помню, о чем мы говорили; может быть, о последних постановках Мейерхольда или о холстах Сарьяна, выставленных в Венеции, а может быть, о комедии масок.

Сухопарые англичанки кормили неповоротливых голубей. Чистильщики ботинок и продавцы кораллов извивались, как классические арлекины. Туристы восхищались устно и письменно, старательно подписывая пачки ярких открыток. Все это напоминало постановку в Камерном театре.

Кругом был город с сотнями таинственных зловонных каналов, с кавалькадами мяукающих кошек, с домами семнадцатого века, в которых люди, как в самых обыкновенных домах, мечтают, ревнуют, ссорятся, просматривают вечерку, болеют гриппом или аппендицитом. Обычная жизнь была обрамлена изумительными перспективами, фисташковым небом, розоватой водой, мостиками, колоннами, фонтанами. Вот где человеку нужны глаза! А я глядел на чернорубашечников, которые прогуливались по площади или ели мороженое.

Мы поехали в Мурано, увидели там искуснейших стеклодувов. На фабричных стенах чернели надписи: «Да здравствует Ленин!» Легионеры в черных шапчонках злились и перекладывали из одного кармана в другой новенькие игрушки — револьверы.

Я сказал, что для людей моего поколения передышка была недолгой, да и редко нам удавалось забыть то, что в газетах называют «историческими событиями». Почему я не мог спокойно любоваться полотнами Тинторетто или водой каналов? Что-то меня тревожило, вероятно новизна: я ведь впервые видел настоящих, живых фашистов.

Юношей я восхищался фресками Кампо-Санто и сказал Любе, что нужно обязательно побывать в Пизе. Люба глядела на светлую живопись Беноццо Гоццоли, который покрыл стены кладбища сладостью земной жизни; а я глядел на чернорубашечников. Во время войны немецкая бомба уничтожила часть пизанских фресок. Недавно я снова оказался в Пизе и увидел клочья былых видений; мне стало обидно, что я когда-то не нагляделся на фрески досыта; а ничего тут не поделаешь: живешь не так, как хочется,— так, как живется.

Вряд ли в 1924 году можно было предвидеть, что фашизм, перекочевав из полупатриархальной бедной Италии в хорошо организованную Германию, уничтожит пятьдесят миллионов душ и покалечит жизнь нескольких поколений. Но мне было обидно за Италию, обидно и тревожно. Кто эти люди, улюлюкающие, марширующие, подымающие вверх руки? Наверно, неудачники, сыновья разорившихся лавочников, провинциальных нотариусов или адвокатов, честолюбцы, соблазнившиеся звонкими фразами. Можно было принять их за маски дурацкого карнавала, но я уже знал, что люди живут не по Декарту...

Почему-то мы попали в маленький город средней Италии — Бибиену; там нет достопримечательностей, и туристы туда редко заглядыва-

ют. А это чудесный городок! Вечером я зашел в полутемную траттори[...]
где стояли огромные круглые бутыли с красным вином. Старик расск[...]
зывал трактирщику и двум посетителям длинную историю о том, как [...]
Америки вернулся каменщик Джулио. Он накопил немного деньжа[...]
собирался жениться. А из Ареццо приехал в машине секретарь фаши[...]
Они пили вино за двумя столиками, и вдруг секретарь начал задева[...]
Джулио, требовал, чтобы каменщик крикнул: «Да здравствует Мусс[...]
лини!» Джулио ответил: «Пусть кричат ослы». Тогда фашист е[...]
застрелил. Для вида убийцу арестовали, а неделю спустя выпустил[...]
Вот и вся история... Старик пил вино и крючковатыми пальцами кроши[...]
сухой сыр. Я вышел. Холм казался звездным небом — летали мириад[...]
светляков. Нежно квакали лягушки. В темноте влюбленные обменива[...]
лись клятвами и поцелуями. А я думал о судьбе неизвестного мн[...]
Джулио.

Когда мы приехали в Рим, все казалось спокойным. Мы пошл[...]
в посольство. Посол говорил, что торговые отношения с Италией нала[...]
живаются; рассказал, что в Рим приехал поэт В. И. Иванов, он быва[...]
в посольстве. Туристы спешили в Ватикан или в Колизей. В каф[...]
«Аранья» на Корсо политики обсуждали, во сколько обошлась Итали[...]
экспедиция на Корфу. Я ходил в музей, восхищался византийским[...]
мозаиками и на несколько дней забыл о политике. Вдруг мы увидели [...]
площади Монтечиторио взволнованные толпы людей; они что-то крича[...]
ли, жгли газеты. То же самое происходило и на других площадях[...]
я слышал крики: «Долой фашистов! Долой убийц!» Возмущенные люд[...]
жгли пачки фашистских газет — «Корриере итальяно», «Пополо д'Ита[...]
лиа», «Имперо». Несколько минут спустя я узнал, что фашисты похи[...]
тили молодого социалистического депутата Джакомо Маттеотти.

Реакцию людей на события трудно предвидеть; иногда уничтожени[...]
тысячи жертв проходит почти незамеченным, иногда убийство одного[...]
человека потрясает мир. Расправа с Маттеотти походила в своей про[...]
стоте и наглядности на древнюю притчу. Повсюду я слышал им[...]
жертвы.

(В книге «10 л. с.» я написал о конце Маттеотти, хотя это и не имело[...]
прямого отношения к заводам Ситроена или к борьбе за нефть. Я не мо[...]
промолчать: то, что приключилось 10 июня 1924 года в Риме, вошло [...]
и в мою жизнь.)

В Италии тогда еще существовал парламент; весной были выборы[...]
Фашисты с помощью вина и касторки, посулов и дубинок обеспечили [...]
себе большинство; оппозиционные партии, однако, набрали окол[...]
сорока процентов голосов. 30 мая молодой депутат Маттеотти выступил[...]
в парламенте с мужественной речью, рассказал о насилии, об убий[...]
ствах. Фашисты его прерывали воем; один кричал: «Убирайся в Рос[...]
сию!»

Когда Маттеотти сошел с трибуны, левые депутаты его поздравля[...]
ли; он с усмешкой ответил одному из них: «Теперь готовьте некролог...»[...]
Одиннадцать дней спустя он вышел из дому, чтобы купить сигареты,[...]
и не вернулся.

Муссолини уже не мог вынести критики, но арестовать депутата он[...]

...це не решался; он поручил своему другу Чезаре Росси устранить
...аттеотти. Росси заведовал отделом печати министерства внутренних
...ел; это было вывеской — в действительности «отдел печати» зани-
...ался убийством политических противников. Росси вызвал редактора
...азеты «Коррьере итальяно» Филиппелли. Редактор, в свою очередь,
...ызвал некоего Думини.

На набережной Тибра, недалеко от дома, в котором жил Маттеотти,
...го окружили неизвестные люди, силой втолкнули в машину. Автомо-
...иль понесся за город. Похитители заткнули рот Маттеотти. Думини
...нал свое дело (потом он признался, что убил двенадцать антифаши-
...тов). Маттеотти страдал туберкулезом; борьба была недолгой: когда
...аттеотти попытался открыть дверцу машины, Думини пырнул его
...ожом.

В пустынном месте возле Куартарелла фашисты наспех зарыли тело
...аттеотти. Муссолини с удовлетворением узнал, что дело сделано
...исто; он не ждал огласки — пропал и пропал... Оказалось, женщины
...идели, как человека насильно втолкнули в красный автомобиль. Оппо-
...иционные газеты еще продолжали выходить. Началось следствие.
...ашли машину Филиппелли, сиденье было замарано кровью. При-
...лось арестовать Думини. Привлекли к следствию даже Росси, но
...разу дело замяли. А Росси вскоре рассорился с Муссолини, удрал
...Париж и там начал разоблачать своего бывшего друга.

Рим кипел, казалось — сейчас разразится революция. Оппозици-
...нные депутаты поклялись сопротивляться шайке убийц. Во всех
...транах люди возмущались цинизмом фашистов. И дуче струсил: он
...аявил, что потрясен убийством депутата, что виновники понесут суро-
...ую кару; он даже пошел на отставку генерального секретаря фашист-
...кой партии. Видимо, и он думал, что пожар разгорается...

Характер итальянцев не похож на характер немцев; но развязка
...казалась той же. Депутаты произнесли негодующие речи. Римляне

Муссолини и первые чернорубашечники.
Маттеотти (в центре).
Муссолини и Габриэль д'Аннунцио.

сожгли пачки фашистских газет и разошлись по домам. Муссолини быстро успокоился. Я еще был в Италии, когда мне дали номер «Импе ро», в котором фашисты издевались над протестующими: «Пусть сумасшедшие хорохорятся. Смеется хорошо тот, кто смеется после ним... Никто не помешает фашистам расстреливать преступников н всех площадях Италии». Потом я прочитал речь Муссолини, он говори об убийстве Маттеотти: «Бесполезно и глупо разыскивать виновны. У нас свой язык — язык революции...»

Да, итальянцы не похожи на немцев, итальянцам присущи любов к свободе, вечное бунтарство, воображение, непослушливость. Н Муссолини правил Италией двадцать три года, партизаны его казнил всего за несколько дней до самоубийства Гитлера. Я читал рассужде ния одного французского автора; он говорил, что народ может терпет любые преступления диктатора, если диктатор его ведет туда, куд народ хочет идти. Не думаю, чтобы рядовой итальянец жаждал завое вать Эфиопию, усмирить испанцев, овладеть Воронежем... А разв народ, давший миру Дон-Кихота, создан для фашизма, разве наро Кеведо и Гойи предназначен для тупого, захолустного деспотизма? Н вот уже почти четверть века генерал маленького роста и маленьког калибра правит Испанией. Нет, здесь ничего не объяснишь народны характером, и об итальянцах можно сказать только одно: они плох исполняли роль «римских легионеров», это к их чести.

Вначале фашисты пытались обстоятельно доказывать, что дуч ведет Италию к величию, к социальной справедливости, к избавлени от международного капитала. Потом они стали экономнее на слова пустили в оборот приговорку: «Дуче не ошибается»; потом стали прост кричать: «Да здравствует дуче!» В 1934 году я увидел огромный пасса Милана, весь заклеенный афишами, на которых стояло одно слово — «дуче».

Профессор С. С. Чехотин был учеником И. П. Павлова; он попы тался, основываясь на методе условных рефлексов, проанализироват некоторые явления социальной жизни, в частности воздействие пропа ганды. И. П. Павлов произвел множество опытов с собаками. С. С. Че хотин изучал фашистскую литературу. Он мне говорил, что сред подопытных собак встречаются особи, не реагирующие или, точнее слабо реагирующие на действие раздражителей. Профессор Чехотин считает, что некоторое, весьма незначительное, количество людей способно сопротивляться методам примитивной пропаганды (эмблемы, условные приветствия, лапидарные лозунги, форменная одежда и тому подобное). Я не физиолог и не берусь судить, насколько С. С. Чехотин прав. Но слишком часто в моей жизни я видел торжество механической глупости, автоматического фанфаронства...

Я еще полюбовался пиниями Рима, мраморными нимфами, роняю щими слезы, добрыми улыбками горемык в Транстевере, и мы поехали в Париж.

Я продолжал писать книги, ходил в кафе, увлекался, развлекался, иногда был весел, иногда хмурился,— жизнь продолжалась, в меру спокойная, в меру приятная, а в общем печальная жизнь двадцатых годов. Часто я вспоминал смутные тени чернорубашечников, убийство Маттеотти, первую примерку тех десятилетий, которые мне предстояло прожить.

Неожиданно я снова взял томик Паскаля и нашел в нем утешение: впервые я задумался над словами: «Человек только тростник, самое хрупкое из всего существующего, но это мыслящий тростник. Капля воды может его убить. Но даже если вся вселенная на него ополчится, он все же будет выше своих убийц, ибо он может осознать смерть, а слепые силы лишены сознания. Итак, все наше достоинство в мысли...» Казалось, многие события должны были заставить меня усомниться в правильности слов Паскаля; я ведь видел, как быстро люди разучиваются думать. Но первые годы революции не прошли бесследно: я был застрахован и от слепой веры, и от слепого отчаяния.

Вряд ли и Паскаль полагал, что любой человек при любых обстоятельствах способен мыслить. Многих итальянцев Муссолини превратил в роботов; встречаясь друг с другом, они подымали руку и считали, что это их возвеличивает. Но рядом с ними другие мыслили, издевались, рассказывали злые анекдоты, читали недозволенные книги — тростник не сдавался. В одиночной камере тюрьмы Тури десять лет просидел Антонио Грамши. В заключении он писал статьи о философии Бенедетто Кроче, о произведениях Пиранделло, о Данте, о Макиавелли, о многом другом; писал письма своей русской жене Юлии, ее сестре Татьяне, письма задушевные, страстные, умные и очень человечные. Я часто их перечитываю и всякий раз испытываю гордость — вот он, мыслящий тростник!..

Время не торопится, торопится смерть. Грамши умер в 1937 году. Время не торопится, но рано или поздно оно ставит все на свое место. Недавно я шел по одной из флорентийских улиц. Был голубой апрельский вечер. Играли детишки. Старик прогуливал собачку. Влюбленные о чем-то шептались. Я машинально поглядел на дощечку — «Улица Маттеотти»...

Антонио Грамши.
Монпарнас. Двадцатые годы.

12

Весной 1924 года на французских выборах победил «левый блок». Новое правительство возглавил радикал Эдуар Эррио, человек высокообразованный, патриот, далекий от шовинизма, доброжелательный и широкий; он обожал лионскую кухню, написал книгу об интимной жизни госпожи Рекамье и не забывал при этом о традициях якобинцев — был типичным представителем французской интеллигенции XIX века. В 1924 году англичане и американцы хотели, чтобы Франция поскорее договорилась с немцами. Эррио осуждал оккупацию Рура и тупость Пуанкаре, но, будучи французом, хотел заручиться гарантиями — речь шла о безопасности Франции: «Дайте нам отвести кинжал, постоянно на нас направленный, пока вы толкуете о мире!..» Бог ты мой, как легко политики меняют не только слова, но и принципы! В 1924 году англичане отвечали: «Сначала разоружение, а уж потом гарантии безопасности».

Бриан считался первым политическим соловьем Европы; когда он выступал, старые циники, растроганные, сморкались. Бриан говорил, разумеется, о мире, о европейской солидарности, о великодушии. Эррио попытался урезонить англичан и американцев: «Осторожно! Рейхсвер воскресает. У немецкой армии современное вооружение. Мы не можем забыть двух нашествий. Мы слышим знакомые угрозы. Я хочу мира, как и все, но можно ли отстоять мир, пренебрегая безопасностью Франции?..» Эррио сбросили, его место занял Бриан. В швейцарском курортном городе Локарно были подписаны известные соглашения. Вечером ракеты фейерверка прорезали небо. Штреземан писал бывшему кронпринцу: «...Во-вторых, я ставлю целью защиту немцев, живущих за границей, то есть тех десяти — двенадцати миллионов соотечественников, которые в настоящее время живут в чужих странах, под иностранным игом. Третья крупная задача — исправление восточных границ, возвращение Германии Данцига и Польского коридора и исправление границ в Верхней Силезии. В перспективе — присоединение немецкой Австрии...»

(Обидно, что в книге о моей жизни я должен вспоминать не только поэтов, художников, не только людей, мне милых, но и Штреземана. Ничего не поделаешь — мы жили в эпоху, когда история бесцеремонно забиралась в нашу жизнь днем или ночью, как будто она полтавский городовой.)

О фейерверке в Локарно я вспомнил пятнадцать лет спустя, когда небо над Парижем загорелось и раздался грохот первой фугаски.

Победа «левого блока» кое-что изменила, но для меня Париж оставался запретным. В Риме я попросил Любу пойти во французское консульство: мой облик всегда пугал чиновников, а Люба их скорее успокаивала. Расчеты оказались правильными: консул, не зная, что мы высланы из Франции, поставил на наши паспорта добротные визы. Этого было достаточно, чтобы приехать в Париж, но остаться там мы не могли: имелся приказ о высылке.

Друзья направили меня к секретарю масонской ложи «Великий

Восток». Я оказался в том самом логове, которое сводило с ума монархиста Бостунича. Логово было обыкновенным кабинетом, а секретарь ложи — пожилым радикалом, знавшим гастрономические тайны всех ресторанчиков Парижа. Масонов во Франции было много, но, вопреки представлениям Бостунича, они не поклонялись ни дьяволу Бафамету, ни иудейскому богу Ягве, ни Карлу Марксу; ложи были своеобразными обществами взаимопомощи. Секретарь сказал, что он устраивал дела потруднее: префект полиции — масон и его друг.

Пришлось пойти к префекту. Он никак не походил на добродушного радикала и держался со мною надменно. «Что вы собираетесь делать в Париже?» Я ответил, что собираюсь писать книги. Префект усмехнулся: «Книги, сударь, бывают разные. Имейте в виду, что французская полиция не бездельничает». (Он сказал мне сущую правду. Министр де Монзи, который в 1940 году заинтересовался моим полицейским «делом», рассказывал: «Вы, наверное, написали двадцать книг, но могу вас заверить, что полицейские написали о вас куда больше...»)

Я поселился в гостинице на авеню де Мэн, с темной винтовой лестницей, вонючими коридорами и грязными номерами. Под окном был классический круглый писсуар и не менее классическая щербатая скамейка, на которой вечером целовались влюбленные.

Осенью французское правительство решило признать Советский Союз. Я снова переступил порог особняка на улице Гренель, куда впервые заглянул после Февральской революции. Перед посольством толпились полицейские, шпики. Они явно волновались: шутка ли сказать, в аристократическом квартале Парижа среди бела дня сумасшедшие русские подымают красный флаг и поют «Интернационал»! Л. Б. Красин спокойно улыбался. По двору шагал Маяковский; он говорил, что ему надоел Париж, а американцы тянут с визой.

Маяковский каждый день приходил в «Ротонду». Он писал, что беседовал с тенями Верлена и Сезанна: «Ротонда» жила, как рантье, на проценты. Не было тех, с кем я когда-то проводил беспокойные ночи: Аполлинер и Модильяни умерли, Пикассо переселился на правый берег Сены и охладел к Монпарнасу, Ривера уехал в Мексику. Немногочисленных старожилов окружали разноязычные туристы. Никто больше не спорил о том, как взорвать общество или как примирить справедливость с красотой.

Трудно сказать, почему я каждый день шел на Монпарнас — в «Ротонду» или в «Дом»; видно, такова была сила привычки. Иногда я встречался со старыми друзьями: с Леже, Шанталь, Цадкиным, Сандраром, Липшицем, Пер Крогом, Федером, Фотинским. Конечно, мы говорили об искусстве, о русской революции, о Пикассо, о международной выставке, о Чаплине; но все это никак не напоминало довоенную «Ротонду». Мы были далеко не стариками (самому старшему из нас — Леже — тогда исполнилось сорок четыре года), но прежний задор исчез. Мы напоминали солдат, уволенных в запас и донашивающих вылинявшие гимнастерки.

Я писал поэтессе М. М. Шкапской: «Сижу в «Ротонде» и курю новую трубку кубической формы... Сегодня чудесное солнце. Идет кот, и даже уклон его поднятого хвоста свидетельствует о необычайности дня. Эренбург же, как подобает опустошенному субъекту, продолжает курить трубку... Я хандрю. То я недоволен, что повсюду искусство, и жажду простых разговоров или жирных улиток, от которых у меня болит живот; то, уподобляясь тургеневским «отцам» и косясь с брезгливой жалостью на новое поколение, требую упраздненного вдохновения... «Жанну Ней» все ругают, окрестили меня Вербицкой. Что мне делать? Заказать юбку? Отравиться на могиле Гейне?.. Французы пишут хорошую прозу и гадкие стихи. Но кому это нужно? Братья писатели, зачем мы стараемся?..»

Кафе Монпарнаса были переполнены: огни довоенной «Ротонды» притягивали мечтателей, авантюристов, честолюбцев. Молодые шведы, греки, поляки, бразильцы торопились в Париж — они хотели перевернуть мир; мир, однако, крепко стоял на месте.

Кубизм неожиданно заинтересовал владельцев ателье мод и дорогих магазинов; молодые художники за гроши расписывали шали или изготовляли эксцентрические безделушки для приезжих американок. Развелось множество торговцев картинами, все они мечтали напасть на нового Модильяни. Они заключали договоры с художниками, подающими надежды, забирали все холсты, а платили мало — очевидно, считали, что голод способствует вдохновению. Картины стали биржевыми акциями, предметом спекуляции; цены искусственно поднимали или сбивали.

Аргентинский художник, сербский поэт писали своим родителям, что сюрреализм вскоре завоюет мир, что они будут знаменитыми, но пока что пусть старики понатужатся и пришлют им сотню-другую франков.

Караваны туристов превратили Монпарнас в район ночных развле-

И. Эренбург (первый слева) в кафе «Ротонда». Шарж А. Гоффмейстера.

Ночной кабак на Монпарнасе. 1925 г.

Советский павильон на Международной выставке декоративного искусства в Париже. Проект К. С. Мельникова. 1925 г.

Л. Козинцева-Эренбург, Т. И. Сорокин, И. Эренбург. Париж. 1925 г.

чений. В «Сигаль», в «Жоке» танцевали до утра, а красавица Кики с глазами совы печально пела скабрезные песенки.

Летом 1925 года в Париже открылась Международная выставка декоративного искусства. Итальянские фашисты показали свое чванство и тупость (они именовали это неоклассицизмом). Среди французских построек, на редкость серых и бесцветных, выделялся небольшой павильон журнала «Эспри нуво», построенный Корбюзье. Гвоздем выставки был советский павильон; его построил молодой архитектор-конструктивист К. С. Мельников. Как многое из того, что делали наши конструктивисты и лефовцы, павильон никак нельзя было назвать утверждением утилитаризма: по лестнице было трудно подниматься, косой дождь прорывался в помещение. Здание было выражением романтики первых революционных лет. Экспонаты в большинстве принадлежали «левым» художникам: макеты постановок Мейерхольда, Таирова, конструкции Родченко, ткани Л. Поповой, плакаты Лисицкого.

В Париж понаехало много москвичей: Маяковский, Якулов, Мельников, Штеренберг, Родченко, Рабинович, Терновец. Когда я с ними беседовал, мне порой казалось, что я в Москве 1921 года.

Парижане считали советское искусство наиболее передовым; кроме выставки, они увидели «Броненосец «Потемкин», «Федру» Таирова, «Принцессу Турандот» Вахтангова. А павильон на выставке, как и многое другое, был, скорее, эпилогом. В Москве открылась выставка АХРР; начиналось контрнаступление натурализма, бытовизма, академических форм, чинности, упрощенности и той фотографической условности, которая, ссылаясь на точность деталей, пыталась выдавать себя за реальное отображение жизни.

Я писал в 1925 году: «Простаки думают, что правдивое изображение больших дел это и есть большое искусство. Им невдомек, что на светочувствительной эмульсии не отличить солнца от медной пуговицы. Есть героическая натура, но героического натурализма не может быть. Фотограф, снимая провинциальную свадьбу и Октябрьские дни, остается все тем же фотографом... Сейчас торжествует вульгарный натурализм. Он жив человеческой слабостью; ведь если ногам свойственно прыгать или по меньшей мере шагать, то есть другая часть

тела, которая неизменно тянется к мягкому сиденью... Люди хотят н
канате организовать уютное чаепитие...»

Я уже успел распрощаться с конструктивизмом: «Торжество инду
стриальной красоты означает смерть «индустриального» искусства..
Копировать машину еще пошлее, чем копировать розу, ибо в последнем
случае кража совершается хотя бы у анонимного автора... «Левое
искусство, создавшее подлинные шедевры, быстро развоплотилось. Он
хотело убедить людей, что в мире остались только элеваторы, геометри
ческие фигуры и голые идеи... Еще не успели замолкнуть боевые кличи
«искусство в жизнь», как это самое искусство уже входит... в музеи»

Эстетической программы у меня больше не было. Я метался. Вер
нувшись из Америки, Маяковский рассказывал, что машинам там
хорошо, а человеку плохо. Я спросил его, не усомнился ли он в про
грамме Лефа. Он ответил: «Нет. Но многое нужно пересмотреть
В частности, подход к технике...»

Мне хотелось понять, чем живут писатели, художники Франции
Я познакомился с Мак-Орланом, Дюамелем, Жюлем Роменом, с архи
тектором Корбюзье; бывал в редакции «Кларте» у Барбюса; увлекался
кино, разговаривал с режиссерами Рене Клером, Гансом, Ренуаром
Федером, Эпштейном.

Грех назвать те годы бесплодными; поскольку я заговорил о кино
достаточно сказать, что в 1925 году я увидал «Золотую лихорадку»
и «Пилигрима» Чаплина. Да и в шуме не было недостатка; то и дело
рождались различные школы; громче всех кричали сюрреалисты. Но
чего-то не хватало, может быть надежд, может быть тревоги. (Я подумал
мал сейчас о судьбе многих людей, с которыми я встречался на Монпар
насе. Рене Кревель и Паскин кончили жизнь самоубийством, художник
ника Федера гитлеровцы убили, Сутин погиб в годы оккупации, за
травленный Деснос умер в «лагере смерти». Те годы тоже были
канунами; но людям казалось, что на дворе серое будничное утро.)

Я больше не был ни затворником «Ротонды», ни фанатиком искус
ства. С утра до ночи я бродил по Парижу, забирался в кафе, где сидели
биржевики, адвокаты, скототорговцы, приказчики, рабочие; разговари
вал с людьми. Меня поражали механизация жизни, поспешность
движений, световые рекламы, потоки машин. Конечно, автомобилей
было во сто раз меньше, чем теперь, не было телевизоров, радиопри
емники только входили в обиход, и по вечерам из раскрытых окон не
вырывалась на улицы разноголосица волн. Но я чувствовал, что ритм
жизни, ее настроенность меняются. Ночью на Эйфелевой башне свер
кало имя «короля автомобилей» Ситроена. Электрические гномы
карабкались по фасадам пепельных домов, пытаясь соблазнить даже
луну аперитивом Дюбонне или кремом «Секрет вечной молодости».
Менялись окраины Парижа — исчезли крепостные валы, пустыри,
лачуги. Строили первые дома в новом, индустриальном стиле. Я увидел
конструктивизм не на картонах Родченко, а в действительности. Меня
позвал к себе художник Озанфан; он жил в доме, построенном Кор
бюзье: свет, нагота, белизна больничной палаты или лаборатории.
Я вспомнил конструкции Татлина, восторженных вхутемасовцев. То, да

не то... Мы открывали Америку, конечно воображаемую. А давно открытая и вполне реальная Америка тем временем пришла в Европу — не с романтическими декларациями лефовцев, но с долларами, с черствым расчетом, с пылесосами и с механизацией человеческих чувств.

Политика мало кого интересовала: парижане не читали ни речей Бриана, ни сообщений о возрождении германской армии. Считалось, что люди, не поддающиеся шовинистической пропаганде, должны твердо верить в мир, и это всех устраивало: люди хотели мирно наслаждаться жизнью. Раскрывая газету, они искали в ней: кто — биржевой бюллетень, кто — отчет о матче футбола, кто — сводку погоды. Конь блед и другие звери Апокалипсиса уступили место «рено» и «ситроенам». В далекое прошлое отошли и окопы на Шмен-дю-Дам, и солдатские бунты, и демонстрации. До поздней ночи ревел джаз, и снобы восхищались синкопами. Женщины носили очень короткие платья, говорили, что обожают спорт. Появились дансинги, матчи бокса, туристические автобусы, пылесосы, кроссворды и множество других новшеств.

Вновь налаженная жизнь требовала экзотической приправы. Продавщицы универмагов и жены нотариусов зачитывались «Атлантидой» Пьера Бенуа. Для более изысканных дам имелись книги писателя-дипломата Поля Морана. Каждый год он выпускал в свет сборники рассказов: «Закрыто ночью», «Открыто ночью», «Галантная Европа»; он рассказывал, как переспал или не переспал с женщинами различных национальностей. Для парижанок, не желавших отстать от века, любовь казалась провинциальным анахронизмом, и вот любовники Поля Морана ее модернизировали, они и в кровати разговаривали как безупречные бизнесмены: «Вы теперь похожи на чек без покрытия», «Не живите на капитал ваших нервов»...

Все реже и реже можно было встретить классического буржуа, который продолжал жить на страницах «Красного перца», толстого и беззаботного, ленивого семьянина, стригущего купоны, или жуира, прогуливающегося по Бульварам. Его место занял делец, вдоволь энергичный, предпочитающий автомобильные гонки девушкам и фиалкам, склонный к авантюрам, к любой склизкой афере, по образованию инженер или экономист, хорошо знающий новые методы производства и мировые цены, борьбу трестов, подкупность министров, всю политическую кухню. Его сыновья презирали романтику старого студенчества — слезы пьяного Верлена, скептицизм Анатоля Франса, анархические фразы; они занимались гимнастикой, уважали сильных; многие из них девять лет спустя, в ночь фашистского путча, резали бритвами ноги полицейских лошадей.

Хотя американские солдаты давно уехали домой, все приходившее из Нового Света было в почете. Джаз заменил чахоточных скрипачей и лихих аккордеонистов. В дансингах ввели «такси-герлс» — девушек, которые за положенную плату танцевали с клиентами. Снобы, еще недавно участвовавшие в потасовках на премьере дягилевского балета или на вернисаже «Салона независимых», теперь неистово вопили на

15 *

матчах: «Браво, Джо!..» Писатели принялись сочинять спортивные романы: героями были боксеры, футболисты, велосипедисты.

Летом Париж наводняли иностранные туристы; в списке обязательных достопримечательностей значились Елисейские поля, Венера Милосская, Эйфелева башня, гробница Наполеона, Монмартр, «Ротонда» и публичный дом на улице Шабанэ, называвшийся «Обществом наций»,— там имелись комнаты в испанском, японском, русском и других стилях; туристов сопровождала пожилая чопорная экономка и академически поясняла различные непристойные детали.

До войны французы чрезвычайно редко пересекали границу; теперь многие уезжали на каникулы в Швейцарию, Италию, Австрию, Англию. Огромным успехом у среднего читателя пользовался роман Декобра, посвященный любовным похождениям героини, которая называлась «Мадонна из слиппинга» (французское название «спальный вагон» звучало бы провинциально).

Исчезли последние приметы прошлого века: уличные карнавалы, конфетти, котелки, бархатные диваны в темных кафе; мужчины сбрили бороды, женщины начали коротко стричь волосы.

Все это скорее относится к 1925 году, чем к Парижу. Теперь, когда я вспоминаю то время, Париж мне кажется идиллическим, захолустным, похожим на холсты Утрилло. Менялась эпоха, и, может быть, Париж сопротивлялся дольше, нежели Берлин, Брюссель или Милан. Но я жил тогда в Париже и там наблюдал первые результаты американского омолаживания старой Европы.

Все поняли, что взял верх порядок,— одни с горечью, другие с восторгом. Политика делалась за кулисами и мало интересовала зрительный зал. Еще недавно большевиков изображали как людей, держащих нож в зубах. Теперь большевики сидели на улице Гренель, к ним наведывались крупные промышленники в надежде получить заказы. Седьмого ноября в наше посольство пришли различные депутаты, крупные журналисты, дельцы, светские дамы. Все они косились на Марселя Кашена, но утешились, увидав на столах икру.

В некоторых светских салонах было модно восхищаться «славянской мистикой», даже «русским экспериментом». Снобов, восхвалявших все советское, окрестили «большевизанами». Один теннисист и балбес сказал мне: «Я слыхал, что у вас уничтожены деньги. Это замечательно! Я ненавижу считать расходы...» Другой спросил Любу: «Неужели Потемкин играет еще лучше, чем Мозжухин?» Он слыхал одним ухом об успехе фильма Эйзенштейна и решил, что есть актер по имени Потемкин.

Изредка трагические события врывались в иллюзорный покой города. Так было с сообщением о расстреле работниц консервных фабрик в бретонском городе Дуарнене. В Париже был большой митинг; ораторы призывали к действиям; рабочие аплодировали, свистели. Потом все стихло. Как-то незаметно начались войны в Марокко, в Сирии. Стреляли далеко, и Париж продолжал жить по-прежнему.

У нас в те годы пользовались большим успехом сочинения Пьера Ампа. Он описывал производство; его романы походили на очерки, это многих увлекало. В ранней молодости Пьер Амп был рабочим. Я увидел, однако, почтенного литератора лет пятидесяти. Он не имел никакого представления о лефовцах, но, рассказав с восхищением о новых станках, воскликнул: «Насколько движения машины прекраснее человеческих!»

Я подружился с писателем Пьером Мак-Орланом. У него было лицо опечаленного бульдога. Он помнил войну, и это было воспоминаниями не победителя, а побежденного: «Кабак на улице Пигаль выставляет в каждом окне по кукле. Это — скрытое желание еще раз отпраздновать смерть среди страшных окрестностей войны. Если я храню в памяти столь ужасающий образ войны, то это потому, что я не могу забыть дикой агонии всех солдат, расстрелянных во имя правосудия. Ужас во мне достигает апогея — ужас быть человеком среди стольких непонятных существ. Я чувствую себя куда более слабым, чем паяцы из шерсти, набитые паклей. Их покачивание напоминает мне бескостные тела расстрелянных у традиционного столба...»

Мак-Орлан много говорил о «социальной фантастике» — этими словами можно было объяснить все. Он написал роман о всаднице Эльзе, немецкой коммунистке, которая привела Красную Армию во Францию. Читая эту книгу, я посмеивался,— вероятно, так могли бы читать марсиане «Аэлиту», но другие книги Мак-Орлана мне нравились, особенно «Госпиталь святой Магдалины» — фантастическая история человека, который начинает потеть кровью; медики потрясены небывалым казусом; все газеты пишут о диковинном пациенте. Больного начинают показывать за деньги зевакам. Количество крови увеличивается — бочки, тонны. Для эксплуатации свежей крови организуют трест; вмешивается правительство — хочет получить львиную долю доходов. А больной лежит и слушает, как звенит горячая струя его крови. Принято считать, что «черная литература» расцвела после второй мировой войны, а книга, о которой я говорю, была написана

Корбюзье. Рисунок А. Гоффмейстера.

П. Мак-Орлан. Рисунок Паскина.

Перец Маркиш. Париж, середина 20-х годов.

в начале двадцатых годов. Тогда мы не знали об ушастом пражском еврее Франце Кафке, мы о многом не знали и видели все в меняющемся загадочном свете.

Пьер Мак-Орлан (его фамилия куда прозаичнее — Пьер Дюмарше) был поэтом; кое-что он предчувствовал, кое-что придумывал. Он жил в идиллическом домике недалеко от Марны, иногда играл на аккордеоне и почти всегда писал, писал. Он написал предисловие к первому французскому переводу «Хулио Хуренито», который вышел в 1924 году. Тогда мы были едва знакомы, и, рассказывая обо мне, он описал человека почти столь же фантастического, как всадница Эльза. По его словам, в конце 1921 года я пережил сразу множество бедствий: я разводил собак и кроликов, белый офицер хотел меня скинуть в море, меня арестовала Чека, а французское правительство выслало из Франции. «Хуренито» ему понравился, и он советовал французам познакомиться с «романтикой случайного и непредусмотренного».

Он говорил мне: «Я пишу только для того, чтобы не совершить банального преступления — не убить старуху и не поджечь ферму».

Однажды мы с ним обедали в парижском ресторане. Вдруг Мак-Орлан мне сказал: «Знаете, что будет, если человечество просуществует еще несколько тысяч лет? Кролики начнут кусаться, морковь будет выскакивать из грядок, чтобы вцепиться в икры человека...»

Мак-Орлан посвятил мне одну из своих книг-воспоминаний: «Улица Сент-Венсен». Это рассказ о смятении молодого человека и о смутных уличках старого Руана, разрушенного в годы последней войны. Я принимал его за бунтаря, а он был хорошим писателем и добрым человеком.

Я понимал, что Октябрьская революция многое изменила. Я говорил о моей преданности новой эпохе: «Мы ее любим не менее «странной любовью», нежели наши предшественники «отчизну». Это чувство тоже требует и крови и замалчиваний...» О чем я больше всего думал? Кажется, о судьбе человека, о том, что писатели не могут довольствоваться описанием событий, они должны показать душевный мир современников.

В 1925 году в Париже играли пьесу Чапека «Рур»; появилось новое слово — «робот». Мы часто тогда говорили о «мыслящих» машинах, и мне казалось, что паскалевскому «тростнику» страшнее всех бурь внутреннее перерождение. Я боялся не того, что «мыслящие» машины будут чрезвычайно сложными, а того, что эти машины постепенно отучат человека от мысли, вытеснят клубок чувств.

«Лето 1925 года», пожалуй, самая печальная изо всех моих книг, не самая горькая, не самая безысходная, а именно самая печальная. Ее содержание несложно. Рассказ ведется от первого лица. Герой романа, попав в Париж, опустился, бродил по улицам, залитым ярким светом, подбирал окурки, потом нанялся на бойни — гонял баранов. Какой-то итальянский авантюрист подбивал слабовольного, растерявшегося героя убить капиталиста Пике. Из этого ничего не вышло, но герой привязался к чужой, брошенной девочке, нянчил ее; девочка умерла. Интрига меня мало занимала, я хотел изобразить одиночество человека в большом городе, отчаяние многих людей, с которыми встречался, судьбу поколения, побывавшего у Вердена. «Мы во многое верили, верили долго и крепко, хотя бы в бога пастухов и инквизиторов, который сделал из воды вино, а из крови воду; верили в прогресс, в искусство, в любые очки, в любую пробирку, в любой камешек музея. Мы верили в социальную справедливость и в символику цветов. Мы умилялись то перед эстетикой небоскребов, то перед открытием новой сыворотки. Мы верили, что все идет к лучшему. Мы до хрипоты спорили, постановляли, читали стихи и сравнивали различные конституции. У нас были тогда стоячие воротнички и стойкие души. А потом? Потом мы лежали в грязи окопов и вместо карнавальных масок примеряли противогазы. Мы кололи штыками, добывали пшено, дрожали от «сыпняка» или от «испанки»... Мы узнали, что война пахнет калом и газетной краской, а мир — карболкой и тюрьмой...»

В те годы было написано немало печальных книг: очевидно, многие актеры терзаются во время антрактов еще сильнее, чем на сцене...

Мне прислали из Москвы статью «На путях жизни», напечатанную в газете. Критик писал: «И. Эренбург рассказывает здесь о том, как, «не выдержав свободы и голода», он «прикрепился», поступил на службу: «В мои обязанности входило перегонять баранов со скотного двора Виллет на соседние бойни...» Способ, избранный И. Эренбургом, временного обращения к подсобному заработку заслуживает, думается, серьезного внимания... Пример И. Эренбурга заслуживает внимательного общественного рассмотрения. Сам Эренбург в своей временной службе на бойнях усматривает нечто героическое, что-то вроде мученического венца вокруг изборожденного глубокими думами писательского чела: «Аккуратно считал я зады баранов. Порой бараны упирались и трагически блеяли. Я кричал тогда «Э! Э!», причем мой голос, бывавший вдоволь нежным, когда приходилось заговаривать барышень или публично читать некоторые главы из «Жанны Ней», ухитрялся теперь пугать этих агонизирующих тварей...» Как трагически оторван писатель от живой жизни, если такая простая вещь, как приискание какой-либо временной работы, кажется ему чем-то вроде небывалой, чуть ли не мировой трагедии... Это правильный и здоровый путь!»

Кажется, единственный раз в те времена в моих писаниях нашли нечто заслуживающее похвалы, но и то похвалили незаслуженно: никогда я не работал на бойнях и не гонял баранов. Но я видел окопы на Сомме, тяжелую одурь передышки, нищету Бельвилля, итальянских чернорубашечников и многое другое.

13

Проходя мимо «Ротонды», я увидел на террасе знакомое лицо: это был поэт Перец Маркиш, которого я знал по Киеву. Его трудно было не заметить: красивое, вдохновенное лицо выделялось в любой среде. Б. А. Лавренев уверял, что Маркиш походил на портреты Байрона.

Может быть. А может быть, просто на тот облик романтического поэта, который остался в нашем представлении от сотен холстов или рисунков, от строк поэм, от воздуха другой эпохи. Романтиком Маркиш был не только в стихах; романтически вились его волосы, романтически была поставлена голова на стройной шее (он не любил галстуков и ходил всегда с расстегнутым воротничком); да и юношеский облик, который он сохранил до смерти, был тоже романтическим.

За его столиком сидели еврейский писатель из Польши Варшавский и художник, фамилию которого я забыл. Варшавского я знал по роману «Контрабандисты», переведенному на различные языки; он был застенчивым, мало разговаривал. Художник, напротив, не замолкая говорил о выставках, о критиках, о том, как трудно прожить в Париже,— он был бессарабцем, незадолго до того приехал во Францию, работал как маляр, а в свободные часы писал пейзажи. Не то Варшавский, не то художник рассказал историю о дудочке. Это была хасидская легенда (хасиды — мистическая и бунтарская секта, восставшая в XVIII веке против раввинов и богачей-лицемеров). Легенду я запомнил и включил потом в мою книгу «Бурная жизнь Лазика Ройтшванеца»; книга эта малоизвестна, и я перескажу историю.

В одном из местечек Волыни был знаменитый цадик — так называли хасиды подлинных праведников. В местечке, как и повсюду, были богачи, дававшие деньги в рост, домовладельцы, купцы, были люди, мечтавшие правдой и неправдой разбогатеть; словом, неправедных было вдоволь. Настал Судный день, когда, по верованиям религиозных евреев, Бог судит людей и определяет их дальнейшую судьбу. В Судный день они не едят, не пьют, пока не покажется вечерняя звезда и раввин не отпустит их из синагоги. В тот день в синагоге стояла тяжелая тишина. По лицу цадика люди видели, что Бог рассержен злыми делами обитателей местечка; не показывалась звезда; все ждали сурового приговора. Цадик просил Бога отпустить людям грехи, но Бог прикидывался глухим. Вдруг тишину нарушила маленькая дудочка. Среди бедноты, стоявшей позади, был портной с пятилетним сынишкой. Мальчику надоели молитвы, и он вспомнил, что у него в кармане грошовая дудочка, которую ему купил накануне отец. Все накинулись на портного: вот за такие выходки Господь покарает местечко!.. Но цадик увидел, что суровый Бог не выдержал и улыбнулся.

Вот и вся легенда. Она взволновала Маркиша, он воскликнул: «Да это об искусстве!..» Потом мы встали, пошли по домам. Маркиш довел меня до угла и неожиданно (мы говорили о чем-то другом) сказал: «Но сейчас мало дудочки, сейчас нужна труба Маяковского...»

Мне кажется, что в этой фразе было объяснение многих трудных лет его жизни. Он не был создан ни для громких призывов, ни для эпических поэм, был поэтом с дудочкой, издававшей чистые, пронзительные звуки. Но воображаемого бога, способного улыбнуться, не оказалось, а век был шумным, и уши людей порой не различали музыки.

Стихотворцы всегда существовали, особенно много их развелось, когда производство стихов стало профессией. Маркиш был поэтом. Трудно, конечно, судить о стихах по переводам — я не знаю еврейского языка,— но всякий раз, беседуя с Маркишем, я поражался его природе: он воспринимал и громкие события, и детали быта как поэт. Это не только мое впечатление, об этом мне говорили люди, друг на друга непохожие,— А. Н. Толстой, Тувим, Жан Ришар Блок, Заболоцкий, Незвал.

Он не боялся избитых тем; часто писал о том, о чем, кажется, писали все поэты мира. Лес осенью:

> Там листья не шуршат в таинственной тревоге,
> А, скрючившись, легли и дремлют на ветру,
> Но вот один со сна поплелся по дороге,
> Как золотая мышь искать свою нору.

Слеза любимой женщины:

> Она не падает с твоих ресниц,
> Но остается между век дрожащей.
> В ней мир выходит из своих границ,
> А в глубине растет зрачок блестящий...

Он был мастером и неустанно трудился; о нем можно сказать то, что он сказал о старом портном:

> Что он мог еще сюда
> Темным привезти поселкам?
> Выстроченные года,
> Выпяченную иголку.

Маркиш не отворачивался от жизни; он не только принимал эпоху, он ее страстно любил; писал эпические поэмы о строительстве, о войне. Будучи человеком необычайно чистым, он ревниво ограждал то, что любил, от тени сомнений; советским был с головы до ног; и хотя мы

Обложка романа И. Эренбурга «Бурная жизнь Лазика Ройтшванеца». Париж. 1928 г. Художники Л. Козинцева-Эренбург и Сеньор.

Митинг в Москве. В президиуме (слева направо): П. Маркиш, Д. Бергельсон, С. Михоэлс, И. Эренбург.

люди одного поколения (он был на четыре года моложе меня), я восхищался его цельностью. Он увидал погромы, жил в Польше во время разгула антисемитизма, но не было в нем и тени национализма, даже национализма мышки, которая знает, что над половицей потягиваются кошки. Если нужно привести пример интернационализма, то можно свободно назвать Маркиша.

Критики отмечали, что в его произведениях порой чувствуются печаль, горечь, тревога. Могло ли быть иначе? Одна из его первых поэм — «Куча» — посвящена погрому в Городище; недавно я прочитал перевод его неизданного романа, законченного незадолго до того, как Маркиш погиб,— это летопись страданий, борьбы, гибели варшавского гетто.

Я не хочу, однако, ограничиваться только ссылкой на эпоху; нужно сказать о структуре поэта. Я припомню очень давний диалог между двумя испанскими поэтами: Раби Сем Тобом и маркизом Сантильяна. Евреи и арабы ввели в испанскую поэзию гномические стихи — короткие философские изречения. Одним из таких гномических поэтов был Раби Сем Тоб. Король Педро Жестокий, страдавший бессонницей, поручил Раби Сем Тобу написать для него стихи. Поэт назвал книгу «Советы», и она начиналась следующим утешением:

> Нет ничего на свете,
> Что бы вечно росло.
> Когда луна становится полной,
> Она начинает убывать.

Много десятилетий спустя придворный поэт, маркиз Сантильяна, написал эпиграмму:

> Как хорошее вино иногда содержится в дурной бочке,
> Так истина порой исходит из уст еврея.

Раби Сем Тоб как бы предвидел:

> Когда мир был создан,
> Мир был поделен:
> Одним досталось хорошее вино,
> Другим жажда.

Маркиш принадлежал к поэтам не хорошего вина, а сухих губ; отсюда тот едва уловимый оттенок горечи, который порой проступает в его стихах, полных радости жизни.

Мы с ним виделись редко — жили в разных мирах; но всякий раз, встречая Маркиша, я чувствовал, что передо мной чудесный человек, поэт и революционер, который никого напрасно не обидит, не предаст друзей, не отвернется от попавшего в беду.

Помню митинг в Москве, в августе 1941 года; его передавали по радио в Америку. На митинге выступали Перец Маркиш, С. М. Эйзенштейн, С. М. Михоэлс, П. Л. Капица, я. Маркиш страстно призывал американских евреев потребовать от Соединенных Штатов борьбы с фашизмом (Америка тогда еще была нейтральной).

В последний раз я видел Маркиша 23 января 1949 года в Союзе писателей на похоронах поэта Михаила Голодного. Маркиш горестно сжал мне руку; мы долго глядели друг на друга, гадая, кто вытянет жребий.

Переца Маркиша арестовали четыре дня спустя — 27 января 1949 года, день его смерти — 12 августа 1952 года.

Как все люди, встречавшие Маркиша, я думаю о нем с нежностью почти суеверной. Вспоминаю его стихи:

> Две мертвые птицы на землю легли.
> Удар был удачен... Что лучше земли?
> Здесь, в солнечной этой блаженной стране,
> Упасть так упасть! Так мерещится мне...
> Шагнул я, пойдем же, ты слышал, пойдем!
> Упал так упал. Не жалей ни о чем.
> Лететь так лететь. Как слепителен свет!
> Широки просторы, и края им нет.

Трудно привыкнуть к мысли, что поэта убили.

А в те давние дни, когда я встречал молодого, вдохновенного Маркиша на Монпарнасе, он говорил о дудочке ребенка и о громовом голосе Маяковского, примерял судьбу. Для меня он был залогом того, что нельзя разлучить эпоху и поэзию:

> Я возложил тебя на рамена,
> О век!
> Я перепоясался тобою,
> Как каменным широким кушаком.
> Огромной крутизной встает дорога,
> И должен я взобраться на нее.
> Сквозь вой ветров, сквозь снеговые кручи
> Я подымаюсь... Многие погибнут
> Среди сугробов...

Нет, он не был ни наивным мечтателем, ни слепым фанатиком, дудочки касались сухие губы взрослого, мужественного человека.

14

Приехав в Москву весной 1926 года, я поселился в гостинице на Балчуге; за номер брали много, а с деньгами у меня было туго. Меня приютили Катя и Тихон Иванович; жили они в Проточном переулке — между Смоленским рынком и Москвой-рекой, в старом, полуразвалившемся доме. (В начале войны в этот дом попала немецкая «зажигалка», и он сгорел.)

Не знаю почему, Проточный переулок тогда был облюбован ворами, мелкими спекулянтами, рыночными торговцами. В ночлежке «Ивановка» собиралось жулье. В домишках, розовых, абрикосовых, шоколадных, с вывесками частников, с выдранными звонками, с фикусами и поножовщиной, шла душная, звериная жизнь последних лет нэпа. Торговали все и всем, ругались, молились, хлестали водку и, мертвецки пьяные, валялись как трупы в подворотнях. Дворы были загажены. В подвалах ютились беспризорные. Милиционеры и агенты угрозыска заглядывали в переулок с опаской.

Я увидел одного из черных ходов эпохи и решил его отобразить. Я знал, конечно, что писать о благородных героях приятнее, да и спокойнее, но автор не всегда волен в выборе персонажей; не он ищет героев, герои ищут его. У художников есть выражение «писать с натуры»; это никак не связано с натурализмом: импрессионисты, например, писали пейзажи только с натуры, а натуралисты, обычно выдающие себя за реалистов, преспокойно пишут портреты с фотографий. Я вдохновился Проточным переулком, с его равнодушием и надрывом, с мелким подходом к большим событиям, с жестокостью и раскаянием, с темнотой и тоской; впервые я попытался написать повесть «с натуры».

В основу фабулы легло подлинное происшествие: владелец одного из домишек — абрикосового или шоколадного,— жадный и бездушный торгаш, разозлившись на беспризорных, которые стащили у него окорок, ночью завалил выход из подвала, где дети прятались от жестоких морозов.

Пейзаж меняется не только от освещения, но и от душевного состояния живописца. Я больше не мог жить одним отрицанием, я замерзал от сатирических усмешек. В романе «Рвач» я попытался дать социальный анализ событий; там много общих описаний. В «Проточном переулке» очень мало иронии: я захотел найти в сердцах моих героев то доброе начало, которое позволит им расстаться с грязью, с пошлостью, с душевной пустотой. В те годы я не писал стихов, и повесть походила на лирическое признание.

Я не только полюбил моих невзрачных героев, я вложил в них самого себя. Остались в стороне домовладелец, который пытается уничтожить беспризорных, да его жилец, плюгавый бездельник, женившийся до революции на дочке барона и живущий на ее счет. Все остальные персонажи мечутся, ищут, страдают. Мои мысли, чувства тех лет можно найти и в обыкновенной советской девушке Тане, с ее случайными связями, с жаждой большой любви, с книгами, с работой, и в неудачливом поэте Прахове, ставшем газетным халтурщиком, честолюбивом и слабовольном, готовом на пошлость, даже на подлость, но начинающем понимать тщету, да и мелкоту своих мечтаний, и в горбатом музыканте Юзике, играющем на скрипке в кинотеатре «Электра», в этом захолустном философе с его безнадежной любовью к жизни, и в старом чехе, бывшем преподавателе латыни, превратившемся в нищего, но духовно приподнявшемся, прозревшем, которого полюбили беспризорные.

Горбун Юзик спрашивает старого нищего:

«— Так почему же вас, преподавателя латыни, выбросили на улицу? Одно из двух — или вы правы, или они.

— Я был прав. Это прошедшее время. Они правы — это настоящее. А дети, играющие сейчас погремушками, будут правы: футурум... С удовлетворением глядел я на их флаги, на их процессии, на их воодушевление. Прекрасна, молодой человек, кровь, приливающая к щекам, и огонь самозабвения в глазах!..»

Кажется, ни одну мою книгу так не поносили, как роман «В Проточном переулке». Не помню всех статей, но одна сейчас передо мной, она озаглавлена «Советская Россия без коммунистов» и напечатана в ленинградской «Красной газете». «Увиденная и показанная сквозь жижицу Проточного переулка советская Россия — это не реальная наша страна, а заповедный идеал П. Н. Милюкова,— это — советская Россия без коммунистов... Эренбург выполняет социальный заказ эмигрантской интеллигенции, дав зарисовку уголка советской Москвы, без социалистического строительства, без пафоса строительства новой жизни... Эренбург уподобился тому щетинистому завсегдатаю свалок, который, ненароком забредя в розарий, увидел там не пышно растущие и благоухающие розы, а заметил колючие шипы и увлекся навозной жижей удобрения цветочных клумб».

Стендаль писал в «Красном и черном»: «Роман — зеркало на большой дороге. В нем отражаются то лазурное небо, то грязь, лужи, ухабы. И человека, у которого зеркало, вы обвиняете в безнравственности. Зеркало отражает грязь, и вы обвиняете зеркало. Обвиняйте лучше дорогу с ухабами или дорожную инспекцию...»

В 1926 году, когда я писал о Проточном переулке, К. А. Федин работал над «Трансваалем», Л. М. Леонов над «Вором», В. П. Катаев над «Растратчиками», В. В. Иванов над «Тайным тайных». Старая Литературная энциклопедия называет все эти книги «искажением советской действительности», «апологией мещанства», «клеветой».

Дело, видимо, не в политических мечтаниях П. Н. Милюкова... Писатели моего поколения в первые годы революции попытались увидеть общую картину, осознать значение происходящего; потом настало

И. Эренбург, Ядвига Соммер, М. Кудашева, Т. Сорокин. Москва, 1925 г.
Сорокина с детьми в Проточном переулке. Москва, 1933 г.

время более спокойное и, если угодно, более серое; писатели начали приглядываться к отдельным человеческим судьбам. В эпоху Эдуарда VII нищего мальчика секли за проказы принца; наши критики секли и секут писателей за ухабы большой дороги...

Проточный переулок никак не походил на розариум. А я, будучи щетинистым человеком, но, право же, не свиньей, терзался от грязи. Частенько мне бывало холодно на свете; я искал сердечности, теплоты. На берегу Москвы-реки летом цвели злосчастные цветы пустырей, затоптанные, заваленные нечистотами,— лютики, одуванчики. И эти цветы я хотел изобразить.

С прошлым не стоит спорить, но над ним стоит задуматься — проверить, почему написанные страницы столько раз оказывались бледнее, мельче тех, что в бессонные ночи мерещились автору.

Всю мою жизнь я беззаветно любил Гоголя. Эти строки я пишу в полутемном номере римской гостиницы — между двумя заседаниями оказалось несколько свободных дней, и я решил вернуться к начатой главе. Вчера я снова пошел в старое кафе «Греко», где когда-то сиживал Николай Васильевич, сел за столик под его портретом и задумался: каким светом озарил этот угрюмый, болезненный, в жизни глубоко несчастный человек и Россию и мир!

В повести о Проточном переулке горбун Юзик читает и перечитывает одну книжку; ее первые страницы выдраны, он не знает ни заглавия, ни имени автора. Он говорит Тане: «Ах, Татьяна Алексеевна, вы только послушайте, что я вчера прочел: «Много нужно глубины душевной, дабы озарить картину, взятую из презренной жизни, и возвести ее в перл создания». Таня смеется: «Глупые книжки вы читаете, Юзик. Кто теперь говорит «перл»? Это ювелир, а не писатель. Вы должны усвоить методологию...»

Приведенные слова принадлежат Гоголю. Душевная глубина позволила ему потрясти современников, она потрясает и нас. Сидя за его столиком, я думал, что ни у меня, ни у многих из моих современников не нашлось достаточной душевной глубины и что мы слишком часто оказывались побежденными — не критиками, конечно, а временем — именно потому, что не сумели с подлинной глубиной, с дерзостью замысла, с мужеством автора «Мертвых душ», «Шинели» осветить будничное, малопримечательное, «презренное».

Не буду говорить о других, но себя судить я вправе. Слабость моей повести не в замысле, не в том, что я обратился к неприглядным обитателям Проточного переулка, не противопоставив им строителей будущего, а в том, что изображаемый мир слишком робко, скупо, редко озарен светом искусства. Дело не в размерах отпущенного мне дарования, а в душевной поспешности, в том, что мы жили ослепленные огромными событиями, оглушенные пальбой, ревом, громчайшей музыкой и порой переставали ощущать оттенки, слышать биение сердца, отучались от тех душевных деталей, которые являются живой плотью искусства.

Все это я понял не в 1926 году, а много позднее: человек учится до самой смерти.

15

Лето в Москве стояло жаркое; многие из моих друзей жили на дачах или были в отъезде. Я слонялся по раскаленному городу. Один из очень душных, предгрозовых дней принес мне нечаянную радость: я познакомился с человеком, который стал моим самым близким и верным другом, с писателем, на которого я смотрел как подмастерье на мастера,— с Исааком Эммануиловичем Бабелем.

Он пришел ко мне неожиданно, и я запомнил его первые слова: «Вот вы какой...» А я его разглядывал с еще большим любопытством — вот человек, который написал «Конармию», «Одесские рассказы», «Историю моей голубятни»! Несколько раз в жизни меня представляли писателям, к книгам которых я относился с благоговением: Максиму Горькому, Томасу Манну, Бунину, Андрею Белому, Генриху Манну, Мачадо, Джойсу; они были много старше меня; их почитали все, и я глядел на них, как на далекие вершины гор. Но дважды я волновался, как заочно влюбленный, встретивший наконец предмет своей любви,— так было с Бабелем, а десять лет спустя — с Хемингуэем.

Бабель сразу повел меня в пивную. Войдя в темную, набитую людьми комнату, я обомлел. Здесь собирались мелкие спекулянты, воры-рецидивисты, извозчики, подмосковные огородники, опустившиеся представители старой интеллигенции. Кто-то кричал, что изобрели «эликсир вечной жизни», это свинство, потому что он стоит баснословно дорого, значит, всех пересидят подлецы. Сначала на крикуна не обращали внимания, потом сосед ударил его бутылкой по голове. В другом углу началась драка из-за девушки. По лицу кудрявого паренька текла кровь. Девушка орала: «Можешь не стараться, Гарри Пиль — вот кто мне нравится!..» Двух напившихся до бесчувствия выволокли за ноги. К нашему столику подсел старичок, чрезвычайно вежливый; он рассказывал Бабелю, как его зять хотел вчера прирезать жену, «а Верочка, знаете, и не сморгнула, только говорит: «Поворачивай, пожалуйста, оглобли»,— она у меня, знаете, деликатная...» Я не выдержал: «Пойдем?» Бабель удивился: «Но ведь здесь очень интересно...»

Внешне он меньше всего походил на писателя. Он рассказал в очерке «Начало», как, приехав впервые в Петербург (ему тогда было двадцать два года), снял комнату в квартире инженера. Поглядев внимательно на нового жильца, инженер приказал запереть на ключ дверь из комнаты Бабеля в столовую, а из передней убрать пальто и калоши. Двадцать лет спустя Бабель поселился в квартире старой француженки в парижском предместье Нейи; хозяйка запирала его на ночь — боялась, что он ее зарежет. А ничего страшного в облике Исаака Эммануиловича не было; просто он многих озадачивал: бог его знает, что за человек и чем он занимается.

Майкл Голд, который познакомился с Бабелем в Париже в 1935 году, писал: «Он не похож на литератора или на бывшего кавалериста, а скорее напоминает заведующего сельской школой». Вероятно, главную роль в создании такого образа играли очки, которые в «Конармии» приняли угрожающие размеры («Шлют вас, не спросясь, а тут режут за очки», «Жалеете вы, очкастые, нашего брата, как кошка мышку», «Аннулировал ты коня, четырехглазый»...). Он был невысокого роста, коренастый. В одном из рассказов «Конармии», говоря о галицийских евреях, он противопоставляет им одесситов, «жовиальных, пузатых, пузырящихся, как дешевое вино»,— грузчиков, биндюжников, балагул, налетчиков вроде знаменитого Мишки Япончика — прототипа Бени Крика. (Эпитет «жовиальный» — галлицизм, по-русски говорят: веселый или жизнерадостный.) Исаак Эммануилович, несмотря на очки, напоминал скорее жовиального одессита, хлебнувшего в жизни горя, чем сельского учителя. Очки не могли скрыть его необычайно выразительных глаз, то лукавых, то печальных. Большую роль играл и нос — неутомимо любопытный. Бабелю хотелось все знать: что переживал его однополчанин, кубанский казак, когда пил два дня без просыпу и в тоске сжег свою хату; почему Машенька из издательства «Земля и фабрика», наставив мужу рога, начала заниматься биомеханикой; какие стихи писал убийца французского президента белогвардеец Горгулов; как умер старик бухгалтер, которого он видел один раз в окошке издательства «Правда»; что в сумочке парижанки, сидящей в кафе за соседним столиком; продолжает ли фанфаронить Муссолини, оставаясь глаз на глаз с Чиано,— словом, мельчайшие детали жизни.

Все ему было интересно, и он не понимал, как могут быть писатели, лишенные аппетита к жизни. Он говорил мне о романах Пруста: «Большой писатель. А скучно... Может быть, ему самому было скучно все это описывать?..» Отмечая способности начинающего эмигрантского писателя Набокова-Сирина, Бабель говорил: «Писать умеет, только писать ему не о чем».

Он любил поэзию и дружил с поэтами, никак на него не похожими: с Багрицким, Есениным, Маяковским. А литературной среды не выносил: «Когда нужно пойти на собрание писателей, у меня такое чувство, что сейчас предстоит дегустация меда с касторкой...» У него были друзья различных профессий — инженеры, наездники, кавалеристы, архитекторы, пчеловоды, цимбалисты. Он мог часами слушать рассказы о чужой любви, счастливой или несчастной. Он как-то располагал собеседника к исповеди; вероятно, люди чувствовали, что Бабель не просто слушает, а переживает. Некоторые его вещи — рассказы от первого лица, хотя в них чужие жизни (например, «Мой первый гонорар»), другие, напротив, под маской повествования о вымышленных героях раскрывают страницы биографии автора («Нефть»).

В коротенькой автобиографии Бабель рассказывал, что в 1916 году А. М. Горький «отправил» его «в люди». Исаак Эммануилович продолжал: «И я на семь лет — с 1917 по 1924 — ушел в люди. За это время я был солдатом на румынском фронте, потом служил в Чека, в Наркомпросе, в продовольственных экспедициях 1918 года, в Северной армии против Юденича, в Первой Конной армии, в Одесском губкоме, был выпускающим в 7-й советской типографии в Одессе, был репортером в Петербурге и в Тифлисе и проч.».

Действительно семь лет, о которых упоминает Бабель, дали ему многое; но он был «в людях» и до 1916 года, оставался «в людях» и после того, как стал известным писателем: вне людей существовать он не мог. «История моей голубятни» была пережита мальчиком и уж много позднее рассказана зрелым мастером. В годы отрочества, ранней юности Бабель встречал героев своих одесских рассказов — налетчиков и барышников, близоруких мечтателей и романтических жуликов.

Куда бы он ни попадал, он сразу чувствовал себя дома, входил в чужую жизнь. Он пробыл недолго в Марселе; но, когда он рассказывал о марсельской жизни, это не было впечатлениями туриста,— говорил о гангстерах, о муниципальных выборах, о забастовке в порту, о какой-то

Исаак Бабель. 1930 г. Надпись на обороте этой фотографии.

стареющей женщине, кажется прачке, которая, получив неожиданно большое наследство, отравилась газом.

Однако даже в любимой им Франции он тосковал о родине. Он писал в октябре 1927 года из Марселя: «Духовная жизнь в России благородней. Я отравлен Россией, скучаю по ней, только о России и думаю». В другом письме И. Л. Лифшицу, старому своему другу, он писал из Парижа: «Жить здесь в смысле индивидуальной свободы превосходно, но мы — из России — тоскуем по ветру больших мыслей и больших страстей».

В двадцатые годы у нас в газетах часто можно было увидеть термин «ножницы»; речь шла не о портновском инструменте, а о растущем расхождении между ценой хлеба и ценой ситца или сапог. Я сейчас думаю о других «ножницах»: о расхождении между жизнью и значением искусства; с этими «ножницами» я прожил жизнь. Мы часто об этом говорили с Бабелем. Любя страстно жизнь, ежеминутно в ней участвуя, Исаак Эммануилович был с детских лет предан искусству.

Бывает так: человек пережил нечто значительное, захотел об этом рассказать, у него оказался талант, и вот рождается новый писатель. Фадеев мне говорил, что в годы гражданской войны он и не думал, что увлечется литературой; «Разгром» был для него самого негаданным результатом пережитого. А Бабель и воюя знал, что должен будет претворить действительность в произведение искусства.

Рукописи неопубликованных произведений Бабеля исчезли в ведомстве Берии. Записки С. Г. Гехта напомнили мне о замечательном рассказе Исаака Эммануиловича «У Троицы». Бабель мне его прочитал весной 1938 года; это история гибели многих иллюзий, история горькая и мудрая. Пропали рукописи рассказов, пропали и главы начатого романа. Тщетно искала их вдова Исаака Эммануиловича, Антонина Николаевна. Чудом сохранился дневник Бабеля, который он вел в 1920 году, находясь в рядах Первой Конной: одна киевлянка сберегла толстую тетрадь с неразборчивыми записями. Дневник очень интересен — он не только показывает, как работал Бабель, но и помогает разобраться в психологии творчества.

Как явствует из дневника, Бабель жил жизнью своих боевых товарищей — победами и поражениями, отношением бойцов к населению и населения к бойцам, его потрясали великодушие, насилие, боевая выручка, погромы, смерти. Однако через весь дневник проходят настойчивые напоминания: «Описать Матяжа, Мишу», «Описать людей, воздух», «За этот день — главное описать красноармейцев и воздух», «Запомнить — фигура, лицо, радость Апанасенки, его любовь к лошадям, как проводит лошадей, выбирает для Бахтурова», «Обязательно описать прихрамывающего Губанова, грозу полка, отчаянного рубаку», «Не забыть бы священника в Лошкове, плохо выбритый, добрый, образованный, м. б. корыстолюбивый, какое там корыстолюбие — курица, утка», «Описать воздушную атаку, отдаленный и как будто медленный стук пулемета», «Описать леса — Кривиха, разоренные чехи, сдобная баба...»

Бабель был поэтом; ни натурализм описываемых им бытовых деталей, ни круглые очки на круглом лице не могут скрыть его поэтическую настроенность. Он загорался от стихотворной строки, от холста, от цвета неба, от зрелища человеческой красоты. Его дневник не относится к тем дневникам, которые рассчитаны на опубликование,— Бабель откровенно беседовал с собой. Вот почему, говоря о поэтичности Бабеля, я начну с записей в дневнике.

«Вырубленные опушки, остатки войны, проволока, окопы. Величественные зеленые дубы, грабы, много сосны, верба — величественное и кроткое дерево, дождь в лесу, размытые дороги, ясень».

«Боратин — крепкое солнечное село. Хмель, смеющаяся дочка, молчаливый богатый крестьянин, яичница на масле, молоко, белый хлеб, чревоугодие, солнце, чистота».

«Великолепная итальянская живопись, розовые патеры, качающие младенца Христа, великолепный темный Христос, Рембрандт, Мадонна под Мурильо, а м. б. Мурильо, святые упитанные иезуиты, бородатый еврейчик, лавочка, сломанная рака, фигура св. Валента».

«Вспоминаю разломанные рамы, тысячи пчел, жужжащих и бьющихся у разрушенного улья».

«Графский, старинный польский дом, наверное, б. 100 лет, рога, старинная светлая плафонная живопись, маленькие комнаты для дворецких, плиты, переходы, экскременты на полу, еврейские мальчишки, рояль Стейнвей, диваны вскрыты до пружин, припомнить белые легкие и дубовые двери, французские письма 1820 г.».

О своем отношении к искусству Бабель рассказал в новелле «Ди Грассо». В Одессу приезжает актер из Сицилии. Он играет условно, может быть чрезмерно, но сила искусства такова, что злые становятся добрыми; жена барышника, выходя из театра, упрекает пристыженного мужа: «Босяк, теперь ты видишь, что такое любовь...»

Я помню появление «Конармии». Все были потрясены силой фантазии; говорили даже о фантастике. А между тем Бабель описал то, что видел. Об этом свидетельствует тетрадка, побывавшая в походе и пережившая автора.

Вот рассказ «Начальник конзапаса». «На огненном англоарабе подскакал к крыльцу Дьяков, бывший цирковой атлет, а ныне начальник конского запаса,— краснорожий, седоусый, в черном плаще и с серебряными лампасами вдоль красных шаровар». Далее Дьяков говорит крестьянину, что за коня он получит пятнадцать тысяч, а если бы конь был повеселее, то двадцать: «Ежели конь упал и подымается, то это — конь; ежели он, обратно сказать, не подымается, тогда это не конь».

А вот запись в дневнике 13 июля 1920 года: «Начальник конского запаса Дьяков — феерическая картина, кр[асные] штаны с серебр[яными] лампасами, пояс с насечкой, ставрополец, фигура Аполлона, корот[кие] седые усы, сорок пять лет... был атлетом... о лошадях». 16 июля: «Приезжает Дьяков. Разговор короток: за такую-то лошадь можешь получить 15 т., за такую-то — 20 т. Ежели поднимется, значит, это лошадь».

Рассказ «Гедали»; в нем автор встречает старого еврея-старьевщика, который печально излагает свою философию: «Но поляк стрелял, мой ласковый пан, потому, что он — контрреволюция. Вы стреляете потому, что вы — революция. А революция — это же удовольствие. И удовольствие не любит в доме сирот. Хорошие дела делает хороший человек... И я хочу Интернационала добрых людей, я хочу, чтобы каждую душу взяли на учет и дали бы ей паек по первой категории». Лавка Гедали описана так: «Диккенс, где была в тот вечер твоя тень? Ты увидел бы в этой лавке древностей золоченые туфли и корабельные канаты, старинный компас и чучело орла, охотничий винчестер с выгравированной датой «1810» и сломанную кастрюлю».

Запись в дневнике 3 июля 1920 года: «Маленький еврей — философ. Невообразимая лавка — Диккенс, метлы и золотые туфли. Его философия: все говорят, что они воюют за правду, и все грабят».

В дневнике есть и Прищепа, и городок Берестечко, и найденное там французское письмо, и убийство пленных, и «пешка» в боях за Лешнюв, и речь комдива о Втором конгрессе Коминтерна, и «бешеный холуй Левка», и дом ксендза Тузинкевича, и много других персонажей, эпизодов, картин, перешедших потом в «Конармию». Но рассказы не похожи на дневник. В тетрадке Бабель описывал все, как было. Это опись событий: наступление, отступление, разоренные, перепуганные жители городов и сел, переходящих из рук в руки, расстрелы, вытоптанные поля, жестокость войны. Бабель в дневнике спрашивал себя: «Почему у меня непроходящая тоска?» И отвечал: «Разлетается жизнь, я на большой непрекращающейся панихиде».

А книга не такова: в ней, несмотря на ужасы войны, на свирепый климат тех лет,— вера в революцию и вера в человека. Правда, некоторые говорили, что Бабель оклеветал красных кавалеристов. Горький заступился за «Конармию» и написал, что Бабель «украсил» казаков Первой Конной «лучше, правдивее, чем Гоголь запорожцев». Слово «украсить», вырванное мною из текста, да и сравнение с «Тарасом Бульбой» могут сбить с толку. Притом язык «Конармии» цветист, гиперболичен. (Еще в 1915 году, едва приступив к работе писателя, Бабель говорил, что ищет в литературе солнца, полных красок, восхищался украинскими рассказами Гоголя и жалел, что «Петербург победил Полтавщину. Акакий Акакиевич скромненько, но с ужасающей властностью затер Грицка...».)

Бабель, однако, не «украсил» героев «Конармии», он раскрыл их внутренний мир. Он оставил в стороне не только будни армии, но и многие поступки, доводившие его в свое время до отчаяния; он как бы осветил прожектором один час, одну минуту, когда человек раскрывается. Именно поэтому я всегда считал Исаака Эммануиловича поэтом.

«Конармия» пришлась по душе самым различным писателям: Горькому и Томасу Манну, Барбюсу и Мартен дю Гару, Маяковскому и Есенину, Андрею Белому и Фурманову, Ромену Роллану и Брехту.

В 1930 году «Новый мир» напечатал ряд писем зарубежных писателей, главным образом немецких,— ответы на анкету о советской литературе. В большинстве писем на первом месте стояло имя Бабеля.

А Исаак Эммануилович критиковал себя со взыскательностью

И. Бабель. Конец двадцатых годов

И. Бабель с дочкой Лидой. Одна из последних фотографий. 1937 г.

большого художника. Он часто говорил мне, что писал чересчур цветисто, ищет простоты, хочет освободиться от нагромождения образов. Как-то в начале тридцатых годов он признался, что Гоголь «Шинели» теперь ему ближе, чем Гоголь ранних рассказов. Он полюбил Чехова. Это были годы, когда он писал «Гюи де Мопассана», «Суд», «Ди Грассо», «Нефть».

Работал он медленно, мучительно; всегда был недоволен собой. При первом знакомстве он сказал мне: «Человек живет для удовольствия, чтобы спать с женщиной, есть в жаркий день мороженое». Я как-то пришел к нему, он сидел голый: был очень жаркий день. Он не ел мороженого, он писал. Приехав в Париж, он и там работал с утра до ночи: «Я тружусь здесь, как вдохновенный вол, света божьего не вижу (а в свете этом Париж — не Кременчуг)...» Потом он поселился в деревне, неподалеку от Москвы, снял комнату в избе, сидел и писал. Повсюду он находил для работы никому не ведомые норы. Этот на редкость «жовиальный» человек трудился, как монах-отшельник.

Когда в конце 1932 — в начале 1933 года я писал «День второй», Бабель чуть ли не каждый день приходил ко мне. Я читал ему написанные главы, он одобрял или возражал — моя книга его заинтересовала, а другом он был верным.

Он любил прятаться, не говорил, куда идет; его дни напоминали ходы крота. В 1936 году я писал об Исааке Эммануиловиче: «Его собственная судьба похожа на одну из написанных им книг: он сам не может ее распутать. Как-то он шел ко мне. Его маленькая дочка спросила: «Куда ты идешь?» Ему пришлось ответить; тогда он передумал и не пошел ко мне... Осьминог, спасаясь, выпускает чернила: его все же ловят и едят — любимое блюдо испанцев «осьминог в своих чернилах». (Я написал это в Париже в самом начале 1936 года, и мне страшно переписывать теперь эти строки: мог ли я себе представить, как они будут звучать несколько лет спустя?..)

По совету Горького Бабель не печатал своих произведений в течение семи лет: с 1916 по 1923. Потом одна за другой появились «Конармия», «Одесские рассказы», «История моей голубятни», пьеса «Закат». И снова Бабель почти замолк, редко публикуя маленькие (правда, замечательные) рассказы. Одной из излюбленных тем критиков стало «молчание Бабеля». На Первом съезде советских писателей я выступил против такого рода нападок и сказал, что слониха вынашивает детей дольше, чем крольчиха; с крольчихой я сравнил себя, со слонихой — Бабеля. Писатели смеялись. А Исаак Эммануилович в своей речи, подтрунивая над собой, сказал, что он преуспевает в новом жанре — молчании.

Ему, однако, было невесело. С каждым днем он становился все требовательнее к себе. «В третий раз принялся переписывать сочиненные мною рассказы и с ужасом увидел, что потребуется еще одна переделка — четвертая...» В одном письме он признавался: «Главная беда моей жизни — отвратительная работоспособность...»

Я не кривил душой, говоря о крольчихе и слонихе: я высоко ценил талант Бабеля и знал его взыскательность к себе. Я гордился его дружбой. Хотя он был на три года моложе меня, я часто обращался к нему за советом и шутя называл его «мудрым ребе».

Я всего два раза разговаривал с А. М. Горьким о литературе, и оба раза он с нежностью, с доверием говорил о работе Бабеля; мне это было приятно, как будто он похвалил меня... Я радовался, что Ромен Роллан в письме о «Дне втором» восторженно отозвался о «Конармии». Я любил Исаака Эммануиловича, любил и люблю книги Бабеля...

Еще о человеке. Бабель не только внешностью мало напоминал писателя, он и жил иначе: не было у него ни мебели из красного дерева, ни книжных шкафов, ни секретаря. Он обходился даже без письменного стола — писал на кухонном столе, а в Молоденове, где он снимал комнату в домике деревенского сапожника Ивана Карповича,— на верстаке.

Первая жена Бабеля, Евгения Борисовна, выросла в буржуазной семье, ей нелегко было привыкнуть к причудам Исаака Эммануиловича. Он, например, приводил в комнату, где они жили, бывших однополчан и объявлял: «Женя, они будут ночевать у нас»...

Он умел быть естественным с разными людьми, помогали ему в этом и такт художника и культура. Я видел, как он разговаривал с парижскими снобами, ставя их на место, с русскими крестьянами, с Генрихом Манном или с Барбюсом.

В 1935 году в Париже собрался Конгресс писателей в защиту культуры. Приехала советская делегация; среди нее не оказалось Бабеля. Французские писатели, инициаторы конгресса, обратились в наше посольство с просьбой включить автора «Конармии» и Пастернака в состав советской делегации. Бабель приехал с опозданием — кажется, на второй или на третий день. Он должен был сразу выступить. Усмехаясь, он успокоил меня: «Что-нибудь скажу». Вот как я описал в «Известиях» выступление Исаака Эммануиловича: «Бабель не читал своей речи, он говорил по-французски, весело и мастерски, в течение пятнадцати минут он веселил аудиторию несколькими ненаписанными рассказами. Люди смеялись, и в то же время они понимали, что под видом веселых историй идет речь о сущности наших людей и нашей культуры: «У этого колхозника уже есть хлеб, у него есть дом, у него есть даже орден. Но ему этого мало. Он хочет теперь, чтобы про него писали стихи...»

Много раз он говорил мне, что главное — это счастье людей. Любил животных, особенно лошадей; писал о своем боевом друге Хлебникове: «Нас потрясали одинаковые страсти. Мы оба смотрели на мир, как на луг в мае, как на луг, по которому ходят женщины и кони».

Жизнь для него оказалась не майской лужайкой... Однако до конца он сохранил верность идеалам справедливости, интернационализма, человечности. Революцию он понял и принял как залог будущего счастья. Один из лучших рассказов тридцатых годов — «Карл-Янкель» — кончается словами: «Я вырос на этих улицах, теперь наступил черед Карла-Янкеля, но за меня не дрались так, как дерутся за него, мало кому было дело до меня. «Не может быть,— шептал я себе,—

...чтобы ты не был счастлив, Карл-Янкель... Не может быть, чтобы ты не был счастливее меня...»

А Бабель был одним из тех, кто оплатил своей борьбой, своими мечтами, своими книгами, а потом и своей смертью счастье будущих поколений.

В конце 1937 года я приехал из Испании, прямо из-под Теруэля, в Москву. Когда я дойду до рассказа о тех днях, читатель поймет, как мне было важно повидать сразу Бабеля. «Мудрого ребе» я нашел печальным, но его не покидали ни мужество, ни юмор, ни дар рассказчика. Он мне рассказал однажды, как был на фабрике, где изъятые книги шли на изготовление бумаги; это была очень смешная и очень страшная история. В другой раз он рассказал мне о детдомах, куда попадают сироты живых родителей. Невыразимо грустным было наше расставание в мае 1938 года...

Бабель всегда с нежностью говорил о родной Одессе. После смерти Багрицкого, в 1936 году, Исаак Эммануилович писал: «Я вспоминаю последний наш разговор. Пора бросить чужие города, согласились мы с ним, пора вернуться домой, в Одессу, снять домик на Ближних Мельницах, сочинять там истории, стариться... Мы видели себя стариками, лукавыми, жирными стариками, греющимися на одесском солнце, у моря — на бульваре, и провожающими женщин долгим взглядом... Желания наши не осуществились. Багрицкий умер в 38 лет, не сделав и малой части того, что мог. В государстве нашем основан ВИЭМ — Институт экспериментальной медицины. Пусть добьется он того, чтобы эти бессмысленные преступления природы не повторялись больше».

Природу мы порой в сердцах называем слепой. Бывают слепыми и люди...

Незадолго до ареста он писал своей приятельнице, которая сняла для него домик в Одессе: «Сей числящийся за мной флигелек очень поднял мой дух. Достоевский говорил когда-то: «Всякий человек должен иметь место, куда бы он мог уйти»,— и от сознания, что такое место у меня появилось, я чувствую себя много увереннее на этой, как известно, вращающейся земле».

Бабеля арестовали весной 1939 года. Узнал я об этом с опозданием — был во Франции. Шли мобилизованные, дамы гуляли с противогазами, окна оклеивали бумажками. А я думал о том, что потерял человека, который помогал мне шагать не по майскому лугу, а по очень трудной дороге жизни.

Нас роднило понимание долга писателя, восприятие века: мы хотели, чтобы в новом мире нашлось место и для некоторых очень старых вещей — для любви, для красоты, для искусства.

В конце 1954 года, может быть в тот самый час, когда человек со смешным именем Карла-Янкеля и его сверстники — Иваны, Петры, Николы, Ованесы, Абдуллы — веселой ватагой выходили из университетских аудиторий, прокурор сообщил мне о посмертной реабилитации Исаака Эммануиловича. Вспоминая рассказ Бабеля, я смутно подумал: не может быть, чтобы они не были счастливее нас!..

16

Одна читательница говорила мне, что ей трудно было читать «Бурю»: только-только Валя декламирует «Гамлета» — и уже какая-то Гильда в немецком городке заводит шашни с итальянцем, потом Сергей у Днепра, потом Мики поет партизанскую песенку в горах Лимузина,— все путается. Возможно, эта читательница права: роман — парк, и даже густые заросли в нем обдуманы. А жизнь — лес, и в книге о прожитых годах невозможно соблюсти стройность повествования.

Я писал о Проточном переулке — и сразу перехожу к Пенмарку во французском округе Финистер. (Между Москвой и Пенмарком я побывал в Ленинграде, Киеве, Днепропетровске, Ростове, Тбилиси, Батуми, Стамбуле, Афинах, Марселе, Париже, Берлине; все это я сейчас опускаю.) Ничего не поделаешь — с семнадцати лет я начал бродяжничать, годы и годы ночевал в случайных номерах замызганных гостиниц, часто менял адреса, трясся в зеленых прокопченных вагонах, отдыхал на палубах, спал в самолетах, сотни километров исходил пешком, причем никогда не чувствовал себя туристом, да и не затем колесил по миру, чтобы набрать материал для очередной книги; ездил по доброй воле, ездил и потому, что посылали, с деньгами и без денег: сначала мелькали верстовые столбы, потом сугробы облаков; я быстро изнашивал ботинки, покупал не шкафы, а чемоданы — так вот сложилась моя жизнь. Наверно, это — свойство натуры: есть домоседы, есть и «вечные жиды»; здесь нечем гордиться и не в чем оправдываться.

В Пенмарке я был в 1927 году и пишу о нем не потому, что мне хочется показать угрюмую красоту скал, исхлестанных океаном, или своеобразие древней бретонской скульптуры; право же, Акрополь совершенней, а океан тем и хорош, что не поддается описанию. Но я обещал рассказать про свой путь, а жизнь складывается не только из исторических событий; порой незначительное происшествие, деталь быта, случайная встреча врезаются в память и многое предопределяют.

Пенмарк — небольшой городок на одном из западных мысов Европы; его жители занимаются рыбным промыслом — ловят сардину; женщины работают на консервных фабриках, Пенмарк пропах рыбой, ею пахнут люди, одежда, кровати, подушки.

Когда я впервые увидал этот городок, меня поразило беспокойство и природы и людей. Нигде я не слышал такого яростного моря, оно стучалось в каменные ворота земли. Ветер сбивал с ног; и ни одно дерево не смягчало картины — камни, камни, а между ними белые кубики консервных фабрик. На площади стояли рыбаки в красных брезентовых костюмах. В порту торчали голые мачты, похожие на лес зимой. Женщины были одеты в длинные черные платья, высокие белые чепчики походили на митры; их можно было увидеть издали, как маленькие маяки. Ворота фабрик были заперты. Уже не первый день рыбаки бастовали. Их требования могли удивить человека, незнакомого с ловом сардины: они хотели, чтобы фабриканты брали весь улов, хотя бы по низкой цене. Сардину ловят только в летние месяцы, когда она стаями подымается в верхние слои воды, идет недалеко от берега.

Рыбаки должны летом накопить деньги на зиму. Фабриканты консервов были объединены в союз и не хотели пойти на соглашение с рыбаками, говорили, что фабрики недостаточно оборудованы; на самом деле они боялись, что цены на консервы могут упасть.

Забастовку рыбаки проиграли — у них не было денег про черный день: все дни были черными. Я присматривался к жизни людей, она была трудной. Крупная рыба часто рвала тонкие голубые сети. Хотя французские сардины считались лучшими в мире и составляли предмет экспорта, фабрики были действительно плохо оборудованы, труд оплачивался низко. Приезжавшие в Бретань художники любили писать женщин Пенмарка, их привлекали старинная одежда, чепцы, красота лиц; а руки у работниц были красные, разъеденные солью.

Один парусник пришел в порт с хорошим уловом. Мокрые, продрогшие люди радовались. Сардину, однако, отказались взять. Напрасно рыбаки уговаривали, настаивали, ругались. В другом порту — Одьерне — была фабрика, не входившая в объединение предпринимателей, рыбаки решили попытать счастье, хотя ветер крепчал, начинался шторм. Оставшиеся на берегу угрюмо говорили: «А что им делать? У них большие семьи...»

Есть размышления о «мыслящем тростнике», есть фантастика Вилье де Лилль Адана, есть бретонские пейзажи Гогена. Но есть и другое — голодные дети. Одна из трагедий нашей эпохи в этом противоречии между взлетом человеческого гения и древней, звериной нуждой.

Женщины, стоявшие на берегу, видели, как высокая волна опрокинула лодку. Поднялась человеческая буря: люди колотились в запертые ворота фабрики. Хозяев не было,— вероятно, они отдыхали на курорте. Перепуганные управляющие кинулись к телефонам, умоляли прислать отряд жандармов.

С маяка пошла моторная лодка, и тонувших удалось спасти. Все сразу притихло. Наутро парусники вышли в море; женщины аккуратно отреза́ли сардинам головы или укладывали рыбу в жестянки.

Забастовка рыбаков в Бретани. 1927 г.

О. Савич, Л. Козинцева-Эренбург, А. Савич, В. Лидин. Бретань. 1927 г.

Ничего, таким образом, не произошло. Почему же мне это запомнилось? О том, что сытый голодного не разумеет, я знал и раньше — н
только из книг, по своему опыту. Да и жизнь рыбаков Пенмарка н
могла меня удивить, я давно пригляделся к человеческой бедности
Потрясло меня другое.

Рыбаки Пенмарка ежедневно вступали в поединок с океаном. На
кладбище я видел немало крестов над пустыми могилами, к ним приходили вдовы погибших в море. Борьба человека с природой всегда
приподымает, и кажется, нет мифа прекраснее, чем миф о Прометее
Незадолго до моего приезда в Пенмарк молодой американский летчик
Линдберг первым перелетел через Атлантический океан, и я видел
в рыбацких домах его портреты, вырезанные из газет. В детстве я увлекался книжкой о «Фраме» Нансена и потом, в течение моей жизни,
пережил события, бо́льшие или меньшие, потрясавшие воображение
всех: Блерио перелетел через Ла-Манш, русские моряки спасали жителей Мессины во время землетрясения, Кальмет нашел антитуберкулезную прививку, ледокол «Красин» спас полярную экспедицию Нобиле, погиб Амундсен, челюскинцы удержались на льдине, советские
летчики прилетели в Америку через Северный полюс, Флеминг открыл
пенициллин, англичане взобрались на верхушку Эвереста, норвежцы
на плоту доплыли до Полинезии, советский спутник закружился вокруг
Земли, и, наконец, мир, восхищенный, замер — впервые человек, Юрий
Гагарин, заглянул в космос.

Рядом с этими событиями, потрясающими воображение, обыкновенные люди днем и ночью борются против слепой природы — рыбаки
и врачи, горняки и летчики гражданского флота.

В 1929 году я увидел в Швеции слепого инженера-физика Далена.
Он работал над освещением маяков и ослеп при одном из испытаний,
отдал свои глаза для того, чтобы другие видели — капитаны судов,
лоцманы, рыбаки. А в Пенмарке я увидел другое... Есть подвиги, и есть
барыши,— вот что невыносимо! Есть люди, готовые послать на смерть
не только трех бретонских рыбаков, но и весь «мыслящий тростник»
только для того, чтобы не упали цены на сардины, на нефть или на уран.

Может быть, я отвлекся от повествования, но, как я сказал, ничего
в Пенмарке не приключилось. Об инциденте была крохотная заметка
в одной газете. Рыбаки продолжали закидывать сети. Акционеры консервных фабрик получали дивиденды.

Передышка продолжалась. 1927 год не изобиловал мировыми
событиями. Сэр Генри Детердинг, который не мог простить Советскому
Союзу национализацию нефтяных промыслов, добился разрыва дипломатических отношений между Великобританией и СССР. Американцы
казнили Сакко и Ванцетти — в Париже шумная демонстрация протеста пыталась прорваться к американскому посольству. Андре Ситроен торжественно объявил, что его заводы выпускают тысячу автомобилей в день. В Варшаве белый эмигрант застрелил советского посла
Войкова. На экранах Парижа появился первый говорящий фильм,
кажется «Дон-Жуан». В Берлине состоялся митинг сторонников Гитлера; хотя Германия переживала период благоденствия, ораторы говоили о «жизненном пространстве на Востоке». В Москве рапповцы повторяли: «Необходимо сорвать маски со всех»,— к маскам они причисляли и лица многих писателей. (Впрочем, тогда все ограничивалось статьями...)

Зимой я снова поехал в Пенмарк с Моголи Надем, который мечтал сделать фильм о сардинах и о людях, бездушных дельцах; он говорил, что у него на примете левый меценат. Рыбаки рассказывали нам о фабрикантах, о штормах. Океан неистовствовал. Рыбачки, укачивая детей, пели печальные песни.

Мецената Моголи Надь не нашел и фильма не сделал. А я, вернувшись из Пенмарка, писал: «Ужасен мир, где Каин — и законодатель, и жандарм, и судья!.. В этом году исполнится десять лет со дня окончания мировой войны. Если ничего не изменится, через десять лет мы увидим новую войну, куда более ужасную». Не знаю, почему я назвал эту цифру, а ошибся я всего на полтора года...

17

Среди рукописей Е. П. Петрова сохранился план задуманной им книги «Мой друг Ильф». В пятой главе этого плана я нашел такие строки: «Красная Армия. Единственный человек, который прислал мне письмо, был Ильф. Вообще стиль того времени был такой: на все начихать, письма писать глупо, МХАТ — бездарный театр, читайте «Хулио Хуренито». Эренбург привез из Парижа отрывки из фильмов группы «Авангард» — замедленная съемка. «Париж уснул». Увлечение кинематографом. «Кабинет доктора Калигари», «Две сиротки», Мери Пикфорд. Фильмы с погонями. Немецкие фильмы. Первые фокстроты. При этом жили очень бедно».

Приведенные строки относятся, видимо, к 1926 году, когда я показывал в Москве отрывки из французских фильмов, которые мне дали Абель Ганс, Рене Клер, Фейдер, Эпштейн, Ренуар, Кирсанов. Я тогда еще не был знаком с Ильфом и Петровым, но, как они, увлекался кино, даже написал брошюру «Материализация фантастики»; немецкие фильмы вроде «Доктора Калигари» мне, однако, не нравились, я восхищался Чаплином, Гриффитом, Эйзенштейном, Рене Клером.

Год спустя мне пришлось ближе ознакомиться с «материализацией фантастики», вернее сказать — с фантастикой материализации. В Германии переводы моих книг выпускало издательство «Малик ферлаг». Его создал мой друг, немецкий коммунист, прекрасный поэт Виланд Герцфельде. Он всегда приходил на выручку советским писателям, которые оказывались за границей без денег. (В 1928 году Маяковский писал из Берлина: «Вся надежда на «Малик»...») И вот я получил письмо от Герцфельде: «Уфа» хочет инсценировать «Любовь Жанны Ней», фильм будет ставить один из лучших режиссеров — Георг Пабст.

Пабст был австрийцем, его никогда не увлекало экспрессионистическое нагромождение ужасов, или, как мы тогда говорили, «страстимордасти». Я знал его картину «Безрадостная улица» — о разоре послевоенных лет, она мне понравилась, и я обрадовался предложению «Уфы». Вскоре Пабст попросил меня приехать в Берлин, где происходили съемки.

Успех «Броненосца «Потемкин» заставил призадуматься многих кинопродюсеров. Публика охладела к зловещим гримасам различных «докторов». Ковбои тоже успели надоесть. Русская революция манила своей экзотичностью. Сесиль де Милль спешно изготовил «Волжских бурлаков», Морис Лербье — «Головокружение». Пабст решил приправить интригу моего романа живописными сценами: бой белогвардейцев с «зелеными», заседание Совета рабочих депутатов, Ревтрибунал, подпольная типография. Зная, что сценарий, состряпанный кем-то наскоро, изобилует нелепостями, немцы с присущим им педантизмом все же стремились к правдоподобности деталей, ходили в советское посольство и одновременно приглашали в качестве консультанта генерала Шкуро, выступавшего с труппой джигитов.

В павильоне кинофабрики я увидел улицы Феодосии с аркадами, русскую замызганную гостиницу, монмартрский кабак, кабинет модного французского адвоката, кресло великого князя, бутылки с водкой, статую Богоматери, нары ночлежки и много иной бутафории. Москва находилась в пятидесяти шагах от Парижа, между ними торчал крымский холм; белогвардейский притон был отделен от советского трибунала французским вагоном.

Фильм был немым, это позволило Пабсту набрать разноязычных актеров. Жанну Ней играла хорошенькая француженка Эдит Жеан, Андрея — швед Уно Геннинг, злодея Халыбьева — немец Фриц Расп, Захаркевича — бывший актер московского Камерного театра Соколов.

Из съемок мне запомнились три сцены. Прежде всего слезы Жанны. Актриса никак не могла натурально заплакать. Завели патефон с каким-то весьма печальным романсом. Отвернувшись, Эдит Жеан настраивалась на слезы,— может быть, вспоминала неудачную любовь, а может быть, думала о невыгодном ангажементе. Пабст в кожаной

Обложка книги И. Эренбурга работы А. Родченко. 1927 г.

Кадр из фильма Г. Пабста по роману И. Эренбурга «Любовь Жанны Ней». 1927 г.

куртке напоминал командира батареи, он безжалостно браковал слезы Жанны: то недолет, то перелет. Наконец он довел актрису до слез вполне натуральных и, удовлетворенный, вынул из кармана бутерброд с ветчиной. Он представил меня кинозвезде; она улыбнулась: «Ах, это вы написали такую печальную историю? Я вас поздравляю». Конечно, я должен был, в свою очередь, ее поздравить с первосортными слезами, но растерялся и неопределенно хмыкнул.

Вторая сцена связана с клопами. По замыслу Пабста, клопы должны были ползти по стене, а Халыбьев — их настигать и давить; причем клопов снимали крупным планом. Отдел заготовок «Уфы» доставил банку с чудесными клопами; однако насекомые оказались несообразительными — они то поспешно покидали поле съемки, то замирали, очевидно сжигаемые слишком ярким светом. Распу, который играл Халыбьева, никак не удавалось их раздавить. Помощник режиссера сказал мне, что клопы влетят «Уфе» в копейку — на них потратили четыре часа.

Третья сцена — кутеж белых офицеров. Пабст пригласил на съемку бывших деникинцев. Они сберегли военную форму; трудно сказать, на что они рассчитывали — на реставрацию или на киносъемки. Сверкали погоны, высились лихие папахи, на рукавах красовались черепа «батальонов смерти». Я вспомнил Крым 1920 года, и мне стало не по себе.

Восемьдесят белогвардейцев кутили в ресторане «Феодосия». Здесь были балалайки, цыганские романсы, водка, а в углу — полевой телефон. До меня доносились разговоры фигурантов: «Давненько мы с вами не видались...», «Простите, в каком полку вы служили?..»

Пабст командовал: «Переведите! Пусть веселятся! Я хочу, чтобы они напились до бесчувствия. Понятно?» Красавец полковник должен был раздеть женщину. Она неожиданно заупрямилась. Пабст кричал: «Переведите — нечего разводить истории! Трусы ей оставят. Пусть думает, что она на пляже...»

Белые получали по пятнадцать марок за день и были довольны.

(В перерыве я слышал, как один поручик рассказывал: «Говорят, что Чжан Цзо-линь вербует русских. Двести долларов подъемных и на дорогу...»)

Чтобы фигуранты лучше играли, Пабст пообещал вызвать их снова: через неделю они будут изображать красногвардейцев, одежду выдаст «Уфа». Бедняги обрадовались: это было куда реальнее, чем Китай...

Не скрою, мне было нелегко глядеть на эти съемки. Я видел, как в парижских кабаре белые офицеры, развлекая кутил, пели, танцевали, ругались, плакали; видел в притонах Стамбула сотни русских проституток; и вот эти офицеры, убежденные, что спасли свою воинскую честь от позора, радуются — им обещали, что через неделю они будут изображать большевиков... Нет, лучше на такое не смотреть!

Из актеров мне понравился Фриц Расп. Он выглядел доподлинным злодеем, и, когда он укусил руку девки, а потом положил на укушенное место вместо пластыря доллар, я забыл, что передо мною актер.

Вскоре Расп приехал в Париж: Пабст снимал уличные сцены. Зарядили дожди, съемки откладывались, и Расп бродил со мной по

Парижу, катался на ярмарочных каруселях, танцевал до упаду с веселыми модистками, мечтал на набережных Сены. Мы быстро подружились. Он играл негодяев, но сердце у него было нежное, даже сентиментальное, я его называл Жанной.

Мы встречались и позднее — в Берлине, в Париже. Когда в Германии пришел к власти Гитлер, Распу было нелегко. Я снова увидел его после долгого перерыва в 1945 году в Берлине. Он рассказал, что жил в военные годы в восточном предместье. Там засели эсэсовцы, стреляли в советских солдат из окон. Я уже говорил, что Расп похож на классического убийцу. Когда наши части взяли квартал, Распа спасли мои книги с надписями и фотографии, где мы были сняты вместе. Советский майор жал ему руку, принес сласти его детям.

Вернусь к 1927 году. Я попробовал было возражать против сценария, но Пабст ответил, что я не понимаю специфики кино, нужно считаться с дирекцией, с прокатчиками, с публикой.

Неожиданно в фантастику сценария вмешался вполне реалистический эпизод: «Уфа» оказалась накануне банкротства, дефицит достиг пятидесяти миллионов марок. Из-за кулис появился господин Гугенберг, новый король Германии, которому принадлежали сотни газет; он ненавидел Штреземана, либерализм и голубок мира — предпочитал им кривого прусского орла.

Новая дирекция предложила Пабсту изменить сценарий. Пабст пытался возражать, но с директором «Уфы» было куда труднее сговориться, чем с белыми фигурантами.

У меня есть друг, американский кинорежиссер Майльстоун, который в начале тридцатых годов поставил фильм по роману Ремарка «На Западе без перемен». Он рассказывал мне, что во время съемок к нему пришел кинопродюсер Леммле и сказал: «Я хочу, чтобы конец фильма был счастливый». Майльстоун ответил: «Хорошо, я сделаю счастливую развязку: Германия выигрывает войну...»

Леммле был бизнесменом и человеком без твердых убеждений. А Гугенберг стриг ежиком жесткие волосы и давал деньги на «Стальной шлем». Пабсту пришлось уступить. Мне показали фильм.

(Хемингуэй молча глядел на киноинсценировку романа «Прощай, оружие!». Только когда на экране появились голуби — режиссер хотел показать, что война кончилась,— Хемингуэй встал, сказал: «Вот и птички»,— и вышел из просмотрового зала.

Я был куда наивнее и не мог молча глядеть на экран: то злобно смеялся, то ругал всех — Пабста, Гугенберга, Герцфельде, самого себя.)

Я не хочу сейчас защищать интригу моего романа, написанного в 1923 году,— в ней много натянутых положений. Я писал роман, не только вдохновившись Диккенсом, но прямо ему подражая (конечно, тогда я этого не понимал). А эпоха была другая, нельзя писать о большевике, занимающемся подпольной работой в 1920 году, как о диккенсовском герое, которого сажали в долговую тюрьму, где он пил портер и шутил с тюремщиками. Мой роман изобиловал сентиментализмом. Героя, большевика Андрея, занятого подпольной работой, обвинили в убийстве банкира Раймонда Нея. Андрей мог ответить, что провел ночь, когда было совершено преступление, с племянницей банкира Жанной, которую полюбил. Герой этого не сделал и погиб. Жанна, бывшая прежде заурядной девушкой, многое поняла, для нее начиналась вторая жизнь — борьбы против мира лжи, денег, лицемерия, она уехала в Москву. Так было написано в книге. На экране все выглядело иначе — от деталей до сути. В романе имелся, например, противный французский сыщик Гастон с провалившимся носом. На экране у сыщика орлиный нос и благородное сердце. Дело, однако, не в Гастоне. Пабст придумал счастливую развязку. В романе влюбленные идут по парижской улице мимо старой церкви. Жанна повела Андрея в церковь — там было темно, а ей хотелось поцеловать Андрея. Это, пожалуй, одна из самых реалистических сцен романа, в котором, как я говорил, много несуразностей. На экране Жанна — верующая католичка, она ведет Андрея в церковь, чтобы помолиться Господу Богу, большевик становится на колени, и Богоматерь спасает его от гибели. Они поженятся, и у них будут дети.

Я протестовал, писал письма в редакцию. Герцфельде напечатал мой протест в виде брошюры, но это никак не могло потревожить ни прокатчиков, ни дирекцию «Уфы». Мне отвечали: «Фильм должен быть с хорошим концом...»

В 1926 году, когда я был в Тбилиси, в народном суде рассматривалось смешное дело. Одна девушка взяла у другой несколько книг и не вернула их. Судья спросил: «Почему вы не вернули книги?» — «Потому что я их кинула в реку».— «Как же вы могли выкинуть чужие книги?» Экспансивная девушка ответила: «А как мог Эренбург написать «Жанну Ней» с ужасным концом? Я прочитала и так расстроилась, что бросила в Куру все книги...» Судья присудил ее к штрафу; не знаю, чем он руководствовался: защитой собственности, уважением к книгам или признанием права писателя на трагическую развязку...

Я понял, что такое «фабрика снов», где серийно изготовляются фильмы, усыпляющие сознание, оглупляющие миллионы людей. В течение одного 1927 года зрители могли увидеть: «Любовь на пляже», «Любовь в снегах», «Любовь Бетти Петерсон», «Любовь и кража», «Любовь и смерть», «Любовь правит жизнью», «Любовь изобретательна», «Любовь слепа», «Любовь актрисы», «Любовь индуски», «Любовь-мистерия», «Любовь подростка», «Любовь бандита», «Кровавая любовь», «Любовь на перекрестке», «Любовь и золото», «Любовь запросто», «Любовь палача», «Любовь играет», «Любовь Распутина». Зрителям показали еще один вариант: «Любовь Жанны Ней».

Я писал: «В моей книге жизнь устроена плохо,— следовательно, ее нужно изменить. В фильме жизнь устроена хорошо,— следовательно, можно идти спать».

Я усмехаюсь, вспоминая гневные тирады неопытного автора. Все давно ушло в прошлое — и «Любовь Жанны Ней», и консорциум Гугенберга. Одно, впрочем, живо: страх перед трагическими развязками.

Говорят, что счастливые концы связаны с оптимизмом; по-моему, они связаны с хорошим пищеварением, со спокойным сном, но не с философскими воззрениями. Мы прожили жизнь, которую нельзя назвать иначе как трагедийной. Понятно, когда люди, желающие усыпить миллионы своих граждан, требуют от писателя или кинорежиссера счастливой развязки. Труднее понять такие требования, когда они исходят от сторонников великого исторического поворота. Можно терзаться, быть печальным и сохранять оптимизм. Можно быть и развеселым циником.

В книге о моей жизни, о людях, которых я встретил, много грустных, подчас трагических развязок. Это не болезненная фантазия любителя «черной литературы», а минимальная порядочность свидетеля. Можно перекроить фильм, можно уговорить писателя переделать роман. А эпоху не перекрасишь: она была большой, но не розовой...

18

Мы сняли мастерскую на бульваре Сен-Марсель; это была надстройка над старым домом, разумеется сизо-пепельным. Домовладелец, желая дороже сдать мастерскую, провел в дом электричество. Съемщикам квартир предложили бесплатно установить электрическое освещение, почти все отказались: не хотели, чтобы в двери стучался контролер, проверяющий счетчик.

Конечно, еще неприятнее контролера была непрошеная гостья — история, и парижане радовались, что она убралась восвояси. Правда, прочитав в газете, что Бриан и американец Келлог подписали пакт, запрещающий навеки войны, они по привычке усмехнулись — все-таки они были французами; но в душе они твердо верили, что, пока они живут, никакой войны не будет: дважды в жизни такое не приключается.

Карикатуристы занялись новым премьером Тардье; его легко было рисовать — он всегда держал в зубах длиннущий мундштук. Морис Шевалье пел свои песенки. Газеты несколько месяцев подряд описывали, как ювелир Месторино убил маклера, а потом сжег его труп. Сюрреалист Бюнюэль показал забавный фильм: на двуспальной кровати вместо любовницы нежилась солидная корова. Когда в парламенте обсуждали закон о ввозе нефти, один депутат саркастически сказал: «Прежде при любом скандале говорили: «Ищите женщину», теперь мы вправе сказать: «Ищите нефть». Другой депутат прервал его: «Не сравнивайте нефть с женщиной, женщина — божество!» Третий при общем смехе добавил: «К тому же женщина не воспламеняется»...

В очень старом фильме Рене Клера «Париж уснул» применен забавный прием — кино превращается в набор моментальных фотографий, комических с трагическим подтекстом: приподнятые ноги, раскрытые рты, заломленные руки. Таким уснувшим мне вспоминается Париж конца двадцатых годов.

Для меня это были тягучие, длинные годы. С деньгами было туго, приходилось жить наобум, не зная, что будет завтра. Вдруг прислали деньги из издательства «Земля и фабрика», вдруг датская газета «Политикен» вздумала напечатать перевод «Треста Д. Е.», вдруг из Мексики пришел гонорар за «Хуренито». Однако все это мне казалось идиллией — я не голодал, как в предвоенные годы, и не ходил в лохмотьях.

Люба много работала. Друг Модильяни Зборовский устроил выставку ее гуашей; Мак-Орлан написал предисловие к каталогу.

Ирина училась, начала говорить по-французски, как парижанка,— картавила; приходя из школы в жаркий день, пила не воду, а белое вино; как-то я ее увидел на террасе кафе «Капуляд» с девчонками и мальчишками; они о чем-то горячо спорили; я пошел дальше, подумал: вот и новое поколение в новой «Ротонде»...

Я стал очень неразборчиво писать, не мог расшифровать написанное накануне. Как-то, когда пришли нечаянные деньги, я купил пишущую машинку. Жил я в комнате над мастерской и там с утра до вечера стучал: писал о трибуне народа Гракхе Бабёфе, о конвейере на заводах Ситроена, о бурной жизни гомельского портного Лазика Ройтшванеца, изъездившего поневоле свет.

Однажды я увидел Поля Валери. Это было в ресторане «У Венсена», который на вид напоминал рабочую харчевню, но славился отменной кухней. Поль Валери маленькими глоточками пил бордоское вино и нехотя одаривал собеседников печальными афоризмами. В нем была внешняя светскость, за которой скрывались горечь, замкнутость. Мне кажется, что он родился не вовремя; талант у него был не меньший, чем у Малларме, но изменилась акустика... Судьба Валери не напоминала судьбы «проклятых поэтов»: в пятьдесят лет он получил шпагу академика и сан «бессмертного»; но не было вокруг него самозабвенных и бескорыстных последователей, которые когда-то окружали Малларме.

А Поль Валери в то время, о котором я говорю, считал, что эпоха благоприятствует искусству: «Порядок неизменно тяготит человека.

И. Эренбург. Л. Козинцева-Эренбург, Зборовский на выставке гуашей Л. Козинцевой-Эренбург. Париж. 1927 г.

Поль Валери. Портрет работы Пикассо. 1921 г.

Беспорядок заставляет его мечтать о полиции или о смерти. Это два полюса, на которых человеку равно неуютно. Он ищет эпоху, где он чувствовал бы себя наиболее свободным и наиболее защищенным. Между порядком и беспорядком существует очаровательный час; все то хорошее, что вытекает из организации прав и обязанностей, достигнуто. Можно наслаждаться первыми послаблениями системы». Это правильно: плоды созревают в конце лета, их тщетно искать зимой или ранней весной. Но Поль Валери ошибался в календаре — «очаровательный час» был позади — в конце XIX, в начале XX века. Золотой сентябрь во Франции успел смениться ноябрьскими туманами. Поль Валери дожил до второй мировой войны и увидел, что можно оказаться и без свободы и без порядка. А был он создан для долгого солнечного дня, для легкого треска цикад, для гармонии.

Меня представили Андре Жиду. Он меня озадачил: он походил на ибсеновского пастора, может быть на старого китайского хирурга. Незадолго перед этим я прочитал его книги о поездке в Африку, где он возмущался колониализмом. Теперь это азбучные истины, а тогда я восхитился его смелостью. Я заговорил об Африке. Он почему-то перевел разговор на отвлеченную тему, объяснял, что красота связана с этическими принципами. Рядом сидел предмет его любви — молодой спортсмен, кажется немец или голландец, с туповатым лицом, в коротких штанишках.

Во Франции выходило много развлекательных, легковесных книг. Моруа ввел новый жанр — романизированные биографии знаменитых людей. Литераторы начали изготовлять такие книги на конвейере, они сплетничали о любовных похождениях восьмидесятилетнего Гюго, рассказывали, что Вольтер спекулировал сахаром, а у Сент-Бёва была деспотическая мамаша.

Франсуа Мориак, к которому в 1913 году меня направил Франсис Жамм, писал хорошие романы о нехорошей жизни. Он католик, но в его книгах куда больше жестокой правды, чем христианского сострадания. Жена, изменив нелюбимому мужу, попыталась его отравить; он выжил и, боясь огласки, замуровал свою супругу в самодельную тюрьму, где ей предстоит сойти с ума. Многочисленная семья ждет, когда же отдаст богу душу богач адвокат, а он, старый, больной, живет наперекор всему, его вдохновляет желание лишить своих наследников наследства. Разбирая роман Мориака, критик Эдмон Жалу писал: «Наследство и завещания — самые основные и самые традиционные черты французской жизни».

Я часто думал, что старый мир, с его мастерством, с библиотеками и музеями, как герои Мориака, живет одним: не хочет ничего оставить своим наследникам. А прочитав статью в «Литгазете» или встретившись с рапповцами, я говорил себе, что есть люди, которые не хотят наследства, беспризорные, облеченные властью цензоров и прокуроров.

Дюамель и Дюртен, побывав в Москве, написали о своей поездке книги умные, миролюбивые, даже, как теперь говорят, «прогрессивные». Я бывал иногда у Дюртена; он говорил о нашей стране приветливо, чуть снисходительно, пытаясь оправдать все, что ему не понравилось, не только особенностями русской истории, но и загадочностью «славянской души». В Париж приехала из Ленинграда О. Д. Форш. Как-то мы обедали втроем: Ольга Дмитриевна, Дюамель, я. Дюамель дружески нам объяснял, что в итоге все образуется, Советская Россия, остепенившись, станет полуевропейским государством; следует только переводить побольше французских книг. Почему-то он вспомнил «версты» в старых русских романах и сказал, что Французская революция дала миру метрическую систему, хорошо, что теперь и русские ее приняли... Когда Дюамель ушел, мы рассмеялись. Нам нравились его книги, а рассмешила наивность: видимо, он убежден, что своим сантиметром сможет измерить наши дороги...

В редакции журнала «Монд» я встречал Барбюса. Он написал тогда книгу о Христе. На него накинулись друзья: «идеализм», «мистика». А для правых он оставался неисправимым коммунистом. Он часто болел, говорил порывисто, глухо, тонкими руками аристократа что-то рисовал в воздухе.

Помню ужин, устроенный Пен-клубом в честь иностранных писателей. Председательствовал Жюль Ромен; в своей речи он постарался каждому из гостей сказать что-либо приятное. Меня он назвал «полупарижанином», а Бабелю сказал: «Вас можно поздравить с переводом вашей книги на французский язык». Он отнюдь не хотел показаться высокомерным, просто он думал, что на дворе стоит век Людовика XIV, Ришелье и Корнеля. (В 1946 году я возвращался из Америки на пароходе «Иль де Франс». На палубе можно было встретить беженцев из различных стран Европы, которые после долгих лет, проведенных в эмиграции, возвращались на родину; среди них я увидел и Жюля Ромена...)

Ужин Пен-клуба я вспоминаю с благодарностью — там я познакомился с Джойсом и с итальянским писателем Итало Свево. Они были давними друзьями: Джойс много лет прожил в Триесте, а Итало Свево (его настоящее имя Этторе Шмитц) был триестинцем. За столом они сидели рядом, оживленно беседовали.

Джойс был уже знаменит, его «Улисс» казался многим новой формой романа; его сравнивали с Пикассо. Меня удивила его простота — французские писатели, достигшие славы, держались иначе. Джойс шутил, чуть ли не сразу рассказал мне, как, приехав юношей впервые в Париж, он пошел в ресторан; когда подали счет, у него не оказалось чем заплатить, он сказал официанту: «Я вам оставлю расписку, в Дублине меня знают». А тот ответил: «Да я тебя знаю, и вовсе ты не из Дублина, ты уже четвертый раз жрешь здесь за счет прусской принцессы...» Он по-детски смеялся.

Это был человек не менее своеобразный, чем его книги. Он плохо видел — страдал болезнью глаз, но говорил, что хорошо запоминает голоса. Любил выпить, страдал тем недугом, который издавна знаком русским писателям. Работал исступленно и, кажется, ничем в жизни не увлекался, кроме своей работы. Мне рассказали, что, когда началась вторая мировая война, он в ужасе воскликнул: «А как же я теперь допишу мою книгу?..» Жена относилась к его занятиям с иронией, не prочитала ни одной из его книг. Он покинул Ирландию в ранней молодости, не хотел возвращаться на родину, жил в Триесте, в Цюрихе, в Париже и умер в Цюрихе, но о чем бы ни писал, всегда ощущал себя в Дублине. Мне он представлялся честным, фанатичным в своей работе, гениальным и вместе с тем ограниченным «перемудрами» ирландским Андреем Белым, но без ощущения истории, без мессии и миссии, необычайным насмешником, которого принимали за пророка, Свифтом по отпущенному ему дару, только Свифтом в пустыне, где нет даже лилипутов.

Итало Свево, в отличие от Джойса, был мало кому известен; редкие французы оценили его роман «Цено». Он был на двадцать лет старше Джойса, и я с ним познакомился за год до его смерти. Свево часто называли дилетантом: он был промышленником, за всю свою жизнь написал всего несколько книг. Но роль его в разрушении старых форм романа бесспорна; его имя нужно поставить рядом с Джеймсом, Марселем Прустом, Джойсом, Андреем Белым. Он много говорил мне о влиянии, которое оказал на него русский роман XIX века. Джойс исходил в романах от своего душевного опыта и от музыкальной стихии, людей не знал, да и не хотел знать. Свево мне рассказывал, что Стефан Дедал, герой романа «Улисс», должен был называться Телемахом; Джойс любил имена-символы, а Телемах по-гречески означает «далекий от борьбы». Итало Свево, наоборот, искал вдохновения в жизни, пополнял наблюдения своими собственными переживаниями, но никогда их не суживал до своего «я».

Иногда я встречал Шарля Вильдрака, доброго и неизменно огорченного то событиями, то отсутствием событий. Жан-Ришар Блок спрашивал себя и других, как ему примирить Ницше с Толстым, а русскую революцию с Ганди.

Жорж Дюамель.
Жюль Ромен.
Джеймс Джойс. Дружеский шарж А. Гоффмейстера.
Илья Эренбург и Сергей Эйзенштейн. Париж. 1930 г.
С. Эйзенштейн на съемках фильма «Старое и новое». 1926 г.

Я познакомился с молодыми писателями — Арагоном, Десносом, Мальро, Шамсоном, Кассу; о некоторых из них я расскажу впоследствии. А тогда я их недостаточно знал и, главное, плохо понимал.

Сюрреалисты еще не могли расстаться с толкованием снов, с пророчествами, с культом подсознательного. Они устраивали шумные вечера, выступали с ультрареволюционными манифестами, срывали чествования — все это напоминало наших ранних футуристов.

Потом я подружился с некоторыми французскими писателями, а в те годы мне трудно было с ними разговаривать — не было общего языка. Многие из них мечтали о буре, но буря для них была отвлеченным понятием: для одних — апокалипсическим светопреставлением, для других — театральной постановкой. А меня мутило на твердой земле, так иногда бывает после сильной качки.

Андре Жиду было тогда под шестьдесят. Андре Мальро около тридцати, но оба казались мне то подростками, еще не хлебнувшими горя, то стариками, отравленными не спиртом или никотином, а книжной мудростью.

В маленькой уютной квартире Андре Шамсона мы беседовали о новых романах, о чувстве города или о влиянии кино на литературу. Все писатели, с которыми я встречался, восхищались русской революцией, восхищались, как далеким, необычайным явлением природы.

Мне вспомнился забавный эпизод. Богатый литератор, один из владельцев «Лионского кредита», Андре Жермен, любил устраивать у себя приемы. Был он педерастом, и это, кажется, единственное, чему он в жизни не изменил. В конце двадцатых годов он слыл «большевизаном». Задыхаясь, он прибежал к Любе, сюсюкал: «Я вас умоляю, приведите ко мне ваших пролетарских поэтов, я устрою чай!.. Ах, они так прекрасны!..» В Париже тогда гостили Уткин, Жаров и Безыменский. (Пять лет спустя Андре Жермен писал: «Самая характерная черта нацистов — это идеализм. Геббельс прекрасен странной красотой, у него лицо аскета и одержимого, он вдохновлен своими идеями».)

Андре Жермен, конечно, карикатура. Что касается настоящих писателей, то, восторгаясь «Конармией», они удивленно разглядывали Бабеля: этот «красный казак» превосходно говорит по-французски, умен, но в искусстве ретроград — любит, например, Мопассана! Прие-

хал С. М. Эйзенштейн. Я был в Сорбонне на его вечере; должны были показать «Броненосец «Потемкин», но префект показ картины запретил, и Эйзенштейн на безупречном французском языке в течение двух или трех часов беседовал обо всем, зло шутил, потряс зал своей эрудицией.

В Париже выходила ежедневная газета «Комеди»; в ней было мало политических новостей; полосы отводились театру, книгам, выставкам. Однако политика сказывалась в рассуждениях о пьесах или о романах. Однажды я прочитал в этой газете раздраженную статью о моей книге «Заговор равных», вышедшей во французском переводе. Критик заканчивал статью словами: «Было бы лучше, если бы госпожа Илья Эренбург вместо того, чтобы заниматься французской революцией, дала нам рецепт для приготовления русского борща». Имя «Илья» сбило критика с толку, он принял его за женское. Конечно, не поэтому его рассердила моя книга: не зная, кто я, он хорошо знал, кем был Бабёф. Я решил послать в газету шутливое опровержение: указал, что я не дама, а кавалер, но все же могу дать критику-гурману рецепт, который его интересует. Правда, я не знал, как готовить борщ, но меня выручила Эльза Юрьевна Триоле. Критик не растерялся, моего письма он не опубликовал, а в примечании к очередной статье сообщил читателям, что Илья Эренбург оказался мужчиной — «большевики перепутали все, вплоть до мужского и женского пола». А в гастрономической рубрике редакция опубликовала рецепт для приготовления борща с примечанием: «Любезно предоставлен нам господином Ильей Эренбургом». Я, кажется, слишком часто рассказываю, как критики меня сердили; вот я и припомнил, как порой они меня развлекали.

По вечерам мы шли на Монпарнас. «Ротонду» оккупировали американские туристы; мы сидели в «Доме» или в «Куполе». Приходили туда некоторые старые художники — Дерен, Вламинк; они были когда-то «дикими», сокрушали классическое искусство, но к концу двадцатых годов успели поуспокоиться; нам они казались большими старыми деревьями, переставшими плодоносить. Я подружился с американским скульптором Кальдером, огромным, веселым парнем; он был большим затейником, работал над жестью, над проволокой. Он сделал из проволоки портрет моего любимца, шотландского терьера Бузу. Иногда я видел Шагала; он писал теперь не витебских евреев, летающих над крышами, а голых красавиц верхом на петухах, с Эйфелевой башней или без. Норвежец Пер Крог молча курил трубку. Паскин, окруженный яркими крикливыми женщинами, пил виски и что-то рисовал на клочках бумаги.

Подсаживались к нашему столику молодые художники. Я слышал разговоры о фактуре, о том, что небо на пейзаже чересчур тяжелое, что левый угол не дописан...

Приходил в кафе «Дом» петербургский искусствовед и режиссер К. Миклашевский. Он написал книгу «Гипертрофия искусства». Я частенько вспоминал эти слова: искусство меня окружало со всех сторон, и хотя оно было, да и остается самой большой страстью моей жизни, я порой холодел — мне казалось, что я в паноптикуме и вокруг фигуры из воска.

Не знаю, в моей ли это натуре или присуще всем, но в Париже и в Москве я ко многому по-разному относился. В Москве я думал о праве человека на сложную душевную жизнь, о том, что искусство нельзя подогнать под одну колодку; а в Париже конца двадцатых годов я задыхался — уж слишком много было словесных усложнений, нарочитых трагедий, программной обособленности.

Поль Валери прав — полюсы не похожи ни на Парнас, ни на Геликон, ни на обыкновенный холмик умеренной зоны. Но мне мерещились другие полюсы, нежели Полю Валери: свобода без справедливости или справедливость без свободы, журнал парижских эстетов «Коммерс» или «На литературном посту». (Несколько лет спустя Жан Ришар Блок, выступая на Антифашистском конгрессе писателей, говорил о подлинной и иллюзорной свободе художника: подлинная свобода — в уважении обществом его своеобразия, его индивидуальности, его творчества; иллюзорная — в тщетном стремлении жить вне общества.)

В прошлом столетии люди знали полярное сияние; русские поэты издавали «Полярную звезду». Полюсы были обследованы в XX веке. Березы, дубы, оливы, пальмы растут между Арктикой и Антарктикой, это знает каждый, и каждому должно быть понятно, что можно долететь до полюса, можно через него перелететь, но жить на нем очень трудно.

19

Я познакомился с поэтом Робером Десносом в 1927 году, а встречались часто мы позднее, в 1929—1930 годах. Никогда он не был моим другом, но он меня привлекал страстностью и в то же время мягкостью,

Автопортрет художника Андре Дерена.

Полицейский — скульптура Кальдера.

Обнаженная на петухе. Марк Шагал. 1925 г.

Робер Деснос в кафе «Дом» (первый слева).

человечностью — ничего в нем не было от профессионального литератора. Потом, он не походил на французов, с которыми я встречался, старавшихся все усложнить, или, как говорят во Франции, «расщепить волос на четыре части». Еще царил культ герметической поэзии, когда Деснос заявил о необходимости понять и быть понятым.

Деснос был одним из самых неистовых приверженцев раннего сюрреализма. Он сразу отозвался на догму «автоматизма» творчества, преклонения перед сновидениями. В шумном кафе он вдруг закрывал глаза и начинал вещать — кто-нибудь из товарищей записывал. Ему было тогда двадцать два года, и я знаю об этом из рассказов других.

А в 1929 году сюрреализм начал раскалываться, и, как ни старался Андре Бретон, которого шутя называли «папой сюрреализма», сохранить единство группы, поэты разбрелись в разные стороны. Вопреки своему названию, сюрреализм был не взлетом, а хорошей стартовой площадкой и, несмотря на шумливую наивность первых деклараций, дал таких поэтов, как Элюар и Арагон.

В 1930 году Деснос заявил: «Сюрреализм, такой, каким его подносит Бретон,— одна из главных опасностей для свободного мышления, коварная западня для атеизма, лучший подручный для возрождения католицизма и церковного духа».

Что меня подкупало и в его стихах, и в нем самом? Отвечу словами Элюара: «Из всех поэтов, которых я знал, Деснос был самым непосредственным, самым свободным, он был поэтом, неразлучным с вдохновением, он мог говорить, как редко кто из поэтов может писать. Это был самый смелый изо всех...»

Я говорил, что мы иногда встречались; несколько раз он приходил ко мне на бульвар Сен-Марсель (консьержка, считавшая и меня и всех приходивших ко мне людьми подозрительными, крикнула Десносу, чтобы он вытер ноги; он ей спокойно ответил: «Мадам, вы ж...»). Как-то был я в его мастерской на улице Бломе, возле негритянской танцульки. Помещение было завалено неописуемой рухлядью, которую он зачем-то приобретал на «блошином рынке» — так называется парижская толкучка. У меня осталась в памяти ужасающая сирена из воска. Десносу она очень нравилась. (Много лет спустя я прочитал его стихи: Юки женщину, которую он любил, он называл «сиреной», а себя — «морским коньком».)

Деснос пытался зарабатывать на жизнь журналистикой — был репортером в «Пари-матиналь» у Мерля, потом в других газетах. Он узнал, что такое власть денег, писал: «Разве газета печатается краской? Может быть, но пишут ее главным образом нефтью, маргарином, углем, хлопком, каучуком, если не кровью...»

Деснос много писал о любви и одну из лучших своих книг назвал «Ночь ночей без любви». Он нашел свою сирену. Я знал Юки; красивая, очень живая, она часто приходила на Монпарнас со своим мужем, старым завсегдатаем «Ротонды», японским художником Фужитой. Фужита уехал в Японию, и Юки стала женой Десноса. Он был в своей любви трогательным, с той легкой иронией, которая неотъемлема от романтизма. Когда в 1944 году гестаповцы его арестовали и отправили в пересыльный лагерь, он оттуда писал Юки: «Моя Любовь! Наша боль была бы нестерпимой, если бы мы не принимали ее как болезнь, которая должна пройти. Наша встреча после разлуки украсит нашу жизнь, по крайней мере, на тридцать лет... Я не знаю, получишь ли ты это письмо ко дню твоего рождения. Я хотел бы тебе подарить 100 000 сигарет, двенадцать чудесных платьев, квартиру на улице Сен, машину, домик в Компьенском лесу, дом на острове Беллиль и маленький букетик ландышей за четыре су...» Если подумать, где он это писал и что у него было на сердце, станут понятными мои слова о романтической иронии — это не литературный прием, а душевное целомудрие. Его последние стихи, написанные в «лагере смерти», обращены к Юки:

> Я так мечтал о тебе,
> Я столько шел, столько говорил,
> Я так любил твою тень,
> Что у меня ничего не осталось от тебя,
> Я теперь тень,
> Тень среди теней,
> Во сто крат больше
> Тень всех теней,
> Только тень,
> Тень будет ходить,
> Тень будет приходить
> В твой солнечный день...

В 1931 году Деснос, которому опротивели газеты, поступил на службу в контору, занимавшуюся подысканием квартир. В его биографии мало живописных эпизодов — стыдливость цензуровала жизнь.

Еще в то время, когда он работал в газете, его послали на Кубу — там был какой-то конгресс. Деснос влюбился в народную музыку, рассказывал, напевал, барабанил по столу. Он захотел подражать анонимным поэтам Кубы, начал сочинять куплеты-песенки.

В 1942 году Деснос написал «Куплеты об улице Сен-Мартен» (он там родился). В то время парижане узнали, что такое звонок или стук в дверь перед рассветом...

Улица Сен-Мартен у меня была,
Улица Сен-Мартен мне теперь не мила,
Улица Сен-Мартен даже днем темна,
Не хочу от нее и глотка вина.
У меня был друг Платар Андре.
Платара Андре увели на заре.
Крышу и хлеб мы делили года.
Увели на заре, кто знает куда.
Улица Сен-Мартен, много крыш и стен.
Но Платар Андре не на Сен-Мартен...

В последний раз я встретил Десноса не то весной, не то летом 1939 года; был очень жаркий день, мы сидели на пустой террасе кафе и говорили, разумеется, о том, о чем тогда говорили все: будет война или не будет?.. Деснос был печален. А когда мы расставались, выругался: «Дерьмо! Чистое дерьмо!» Не знаю, к кому это относилось: к Гитлеру, к Даладье, к судьбе?

Когда после войны я приехал в Париж, мне рассказали, что Деснос умер в концлагере. Потом я узнал подробности. Он участвовал в Сопротивлении, не только писал политические стихи, но и собирал сведения о передвижении немецких войск. 22 февраля 1944 года его предупредили по телефону: «Не ночуйте дома...» Деснос побоялся, что если он скроется, то возьмут Юки. Он спокойно открыл дверь.

Когда его привезли на улицу Соссэ, где помещалась Сюртэ, молодой фашист гаркнул: «Снимите очки!» Деснос понял, что это означает, сказал: «Мы с вами разного возраста. Я предпочел бы без пощечин — бейте кулаком...»

Крупный гестаповец, ужиная с некоторыми французскими писателями, журналистами, рассказывал о последних арестах: «В Компьенском лагере теперь, представьте себе, поэт! Сейчас я вам скажу... Робер Деснос. Но я не думаю, чтобы его выслали...» Тогда журналист Лебро, хорошо всем нам известный (он потом удрал в Испанию), воскликнул: «Его мало выслать! Его нужно расстрелять! Это опасный субъект, террорист, коммунист!..»

Деснос в казарме. 1940 г.
Юки. На стене портрет Десноса художника Лябиса.

Из Компьена Десноса отправили в Освенцим. Некоторые из заключенных чудом выжили; они рассказывают, что Деснос старался приободрить других. В Освенциме, увидев, что товарищи впали в отчаяние, он сказал, что умеет гадать по руке, и всем предсказал долгую жизнь, счастье. Он что-то бормотал — писал стихи.

Советские войска быстро продвигались на запад. Гитлеровцы погнали заключенных в Бухенвальд, потом в Чехословакию, в лагерь Терезин. Отощавшие люди едва шли; эсэсовцы убивали отстававших.

Третьего мая Советская Армия освободила заключенных в лагере Терезин. Деснос лежал больной сыпняком. Он долго боролся со смертью: любил жизнь, хотел жить. Молодой чех Иозеф Штуна, работавший в госпитале, увидел в списках имя Робера Десноса. Штуна знал французскую поэзию, подумал: может быть, тот?.. Деснос подтвердил: «Да. Поэт». Последние три дня жизни Деснос мог беседовать со Штуной и с санитаркой, которая знала французский язык, вспоминал Париж, молодость, Сопротивление. Он умер восьмого июня.

Теперь я хочу рассказать об одной беседе с Десносом, которая мне запомнилась. Эта беседа для меня приобрела новый смысл после того, как я прочитал стихи, написанные Десносом в концлагере, узнал о последних месяцах его жизни.

Мы случайно встретились на бульваре Пор-Рояль. Я жил тогда на улице Котантен возли вокзала Монпарнас; но почему-то мы пошли в сторону Сен-Марселя и оказались в кофейне при мечети. Там было темно и пусто. Это было в 1931 году, когда Деснос был счастлив: он нашел Юки, много писал, да и внешне как-то успокоился.

Не знаю почему, мы заговорили о смерти. Обычно люди избегают таких разговоров, каждый предпочитает об этом думать в одиночку.

Я признался, что о многом пережитом в зрелом возрасте умолчу — о том, что в общежитии называют «сердечными делами»; мне трудно рассказывать также о некоторых размышлениях, которые по своему характеру связаны с молчанием. Но, начиная эту главу, я подумал: неужели я буду писать только о «гримасах нэпа» или о борьбе за каучук? Конечно, все это меня волновало, но жизнь шире, да и сложнее. О смерти я думал и ребенком, когда она меня пугала, и юношей — с двойным чувством ужаса и притяжения, но неизменно с романтическими прикрасами. Потом я вдруг понял: нужно мужественно подумать, связать смерть с жизнью.

И все же я никогда не начал бы того разговора, начал его Деснос, и начал неожиданно — не с мыслей о своем конце, а с длинных рассуждений о космосе, о материи. Он как будто обрел новую веру: «Материя в нас становится мыслящей. Потом она возвращается к своему состоянию. Гибнут планеты, наверно, гибнет и жизнь на других небесных телах. Но разве от этого мысль становится ниже? Разве временность лишает жизнь смысла? Никогда!..»

Недавно я получил исследование о поэзии Десноса, изданное Бельгийской академией. Автор, Роза Бюшоль, приводит неопубликованный сонет Десноса, написанный им в концлагере:

Взгляни — у бездны на краю трава,
Послушай песнь — она тебе знакома,
Ее ты пела на пороге дома.
Взгляни на розу. Ты еще жива.
Прохожий, ты пройдешь. Умрут слова,
Глава уйдет разрозненного тома.
Ни голоса, ни жатв, ни водоема.
Не жди возврата. Ты блеснешь едва.
Падучая звезда, ты не вернешься,
Подобно всем, исчезнешь, распадешься,
Забудешь, что звала собой себя.
Материя в тебе себя познала.
И все ушло, и эхо замолчало,
Что повторяло «я люблю тебя».

Этот сонет написан в той обстановке, когда ложь или поза бесполезны. Деснос видел газовые камеры, куда уводили каждый день партию заключенных. Размышляя в стихах о близкой смерти, он повторил то, что сказал мне в дни своего счастья. До чего он любил жизнь, друзей, Юки, стихи, Париж, красные флаги на площади Бастилии, серые дома!..

Эхо замолкло. Но ничто не проходит бесследно: ни стихи, ни мужество, ни тень среди теней, ни беглый свет вспыхивающей звезды. Я мало пригоден для философии, редко думаю об общем; это, наверно, один из самых больших моих недостатков. Но иногда я пытаюсь осознать с какой-то яростью упущенного времени то, что люди называют смыслом или значением жизни: сюда входят, конечно, и ропот «мыслящего тростника», и эхо, которое Деснос слышал до последней минуты,— слова любви, жар сердца.

20

В семнадцать лет я старательно штудировал первый том «Капитала». Позднее, когда я писал «Стихи о канунах», а ночью работал на товарной станции Вожирар, я возненавидел капитализм; это была ненависть поэта и люмпен-пролетария. В советских газетах я читал о «монополистах», «империалистах», «акулах капитализма» — таковы были клички знакомого мне и вместе с тем таинственного дьявола. Я захотел поближе разглядеть сложную машину, которая продолжала изготовлять изобилие и кризисы, оружие и сны, золото и одурь, понять, что за люди «короли» нефти, каучука или обуви, какие страсти их воодушевляют, проследить их загадочные ходы, от которых зависят судьбы миллионов людей.

Я начал работу в 1928 году, а кончил в 1932-м; четыре года я положил на то, что назвал «Хроникой наших дней». Я написал: «10 л. с.», «Единый фронт», «Король обуви», «Фабрика снов», «Хлеб наш насущный», «Бароны пяти магистралей».

Мне пришлось изучать статистику производства, отчеты акционерных обществ, финансовые обзоры; беседовать с экономистами, с дельцами, с различными проходимцами, знавшими подноготную мира денег. Ничего отрадного в этом не было, и я понимал, что начатая работа не принесет мне ни славы, ни любви читателей.

В моей личной жизни происходили события, о которых я не стану рассказывать; скажу только, что часто мне хотелось писать не о бирже, а о больших человеческих чувствах, но я сердито себя обрывал. Разведчика посылают на вражескую территорию, это труд неблагодарный, порой опасный, но он связан с профессией человека. Никто меня никуда не посылал, никто не заказывал мне книг о борьбе трестов; я сам себя осудил на это занятие.

Газеты писали о том, что знаменитая кинозвезда Пола Негри разводится с мужем — грузинским князем, о том, что принц Уэльский упал с лошади, что писатель Морис Бедель рассказал, как спортивно, без переживаний норвежские фрекен проводят ночи с галантным французом, что Примо де Ривера холодно разговаривал с испанским королем, что в состязании на длительность танца победила чета Смитс, протанцевавшая чарльстон без перерыва двадцать часов подряд.

Куда более серьезные события развертывались за кулисами. Шла, например, война между Англией и Америкой, война без танков, без бомбежек, но со множеством жертв. Каучук, главным производителем которого была английская колония Малайя, упал катастрофически в цене. Тогда министр финансов Великобритании Уинстон Черчилль начал битву; специалисты ее называли «планом Стефенсона»: площадь, засаженная гевеями, сужалась или расширялась в зависимости от мировых цен на каучук. Напрасно Стюарт Готшкинс, вице-председатель «Американской каучуковой компании», пытался договориться с Черчиллем. Напрасно президент Соединенных Штатов Гувер восклицал: «Вмешательство государства прежде всего безнравственно!» Плантации сжимались, и каучук рос в цене. Сотни тысяч малайцев, лишившись нищенского заработка, умирали с голоду. Американцы нажимали на Гаагу — второй страной по производству каучука была Индонезия, принадлежавшая голландцам.

Обложка книги И. Эренбурга «Хроника наших дней».
Обложка книги И. Эренбурга «13 трубок». Художник Хартфильд.

В Соединенных Штатах гевеи не могут расти, но эти деревья оказались в крохотной Никарагуа. На беду, маленькая республика попыталась отстоять свою независимость. Времена меняются. В 1961 году нападение на Кубу возмутило мир. Иначе было в 1929 году. Генерал Сандино напрасно взывал: «Вчера авиация обстреляла четыре деревни. Янки скинули свыше сотни бомб. Убиты семьдесят два человека, среди них восемнадцать женщин. Позор убийцам женщин! Янки хотят проглотить Никарагуа, как они проглотили Панаму, Кубу, Порто-Рико. Братья, вспомните о Боливаре, о Сан-Мартине! Отечество в опасности!..» Американцы лаконично сообщали: «Наш экспедиционный корпус вчера окружил одну из банд Сандино. Преступники уничтожены. Наши потери незначительны».

Шла и другая война — за нефть — «Роял-Детч» с американским трестом «Стандарт-ойл», сэра Генри Детердинга с мистером Тиглем. Враги заключили перемирие для совместных действий против Советского Союза.

Швед Ивар Крейгер, талантливый авантюрист, романтический шулер, король спичек, раздавив конкурентов, бросил вызов Москве; у него был темперамент Карла XII.

Форд воевал с «Дженерал моторс», «Дженерал электрик» с «Вестингаузом». Магнаты железных дорог опрокидывали правительства Франции. Король обуви Томас Батя глядел свысока на президента Чехословакии.

Я видел, как парижские маклеры организовывали биржевую панику; в Швеции я был на заводах Крейгера; в Лондоне взглянул на сэра Генри.

Детердинг был голландцем. Он уехал на Яву искать счастье и прозябал в банке как мелкий клерк. Но счастье нашлось — его взяли на службу в контору «Роял-Детча». Пять лет спустя Детердинг стал директором, десять лет спустя — королем нефти. Он проник в Мексику, в Венесуэлу, в Канаду, в Румынию. Англичане ему пожаловали титул баронета, и он превратился в сэра Генри. Дельфтский университет присвоил ему звание доктора «гонорис кауза». Каждый год он приезжал на свою родину в день рождения королевы, и королева восхищенно улыбалась. Он содействовал переворотам в Мексике, в Венесуэле, в Албании.

Наверно, он считал себя нефтяным Наполеоном: он не раз говорил, что его миссия — поставить на колени строптивую Россию. Он скупил за гроши акции бывших владельцев нефтяных промыслов в Баку и называл советскую нефть «краденой». Он организовал налет на «Аркос» и разрыв дипломатических отношений между Англией и Советским Союзом. Ему удалось добиться удаления из Парижа советского посла Раковского. Он давал деньги сторонникам Гитлера, одобрял книги Розенберга, устроил набег на «Дероп», торговавший советской нефтью, наладил в Берлине мастерскую, где печатали фальшивые червонцы; он не брезгал ничем. Он встречался с Красиным и предлагал ему мир. Он встречался с Гитлером и предлагал ему войну. Он рекомендовал Чемберлену договориться с Риббентропом.

Это был крепкий, энергичный человек, чуть ли не до смерти он катался на коньках, курил в трубке дешевый матросский табак. Женился он на русской эмигрантке. В Париже была гимназия имени леди Лидии Детердинг, где обучались дети бывших бакинских королей нефти. Нервы у него были солидные; когда разразился мировой кризис, он не пал духом. Однажды журналист спросил его, что самое важное в жизни. Сэр Генри коротко ответил: «Нефть».

Ивар Крейгер построил империю из спичечных коробок. Он давал советы Пуанкаре, как стабилизовать франк, помогал полякам проводить «санацию». На Уолл-стрите он считался самым одаренным из бизнесменов, притом джентльменом, образцом честности, спокойствия, благородства. В Чили он закрыл спичечные фабрики и выбросил рабочих на улицу, в Германии убедил социал-демократов запретить ввоз спичек, чтобы оградить рабочих от безработицы: в годы инфляции он скупил немецкие фабрики. Греческий диктатор Пангалос ему скорее нравился, но Пангалос не захотел предоставить ему спичечную монополию, и Крейгер содействовал очередному перевороту. Он помог свергнуть правительство Боливии. Он ненавидел русских: они осмеливаются не только изготовлять у себя спички, но и вывозить их за границу. Он был вполне светским человеком, мог беседовать о Фрейде или об Уайльде.

В 1930 году вышла моя книга о короле спичек; в отличие от других моих книг того времени (документальных), «Единый фронт» — роман с ключом. Ивар Крейгер в романе назывался Свеном Ольсоном. Не знаю почему, но я решил похоронить короля спичек, он умирал, поговорив о французском премьере Тардье. Роман перевели на различные языки. Шел 1931 год; мировой кризис рос. Крейгер нервничал; он пытался объяснить публике падение акций «большевистскими интригами»; в некоторых газетах появились статейки о том, что я хочу погубить короля спичек. Это было настолько глупо, что я не мог даже возгордиться.

Правительства во Франции быстро менялись, но Тардье еще был премьером, когда в 1932 году Ивар Крейгер застрелился. Его секретарь барон фон Драхенфельс писал в своих воспоминаниях, что накануне самоубийства на ночном столике короля спичек он видел мою книгу.

Крейгера похоронили с почестями; газеты называли его «невинной жертвой мирового кризиса». Шведский парламент объявил мораторий. Вдруг выяснилось, что Крейгер подделывал итальянские облигации; благородный джентльмен оказался шулером.

Я писал также о главе американской фирмы «Кодак» Джордже Истмэне. Его карьера началась с лозунга: «Нажмите кнопку, мы сделаем остальное» — он рекламировал фотоаппараты для любителей. В 1896 году он вытянул счастливый билет, он писал Эдисону: «Нас запрашивают касательно так называемых живых фотографий». Он начал изготовлять кинопленку. Он неслыханно разбогател, но его ждали испытания: на его пути встала «Агфа» — разветвление концерна «ИГ». Немцы повели наступление, заручились поддержкой Форда и «Нэшионел сити бэнк», начали строить фабрики в Соединенных Штатах. Истмэн не растерялся, принял бой. Его капиталы росли. Он обожал музыку и жертвовал миллионы на различные музыкальные институты. Рабочих он держал в черном теле.

Ему было пятнадцать лет, когда он открыл текущий счет в банке, ему было семьдесят семь, когда он решил его закрыть. К нему приехали гости, говорили о музыке и, разумеется, о кризисе. Джордж Истмэн вышел в соседнюю комнату и застрелился. Может быть, он вспомнил афоризм своей молодости: «Нажмите кнопку, мы сделаем остальное»?

Многие из подлинных героев моих книг кончили жизнь самоубийством, как будто они были не седыми, опытными дельцами, а молодыми влюбленными или поэтами. Капитализм пережил мировой кризис, а некоторые капиталисты оказались куда более хрупкими: что же, они были людьми. Начал Крейгер — в марте 1932-го. Месяц спустя покончил с собой король бритв в Шеффилде. Он хвастал, что бреет весь мир, а сам носил бороду и застрелился из старого охотничьего ружья. В мае того же года покончил с собой один из королей стали, Дональд Пирсон. Во время войны он подарил американскому правительству крейсер; он изучал способы борьбы с подводными лодками. Он оставил записку, где говорил, что устал жить.

В том же мае в Чикаго выбросился на мостовую король мясных консервов Свифт. Акции мясного треста за неделю упали с семнадцати долларов до девяти. Сын самоубийцы, стремясь спасти деловую репутацию треста, клялся, что отец случайно выпал из окна.

Личный самолет Бати стоял наготове. Погода была нелетной, и летчик пытался уговорить короля обуви повременить. Батя нервничал. Самолет поднялся над Злином и упал.

О Томасе Бате я должен рассказать: он отнял у меня немало времени.

Король обуви был сыном мелкого сапожника, ездил по деревням — торговал ботинками, потом уехал в Америку и там многому научился. Разразилась война. Батя стал обувать австро-венгерскую армию. Город Злин напоминал тюрьму: на фабрике Бати работали запасные и военнопленные. Настал мир, и Батя сказал: «Мы должны осушить слезы матерей, которые хотят видеть своих детей обутыми». Он любил афоризмы и, став королем обуви, украсил стены цехов надписями: «Будем веселыми», «Надо работать, надо иметь цель», «Жизнь не роман». На конвертиках, в которых рабочим выдавали зарплату, значилось: «Научитесь делать деньги из вашего тела». Некоторые афоризмы Бати предназначались для потребителей; помню, рядом красовались два его изречения: «Моя обувь никогда не натирает мозолей» и «Не читайте русских романов — они вас лишают радости жизни».

Когда я попросил разрешения Бати осмотреть королевство, он ответил: «Я не показываю моих фабрик представителю враждебной державы». (Я все же увидел его вотчину.) У Бати была мания величия; он расписался на скелете мамонта; он объявил «пятилетний план Томаса Бати». Он отказался признавать профсоюзы и организовал свою собственную полицию. Рабочим он платил мало и заполнил мир дешевой обувью. Не было, кажется, города без вывески с четырьмя буквами: «Батя». Он был католиком и ненавидел коммунистов.

Прочитав мой очерк, посвященный порядкам в Злине, Батя рассердился и подал на меня в суд. Статья была напечатана в Германии, и судить меня должны были немецкие судьи. Батя наложил арест на причитавшиеся мне деньги — за переводы книг, за фильм.

Батя любил судиться, он возбудил два процесса — гражданский и уголовный. В гражданском суде он требовал с меня полмиллиона марок (никогда в жизни я не видел таких денег). От уголовного суда Батя добивался, чтобы меня присудили к тюремному заключению за диффамацию.

Батя нанял хороших адвокатов. Пришлось и мне обратиться к адвокату. У меня нашлись защитники: рабочие Злина. Они прислали мне документы, фотографии, подтверждавшие достоверность моего очерка. Рабочие издавали нелегальный журнал «Батовак», где описывали жестокие методы короля обуви, произвол созданной им полиции. Я представил суду и комплект журнала.

Адвокат Бати явился на судебное заседание с переводом «Хулио Хуренито», цитировал роман, чтобы доказать мой цинизм, заверял суд, что я не только занимался дрессировкой кроликов, но и служил кассиром в публичном доме мистера Куля. Адвокат ссылался также на статьи некоторых московских критиков: «Даже в коммунистической России люди возмущаются безнравственностью и беспринципностью человека, который осмелился оклеветать уважаемого Томаса Батю!..»

Суд потребовал от сторон дополнительных данных. Самолет Томаса Бати разбился. В Германии к власти пришел Гитлер. Нацисты сожгли мои книги и закрыли магазины Бати. Что касается моего весьма скромного гонорара, на который был наложен арест, то эти мизерные деньги достались не наследникам Томаса Бати, а третьему рейху.

Я начал писать о трестах и различных королях в последний год тучных коров. Внезапно разразился мировой кризис, и в дальнейших книгах мне пришлось описывать годы тощих коров.

Теперь я скажу о коровах — не иносказательных, но доподлинных фюненских красных коровах, хотя конец этой истории относится к 1933 году и мне снова придется забежать вперед.

Летом 1929 года американцев взволновало небольшое газетное сообщение: в Америке излишек пшеницы превышал двести сорок тысяч бушелей. Вскоре выяснилось, что в Канаде, в Австралии, в Аргентине, в Венгрии тоже чересчур много хлеба. Цены на пшеницу катастрофически падали. Фермеры разорялись и нищенствовали.

Слова о том, что в мире было чересчур много хлеба, не следует понимать буквально. Голодали целые материки. В мире было сорок миллионов зарегистрированных безработных. Импорт пшеницы в западноевропейские страны сократился в семь раз.

В Риме собралась конференция представителей сорока шести государств, которые обсуждали, что делать с излишками пшеницы. Это было весной 1931 года. Безумие овладело всеми. В Бразилии жгли кофе. В Соединенных Штатах жгли хлопок. На конференции было предложено денатурировать пшеницу с помощью эозина: красное зерно сможет пойти на корм скоту.

Началась пропаганда: «Кормите скот пшеницей — она дешевле и питательнее кукурузы». Продолжались банковские крахи. Голодные крестьяне бросали свои поля и уходили за тридевять земель в поисках хлеба.

Коровы ели пшеницу первого сорта — манитобу или барлету. Но через несколько месяцев газеты сообщили, что в мире слишком много масла и мяса, именно поэтому люди умирают от голода.

В 1933 году я был в Дании. Я видел прежде эту страну, тихую, зеленую, зажиточную. Датчане продавали англичанам и немцам масло, мясо, бекон. На острове Лоланн, в маленьком городке Найсков, я увидел необычайную машину, которая превращала коров в круглые лепешки, предназначавшиеся для корма свиней. Машина перемалывала кости, смешивала их с мясом в массу землистого цвета. (Англия еще покупала бекон, но уже было ясно, что в мире слишком много сала и что если мировое положение не улучшится, то вскоре придется уничтожать и свиней.)

Машину мне показывал местный ветеринар, беловолосый, честный и очень печальный. Всю свою жизнь он лечил коров и не мог спокойно смотреть, как их уничтожают.

В Копенгагене я видел голодных безработных. Я знал, что такое голод, и, встречаясь с ними, отводил в сторону глаза.

У древних греков было предание о Сизифе — коринфском царе и бандите. Когда он умер, боги придумали для него страшное наказание: он должен был подымать большой камень на гору, с горы камень скатывался вниз. Сизиф грабил, убивал. Но за какие грехи сотни миллионов людей были обречены на сизифов труд? Сначала расширяли посевную площадь; потом окрашивали пшеницу эозином и давали ее коровам; потом начали уничтожать коров и кормили ими свиней...

Четыре года не прошли для меня бесследно. Не знаю, удалось ли мне что-либо показать моим читателям, но лично я многое увидел. Я и прежде ненавидел мир денег, корысти, но одной ненависти мало. Я понял, что дело не в характере людей: среди предпринимателей, финансистов, королей промышленности или финансовых магнатов были люди добрые и злые, умные и ограниченные, симпатичные и отвратительные; дело было не в их дьявольской сущности, а в бессмысленности строя. В эпоху Бальзака капиталисты были жадными, скупыми, порой свирепыми, но они строили заводы, разводили породистых коров, подымали благосостояние. Их можно было обвинить в бессердечности, но не в безумии. Прошло сто лет, и внуки героев Бальзака выглядели буйными умалишенными.

Я рад, что я это понял и продумал на пороге тридцатых годов. Человечество приближалось к эпохе больших испытаний. Вспоминая свое прошлое, я думаю о Германии Гитлера, о годах, проведенных в Испании, о войне. Одним из самых горьких испытаний для меня был конец 1937 года, когда я приехал прямо из-под Теруэля в Москву. Об этом я расскажу в следующей части моей книги, а теперь мне хочется.

сказать, что если я не мог предвидеть многого, о чем в 1956 году говорили и на съезде партии, и в любой московской квартире, то тупость, варварство, изуверство вражеского мира я хорошо изучил до Гитлера, до Герники, до сожженных деревень и коров, застреленных на полях Белоруссии...

21

Когда я работал над книгами, посвященными борьбе между различными трестами, Эжен Мерль знакомил меня с представителями делового мира, снабжал конфиденциальными материалами. Он издал французский перевод моего романа «Единый фронт». «Давайте назовем вашу книгу «Хорошего аппетита, господа!»,— вдохновенно предлагал он; я упирался; в итоге роман вышел под заглавием, придуманным Мерлем: «Акционерное общество «Европа».

Не следует думать, что Мерль был профессиональным издателем. Он иногда издавал книги; выпускал то большую ежедневную газету, то сатирический журнал, то финансовые бюллетени; писал статейки, делал дела.

В ранней молодости он был анархистом, водился с Бонно, который был налетчиком с убеждениями. Я помню, как года за три до мировой войны Париж взволновался: огромные силы полиции оцепили дом, из которого Бонно отстреливался. Анархистская газета «Либертер» тогда писала: «Вор, жулик, шантажист неизменно восстают против установленного распорядка, они правильно понимают свою роль в обществе...» Многие друзья молодого Мерля погибли. Он случайно выжил, остепенился и стал неотъемлемой частью политического, финансового, литературного Парижа, хотя не был ни депутатом, ни банкиром, ни писателем.

Твердых политических убеждений у Мерля не было, но до конца жизни он сохранял привязанность к анархистам и ненависть к правым. Не было у него и тех принципов морали, которые внушают французским школьникам с ранних лет. С сильными мира сего Мерль был бессестенчив, но к людям, обойденным судьбой, будь то неудачливый поэт или курьерша редакции, относился с любовью. Он чем-то напоминал старых разбойников, которые грабили на большой дороге и делились добычей с окрестными бедняками. Меня он привлекал не только живучестью, весельем, необычайной фантазией, но и добрым сердцем.

Родом он был из Марселя, где его отец, по имени Ангел, торговал апельсинами. Кажется, фамилия отца была Мерло. По-французски «мерль» — дрозд, и французы вместо «белой вороны» говорят о «белом дрозде». Одно время Мерль издавал сатирический журнал «Белый дрозд». Он сам походил на птицу, притом воистину редкую: в эпоху между двумя войнами, когда люди старались покрепче устроиться на земле, когда даже жулики ссылались на философию, на религию, на высокие политические идеи, Мерль порхал, иногда подбирал зернышки, на месяц или на год богател, потом снова рыскал по Парижу в поисках человека, который угостил бы его обедом; он и брал и давал деньги с легкостью, как будто расточал улыбки или срывал цветы.

Еще до того как я с ним познакомился, Париж был потрясен короткой эпопеей «Пари-матиналь» — Мерль решил издавать легкомысленную газету нового типа. Он набрал лучших журналистов. В стеклянной клетке перед толпой зевак молодой человек, Жорж Сим, писал детективный роман; написанную страницу тотчас уносили в типографию. (Жорж Сим стал потом известным писателем Жоржем Сименоном.)

С Жоржем Сименоном меня познакомил Мерль. Сименон тогда был начинающим автором детективных романов, много лет спустя он достиг совершенства, которое позволило ему приподнять презираемый жанр до уровня высокой литературы. Я не читал его романов, но мне нравился большой веселый человек, прекрасный рассказчик, неизменный курильщик трубки. Он жил на яхте, и помню, как однажды я приехал к нему на Марну. Он смешил меня причудливыми историями, но наиболее забавным мне показался его пес ньюфаундленд, огромный добряк, который пугал приезжавших к реке в жаркий день выкупаться: верный своему долгу и навыкам породы, пес несся к плававшим людям и вытаскивал их на берег. По вечерам Сименон порой заглядывал в бар «Куполь», где царил бармен Боб. Туда приходило много разных писателей — и Рене Кревель, и Вайян, и Деснос. Я там просиживал почти каждый вечер.

Недавно я разыскал часть книг, которые оставил в Париже, оккупированном немцами, у приятеля. Среди них был один из ранних романов Сименона «Череп» с дарственной надписью автора: «Дружески Илье Эренбургу, чья сознательность и принципиальность помогли мне создать образ-карикатуру Радека». Я прочитал этот роман. Имя Радека Сименон взял случайно — оно приползло с газетной полосы и никакого отношения к Карлу Радеку не имело. Карикатуру он нарисовал с меня, и, говоря нашим газетным жаргоном, шарж был дружеским. Радек сидел в баре «Куполь». Но чем он занимался? Он зверски убил двух богатых и очень старых дев, живших в предместье Парижа: мстил за нищее детство. Это принципиальный и сознательный убийца, только редкая прозорливость сыщика помогла раскрыть подлинную роль Радека. Конечно, Сименон не подозревал меня в убийствах и прибавил слово «карикатура», но я ему казался сверхсознательным, ультрапринципиальным и непримиримым. А было это в те годы, когда я бился, как щепка в море, когда советские критики назвали меня «буржуазным циником», а друзья советовали наконец-то «стать на платформу».

Мы сидели в маленьком прокуренном баре и гадали на кофейной гуще, стараясь разгадать не только будущее, но своих соседей да и самих себя. Трудное это занятие, и нелегкими были те годы...

Мерль грозил политикам сенсационными разоблачениями, подписчикам он сулил ценные премии; и вдруг, когда настает время выдавать премии, газета исчезает...

При одной из первых встреч Мерль сказал мне: «Мой друг, вы чересчур скромны, во Франции мало одного таланта...» Он решил меня разрекламировать, устроил обед в отдельном кабинете роскошного ресторана и пригласил писательницу Жермену Бомон — она заведовала литературным отделом бульварной газеты «Матэн». Кроме нее, Мерль позвал Десноса, которому покровительствовал.

Деснос поел, а главное, выпил и начал обличать «Матэн», каждый раз поворачиваясь к Бомон: «Я, конечно, имею в виду не вас...» Как подобало раннему сюрреалисту, Деснос любил слова скорее нецензурные и, характеризуя «Матэн», перечислил все части человеческого тела. Жермен Бомон не выдержала и ушла. Мерль был огорчен — ему не удалось сосватать меня с мировой славой. Он объяснял мне: «Может быть, госпожа Бомон в душе и согласна с Десносом, но она не могла допустить, чтобы поносили ее хозяев, да еще в присутствии советского писателя...»

У Мерля была неподалеку от Парижа прекрасная усадьба. Устраивая приемы, он любил пускать пыль в глаза, но сам сохранял демократические привычки своей молодости. Утром он завтракал на кухне — ел помидоры, которые густо солил,— и поездом отправлялся в Париж. По большей части утром у него денег не было, но в поезде рождались грандиозные планы.

Он любил обедать в ресторанах с провансальской кухней, обожал айоли — майонез с чесноком, часто ходил к Нине: у нее был маленький, на вид очень скромный, но очень дорогой ресторан. Нина была и хозяйкой и кухаркой, пускала к себе только ограниченный круг знатоков. Кого только я не встречал за столом Мерля — анархистов и промышленников, Лаваля и Даладье, поэта Сен-Поль Ру, Тристана Бернара, «принца гастрономов» Курнонского, Блеза Сандрара, депутатов, биржевых маклеров, модных адвокатов, киноактеров!

Когда Лаваль отправился в Москву, Мерль мне сказал: «Это самый талантливый мошенник Франции. Я хочу, чтобы он договорился с русскими, потому что ему ничего не стоит договориться с Гитлером». Даладье тогда называли «быком из Воклюзы» — в своих речах он был смел и напорист. Мерль сокрушенно говорил: «Французы перестали разбираться даже в тех вещах, которые считались их специальностью. Ну как можно назвать Даладье быком? Ведь это типичный вол! Можете спросить любую телку...»

В 1933 году раскрылась очередная панама: «Стависский, которого в 1917 году судили за мелкую кражу и который пятнадцать лет спустя присутствовал как эксперт на дипломатических конференциях, украл шестьсот пятьдесят миллионов франков. Тардье уверял, что мошеннику покровительствовали радикалы. Мерль посмеивался: «Если они осмелятся меня тронуть, я покажу талоны чековой книжки Стависского — он делал подарки и друзьям Тардье...»

У Мерля было, разумеется, много врагов, которые хотели его погубить. Он назвал свиней, которых держал в усадьбе, именами своих врагов. Особенно его преследовал редактор фашистской газеты «Гренгуар» Карбучия, и огромный толстый боров был окрещен его именем. Однажды Мерль прислал мне окорок с письмом: «Примите в подарок ногу моего незабвенного Карбучии...»

Как-то я был у него 14 июля. Пришли крестьяне, чтобы его поздравить с национальным праздником. Он вытащил десять ящиков с шампанским и, подняв бокал, торжественно провозгласил: «Да здравствует Франция!» Крестьяне хором ответили: «Да здравствует господин Мерль!»

Он любил пафос: «Когда я умру, не нужно ни пышных похорон, ни речей, пусть только подымут траурный флаг над башней моего замка».

Когда в усадьбу приезжали гости, Мерль надевал фартук и готовил обед, причем фантазировал он и на кухне: народное блюдо — луковый суп — обильно приправлял сухим портвейном. Был он чрезвычайно суеверным. Французы говорят, что нужно схватиться за дерево, чтобы не сглазить. Мерль жаловался: «Прежде я был спокоен — во всех кафе были деревянные столики. Теперь столы мраморные, приходится носить в кармане огрызок карандаша». Он завел павлинов, это совпало с дурной для него полосой. Он приписывал все напасти птицам — они ночью подходили к дому и роняли перья, на которых был дурной глаз. Убить или отдать павлинов он не решался: «Нельзя перечить судьбе». Однажды крестьяне пришли удрученные: деревенские собаки загрызли павлинов. Мерль воскрес и сразу отправился в Париж с новыми гениальными планами.

Я неправильно сказал, что у Мерля не было моральных принципов,— вернее сказать, его принципы не совпадали с общепринятыми. Он, например, не признавал договоров, не платил своим авторам гонораров; но Деснос мне рассказывал — стоило ему намекнуть, что у него трудное положение, как Мерль давал больше, чем полагалось по договору. До конца жизни он помогал детям своих товарищей по анархистской группе.

Когда Батя подал на меня в суд, Мерль спросил Любу, какой у нее номер обуви. «Завтра вы получите двенадцать пар туфель от синдиката французских фабрикантов». Люба на него накричала, рассказала мне, я рассердился и строго-настрого запретил Мерлю разговаривать обо мне с французскими конкурентами Бати. Мерль посмотрел на меня с жалостью и с восхищением: «Бог ты мой, до чего вы наивны!.. Но я вас за это уважаю...»

Побывав в Москве, Панаит Истрати стал поносить Советский Союз. Мерль возмутился: «Когда я начинал работать в газете, там был славный малый, репортер Гюстав. У него была подруга, красивая, очень высокая и очень темпераментная. Она ему устраивала сцены ревности, он часто приходил в редакцию с синяками. Однажды он пришел с лицом совершенно окровавленным, жалко было на него смотреть. Мы решили поговорить с дамой: «Почему вы обижаете нашего Гюстава?» Она даже руками всплеснула: «Вы хотите знать почему? Хорошо, я вам расскажу. Это я заплатила за его вставную челюсть, и моими зубами он улыбается другим женщинам». Вы спросите, почему я вспомнил эту историю? Здесь нет никаких аллегорий. Истрати рассказал мне, что ему в Москве вставили чудесные зубы, и вот советскими зубами он улыбается Пуанкаре и Братиану...»

Мерль познакомил меня с госпожой Анно. Ее арестовали, потом

выпустили, это было громкое дело. Мерль ее уважал и часто повторял: «Честнейшая женщина!..» Она мне рассказала много интересного о проделках финансовой знати. Что касается Мерля, то он неизменно говорил: «В девяноста девяти случаях из ста мошенник или вор куда порядочнее прокурора и судей».

В Испании началась гражданская война; я уехал в Мадрид. Осенью я вернулся в Париж за грузовиком с кинопередвижкой; встретив Мерля, я рассказал, что еду на Арагонский фронт и хотел купить печатную машину, но не хватило денег. Мерль меня обнял: «Я теперь только и думаю, что об Испании. Там ведь много анархистов...» На следующий день он привез машину и шрифт. В то время у него было туго с деньгами, не знаю, где он достал машину, но работала она превосходно.

При последней встрече он выглядел усталым, поблекшим; у него всегда был хриплый голос, а тут он с трудом говорил, хотя любил поговорить. Он умер от рака горла.

Почему я о нем написал? Уж не так часто мы встречались, да и вся эта история не имеет морали, просто портрет одного непохожего на других человека. Мерль в душе был поэтом. Даже хорошие поэты пишут иногда неудачные стихи; Мерль иногда давал чеки без покрытия. Но он оживлял Париж тех лет. Да и нельзя писать только о героях или об исторических событиях — в жизни нужны и белые вороны...

22

В 1927—1928 годах французы зачитывались книгами Панаита Истрати. Его произведения переводили на различные языки; особенно ими увлекались в Советском Союзе — за два-три года вышло не менее двадцати изданий книг Истрати. Ромен Роллан, восхищаясь молодым автором, называл его «балканским Горьким».

Жорж Сименон.
Панаит Истрати.
Лапландка. Открытка.

Теперь мало кто помнит книги Истрати. В моей жизни он был случайной встречей. Я слушал с охотой его цветистые истории; он мне, скорее, нравился — добрый, бесшабашный и вместе с тем лукавый, не то скрипач из ночного кабака, не то анархист, перебирающий вместо четок игрушечные бомбы. А когда он исчез из виду, я о нем не вспоминал. Все же мне хочется задуматься над его судьбой: эпоху понимаешь не только по инженерам, прокладывающим автострады, но и по контрабандистам, петляющим в ночи.

Возле Больших Бульваров на улице Шатодэн помещался восточный ресторан, содержал его тучный и сладкий сириец. Туда приходили греки и турки, румыны и египтяне, ливанцы и персы. Там подавали различные кебабы, голубцы из виноградных листьев, медовые пирожки, истекавшие салом, душистый котнар, анисовую водку с водой — арабы этот напиток зовут «львиное молоко», греческое вино с запахом смолы. Меня туда привел Панаит Истрати; он восхищался яствами, которые соблазняли его в детстве; сладости, пряности, запах баранины его пьянили, он начинал рассказывать фантастические истории.

По своей природе Истрати был не писателем, а рассказчиком; рассказывал он очень хорошо, увлекался, сам не знал, было ли на самом деле то, что он выдает за сущую правду. Так часто бывает с одаренными рассказчиками; их слушают затаив дыхание, нет даже времени задуматься над смешными или печальными историями; только потом слушатели, в зависимости от того, как они относятся к рассказчику, говорят: «Ну и врет» или «Какое богатое воображение!»

Почему Истрати стал писателем? У него было множество различных профессий: он подавал в румынском трактире вино и грузил ящики на пароходы, красил дома и пек хлеб, писал вывески и работал слесарем, копал землю и был бродячим фотографом — в Ницце на набережной снимал туристов; много лет он странствовал, побывал в Египте, в Турции, в Греции, в Ливане, в Сирии, в Италии, во Франции; говорил на многих языках, и ни на одном из них не умел говорить правильно. Своей родиной он считал Румынию; его мать была румынской крестьянкой, отец — греком и контрабандистом. Вся его жизнь была настолько нелепой, что, кажется, ни один писатель не решился бы ее описать. Да и сам Истрати не мечтал о карьере писателя. Он любил читать, причем читал все вперемежку — Эминеску и Гюго, Горького и Ромена Роллана.

Наконец все ему опротивело — голод, фантазия, книги, пальмы Ниццы, полицейские. Он попытался перерезать себе горло бритвой. Его отвезли в госпиталь; он выжил. Из госпиталя он написал Ромену Роллану: хотел рассказать пожилому умному человеку про свое отчаяние; будучи одаренным рассказчиком и в душе ребенком, он отвлекся, начал припоминать забавные истории. Прочитав длинное письмо, Ромен Роллан восхитился талантом молодого румына, и Панаит Истрати узнал новую профессию: стал писателем.

Быстро пришли слава, деньги. Я с ним познакомился, когда он был в зените успеха. Он как бы хотел наверстать упущенное — и перечитывая восторженные рецензии, и выбирая в буфете сирийского ресторана диковинные закуски; были в нем наивность, детская хитрость, обаяние цыгана из пушкинской поэмы, восточного выдумщика, левантинского хвастуна и обыкновенного мечтателя, среди голода и побоев сохранившего тоску по любви, по звездам, по правде. Как-то он сказал мне: «Я ведь не писатель... Просто жизнь была пестрой, а скоро я выдохнусь...» Сказал он это без горечи, как бродяга, случайно оказавшийся в хорошей гостинице, который знает, что его ждут сума и пыльная дорога.

Первые книги Истрати, принесшие ему известность, романтичны, сказочны. Французы изумились, увидав Шехерезаду в пиджаке и брюках. Истрати рассказывал о своем детстве, о скитаниях, о турецких гаремах, о румынских гайдуках. Больше всего его увлекали гайдуки: они защищали обиженных, не было у них партийной дисциплины, и вдоволь шумный, но слабовольный Истрати, который всю свою жизнь был анархистом, видел в них своих учителей, старших братьев. Он как-то рассказал мне, что одно время увлекался политикой, организовывал забастовки; вероятно, это было правдой; но еще раз напомню — чем только в жизни он не занимался!

Живи он в XIX веке, все кончилось бы хорошо; он написал бы еще десять или двенадцать книг; стал бы французским академиком или вернулся бы на родину, где над его романами проливала бы слезы сентиментальная писательница Кармен Сильва, она же королева Румынии... Но на дворе стоял иной век.

В 1925 году Истрати поехал в Румынию, он увидел, как жандармы избивали крестьян, как расстреливали участников бессарабского восстания. Он вернулся во Францию возмущенный, выступил в «Лиге прав человека», написал несколько гневных статей. Он спрашивал себя: что делать? Гайдуков давно не было. Были коммунисты, и Панаит Истрати начал мечтать о Советском Союзе.

Рассуждать он не любил, да и не умел; он мыслил сказочными образами; для него мир делился надвое — нечестивцы и праведники, трущобы нищего Неаполя или молочные реки в кисельных берегах. Порой мне трудно было с ним разговаривать: он не мог себе представить, что в Советской России можно встретить глупых или бессердечных людей. Шехерезада по ночам рассказывала сказки, а Истрати начал обличать современных калифов.

Он поехал в Москву, шумно восхищался решительно всем, заявил, что намерен перебраться в Советский Союз. Вернувшись в Париж, он опубликовал книгу, полную резких и по большей части несправедливых нападок на страну, которую только что прославлял. Поворот был настолько крутым, что все обомлели. Одни заговорили о «коварстве» и «подкупе», другие — о «чудодейственном прозрении».

Книга, посвященная поездке в Советский Союз, никак не напоминала книги Истрати, говорили, будто ее написал кто-то другой. Не знаю, правда ли это. Может быть, сказалось вечное легкомыслие Истрати. Пилигрим рассердился: реальность не походила на созданную им восточную сказку. Его тотчас окружили журналисты, политиканы, фракционеры; он не успел опомниться, как стал игральной картой на зеленом сукне.

Он мне как-то рассказал, что в ранней молодости ездил «зайцем» в поездах, на пароходах, это была увлекательная игра — добраться из Пирея в Марсель без единой драхмы. Может быть, он захотел «зайцем» пересечь век? Его высадили на чужом, незнакомом вокзале. Не было больше ни старых друзей, ни сказок. Он оправдывался, обвинял, писал истерические статьи. Вскоре он уехал в Румынию. О последних годах его я мало что знаю. Обострился туберкулез, некоторое время Истрати жил в горном монастыре, называл себя анархистом, пробовал пристать к националистам, писал о боге и обрадовался, когда о нем вспомнил Мориак. Умер он в Бухаресте в 1935 году. О нем были коротенькие некрологи во французских газетах: его успели уже забыть...

Много лет спустя на свадьбе в глухой румынской деревне я встретил героев Истрати, задорных и нежных; они пели мятежные, печальные песни. Я вспомнил мечтателя, забияку и забулдыгу, который рассказывал истории в полутемном ресторане на улице Шатодэн; и еще раз подумал о страшной ответственности писателя. Нет легких ремесел, но, пожалуй, самое трудное — водить перышком по бумаге: платят за это иногда хорошо, но расплачиваться приходится жизнью...

23

В годы, о которых я рассказываю, я колесил по Европе, изъездил Францию, Германию, Англию, Чехословакию, Польшу, Швецию, Норвегию, Данию, побывал в Австрии, Швейцарии, Бельгии. С 1932 года я стал корреспондентом «Известий», и многие поездки были связаны, хотя бы частично, с газетной работой. А в 1928—1929 годы я еще не был профессиональным журналистом (иногда мои путевые очерки печатала «Вечерняя Москва»). Не был я и классическим туристом. Оказавшись в Норвегии, вместо того чтобы любоваться живописностью фьордов, я поехал на далекий островок Рест, где даже подушки пропахли треской, а потом в маленький порт Мосс, где нет никаких достопримечательностей, и там ночью беседовал о судьбе нашего века с представителем пароходной компании; в Англии я поехал в прокопченный, мрачный Манчестер и спускался в допотопные шахты Сванси; в Швеции забрался в новый заполярный город Кируну, где добывают руду.

Денег у меня было в обрез. В Польшу меня вывез импресарио, я читал доклады о литературе; в Англию пригласили Пен-клуб и издатель; в Вену я поехал на встречу какого-то культурного объединения. Повсюду я разыскивал дешевые гостиницы и полагался больше на свои ноги, чем на такси.

Пушкин писал об Онегине:

> И начал странствия без цели,
> Доступный чувству одному;
> И путешествия ему,
> Как все на свете, надоели...

«Цели» и у меня не было, но путешествия мне не надоедали. Конечно, от себя уехать нельзя, и, где бы я ни был, меня не покидали мои мысли. Вероятно, именно поэтому я любил (и до сих пор люблю) путешествовать: иногда за тридевять земель, приглядываясь к чужой жизни, находишь ту разгадку, которую напрасно искал у себя за рабочим столом... Мне было тогда под сорок,— следовательно, я вышел из возраста, который обычно связывают с понятием становления; но по-прежнему я чувствовал себя школьником.

Каждый человек постепенно обрастает людьми, с которыми он связан общими интересами, ремеслом. Нельзя уйти от самого себя, но можно на некоторое время вырваться из круга привычных знакомств. Конечно, и в других странах я часто оказывался в среде писателей; познакомился с Майеровой, с Новомеским, с Антони Слонимским, с Броневским, с Андерсеном-Нексе, с Нурдалем Григом, с Иозефом Ротом.

На одном из датских островов я случайно встретил Карин Михаэлис. Она возила меня к крестьянам, показывала превосходные фермы, ее всюду знали, уважали. В ранней молодости мы читали в России ее роман «Опасный возраст». Я думал, что ее волнуют тайны женского сердца, а она говорила о другом: о неминуемой катастрофе; рассказывала, как фермеры не хотели помочь голодающим немецким детям, как теперь отворачиваются, когда она заговаривает о фашизме, об угрозе войны, как ужасны сытость, сон, равнодушие. (Восемь лет спустя в Мадриде на конгрессе писателей, среди разрывов снарядов, кто-то прочитал приветствие больной Карин Михаэлис, и я вспомнил беседу на тихой зеленой ферме.)

Однако, говоря о вылазках из привычной среды, я думаю о других встречах — со старым пастухом «бачей» в Тиссовце, с лодзинскими ткачами, со смотрителем маяка на Лофотенских островах, с внуком цадика из Гуры Кальварии, с берлинскими рабочими.

Упомяну сейчас об одной из пестрых встреч. В Кируне я познакомился с горняком-коммунистом, у которого была русская жена, Нюша. Она меня угощала кофе, показывала восторженно холодильник, электрическую плиту, стиральную машину. Со мною горняк говорил по-немецки, а с женой почти не разговаривал — знал сотню русских слов; Нюша еще не успела овладеть шведским языком. Он мне рассказал, что был в Советском Союзе с делегацией, на Кавказе заболел воспалением легких и в больнице влюбился в сиделку. Он верил, что Нюша — «душа русской революции», и огорчался, что не может спросить у нее совета, как поступить в том или ином случае. А Нюша радовалась, что попала в спокойную, богатую страну, и недоуменно говорила про товарищей мужа: «Это они с жиру бесятся...» Я не хотел ее строго судить: она узнала много горя, голодала, брата расстреляли белые, мать умерла от сыпняка. Муж ее мне очень нравился, был благородным и смелым. Нюша горевала, что не научилась говорить по-шведски. На столе лежал толстый словарь, но молодожены редко в него заглядывали. Оба проклинали свою немоту, не догадываясь, что ей обязаны счастьем...

Это, конечно, только печальная и смешная история, из которой не нужно делать выводы; да я их и не делал. Я старательно записывал свои впечатления.

Некоторые поездки я описал и назвал книгу очерков «Виза времени». Легко себе представить, что для обладателя советского паспорта, вздумавшего в те времена путешествовать, виза была магическим понятием. Однако, выбрав такое заглавие для книги, я думал не о придирчивых консулах, а о еще более придирчивом веке: хотел проверить, какие из наших прежних представлений могут быть завизированы временем. Поездки помогли мне освободиться от множества условностей, старых и новых, увидеть жизнь такой, как она есть. Разговаривая с датскими фермерами, я старался понять путь советского писателя.

Представитель Советского Союза в Лиге наций М. М. Литвинов поразил всех лаконичной формулой: «Мир неделим». Блуждая по чужим странам, я понял, что неделим и другой мир — тот, что по старой орфографии писали через «и» с точкой.

Я понял также, что народы своеобразны, неповторимы, как люди. Автор предисловия к одному из изданий «Визы времени» Ф. Раскольников предостерегал читателей: «Эренбург придерживается устарелой теории национальных характеров. Он полагает, что каждый народ имеет свою «душу», зависящую от свойств его национального характера. В этом отношении Эренбург имеет такого блистательного предшественника, как Стендаль, который в своем «Пармском монастыре» тоже безуспешно пытался разрешить проблему итальянского национального характера. Это ошибочное представление о национальной «душе» логически вытекает из общей идеалистической системы взглядов Эренбурга. Подобно Стендалю он не материалист, а идеалист. Он предпочитает не изучать, а постигать интуицией...»

(Это было написано в 1933 году. Десять лет спустя А. Н. Толстой напечатал рассказ «Русский характер», в театрах шла пьеса Симонова «Русские люди», различные поэты воспевали «русские обычаи», «русскую любовь» и, разумеется, «русскую душу». Никто их не корил, им дружно аплодировали. Поскольку у русских оказалась «душа» — то есть некоторые черты национального характера,— очевидно, она имеется и у других народов. Много раз я читал про то, как я или как другие писатели «преодолевают былые заблуждения». А те, кто нас упрекал? О них не пишут. Между тем они тоже от многого отказывались и многое начинали понимать.)

Я никогда не думал, что «душа» народа связана с кровью,— я многим болел, но только не расизмом. Душа народа, то есть его характер, складывается веками, и на черты национального характера влияют география, особенности социального развития, повороты истории. Другие материки я увидел позднее — после второй мировой войны, но и в годы, о которых пишу, мог многое сравнить. Конечно, я видел, что шведский рабочий рассуждает иначе, чем Крейгер или банкир Валленберг, но это не помешало мне отметить, что характер шведского рабочего отличается от характера итальянского рабочего. Здесь не было никакого «идеализма», и это не противоречило ни существованию классовой борьбы, ни принципам интернационализма.

Можно ли, побывав в Англии, не заметить, что англичане любят известное отъединение, что они предпочитают неудобные холодные домики с узенькими лестницами квартире в современном многоэтажном доме, что, в отличие от французов, они не живут на улице и не ныряют с удовольствием в толпу? Любой турист, даже лишенный наблюдательности, видит, что в Париже много магазинов, торгующих красками, принадлежностями для художников, много маленьких выставок живописи, а в Вене сотни магазинов, где продают ноты, и на стенах афиши концертов. Буржуа в разных странах проводят досуги по-разному. Англичанин обязательно является членом какого-либо клуба, причем в выборе клуба редко сказываются политические симпатии; в каждом клубе имеется библиотека с удобными креслами, и там джентльмены спят, одни тихо, другие похрапывая. Испанцы тоже любят клубы, но сидят они не в полутемных залах, а в витринах или на улице и смотрят на прохожих; когда проходит более или менее молодая женщина, причмокивают. Немецкий буржуа обожает научные новшества и экзотику; в одном ресторане Берлина я увидел в меню цифры — сколько калорий в каждом блюде (витамины пришли позднее), в другом посетители лежали в гамаках, а над ними порхали тропические птицы. Это явно не понравилось бы французу, который не хочет платить за бутафорию, а любит хорошо покушать в маленьком невзрачном бистро. В английском парламенте люди спорят вежливо, а во французском я не раз присутствовал при драках. Я мог бы исписать сотни страниц, перечисляя особенности характера и быта, но я теперь не собираюсь обрисовывать различные страны, а только хочу отметить, какое впечатление оказали путешествия на мой дальнейший путь.

Я увидел, что люди живут по-разному, но различие форм жизни не заслонило от меня того общего, человеческого, что позволяет верить в единство мира. Конечно, шведы показались мне чопорными (теперь они освободились от многих условностей), нельзя было просто выпить рюмку водки — существовал сложный этикет. Выглядели шведы холодными, замкнутыми. Но вот я познакомился с Акселем Клауссоном, бывшим военным атташе в Петербурге. Он знал русский язык и, выйдя в отставку, занялся переводами, перевел и мои две книги. Он был настоящим старым шведом, любил ужинать при свечах, подносил рюмочку к сердцу, никогда не забывал припомнить, как мы хорошо провели вместе вечер, даже если этот вечер был в позапрошлом году. Мы подружились, и он оказался человеком с горячим сердцем, вернейшим другом, умел поговорить и, что еще труднее, помолчать.

Словакия сначала мне показалась страной далекого прошлого: крестьянки ходили в красивых пестрых костюмах эпохи барокко, крестьяне некоторых округов носили фартуки, кресты на кладбищах были расписаны, как веселые игрушки. Потом я увидел, что словацких писателей волнуют те же вопросы, что и меня; я нашел там много добрых друзей — Клементиса, поэта Новомеского и других.

Англичане выглядели существами с другой планеты, на все отвечали «у вас континентальный вкус» или «это не у нас, а на континенте». Вскоре я увидел, что интеллигенты печальны, увлекаются Чеховым;

когда играют «Трех сестер», в зале плачут. Я понял, что могу говорить со многими англичанами по душам.

Я сказал, что повсюду меня сопровождали мои раздумья и сомнения: они родились давно, еще в годы первой мировой войны, когда я начал самостоятельно думать. Увидев огромное военное хозяйство, мгновенное отречение людей от мысли, механизацию любви, убийства, смерти, я понял, что в опасности само понятие человека. В конце двадцатых годов еще не было ни аплодисментов по команде, ни машин, способных сочинять стихи, ни статистики Освенцима, ни водородных бомб. А я непрестанно, мучительно думал не о характерных чертах того или иного народа, а о характере времени.

Мне не хочется загромождать эту книгу цитатами из самого себя, ссылаться на старые очерки или заметки; но если я начну рассказывать о своих впечатлениях от Западной Европы в 1928—1929 годах, я невольно изменю или пополню их опытом последующих десятилетий. Вот что я тогда писал о Германии:

«Один придумывает, как бы поэкономнее рассадить пассажиров в самолете, другой изготовляет зажигалку, чтобы огонь вспыхивал при небрежном движении... Я был у Максимилиана Гардена... Видимо, он не создан для изготовления усовершенствованных зажигалок. Мы говорили о русской революции, о берлинских улицах. Он сказал мне: «Я боюсь этой равномерности жизни, отсутствия непредвиденного...» В уличных уборных Берлина надпись: «Не позднее, чем через два часа после сношения с женщиной, поспеши на ближайший санитарный пункт...» Берлин — апостол американизма, и зажигалки здесь предметы особого культа. Меня пригласил к себе автор романа «Александерплац» Альфред Деблин. Его угнетает механическая цивилизация, он говорил, что был в Польше, разговаривал с крестьянами и нашел в глухих деревнях больше человечности, чем в Германии.

Я был в Дессау, где теперь помещается Баухаус — школа современного искусства. Стеклянный дом; найден стиль эпохи: культ сухого

В Швеции. Город Кируна. Фото И. Эренбурга. 1928 г.
В словацкой деревне. 1936 г.

разума. Жилые дома вокруг, построенные в том же стиле, страшны; они до того похожи один на другой, что дети ошибаются. Говорят, что новый стиль подходит для заводов, вокзалов, гаражей, крематориев, а стиль для жилых домов еще не найден. Вряд ли его найдут: люди теперь живут на работе, а не у себя. В доме архитектора Гроппиуса множество кнопок, рычагов, белье носится по трубам, как пневматическая почта, тарелки из кухни проползают в столовую; все продумано, вплоть до ведра. Все безукоризненно и невыразимо скучно. Думали ли мы, защищая кубизм, а потом конструктивизм, что одно десятилетие отделит философские кубы от вполне утилитарного ведра? В доме художника Кандинского ряд уступок искусству — новгородские иконы, пейзажи таможенника Руссо, томик Лермонтова. Один из учеников мне сказал: «Кандинский путаник и полуконсерватор...»

На вокзале Штутгарта или в типографиях Лейпцига понимаешь, насколько здесь пришлась ко двору Америка. В Кельне на выставке я увидел архисовременную церковь с комфортом и кубическими витражами, Христос напоминает часть сложной машины».

Вот об Англии:

«Презрение к Америке и американизация быта: американские фильмы, американская архитектура, американские магазины.

Хемстед. Длинные улицы. Коттеджи. Все дома как один. Англичане любят индивидуализм, однако эта идиллическая казарма их не смущает.

В Лондоне непрестанно думаешь, откуда взялся этот огромный город — на острове, в стороне от жизни, среди сырости и хандры? Как властвовал и угнетал? Как поколебался, дрогнул, заполнил шкафы мирными трактатами и занимательными романами? Как он живет со старинными париками, с великодержавностью дипломатических нот, еще путает карты, блефует, но боится рассвета? Как познакомился с американскими колонизаторами, с континентальной смутой, с безработицей, с самоубийствами? Англичане — завоеватели, мореплаватели, превосходные спортсмены. Это не мешает им быть на редкость застенчивыми. Отсюда консерватизм, привязанность к шутовским церемониям.

Они стоят, сконфуженные, перед молодой и наглой Америкой.

Есть здесь нечто переходящее меру. Пикадилли и Поплар. Роскошь, выставленная напоказ, и неописуемая нищета района Доков. Шахты в Южном Уэлсе примитивно оборудованы; часто приключаются обвалы; я видел в шахтах детей, мне объяснили, что недавно запрещена работа до четырнадцати лет, этим уже пошел пятнадцатый. До сих пор в школах применяются телесные наказания. Ад Давида Копперфильда. А Диккенса нет...»

Вот Скандинавия:

«Швеция пытается отстоять свой быт, свои привычки. Вся Европа старательно перенимает механические судороги нью-йоркского бизнесмена, шведы упираются. Вероятно, ненадолго — в Швеции всего семь миллионов людей, остальное — лес. Деревья вырубят, а людей перевоспитают.

68 гр. с. ш. Три месяца в году ночь. Две горы, между ними город Кируна. Его еще строят, не успели даже окрестить улицы, адрес — это номер дома. Горняки живут хорошо. Среди них много коммунистов, в редакции газеты портрет Ленина. У шахтеров автомобили. А кругом тундра. Роскошная церковь: золотые статуи (стиль модерн) изображают различные добродетели. В газете: акции «Луосаваара-Кируновоаара» в повышении. Один из крупных держателей акций Ивар Крейгер.

Рест — крохотный остров (Лофотенские острова). В Норвегии король, он торгует маслом. В Ресте — мэр, рыбак и социалист. Однако подлинные властители острова — скупщики трески, им принадлежат дома, фабрики консервов. Из отбросов варят клей. У скупщиков рыбы магазины, они же местные банкиры, сдают рыбакам суда, страхуют; вся жизнь острова подвластна им.

Шоколадная фабрика «Фрейя». Работницам делают маникюр, в заводской столовой живопись Мунка. Невообразимый грохот. Владельцы «Фрейи» платят мало, отказались признать профсоюз.

Фугт говорил мне. что у Норвегии «особый путь». Я ему ответил, что на необитаемом острове легко спасти свою душу, конечно до первого американского парохода.

Датские фермеры живут куда комфортабельнее парижских буржуа. На стенах старые крестьянские тарелки: они стали предметом украшения. Один фермер сказал мне, что зимой прочитал «Войну и мир»: «Интересная книжка». Помолчав минуту, спросил: «А сколько могли заплатить вот такому Толстому?..» Другой фермер заказал фрески — история его жизни. Сначала бедный домик его отца на севере Ютландии. Первый собственный дом и, разумеется, свиньи. Дом жены — приданое, свиней все больше и больше. Наконец, роскошная двухэтажная ферма, деревья, сонм свиней.

Художник Гансен, молодые поэты, скептический журналист Киркебю, который пишет в «Политикене». Много пьют, пытаются воскресить богему, жалуются: свиней не только больше, чем людей, свиньям лучше живется. Говорят, что Копенгаген быстро американизируется, дело не в причудах кучки снобов, а в состоянии умов: стихов никто не читает, живопись, даже самая крайняя, рассматривается, как мебель или как биржевые бумаги, все сведено к механике...»

Впрочем, хватит переписывать старые заметки. Теперь мне понятнее, что меня в те годы угнетало. Это было еще до мирового кризиса. Гитлер шумел в различных пивных, но почему-то люди верили в крепость Мюллера или Брюнинга, в магию плана Юнга, в то, что роман Ремарка «На Западе без перемен» показывает миролюбие рядовых немцев. Я видел, как отстраивали Реймс, Аррас. Про войну начали забывать. Тридцатилетние относились к рассказам о Сомме или о Вердене, как к надоевшей всем древней истории; помню, кто-то сказал: «Была еще Троянская война...» Мир казался прочным. На самом деле он был иллюзорным. Города отстроили, но не жизнь...

До 1914 года сохранялись известные понятия, нормы, идеи. Анатоль Франс, с его скепсисом, с культом красоты, с чуть холодным гуманизмом, в 1909 году входил в пейзаж Парижа. В 1929 году Поль Валери казался анахронизмом. Старые представления о добре и зле, о красоте и уродстве были разрушены, а создать новые не удалось.

Влияние Америки обычно приписывают ее экономической мощи: богатый и энергичный дядюшка наставляет непутевых, обнищавших племянников. А тот американизм, который я отмечал повсюду, был связан не только с экономикой. После первой мировой войны изменилась психика людей. Их увлекали дешевые аттракционы с Бродвея, самые глупые из американских кинокартин, детективные романы. Усложнение техники шло в ногу с упрощением внутреннего мира человека. Все последующие события были подготовлены: мало-помалу исчезало сопротивление. Приближались темные годы, когда в разных странах попиралось человеческое достоинство, когда культ силы стал естественным, надвигалась эпоха национализма и расизма, пыток и диковинных процессов, упрощенных лозунгов и усовершенствованных концлагерей, портретов диктаторов и эпидемии доносов, роста первоклассного вооружения и накопления первобытной дикости. Послевоенные годы как-то незаметно обернулись в предвоенные.

24

Я томился в роскошном кабинете редактора «Франкфуртер цейтунг», который хотел напечатать в своей газете мои очерки о Германии. Редактор был круглым и благодушным. Рядом с ним сидел худой, нервный человек с добрыми, но насмешливыми глазами; неожиданно он сказал мне на дурном русском языке: «Скажите ему — запрещено резать, и запросите больше — у них много денег...» Так я познакомился с австрийским писателем Йозефом Ротом; это было в 1927 году. Несколько лет спустя он стал известен широкому кругу читателей.

Вот у кого была анкета, способная привести в восторг искателей космополитов! Отец его был австрийским чиновником, запойным пьяницей, мать — русской еврейкой. Родился он в Галиции в пограничном поселке; считался немецким писателем; говорил всем, что он австриец; когда немцы проголосовали за Гинденбурга, сказал: «Все ясно!» — взял шляпу, палку и уехал в Париж. Жил он всегда в гостиницах, иногда хороших, а по большей части замызганных и вонючих. Не было у него мебели, не было и вещей; старомодный кожаный чемодан был набит книгами, рукописями и ножами — никого он не собирался зарезать, но обожал ножи. «Франкфуртер цейтунг» его посылала в Москву; он пробыл некоторое время в нашей стране, выделялся среди других инкоров желанием понять чужую жизнь, искренностью, участием к нашим бедам, радостью, с которой описывал наши первые успехи. Потом газета посылала его как репортера в различные страны; он писал путевые очерки, мучась над каждой строкой — ему было противно плохо писать. Ходил он быстро, всегда с палкой, но не опирался на нее, а чертил ею что-то в воздухе.

Он никогда не писал стихов, но все его книги удивительно поэтичны — не той легкой поэтичностью, которая вкрапливается некоторыми прозаиками для украшения пустырей; нет, Рот был поэтичен в вязком, подробном, вполне реалистическом описании будней. Он все подмечал, никогда не уходил в себя, но его внутренний мир был настолько богат, что он мог многим поделиться со своими героями. Показывая грубые сцены пьянства, дебоша, унылую гарнизонную жизнь, он придавал людям человечность, не обвинял, да и не защищал их, может быть жалел. Не забуду я тонкой, чуть печальной усмешки, которую часто видел на его лице.

В 1932 году меня пленил его роман «Марш Радецкого». Тридцать лет спустя я его перечитал и подумал, что это один из лучших романов, написанных между двумя войнами. Это книга о конце Австро-Венгрии, о закате и общества и людей.

Сумерки империи Габсбургов сформировали и вдохновили многих писателей, писавших на различных языках. Когда империя рухнула, Итало Свево было пятьдесят семь лет; Францу Кафке — тридцать пять, а Роту — всего двадцать четыре года. И все же, о чем бы Рот ни писал, он неизменно возвращался не только к быту, но и к душевному климату последних лет Австро-Венгрии.

Писатели, стремившиеся найти новые формы для отображения развала общества между двумя войнами, расшатывали структуру романа; таковы «Улисс» Джойса, «Процесс» Кафки, «Цено» Итало Свево, «Фальшивомонетчики» Андре Жида. Эти книги не похожи одна на другую, да и разного калибра, но все они чем-то напоминают живопись раннего кубизма, может быть желанием расчленить мир. Одновременно еще выходили прекрасные романы, написанные по старинке, романы о новой жизни, рассказанной так, как рассказывали писатели прошлого века: «Семья Тибо» дю Гара, последние романы о Форсайтах Голсуорси, «Американская трагедия» Драйзера. «Марш Радецкого» написан по-новому, но это роман, и притом крепко построенный. Если снова прибегнуть к сравнению с живописью, я припомню импрессионистов; в романе Рота много света и воздуха.

Меня поражала любовь Рота к людям. Ну что может быть пошлее и глупее любовной связи молоденького, никчемного офицера с легкомысленной женой жандармского вахмистра? А Рот сумел приподнять, осветить многое изнутри, и я вместе с его героем стою потрясенный у могилы вымышленной женщины, которой писатель сумел придать подлинность, телесность.

Рот одно только делал с сердцем: писал. «Франкфуртер цейтунг» отправила его в Париж как специального корреспондента. Он мог писать романы. Он любил Париж, и я увидал его радостным. Он пришел ко мне с молодой, очень красивой женой, я подумал: вот Рот и нашел счастье...

Вскоре газета прислала в Париж нового корреспондента, и Рот лишился работы. (Об этом новом корреспонденте следует сказать несколько слов. Его звали Зибургом, он считался левым и называл себя другом, почитателем Рота. Зибург написал книгу «Как бог во Франции» — это немецкая поговорка, относящаяся к хорошей жизни; французы говорят «как петух в тесте», а русские «как сыр в масле».

В этой книге Зибург расхваливал Францию. Я еще был в оккупированном Париже, когда туда вместе с Абецем приехал Зибург — ему было поручено присматривать за французскими журналистами.)

У Рота не было денег. А здесь случилась катастрофа: его жена душевно заболела. Он долго не хотел с ней разлучаться, но болезнь обострилась, и ее увезли в клинику.

Я тогда слышал от некоторых общих знакомых: «Бедняга Рот спятил... Сидит в кафе напротив гостиницы, пьет и молчит... Стал приверженцем Габсбургов... Словом, с ним плохо...»

Трудно всерьез говорить о политических воззрениях Рота. Были критики, увидевшие в «Марше Радецкого» апофеоз лоскутной империи. А какой же это апофеоз — это ее похороны. Рот показал тупых чиновников, духовно опустившихся офицеров, внешний блеск и нищету, расстрел забастовщиков в украинском поселке, контрабандистов, ростовщиков и надо всем этим выжившего из ума старика, окруженного ложью и боящегося слова правды, которого именуют «императорским величеством» и у которого течет из носу.

Однажды Рот и со мной заговорил о Габсбургах: «Но вы все-таки должны признать, что Габсбурги лучше, чем Гитлер...» Глаза Рота грустно усмехались. Все это было не политической программой, а воспоминаниями о далекой молодости.

Он хорошо описывал печаль, старость, наивность подростков, вековые деревья, любовь к земле украинских крестьян, душевное спокойствие, бородатых евреев, смерть и жаворонков, лягушек, лучи солнца в летний день, пробивающиеся сквозь зеленые жалюзи.

Настали ужасные годы. Гитлеровцы жгли книги. Эмигранты в Париже ссорились друг с другом. Рот жил в старой гостинице Файо на улице Турнон. Гостиницу решили снести; все из нее уехали, только в верхнем этаже в маленькой комнате еще ютился Рот. Потом он перекочевал в скверную гостиницу на той же улице.

В 1937 году я приехал из Испании на несколько дней в Париж; шел

Йозеф Рот. Ницца. 1934 г.
Гитлеровцы жгут книги. 1933 г.

по улице Турнон и увидел в кафе Рота. Он меня окликнул. Он плохо выглядел, чувствовалось, что он живет через силу, но, как всегда, был очень вежлив, галстук аккуратно завязан бабочкой. Перед ним стояла гора блюдечек; он говорил связно, только руки дрожали. Спросил меня, как в Мадриде, внимательно слушал, потом сказал: «Я теперь всем завидую. Вы ведь знаете, что вам нужно делать. А я больше ничего не знаю. Слишком много крови, трусости, предательства...» Он заказал еще рюмку. Я торопился, но он меня не отпускал. «Ваши друзья меня ругают. Я написал роман об инспекторе мер и весов. Может быть, это и плохой роман, я теперь часто думаю — до чего мы все неталантливы! Но я хочу вам сказать о другом... Мой инспектор жил плохо, растерялся, как я. В итоге он умирает. Перед смертью он бредит, ему кажется, что он не инспектор, а лавочник, к нему приходит самый главный, грозный инспектор, а у него весы неправильные — обвешивал, обмеривал, надувал. Сейчас его уведут в тюрьму... Он говорит инспектору: «Конечно, у меня гири легче, чем полагается. Но у всех так — без этого в нашем городе не проживешь». Вы знаете, что ему ответил главный инспектор? Он сказал, что правильных весов нет. Ваши друзья говорят, что я хочу оправдать Шушнига. А я думал о людях, таких, как я. Вы скажете: «Зачем вы печатаете ваши романы?..» Я должен жить, хотя это и ни к чему...» Он заказал еще рюмку. Потом мы расстались. Больше я его не видел.

Кончил жизнь самоубийством Эрнст Толлер. По улицам Праги шагали немецкие дивизии. Йозефа Рота тяжело больного увезли из его кафе в больницу. Ему было сорок пять лет, но он не мог больше жить.

Друзьям передали рукописи и старую палку.

25

С Паскиным меня познакомил Мак-Орлан; было это, кажется, в 1928 году. Мы обедали в маленьком ресторане на Монмартре. Я знал и любил рисунки Паскина и разглядывал его с откровенным любопытством. У него было лицо южанина, может быть итальянца; был он одет чересчур корректно для художника: темно-синий костюм, черные лакированные ботинки; хотя к тому времени котелки почти исчезли, Паскин часто ходил в старомодном котелке. За обедом он молчал. Говорил Мак-Орлан, говорил о минувшей войне, о гигантском росте городов, о том, как светится ночью площадь Пигаль, как бродят тени под черными мостами, и называл все это «новой романтикой». Паскин сначала слушал, потом начал рисовать на меню Мак-Орлана, меня, голых женщин. Подали кофе, коньяк; он выпил стаканчик, как пьют у нас водку, залпом, и вдруг оживился: «Романтика? Вздор! Несчастье. Зачем строить из дерьма художественные школы? На площади Пигаль сто борделей. Точка. Под мостами спят обыкновенные люди; дай им кровати, они будут голосовать и ходить в воскресенье в церковь. Незачем одевать людей в костюмы, моды меняются. Лучше их раздеть. Голый пупок говорит мне больше, чем все платья. «Романтика»? А по-моему, попросту свинство...» Он выпил еще стакан, и тогда я увидел другого Паскина, шумливого, беспокойного, который славился дебошами. Почему-то я вспомнил друга моей ранней молодости Модильяни.

Потом, встречаясь с Паскиным, иногда серьезным, печальным, даже робким, иногда буйным, я понял, что не ошибся при первой встрече: чем-то он напоминал Модильяни. Может быть, внезапным переходом от замкнутости, молчаливости, от сосредоточенной работы к разгулу? Может быть, страстью неизменно рисовать на клочках бумаги? Может быть, тем, что оба были всегда окружены людьми и оба узнали всю меру одиночества?

Паскин попал на Монпарнас, когда драма была доиграна. Далеко от «Ротонды» шли другие драмы. Он появился внезапно и слишком поздно, как заблудившаяся звезда. Ему бы сидеть с Моди, они друг друга поняли бы. А Паскин тогда был далеко — в Вене, в Мюнхене, в Нью-Йорке.

Он прожил жизнь как бродяга. У него в Париже были различные знакомства; то он встречался с писателями, художниками, с Дереном, Вламинком, с Сальмоном. Мак-Орланом, с сюрреалистами; то нырял в другой мир, пил с бродячими циркачами, с проститутками, с жуликами. Все знали, что он знаменитый художник, что его работы висят в музеях; а он рвал свои рисунки, рисовал и рвал; и мало кто знал, откуда он взялся, где провел сорок лет своей жизни, есть ли у него родина, дом, семья.

Паскина звали Юлиус Пинкас, и родился он в Видине — это маленький болгарский городок на Дунае. Он был сыном торговца, еврея-сефарда (как Модильяни),— предки Паскина когда-то жили в Гранаде и были выселены Фердинандом Католиком в 1492 году. Это, следовательно, очень давняя история. Но вот, когда в 1945 году я приехал в Софию и за ужином меня посадили рядом с бывшим партизаном,

А. Савич, О. Савич, Л. Козинцева-Эренбург, И. Эренбург с Бузу на руках перед баром «Куполь». 30-е годы.
Художник Ю. П. Паскин.
Завещание Паскина.

не знавшим русского языка, вдруг выяснилось, что мы можем объясниться по-испански: партизан был сефардом. В детстве Паскин дома говорил по-испански, а во дворе с ребятишками — по-болгарски. Недавно я получил из Болгарии письмо от школьного товарища Паскина, он мне прислал фотографию дома, где учился маленький Пинкас.

Паскин уехал в Вену учиться живописи; в Мюнхене рисовал для «Симплициссимуса»; добрался до Америки, узнал нужду. Потом на него посыпались деньги; он их тратил мгновенно, раздавал случайным собутыльникам, устраивал нелепые кутежи, одаривал натурщиц. Он как бы не верил своей славе, не доверял и себе — часто сердито говорил о своих работах.

Как-то он позвал меня: «Будут друзья...» Еще не дойдя до его дома, я услышал вырывавшийся сквозь окна рев. «Друзей» оказалось слишком много; даже на лестнице стояли люди со стаканами. Гости сидели или лежали на рисунках. Звенела румба: это был воистину бал на площади.

Помню ту же мастерскую на бульваре Клиши в обычный день; диваны и пуфы, пыльные, тусклые; на них Паскин сажал натурщиц; беспорядок, пустые бутылки, засохшие цветы, книги, дамские перчатки, засохшие палитры; а на мольберте начатый холст: две голые женщины. Краски у Паскина были всегда приглушенными; казалось, что недописанный холст уже пожух.

На чем основывалось распространенное представление о чувственности, об эротике Паскина? Может быть, поражало, что он всегда рисует или пишет женское тело, может быть, сбивал с толку образ жизни Паскина — он неожиданно появлялся, окруженный дюжиной женщин. А был он романтиком, влюблялся по старинке, безоружный, беззащитный перед предметом любви; и если задуматься над его рисунками, они говорят не о сладострастии, а, скорее, об отчаянии; все эти коротконогие, пухлые девушки с обиженными глазами похожи на поломанные куклы, на странный кукольный госпиталь, который я видел в Неаполе.

Удивительно — он все время был в гуще художественных споров, школ, направлений и как будто ничего не заметил: ни «Голубого всадника», ни кубизма, ни шумливых сюрреалистов. Прочитав в журнале статью, где его называли вожаком «парижской школы» и где указывали, что «парижская школа» создана не парижанами, не французами, Паскин смеялся и предлагал критикам создать новое направление «пентоортоксенофагизм» — пятикратное прямое пожирание иностранцев.

Я сидел над книгами об экономике, а вечером шел в бар «Куполь»; часто туда приходил Паскин. Он все больше и больше мрачнел; говорили о неурядицах в его личной жизни; пил он много, но вдруг замыкался в мастерской и отчаянно работал.

Он знал, что мне нравятся его вещи, и однажды ночью сказал: «Мне нужно с вами поговорить. Мы должны вместе сделать книгу. Вы будете писать мне письма, а я буду отвечать рисунками — я не умею отвечать, как вы, едкими фразами, я не писатель. Это будет замечательная книга! Мы скажем всю правду — откровенно, без прикрас. Почему я должен делать иллюстрации к чужим книгам? Это глупо! Я сделал иллюстрации к рассказам Поля Морана, они меня не интересуют. Я иллюстрировал Библию. Зачем? Я незнаком с царицей Савской... Вы мне будете писать о чем хотите, а я вам буду отвечать. Знаете, почему мы должны с вами сделать книгу? Это будет книга о людях; теперь говорят о чем угодно, а о людях забыли. Только не откладывайте. Потом будет поздно...»

Я согласился, но все откладывал, откладывал — хотел дописать роман о Крейгере. (Было это в начале 1930 года.)

В яркое весеннее утро я развернул газету — короткая телеграмма: «Поэт Маяковский покончил жизнь самоубийством». Мы тогда еще не были приучены к потерям, и я обмер. Я не спрашивал себя почему, не гадал, просто видел перед собой огромного, живого Владимира Владимировича и не мог представить, что его больше нет.

Кажется, недели две спустя, точно не помню, я увидел в «Куполе» Паскина. Он что-то кричал, потом заметил меня, сразу притих, молча поздоровался, ни о чем не спросил. Мне рассказывали, что он много работает — готовится к большой выставке.

Прошло еще несколько недель, и вечером в «Куполь» вбежал Фотинский, едва выговорил: «Паскин... Никто не знал... На четвертый день взломали дверь...»

Паскин, как Есенин, пробовал разрезать жилу бритвой. Он тоже написал кровью, не на бумаге — на стене: «Прощай, Люси!» А потом, как Есенин, повесился. На столе лежало аккуратно написанное завещание. Паскин покончил с собой в тот самый день, когда должно было состояться открытие его выставки.

Хоронили его далеко — на кладбище Сен-Уэн; за гробом шли знаменитые художники, писатели, натурщицы, бродячие музыканты, проститутки, нищие. Потом гуськом мы проходили мимо могилы, и каждый кидал на гроб ослепительный летний цветок. И снова я не мог себе представить, что больше не будет ни печального человека в запущенной мастерской, ни серо-розоватых обиженных женщин на недописанном холсте, ни криков в «Куполе», ни котелка, ни нашей книги — только холодные залы музеев...

Осенью 1945 года я был в Бухаресте. Портье сказал, что меня хочет видеть господин Пинкас. Я вспомнил, что у Паскина был богатый брат, осевший в Румынии; братья не встречались, кажется, и не переписывались.

Господин Пинкас приехал ко мне в экипаже, запряженном двумя лошадками, и повез в ресторан «Капша». Это было переходное время: во дворце еще сидел король Михай, в ресторане «Капша» еще хранились для старых посетителей пыльные бутылки котнара, господин Пинкас еще мог выезжать в своем экипаже.

Он рассказал мне историю своей жизни: «Я думал, что мой брат — сумасшедший, он занялся искусством и потом повесился. А я был богат. Жалко, что я не могу вам показать, какие деревья, какие птицы были в моем парке. Я женился на румынской аристократке. И вот настал фашизм... Я хотел спасти мое добро и переписал все на имя моей жены — она была не только чистой арийкой, но из громкой боярской семьи. Стоило ей получить все бумаги, как она меня сразу бросила. У меня больше нет денег. Есть квартира, мебель, экипаж. Я знаю, что скоро отберут и это. Вчера меня хотели уничтожить как еврея, завтра начнут уничтожать как эксплуататора. Да, теперь я вижу, что брат был куда умнее. Я читал во французской газете, что его рисунки продают на аукционах, он карандашом делал настоящие деньги. А у меня оказалась фальшивая монета. Потом он сумел вовремя повеситься. Нет, сумасшедший — это я!»

Пинкас знал, что я был другом Паскина, он вспомнил далекое детство, расчувствовался и подарил мне два рисунка своего брата: «У меня довольно много его вещей. Торговать ими я не собираюсь. Я хочу их отдать в болгарский музей...»

Рассказ о двух братьях звучит как назидательная притча для деловых подростков. А я сейчас думаю о другом: почему среди моих знакомых, среди моих друзей — писателей, художников — столько добровольно распрощались с жизнью? Разными они были и жили в разных мирах; несхожие судьбы, нельзя сопоставить ни глубоких причин, приведших к развязке, ни непосредственного повода — у каждого была своя «капля», которая, по досужим домыслам, «переполняет чашу». И все же в чем разгадка? (Я не хочу сейчас перечислять всех — слишком это тяжело.)

Паскин в последние годы не знал нужды. К нему на поклон приходили критики, торговцы картинами, издатели. Он покончил жизнь самоубийством в сорок пять лет, мог бы жить и жить. Вероятно, на отсутствии силы сопротивления сказались прошлые невзгоды и обиды. Дело, однако, не только в этом. Когда-то Пастернак говорил, что «строчки с кровью — убивают». Вряд ли он думал при этом о фатальной расплате подлинных художников, просто чувствовал на себе, что поэзия дается нелегко. Без обостренной чувствительности не может быть художника, даже если он состоит в десяти союзах или ассоциациях. Для того чтобы привычные слова волновали, чтобы ожил холст или камень, нужны дыхание, страсть, и художник сгорает быстрее — он живет за двоих, ведь помимо творчества есть у него своя кудлатая, запутанная жизнь, как у всех людей, право не меньше.

Существует юридическое понятие «вредное производство»; рабочим, занятым трудом, вредным для здоровья, выдают специальную одежду, молоко, сокращают рабочий день. Искусство тоже «вредное производство», но поэтов или художников никто не пытается оградить, часто забывают, что по самому характеру профессии царапина для них может оказаться смертельной.

А потом идешь в длинной веренице мимо могилы и бросаешь цветок...

26

Тысяча девятьсот тридцать первый год был в Париже невеселым: экономический кризис ширился; разорялись лавочники, закрывались цехи заводов. Начали шуметь разные фашистские организации — «Боевые кресты», «Патриотическая молодежь», «Французская солидарность». Во главе правительства стоял хитрый оверньяк Пьер Лаваль. Министр колоний Поль Рейно разъезжал по заморским вотчинам, и в кино показывали, как он пьет чай во дворце аннамского императора. (Среди журналистов, сопровождавших Поля Рейно, была левая писательница Андре Виоллис. Она осталась в Индокитае после отбытия министра, а потом написала книгу, которая потрясла совесть французской интеллигенции,— «Индокитай SOS» с предисловием Андре Мальро.) Состоялись президентские выборы; Бриана провалили — он был чересчур видной фигурой, парламентарии предпочли мало кому известного Думера. Торжественно похоронили маршала Жоффра, и газеты вспомнили про победу на Марне. Впрочем, куда больше места газеты уделяли свежей победе: на состязании самых красивых девушек звание «мисс Европы» было присвоено француженке. Германия продолжала вооружаться. Парижане восхищались кинозвездой Марлен Дитрих. Роялисты, собравшись на площади Конкорд, приветствовали короля Альфонса XIII, которого испанцы выгнали из Испании. В связи с безработицей участились самоубийства.

Открылась международная колониальная выставка. Венсенский лес был переполнен посетителями. Построили пагоды, дворцы, бутафорские деревни. Негры должны были на виду у всех работать, есть, спать; женщины кормили грудью детишек. Зеваки толпились вокруг, как в зоопарке.

Голландский павильон поразил меня деловой откровенностью. На стенах были диаграммы: индонезийцы работали, а деньги текли в окошко сберегательной кассы, над которым значилось: «Нидерланды». Другая карта показывала, как колонизаторы держат в повиновении Индонезию: красные лампочки означали военные посты, зеленые — полицейские.

Французы хвастали Индокитаем, Тунисом, Марокко, Сенегалом.

Я написал статью, предлагая устроить бутафорский «белый город», в котором европейцы жили бы натуральной жизнью: «Парламент — депутат произносит пылкую речь; биржа — рев маклеров; «салон красоты» — даме массируют зад; бордель — посетитель на четвереньках лает; академия — «бессмертные» в опереточных мундирах приветствуют друг друга». Я говорил, что такой деревне обеспечен успех в Азии и в Африке, и кончал статью довольно здравой мыслью о близком конце колониальных империй. Потом я узнал, что за эту статью меня собирались выслать из Франции.

А я, не подозревая о гневе властей, спокойно бродил с фотоаппаратом «лейка» по улицам Парижа: снимал дома, уличные сцены, людей. Это было подлинной страстью.

Я не люблю ни живописи, похожей на цветные фотографии, ни

фотоснимков, пытающихся сойти за художественные произведения,— все это мне кажется суррогатами, шарлатанством.

Почему же я увлекся фотографией? Я говорил в начале этой книги, что в наше время стали редкими дневники, откровенные и содержательные письма. Может быть, именно поэтому читатели набрасываются на человеческие документы, на дневник Анны Франк, на тетрадки кашинской школьницы Ины Константиновой, ставшей партизанкой, на предсмертные письма французских заложников. (Я помню слова Бабеля: «Самое интересное из всего, что я читал,— это чужие письма...»)

Художник изучает свою модель, ищет не обманчивого внешнего сходства, а раскрытия в портрете сущности модели. Когда человек позирует, с его лица постепенно исчезают меняющиеся оттенки, лицо лишается того, что мы обычно называем «выражением». Не раз ночью в последних поездах метро я разглядывал лица усталых людей, в них не было ничего преходящего, выступали характерные черты.

Другое дело фотография: она ценна не глубоким раскрытием сущности, а тем, что предательски подмечает беглое выражение, позу, жест. Живопись статична, а фотография говорит о минуте, о моменте — на то она и «моментальная».

Человек, которого фотографируют, однако, не похож на себя: заметив наведенный на него объектив, он тотчас меняется. Это делает столь неправдоподобными молодоженов в витрине провинциального фотографа. В снимках, где люди стараются прибрать свое лицо, как прибирают для гостей комнату, нет ни постоянного характера модели, ни достоверности минуты.

Я люблю воспоминания Горького; в них много подсмотренного тайком; можно ли забыть, как Чехов старался шляпой поймать солнечный зайчик на скамейке? Ясно, что, если бы Антон Павлович заметил Горького, он тотчас прекратил бы игру.

И. Эренбург снимает для альбома «Мой Париж». 1932 г.

«Глубокое удовлетворение». Фото И. Эренбурга.

«Отдых бездомного». Фото И. Эренбурга.

«Париж туриста». Фотомонтаж Эль Лисицкого для книги «Мой Париж».

Фотографии, которые меня увлекали, были человеческими документами, и не будь на свете бокового видоискателя, я не стал бы бродить с аппаратом по улицам парижских окраин.

Боковой видоискатель построен по принципу перископа. Люди не догадывались, что я их снимаю; порой они удивлялись, почему меня заинтересовала голая стена или пустая скамейка: я ведь никогда не поворачивался лицом к тем, кого снимал. Конечно, строгий моралист может меня осудить, но таково ремесло писателя — мы только и делаем, что стараемся заглянуть в щелку чужой жизни.

У меня не было амбиции фоторепортера. В книге «Мой Париж», где собраны сделанные мною фотографии, нет ни одной «актуальной». (Дату выдает только огромное воззвание на стене: «Друг народа». «Семнадцать лет после агрессии. Великое покаяние. Победителям, дважды обкраденным. В ответ на предложение Гувера мы выдвигаем наш пятилетний план». Это воззвание было подписано парфюмером Коти, издававшим фашистскую газету «Друг народа».)

Туристов возят на Елисейские поля, на площадь Оперы, на Большие Бульвары; я туда не ходил с моей «лейкой», а фотографировал рабочие районы: Бельвилль, Менильмонтан, Итали, Вожирар — тот Париж, который полюбил в ранней молодости.

Он печален, порой трагичен и всегда лиричен: старые дома, старухи на скамейках вяжут, рядом с ними целуются влюбленные, уличные писсуары, продавщицы цветов, рабочие рестораны, мамаши с детьми, художники, неудачливые консьержки, бродяги, сумасшедшие, рыболовы, букинисты, каменщики, мечтатели.

Десять лет спустя я написал роман «Падение Парижа»; в нем вдоволь горечи и любви. А вот что я писал в 1931 году: «Я не думаю, что Париж несчастнее других городов. Я даже склонен думать, что он их счастливее. Сколько голодных в Берлине? Сколько бездомных в сыром, темном Лондоне? Но Париж я люблю за его несчастье, оно стоит иного благополучия. Мой Париж заполнен серыми, склизкими домами, в них винтовые лестницы и колтун непонятных страстей. Люди здесь любят неуютно и заведомо ложно, как герои Расина, они умеют смеяться ничуть не хуже старика Вольтера, они мочатся где попало, с нескрываемым удовлетворением; у них иммунитет после четырех революций

и четырехсот любвей... Я люблю Париж за то, что в нем все выдумано... Можно стать гением — никто не поможет, никто не возмутится, никто не будет чересчур изумлен. Можно и умереть с голоду — это частное дело. Разрешается кидать окурки на пол, сидеть повсюду в шляпе, ругать президента республики и целоваться, где вздумается. Это не параграфы конституции, а нравы театральной труппы. Сколько раз здесь уже прошла человеческая комедия, и она неизменно идет с аншлагом. Все выдумано в этом городе, все, кроме улыбки. У Парижа странная улыбка, едва заметная, улыбка невзначай. Бедняк спит на скамье, вот он проснулся, подбирает окурок, затягивается и улыбается. Ради такой улыбки стоит исходить сотни городов. Серые парижские дома умеют улыбаться столь же неожиданно. За эту улыбку я и люблю Париж, все в нем выдумано, кроме выдумки, выдумка здесь понята и оправдана».

Парижане живут на улице, и это облегчало мою работу: я снимал влюбленных, людей, которые сплетничают, мечтают, ссорятся, пишут письма, танцуют, падают на мостовую замертво. В те годы на улицах спали безработные, и я заснял многих из них. Вот лежит один на скамейке; перед ним две вывески: «Бюро похоронных процессий» и «Свадебные кареты»...

Иллюстрированный еженедельник «Вю» напечатал страницу моих фотографий консьержек. Нужно сказать, что многие из консьержек отличаются крутым нравом. Я снял одну на пороге дома, готовую шваброй отразить атаку. Эта женщина разгневалась, требовала в редакции, чтобы ей сообщили мой адрес, хотела пустить швабру в ход. (Должен сказать, что не все консьержки таковы. После того как перевели на французский язык отрывки из первой части этой книги, я получил письмо от мужа консьержки того дома на улице Котантен, где я прожил много лет; он писал, что читает журнал общества дружбы «Франция — СССР», ласково вспоминал нас, даже моих собак.)

Альбом моих фотографий с написанным мною текстом был издан в Москве. Эль Лисицкий сделал обложку и фотомонтаж — я снимаю с помощью бокового видоискателя, причем у меня четыре руки: две держат фотоаппарат, другие две стучат на пишущей машинке. Редактором книги был Б. Ф. Малкин, тот самый, которому Маяковский писал:

> Когда, убоясь футуристической рыси,
> в колеса вставляли палки нам,—
> мы взмаливались:
>   «Спаси нас, отче Борисе!»
> И враги расточались перед бешеным Малкиным.

Я неожиданно очутился среди «левых» начала двадцатых годов.

«Лейку» я вскоре забросил: не было на нее времени. Во время «странной войны» ко мне пришел инспектор Сюртэ и сказал: «У вас приспособление для сигнализации вражеским самолетам». Он направился в угол, где стоял покрытый пылью обыкновенный аппарат для увеличения фотографий, и долго его рассматривал.

Я рассказал о книге «Мой Париж», конечно, не потому, что считаю себя хорошим фотографом, да и не из-за желания поделиться с читателями сплетнями о самом себе. Когда я смотрю на сделанные мною тридцать лет назад фотографии, я думаю о моем ремесле — о литературе. Конечно, моя книга фотографий узка — это не весь Париж, это только мой Париж того времени. Парижей множество. Щелкать затвором легче, чем писать, и я мог бы снимать все, что мне попадалось на глаза, но снимал я только то, что выражало мои мысли и чувства. Я фотографировал не чужой мне город и не пытался выдать наблюдения туриста за реальную жизнь: я знал назубок улицы, скамейки, людей, которых снимал.

Д. Заславский писал: «Книга Эренбурга разоблачает Париж, но она разоблачает и самого Эренбурга... Эренбурга привлекают задворки... Боковой видоискатель оказал плохую услугу Эренбургу. Он снимает действительно только то, что «в стороне».

Некоторые французы, в свою очередь разглядывая фотографии, говорили, что я тенденциозен. Я им отвечал, что имеется множество книг, показывающих другой Париж и сделанных опытными профессионалами.

Я думаю, что все сказанное относится не только к фотографии, но и к литературе, не только к Парижу, но и к другим городам. Мне это кажется очевидным, но вот я пишу уже полвека и слышу все то же: «Не то снимаете, товарищ! Повернитесь-ка налево, там достойная модель с добротной, твердо заученной улыбкой...»

27

Осенью 1931 года в моей жизни произошло важное событие: я увидел впервые Испанию. Поездка в эту страну была для меня не одним из многочисленных путешествий, но открытием; она помогла мне много понять и на многое решиться.

Испания давно притягивала меня к себе. Как часто бывает, я начал ее понимать через искусство. В музеях различных городов я долго простаивал перед холстами Веласкеса, Сурбарана, Эль Греко, Гойи. В годы первой мировой войны я научился читать по-испански, переводил отрывки из «Романсеро», из поэм Гонсало де Берсео, протоиерея Итского Хуана Руиса, Хорхе Манрике, Кеведо. В произведениях этих, непохожих одно на другое, меня привлекали некоторые общие черты, присущие национальному гению Испании (их можно найти и в «Дон-Кихоте», и в драмах Кальдерона, и в живописи): жестокий реализм, неизменная ирония, суровость камней Кастилии или Арагона и одновременно сухой зной человеческого тела, приподнятость без пафоса, мысль без риторики, красота в уродстве, да и уродство красоты.

Конечно, поскольку я с годами менялся, менялось и мое восприятие поэтов или художников. Когда мне было двадцать лет, я воспринимал холсты Эль Греко как откровение. Объясняется это не только близостью Греко к живописи начала нашего века, но и его неистовством, изумительным выражением человеческих страданий, взлета и бессилия —

я тогда зачитывался Достоевским. Странная судьба Греко: он родился на Крите, где, скованная догмами Византии, жила страсть обобранной и приниженной Эллады. Ему было тридцать шесть лет, когда он приехал в Испанию, там он нашел себя: критянин выразил одну из существенных черт испанского характера. В сорок лет я к нему охладел; его удлиненные святые и мученики начали мне казаться изнеженными, манерными, а жестокая пестрота красок отталкивала. Осенью 1936 года, очутившись снова в Толедо во время уличных боев, я захотел проверить свои впечатления и попросил одного из дружинников провести меня в церковь, где хранится картина «Похороны графа Оргаса». Церковь оказалась запечатанной, но дружинник меня впустил, потом запер меня и сказал, что вернется через три часа. Тогда-то я понял, почему я разлюбил Греко: слишком много было вокруг подлинной человеческой беды. Учась, мы одновременно разучиваемся, и я разучился понимать живопись Греко. Некоторые страницы Достоевского, потрясавшие меня в молодости, кажутся мне теперь аффектированными. Все это, разумеется, относится к моей биографии, а не к истории искусства или литературы, я знаю, что и Греко и Достоевский — величайшие художники; но, видимо, они лучше воспринимаются в эпохи внешнего спокойствия, когда люди ищут в искусстве исступления, чрезмерности.

Гойю, напротив, я полюбил в зрелом возрасте, и опять-таки, вероятно, этому способствовала эпоха. Когда-то он мне казался фантастом, творцом неправдоподобного, живописным Эдгаром По. Жизнь, однако, опрокидывала наивные представления о границах возможного, и я вдруг понял, что Гойя прежде всего реалист. Я убежден, что короли, королевы, графы, герцогини были именно такими, какими он их изобразил. Его видения войны меня потрясают, хотя я видел войны куда более страшные, чем наполеоновские,— ведь Гойю интересовали не мундиры, не знамена, не полководцы, а оскал, судорога, безумие. Изобразив расстрел испанских повстанцев солдатами Наполеона, он передал не только всю меру человеческого страдания, но и гнев художника. Он назвал свои кошмары «капризами», но его призраки и по сей день гуляют, убивают, едят, отрыгивают, загромождают землю. Он не боялся показаться тенденциозным; но никогда он не упрощал, да и не суживал мира. Я часто вспоминаю его диптих, находящийся в музее Лилля: молодая красотка читает письмо своего поклонника, которое ей передала служанка, и вот пятьдесят лет спустя — две старухи, а над ними смерть с метлой, готовая просто, по-деловому вымести человеческий сор. Гойя часто думал о смерти, и его картины перекликаются со стихами поэта XV века Хорхе Манрике, написанными после кончины отца:

> Наша жизнь — это реки,
> А смерть — это море,
> Берет оно столько рек,
> Туда уходят навеки
> Наша радость и горе,
> Все, чем жил человек...

> Итак, столько пешек передвинув
> На шахматном поле
> И страсть утоля,
> Итак, низвергнув столько властелинов,
> Сражаясь по доброй воле
> За короля,
> Итак, изведав различные испытания,
> Которых перечислить нет силы теперь,
> Он заперся в своем замке Оканья,
> И смерть постучала в дверь.

(Как здесь не вспомнить «старушку» Твардовского, которая вошла без пропуска в Кремль?)

Часто говорят об отъединенности Испании, о ее обособленности, а между тем испанский гений, при всем его своеобразии, неизменно подходил к тем вопросам, которые терзают людей, где бы они ни жили. Сколько писали, доказывали, что «Дон Кихот» — едкая сатира на давно забытый литературный жанр! Но вот прошли века, и на злосчастном Россинанте Рыцарь Печального Образа легче объезжает мир, чем герои, которые уже в пеленках летали на реактивных самолетах.

Роман Сервантеса известен всем, но мало кто знает о Хуане Руисе, протоиерее из Иты. Это поразительный поэт; он жил за сто лет до Франсуа Вийона и выразил всю сложность, всю раздвоенность предстоящего долгого дня. Трудно в точности определить, где он кощунствует и где исповедуется, где издевается и где плачет горькими слезами. Он все описывает откровенно, все называет своим именем, и одновременно у него неизменно второй план, четвертое измерение, поэзия; именно в этом я вижу особенность испанского реализма, да и самого характера Испании.

Я начал, может быть, с конца, но теперь мне будет легче объяснить, какую роль сыграла Испания в моей жизни.

Альфонса XIII прогнали в апреле 1931 года, а мы получили визы только осенью: консулу не нравились ни советские паспорта, ни мои книги.

Власти не знали, как с нами быть: угостить стаканчиком мансанильи или посадить в каталажку. Министры были новичками, а полицейские могли похвастать трудовым стажем. Республиканцы все переименовывали — учреждения, улицы, гостиницы; но люди, служившие королю, оставались на своих постах. В Мадриде на вокзале нас задержали и повели в участок, долго изучали наш несложный багаж — искали бомбы, револьверы, листовки. Потом нас неизменно сопровождали полицейские; время от времени они забывали про конспирацию и вынимали из карманов бляхи, свидетельствовавшие об их служебном положении.

Заместитель министра внутренних дел меня любезно принял, поулыбался и попросил представить ему список городов, которые мы намерены посетить. Когда мы приезжали в какой-либо город, нас на вокзале ждали полицейские и представители левой интеллигенции; последние узнавали о моем приезде от полицейских, жаждавших поделиться сенсацией,— я ведь был первым советским гражданином, который приехал в Бадахос, Самору или Сан-Фернандо. Я набрал в Мадриде сотни рекомендательных писем, чтобы сразу найти в любом городе собеседников. Письма мне давали испанские писатели, издатель моих книг коммунист Росес, радикальные журналисты, депутаты, случайные знакомые.

Я приехал в захолустный городок Эстремадуры Касерес и разослал несколько рекомендательных писем. Вскоре хозяйка гостиницы сказала, что ко мне пришли. Я увидел двух элегантных бездельников, похожих на провинциальных адвокатов (почему-то больше всего писем было к адвокатам), протянул им руку; они растерялись и вытащили из карманов бляхи: «Мы полиция». Произошел смешной разговор: полицейские со страхом спросили меня, не собираюсь ли я навсегда поселиться в Касересе, и, узнав, что я через два или три дня уеду, растрогались, долго меня благодарили.

Революции почти всегда начинаются идиллически: люди поют, митингуют, обнимают друг друга. Я приехал, когда эпоха лобызаний кончилась. Каждый день гражданская гвардия стреляла в «нарушителей порядка». Вспыхивали забастовки. Когда я был в Бадахосе, там стреляли. Стреляли и в Мадриде: разгоняли демонстрацию. В Севилье я увидел губернатора, который говорил: «Пора дать отпор рабочим...» Я был на заседании кортесов; выступал Мигель Унамуно, он красиво говорил о душе народа, о справедливости. В тот самый день в Эстремадуре гвардейцы застрелили бедняка, осмелившегося подобрать желуди с земли беглого маркиза.

В Мадриде, в Малаге чернели сожженные весной монастыри и церкви: люди мстили за гнет, за оброки и требы, за злую духоту исповедален, за разбитую жизнь, за туман, века простоявший над страной. Нигде католическая церковь не была такой всесильной и такой свирепой. В соборе Малаги женщины ползали по плитам, вымаливая прощение, а узколицый монах с черными злыми глазами твердил о близком возмездии. Католические газеты расписывали «чудеса»: Богоматерь появлялась почти так же часто, как гвардейцы, и неизменно осуждала республику.

Я побывал в горном районе Ляс Урдес; там жили люди, отрезанные от мира и никогда в жизни не евшие досыта. Молодые матери походили на десятилетних девочек, тридцатилетние — на дряхлых старух. Трудно было себе представить, что в ста километрах богатые бездельники причмокивают, разглядывая красоток Саламанки. В школьной тетрадке я увидел диктовку «наш благодетель король», а на следующей странице — «наша благодетельница республика трудящихся».

Испания официально именовалась «республикой трудящихся всех классов»; это название было придумано не юмористом, а вполне серьезными депутатами кортесов. Трудящиеся различных классов трудились по-разному. Я проезжал по огромным поместьям в Эстремадуре, в Андалузии. Земля по большей части оставалась невозделанной. Аристократы жили в Мадриде, в Париже или в Биаррице. Управляющие нанимали батраков; в договоре значилось, что рабочие должны трудиться «от зари до зари». Буржуазия была ленивой, жила по ста-

ринке. Я видел допотопные фабрики. Молодые щеголи в блистательных ботинках не знали, что им
делать; ходовым выражением было «убить время». Республика мало что изменила: голодные продолжали голодать, богачи глупо,
по-провинциальному роскошест-
вовали. Я разговаривал с анда-
лузскими батраками, которые не
вырабатывали в год и одной тысячи песет. «Трудящийся» герцог
Орначуэлос обладал шестьюде-
сятью тысячами гектаров: он любил охоту и приезжал в свою вотчину на одну неделю. В Мурсии
жил некто Сьерва; ему принадлежала земля, оцениваемая в двадцать пять миллионов песет. Он
занимался политикой и расстреливал забастовщиков. После революции он отбыл за границу, оставив на посту управляющего,
который продолжал собирать
деньги за аренду. Все были объяв-
лены трудящимися: держатели
акций, феодалы, монахи, сутенеры.

В. Мигель Унамуно.

Я поехал с доктором из Саморы, добрым и справедливым человеком,
в глушь, в Санабрию. Мы доехали до озера, дальше дороги не было,
нужно было ехать на ослах. Маленькая деревня с длинным именем Сан-
Мартин де Кастаньеда поразила меня редкой даже в Испании нищетой.
Среди лачуг мы увидели развалины монастыря. Когда-то крестьяне
платили монахам оброк — «форо». Монахи давно перекочевали в более
удобные места, а крестьяне продолжали выплачивать две тысячи пятьсот песет «трудящемуся» бездельнику, адвокату Хосе Сан Рамон де
Бобилья, прадед которого перекупил у монахов право обирать крестьян. Потом мы направились в другую деревню — Риваделаго. Ее жители
не платили «форо», но земли у них не было; они ютились в курных избах
и ели горох. Деревня стояла на берегу озера, изобилующего форелями,
озеро принадлежало богатой мадридской домовладелице, и управляю-
щий зорко следил, чтобы голодные крестьяне не похитили рыбешки.
Одна крестьянка с горечью сказала доктору: «Что же, дон Франсиско,
республика сюда еще не доехала?..»

(После моей поездки в Испанию я написал книгу о том, что увидел.
Еще до выхода этой книги в Москве ее издали в Мадриде под названием
«Испания — республика трудящихся». Доктор из Саморы поехал с
моей книгой в Риваделаго и прочитал крестьянам главу, где я рассказывал о голоде, об озере, о мадридской даме. Крестьяне на следующий
день окружили дом управляющего и потребовали, чтобы он тотчас

отказался от прав на рыбу. Пошли телеграммы в Мадрид, и перепуганная домовладелица уступила. Крестьяне прислали мне благодарственное письмо, приглашали в Риваделаго, обещали накормить форелями. К чему скрывать — это письмо меня обрадовало, ведь очень редко писатель видит, что его книга что-то на свете изменила. Обычно книги меняют людей, а это процесс долгий и незаметный. Здесь же я понял, что помог крестьянам Риваделаго уничтожить вековую несправедливость. Пусть мое участие в этом деле и было случайным, пусть деревня маленькая, да и победа была недолгой (вряд ли фашисты оставили форель бунтовщикам), все равно я порой вспоминаю эту историю и радуюсь.)

Гражданская гвардия продолжала стрелять. Депутаты продолжали произносить красивые речи. Народ был безоружен. Социалисты колебались. Анархисты швыряли бомбы. В маленькой андалузской деревне я присутствовал при жарком споре учителя с мэром: учитель был за Третий Интернационал, мэр — за Второй. Вдруг в спор вмешался батрак: «Я за Первый Интернационал — за товарища Мигэля Бакунина...» В крохотной газете, которую издавали батраки Хереса, я прочитал, что испанцы должны вдохновляться принципами Кропоткина. В Барселоне я познакомился с руководителем ФАИ (Федерация анархистов Иберии) Дуррути. Мы сидели в кафе. Дуррути показал мне револьвер, ручные гранаты: «Не боитесь? Я ведь живым не сдамся...» Его суждения были вдоволь фантастическими, но он меня сразу пленил мужеством, чистотой, душевным благородством. Я не знал тогда, что пять лет спустя на Арагонском фронте он наведет на меня свой револьвер: «Сейчас я тебя застрелю» — и что в итоге мы подружимся...

Я тогда еще многого не знал; но одно было ясно: это — первый акт трагедии, за ним неизбежно должны последовать другие. Помню, в Мадриде мне показали сердитого военного: «Вот Санхурхо...» Конечно, я не мог предвидеть, что он вместе с Франко и Мола пять лет спустя зальет Испанию кровью, но в 1931 году я писал: «Командующий гражданской гвардией генерал Сахурхо работает молча. Сорок восемь тысяч гвардейцев время от времени постреливают, они готовятся к всеобщему и массовому расстрелу».

Говоря об осени 1931 года, о фарсе и о трагедии, я еще не сказал о самом главном: о народе. В этой книге я порой пытаюсь показать людей, которых я встретил на своем пути, пытаюсь это сделать с любовью, с верностью, быть не бесстрастным летописцем, а человеком, вспоминающим друзей, которых больше нет в живых. Рассказываю я о людях, читателю более или менее известных,— о писателях, художниках, общественных деятелях. (Есть, конечно, в моем сердце и другие дорогие мне образы; их знают только близкие, я не могу подкрепить мои признания ссылками на книги или на полотна.) Об Испании мне хотелось бы рассказать как о близком, дорогом мне человеке.

Годы гражданской войны я провел в Испании и тогда по-настоящему узнал ее народ; но полюбил я его сразу — в 1931-м. Пабло Неруда назвал одну из своих книг «Испания в сердце». Эти слова мне хочется повторить: Испания действительно в моем сердце, и не случайно, не на время, не гостья, освещенная бенгальским огнем исторических событий, не квартирантка, окруженная фотографами и репортерами, нет, своя, близкая и в громкие годы и в немые, запретная, скованная, теперь я вправе это сказать — в сердце до самой смерти.

Я писал в 1931 году: «У меня скрипучее перо и скверный характер. Я привык говорить о тех призраках, равно гнусных и жалких, которые правят нашим миром, о вымышленных Крейгерах и живых Ольсонах. Я хорошо знаю бедность, приниженную и завистливую, но нет у меня слов, чтобы как следует рассказать о благородной нищете Испании, о крестьянах Санабрии и о батраках Кордовы или Хереса, о рабочих Сан-Фернандо или Сагунто, о бедняках, которые на юге поют заунывные фламенко, а в Каталонии танцуют сердану, о тех, что безоружные идут против гражданской гвардии, о тех, что сидят сейчас в тюрьмах республики, о тех, что борются, и о тех, что улыбаются, о народе суровом, храбром и нежном. Испания — это не Кармен и не тореадоры, не король Альфонс и не дипломатия Лерруса, не романы Бласко Ибаньеса, не все то, что вывозится за границу вместе с аргентинскими сутенерами и малагой из Перпиньяна, нет, Испания — это двадцать миллионов рваных Дон Кихотов, это бесплодные скалы и горькая несправедливость, это песни, грустные, как шелест сухой маслины, это гул стачечников, среди которых нет ни одного «желтого», это доброта, участливость, человечность. Великая страна, она сумела сохранить отроческий пыл несмотря на все старания инквизиторов и тунеядцев, Бурбонов, шулеров, стряпчих, англичан, наемных убийц и титулованных проходимцев!»

Многое в Испании меня поразило даже при первом, беглом знакомстве с этой страной, и прежде всего чувство собственного достоинства в людях нищих, вечно голодных, зачастую неграмотных. В Севилье на скамейке сидели рядом почтенный буржуа и безработный; бедняк вытащил из сумы гороховую колбасу и дружески предложил соседу по скамье. На террасе дорогого мадридского кафе ночью нежились бездельники. Женщина с грудным ребенком пыталась продать лотерейные билеты (один из видов нищенства). Младенец стал плакать; женщина спокойно села в кресло перед пустым столиком и начала кормить ребенка грудью. Никого ее поведение не удивило. Я невольно подумал: а ведь ее обязательно бы прогнали не только из «Кафе де ля Пэ», но даже из нашего «Метрополя»...

В нищей деревушке Санабрии я хотел заплатить крестьянке за яблоки; она наотрез отказалась взять деньги. Мой попутчик, испанец, сказал: «Можно дать малышу, но я боюсь, что он сунет монету в рот и проглотит. А дети постарше ни за что не возьмут...» Подросток, чистильщик сапог, увидев, что я стою у табачной лавки, запертой на обеденный перерыв, вытащил из кармана сигарету: кури. Крестьянин возле Мурсии, которому я попытался заплатить за апельсины, покачал головой: «Улыбка дороже песеты».

(Бескорыстность испанских крестьян всегда поражала иностранцев. Мартин Андерсен-Нексе рассказывал мне, что молодые годы он провел в Испании; денег у него не было, и неизменно крестьяне ставили перед ним тарелку супа: «Ешь»...)

Носильщик на вокзале сказал мне: «Я уже сегодня поработал, сейчас позову товарища». Я отнес обувь сапожнику, он спросил жену, есть ли у них деньги на обед, и, узнав, что есть, отослал меня к другому сапожнику. Безработные не получали никаких пособий. Я спрашивал, как они не умирают от голода, мне отвечали: «А товарищи?..» Андалузский батрак разреза́л хлеб пополам и половину давал безработному соседу. Рабочие Барселоны несли часть получки в профсоюзы — для безработных — без призывов, без громких фраз, просто, по-человечески.

Я писал, что Испания — это двадцать миллионов Дон Кихотов в лохмотьях. Я возвращаюсь к этому образу не только потому, что люблю роман Сервантеса, но и потому, что в Рыцаре Печального Образа все душевное обаяние Испании. Вот строки, написанные мной в 1931 году: «Здесь можно выдать мельницу за врага, и с мельницей пойдут сражаться,— это история человеческих заблуждений. Но здесь нельзя выдать человека за мельницу — он не станет послушно махать руками вместо крыльев. Здесь еще живут люди, настоящие живые люди».

Несколько лет спустя, когда большие, передовые, хорошо организованные народы один за другим начали готовиться к капитуляции перед фашизмом, испанский народ принял неравный бой: Дон Кихот остался верен и себе, и человеческому достоинству.

Испания помогла мне преодолеть многие сомнения. Я знал, что придется не раз заблуждаться — порой со всеми, порой в одиночку. Пусть так. Только бы не стать винтиком, роботом, бутафорской мельницей!

28

Я смотрю на маленькую выцветшую фотографию. Винный погреб в местечке Монтилья, недалеко от Кордовы. Толстяк хозяин, Люба, Эрнст Толлер. Был такой веселый, легкий день. Мы долго пили вино в прохладном погребе. Толлер рассказывал забавные истории. А хозяин нам говорил, что на свете нет вина лучше, чем монтилья: «Ведь не случайно в Хересе делают вино амонтильядо, но в Монтилье никому не придет в голову изготовлять ахересадо». Это звучало убедительно, можно было, кстати, припомнить рассказ Эдгара По о бочке амонтильядо, можно было попробовать еще один сорт монтильи; можно было на несколько часов забыть о том, что у нас позади и впереди. Мы не спешили уходить, Толлер говорил: «Из рая не уходят, из рая выгоняют»; и вернулись мы в Кордову поздно ночью.

(Во время войны неподалеку от Монтильи стояли войска республиканцев. Нужно было напечатать номер армейской газеты; бумаги не было, и газета вышла на тонких листах, в которые толстяк виноторговец заворачивал бутылки; среди военных сводок виднелись слова: «Монтилья — лучшее вино мира».)

Почему я начал рассказ о Толлере с Монтильи? Ведь я с ним

познакомился в 1926 или 1927 году в Берлине; встречались мы в разных городах — в Париже, в Москве, в Лондоне,— вели серьезные беседы. А я вспоминаю несколько дней, проведенных вместе в Андалузии (мы встретились в Севилье и расстались в Алхесирасе),— тогда я видел Толлера счастливым. Он прожил трудную жизнь, спорил, убеждал, проклинал, верил, отчаивался и вместе с тем был мечтателем, шутником, даже сибаритом, и, говоря о поэте-партизане, я прежде всего вспомнил короткий час перекура.

Толлер был красив, походил на итальянца, веселого и печального, неизменно неудачливого героя неореалистического фильма. Может быть, основной его чертой была необычайная мягкость, а прожил он жизнь очень жесткую. Разные бывают люди: одни вылеплены из воска, другие высечены из камня; это вопрос не убеждений, а природы, и часто человек выбирает путь, мало соответствующий материалу, из которого он сделан. Я знавал людей твердой воли, крепких нервов, решительных, по-своему смелых, облюбовавших тыл жизни; сталь ржавела. Толлер был создан для раздумий, для нежной лирики, а он с ранней молодости выбрал трудный путь действия, борьбы.

Прожил он не так уж много — сорок пять лет, но, кажется, не было дня, когда кто-нибудь не писал о его ошибках. Он не протестовал; как-то он сказал мне: «На самом деле я ошибался во сто раз больше, но половины они не знают. Притом они считают только те глупости, которые я делал в одиночку. А сколько раз ошибались все?..»

Некоторые ошибки Толлера диктовались возрастом, да и временем; он их не только признал, но и перечеркнул поступками. Когда началась первая мировая война, ему еще не было двадцати двух лет; он был хилым, и его забраковали, но он добился, чтобы его послали на фронт — во Францию: он верил, что Германия защищает правое дело. Барбюсу, когда началась война, было сорок лет, и он верил, что правое дело защищает Франция. Толлер очень быстро понял, что поверил лжи, поддался общему психозу, и начал обличать зачинщиков войны. Его

Провозглашение Испанской республики. 14 апреля 1931 г.
Л. Козинцева-Эренбург и Эрнст Толлер в Испании. 1931 г.

арестовали, посадили в военную тюрьму, потом в сумасшедший дом.

Он был молодым одаренным поэтом: его стихи хвалили Рильке, Томас Манн. Он мог бы писать, прославлять революцию в стихах. А он выбрал другое — стал одним из руководителей баварской революции, заместителем председателя Центрального Совета рабочих и солдатских депутатов. Критики часто говорили, да и поныне говорят, что у Толлера было недостаточно политической подготовки. Это бесспорно. Но у него был избыток совести — обременительное свойство, за которое его обладатели всегда расплачиваются.

Баварская Советская республика просуществовала всего несколько недель; в Мюнхен ворвались белые. За голову Толлера была обещана крупная награда; и его выдали. На суде он сказал: «Битва начата, и никаким штыкам, никаким военно-полевым судам капиталистических правительств не задушить революцию!» Ему было двадцать шесть лет, и пять лет он просидел в Нидершенфельдской тюрьме. Я помню, с каким волнением мы глядели в Берлине пьесу Толлера, написанную им в тюрьме: это было письмо, переданное на волю.

Германская реакция в те годы побеждала повсюду: не только в Баварии, но и в Берлине, в Саксонии, в Гамбурге; слов нет, белый генерал Эпп умел лучше вести военные операции, нежели поэт Толлер. Можно пожалеть, что у баварцев не нашлось своего Щорса или Чапаева, но нелепо винить Толлера: он знал, что бой неравный и что впереди не почести, не власть, а расправа усмирителей. Его называли «сентиментальным революционером»; но ведь в революцию он пришел не из подпольных кружков, где годами обдумывали тактику, разрабатывали планы, а из поэзии; в политике он остался до конца своей жизни самоучкой.

Когда он вышел в 1924 году из тюрьмы, у него было крупное литературное имя; его пьесы шли в театрах различных стран. Может быть, их успех объяснялся не только художественными достоинствами, но и остротой тем; может быть, зрители порой аплодировали не тексту, а биографии автора; но Толлер не был в литературе ни самозванцем, ни случайным гостем. О нем тепло отзывались непохожие друг на друга писатели — Томас Манн, Горький, Ромен Роллан, Синклер Льюис, Фейхтвангер. Он мог бы засесть за работу и стать солидным, почитаемым всеми писателем. Но в нем жила вечная неуспокоенность. Солдатом революции он не стал, да и не мог стать, но продолжал партизанить; совесть оказалась сильнее привязанности к тысячам мелочей легкой и беззаботной жизни.

Он был очень сложным человеком; не будь у него редкого обаяния, наверно, он восстановил бы против себя всех; но противники неожиданно смягчились. Один очень придирчивый критик при мне говорил: «Но ведь это — Толлер! Что с него требовать?..»

Помню путаный и хороший разговор в Кордове. Перед этим мы долго бродили по городу; местный урбанист нам объяснял, что извилистые улицы старой Кордовы были запланированы опытными архитекторами — арабами и евреями: даже в июльский полдень на одной стороне улиц обязательно тень. Наш разговор начался с этого. Толлер восхищался: «Они думали о простых пешеходах!» Потом мы заговорили об отношениях между человеком и обществом. Толлер усмехнулся: «Я написал об этом несколько слабых пьес. Может быть, я и не драматург, но меня тянет к театру — иллюзия действия... Репутацию создать легко. Ибсен это замечательно показал: «Враг народа» — честнейший человек... Но сколько честолюбцев, эгоистов, пустышек кричат о «правах личности»! Они путают карты... Нужно бороться за такое общество, где у каждого человека право и на солнце и на тень... Благодетели все предписывают оптом — солнце так солнце, тень так тень... Я видел, как власть, даже эфемерная, деформирует человека...» Он рассказывал смешные истории о своем прошлом, о немецких писателях и вдруг помрачнел: «Боюсь, что победят нацисты. Вы знаете, что это значит? Война...» Он вспомнил книгу о ласточках, которую написал в тюрьме: «Нет, я не о моих стихах. Но вы помните письмо рабочего, каменщика? Начальник тюрьмы отдал приказ уничтожить ласточкины гнезда, и рабочий, сидевший в соседней камере, написал, что ласточки их вьют с трудом, они вообще честные и трудолюбивые птицы. Конечно, письмо не переубедило начальника тюрьмы. Это крохотная картина войны: уничтожение гнезд... Страшно подумать о будущем!..»

В Испании он рассказал мне, что хочет написать пьесу: современный Дон Кихот и Санчо Панса в мире денег, спеси, тупости. Пьесы этой он не написал. Он говорил Фейхтвангеру, что работает над романом о Демосфене — человеке, который хочет отстоять культуру Эллады от варварства. Он не написал и романа. Его всегда лихорадило; он что-то начинал и бросал — слишком беспокойным было время, слишком отзывчивым сердце.

За границей Толлер постоянно защищал Советский Союз, даже когда ему что-либо у нас и не нравилось. У него были в Москве друзья, с ними он подолгу, откровенно беседовал. При последней встрече он сказал мне, что если есть у него надежда, то это — Москва.

В книге о своей юности, написанной в 1933 году — после прихода Гитлера к власти,— Толлер писал о своей любви к Германии; его признания сродни признаниям Тувима: «Разве я не люблю эту страну? Разве среди пышных ландшафтов средиземноморского побережья я не тосковал по скупым песчаным лесам с сосной, по тихим, затерянным озерам германского севера? Разве не захватывали меня в детские годы стихи Гёте и Гельдерлина?.. Немецкий язык — разве он не мой язык, язык, на котором я думаю и чувствую, не часть моего существа, не родина, вскормившая и вырастившая меня?.. Во всех странах поднимают голову слепой национализм и смешное расовое высокомерие. Неужели я дам увлечь себя психозу наших дней?.. Слова «я горжусь тем, что я — немец» или «я горжусь тем, что я — еврей» кажутся мне такими же бессмысленными, как если бы человек сказал: «Я горжусь тем, что у меня карие глаза...»

Нет, он не поддался безумию эпохи: остался подлинным интернационалистом. Незадолго до трагической развязки, больной, отчаявшийся, он с каким-то исступлением собирал деньги на голодавших детей Испании, вырывал фунты или доллары у людей себялюбивых, равнодушных, собрал за короткий срок свыше миллиона долларов. Даже черствые люди мягчели, когда с ними говорил Толлер,— от него исходило добро.

Незадолго до начала испанской войны, в июне 1936 года, я был в Лондоне на собрании комитета Антифашистского объединения писателей. Толлер повел меня после заседания к себе; он жил в маленьком домике на окраине города. Как всегда, он был занят множеством неотложных и кропотливых дел, как всегда, окружен людьми и одинок, еще более одинок, чем в камере тюрьмы,— в этом он мне признался сразу. Я нашел его осунувшимся, помрачневшим. Его раздражало пренебрежительное, как ему казалось, отношение англичан и французов к немецкой эмиграции. Газеты писали о Гитлере если не благожелательно, то сдержанно, и Толлер сердито отчеркивал красным карандашом статьи, потом швырял газеты на пол. Он вдруг по-детски пожаловался, что в Лондоне очень холодно зимой, нельзя согреться, помню его слова: «Теперь на дворе зима длиннее, чем в Москве, длиннее, чем в Лапландии,— на десять или двадцать лет. Люди с крепкими корнями выдержат. А другие вымерзают один за другим...»

Толлер продержался еще три года. Я видел его в последний раз в Париже. На минуту мне показалось, что он выглядит лучше; он пробовал даже шутить. Тогда-то он и собирал деньги на испанских детей. Когда мы прощались, он спросил меня: «Вы спите без снотворного?.. Ужасно ночью — все видишь острее, чем днем... Ну, ладно... Скоро, наверно, увидимся. Я решил оставить Америку — слишком далеко, там нельзя даже заикнуться о том, что происходит на свете,— удивляются, рекомендуют невропатолога... До свидания!..»

Мы больше не встретились. Весной 1939 года в Нью-Йорке был конгресс пен-клубов. На парадном обеде Толлер попытался растревожить всех, напомнил о судьбе Мюзама, Осецкого, Тухольского. Несколько дней спустя, 22 мая, он повесился в ванной комнате гостиницы.

Я вспоминаю Толлера и тихо улыбаюсь: добрый человек, друг, поэт, не только в книгах — в жизни. Я люблю его книгу стихов, написанную в тюрьме «Книгу ласточек».

> Строители готических соборов,
> гордитесь вы. Дробили камень бедняки,
> и стеклодувы, полные тоски,
> скрывали солнце горечью узоров,
> и колокола отливали медью,
> и к небу рвался свод, чтоб умереть,—
> вы посвящали ваши камни смерти.
> А ласточки, роняя свист и вздох,
> из глины строят, прутиков, соломы
> и жизни посвящают те хоромы —
> земное счастье, теплое гнездо.

Толлер сам походил на ласточку, может быть на ту «одну», что прилетает слишком рано и не делает весны.

29

В 1931 году я дважды побывал в Берлине — в начале года и осенью. Ничего исключительного тогда не происходило; во главе правительства стоял умеренный католик Брюнинг; несмотря на кризис, жизнь внешне текла по-прежнему. Однако в моей памяти эти поездки остались сном нелепым и вместе с тем полным значения, который, проснувшись среди ночи, тщетно пытаешься распутать. Мне трудно связно рассказать о Берлине 1931 года; будет честнее, если я попытаюсь восстановить отдельные разрозненные картины, сами по себе не столь примечательные, но запомнившиеся; они объяснят, почему я рассказываю о тех поездках.

В купе сидит немолодой немец с выбритым затылком и стоячим воротничком; он читает пухлую газету. Я уже знаю, что он — коммивояжер, продает какие-то усовершенствованные блокноты. Я его спрашиваю, когда мы должны приехать в Берлин. Он достает из портфеля расписание: «В одиннадцать часов тридцать минут тридцать секунд». Потом он снова берет газету и тихо, бесстрастно говорит: «Это конец... Конец абсолютно всего...»

Издатель радикального журнала «Нейес тагебух» Шварцшильде угощает писателей ужином. Все как полагается: различные бокалы из хрусталя, хорошее вино, цветы, разговоры о последнем романе Фейхтвангера, о моратории Гувера, о коварных свойствах рейнских вин. Вдруг хозяин говорит, точь-в-точь как коммивояжер: «А знаете, скоро все кончится...»

Показывают фильм «На Западе без перемен» — по роману Ремарка. Нацисты возмущены: «Немецкие солдаты умирали молча, а герой фильма кричит, как поляк. Это клевета!..» Я уже видел этот фильм в Лондоне, но приятель уговаривает: «Сегодня нацисты собираются дать битву. Их встретят как надо...» Мы смотрим. Вдруг раздаются истерические крики. Зажгли свет. Никто никого не бьет; крики, однако, продолжаются. Публика уходит. Оказывается, нацисты выпустили в зале сотню мышей.

Владелец табачной фабрики говорит мне: «Я не знаю, кто победит — нацисты или ваши друзья. В общем, мне все равно — я давно перевел деньги в Цюрих. Я теперь увлекаюсь Ганди. Мне нравится Толстой. Но это не ко времени. Немцы хотят диктатуры, величия, а что внутри — не важно. Когда вы покупаете коробку моих сигарет, вы платите больше половины за упаковку... Гугенберг дает деньги на пропаганду против капитализма. Фарс? Нет, он знает немецкий характер... В Цюрихе я открыл маленькое отделение... Там хороший воздух, спокойно. Ромен Роллан писал о Ганди в Швейцарии, я его понимаю...»

Я провел несколько вечеров с Рудольфом (фамилию его я забыл). Это сотрудник «Роте Фане», который прекрасно знает северные районы Берлина; он мне многое показал. Рудольф — сын таможенного чиновника-монархиста; был студентом, не доучился; жена его бросила. Политикой он увлекся еще в 1919 году — подростком; рассказал мне, как он повалил здоровенного нахала, который хотел перекричать Карла Либкнехта. Рудольф очень высокий, сухой, с большим кадыком и голубыми мягкими глазами. Говорит он газетными фразами, все время вставляет «возьмем факты», но меня трогает его голос: он верит в то, что говорит.

Рудольф мне объясняет: «Возьмем факты — семь миллионов безработных! Капитализм разваливается у всех на глазах. Все понимают, что их песенка спета. Ты знаешь, о чем они теперь мечтают? Познакомиться с сотрудником вашего торгпредства. Может быть, Москва что-нибудь купит... Вообще Москва в центре внимания. Ты видал, сколько переводов с русского? Вчера я с трудом купил билет на «Путевку в жизнь». Публика архибуржуазная, понятно — у рабочих нет денег. Эмиль Людвиг через две недели едет в Москву — решил написать книгу о Сталине. Мне поручили анкету, я разговаривал с писателями, все идут к нам — Эрнст Глезер, Пливье, Оскар Мария Граф. Возьмем факты: в прошлом году мы собрали четыре миллиона шестьсот тысяч голосов, нацисты — шесть миллионов четыреста. Но сколько из голосовавших за них в решающую минуту пойдут за нами? Три четверти. Это ведь рабочие, они голосуют за нацистов потому, что ненавидят капитализм. Хорошо, что наше руководство учло настроения масс. Мы теперь выступаем с программой национального освобождения Германии. Рабочие-нацисты начинают к нам прислушиваться. Есть, конечно, оголтелые, но я убежден, что здоровый инстинкт победит. Нет, теперь не 1919-й! Когда ты снова приедешь в Берлин, ты увидишь другую Германию...»

Оскар Мария Граф толст, благодушен; у него наивные глаза ребенка. Он слушает споры и молчит. Мария Гресхеннер познакомила меня с новым автором «Малика»; зовут его Домеля. Он выдавал себя за принца Гогенцоллерна, попал в тюрьму и написал обо всем этом книгу. Мария рассказывает, каким успехом пользуется книга «Фальшивый принц». Автор посмеивается. Он словоохотлив — ему нравятся литература, революция и мужчины, к женщинам он равнодушен...

Курфюрстендамм сияет; здесь не скажешь, что на дворе кризис. В витринах магазинов изысканнейшие вещи. Дорогие рестораны и кафе переполнены. Писатель Вальтер Меринг, печальный шутник, повел меня в ресторан «Какаду». Столики под пальмами. Попугаи бодро роняют помет на тарелки. Снобы довольны: им кажется, что они на Таити. Заметив мое смущение, Меринг смеется: «Теперь вы видите, что немцы сошли с ума? Можете не есть, мы пообедаем в обыкновенном ресторане... Попугаи — это мелочь. Я думаю о том, как на нас посыплются бомбы... Но что можно сделать? Бьют стекла, пачкают стены, и это не босяки, это философы, каждый громила ссылается на Ницше. Попугаи тоже философы». Кругом нас говорят о делах, о театральных премьерах, о светских скандалах, о чем угодно, только не о политике. Меринг стучит ножиком о стакан — пора уходить; и попугай старческим голосом раздраженно повторяет: «Счет! Счет!»

Случайно я встретил левого журналиста, с которым познакомился четыре года назад на съемках «Жанны Ней». Тогда он зло высмеивал националистов, называл Гугенберга «глупым мамонтом». Он пошел в гору: заведует литературным отделом большой газеты; постарел, прихрамывает. Заговариваем о политике. «Все не так просто. Мы многого недооценили... Конечно, среди нацистов имеются темные элементы, но в целом это здоровое явление...» Мой приятель потом рассказывает, что у журналиста неприятности: в нацистской газете была заметка, где говорилось о его прошлом — он не случайно клеветал на Людендорфа, его мать еврейка и у него больные ноги, а это верный признак еврейского происхождения. Журналист теперь занят генеалогией: собирает документы, подтверждающие чистокровность всех его предков.

Северная часть города не похожа на Курфюрстендамм: здесь кризис виден на домах, на одежде людей, на лицах. Дуют холодные ветры с Балтики; приближается зима. Много бездомных; они спят в различных ночлежках, некоторые на улице; последнее запрещено, но есть глухие аллеи Тиргартена, пустыри, подвалы. Большая витрина закусочной возле Александерплац; выставлены различные яства — картошка с салом, колбасы, свиная нога. («Колоссально! Всего пятьдесят пять пфеннигов!») Люди подолгу стоят у витрины, смотрят. Некоторые входят и что-то быстро проглатывают.

Один безработный рассказал мне, что получает пособие — девять марок в месяц. К счастью, он одинок. Койка в ночлежке стоит пятьдесят пфеннигов; приходится большей частью ночевать на улице. «У нацистов дают бесплатно суп с мясом, товарищи говорят, что там хорошо, но мне противно...»

Берлин стал эдемом международных педерастов: здесь ничего не стоит раздобыть привлекательного юношу. По вечерам в пассаже Унтер-ден-Линден, в Тиргартене, около Александерплац бродят молодые безработные; на многих короткие штанишки; они стараются кокетливо улыбаться. Платят им одну-две марки. Я разговорился в закусочной с одним из этих парней. Он рассказал, будто в Берлине живет принц Гогенцоллерн, не фальшивый, а настоящий. Увидев юношу, который ему нравится, он его бьет хлыстом, а избив, дает десять марок. Возле дома, где живет принц, бродят юноши — ждут счастья...

Я пошел на собрание нацистов; происходило оно в пивной. Глаза ел дым дешевых сигар. Какой-то нацист, размахивая большими руками, долго кричал, что немцам надоело голодать, что хорошо живут только евреи, что союзники ограбили Германию, нужно расколотить французов и поляков. В России тоже хозяйничают евреи,— значит, придется всыпать и русским. Гитлер покажет миру, что такое немецкий социализм... Я разглядываю посетителей. Одни пьют пиво, другие сидят перед пустыми столами. Много рабочих, и от этого нестерпимо больно. Конечно, я знал и прежде, что среди нацистов немало рабочих, но одно дело прочитать об этом в газете, другое — увидеть. Разве скажешь, что этот пожилой рабочий — фашист? Хорошее печальное лицо, видно, что ему не сладко. А тот, молодой, похож на товарища, которому Рудольф поручил раздать листовки...

Штаб нацистов — в пивной «Берлинер киндль». На соседней улице другая пивная; там собираются коммунисты. Меня туда привел Рудольф. Протертые бархатные диваны, на стенах оленьи рога; обыкновенная пивнушка...

Я шел с Рудольфом по глухой улице Нордена. Он что-то досказывал: «Возьмем факты...» Вдруг раздались выстрелы. Рудольф подбежал, крикнул: «Вебер!..» Нацисты застрелили рабочего-коммуниста. Потом не спеша пришел полицейский. Вызвали машину. Долго составляли протокол; я стоял в стороне — ждал Рудольфа. Прибежала старая женщина, громко плакала. Ночь была темной; ветер срывал кепки, последние листья деревьев.

Я вернулся в Париж мрачный: буря надвигалась. В газетной статье я писал: «Капитализм слишком долго, слишком отвратительно разлагается. Гангрена успела поразить живые части тела... Редко история знавала трагедию, равную трагедии германского пролетариата. Сжав зубы от отвращения, он отливал пушки и умирал под Верденом. Женщины рожали дегенератов, слепых, слабоумных. Когда он потребовал права на жизнь, его сумели разъединить, стиснуть... Рабочих снова приучили к нужде и безысходности. Увидав, что они больше не верят социал-демократическим полицейским, из них стали вербовать фашистских погромщиков. Осквернили не только их тело — их душу. Расплата отодвинута, но эта расплата будет жестокой — история умеет мстить».

30

Четверть века назад в «Книге для взрослых» я писал: «В 1931-м мне исполнилось сорок лет. Этот год показался мне обычным. Теперь я вижу, что он позволил мне жить дальше... Это было приготовительным классом новой школы, в нее я записался на пятом десятке».

Я рассказал об Испании и о поездках в Берлин, о долгих блужданиях по северным районам Парижа с фотоаппаратом. Могу добавить, что побывал в Праге, в Вене, в Швейцарии, был на заседании Лиги наций, глядел на Бриана, который то и дело опускал свои мясистые тяжелые веки, слушал спор между немецким министром Курциусом

В пивной на этой улице собирались нацисты. Берлин. 1931 г.

Квартира Эренбургов на улице Котантен, в которой они жили до 1940 г.

и поляком Залесским. Все говорили о разоружении, и все понимали, что дело идет к войне.

Люба сняла маленькую квартиру на улице Котантен. Квартира была на первом этаже, и два наших пса не должны были проходить мимо консьержки, а хитрец Бузу научился выпрыгивать один на улицу. Мы перед этим пошли в воскресенье на улицу Котантен и восхитились тишиной. А переехав, мы ужаснулись: ночью да и рано утром по улице непрерывной цепью двигались грузовики: везли с товарной станции Вожирар, где я в годы войны работал, бидоны с молоком. Впрочем, люди ко всему привыкают, и вскоре мы не слышали ни грохота, ни звона.

В начале года я кончил книгу о кинопромышленности «Фабрика снов». Словом, год был, как я писал, скорее обычным. Однако он действительно многое изменил в моем отношении к людям и к жизни.

Передышка, подаренная мне, как и всем людям моего поколения, подходила к концу. Еще не было бурь, но штиль уже казался неестественным. Друзья, приезжавшие из Советского Союза, рассказывали о раскулачивании, о трудностях, связанных с коллективизацией, о голоде на Украине. После поездок в Берлин я понял, что фашизм наступает и что его противники разъединены. Экономический кризис продолжал обостряться. Лишения, унижения, голод не всегда способствуют разумным решениям: фашисты вербовали в свои отряды не только обнищавших лавочников или хорохорившихся подростков, но и отчаявшихся, сбитых с толку безработных.

Я недаром занимался королями нефти, стали или спичек: я знал, что, будучи более или менее просвещенными и брезгая общением с фашистами, они обильно снабжают различные фашистские организации деньгами. Страх перед революцией оказался сильнее не только унаследованного свободомыслия, но и простого благоразумия. В Нюрнберге судили маньяков, а виновата была вся правящая верхушка общества. Может быть, некоторые из тех, кто потакал фашистам, поддерживал их, потом и плакали над сожженными книгами, расщепленными городами, погибшими близкими. Фашизм пытались выдать за приблудного незнакомца, случайно затесавшегося в благопристойные, цивилизованные страны. А у фашизма были щедрые дядюшки, любвеобильные тетушки, некоторые из них здравствуют и поныне.

Бой был неминуем: дипломаты знают зоны разъединения, нейтральные или буферные государства; а я понимал, что между нами и фашистами нет даже узенькой полоски «ничьей земли».

Возможно, что в прошлом бывали эпохи, когда художник мог отстаивать человеческое достоинство, не расставаясь ни на час с искусством. Наше время требовало от любого человека не вдохновенного костра, а повседневных жертв или отречения.

Бог ты мой, сколько раз в жизни я отвечал на стандартные вопросы анкет! Теперь я хочу рассказать не о поступках, не о поездках, даже не о книгах, а о себе. До сорока лет я не мог найти себя — петлял, метался.

Вероятно, я не прав, относя все к характеру эпохи. Я ведь встречал писателей, которые целиком выражали свои мысли, чаяния, страсти в книгах,— Томаса Манна, Джойса, Вячеслава Иванова, Валери. Конечно, они многим в жизни увлекались, от многого отшатывались, но орудиями действия для них были романы или стихи. Таким был и Бальзак, хотя он мечтал стать депутатом, писал политические памфлеты, разрабатывал проекты финансовых операций, чтобы освободиться от вечных долгов: все это оставалось зыбью на поверхности, загорался он, только говоря о героях своих романов. А для его современника Стендаля литература была одной из возможных форм участия в жизни, он воевал, увлекался политикой, страстно влюблялся, жил не для того, чтобы лучше узнать страсти других, а для того, чтобы жить.

По-разному бывают скроены не только великие, но и малые писатели. После «Хулио Хуренито» я стал профессиональным литератором. Писал я очень много; сейчас подсчитал, и даже неловко признаться: с 1922 по 1931 год я написал девятнадцать книг. Поспешность диктовалась не честолюбием, а смятением; изводя бумагу, я изводил самого себя.

Никогда меня не удовлетворяло созерцание, мне хотелось не только размышлять над судьбами вымышленных персонажей, но и самому походить на них. А между тем в то десятилетие, которому посвящена третья часть моей книги, я слишком часто оказывался в роли если не наблюдателя, то болельщика.

В 1931 году я почувствовал, что я не в ладах с самим собой. Я задумался над недавним прошлым и, пока ночные грузовики грохотали, звенели, настойчиво спрашивал себя, как мне дальше жить.

Может показаться странным, что такие вопросы ставил себе не зеленый юноша, который, оборванный и голодный, блуждая по парижским улицам, писал стихи о светопреставлении, да и не тот, растерянный, но вместе с тем задорный молодой интеллигент, которого А. Н. Толстой называл «мексиканским каторжником» и который рассказывал девушкам похождения еще не написанного «Хуренито», а сорокалетний литератор, начинавший седеть. Но я уже говорил, что в нашу эпоху, когда события разворачиваются с ошеломляющей быстротой, многие люди складываются медленно. Герцену было сорок лет, когда он сел за «Былое и думы» и начал подводить итоги своей жизни: он никогда не глядел на события из зрительного зала, был актером всех трагедий, которые шли в его время.

Может быть, столь длительные поиски себя объяснялись и тем, что я жил в двух различных мирах, молодость провел в Париже, к началу революции мои вкусы, привязанности, отталкивания успели сложиться. Может быть, сказался и характер: я всегда испытывал необходимость проверить то, что многим казалось таблицей умножения.

Конечно, если говорить о пути писателя, я не изменился за один год. В предисловиях к моим книгам в двадцатые годы неизменно указывалось, что, хотя я «опустошенный циник» и «нигилист», меня стоит издавать, потому что я хорошо изображаю «гниение капиталистического мира». В «Хуренито» я действительно искренне высмеивал клерикалов и радикалов, фанатичных коммунистов и ручных социалистов, французских жуиров и русских интеллигентов с их угрызениями совести; но мало-помалу я начал отходить от такого подхода к людям. Вероятно, в этом сказался возраст: исчезла жесткость, свойственная молодости. Мне становилось все труднее и труднее жить одним отрицанием: хотелось найти за глупыми или дурными поступками людей нечто настоящее, человеческое. (Это редко мне удавалось, но я ведь говорю не о литературных достоинствах, а о своих намерениях.)

Однако главным для меня в 1931 году был не подход к персонажам романов. Я мало думал о том, как написать следующую книгу; я спрашивал себя, как мне дальше жить, чтобы годы были не пометками на полях жизни, а самой жизнью.

Каждый человек особенно близко принимает к сердцу те вопросы, которые относятся к его работе, и, конечно же, меня волновали судьбы литературы, искусства. Маяковского больше не было. Громче других раздавались голоса рапповцев. Выставки были заполнены огромными полотнами ахрровцев. Эпоха дерзаний и чудачеств была позади.

Революция приобщила к культуре народ, и естественно, что люди, впервые бравшие в руки роман или впервые приходившие на выставку, не очень разбирались в мастерстве; порой подделка под искусство их восхищала. Новых читателей, зрителей можно было воспитывать, можно было и льстить им, говорить, что они — высший суд. Льстецы, разумеется, нашлись.

Стихотворцы сочиняли стихи на случай. Литературная энциклопедия объясняла, что путь идет к производственному роману, который заменит все прочие жанры. Намечался тот стиль, который господствовал в течение четверти века: стиль украшательской архитектуры, тех станций метро, где тесно от статуй; неустанных славословий и сатиры, скромно обличающей нерадивого управдома или подвыпившего эстрадника. Конечно, в 1931 году все это было еще в эмбриональном состоянии. Однако уже появились первые портреты и статуи человека, который, может быть, тогда и не догадывался, что он станет не только объектом, но и создателем «культа личности». Все это сопровождалось тщательным упрощением; та же Литературная энциклопедия писала, что «Гамлеты бесполезны массе» и что пролетариат «бросает Дон Кихота в мусорную яму истории».

В начале 1932 года я написал неудачную повесть «Москва слезам не верит». Один из ее героев, советский художник, в прошлом участник гражданской войны, прочитал в московской газете заметку о выставке живописи, подписанную инициалами О. Б.: «Пейзажи Чужакова показывают, что он окончательно оторвался от масс. Это типичное искусство деклассированного отщепенца, которое нужно десяти — двадцати дегенератам буржуазной богемы». Художник размышляет (и его мысли были мыслями автора повести): «Десяти — двадцати... Допустим... А вот «АХРР» — десяти тысячам?.. Значит, прикажете халтурить?.. Кстати, тот же Рембрандт, скольким он при жизни нравился?.. А теперь экскурсантов загоняете — стой и просвещайся!.. Гражданин О. Б. ...Или, может быть, вы гражданка? Да я не об этом... Я ведь знаю — у вас все поделено: с бабой — как придется, а статейки пописываете — комар носу не подточит. Расход и приход — просят не смешивать. Картин вы, конечно, не пишете — отсталое это дело — и вообще порадовать никого не можете. Если вы — гражданин, сомневаюсь, можете ли вы порадовать гражданку О. Б. или Б. О. Впрочем, и не в этом суть. Послушаем чижей. Они поют как дегенераты. Оторвались, скажете, от масс? А горловые связки? Ах, О. Б., они поют потому, что поется. Им веселее, и мне, а не хочешь, не слушай. Разве я настаиваю на моих картинах? Могу опять потесниться... Если вы, О. Б., высчитали, что мои картины не нужны, пожалуйста, могу, например, стены белить. Я ведь сговорчивый. Только на живописи не настаивайте. Это особая статья. Чижи поймут, а вам невозможно... Дураки думают — дважды два, всем по бифштексу, и никаких искусств. А искусство только тогда и начнется — после бифштекса, загрызет оно — не четыре, голубчик, а пять. Или двадцать пять... Пусть какой-то О. Б. и не понимает ни черта в живописи, пусть таких О. Б. тысячи, миллионы — что же, тогда надо расстаться с кистями. Найду для себя другое дело — по времени. Проживем и без картин. А пройдет десять лет... Ну, не десять — сто — какая разница? — тогда поймут...»

Помню длинный разговор с молодой француженкой, актрисой Дениз. Мы говорили о гастролях Мейерхольда, о портрете бабушки Дениз, писательницы Северин, написанном Ренуаром, о стихах Десноса, об искусстве: ничего не поделаешь — рыбе нужна вода... И вдруг я признался: «Все это так, Дениз, но сейчас дело не в искусстве... Десять лет назад я доказывал, что искусство умирает, мы тогда верили, что старые формы износились — романы, станковая живопись, рампа. Все это было вздором. Теперь начинается реакция... Но можно не писать романов... Я все давно выбрал... Да я и не выбирал — выбора нет...»

Я о многом думал по ночам: о гуманизме, о цели и средствах. Не дурные картины меня тревожили, да и вообще искусство было только частицей в загадках завтрашнего дня,— речь шла не о художественном направлении, а о судьбе человека.

В библиотеке можно не брать книгу, которая не по душе, можно взять по ошибке и вернуть, не прочитав. А жизнь не библиотека... В 1931 году я понял, что судьба солдата не судьба мечтателя и что нужно занять свое место в боевом порядке. Я не отказывался от того, что мне было дорого, ни от чего не отрекался, но знал: придется жить сжав зубы, научиться одной из самых трудных наук — молчанию. Критики, которые обо мне писали, указывали на 1933 год как на дату поворота: они знали книгу «День второй». А я знаю, почему я поехал в Кузнецк,— все было додумано в 1931 году, не перед котлованами строек, а на улице Котантен, под ночное звяканье бидонов...

31

Весной 1932 года в Париж приехали драматурги В. М. Киршон и А. Н. Афиногенов. Я их водил по Парижу и рассказывал о достопримечательностях города. Они, в свою очередь, меня посвящали в достопримечательности нашей литературы. Оба были окрылены успехом:

в десятках театров шли «Хлеб» Киршона и «Страх» Афиногенова. Однако больше, чем своими произведениями, они гордились победами РАППа. По их словам, РАПП объединил всех «настоящих» советских писателей. Киршон повторял: «Мы столбовая дорога нашей литературы». (Я не знал тогда, что это выражение принадлежало А. А. Фадееву.) Александр Николаевич Афиногенов был очень высоким, скромным, он улыбался и поддакивал словам Киршона. Владимир Михайлович проповедовал, обличал, саркастически усмехался. Он сказал мне: «Пора вам пересмотреть свои позиции...» Я признался, что свои позиции пересмотрел. «Тогда напишите заявление — вступайте в РАПП». Я ответил, что литературные принципы рапповцев меня мало увлекают и что по столбовым дорогам люди ездят — раньше их везли лошади, теперь — моторы, а писатели по своей природе пешеходы, каждый может идти к общей цели своим путем. Афиногенов улыбнулся: «Оставь его! Может быть, он и прав...»

Мы сидели на камнях старых арен Лютеции. День был жаркий, и, несмотря на утренний час, мы забрались в тень. Я развернул газету: «Телеграмма из Москвы — распустили РАПП...» Мне это сообщение показалось несущественным, ведь сколько раз менялись вывески различных писательских организаций; да и вообще меня интересовала литература, а не литература о литературе, я тогда еще не знал, что такое «оргвыводы». Киршон вскочил: «Не может быть! Выдумки! Какая это газета?..» Я ответил: «Юманите». Мы собирались посмотреть рабочие районы; но Киршон сказал, что им нужно в посольство. Через день или два они уехали в Москву, хотя рассчитывали остаться дольше.

Я понял, что ликвидация РАППа — дело серьезное, и приободрился: может быть, и впрямь в Москве поняли, что шоссе нужно прокладывать для автотранспорта, а писателям предоставить право идти каждому своей писательской тропинкой?..

Однако передо мною стоял вопрос: как подойти ближе к жизни, к действию, к борьбе?

В мае ко мне неожиданно пришел сотрудник «Известий» С. А. Раевский; он сказал, что главный редактор и П. Л. Лапинский, с которым я часто встречался в годы войны, предлагают мне стать постоянным парижским корреспондентом газеты. У «Известий» имелся корреспондент — Садуль, бывший в 1917 году членом французской военной миссии в России и перешедший на сторону революции. Стефан Александрович сказал, что Садуль останется на своем посту; но он — француз и недостаточно знает советских читателей. Я должен писать очерки и, если события потребуют, передавать по телеграфу информацию.

Предложение застало меня врасплох: я слишком долго жил не связанный никакой регулярной работой, привык располагать своим временем. Конечно, журналистика меня привлекала: хотелось делать нечто живое; но я боялся, что не справлюсь.

Я пошел к нашему послу В. С. Довгалевскому, с которым у меня установились дружеские отношения. Это был человек добрый, участливый; разговаривая с ним, я забывал, что он — официальное лицо, посол, а я писатель, не то «правый попутчик», не то «прогнивший циник». Валериан Савельевич превосходно знал Францию; старый большевик, он был политэмигрантом, учился в Тулузе. Французы его ценили; не раз я встречал в посольстве Эррио, который приезжал поговорить с Довгалевским, иногда и посоветоваться. (Умер Довгалевский в сорок девять лет от рака. Я тогда горевал, а после не раз думал, что смерть оградила его от многих испытаний.) Валериан Савельевич уже знал о предложении «Известий» и сразу сказал: «Очень хорошо, здесь и думать не о чем...» Уговорить меня было нетрудно: я ведь мечтал ринуться в бой.

Около восьми лет я исполнял обязанности корреспондента «Известий» — в Париже, потом в Испании, снова в Париже — вплоть до германо-советского пакта; написал сотни очерков и статей, посылал информацию; порой заметки шли без подписи, порой я подписывал их псевдонимами. Я научился писать на машинке латинскими буквами для телеграфа; хрипел и терял голос, диктуя статьи по телефону. К рассказам о газетной работе мне придется вернуться еще не раз; теперь я только хочу сказать, что вспоминаю ее с благодарностью; конечно, она отняла много времени, но позволила многое увидеть, узнать различных людей. Да и для писательского ремесла она была хорошей школой; я научился писать коротко — приходилось все время думать, как сэкономить расходы газеты: письма шли долго, почти все статьи я передавал по телефону или по телеграфу. (Сжатость, короткие фразы привлекали меня и прежде. Мне хотелось писать, как я думал,— без придаточных предложений. Критики меня ругали за «телеграфный стиль», а я считал, что такая речь отвечает не только моим чувствам, но и ритму времени.)

Почти никого не осталось в живых из моих товарищей по работе в «Известиях»... В годы войны, в седьмом отделе одной из армий, меня поразил голос женщины — старшего лейтенанта: он мне показался хорошо знакомым, а лицо было чужим. Мы разговорились. Старший лейтенант работала стенографисткой в «Известиях», когда я ежедневно передавал статьи или сообщения из осажденного Мадрида. Слышимость была плохая, стенографистка то и дело просила: «Не слышно... по буквам...» Я кричал «Борис, Ольга, Иван...» Иногда со мной хотел поговорить заведующий иностранным отделом, и стенографистка, чтобы нас не разъединили, говорила: «В Москве чудесная погода» или «Ваша дочь вам передает привет». Все это шло под аккомпанемент артиллерии. И вот я встретил знакомую незнакомку, с милым, задушевным голосом, возле Брянска, когда шел артиллерийский бой...

Вернусь к 1932 году. Я начал хлопотать о том, чтобы французские власти меня признали как корреспондента «Известий». Меня вызвали в министерство иностранных дел. Я думал, что со мной хотят разговаривать сотрудники, которым поручена связь с иностранной прессой; но меня отослали в знакомый мне по визовым мытарствам «контроль иностранцев». Там работали не дипломаты, а полицейские, и разговаривали они отнюдь не вежливо. Я увидел на столе огромную папку, на которой значилось: «Илья Эренбург». Чиновник поспешил мне объяснить, что я известен ему с плохой стороны, что корреспондент большевистской газеты будет находиться под особым наблюдением и что при любой попытке нарушить правила я буду выслан из Франции.

Месяца два спустя мне довелось беседовать уже не с полицейскими, помещавшимися в здании министерства иностранных дел, а с настоящими дипломатами. Было это в Москве: меня пригласил на завтрак французский посол Дежан. Среди гостей оказался атташе польского посольства. Дежан посадил рядом с собой Любу и вел с нею вполне мирные разговоры о достоинствах различных французских сыров. А советник посольства (не помню его фамилии) начал меня расспрашивать, что я видел во время моей поездки (я перед этим ездил в Бобрики). Моим рассказом он остался явно недоволен: «Вы отвечаете официально, а мы хотели бы поговорить откровенно. Ведь все знают, что пятилетка провалилась...» Польский атташе подхватил: «Особенно строительство в Бобриках...» Я рассердился: где же дипломатическая вежливость — пригласить на завтрак и вести провокационные разговоры! Я даже не мог оценить вина или сыры. Кофе мы пили в соседнем салоне. Советник посольства неожиданно раскрыл том Малой советской энциклопедии и торжествующе начал читать (по слогам, не вполне разборчиво), что там написано про меня. Вспомнив этот эпизод, я теперь раздобыл книгу, вот короткая цитата: «Вскормленный деклассированной богемой, Эренбург остроумно высмеивает западный капитализм и буржуазию, но не верит в творческие силы пролетариата. Утверждая бессилие научно-социалистической планировки жизни перед лицом стихийного биологического начала человека и пророча бессилие коммунистических планов перед лицом стихии собственничества, Эренбург выступил как один из наиболее ярких представителей новобуржуазного крыла литературы». Статья была подписана одним из руководителей покойного РАППа.

Я вдруг понял, почему советник посольства рассчитывал, что я буду ему рассказывать о провале строительства, понял и засмеялся. Я не стал объяснять, что автор заметки — рапповец и что РАПП недавно распущен: для французов энциклопедический словарь — это справочник: написано, что Жоффр выиграл битву на Марне, что корова жвачное животное, что Анатоль Франс обладал превосходным стилем, а также иронией,— и все это бесспорно, по крайней мере, на жизнь одного поколения. Советник, прочитав, что я — представитель новобуржуазной литературы, решил, что представителю старобуржуазной дипломатии легко со мной сговориться. Как же ему было понять, что энциклопедический словарь пересматривает свои оценки от одного тома до другого?..

В 1932 году я думал, что ликвидирован не только РАПП, но и некоторый стиль литературной критики. Это было наивным, особенно для автора «Хуренито», вступившего в пятый десяток. Вскоре я понял, что ошибался: один из наших критиков написал, что в моих книгах «проступают искаженные тревогой черты классового врага», и называл меня «литературным приказчиком буржуазии». В 1934 году вышел очередной том уже не Малой, а Большой Советской Энциклопедии, и там я прочитал: «Эренбург — типичный выразитель настроений той буржуазной интеллигенции, которая пошла за идеологами «сменовеховства». Как я говорил, восприятия притупляются: в первый раз я растерялся, в десятый рассердился, в сотый примелькавшиеся этикетки оставили меня равнодушным. Я понял, что беспорядочный огонь — одна из особенностей той войны, которая не вчера началась и не завтра кончится: артиллерия частенько бьет по своим. Это, конечно, нехорошо, но ничего тут не поделаешь; от снаряда человек может погибнуть, от обиды он только каменеет; своих убеждений от обиды, даже самой горькой, не переменишь и на сторону врага не перейдешь.

Я понял также, что дело не в моей путаной биографии, не в том, что я долго жил в Париже; столь же случайно, несправедливо, огульно поносили и некоторых других писателей, которые никогда не увлекались средневековьем, не были знакомы с Пикассо и проживали не на улице Котантен, а в московских переулках. Вот почему на Первом съезде советских писателей я мог с полной искренностью сказать: «Мне трудно себе представить путь писателя как ровное, гладкое, хорошее шоссе. Одно для меня бесспорно: я — рядовой советский писатель. Это — моя радость, это — моя гордость...»

32

В мае 1932 года Париж был потрясен неожиданным событием: некто Павел Горгулов, уроженец станицы Лабинской, среди бела дня застрелил президента Французской республики Поля Думера. Убийство было совершено накануне парламентских выборов, и правые газеты поспешили объявить, что Горгулов — большевик. Немедленно появился другой казак, по имени Лазарев, который подтвердил, что знает Горгулова, как чекиста, работавшего под кличкой «Монгол».

«Известия» поручили мне осветить судебное разбирательство. У меня еще не было карточки журналиста. Выручил меня Семен Борисович Членов, который со всеми был знаком. Председатель суда, один из крупнейших юристов Франции Дрейфус, разрешил мне присутствовать на процессе в качестве его гостя. Я прошел через служебный ход и сидел не в зале, а позади судей.

Вечером, когда я выходил из помещения суда, меня арестовали: я не мог показать документа, который оправдывал бы мое присутствие на процессе. Меня отвели в префектуру, там подвергли издевательскому допросу и заперли. Я злился: не успею послать телеграмму в газету! Действительно, освободили меня только ночью, и отчет появился в «Известиях» на день позже.

Процесс продолжался три дня; все происходившее казалось неправдоподобным и страшным сном. Я говорил, что некоторые пытались выдать Горгулова за советского агента: «Москва хотела повергнуть Францию в анархию». Имелась и другая версия: Горгулов — агент французской полиции, убийство было организовано для того, чтобы обеспечить успех правых на выборах и сорвать намечающиеся переговоры с Москвой. На самом деле все было проще и сложнее. Преступление было совершено исступленным, отчаявшимся эмигрантом, находившимся на грани безумия. Три дня я глядел на Горгулова, слушал его страстные и нелепые выкрики. Передо мною был человек, которого мог бы выдумать в часы бессонницы Достоевский.

Горгулов был высокого роста, крепок; когда он выкрикивал путаные, сбивчивые проклятия на малопонятном французском языке, присяжные, по виду нотариусы, лавочники, рантье, испуганно ежились.

Его поступок был прежде всего необъясним. В двадцатые годы Каверда убил советского посла Войкова, Конради — Воровского. Горгулов застрелил французского президента Думера, человека правых воззрений, притом семидесятипятилетнего старика. Однако во всем этом была своя логика — ненависти и отчаяния.

На суде раскрылась биография убийцы. Он кончил в Праге медицинский факультет и работал по своей специальности в небольшом городке Моравии. Это было удачей — сколько русских эмигрантов стали чернорабочими или попросту нищенствовали. Но Горгулов был человеком, неспособным приладиться к скромному существованию в чужой стране. Повсюду ему виделись подвохи, унижения. Он считал, что чешские коллеги его затирают, начал пить, буянить, внес в быт чинного города разгул русского кабака.

Да и медицина его не увлекала. Еще в Ростовском университете он посещал литературный кружок. Он занялся поэзией. Одна немолодая, но экзальтированная чешка, с которой он случайно познакомился, поверила в его талант и дала деньги на издание книги. Горгулов выбрал многозначительный псевдоним — Бред. Я читал его книги; кажется, способности у него были, но работать он не умел, да и бредил неинтересно, повторно; его сочинения звучали как отголоски чего-то очень знакомого.

Одновременно он не расставался с политикой; вначале он считал себя социалистом, даже объяснял одному из министров Чехословакии, как отстоять демократию. Потом его увлек фашизм; он основал «национальную крестьянскую партию»; членов в ней не было, зато имелось красивое знамя — его вышили две русские танцовщицы, работавшие в ночном кабаре.

После нескольких скандалов чехи лишили Горгулова права врачебной практики, и он перекочевал в Париж; здесь он познакомился с Яковлевым, который торговал дамскими чулками и выпускал газету «Набат». Успехи Гитлера в те годы вдохновляли многих. Яковлев, Горгулов с десятком единомышленников по воскресеньям собирались в рабочем кафе Бильянкура, подымали руки вверх и кричали: «Русь, пробудись!»

Вскоре Горгулов рассорился с Яковлевым и выпустил программу новой партии. Он придумал также религию «натуризм», предлагал быть добрыми, любить природу. Одновременно он призывал вырезать всех коммунистов и евреев. Денег у него не было; он тайком лечил знакомых казаков, заболевших гонореей, и полученные за это франки тратил на издание то книги стихов, то политической листовки.

Он спрашивал себя, что ему делать дальше. Вот перечень его

планов: переехать в Харбин, совершить на ракете межпланетное путешествие, убить Довгалевского, записаться в Иностранный легион, уехать в Бельгийское Конго, вступить в отряд гитлеровских штурмовиков, подыскать богатую невесту.

Французская полиция узнала, что Горгулов незаконно принимает пациентов; у него отобрали вид на жительство. Он уехал в Монако. Сначала он попробовал выиграть в рулетку. Потом решил, что необходимо освободить Россию от большевиков — другого выхода нет. Он писал писателю Куприну: «Я одинокий одичавший скиф...»

Он ненавидел французов за то, что они ведут переговоры с большевиками, а его, честного казака, верного союзника, выслали из Франции. Где-то он прочитал, что Колчака «предали французы». На стене его комнаты висел портрет Колчака. Горгулов написал на портрете две даты: день смерти русского адмирала и день предстоящей смерти французского президента.

Все последующее таково, что кажется действительно бредом. Горгулов приехал в Париж с двумя револьверами; пошел в собор, молился; потом выпил литр вина; опасаясь полиции — ведь у него нет вида на жительство,— выбрал третьеразрядную гостиницу, где сдают номера на ночь или на час, для отвода глаз взял с собой проститутку, вскоре ее отослал и всю ночь писал: проклинал коммунистов, чехов, евреев, французов. Потом вышел из гостиницы и убил Думера.

На него трудно было смотреть, он казался затравленным зверем. От него отрекались и Яковлев, и другие его единомышленники.

Помню страшную картину. Ночью, при тусклом свете запыленных люстр, судебный зал напоминал театральную постановку: парадные одеяния судей, черные тоги адвокатов, лицо подсудимого, зеленоватое, омертвевшее,— все казалось неестественным. Судья огласил приговор. Горгулов вскочил, сорвал с шеи воротничок, как будто торопился подставить голову под нож гильотины, и крикнул: «Франция мне отказала в виде на жительство!»

Я шел по ночной, пустой улице и думал о судьбе человека. Конечно, Горгулов не мог вызвать участия: скверная жизнь, дикое, бессмысленное преступление. Но я думал о том, что когда-то он был обыкновенным русским мальчонкой, играл на горячей пыльной улице в городки. Страшно, что перед смертью он не нашел других слов, кроме «вида на жительство» — будничной, житейской жалобы эмигранта! Почему он писал о любви к букашкам и хотел вырезать миллионы людей? Почему убил Думера? Почему должен был играть чужую роль в нелепой кровавой мелодраме? За три месяца до преступления он писал своему приятелю Яковлеву: «Во мне осталось только одно чувство — жажда мести». Он жил надеждой: «Только война спасет нас!» Я вспомнил, что Яковлев торгует женскими чулками... Под мирной зыбью европейской жизни проходили страшные течения.

Процесс Горгулова был для меня психологическим введением в тяжелое десятилетие. Слово «война» становилось привычным. Люди повсюду начинали втягиваться в новое, недоброе дело. Запахло кровью.

33

Летом и осенью 1932 года я много колесил по Советскому Союзу; побывал на строительстве магистрали Москва — Донбасс, в Бобриках, ставших потом Сталиногорском, в Кузнецке, ставшем потом Сталинском, в Свердловске, в Новосибирске, в Томске. Время было необычайное; вторично шквал потряс нашу страну; но если первый — в годы гражданской войны — казался стихийным, был тесно связан с борьбой между различными классами, с гневом, ненавистью, тоской, то коллективизация и начало строительства тяжелой индустрии, развороти́вшие жизнь десятков миллионов, были определены планом, неотделимы от колонок цифр, подчинены не взрывам народных страстей, а железным законам необходимости.

Снова я увидел узловые станции, забитые людьми с пожитками; шло великое переселение. Орловские или пензенские крестьяне бросали деревни и пробивались на восток: им говорили, что там дают хлеб, воблу, даже сахар.

Комсомольцы, охваченные восторгом, отправлялись на Магнитку или в Кузнецк; они верили, что стоит построить заводы-гиганты — и на земле будет рай. В январские морозы железо жгло руки. Казалось, люди промерзли насквозь; не было ни песен, ни флагов, ни речей. Слово «энтузиазм», как многие другие, обесценено инфляцией; а к годам первой пятилетки другого слова не подберешь, именно энтузиазм вдохновлял молодежь на ежедневные и малоприметные подвиги.

Многие рабочие относились к заводам любовно; они звали домну «Домной Ивановной», мартеновскую печь — «дядей Мартыном». Я спросил одного втузовца, как он представляет себе Париж. Он ответил: «В центре, наверно, огромные заводы, а люди живут вокруг в больших домах, и сообщение хорошее — сотни трамваев...» Он пришел в Новосибирск из деревни, и ему казалось, что города растут вокруг заводов, однако он читал Гюго и спросил меня: «Где же там собор Богоматери?..»

Жилища землекопов в Кузнецке. 1929 г.

Конечно, среди строителей были разные люди. Приезжали циники, авантюристы, летуны, они кочевали в поисках, как тогда говорили, длинного рубля. Крестьяне недоверчиво глядели на машины; когда рычаг отказывал, они сердились, как на упрямую лошадь, часто портили машины. Если одних подгоняли высокие чувства, то другие напрягались в надежде получить килограмм сахара или отрез на брюки.

Я увидел эшелоны спецпереселенцев — это были раскулаченные, их везли в Сибирь; они походили на погорельцев. Плакали грудные дети, у матерей не было молока. Везли также подмосковных огородников, мелких спекулянтов с Сухаревки, сектантов, растратчиков.

В Ташкенте и в Рязани, в Тамбове и в Семипалатинске вербовщики набирали землекопов, мостовщиков, крестьян, убегавших после коллективизации из деревни.

Я попадал в деревни, где трудно было найти мужчину,— женщины, старики, дети. Многие избы были брошены. Женщины гудели, как растревоженный улей.

Томск был беден, запущен. Заборы разобрали на топливо; тротуаров не было. Люди побойчее уехали в Новосибирск, в Кузнецк. Лишенцы прятали от прохожих лампадки перед иконами. Чай пили без сахара. В буфете продавали славянскую воду и картонные коробки для конфет.

Бурно росли некоторые города. Заштатный Новониколаевск превратился в шумный Новосибирск. Дома напоминали выставочные павильоны. В ресторане при гостинице люди ночь напролет хлестали водку. Вокруг города пришельцы строили лачуги, рыли землянки; они торопились — впереди была суровая сибирская зима. Новые поселки называли «Нахаловками». Жители острили: «В Америке небоскребы, а у нас землескребы» — это было задолго до высотных зданий.

Жизнь была трудной; все говорили о пайках, о распределителях. В Томске черный хлеб походил на глину; я вспомнил двадцатый год. На рынке продавали крохотные замызганные кусочки сахара. Профессора между лекциями становились в очереди. Магазины «Торгсина» соблазняли мукой, сахаром, ботинками; но там нужно было расплачиваться золотом — обручальными кольцами, припрятанными царскими монетами. В Кузнецке приезжавшие сразу спрашивали: «Мясо дают?» Тифозный корпус больницы был переполнен: сыпняк снова косил людей. В Томске я видел, как жена профессора варила мыло. Все напоминало тыл войны, но тыл был фронтом: война шла повсюду.

Огромное полотно было написано двумя красками — розовой и черной; надежда жила рядом с отчаянием; энтузиазм и злоба, герои и летуны, просвещение и тьма — эпоха одним давала крылья, других убивала.

На строительстве магистрали Москва — Донбасс было собрание. Один землекоп, в бараньей шапке, с обветренным лицом, говорил: «Да мы во сто раз счастливее проклятых капиталистов! Они жрут, жрут и дохнут — сами не знают, для чего живут. Такой прогадает, смотришь — повесился на крюке. А мы знаем, для чего мы живем: мы строим коммунизм. На нас весь мир смотрит...» Я пошел с ним в столовую. При входе в барак отбирали шапки; выдавали их, когда рабочие сдавали ложки. Шапки валялись грудой на земле; каждый долго разыскивал свою. Я попробовал объяснить заведующему, что это обидно, да и глупо — люди зря тратят время. Он посмотрел на меня пустыми глазами: «За ложки я отвечаю, а не вы».

В Кузнецке я встретил начальника цеха. Он рассказал, что восемь лет назад пас в деревне гусей. Его считали талантливым инженером. Он прочитал «Кара-Бугаз» Паустовского и с жаром говорил о стиле.

Я долго разыскивал в старом Кузнецке дом, где жил когда-то Достоевский, наконец нашел; женщины сердито ответили: «Нет здесь такого...» Школьники объяснили, что они знают много писателей: Пушкина, Горького, Демьяна Бедного, а Достоевского не проходили.

Крестьяне в селе возле Томска рассказывали: «Приехал один, говорит: «Кто хочет строить социализм, пожалуйста, иди добровольно в колхоз, а кто не хочет, пожалуйста, полное у него право. Только я скажу прямо: с такими у нас один разговор — душу вон, кишки на телефон». В той же деревне я познакомился с девушкой; она после работы читала «Цемент», говорила: «Очень трудно все понять, но я учусь. Я в город поеду. Теперь, если хочешь учиться, все тебе открыто. Такая я счастливая, что не скажешь!..»

По ухабам Новосибирска прыгали новенькие автомобили. В Кузнецк привезли изумительные машины. А строили завод-гигант чуть ли не руками. Были мощные экскаваторы, но я видел, как люди таскали землю на себе. Не хватало кранов, и один молодой рабочий сконструировал деревянный кран. Незадолго до моего приезда рухнули леса, люди упали в ветошку и задохлись. Их хоронили с воинскими почестями.

В Кузнецке работали двести двадцать тысяч строителей. Начальник строительства, старый большевик С. М. Франкфурт, был одержимым, иначе не скажешь, он почти не спал, ел на ходу; нужно было то расследовать причины очередной аварии, то успокоить летунов, которые бросили работу с криком «даешь спецуру», то разместить прибывших самотеком казахов. В его комнате я увидел акварель — Париж в сумерки (Сергей Миронович до революции был политэмигрантом). О начальнике строительства в те годы много писали; после тридцать седьмого имя Франкфурта исчезло. (Недавно я узнал о его судьбе. По окончании строительства в Кузнецке Орджоникидзе его послал на новую стройку в Орск, и там он был арестован в 1937 году вместе с пятьюдесятью восемью сотрудниками. На заседании (конечно, закрытом) Военной коллегии Сергей Миронович сказал: «Я был большевиком и умру большевиком»; эти слова запротоколировали. В 1956 году С. М. Франкфурта посмертно реабилитировали.) Главный инженер И. П. Бардин был человеком большой культуры; в молодости он работал в Америке; следил за развитием техники. Он понимал, что задача, возложенная на него, трудна, более того — невыполнима, и знал, что он ее выполнит. При одной из аварий Иван Павлович сломал ногу; быстро, однако, встал с койки и возобновил работу. Мне он показался человеком мягким и хмурым.

Города еще не было, но город разрастался. В бараках показывали фильмы. Открылись распределители, столовые для иностранных специалистов. Начали приезжать из Москвы актеры.

Мою книгу о Кузнецке я начал так: «У людей были воля и отчаяние — они выдержали. Звери отступили. Лошади тяжело дышали и падали. Десятник Скворцов привез легавого кобеля. По ночам кобель выл от голода и тоски; он вскоре сдох. Крысы пытались пристроиться, но и крысы не выдержали суровой жизни. Только насекомые не изменили человеку; густыми ордами двигались вши, бодро неслись блохи, ползли деловито клопы. Таракан, догадавшись, что ему не найти другого корма, начал кусать человека».

Иностранные специалисты, работавшие в Кузнецке, говорили, что так строить нельзя, нужно было прежде всего провести дороги, построить дома для строителей; да и состав текучий, люди не умеют обращаться с машинами; вся затея обречена на провал. Они судили по учебникам, по своему опыту, по психологии людей, живущих в спокойных странах, и никак не могли понять чужой им страны, ее душевного климата, ее возможностей. Я снова увидел, на что способен наш народ в годы жестоких испытаний. Люди строили заводы в таких условиях, что успех казался чудом, как чудом показалась старшему поколению победа в гражданской войне, когда блокированная, голодная, босая Россия разбила интервентов.

Несмотря на трудности, казалось бы непреодолимые, цехи заводов быстро подымались. Среди котлованов пооткрывались кинотеатры; устроили школы, клубы. В 1932 году в Кузнецке еще нельзя было сделать шага, чтобы не попасть в яму, но уже пылали первые домны, и в литературном объединении юноши спорили, кто писал лучше — Маяковский или Есенин.

Рая, о котором тогда мечтали молодые, они не увидели; но десять лет спустя домны Кузнецка позволили Красной Армии спасти Родину и мир от расистских изуверов.

В жизнь входило новое поколение — юноши и девушки, родившиеся накануне первой мировой войны; для них царь, фабриканты, городовые были отвлеченными понятиями. Больше домен и мартеновских печей меня интересовали эти новые люди — будущее нашей страны. Приглядываясь к ним, я увидел множество противоречий. Процесс демократизации культуры длителен и сложен. В первые двадцать пять лет расширение культуры шло за счет ее глубины; всеобщая грамотность на первых порах привела к духовной полуграмотности, к упрощению. Только в годы второй мировой войны началась новая стадия — культурного углубления.

Помню, как удивились французские писатели, узнав о тиражах переводов на языки Советского Союза Бальзака, Стендаля, Золя, Мопассана. Конечно, цифры тиражей — это не справка о богатом урожае, но это данные о расширении посевной площади. Жажда знаний в те годы не знала предела; я это особенно остро чувствовал, приехав из страны, где жили Валери, Клодель, Элюар, Сен-Жон Перс, Арагон, Сюпервьель, Деснос, много других прекрасных поэтов, которых все признавали и которых мало кто читал.

Летом 1932 года в Москве я получил письмо из небольшого уральского города; писал мне молодой учитель: «...Кстати, спросите французского писателя Дрие ля Рошелля, какой злой дух нашептывает ему разные нелепости вроде следующей: «То, что было жизнью, не представляет абсолютно никакого интереса. Сознание более невозможно, ибо нечего сознавать». (В передаче нашей «Литгазеты» его роман «Блуждающий огонек».) Сообщите ему заодно, что один из миллионов людей, населяющих страну, из которой вы приехали, и небезуспешно пробующих перекроить старую жизнь мира по-новому, уверяет его честью, что эта старая жизнь полна «абсолютного» интереса и что, кроме его больного сознания, есть еще нетронутые залежи сознания миллионов, которым предстоит осознать еще бесконечно многое. Скажите ему также, что, по мнению его оппонента с далекого Урала, человеческое сознание только еще готовится к выполнению той великой роли, что определила ему история: роли грамотного переводчика великого языка чувств, состоящего из любви, ненависти, мужества, дерзания, готовности к жертве и т. п., на новый язык, освобождающий их от уз догмата, для новой жизни».

(Дрие ля Рошелль тогда вращался в левых кругах, и я его иногда встречал. Я перевел ему письмо уральского учителя; он развел руками: «Зачем же он принимает каждое мое слово всерьез? Это прекрасно и вместе с тем глупо...») Конечно, учитель, приславший мне письмо, был на десять голов выше рядовых юношей того времени; я привел его размышления отнюдь не как показательные для духовного развития молодых людей в годы первой пятилетки, но в письме есть прекрасные слова о нетронутых залежах сознания. Именно в те годы целина впервые была тронута.

Один молодой тунгус увидел в Кузнецке велосипед; долго его рассматривал, наконец спросил: «Где мотор?» Он хорошо знал, что люди ездят в автомобилях, летают на самолетах, а велосипедов никогда не видел. В глухих селениях Сибири люди знали о существовании беспроволочного телеграфа и, увидав столбы с проводами, удивились — зачем проволока?..

В томском музее я познакомился с молоденькой девушкой, шоркой; она училась на медицинском факультете и принесла в музей деревянного человечка, которого родители ей дали как талисман против лихорадки и злых духов. Она узнала, что в музее собирают предметы старого быта, и принесла экспонат. Она расспрашивала меня о жизни во Франции — много ли там больниц, как борются против алкоголизма, любят ли французы ходить на концерты, сколько лет Ромену Роллану. У нее были глаза доверчивые и пытливые. Наверно, родители просили старого шамана изгнать из непослушной дочери злого духа.

В одном из клубов Кузнецка был литературный вечер; читали стихи Маяковского; аплодировали. Потом один инженер начал декламировать «Для берегов отчизны дальной». Моя соседка, башкирка, послала записку: «Кто автор?» Мы разговорились, она призналась: «Я Пушкина знаю, он написал «Евгения Онегина», а вот таких стихов я никогда не читала. Может быть, я недостаточно культурная, но мне они очень нравятся, даже больше, чем Маяковский... Я не знала, что можно такое писать...»

Передвигаться тогда было трудно; на станции Тайга я застрял на несколько дней. Начальник узла меня разыскал, сказал, что ему нравится «Хулио Хуренито», и дал мне служебный вагон. Правда, с вагоном было тоже нелегко: ночью его неожиданно отцепляли на какой-нибудь станции и загоняли в тупик. Но я хочу рассказать не о вагоне, а о проводнице — молоденькой сибирячке Вале. Вагон она боялась оставить даже на час: «Стекла побьют, порежут сиденья...» Она мне рассказала необычайную историю. В Кузнецк она приехала из деревни и работала уборщицей. В ее бараке было чисто, кто-то из начальства это заметил, и Вале поручили служебный вагон. Времени было много, она начала читать. Один железнодорожник забыл в вагоне книгу «Диспетчерское руководство движением поездов». Валя мне показала эту книгу, я заглянул и ничего не понял. Валя засмеялась: «Я сначала тоже ничего не могла понять, я ее, кажется, сто раз прочитала и в конце стала разбираться. Взяла учебники математики... Теперь подготовилась, обещали отпустить на рабфак...» Не скрою, такие встречи меня потрясали. Я начал смотреть с бо́льшим доверием на будущее.

Я много говорил о трудностях жизни; всего не расскажешь. В бараках молодожены пытались завесить койку тряпьем. Случайно я был в одном бараке, когда молодой землекоп привел туда девушку (уже начались морозы). У них не было занавески, и он прикрыл лица пиджаком.

Несмотря на суровый быт, рождались новые чувства, мысли; юноши и девушки часто при мне спорили, существует ли вечная любовь, можно ли оправдать ревность, принижает ли комсомольца грусть, нужны ли строителям стихи Лермонтова, музыка, часы одиночества.

Я говорил, что собираюсь написать книгу о молодежи, и мне приносили дневники, письма; рассказывали про работу, про сердечные невзгоды. Иногда я спрашивал и записывал ответы.

Еще до того как я написал повесть «День второй», я опубликовал в парижском литературном журнале «Ля нувелль ревю франсез» некоторые из собранных мною документов. В предисловии я говорил: «Обычно писатель не знакомит читателей с различными материалами, которые помогли ему написать книгу; но мне кажется, что эти документы представляют собой ценность независимо от моей работы. Многим они покажутся более убедительными, чем самый удачный роман...»

Теперь я раздобыл в библиотеке старую книжку французского журнала, перечитал отрывки из дневников, писем, стенограмм и подумал — жизнь изменилась, а вот многие вопросы, которые впервые ставили юноши и девушки в те годы, продолжают волновать нашу молодежь: здесь и споры о том, как избежать узкой специализации, и ужас перед двурушничеством, лицемерием, и проблема подлинной дружбы, и проклятия равнодушию.

В двадцатые годы доживала свой век старая, крестьянская Расея. На заводах, в различных учреждениях еще преобладали люди, сформировавшиеся до революции. Начало тридцатых годов стало переломом. Строительство Кузнецка я вспоминаю с ужасом и с восхищением; все там было невыносимо и прекрасно.

Я сказал, что металл Кузнецка помог нашей стране отстоять себя в годы фашистского нашествия. А другой металл — человеческий?.. Строители Кузнецка, как и все их сверстники, прожили нелегкую жизнь. Одни погибли молодыми — кто в 1937-м, кто на фронте. Другие преждевременно стали сутулиться, примолкли — уж слишком много было неожиданных поворотов, к слишком многому приходилось привыкнуть, приспособиться... Теперь тем героям «Дня второго», которые выжили, лет пятьдесят или шестьдесят. У этого поколения было мало времени для раздумий. Его утро было романтичным и жестоким — коллективизация, раскулачивание, леса строек. Дальнейшее все помнят. От людей, родившихся накануне первой мировой войны, потребовалось столько мужества, что его хватило бы на несколько поколений, мужества не только в работе или в бою, но в молчании, в недоумении, в тревоге. Я видел этих людей окрыленными в 1932 году. Потом крылья стали не по сезону. Крылья первой пятилетки достались по наследству детям вместе с заводами-гигантами, оплаченными очень дорогой ценой.

34

До поездки в Кузнецк я читал очерки, рассказы о строительстве. Увидел я не то, о чем читал. Не помню, когда именно в статьях о литературе появилось выражение «лакировать» — кажется, позднее. Толковый словарь так объясняет этот неологизм: «Приукрашать, представлять что-нибудь в лучшем виде, чем есть на самом деле». Между тем действительность не только страшнее, но и прекраснее тех благонравных и назидательных картинок, которые изготовляли, да и продолжают изготовлять «лакировщики».

Кто не помнит романов или фильмов, в которых война изображалась как маневры — с веселыми солдатами в новеньких гимнастерках, с песнями, с лозунгами, с парадным маршем к победе? Разве под лаком не пропадала глубина красок? Разве можно было, глядя на экран, где падение Берлина показывалось как феерия, понять подвиг советского народа, стоявшего насмерть у Ленинграда, под Москвой, на узкой полоске приволжской земли?

Так было и со строительством Кузнецка или Магнитогорска. Люди строили заводы в неслыханно трудных условиях. Кажется, никто нигде так не строил, да и не будет строить. Фашизм вмешался в нашу жизнь задолго до 1941 года. На Западе шла лихорадочная подготовка к по-

ходу на Советский Союз; и первыми окопами были котлованы ново-
строек.

Я увидел самоотверженность одних, жадность, косность других.
Строили все, но строили по-разному: кто по идее, кто по нужде, кто по
принуждению. Для многих это было началом строительства не только
заводов, но и человеческого сознания. Я назвал мою повесть «День
второй». По библейской легенде, мир был создан в шесть дней. В первый день свет отделился от тьмы, день от ночи; во второй — твердь от
хляби, суша от морей. Человек был создан только на шестой день. Мне
казалось, что в создании нового общества годы первой пятилетки были
днем вторым: твердь постепенно отделялась от хляби. А хляби было
много (ее всегда больше, чем тверди, как на земном шаре больше морей, нежели суши). Я не хотел об этом умолчать и рядом с Колей
Ржановым, Смолиным, Ириной, с лучшими представителями молодого
поколения, показал циников, эгоистов, людей, равнодушных ко всему,
что не связано с их личной судьбой.

Я отнюдь не пытался быть бесстрастным летописцем; повесть
диктовалась восхищением, любовью, жаждой отстоять первые побеги
нового сознания. Именно поэтому я стремился быть правдивым: действительность не нуждалась в гриме. Я знал, конечно, что многие сочтут
мой рассказ за клевету, лишний раз вспомнят, что я «неисправимый
скептик», будут говорить, что я захотел исказить прекрасную действительность, то есть не изготовил еще одной олеографии по установлен-
ному и одобренному образцу. Но когда я писал, я не думал ни о критиках, ни о редакторах, не гадал, издадут ли мою книгу, писал с волнением дни и ночи напролет.

Я начал повесть в ноябре, кончил в феврале; некоторые главы
переписывал много раз. Я упоминал, что почти каждый день ко мне
приходил И. Э. Бабель, читал страницы рукописи, иногда одобрял,
иногда говорил: нужно переписать еще раз, есть пустые места, не-
выписанные углы... Порой, снимая после чтения очки, Исаак Эммануилович лукаво улыбался: «Ну, если напечатают, это будет
чудо...»

В повести есть и некоторые итоги моих долгих раздумий. Володя
Сафонов — хороший, честный юноша; он учится в Томском университете, потом уезжает в Кузнецк; он начитан, душевно тонок, любит чистой
любовью Ирину. Но он не верит в рождение нового сознания; по собственным его признаниям, он отравлен мудростью старых книг
и терзается от наивности, от детскости своих товарищей. Он пишет
в дневнике: «Я работал на заводе. Учусь. Буду, наверно, честным спе-
цом. Но все это навязано мне извне. Сердцем я никак не участвую
в окружающей меня жизни... Для стройки я непригоден. В горном деле
это, кажется, называется «пустой породой»... Вы устранили из жизни
еретиков, мечтателей, философов, поэтов. Вы установили всеобщую
грамотность и столь же всеобщее невежество. После этого вы собираетесь и по шпаргалке лопочете о культуре... Муравьиная куча — образец
разумности и логики; но эта куча существовала и тысячу лет назад.
Существуют муравьи-рабочие, муравьи-спецы, муравьи-начальники.

Ромен Роллан и Максим Горький.
1936 г.

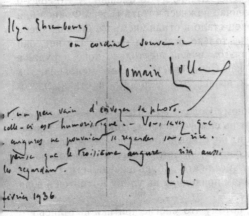

Надпись на обороте фотографии:
«Илье Эренбургу сердечно. Ромен
Роллан. Несколько нелепо дарить
свою фотографию. Но эта юмо-
ристична. Как Вы знаете, два авгу-
ра не могли смотреть друг на друга
без смеха. Думаю, что и третий ав-
гур, глядя на них, рассмеется.
Р. Р. Февраль. 1936».

Но еще не было на свете муравья-гения. Шекспир писал не о муравьях. Акрополь построен не муравьями. Закон тяготения нашел не муравей. У муравьев нет ни Сенек, ни Рафаэлей, ни Пушкиных. У них есть куча, они работают...»

Володя встречает французского журналиста, долго его расспрашивает, видит, что и на Западе нет той культуры, которой он жаждет. На студенческом собрании Сафонов собирался обличать наивность и невежество своих товарищей, но вместо этого, под впечатлением разговора с французом, говорит: «Можно ли сомневаться в том, за кем будущее? Я это чувствую особенно остро, потому что лично я, скорее всего, обречен. Я хочу быть со всеми, стараюсь хорошо работать... Дело не во мне, дело в нас. Я твердо говорю это слово «мы». Мы должны победить... Культура не рента: ее нельзя хранить в шкафу. Она создается ежечасно — каждым словом, каждой мыслью, каждым поступком. Я здесь слышал — вы говорили о музыке, о поэзии. Это и есть рождение культуры, ее рост, мучительный, трудный рост...» Вернувшись домой, он записывает в дневнике: «Самое любопытное, что я говорил искренне. Во всяком случае, не от страха. Но я говорил не то, что думал. Или: то, да не то. За меня как будто говорили другие...»

Ирина в неотправленном письме с ним спорит: «...Ты умней других. Больше знаешь. Но ты ничего не делаешь, чтобы жизнь стала лучше. Ты замечаешь только плохое и насмехаешься. Ты думаешь, я сама не вижу, сколько вокруг безобразия? Наша стройка проходит в прекрасной, чистой лаборатории, но, скажу прямо, на скотном дворе. Малодушие, двурушничество, мелкие интересы! Минутами мне страшно становится за все и за всех. Вот именно поэтому я считаю, что мы должны бороться, а не только усмехаться и рассказывать шепотом глупые анекдоты... Ты мне сказал «человек теперь не может любить». Володенька, ведь это неправда... Жизнь теперь такая тяжелая, такая напряженная, такая большая, что и любовь растет. Трудно, очень трудно теперь любить!.. Вот ты говорил «теперь не любовь, а чугун» и повторял «чугун, чугун» — тебе это почему-то смешно. А это совсем не смешно. Скажи сам, что сейчас важнее: читать твоего Франса или отливать рельсы, чтобы наконец стало в стране немного больше хлеба или ситца? Но люди сейчас не только отливают чугун. Или нет, они только отливают чугун, но в этом чугуне не только кокс и руда, в нем еще что-то другое. Вот как Сеня «рвется в тьму мелодии», так сейчас рвутся — все выше и выше! Это и домны, и стихи, и любовь...»

Ирина предпочла обреченному Володе живого Колю Ржанова. Но не поэтому Володя кончил жизнь самоубийством. Никто ему не протягивал веревки — ни товарищи, ни старый профессор, к которому он пришел в последний день за советом, ни автор повести. Его довела до отчаяния обостренная совесть. А если кто-нибудь и осудил его, то разве что эпоха, та самая, что по ночам приходила на улицу Котантен и вела со мной нескончаемые беседы.

Я остановился на Володе, потому что многие критики пытались его выдать за врага. Издание «Дня второго» (1953 год) снабжено примечаниями Б. Емельянова, который уверяет, будто Володя был фашистом: он ведь сказал старой библиотекарше, что хотел бы сжечь все книги. Да, Володя однажды признался, что ненавидит книги, как пьяница — водку. Но вряд ли этот книжник напоминает гитлеровского штурмовика. Володя запутался в собственных противоречиях. Будь у него немного меньше совестливости и немного больше цепкости, он не повесился бы, а стал бы уважаемым всеми специалистом.

Я показал в повести не только Колю и его друзей, я показал также летунов, спекулянтов, темных людей, ломающих машины; старался сказать всю правду. Если повесть мне казалась, да и теперь кажется, оптимистической, то не потому, что в итоге величайших испытаний начинали входить в строй цехи, а потому, что сотни тысяч, миллионы строителей постепенно становились настоящими людьми. Повесть кончается словами бывшего партизана: «Поглядите на Колю Ржанова, на других ребят. Я с ними сражался в Кузнецке, когда был прорыв на кауперах. Я вместе с ними боролся за эту дамбу... Я, как старый партизан, скажу, что я могу теперь спокойно умереть, потому что есть у нас, товарищи, настоящие люди...»

В повести нет главного героя; она, как у нас говорят, «калейдоскопична» — проходит бегло множество персонажей. Я увлекался короткими фразами, быстрым монтажом, мелькающими кадрами: мне хотелось найти для нового содержания новую форму.

В июне 1934 года журнал «Литературный критик» устроил в Москве обсуждение «Дня второго». Я впервые присутствовал на собрании, где говорили о моей книге и где мне самому нужно было выступить. Часто в моих воспоминаниях я отзывался с иронией или досадой о своих давних суждениях. А вот я прочитал стенограмму обсуждения «Дня второго» и, как это ни странно, почти со всем, что говорил двадцать семь лет назад, согласен и теперь. «Я чувствую себя сегодня, как один из строителей Беломорстроя: грешил, но искупил свои грехи, допущен в ряды сознательных граждан, которые строят социалистическое отечество... Уверенность, что нас, писателей, нужно судить, а мы должны каяться, на мой взгляд, неправильна... Я написал много скверных книг, не умел вынашивать книгу — не хватало зрелости; но никогда я не клеветал на советскую действительность... Теперь некоторые товарищи говорят, что я остановился в «Дне втором» на трудностях, потому что привык к комфорту... Товарищ Франкфурт, начальник строительства, и секретарь горкома считают, что я ничего не «сгущал», а показал трудности, которые были на самом деле... Товарищи здесь говорили, что Володя — умница, но что ему не противопоставлен честный комсомолец с равной эрудицией. Но, товарищи, у нас не шестой день, а второй... Я не знаю, удался ли мне «День второй», но эпигонствовать я не хочу... Мои книги написаны каракулями. Вероятно, мы все в некоторой степени Тредьяковские. Но Тредьяковский сыграл свою роль... Лучше сейчас сделать слабую книгу, но свою, чем взять немножко от Золя, немножко от Льва Толстого и немножко от советской действительности...»

Я и теперь не знаю, удалось ли мне, хотя бы частично, осуществить свой замысел. Может быть, «День второй» — слабая книга, но она не подражательна и написана по внутренней необходимости.

Дочитав последнюю страницу, Бабель сказал «вышло»; в его устах для меня это было большой похвалой. (Когда книгу перевели на французский язык, я получил длинное письмо от Ромена Роллана; он писал, что «День второй» помог ему лучше узнать советскую молодежь.)

Я послал рукопись Ирине и попросил отдать ее в издательство «Советская литература». Вскоре Ирина мне сообщила, что рукопись вернули: «Передайте вашему отцу, что он написал плохую и вредную вещь».

Я решился на отчаянный поступок: напечатал в Париже несколько сот нумерованных экземпляров и послал книги в Москву — членам Политбюро, редакторам газет и журналов, писателям.

В тридцатые — сороковые годы судьба книги порой зависела от случайности, от мнения одного человека. Это было лотереей, и мне повезло — несколько месяцев спустя я получил длинную телеграмму от издательства: высылают договор, поздравляют, благодарят.

«День второй» вышел в Москве в апреле 1934 года. Радек в «Известиях» писал: «Это не «сладкий роман». Это роман, правдиво показывающий нашу действительность, не скрывающий тяжелых условий нашей жизни...» В тот же самый день появилась в «Литературной газете» статья А. Гарри: «Писатель воспевает разнузданную стихию, в данном случае являющуюся стихией, созидающей один из крупнейших в мире металлургических заводов. На фоне строительного хаоса живут, любят и страдают маленькие человечки. Кроме того, человечки эти, к сожалению, еще и мыслят. Это уже совсем плохо, потому что мыслят они чрезвычайно беспомощно. В романе И. Эренбурга люди потерялись в хаосе новостройки, они заблудились в канавах, экскаваторах и кранах. Такая странная вещь в романе приключилась не только с «отрицательными» типами, но и с «положительными». А это уже клевета. Вообще говоря, если придираться к роману И. Эренбурга, то можно без труда доказать, что это произведение является апологией австромарксистской бредни о «пятилетке, построенной на костях ударников». Радек во второй статье возражал: «Что же считает Гарри, что социалистический реализм состоит в том, чтобы художник рисовал лубки, показывал, каким легким делом является постройка социализма?» Этот спор мне кажется взятым из свежих газет...

Все это было свыше года спустя после того, как я дописал «День второй». А в тот самый день, когда я узнал из письма Ирины, что издательство отвергло мою книгу, мне принесли немецкую газету с описанием майского аутодафе: берлинские студенты, под руководством Геббельса, развели костер перед зданием университета и на нем сжигали ненавистные им книги — по списку, составленному заранее. Среди прочих книг сожгли и переводы моих романов.

Газеты были заполнены ужасающими сообщениями: еврейские погромы, расстрелы коммунистов, концлагеря. В. С. Довгалевский, вернувшись из Женевы, рассказывал, как сорвали конференцию по разоружению; в Англию ездил Розенберг; некоторые английские политики стоят за вооружение Германии — рассчитывают, что нацисты двинутся на Россию. Именно поэтому и подписан «Пакт четырех»...

Я был с Жаном Ришаром Блоком на антифашистском митинге в зале «Мютюалитэ». Зал нервничал, люди вскакивали, сжимали кулаки. Один немец, убежавший из концлагеря, своим рассказом довел многих до слез.

Потом мы сидели в маленьком кафе с профессором Ланжевеном. Печально улыбаясь, он говорил: «До чего все это глупо! Человечество еще не вышло из младенческого возраста — позади у него всего два миллиарда лет...» Я спросил: «А сколько впереди?» — «Десять миллиардов, если оно по глупости не кончит своего существования самоубийством...»

Жан Ришар горячился, говорил, что нужно создавать повсюду комитеты, действовать, пока не поздно. Мимо кафе проходили рабочие, пели «Это есть наш последний...».

Потом в кафе пришла Андре Виоллис, женщина смелая и непримиримая. Она рассказывала о зверствах легионеров в Индокитае, о пытках, сожженных деревнях. Я слышал и читал те же истории и десять лет спустя, и двадцать. Менялись формы усмирителей, но жестокие и бессильные колонизаторы походили один на другого. Недавно у меня были вьетнамские писатели; я назвал имя Андре Виоллис, и они с восхищением сказали: «Ее у нас знают, это была писательница, которая первая сказала Западу правду».

Началась новая глава не только истории, но и биографии каждого человека моего поколения, глава, может быть, самая трудная.

Настоящее, третье по счету, издание книги «Люди, годы, жизнь» выходит через двадцать с лишним лет после первых двух, подготовленных к печати автором (М., Советский писатель, 1961 — 1966, тт. 1 — 3; М., Художественная литература, 1966 — 1967, в составе 8 — 9-го томов Собрания сочинений И. Г. Эренбурга).

Работа над мемуарами началась в относительно либеральные 1959 — 1962 гг., однако уже с конца 1962 г. положение стало меняться к худшему, и это сразу же сказалось на издательской судьбе книги «Люди, годы, жизнь». Редактируемый Твардовским «Новый мир», где печатались мемуары Эренбурга, начал испытывать давление догматических сил, тормозивших демократические процессы в стране, и это вынуждало редакцию придирчиво, а подчас и жестко относиться к публикуемым материалам. С четвертой части, повествовавшей о трагических событиях конца 30-х годов, Эренбург почувствовал заметный цензурный пресс; однако и в самые критические моменты «Новый мир» не отказывал ему в предоставлении журнальных полос. Эренбург, с его значительным опытом борьбы с перестраховочными запретительствами и с его твердой волей к этой борьбе, сопротивлялся, как мог, но все же текст мемуаров подвергался правке. Ряд острых эпизодов, нестандартные оценки и высказывания, нежелательные имена и все, порождающее нежелательные же аллюзии, исчезало из рукописи. Особенно пострадали конец четвертой и пятая часть, печатавшиеся в разгар хрущевских нападок на Эренбурга, спровоцированных реакционными силами партаппарата и

Союза писателей. Среди купюр, сделанных в пятой части, оказались целиком главы о Кончаловском и о «Черной книге». Аналогичной правке подверглась и шестая часть. Иногда цензурные требования становились настолько неприемлемыми, что Эренбург предпочитал снимать главу целиком (так было с главой о Фадееве, вызвавшей несогласие Твардовского, так чуть было не произошло с главой о Хикмете).

Готовя отдельное издание мемуаров, Эренбург внес в книгу ряд исправлений, дополнений, а также новых глав (портреты Тынянова, Савича, Кольцова, Гроссмана); удалось напечатать и главы о Фадееве и о «Черной книге» (с купюрами); главу о Кончаловском еще раньше напечатали в шестой части.

Не законченную Эренбургом седьмую часть воспоминаний (ее публикацию анонсировал «Новый мир» в номере, где печатался некролог Эренбургу), несмотря на массу сделанных редакцией купюр, напечатать в «Новом мире» так и не удалось. Ее напечатали двадцать лет спустя в «Огоньке», и тоже со значительными купюрами, вопреки объявлению, что текст печатается полностью.

При подготовке настоящего издания были использованы все публикации мемуаров:

Журнальная редакция: Новый мир. 1960. № 8—10; 1961. № 1—2, 9—11; 1962. № 4—6; 1963. № 1—3; 1965. № 1—4; Огонек. 1987. № 22—25.

Отдельное издание, выпущенное «Советским писателем»,— книги первая и вторая, 1961; третья и четвертая, 1963; пятая и шестая, 1966.

Тома 8 (1966) и 9 (1967) Собрания сочинений Эренбурга. Из них наиболее полным текстом первой — шестой книг является напечатанный в Собрании сочинений; именно он принят за основу настоящего издания.

Опубликованные тексты сверены с рукописями книги «Люди, годы, жизнь», хранящимися в ЦГАЛИ (ф. 1204, оп. 1, ед. хр. 19—60 — рукописи, переданные на государственное хранение автором; оп. 2, ед. хр. 78—137 — рукописи, поступившие в ЦГАЛИ после смерти Эренбурга), а также с материалами личного архива дочери писателя И. И. Эренбург (рукописи неопубликованных глав, машинописная копия рукописи седьмой книги, новомировская верстка седьмой книги (№ 4—5 за 1968 г.).

В результате сверки в состав мемуаров включены не публиковавшиеся прежде главы о Т. И. Сорокине и Н. И. Бухарине, ряд глав седьмой книги. Восстановлен авторский план следования глав (глава о Пастернаке стала 5-й главой во второй книге, глава о Кончаловском возвращена в пятую книгу). Восстановлены многочисленные купюры в различных книгах. Некоторые наиболее важные в фактическом и идейном планах разночтения из черновых вариантов рукописи приводятся в комментариях. Все опечатки и описки, а также неточности в цитатах исправлены в тексте без специальных оговорок. Случаи стилистической авторской правки цитат из собственных ранних текстов оговорены в комментариях. Источники цитат указаны в комментариях. Факты, события, имена людей, о которых Эренбург вынужден был говорить лишь намеками, как правило, раскрываются в комментариях. Краткие биографические сведения об упоминаемых лицах приводятся в Именном указателе — в 3-м томе для всех семи книг. В комментариях даются справки лишь о тех друзьях и родственниках Эренбурга, чьи фамилии им не названы.

В некоторых случаях в комментариях приводятся материалы эренбургского и иных архивов, дополняющие, уточняющие, а иногда и оспаривающие те или иные утверждения мемуаров. Представлялось также целесообразным дать разъяснения некоторых событий и фактов, которые в пору написания мемуаров казались автору общеизвестными, но с тех пор перестали быть таковыми.

В комментариях используются следующие обозначения для книг Эренбурга:

БУ — «Белый уголь или слезы Вертера». Л., Прибой, 1928.

В 1—3 — «Война» — Июнь 1941 — апрель 1942. М., Гослитиздат, 1942.

Апрель 1942 — март 1943. М., Гослитиздат, 1943.

Апрель 1943 — март 1944. М., Гослитиздат, 1944.

ВВ — «Виза времени». Издательство писателей в Ленинграде, 1933.

ГН — «Границы ночи». М., Сов. писатель, 1936.

ЗР — «Затянувшаяся развязка». М., Сов. писатель, 1934.

ИР — «Испанские репортажи 1931—1939». М., АПН, 1986.

КдВ — «Книга для взрослых». М., Сов. писатель, 1936.

ЛВ — «Лик войны». М., ЗиФ, 1928.

Ст — «Стихотворения». «Библиотека поэта», Большая серия. Л., Сов. писатель, 1977.

СС 1—9 — Собрание сочинений в 9 томах. М., Художественная литература, 1962—1967.

ТД — «Тень деревьев. Стихи зарубежных поэтов в переводе Ильи Эренбурга». М., Прогресс, 1969.

Кроме того, использованы обозначения:

ВЭ — «Воспоминания об Илье Эренбурге». М., Сов. писатель, 1975.

АЭ — Архив И. И. Эренбург (Москва).

АП — Архив Е. Г. Полонской (Ленинград).

СК — Собрание комментатора (Ленинград).

ФЭ — Фонд 1204 И. Г. Эренбурга в ЦГАЛИ.

ФШ — Фонд 2182 М. М. Шкапской в ЦГАЛИ.

Исключительную помощь в работе над комментариями оказала Ирина Ильинична Эренбург; неизменной и разнообразной была также помощь автора неопубликованной капитальной библиографии Эренбурга Вячеслава Васильевича Попова — приношу им глубокую благодарность.

КНИГА ПЕРВАЯ

Глава 1

Стр. 46 *Этим летом, в Абрамцеве* — из очерка «Марсель», впервые — Веч. Красная тазета. 6 ноября 1926 г.; в сост. цикла «Глазами проезжего» — БУ и ВВ.

Стр. 47 *образ Стендаля, созданный... Мериме* — В «Уроках Стендаля» Эренбург (далее — И. Э.) писал: «Мериме благожелательно относился к чудачествам Бейля: конечно, Стендаль никогда не был настоящим писателем, но этот дилетант обладал остроумием, начитанностью, да и добрым сердцем. И Мериме написал в некрологе: «Может быть, какой-нибудь критик XX века, среди груды писаний XIX века, откроет книги Бейля и отнесется к ним с большей справедливостью, чем наши современники» (СС, 6. С. 433).

Глава 2

Стр. 49 *Фогт, известный... благодаря памфлету Карла Маркса* — имеется в виду работа «Господин Фогт» (М а р к с К., Э н г е л ь с Ф. Соч. Т. 14. М., 1959. С. 395—691).

Стр. 50 *Антон Павлович писал своей сестре* — письмо М. П. Чеховой (Ч е х о в А. П. ПССиП. Письма. Т. 4. М., 1976. С. 161—162). Фельетон Буренина напечатан в «Новом времени» 11 января 1891 г. Далее в письмах Чехова указываются только адресаты и даты.

Глава 3

Стр. 52 *нехорошие статьи в журнале Каткова* — имеются в виду письма Фета «Из деревни», печатавшиеся в 1860—70 годы в ж. «Рус. вестник» и направленные против реформ и «нигилистов».

Стр. 53. *Тургенев вспоминал* — эти слова, записанные кем-то из друзей писателя, приводят обычно без указания источника. Схожее высказывание имеется в письме Тургенева С. А. Венгерову от 19 июня 1874 г. (Т у р г е н е в И. С. СС. Т. 12. М., 1959. С. 460).

написал Анненкову — письмо от 16(28) февраля 1865 г. (Т у р г е н е в И. С. ПССиП. Письма. Т. 5. М., 1963. С. 347).

Мать моя — Анна Борисовна (Хана Берковна) Эренбург, урожденная Аренштейн (1857—1918). Отец — Григорий Григорьевич (Герш Гершанович) Эренбург (1852—1921). Родители Эренбурга поженились в 1877 г.; писатель был младшим ребенком в семье, где было еще трое дочерей — Мария (1881—1940?), Евгения (1884—1965), Изабелла (1886—1965). У деда И. Э. по отцу, Герша Эренбурга, было 6 сыновей и 6 дочерей.

Стр. 54 *Я тогда жил в Париже* — Публикация объявления Бродского застала И. Э. еще в России; 18 окт. 1908 г. он писал сестре Белле из Полтавы в Москву: «Читали ли вы в газетах телеграмму из Иркутска, что там скрылся Эренбург, захватив 50 000 р.?» (ЦГАОР ОО, ф. 102 1908 г., оп. 238, ед. хр. 5ч., 46, л. 56).

Стр. 55 *дама Фамилиант со своими сыновьями* — Федосия Григорьевна Фамилиант (1868—1941) приходилась дальней родственницей А. Б. Эренбург; ее сыновья Петр Матвеевич Петровский (1892—1973) и Михаил Матвеевич Фамилиант (1893—1949) стали театральными режиссерами (сообщено А. Э. Фридманом).

Дед по матери — Дойвбер Аренштейн скончался в Киеве в мае 1903 г. В автобиографии 1924 г. И. Э. писал, вспоминая детство: «Веснами ездил в Киев к деду. Подражая ему, молился, покачиваясь, и нюхал из серебряной баночки гвоздику» (сб. «Лит. Россия». М., Новые вехи. 1924. С. 375).

Стр. 56 Один приятель — имеется в виду В. А. Каверин (ЦГАЛИ, ф. 1204, оп. 2, ед. хр. 78, л. 18).

три еврея — Зельдович, Цукерман и я — Б. Зельдович, Е. Цукерман и не упомянутый И. Э. В. Фридлендер учились в «нормальном» классе, а И. Э. — в «параллельном», где он был единственным евреем (ЦГИАМО, ф. 371, оп. 1, ед. хр. 580). В «Книге для взрослых» И. Э. писал об антисемитизме в гимназии не столь розово: «В гимназии сверстники кричали мне «жид пархатый», они клали на мои тетрадки куски свиного сала» (КдВ. С. 183).

кишиневский погром — был учинен 6—7 апр. 1903 г., погибло около 50 евреев, несколько сот было ранено, разграблено и разбито около 700 домов и 600 лавок. Кишиневский погром вызвал протесты передовой русской общественности того времени; он описан, в частности, В. Г. Короленко в очерке «Дом № 13».

Глава 4

Стр. 62 память о Ходынке — На Ходынском поле в Москве 18 мая 1896 г. была раздача царских подарков по случаю коронации Николая II; в результате давки погибло более тысячи человек.

Стр. 64 У меня были переэкзаменовки — три переэкзаменовки: по латыни, математике и русскому языку (ЦГИАМО, ф. 371, оп. 1, ед. хр. 664).

Глава 5

Стр. 65 меня исключили из шестого класса — В окт. 1907 г. И. Э. был задержан полицией; ему грозил «волчий билет», т. е. запрещение учиться в каком-либо учебном заведении России, и тогда его исключили из гимназии «по просьбе родителей»; в анкетах, заполненных в жандармском управлении в 1908 г., И. Э. писал, что «вышел из 6 класса, чтоб готовиться на аттестат зрелости» (ЦГИАМО, ф. 131, оп. 74, ед. хр. 458, л. 10).

Стр. 66 о разоблачениях Амфитеатрова — имеется в виду серия фельетонов А. В. Амфитеатрова о царской семье «Господа Обмановы».

Стр. 67 в воспоминаниях Брюсова — см. Брюсов В. Из моей жизни. М., изд. М. и С. Сабашниковых, 1927. С. 51—52.

рукописного журнала «Новый луч» — И. Э. повторяет здесь ошибку, сделанную еще в КдВ: журнал назывался «Первый луч», он был машинописным. В архиве И. Э. сохранился один номер журнала (ЦГАЛИ, ф. 1204, оп. 2, ед. хр. 371); на титульном листе: «Первый луч. Журнал, издаваемый учениками Московской I Гимназии. 4 параллельного класса. Адрес редакции: Остоженка, Савеловский пер. д. Варваринского Общества кв. 81 И. Г. Эренбург».

Стр. 69 Звали гимназистку Надя — В 1960 г. Н. Я. Белобородова писала И. Э.: «На днях прочитала в № 8-м «Нов. мира» Ваши воспоминания и Ваши теплые строчки о нашей юной дружбе... Я с нежностью вспоминаю то далекое —

такое далекое — время нашей дружбы. Помню наши прогулки, бесконечные «философские» разговоры и споры. Помню, как Вы вводили меня в нелегальные революционные кружки. Как объясняли мне разницу между большевиками и меньшевиками... Ведь несмотря на свои 16—17 лет, были уже матерый революционер, а я, хоть и старше Вас на год, была совсем глупышкой...» «Дорогая Надя, — ответил Эренбург, — я очень обрадовался твоему письму. Я счастлив, что ты прочла те строки, которые продиктованы памятью, нежностью, тем, что оставляет после себя первая любовь. Не хворай и не сдавайся! Привет всем твоим (я ведь тебя видел в последний раз сорок лет назад)...» (СК).

Глава 6

Значительная часть этой главы публикуется здесь впервые. Весной 1960 г., ознакомившись с рукописью Эренбурга, редакция «Нового мира» предложила автору самостоятельно добиваться разрешения напечатать главу, в которой речь шла о «врагах народа» Н. И. Бухарине и Г. Я. Сокольникове. К тому времени процесс реабилитации жертв сталинского террора уже буксовал, и реабилитация наиболее выдающихся сподвижников Ленина задерживалась. В этих условиях обращаться за разрешением имело смысл лишь к Хрущеву. Суть своей просьбы к нему Эренбург изложил в письме 8 мая 1960 г. так: «В журнале «Новый мир» начинают печатать мои воспоминания. В начале я рассказываю о моем скромном участии в революционном движении в 1906—1908 годах. Там я говорю о Бухарине и Сокольникове того времени — о гимназистах и зеленых юношах. Я решаюсь послать Вам эту главу и отчеркнуть те две страницы, которые без Вашего слова не могут быть напечатаны. Особенно мне хотелось бы упомянуть о Бухарине, который был моим школьным товарищем» (АЭ). Одновременно в сопроводительной записке Эренбург писал референту Хрущева по вопросам культуры В. С. Лебедеву: «Из письма Никите Сергеевичу Вы увидите, в чем моя просьба. Может быть, даже не к чему показывать ему две страницы — я думаю сейчас о его времени. Может быть, Вам удастся просто спросить его в свободную минуту, могу ли я упомянуть в своих воспоминаниях восемнадцатилетнего Бухарина (это для меня наиболее существенно)» (АЭ). Оба письма вручила В. С. Лебедеву секретарь Эренбурга Н. И. Столярова. Вот ее рассказ: «Лебедев прочел письмо и сказал, что у Никиты Сергеевича может быть свое мнение и он его не знает, но ему кажется, что не следует этого печатать, т. к. Бухарин не реабилитирован, народ знает его, как врага, и вдруг прочтет, как тепло и душевно пишет о нем Илья Григорьевич — все шишки повалятся на него. В интересах душевного спокойствия И. Г. не печатать этого сейчас. Конечно, если И. Г. будет настаивать, напечатают: ведь у нас цензуры нет, но это не в интересах И. Г. Прощаясь, Лебедев сказал, что письмо он, разумеется, передаст» (СК). Этот разговор показал Эренбургу, что реабилитация Бухарина в ЦК не готовится. Ответа на свое письмо он не получил. Сообщить Твардовскому о полученном отказе было выше его сил, и Эренбург написал, что добровольно снимает те две страницы; вместо них в журнальном тексте появились слова: «Еще не настало время рассказать о всех моих товарищах по школьной организации».

Стр. 72 *Бухарина он окрестил Владимиром* — Судя по воспоминаниям А. Выдриной-Рубинской, Владимир — партийная кличка Н. И. Бухарина в 1907—1908 гг. (Комс. летопись. 1927. № 5—6. С. 67—84).

Стр. 74 *Его дальнейшая жизнь была очень трудной* — В журн. редакции текста И. Э. повторил написанное о В. Л. Неймарке в «Книге для взрослых» (С. 46): «Мне рассказывали, что во время гражданской войны белые его повесили» (Новый мир. 1960. № 8. С. 44). Затем И. Э. узнал, что это не так; видимо, он погиб во время сталинского террора 30-х годов.

Глава 7

Стр. 75 *Мой факел старый, просмоленный* — из стих. «Посвящение» (Б р ю с о в В. СС. Т. 2. М., 1973. С. 84—85). Далее цитаты приводятся по этому изданию; указываются лишь названия цит. стихов.

Пора сознаться: я — не молод — из стих. «Летом 1912 года».

Но, когда я хотела — из стих. «Долго шли бульваром», опубл. посмертно — Л ь в о в а Н. Старая сказка. М., 1914. С. 116. Далее — по этому изданию; указываются названия цит. стихов.

Стр. 76 *И кто, в избытке ощущений* — из стих. «Близнецы» — Т ю т ч е в Ф. И. Лирика. Т. 1. М., 1965. С. 147; эпиграф к стих. Брюсова «Демон самоубийства».

Любовь, которая ведет нас к смерти — строка из «Божественной комедии» («Ад», песнь пятая, ст. 106), служила эпиграфом к стих. Брюсова «Любовь ведет нас к одному...» и к разделу «Ad Morte» книги Н. Львовой «Старая сказка».

Стр. 77 *Поверьте, я — только поэтка* — из стих. «Мне хочется плакать под плач оркестра»; *Ах, разве я женщина? Я только поэтка* — из стих. «Почему я со страхом жду от Вас признания?».

получил от него письмо — письмо Брюсова не сохранилось; в письмах И. Э. Брюсову (РО ГБЛ, ф. 386) упоминаний о Н. Львовой нет.

Стр. 78 *в Государственном архиве... я напал на выцветшую бумажку* — В деле И. Э. (ЦГАОР, ф. 63, 1907 г., ед. хр. 2686) сохранился «черновой отпуск» на обыск (вызванный «ликвидацией Российской социал-демократической организации «Союз учащихся в средне учебных заведениях»»), протокол обыска, опись предметов, оказавшихся при обыске у Ильи Григорьева Эренбурга.

На фабрике устроили забастовку — Забастовкой руководили И. Э. и Бухарин (Н. И. Бухарин писал в автобиографии: «Во время выпускных экзаменов вел стачку на обойной фабрике Сладкова вместе с Ильей Эренбургом» — Энциклопедический словарь братьев Гранат. Т. 41, ч. 1, к. 54).

Стр. 79 *передовая статья журнала «Звено»* — была обнаружена при обыске у В. Л. Неймарка; переписанная от руки (не И. Э.), хранится в фонде вещественных доказательств охранного отделения (ЦГАОР, ф. 1167, оп. 2, ед. хр. 5741, л. 1—2); на первой странице — перечень редакции: Валентин (Неймарк), Надя (Львова), Илья (Эренбург).

Стр. 81 *«Навьи чары»* — роман Ф. К. Сологуба.

Глава 8

Стр. 83 *В Государственном архиве я увидел донесение* — Материалы об участии И. Э. в социал-демократическом союзе учащихся сохранились в фонде охранного отделения ЦГАОР; документы, относящиеся к следствию и судебному разбирательству по делу Эренбурга,— ЦГИАМО, ф. 131, оп. 74, д. 180.

Глава 9

Стр. 87 *брат моей матери, либеральный адвокат* — Михаил Борисович Аренштейн (1867—1917).

Стр. 88 *На помощь еще раз пришли архивы полиции* — В ЦГАОР (00, ф. 102, 1908 г., оп. 238, ед. хр. 5, ч. 46) есть тексты 4-х писем И. Э., написанных в сент. — ноябре 1908 г.

Стр. 90 *я направился в жандармское управление* — 27 ноября 1908 г. И. Э. сообщал В. Л. Неймарку: «В сущности режим стал прескверный. В один прекрасный день я отправился к Вас[ильеву] и просил его оставить меня в Москве на неделю до моего отъезда за границу. Он согласился и был весьма любезен» (ЦГАОР, там же, л. 63).

Стр. 91 *Судебная палата в сентябре 1911 года* — Судебное рассмотрение состоялось 30 сент. 1911 г., приговор объявлен 20 окт. 1911 г. (ЦГИАМО, ф. 131, оп. 74, д. 180, т. 1, л. 176—180). В решении записано особое мнение председателя суда Ранга о виновности всех обвиняемых (л. 181). В деле есть перехваченное письмо А. А. Яковлевой во Францию от 11 окт. 1910 г.: «Меня поражает, что в обвинительном акте не указано очень много материала, который фигурировал на допросах в Ж[андармском] У[правлении] и довольно-таки солидного. Это, конечно, хорошо, если действительно кем-то уничтожен» (д. 180, т. 3, л. 41).

Там вы найдете Савченко, Людмилу — И. Э. не мог вспомнить фамилию «Людмилы», с которой он встретился в Париже. О. П. Ногина, прочитав посланную ей рукопись нескольких глав первой книги «Люди, годы, жизнь», писала И. Э. 21 апр. 1960 г.: «В Париже, видимо, Вы имели дело с Людмилой Сталь; это известная женщина среди большевичек. Я Вам посылаю книгу, где есть ее биография и карточка — посмотрите, м. б. узнаете ее» (АЭ).

Глава 10

Стр. 93 *по книжке Лиссагаре* — «История Коммуны 1871 года» Проспера Оливье Лиссагаре издана в 1906 г. под ред. А. В. Луначарского.

Глава 11

Впервые под названием «В январе 1909 года» в «Лит. газете» 9 апр. 1960 г.

Стр. 96 *воспоминания Н. К. Крупской* — «Что нравилось Ильичу из художественной литературы» (1926) — см. Воспоминания о В. И. Ленине. Т. 1. М., 1984. С. 603.

Стр. 97 *из письма Энгельса* — письмо Йозефу Блоху от 21—22 сент. 1890 г. (М а р к с К., Э н г е л ь с Ф. Соч. Т. 37. С. 396).

Я, с благоговением глядевший тогда на Владимира Ильича — Отношение И. Э. к Ленину претерпело впоследствии ряд изменений, прежде чем ему открылся подлинный масштаб личности руководителя большевиков. Попав в Париж из России, после подпольной работы, пройдя через тюрьмы, высылку, гласный и негласный надзор, юный Эренбург оказался без всякого дела; свойственный ему иронический взгляд на детали жизни фиксировал неприглядные черты эмигрантского быта, высокомерие одних вождей и нетерпимость к инакомыслию других. Во второй половине 1909 г. И. Э. начал издавать сатирические журналы «Тихое семейство» и «Бывшие люди» (скетчи, стихи, пародии, шаржи на жизнь русской социал-демократической колонии в Париже). Эти журналы, сохранившиеся в западных архивах, не раз использовались для дискредитации И. Э. С начала 1910 г. их издание прекратилось, а И. Э. отошел от партийной работы, сосредоточившись на литературной. После более 8 лет эмиграции И. Э. нелегко было разобраться в сути происходивших в России событий. Эти трудности испытали многие русские интеллигенты, имевшие куда больший жизненный и политический опыт, чем молодой Эренбург (достаточно вспомнить «Несвоевременные мысли» М. Горького). Зимой 1917/18 г. в московских газетах «Понедельник власти народа», «Новости дня», «Жизнь», «Возрождение» он печатал статьи, содержавшие резкую, хотя и поверхностную, не поднимавшуюся над бытом критику большевиков и их политики, упоминал первые парижские встречи с Лениным, Каменевым, Зиновьевым, Антоновым-Овсеенко и др. («Лет десять тому назад юнцом наивным и восторженным прямо из Бутырской тюрьмы попал я в Париж. Утром приехал, а вечером сидел уж на собрании в маленьком кафе «Avenue d'Orleanes». Приземистый лысый человек за кружкой пива, с лукавыми глазами на красном лице, похожий на добродушного бюргера, держал речь. Сорок унылых эмигрантов, с печатью на лице нужды, безделья, скуки слушали его, бережно потягивая гренадин. «Козни каприйцев», легкомыслие «впередовцев» тож «отзовистов», соглашательство «троцкистов» тож «правдовцев», «уральские мандаты», «цека, цека, ока» — вещал оратор, и вряд ли кто-либо, попавший на это собрание не из «Бутырок», а просто из Москвы, понял бы сии речи. Но в те невозвратные дни был я посвящен в тайны партийного диалекта и едкие обличения «правдовцев» взволновали меня...» — Новости дня. 14 (27) марта 1918 г.); в этих воспоминаниях не было и тени благоговения. Только пройдя через катаклизмы гражданской войны, И. Э. пришел к признанию Октябрьской революции. В романе «Хулио Хуренито» в главе «Великий инквизитор вне легенды» он доброжелательно, хотя и не без гротеска, изобразил беседу «великого провокатора» Хулио Хуренито с Лениным в Кремле, и Ленин, помнивший «Илью Лохматого» и его сатирические журналы 1909 г., его статьи 1917/18 г., отнесся к роману «Хулио Хуренито» с безусловной симпатией. И. Э. же лишь в статье «Об обыкновенном и необыкновенном» (янв. 1924 г.) нашел слова, соответствующие историческому масштабу Ленина.

Глава 12

Стр. 98 *А. С. Шаповалов... рассказывает* — см. Ш а п о в а л о в А. С. В борьбе за социализм. Воспоминания старого большевика-подпольщика. М., изд-во «Старый большевик», 1934. С. 682.

Герцен... говорил — см. Г е р ц е н А. И. Былое и думы. Т. 2. М., 1969. С. 28.

В 1932 году я писал про белых эмигрантов — цит. со стилист. правкой очерк «Павел Горгулов» (ЗР. С. 158).

Стр. 99. *Повесился Виталий* — Виталий — партийная кличка Абрама Яковлевича Елькина (1882? — 1909) — профессионального революционера, в 1903—06 гг. одного из создателей и руководителей большевистской организации в Челябинске. В 8-м томе Виталий ошибочно назван Елкиным.

Стр. 100 *«Десятки раз я заявлял, что Комиссариат просвещения»* — из ст. «Ложка противоядия» (1918) — см. Л у н а ч а р с к и й А. В. СС. Т. 2. М., 1964. С. 206.

Большевик Гриша — имеется в виду Григорий Яковлевич Беленький, впоследствии активный участник революции и гражданской войны; погиб в годы сталинского террора.

Стр. 101 *Иногда устраивались балы* — Один из таких балов (весной 1909 г.), на котором была представлена пьеса Л. Андреева «Дни нашей жизни», прошел при ближайшем участии И. Э. (см. Д р е й д е н С и м. В зрительном зале Владимир Ильич, кн. 2. М., 1986. С. 20—22).

я прочитал в воспоминаниях С. Гопнер — см. Г о п н е р С. И. В. И. Ленин в Париже (Воспоминания о В. И. Ленине. Т. 2. М., 1984. С. 297).

Стр. 102 *открытки «Какой простор!» и «Остров мертвых»* — репродукции картин И. Е. Репина и А. Бёклина.

Стр. 103 *Как я грущу по русским зимам* — из стих. «Когда в Париже осень злая» (1912); *Как радостна весна родная* — первая строфа стих. без названия (1912); *И столько близкого и милого* — из стих. «О Москве» (1913); *Если я когда-нибудь увижу снова* — из стих. «России» (1913) — см. Ст. С. 45, 46, 50, 52.

Глава 13

Впервые под названием «Как я начал писать стихи» в «Веч. Москве» 13 и 15 авг. 1960 г.

Стр. 103 *я познакомился с Лизой* — Елизавета Григорьевна Полонская, урожд. Мовшенсон (1890—1969) — поэтесса, переводчица, прозаик, участник объединения «Серапионовы братья», близкий друг И. Э. Сохранилась их обширная переписка (1922—1967). Прочтя газ. публикацию этой главы, Полонская писала И. Э. 4 сент. 1960 г.: «То, что ты написал, очень меня взволновало. Ты сумел так рассказать о тех днях и годах, что мне стало радостно и весело. Многого не знала я, о многом догадывалась. Но теперь, через много лет, я почувствовала гордость за нашу юность. Только теперь мне стало отчетливо ясно, как мы прорывались, и как дороги стали наши ошибки, и любовь, и колебания. Ты написал прекрасно, искренне, чисто» (ФЭ). И. Э. ответил Полонской 18 окт. 1960 г.: «Теперь ты можешь прочесть всю первую книгу «Люди, годы, жизнь». Многое в ней, как и вообще в моей жизни, посвящено внутренне тебе» (АП). О дружбе И. Э. с Полонской см. К и р е е в а М. Из воспоминаний (Илья Эренбург в Париже 1909 года).— Вопросы лит. 1982. № 9. С. 144—157.

Стр. 104 *журнал «Северные зори» взял одно мое стихотворение* — «Я шел к тебе» («Северные зори», 1910, № 5; вышел 8 января). Еще в ноябре 1909 г. Е. Г. Полонская писала родителям из Парижа в Петербург: «Илья все время в Вене, работает там в газете... Он стал писать стихи, и у него находят крупное дарование» (АП).

я заговорил... с одним из ближайших соратников Ленина — имеется в виду Л. Б. Каменев.

Стр. 105 *В Вене я жил у видного социал-демократа X* — имеется в виду Л. Д. Троцкий, издававший в Вене с окт. 1908 г. более трех лет газету «Правда». Имя Троцкого не было названо И. Э. вовсе не из-за цензурных соображений — этот сюжет цензура бы пропустила. И. Э. сам не считал возможным назвать в данном контексте имя Л. Д. Троцкого, поскольку это могло быть истолковано как вольное или невольное участие в длящейся с 20-х годов кампании клеветы, приписывающей Троцкому неслыханные преступления против СССР и соответственно замалчивающей его заслуги перед революцией и Красной Армией. Теперь, когда настает возможность объективной оценки деятельности Л. Д. Троцкого, представляется оправданным раскрытие имени, скрытого И. Э. за литерой X.

В годы, о которых здесь идет речь, Л. Д. Троцкий резко и безапелляционно высказывался о новейшей русской литературе. «Какому-нибудь Кузмину... вывернувшему любовь наизнанку, может казаться, что он открывает человечеству совершенно новые пути. На самом деле новейший фазис самоопределения буржуазной интеллигенции проходит так «закономерно», что даже скучно смотреть со стороны. Ни одного оригинального штриха! Ни одной самостоятельной формулы! Всюду исторический рецидив, прикрытый литературным плагиатом. Никто не отваживается на попытку «самобытной» философской системы»,— писал Троцкий в статье 1908 г. «Франк Ведекинд» (цит. по сб. «Литературный распад», СПб., 1908, содержавшему, как сказано в предисловии, статьи лиц, которые «стоят на почве пролетарского мировоззрения в его единственно научной форме — марксизма»,— Ю. М. Стеклова, Л. Б. Каменева, А. В. Луначарского, Л. Д. Троцкого, В. Базарова, Л. Войтоловского, М. Горького). Впоследствии взгляды Троцкого на вопросы литературы и искусства эволюционировали («Развитие искусства,— писал он в 1923 г. в предисловии к кн. «Литература и революция»,— есть высшая проверка жизненности и значительности каждой эпохи»).

Мне сладки все мечты — из стих. «Я».

один читатель прислал мне мои ранние стихи — ленинградский библиограф Я. З. Берман (1889—1973), составивший первую библиографию публикаций Эренбурга (рукопись в ГПБ, Ленинград).

Стр. 106 *Я ушел от ваших громких, дерзких песен* — первая строка стих. без названия (Сев. зори. 1910. № 8. С. 18; исправлено, в журнале — «ярких, дерзких песен»; *Довольно! Я знаю и гордые позы* — из стих. «Довольно»

(Возрождение. 1910. № 4. С. 1); *Печальны и убоги* — первая строка стих. без названия (Новая жизнь. 1911. № 3. С. 6).

В конце 1909 года... я познакомился с Катей — Екатерина Оттовна Шмидт (1889—1978) — первая жена Эренбурга; рассталась с ним в 1913 г.; ей посвящены стихи в цикле «Ручные тени» (1915) — см. Ст. С. 65—66.

Стр. 107 *В одежде гордого сеньора* — первая строка стих. без названия — см.: Э р е н б у р г. Стихи. Париж, 1910.

в Ницце у меня родилась дочь Ирина — Ирина Ильинична Эренбург; в 1933 г. окончила факультет социальной психологии Сорбонны; участница Великой Отечественной войны; переводчица французской прозы, член Союза писателей СССР (псевдоним И. Эрбург), секретарь Комиссии по наследию И. Г. Эренбурга.

Стр. 108 *Прочитав в «Русских ведомостях» статью Брюсова* — ошибка И. Э.; рец. Брюсова на кн. «Стихи» напечатана в ж. «Рус. мысль» (1911. № 2. С. 232—233). В «Рус. ведомостях» напечатана рец. Брюсова на «Стихи о канунах» (6 июля 1916 г.). О первой книге И. Э. в печати высказались также М. А. Волошин (ст. «Позы и трафареты» — Утро России. 12 фев. 1911 г.), назвавший И. Э. «ослабленным Гумилевым», и Н. С. Гумилев («Письма о русской поэзии».— Аполлон. 1911. № 5. С. 78), отнесшийся к этим стихам отрицательно. «В Эренбурга я поверил по его первым стихам,— писал Брюсов Гумилеву 20 июня 1911 г. в ответ на его оценку.— Продолжаю еще верить. Что у него много слабого — меня не смущает: у кого нет слабого в дебютах» (ИРЛИ, ф. 444, оп. 1, ед. хр. 37).

Мне никто не скажет за уроком «слушай» — стих. без названия из третьего сборника — «Одуванчики» (Париж, 1912); вторая книга стихов И. Э. «Я живу» (СПб., 1911) составлена из стихов, посвященных главным образом итальянским впечатлениям.

Как скучно в одиночке — первая строка стих. без названия (1912) — см. Ст. С. 43—44.

Стр. 109 *За своим абсентом, молча* — из стих. «Верлен в старости», вошедшего в четвертую книгу — «Будни» (Париж, 1913) — см. Ст. С. 51—52.

Я перевел его стихи — см. Ж а м м Ф р а н с и с. Стихи и проза. М., 1913 (проза переведена Е. О. Шмидт); впоследствии И. Э. переводил и прозу Жамма — «История девушки былых времен» (Берлин, 1922).

его зовут Франсуа Мориак — В эссе «Франсуа Мориак и спертость» (1933) И. Э. рассказывал о первой встрече с Мориаком: «Я не помню, о чем я говорил с Мориаком, помню только чехлы на мебели в большой неуютной гостиной и то ощущение спертости, которое на меня охватило. Я жил тогда в маленькой комнатушке парижского отеля, на полях жизни, среди стихов Рембо и мечтаний о бифштексе. Дни и ночи я бродил по влажным парижским бульварам. Чехлы на мебели меня потрясли. Я отчетливо помню, как обрадовался, выйдя на улицу» (ЗР. С. 228).

уехал я от него с пустым сердцем — Об этой встрече И. Э. писал в ст. «У Франсиса Жамма» (Новь. 26 февр. 1914 г.). Е. Г. Полонская вспоминает в неопубл. книге «Встречи»: «Эренбург увлекался стихами Франсиса Жамма, поклонника «Цветочков Франциска Ассизского». Жамм писал, что ходит босиком и сквозь его драные сандалии прорастают незабудки. Жил он где-то вне Парижа, Эренбург ездил к нему и приехал в восторге от этой простоты, которая сменила изысканность его собственных недавних средневековых увлечений» (АП).

Я посвятил Жамму сборничек стихов «Детское» — вышел в Париже в 1914 г.

Стр. 110 *Зимнее утро сквозь окна светит* — из стих. «Франсису Жамму» (1913) — см. Ст. С. 55.

Владимир Галактионович писал весной 1913 года — В 1913 г. И. Э. несколько раз присылал стихи в ж. «Рус. богатство». Приводимые строки взяты из письма Короленко от 16 марта 1913 г. (см. К о р о л е н к о В. Г. СС. Т. 10. М., 1956. С. 491). Короленко рекомендовал напечатать оба стихотворения и добавить к общему заголовку «Вздохи из чужбины» в скобках: (Март, 1913 г.) (см. Письма В. Г. Короленко к А. Г. Горнфельду. Л., 1924. С. 97). Стих. «Значит, снова мечты о России...» (см. Ст. С. 53) были вызваны неосуществившимися надеждами на амнистию к 300-летию дома Романовых. В сент. 1913 г. В. Г. Короленко рекомендовал напечатать стих. И. Э. «Осень» и «Вечером» (Письма В. Г. Короленко к А. Г. Горнфельду. С. 106), которые были опубл. в № 11 за 1913 г. с правкой Короленко.

Книга «Будни» продавалась в Москве — это ошибка, т. к. книга «Будни» (Париж) была цензурой запрещена к распространению в России (ЦГИАЛ, ф. 779, оп. 4, ед. хр. 324, л. 39).

В Париже существовал эмигрантский литературный кружок — Как пишет Е. Г. Полонская, этот кружок собирался в так называемой «Русской Академии» — мастерской русских художников и скульпторов, расположенной на Монпарнасе в доме, известном под названием «Ля рюш» (Улей) (см. Нева. 1987. № 4. С. 193—197). Среди посетителей кружка она называет художника Н. И. Альтмана, скульпторов С. Эрьзю, Старкова, Инн. Жукова и Н. Островскую, поэтов В. Инбер, М. Шкапскую, М. Талова, Г. Данаева, прозаика Н. Ангарского.

Стр. 112 *Конь офицера/Вражеских сил* — из стих. «Простая песенка» — см. С о л о г у б Ф. Стихотворения. Л., 1978. С. 323.

Я читаю, и светает, в четком свете — из стих. «Сологуб» («Будни»).

Вместе с Оскаром Лещинским я издавал... журнал «Гелиос» — «Гелиос» издавался коллегией художников из «Рус. Академии» (Л. Гальперин, О. Лещинский, П. Чичканов). И. Э. ведал поэтическим отделом журнала. Вышло два номера. В № 1 (ноябрь 1913) напечатаны статьи А. Луначарского «Отец художественной критики» (о Дидро), О. Лещинского «О футуризме», И. Эренбурга «Заметки о русской поэзии»; стихи Лещинского и Эренбурга; эссе Инн. Жукова и художника И. Л. Эренбурга, информация о выставке русской народной игрушки, организованной в Париже Н. Л. Эренбург; рецензии и реклама. В № 2 (дек. 1913) — художественные обзоры А. Мерсеро, Л. Воксель, Н. Л. Эренбург, И. Л. Эренбурга; ст. Чичканова «Фердинанд Ходлер»; стихи В. Инбер, О. Лещинского, К. Волгина, И. Эренбурга; ст. И. Эренбурга «Новые поэтессы», художественная летопись, иллюстрации.

Мы выпустили два номера журнала «Вечера» — В ред. предисловии к № 1 (май 1914) И. Э. писал: «Потребность издания журнала стихов давно назрела. Лишь прекрасное начинание петербургского Цеха Поэтов «Гиперборей» отчасти заполнило этот пробел. Мы хотели бы объединить на страницах «Вечеров» поэтов, ищущих новых ритмов и новых достижений. Нам равно чужды как перепевы отжившего, так и словесная эквилибристика, прикрывающая убожество нашего «футуризма»...» В № 1 были помещены стихи К. Волгина, В. Немирова, стихи из кн. «Noli me tangere» И. Эренбурга, а также реклама «Гиперборея». В № 2 (июнь 1914) вошли стихи Арсения Альвинга (А. А. Смирнова), Елизаветы Бертрам (первая публ. Е. Полонской), Мих. Герасимова, М. Зенкевича, Веры Инбер. М. В. Талов вспоминал: «Я познакомился с поэтом и художником Оскаром Лещинским и поселился в его студии. Стол Оскара был завален корректурными гранками второго номера журнала «Гелиос», а также книги стихов Оскара «Серебряный пепел». Кроме того, готовилась к печати книга П. Чичканова «О творчестве Ходлера», И. Эренбурга «Поэты Франции», книжка стихов Валентина Немирова «Вечерний сад» и, наконец, книга дебютировавшей тогда Веры Инбер — «Печальное вино». Все эти издания финансировал Валентин Немиров, прожигавший одно за другим «наследство всех своих родных». Здесь я впервые услышал имя Ильи Эренбурга, склонявшееся у Лещинских во всех падежах. Его стихи любили, но были им недовольны, потому что в качестве редактора стихотворной части журнала он широко пользовался своими правами» (АЭ).

Стр. 113 *Я перевел для какого-то журнала рассказ Анри де Ренье* — перевод рассказа «Тайна графини Варвары», опублик. в газ. «Утро России» 13 янв. 1912 г., был выполнен совместно с Е. О. Шмидт (напечатан также в ж. «Прекрасное далеко». 1912. № 3. С. 14—16).

Я много переводил, но переводил стихи — Переводы И. Э. из французских поэтов 1870—1913 гг. составили антологию «Поэты Франции» (Париж, «Гелиос», 1914); переводы из Франсуа Вийона вышли в Москве в 1916 г. в изд. «Зерна»; антология старых испанских поэтов, подготовленная к печати, несколько раз анонсировалась в 1918 г., но издана не была. Наиболее полно поэтические переводы Эренбурга представлены в ТД.

Стр. 114 *Над подушкой картинку повесил* — из стих. «В детской» (1915); *Прорастут, прорастут твои рваные рученьки* — из стих. «Пугачья кровь» (1916) — см. Ст. С. 73—74, 96—97.

Брюсов говорил об этой книге в «Русских ведомостях» — рец. Брюсова напечатана 6 июля 1916 г. Среди других откликов на «Стихи о канунах» следует выделить ст. М. Волошина «Илья Эренбург — поэт» (газ. «Речь». 31 окт. 1916 г.)

Стр. 115 *Мне передали копию черновика письма Брюсова ко мне* — Письмо Брюсова от 5(18) июля 1916 г.; ответ на него И. Э. 7 авг. 1916 г. Переписка И. Э. и Брюсова полностью публикуется в томе «Лит. наследства» — «Брюсов и его корреспонденты».

Стр. 116 *Я говорил в «Книге для взрослых»* — КдВ. С. 15—16.

Глава 14

Стр. 116 *Один критик писал* — Такого высказывания обнаружить не удалось. В той или иной мере такой точки зрения придерживалось большинство критиков.

Тебя, Париж, я жду ночами — из стих. «Парижу» («Будни»).

Стр. 117 *Я напал на «Эду» Баратынского* — «Эда, Финляндская повесть и Пиры, описательная поэма Евгения Баратынского». СПб., 1826.

Стр. 118 *От жажды умираю над ручьем* — из «Баллады поэтического состязания в Блуа», пер. И. Э. (см. Ст. С. 363).

Стр. 121 *Я читал книги Леона Блуа* — «Леон Блуа произвел на меня сильное впечатление в годы первой мировой войны; с тех пор его не перечитывал,— рассказывал 17 апреля 1963 г. Эренбург литературоведу Е. И. Ландау.— Он повлиял на меня в смысле жанра. У него много среднего между памфлетом, эссе и истерикой. Он очень фанатичен, нетерпим, стоит за правду-матку. Это католик, обличающий католицизм» (СК). Узнав о его смерти, И. Э. написал ст. «Леон Блуа» (газ. «Понедельник». 11 марта 1918).

Глава 15

Стр. 122 *Я в этот мир пришел, чтоб видеть солнце* — 1-я строка стих. без названия — см. Б а л ь м о н т К. Стихотворения. Л., 1969. С. 203.

Стр. 123 *Жена Константина Дмитриевича... меня приняла сердечно* — В ЦГАЛИ (ф. 57, оп. 2, ед. хр. 12, л. 1—2) хранится письмо И. Э. к Е. А. Бальмонт, на котором она сделала приписку: «Письмо Эренбурга, написанное им ко мне в ответ на мое предложение ему похлопотать в России за него, чтобы его вернули, когда я ехала из Парижа хлопотать за Бальмонта в 1911 г.».

Стр. 124 *я его взял с собой* — В неопубликованных воспоминаниях об И. Э. М. В. Талов пишет, что к Бальмонту его привел не Эренбург, а Паоло Яшвили (АЭ).

Чехов о нем писал — из письма к О. Л. Книппер-Чеховой от 9 февр. 1903 г.

Этим летом я Россию разлюбил — Осенью 1919 г. в Киеве, отвечая В. Шульгину статьей «О чем думает «жид», И. Э. вспомнил эти стихи: «Помню, как я спорил с Бальмонтом, когда он написал прекрасное стихотворение «В это лето я Россию разлюбил». Я говорил ему о том, что можно молиться и плакать, но разлюбить нельзя. Нельзя отречься даже от озверевшего народа, который убивает офицеров, грабит усадьбы и предает свою отчизну» (Киевская жизнь. 9 окт. 1919 г. № 33).

Стр. 125 *А. Волынский писал в 1901 году* — из ст. «Современная русская поэзия» (см. В о л ы н с к и й А. Книга великого гнева. СПб., 1904. С. 212).

Стр. 125—6 *Брюсов, подводя итоги взлетам и падениям Бальмонта* — из послесловия к циклу статей «К. Д. Бальмонт» (см. Б р ю с о в В. Т. 6. С. 281).

Антон Павлович писал — из письма Бальмонту от 7 мая 1902 г.

Глава 16

Публикуется впервые.

Стр. 129 *В книге «Стихи о канунах» есть стихотворение «Другу»* — см. «Стихи о канунах» (М., 1916. С. 76), впоследствии не перепечатывалось. В февр. 1915 г. для цикла «Ручные тени» И. Э. написал стих. портрет Т. И. Сорокина: «Жил бы в Ливнах, в домике с маленькими оконцами, /Ездил бы на богомолье к Тихону Задонскому./ На праздниках кутил бы в Москве с пьяной ватагой./ В ресторанах первого разряда!/ Но февральские сумерки у Вандомской колонны./ И огни кафе жалят веки бессонные./ Маркизы Ватто и амуры из вилл Фраскати,/ Ах, если б жить, но немного иначе./ Вспоминает, на миг степенеет и кается,/ Читает Булгакова или Бердяева./ Карие глаза, добрые, бабье лицо — исступляться нечего./ Слабость его и твоя, и моя — человеческая...» (ГЛМ ОФ, 3686, л. 59).

приходилось служить, писать журнальные статьи, переводить романы с французского — В 20-е годы Т. И. Сорокин работал экспертом по древнерусской живописи в Московском торгсине; в 30-е годы в его переводах были изданы романы Ж. Р. Блока «И компания...», под ред. И. Э. (1935), А. Шамсона «Год побежденных» (1936), В. Гюго «Человек, который смеется» (1938), А. Мальро «Надежда», в соавторстве с И. И. Эренбург (1939). Т. И. Сорокин написал книгу «Чарли Чаплин» (1936).

Глава 17

Стр. 130 *до нашего современника В. П. Некрасова* — имеются в виду путевые очерки Виктора Некрасова «Первое знакомство» (М., 1960).

Стр. 131 *Пушкин презрительно отозвался о поэзии Франсуа Вийона* — В ст. «О ничтожестве литературы русской»: «Романтическая поэзия пышно и величественно расцветала по всей Европе, Германия давно имела свои Нибелунги, Италия — свою тройственную поэму, Португалия — Лузиаду, Испания — Лопе де Вега, Кальдерона и Сервантеса, Англия — Шекспира, а у французов Вильон воспевал в площадных куплетах кабаки и виселицу и почитался первым народным поэтом!» (см. П у ш к и н А. С. ПСС. Т. 7. М., 1964. С. 308—309).

Я увлекался книгой «Образы Италии» — М у р а т о в П. П. Образы Италии. М. Т. 1 — 1912, т. 2 — 1913.

Сьенцев пристальные взгляды — из стих. «В вечер долгий, в вечер зимний» (1912), см. сб. «Одуванчики», № XXIII; не перепечатывалось.

фашисты похитили Маттеотти — см. об этом 11-ю главу третьей книги.

Иеремия в Сикстинской капелле — имеется в виду фигура пророка Иеремии, написанная Микеланджело на потолке Сикстинской капеллы.

Стр. 132 *«Только то пригодно для описания...»* — запись Стендаля на полях рукописи романа «Люсьен Левен», которую И. Э. часто цитировал.

Стр. 133 *Брюсов писал в 1922 году* — из ст. «Нео реализм» (см. Современник. Сб. № 1. М., 1922. С. 86).

Стр. 134 *итальянские картины последнего десятилетия* — «Похитители велосипедов» (режиссер В. де Сика, 1950), «Два гроша надежды» (Р. Кастеллани, 1952), «Рим в одиннадцать часов» (Дж. де Сантис, 1952), «Ночи Кабирии» (Ф. Феллини, 1957).

Стр. 135 *Я перевел отрывок [из Маринетти]* — см. Поэты Франции. Переводы И. Эренбурга. Париж, «Гелиос», 1914. С. 105—107.

Глава 18

Стр. 137 *исчез генерал Кутепов* — С 1928 г. А. П. Кутепов был председателем Русского общевойскового союза; в 1930 г. он был похищен в Париже; французская печать обвиняла в этом агентов ГПУ, действовавших сообща с активистами «Союза возвращения на Родину».

Стр. 139 *Недавно мне попалась в руки книга В. Розанова* — Цит. ст. «Возможный «гегемон» Европы» (1905) из цикла «По Германии» (см. Р о з а н о в В. Итальянские впечатления. СПб, 1909. С. 299—316).

Глава 19

Стр. 140 *Андрей Белый... говорит, что Волошин казался ему примерным парижанином* — А. Белый писал о Волошине: «Его явления, исчезновения, всегда внезапные, сопровождают в годах меня; нет — покажется странным, что был, что входил во все тонкости наших критиков, рассуждая, читая, миря, дебатируя, быстро осваиваясь с деликатнейшими ситуациями, создававшимися без него, находя из них выход, являясь советчиком и конфидентом; в Москве был москвич, парижанин — в Париже» (см. Б е л ы й А. Начало века. М. — Л., 1933. С. 225—226).

Стр. 141 *Возмущенный Гумилев вызвал Волошина на дуэль* — В черн. варианте: «Н. С. Гумилев заочно в нее влюбился. Началась переписка. Письма Черубины Гумилеву писал Макс; он назначил восторженному поклоннику свидание, а сам пригласил приятелей на забавный спектакль. Гумилев обиделся и вызвал Макса на дуэль» (ЦГАЛИ, ф. 1204, оп. 1, ед. хр. 22, л. 10); см. также В о л о ш и н М. Лики творчества. М., 1988. С. 755—759.

Стр. 143 *В дождь Париж расцветает* — из стих. «Дождь». *И пятна ржавые сбежавшей позолоты* — из 7-го стих. цикла «Париж». *Горелый, ржавый, бурый цвет трав* — из 2-го стих. цикла «Киммерийская весна».—см. В о л о ш и н М. Стихотворения. Л., 1977.

Не знать, не слышать и не видеть — из стих. «Газеты» — см. В о л о ш и н М. «Anno mundi avdenti. 1915». М., изд. «Зерна», 1916. С. 18.

В эти дни нет ни врага, ни брата — из стих. «В эти дни великих шумов ратных» (1915), посвященного И. Э.,— см. В о л о ш и н М. Стихотворения. С. 215.

Стр. 144 *Он любит грустить вечерами* — из поэмы «О жилете Семена Дрозда» (1917) — см. Ст. С. 260—262.

Стр. 146 *Волошин поехал в Феодосию* — Н. Я. Мандельштам подвергает сомнению утверждение И. Э. о том, что освобождением из тюрьмы Мандельштам обязан Волошину: «На самом деле было так: до Коктебеля дошел слух об аресте Мандельштама, случившемся перед самым отъездом в Грузию... Эренбург бросился к Волошину и с огромным трудом заставил его сдвинуться с места и поехать в Феодосию, чтобы спасти арестованного. В те годы, как и потом, впрочем, ничего не стоило отправить на тот свет случайно попавшегося человека. Связи у Волошина были огромные: он был местной достопримечательностью. Волошин проканителил несколько дней, а когда явился в Феодосию, Мандельштама уже выпустили на свободу. Своим освобождением он обязан полковнику Цыгальскому, которому посвящена глава в «Шуме времени»... Что же касается Волошина, я думаю, что никакого обмана не было. Вернувшись, он просто сказал Эренбургу, что Мандельштам выпущен, а Эренбург решил, что вытащил его Волошин» (см. М а н д е л ь ш т а м Н. Вторая книга. Париж, 1983. С. 101).

В век: «Распевай, как хочется» — из цикла «Ici — haut» (Здесь, в поднебесье.— *франц.*), посвященного Волошину.— «Встречи». Париж, 1934. № 4—5.

Глава 20

Впервые — «Лит. газета», 4 июня 1960 г.

Стр. 147 *Ты зачем зашумела, трава?* — из стих. «Трава» — см. Т о л с т о й А. Н. ПСС. Т. 1, М., 1951. С. 108. Далее — цитаты приводятся по этому изданию.

В своей поздней автобиографии — «Краткая автобиография» (1943) — см. Сов. писатели. Автобиографии. Т. II. М., 1959. С. 450.

Стр. 148 *Юрий Олеша рассказал* — из воспоминаний «Встречи с Алексеем Толстым» (см. О л е ш а Ю. Повести и рассказы. М., 1965. С. 381).

Алексей Николаевич написал очерк о Париже — «Париж» (1914).

Стр. 149. *«Стар, ужасно стар Париж...»* — из рассказа «Рукопись, найденная под кроватью».

В письме к матери, когда Толстому было 14 лет — Письма А. Н. Толстого к матери хранятся в архиве ИМЛИ, инв. № 6315.

Стр. 150 *я возвращался с ним из Харькова* — В записной книжке И. Э. за 1943 г. есть запись о поездке из Москвы в Харьков: «7 декабря. Отъезд из Москвы. Толстой и секретарь Кудрявцев. Толстой режет лососину, колбасы. Полк[овник]: «У нас рассказывали, будто Толстой вам сказал: «Какой ты еврей, ты выкрест». С этого — ощущение неловкости. Ночью снова разговор о евреях. Потом Симонов, как он был у Ахматовой — древняя для него история. *8 декабря*. Дорога. Толстой вспоминает: Вячеслав Иванов и Зиновьева-Аннибал. Ремизов. Блок. Земский Союз. Как почивал в английском замке...» (ЦГАЛИ, ф. 1204, оп. 2, ед. хр. 390).

Стр. 151 *Бунин вспоминает* — см. Б у н и н И. Третий Толстой. Париж, 1950. С. 221.

мы долгие годы были в ссоре — Ссора И. Э. с А. Толстым произошла летом 1922 г. в Берлине; разрыв стал окончательным, когда в лит. приложении к газ. «Накануне», редактором которого был Толстой, появился пасквиль на

И. Э. И. Василевского (Не-Буквы) «Тартарен из Таганрога» («Накануне», 28 окт. 1922). 29 окт. И. Э. писал Е. Г. Полонской: «Меня очень весело ненавидят. Вчера была здесь обо мне большущая статья в «Накануне» некоего Василевского. Предлагает бить меня по морде костью от окорока. По сему случаю Василевского и Толстого хотят откуда-то исключить и прочее» (АП). 30 окт. И. Э. писал М. М. Шкапской, что А. Белый, Шкловский и Ходасевич хотят исключить Василевского и Толстого из «Дома искусств». Отголосок ссоры есть и в письме И. Э. Е. Г. Полонской от 21 апр. 1923 г.: «Здесь все то же, т. е. Берлин, холод и в достаточной дозе графалексейниколаевичтолстой (тьфу какое длинное слово)» (АП).

Стр. 152 *Темное, как человек, искусство* — из стих. «Умереть, и то казалось легче» (1940) — см. Ст. С. 161.

моего вида страшатся бандиты — В письме М. А. Волошину из Москвы 13 дек. 1917 г. И. Э. писал: «Потрясаю публику внутри стихами, а на улице в поздний час шляпой (переходят на другую сторону. Толстой уверяет даже, что «солдаты, завидев меня, открывают беспорядочную стрельбу»)» (ИРЛИ, ф. 562, ед. хр. 1338, л. 33).

Стр. 154 *Часто бывала у него... Лиза Кузьмина-Караваева* — 30 окт. 1918 г. И. Э. писал М. А. Волошину: «Я перевидел за год немало людей, но близко ни с кем не сошелся кроме двух поэтесс — Кузьм[иной]-Караваевой и Меркурьевой» (ИРЛИ, ф. 562, оп. 3, ед. хр. 1338, л. 38).

Стр. 155 *что до него говорили и Тургенев, и Гюго, и русский поэт К. Случевский* — См. очерк «Казнь Тропмана» (Т у р г е н е в И. С. ПСС. Т. 11. С. 131—154), описание казни Говена в романе «Девяносто третий год» (Г ю г о В. СС. Т. 11. М., 1956. С. 383—390), стих. «Преступник» (С л у-ч е в с к и й К. Стихотворения и поэмы. М.— Л., 1962. С. 135—136).

Глава 21

Впервые под названием «Ротонда» в ж. «В защиту мира». 1960. № 5.

Стр. 156 *Париж фиолетовый, Париж в анилине* — из стих. «Верлен и Сезанн».

Стр. 160 *С. И. Толстая вспоминает* — см. сб. «Воспоминания об А. Н. Толстом». М., 1973. С. 67.

Волошин в газетной статье — В о л о ш и н М. Илья Эренбург — поэт. Речь. 31 окт. 1916 г.

Стр. 161 *В колбасной дремали головы свиньи* — из стих. «Прогулка» (1915) — см. Ст. С. 85—86.

Глава 22

Стр. 163 *Долина осенью пышна, но ядовита* — из стих. Аполлинера «Крокусы»; перевод для мемуаров исправлен; перевод 1914 г. см. ТД. С. 133.

Стр. 164 *«Сладкий Пан, любовь и Христос умерли»* — из сюиты Аполлинера «Песнь несчастного в любви»; отрывок в переводе И. Э.— см. ТД. С. 132.

Глава 23

Стр. 165 *Ты сидел на низенькой лестнице* — из стих., посвященного Модильяни в цикле «Ручные тени» — см. Ст. С. 68—69.

Стр. 166 *Из него сделали героя ходкого фильма* — фильм Фака Беккера «Монпарнас, 19» (1957), в котором роль Модильяни играл Жерар Филип.

Крылатый путник жалок на земле — строка из стих. «Альбатрос», пер. И. Э.

Стр. 167 *Я тогда написал об этом поэму* — Поэму разыскать не удалось. Этот сюжет И. Э. использовал в романе «Бурная жизнь Лазика Ройтшванеца» (Париж, 1928. Гл. 26. С. 151—162).

Анна Андреевна рассказывала мне — А. А. Ахматова в воспоминаниях «Амедео Модильяни» упоминает разговоры о художнике с И. Э.: «Мне долго казалось, что я никогда больше о нем ничего не услышу... Потом, в тридцатых годах, мне много рассказывал о нем Эренбург, который посвятил ему стихи в книге «Стихи о канунах» и знал его в Париже позже, чем я» (см. А х м а т о в а А. Стихи и проза. Л. С. 570—571).

Глава 25

Стр. 176 *Я тогда не был знаком с В. Г. Финком* — автор романа «Иностранный легион».

Стр. 177 *Потом я увидел деревянный крест с надписью «Лейтенант Шарль Пеги»* — Об этом в очерке И. Э. «Могила Шарля Пеги» (Биржевые вед. 21 дек. 1916 г.); в мае 1915 г. И. Э. написал стихи «После смерти Шарля Пеги» (см. Ст. С. 81).

Стр. 179 *«Наше слово»* — ежедневная газета; первонач. название «Голос» (издавалась в Париже; редактором ее значился С. А. Лозовский (Дридзо).

Блаженны погибшие в большом бою — из поэмы «Ева», отрывок в переводе И. Э. (см. ТД. С. 178).

Иногда я встречал... Мартова — В черн. ред.: «Он был человек мягкий, кабинетный, созданный скорее для дискуссии в узком кругу, нежели для родственного общения с теми, кого любители дискуссий называют «массой». Он был подавлен крахом Второго Интернационала, кашлял, ходил в худом пальто, мерз и, как Лапинский, старался убедить не столько меня, сколько себя, что «расплата неизбежна». (Я не думаю, что он тогда мог предвидеть, какую форму эта расплата примет, не знал, что в решительную минуту он окажется тем резонером, который хорош на сцене, но не на трибуне.)» (ЦГАЛИ, ф. 1204, оп. 1, ед. хр. 28, л. 14).

Стр. 180 *эта книга сыграла огромную роль* — И. Э. принадлежит первая в России рец. на франц. изд. книги Барбюса «Огонь» (Биржевые вед. 24 фев. 1917 г.; перепечатана в ж. «Иностр. лит.». 1983. № 10. С. 209—211).

Глава 26

Стр. 182 *«Я видел тихие эшелоны...»* — перевод И. Э.

Глава 27

Стр. 184 *Я писал о военных рисунках Леже* — см. ЛВ. С. 18—19.

Стр. 185 *Маяковский, который был у него в 1922 году, писал* — из «Семидневного смотра французской живописи. Мастерские» (см. М а я к о в-с к и й В. ПСС. Т. 4. С. 248.

Стр. 186 *«Эспри нуво» Корбюзье* — «Эспри нуво» (Новый дух) — программа конструктивной системы в архитектуре, выдвинутая Корбюзье (а также Озанфаном и Дэрме) в 1920 г.; под этим названием он издавал архитектурный журнал. В № 1—2 ж. «Вещь» (1922), издававшегося в Берлине И. Э. и Лисицким, напечатана статья Корбюзье «Современная архитектура» об этой программе.

отвечая на анкету журнала «Вещь», он писал — Ж. «Вещь» обратился к художникам, скульпторам и архитекторам различных направлений с вопросом, как они оценивают состояние современного искусства. В № 1—2 и 3 напечатаны ответы Леже, Ван-Десбурга, Глеза, Северини, Ж. Липшица, Архипенко и Х. Гриса; был анонсирован ответ Пикассо, но № 4 журнала не вышел.

Глава 28

Стр. 187 *Ответа не последовало* — На самом деле в газ. «Утро России» с 18 ноября 1915 г. по 19 марта 1916 г. было напечатано 16 очерков И. Э. (первый — «День всех усопших»). В «Биржевых вед.» он печатался с 25 апр. 1916 г. (первый очерк — «Не у себя») по 19 окт. 1917 г.

Стр. 188 *Одновременно Макс написал редактору «Биржевых ведомостей»* — В Париже обязанности корреспондента «Биржевых вед.» исполнял М. А. Волошин; в апр. 1916 г. он писал из Москвы редактору газеты: «Так как теперь «Биржевые ведомости» остались без постоянного осведомителя из Франции, то позвольте мне рекомендовать Вам как такового Илью Григорьевича Эренбурга, которого Вы, конечно, знаете по имени, по его книгам и переводам старых и новых французских поэтов. Он прекрасно знает Францию и может быть Вам очень интересен для газеты» (ИРЛИ, ф. 549, № 82, л. 2).

Стр. 189 *мой очерк о дамах-благотворительницах* — «Французские женщины» — Биржевые вед. 2 июля 1916 г.

Стр. 191 *Хорошо, что он написал книгу воспоминаний* — И г н а т ь е в А. А. Пятьдесят лет в строю. Т. 1—2. М., 1959.

Стр. 192 *я описывал в 1916 году первый танк* — см. ЛВ. С. 19; текст цитаты стилистически выправлен.

Глава 29

Стр. 193 *я хотел той «общей идеи», о которой писал Чехов* — См. в «Скучной истории»: «Каждое чувство и каждая мысль живут во мне особняком, и во всех моих суждениях о науке, театре, литературе и во всех картинках, которые рисует мое воображение, даже самый искусный аналитик не найдет того, что называется общей идеей, или богом живого человека. А коли нет этого, то, значит, нет и ничего (Ч е х о в А. П. ПСС. Т. 7. С. 307).

Я не встречал такого непонятного и страшного человека — В июне 1915 г. для цикла «Ручные тени» И. Э. написал стих. портрет Савинкова (не опубликован: «Лицо подающего надежды дипломата /Только падают усталые веки./ (Очень уж гадко/ На свете!) /О силе говорит каждый палец,/ О прежней./ И лишь порой стыдливая сентиментальность/ Как будто брезжит./ Ах, он написал очень хорошие книги,/ У него большая душа и по-французски редкий выговор./ Только хорошо бы с ним запить,/ О России пьяным голосом бубнить:/ — «Ты, Россия, ты огромная страна,/ Не какая-нибудь маленькая улица. Родила ты, да и то спьяна/ Этакое чудище!» (ГЛМ ОФ, 3686, л. 57).

Помню стихи, которые он часто повторял — Первоначально (Новый мир. 1960. № 10. С. 25) И. Э. ошибочно приписывал авторство этих стихов самому Савинкову.

Стр. 195 *Я вышел из себя* — В одном из писем М. А. Волошину (сент. 1915 г.) И. Э. писал: «Вчера видал Бориса Викторовича — я уже писал Вам как-то, что мне теперь трудно с ним. Я сейчас (да пожалуй и всегда) слишком неуверен и истомлен, чтоб общаться с людьми выраженно противоположными себе. От него мне не только жутко, но и неприлично, а противопоставлять себя не хочется — не то лень, не то сил нет. Вчера говорил с ним о происходящем теперь в России и на войне и внутри ея. Все это мучительно и очень страшно, но по-иному, чем ему мучительно. Он из породы врачей, а я — вы, миллионы других, мы — те близкие, которые то с надеждой, то с ужасом и в конце концов с каким-то отвращением слушают «будете давать — принимать перед обедом столько-то»...» (ИРЛИ, ф. 562, оп. 3, ед. хр. 1338, л. 22).

Глава 30

Впервые под названием «Диего Ривера» — Огонек. 1960. № 40.

Стр. 196 *непрерывные революции — Мадеро свергает Диаса...* — Речь идет о событиях 1910-х годов в Мексике.

Стр. 198 *сделал иллюстрации для двух моих книжонок* — Ривера сделал для литограф. изд. «Повести о жизни некой Наденьки и о вещих знамениях, явленных ей» (Париж, 1916) портрет автора и 6 рисунков, а для книги «О жилете Семена Дрозда» (Париж, 1917) — фронтиспис; кроме того, он выполнил для И. Э. литографию, которая была помещена на обложке его книги «В звездах» (Киев, 1919).

Стр. 200 *о видениях Юлии Круденер* — Речь идет о дочери ливонского магната, внучке фельдмаршала Миниха, ставшей французской писательницей, а затем религиозной прорицательницей, оказавшей известное влияние на Александра I, пригласившего ее в Россию (см. ст. в Русском биографическом словаре, т. 9. СПб, 1903. С. 435—441).

Она рисует, лепит, пишет мемуары — Мемуары Маревны «Жизнь в двух мирах» вышли по-английски в Лондоне в 1962 г. с предисловием Осипа Цадкина.

Стр. 201 *много раз ссорился и мирился с мексиканскими коммунистами* — из-за отношения к Л. Д. Троцкому. Когда по просьбе Диего Риверы Троцкому было предоставлено право политического убежища в Мексике, просталинская часть руководства мексиканской компартии решительно этому воспротивилась. Принадлежавший к этому крылу художник Д. Сикейрос рассказывает о своем участии в первом, неудавшемся тогда покушении на жизнь Троцкого в Мексике (см. С и к е й р о с Д. Меня называли лихим полковником. М., 1986. С. 217—230).

Глава 31

Впервые под названием «В 1916 году» — Огонек. 1960. № 19.

Стр. 203 *Мир сверху похож на некоторые мои холсты* — Еще в 1916 г. И. Э. писал: «Люди с лупами расшифровывают странные планы, похожие на рисунки Пикассо. Это фотографии, снятые с аэропланов» (см. ЛВ. С. 20).

Стр. 204 *я прочитал дневники Пуанкаре* — см. Пуанкаре Раймонд. На службе Франции. Воспоминания, кн. II. М., 1936. С. 213—409 (цит. т. VIII — «Верден, 1916»).

Стр. 205 *Мир — рвался в опытах Кюри* — из поэмы «Первое свидание» — см. Б е л ы й Андрей. Стихотворения и поэмы. М.— Л., 1966. С. 411.

Вот моя запись, относящаяся к 1916 году — см. ЛВ. С. 58 (цитата отредактирована автором).

немецкие солдаты сожгли... городок Жербевилле — об этом — в очерке «Среди развалин» (Биржевые вед. 31 марта 1917 г.).

Глава 32

Стр. 208 *«Бато-Лявуар»* — причудливый дом на Монмартре, состоящий из чердаков и подвалов, приют художественной богемы. Пикассо снимал ателье в этом доме в девятисотые годы.

Стр. 209 *«Самыми различнейшими вещами полна его мастерская...»* — из очерков «Семидневный смотр французской живописи. Мастерские».

Стр. 215 *в стране, которую он любил... долго его называли «формалистом»* — В черн. вар.: «Знал и другое: в стране, которую он любил, в которую верил, долго относились отрицательно к его творчеству. Как-то, когда мы встретились, он, смеясь, сказал: «Нам с тобой попало...» Незадолго до того я напечатал в «Литературной газете» статью: конечно, не о живописи, а о борьбе за мир (это было в 1949 году); в статье я говорил, что лучшие умы Запада с нами, и называл Пикассо. К статье сделали сноску: выразили сожаление, что я не критикую формалистических элементов в творчестве Пикассо. Разумеется, антисоветские газеты Франции перепечатали — не мою статью, а редакционную сноску. Пабло смеялся, говорил, что не стоит огорчаться — сразу все не делается. Его доверие к Советскому Союзу ничто не могло поколебать. В 1956 году некоторые из его друзей, поддавшись растерянности, предлагали ему дать свою подпись под протестами, декларациями, заявлениями. Пикассо ответил отказом» (ФЭ). Сноска к ст. И. Э. «Заметки писателя» (Лит. газета, 24 сент. 1947 г.); протесты 1956 года, упоминаемые И. Э., были связаны с венгерскими событиями и введением советских войск в Венгрию.

Глава 33

Стр. 216 *Зову, кричу, а толку нет* — из IX сонета книги Дю Белле «Сожаление», перевод И. Э. (см. ТД. С. 70—71).

Художник Серж, Сергей Фотинский — под этим именем в 1903 г. из Одессы в Париж отправился Абрам Саулович Айзеншер (1887—1972); в 1935 г. он приехал в Москву, чтобы навестить родственников, и был задержан на несколько месяцев, пока И. Э. не обратился к Н. И. Бухарину, добившемуся освобождения Фотинского.

Глава 34

Стр. 222 *Со мной ехал мой приятель эстонец Рудди* — музыкант Рудольф Тасса.

Стр. 225 *Мы не знали о событиях в Петрограде* — имеется в виду разгром большевистского выступления 3 июля 1917 г.

КНИГА ВТОРАЯ

Глава 1

Стр. 229 *один поэт, с которым я познакомился в «Биржевке»* — Судя по записной книжке И. Э. 1917 г., в Петрограде ему удалось встретиться лишь с В. Юнгером.

Я проговорил час или два с Савинковым — 27 окт. 1917 г. Волошин в письме своей постоянной корреспондентке А. М. Петровой привел рассказ И. Э. о беседе с Савинковым (см. ИРЛИ, ф. 562, ед. хр. 97, л. 28).

Стр. 230 *Они жили у отца Кати* — Отто Маркович Шмидт, петроградский домовладелец, хозяин нескольких колбасных, жил в Лесном; после Октябрьской революции, лишившись всего состояния, сошел с ума.

Стр. 231 *Об этом назначении я узнал...* — В 1917 г. к назначению на фронт И. Э. относился отнюдь не иронически. В авг. 1917 г. он сообщал Волошину из Москвы: «Борисом Викторовичем [Савинковым] я б. м. буду назначен в скором времени помощником комиссара либо на фронт, либо в Финляндию, либо в Сибирь. Хотелось бы первое» (л. 35). 18 сент. 1917 г. И. Э. писал из Ялты:

«Военное министерство назначило меня помощником комиссара на Кавказ, но Совет С[олдатских] и Р[абочих] Д[епутатов] отменил сие назначение. Пока жду» (л. 37). Т. И. Сорокин с семьей выехал по назначению на Северный Кавказ, а И. Э. из Крыма вернулся в Москву.

Глава 2

Стр. 232 *А. Н. Толстой так описал разговоры лета 1917 года* — из «Рассказа проезжего человека».

Он прочитал мне... стихотворение об Ариадне — «Ариадна. Жалоба Фессея».

Стр. 234 «*Желал бы я не быть «Валерий Брюсов»* — из стих. «L'ennui de vivre...» (скука жизни — *франц.*).

Стр. 235 *он записал в дневнике* — Запись 4 марта 1893 г., см. Б р ю с о в   В а л е р и й. Дневники 1891—1910. М., Изд. Сабашниковых, 1927. С. 12.

Стр. 236 *а за солнцами улиц где-то ковыляла* — из стих. «Адище города» — см. М а я к о в с к и й В. ПСС. Т. 1. С. 55. Далее — по этому изданию: указываются названия цит. стихов.

Монетой, плохо отчеканенной — из стих. В. Брюсова «Футуристический вечер».

«*Стащить бумажные латы с черного фрака Брюсова*» — В манифесте, подписанном Д. Бурлюком, А. Крученых, В. Маяковским и В. Хлебниковым и напечатанном в альманахе «Пощечина общественному вкусу» (СПб., 1914), были слова: «Кто же, трусливый, устрашится стащить бумажные латы с черного фрака воина Брюсова?» — см. М а я к о в с к и й В. ПСС. Т. 13. С. 245.

Стр. 236—7 *Я — междумирок. Равен первым* — первые строки стих. без названия; *От совета Лемуров до совета в Рапалло...*— из стих. «Молодость мира». Лемуры — «по оккультной традиции, первая раса, достигшая на земле сравнительно высокой культуры (на исчезнувшем материке в Тихом океане)» — объяснение Брюсова, см. т. 3, с. 575; в Рапалло в 1922 г. был заключен договор между Германией и Советской Россией.

Стр. 237—8 *Было так, длилось под разными флагами* — из стих. «Магистраль»; *Все люди, теперь и прежде* — из стих. «Все люди»; *Растет потоп...*— из стих. «Потоп».

Глава 3

Стр. 239 *Цветаева говорила о своих бабках* — В стих. «У первой бабки четыре сына» — см. Ц в е т а е в а М. Соч. в 2 т. Т. 1. М., 1980. С. 130. Далее — цитаты приводятся по этому изданию; указываются названия цит. стихов.

Когда я впервые пришел к Цветаевой, я знал ее стихи — Первоначальное знакомство И. Э. с Цветаевой было заочным. О ее стихах И. Э. писал в ст. «Заметки о русской поэзии» (Гелиос. 1913. № 1. С. 16) и «Новые поэтессы» (Гелиос. 1913. № 2. С. 45). В письмах И. Э. Волошину есть упоминания о стихах Цветаевой, о посланных ей книгах. В 1914 г.: «Бальмонты говорили, что в Коктебеле сейчас поэтесса Цветаева. Передайте, пожалуйста, ей мою книжицу» (Видимо, сб. стихов «Детское»). В 1915 г.: «На днях прочел в «Сев. З [аписках] стихи Цветаевой новые — они очень хороши. Она бесконечно повзрослела. Где она теперь? Имели ли вести от нее?» В 1916 г.: «Получил ли ты книгу для Цветаевой? (Видимо, «Стихи о канунах».— *Б. Ф.*) Пишет ли она что-ниб [удь]?» (ИРЛИ, ф. 562, оп. 3, ед. хр. 1338, л. 1, 25, 31).

По улицам оставленной Москвы — из стих. «Настанет день...».

Войдя в небольшую квартиру, я растерялся — О первой встрече в записной книжке И. Э. 1917 г.: «Марина — Маревна. Резкость и глупость. Квартира. Дочка, одна ест суп...» (ед. хр. 386, л. 4). Летом 1917 г. они рассорились; в авг. И. Э. писал Волошину: «Марина Цветаева относительно меня неск [олько] раз обругала, но безответно — чтобы отвечать, я вышел из возраста. Она с нехорошей стороны похожа на Маревну, хотя я Маревну, кажется, предпочитаю» (л. 35). Цветаева сообщала Волошину о встрече и разладе с И. Э. 9 авг. 1917 г.: «У нас с ним сразу был скандал, у него отвратительный тон сибиллы. Потом это уладилось» (ИРЛИ, ф. 562, оп. 3, ед. хр. 1255, л. 62). В сент. 1917 г. их встреча в Коктебеле была «весьма прохладной»; из письма Цветаевой С. Я. Эфрону следует, что Цветаева поверила некоему лицу, оговорившему И. Э. (см. С а а к я н ц А. Марина Цветаева. Страницы жизни и творчества (1910—1922). М., 1986. С. 133). Дружеские отношения И. Э. и Цветаевой установились лишь зимой 1920—1921 гг.

Какие бледные платья! — из стих. «Тебя скрывали туманы» — см. Б л о к А. СС. Т. 1. М.— Л., 1960. С. 195.

Стр. 240 *Помянет потомство* — из стих. «Царю» — на Пасху»; *Ох, ты барская, ты царская моя тоска* — из стих. «Над церковкой голубые облака»; *Андре Шенье взошел на эшафот* — из стих. «Андре Шенье» («Лебединый стан»).

я нашел Марину все в том же исступленном одиночестве — Об отношениях И. Э. и Цветаевой той поры ее дочь, А. С. Эфрон, вспоминала: «Дружба Марины с Эренбургом была непродолжительной, как большинство ее дружб — личных, не эпистолярных,— но куда более о б о ю д н о й, чем многие иные... Дружба Марины с Эренбургом была дружбой двух сил — причем взаимонепроницаемых, или почти. Марине был чужд Эренбургов рационализм, наличествовавший даже в фантастике, публицистическая широкоохватность его творчества, уже определившаяся в 20-е годы, как ему — космическая камерность ее лирики, «простонародность» (просто — народность!) ее «Царь-девицы», и вообще — российское, былинное, богатырское начало ее поэзии, вплоть до самой российскости ее языка, к которой он оставался уважительно глух всю свою жизнь. В дальнейшем взаимная неподвлиянность (не говоря уже об обстоятельствах) разделила их, а в начале только помогла дружбе стать именно дружбой. Отношение того, давнего, Эренбурга к той, давней, Цветаевой было по истине товарищеским, действенным, ничего не требующим взамен, исполненным настоящей заботливости и удивительной мягкости. Я не оговорилась — ибо была такая пора в творческом и человеческом становлении Эренбурга, когда нарастающей непримиримости его приводилось оборачиваться мягкостью, ироничности — нежностью, несмотря на то, что перо его и тогда уже превращалось в ланцет, голос становился голосом трибуна, а мысль, отталкиваясь от частного, старалась охватить общечеловеческое... В его воспоминаниях «Люди, годы, жизнь», в той их части, которая касается Марины, от былой Эренбурговой нежности не осталось следа: вероятно, память о подобной «окраске» отношений скорее всего рассеивается временем» (см. Э ф р о н А. Страницы былого.— Звезда. 1975. № 6. С. 183). Из письма А. С. Эфрон И. Э. от 5 мая 1961 г. после выхода журн. публикации второй книги «Люди, годы, жизнь»: «Мне много и хорошо хотелось сказать Вам, и будь я проклята, если я это не сделаю! А пока только скажу Вам спасибо за воскрешенных людей, годов, города. Мне ли не знать, какой тяжелый труд — воспоминания, воспоминание, когда уже целым поколениям те времена — то время — только спеленутый условными толкованиями последующих дней — Лазарь. Кстати — Вы не из добрых писателей, вы из злых (и Толстой из злых), так вот, когда злой писатель пишет так добро, как Вы в воспоминаниях, то этому добру, этой доброте цены нет; когда эта доброта, пронизывая все скорлупки, добирается до незащищенной с у т и людей, действий, событий, пейзажей, до души всего и тем самым до читательской — это чудо!.. Крепко обнимаю Вас, мой самый злой, мой самый добрый, мой самый старый друг... Теперь относительно той части воспоминаний, что о маме — я жалею, что тогда, у Вас, не читала, а глотала, торопясь и нацелясь именно на маму. А теперь, перечитывая, увидела, что об отце сказано не так и недостаточно. Дорогой Илья Григорьич, если есть еще время и возможность, и не слишком поздно «по техническим причинам» для выходящей книги, где-нибудь, в конце какого-нибудь абзаца, чтобы не ломать набор, уравновесьте этот образ и эту судьбу — скажите, что Сережа был не только «мягким, скромным, раздумчивым». И не только «белогвардейцем, евразийцем и возвращенцем». Он был человеком и безукоризненной честности, благородства, стойким и мужественным. Свой белогвардейский юношеский промах он искупил огромной и долгой молчаливой, безвестной, опасной работой на СССР, на Испанию, за которую, вернувшись сюда, должен был получить орден Ленина; вместо этого, благодаря (?) тому, что к власти пришел Берия, добивший все и вся, получил ордер на арест и был расстрелян в самом начале войны (они с мамой погибли почти вместе... «так с тобой и ляжем в гроб — одноколыбельники»). Об этой стороне отца необходимо хотя бы обмолвиться, и вот почему. Мама свое слово скажет и долго будет его говорить. И сроки не так уж важны для таланта (чего не мог понять Пастернак со своим «Живаго»), и сроки непременно настанут, и они длительней человеческих жизней. Часто именно физическая смерть автора расщепляет атом его таланта для остальных; докучная современникам личность автора больше не мешает его произведениям. И мамины «дела» волнуют меня только относительно к с е г о д н я ш н е м у дню, ибо в ее з а в т р а я уверена. А вот с отцом и с другими многими все совсем иначе. С ними умирает их обаяние; их дела, влившись в общее, становятся навсегда безвестными. И поэтому каждое п е ч а т н о е слово особенно важно: только это остается о них будущему. Тем более В а ш е слово важно...» И. Э., несмотря на сдержанное отношение к деятельности С. Я. Эфрона 30-х годов, внес несколько слов о мужестве С. Я. Эфрона в отд. изд. мемуаров. 8 ноября 1961 г. А. С. Эфрон написала ему: «Очень рада книге, очень благодарна за дополнительные строки о папе, несколько — насколько сейчас можно — уравновешивающие все... Сама книга — событие, Вы об этом знаете... Вы сумели этой книгой сказать «Солнце — остановись!» — и оно остановилось, солнце прошедших дней, ушедших людей. Спасибо Вам, дорогой друг, за всех, за все — за себя самое тоже» (АЭ).

Мне удалось узнать, что С. Я. Эфрон жив — А. С. Эфрон писала в воспоминаниях «Страницы былого»: «Приехав за границу, Эренбург разыскал Сережу. 1 июля 1921 года, в десять часов вечера Марина получила первое от него письмо. «Мой милый друг, Мариночка, сегодня получил письмо от Ильи Григорьевича, что вы живы и здоровы. Прочитав письмо, я пробродил весь день по городу, обезумев от радости» (Звезда, 1975, № 6. С. 184).

Стр. 241. *Есть в нем черновики некоторых писем ко мне* — Тексты этих черновиков были получены И. Э. от А. С. Эфрон; 4 окт. 1955 г. она писала: «Посылаю Вам (из маминой записной книжки) два письма к Вам, первое из которых Вы, наверное, впервые получите только сейчас, тридцать три года спустя». Перед тем, 28 авг. 1955 г., А. С. Эфрон прислала И. Э. тексты его писем к Цветаевой: «Нежно и бережно передаю Вам этим письма, сбереженные мамой через всю жизнь — и всю смерть! Сами подлинники хранятся где-то там — где? Она не успела сказать мне, а я тогда не успела спросить толком, как всегда думая, что все впереди. Я не могу отдать Вам их, переписанные ее рукой, т. к. в этой тетрадочке еще несколько писем не Ваших — очень немногих и не очень верных друзей. И вот возвращается в Ваши руки кусок той жизни и той дружбы». 15 июля 1962 г. А. С. Эфрон снова писала И. Э.: «Пересылаю Вам Ваши — сорокалетней давности — письма маме. Они переписаны ее рукой в маленькую записную книжку, очевидно накануне отъезда в СССР в 1938—39; кроме Ваших там два письма Белого, и неполностью переписанное пастернаковское (одно, первое). Записная книжка озаглавлена «Письма друзей» (АЭ). Письма И. Э. Цветаевой опубл. Б. М. Сарновым (Вопр. лит. 1973. № 9. С. 195—198).

«...к этому я молча иду» — В черн. варианте после этих слов И. Э. в скобках заметил: «В 1956 году Ю. П. Иваск опубликовал в Нью-Йорке письма Цветаевой к нему; в одном из них она говорит обо мне: «Эренбург мне не только не «ближе», но никогда ни одной секунды не ощущала его поэтом. Эренбург — подпадение под всех, бесхребетность. Кроме того, циник не может быть поэтом». То, что Цветаева называла в 1922 году, когда мы с ней часто встречались, зоркостью, десять лет спустя, когда жизнь нас развела, ей показалось цинизмом» (ЦГАЛИ, ф. 1204, оп. 1, ед. хр. 32). Здесь упомянутое письмо — от 4 апр. 1933 г. (см. Рус. лит. архив. Нью-Йорк, 1956. С. 209).

Стр. 242 *Она написала о В. Я. Брюсове много несправедливого* — имеется в виду очерк Цветаевой «Герой труда» (см. Ц в е т а е в а М. Избр. проза в 2 т. Т. 1. Нью-Йорк, 1979. С. 176—220).

Быть может, все в жизни лишь средство — из стих. Брюсова «Поэту».

Цветаева отвечала — очерк «Герой труда» цит. по машинописной копии из собрания И. Э. В 1926 г. он привез текст «Героя труда» по поручению Цветаевой для Пастернака (см. Дружба народов. 1987. № 8. С. 268).

Вспоминая слова Каролины Павловой — имеются в виду строки «Моя напасть! Мое богатство! Мое святое ремесло!» из стих. «Ты уцелевший в сердце нищем» (см. Русская лирика XIX века. Т. 2. М., 1977. С. 290).

Ищи себе доверчивых подруг — первая строка стих. без названия; *Да, был человек возлюблен!* — из 3-го стих. цикла «Стол».

Стр. 243 *В одном из писем Цветаева рассказывала* — из письма Ю. П. Иваску от 4 апр. 1933 г. (см. Рус. лит. архив. Нью-Йорк, 1956. С. 212).

Марина по своему желанию перевела для журнала — «Ecoutez, canailles» («Вещь». 1922. № 3. С. 5). 3 июня 1922 г. И. Э., делясь с Маяковским планами следующих номеров журнала, сообщал: «В № 3, который выходит на днях, перевод Вашего стихотворения «Слушайте, сволочи» на французский» (ГЛМ, ф. 130).

Германия, мое безумье! — из стих. «Германии» (1914); *О мания! О мумия* — из стих. «Германии» (цикл «Стихи к Чехии»).

«Муж болен и работать не может» — из письма Ю. П. Иваску от 4 апр. 1933 г.

Стр. 244 *Перестаньте справлять поминки* — из 3-го стих. цикла «Стихи к сыну».

Аля уехала в Москву; вскоре за ней последовал С. Я. Эфрон — А. С. Эфрон, активистка «Союза возвращения», приехала в Москву 15 марта 1937 г. С. Я. Эфрон в окт. 1937 г. бежал из Франции, опасаясь ареста по обвинению в причастности к политическому убийству.

Я слишком сама любила — из стих. «Идешь, на меня похожий».

Цветаева писала о пушкинской Татьяне — из книги «Мой Пушкин» — см. Ц в е т а е в а М. Т. 2. С. 344.

Сколько их, сколько их ест из рук — первая строка стих. без названия.

Цветаева вернулась на родину — 18 июня 1939 г.

Отказываюсь — быть — из стих. «О, слезы на глазах» (цикл «Стихи к Чехии»).

С. Я. Эфрон погиб. Аля была далеко — в лагере — С. Я. Эфрона арестовали на даче в Барвихе, предоставленной ему правительством, 7 ноября 1939 г. А. С. Эфрон была арестована 27 авг. 1939 г.

Она пришла ко мне в августе 1941 года — Эта встреча произошла 7 июля. И. Э. в тот день записал: «В «Известиях»... Сводки лучше. Немцы говорят: Черновцы... Цветаева». Есть еще запись от 29 июня со словами «Марина о квартире и стихах» (ФЭ). Из письма сына Цветаевой Г. С. Эфрона в лагерь А. С. Эфрон от 3 июня 1941 г. известно, что И. Э. через Е. Я. Эфрон послал Цветаевой недавно вышедшую книгу стихов «Верность» (см. Неман. 1975. № 8. С. 113—119): «Только что звонила Лиля — получила на имя мамы книгу стихов Эренбурга об Испании и Франции «Верность» с трогательным посвящением».

Стр. 245 *Сын Марины погиб на фронте* — Г. С. Эфрон (1925—1944) погиб в бою в Белоруссии.

Аля... собрала неизданные стихи Марины — И. Э. принимал активное участие в работе Комиссии по литературному наследию Цветаевой, добивался разрешения издать книгу ее стихов. 22 мая 1956 г. А. С. Эфрон писала ему: «Ах, Боже мой, как я счастлива, что Вы будете писать предисловие! Вы е д и н с т в е н н ы й, который может это сделать — и сердцем и умом, и знанием ее творчества и ч и с т ы м и р у к а м и!» (АЭ). Предисловие кончалось словами: «Наконец-то выходит сборник Марины Цветаевой. Муки поэта уходят вместе с ним. Поэзия остается» («Поэзия Марины Цветаевой» — Лит. Москва. Сб. 2. М., 1956. С. 715). Однако выход книги был сорван; она появилась в 1962 г. 25 окт. 1962 г. И. Э. председательствовал на первом цветаевском вечере в Москве.

От многих строк Цветаевой я не могу освободиться — Б. А. Слуцкий, близко знавший И. Э., вспоминал: «Всего лишь за день до смерти он назвал Цветаеву и Мандельштама как самых близких, самых личных, самых пережитых им поэтов» (см. ТД. С. 12).

Она писала после смерти Маяковского — из ст. «Искусство при свете совести» — см. Ц в е т а е в а М. Избр. проза. Т. 1. Нью-Йорк, 1979. С. 406.

Гетто избранничеств! — из «Поэмы конца».

Какой поэт из бывших и сущих и не негр? — из кн. «Мой Пушкин» — см. Ц в е т а е в а М. Соч. Т. 2. С. 329.

Глава 4

Стр. 245 *мой очерк, присланный из Москвы* — Очерк «Саранча» впоследствии не перепечатывался; цитата стилистически выправлена.

Стр. 247 *Я заехал в Коктебель к Волошину* — 27 окт. 1917 г. Волошин писал А. М. Петровой: «Все эти дни был у меня Эренбург, и Вы не можете себе представить, как мне досадно, что Вы лишили меня возможности познакомить его с Вами. Досадно, конечно, за Вас, потому что Вы лишились не только знакомства с прекрасным и талантливым человеком, но и беседы с очевидцем Корниловского выступления, который Вам мог бы дать из первых рук сведения и впечатления о разных лицах, которые для нас здесь туманны и мало выяснены» (ИРЛИ, ф. 562, ед. хр. 97, л. 28).

Я писал тогда очень плохие стихи — Речь идет о стихах, составивших кн. «Молитва о России» (М., 1918). Волошин, однако, высоко оценил эту книгу в ст. «Поэзия и революция. Александр Блок и Илья Эренбург» (см. «Камена». Харьков, 1919, кн. вторая. С. 10—28).

Стр. 248 *В дневниках Блока есть запись* — см. Б л о к А. СС. Т. 7. С. 323—324. Слова Стенича об И. Э. Блок включил также в очерк «Русские дэнди» (т. 6. С. 53—57).

Стр. 250 *Ну, что ж, попробуем: огромный, неуклюжий* — из стих. «Прославим, братья, сумерки свободы» (1918) — см. М а н д е л ь ш т а м О. Стихотворения. Л., 1974. С. 109—110. Первоначально И. Э. отнесся к этим стихам враждебно. «Мандельштам, изведав прелесть службы в каком-то комиссариате, гордо возглашает: как сладостно стоять ныне у государственного руля», — писал он в ст. «Стилистическая ошибка» (газ. «Возрождение». 5 июня 1918). Подлинный смысл этих стихов открылся ему позже; их отзвуки отчетливы в «Хулио Хуренито», где И. Э. говорил и о «сумерках свободы», и о «повороте руля». Строки из этого стих. И. Э. поставил эпиграфом к сборнику эссе «Белый уголь или слезы Вертера».

Глава 5

Глава о Пастернаке — единственная во второй книге «Люди, годы, жизнь», которая встретила серьезные препятствия на пути к читателю. И. Э. работал над ней летом 1960 г.; он, конечно, осознавал те трудности, которые эту главу ждут. После того как в окт. 1958 г. Б. Л. Пастернак был исключен из Союза писателей, имя его, и раньше-то нечасто появлявшееся в печати, исчезло из нее напрочь, а если вдруг и называлось, то с неизменно оскорбительными приставками типа «внутренний эмигрант» или «литературный сорняк». В 1959 г. из «Французских тетрадей» пытались вычеркнуть даже упоминания имени Пастернака-переводчика, и И. Э. пришлось обращаться к секретарю ЦК П. Н. Поспелову, чтобы найти управу на издательских перестраховщиков. В целом скандал 1958 г. не отразился на воспоминаниях. Те критические слова, которые сказал И. Э. о романе «Доктор Живаго», продиктованы личным взглядом на книгу; при всех поворотах событий он неизменно говорил о «чудесных стихах», приложенных к роману. Любовь к стихам Пастернака И. Э. пронес через всю жизнь. Глава о Пастернаке была набрана для № 1 «Нового мира» за 1961 г., после чего неожиданно для редакции и автора снята. Твардовский сообщил И. Э., что напечатать главу о Пастернаке не в его силах; номер вышел без нее.

Был только один способ добиться публикации главы (в № 2 вместе с окончанием книги) — снова обратиться к Н. С. Хрущеву. Как всегда в подобных случаях, Эренбург искал такие аргументы, которые могли убедить адресата. 19 янв. 1961 г. он написал помощнику Хрущева В. С. Лебедеву: «Решаюсь Вас побеспокоить со следующим вопросом. В февральском номере журнала «Новый мир» печатается окончание второй части моей книги «Люди, годы, жизнь». Одна глава из этой второй части встретила затруднение. Дело касается Пастернака. Я считаю его крупным лирическим поэтом и, вспоминая о первых годах революции, пишу о нем, как о лирическом поэте. Мне кажется, что, поскольку недавно образовалась комиссия по литературному наследству Пастернака, в которую меня включили, у нас предполагается издать его избранные стихи. После всего происшедшего вокруг «Доктора Живаго» новое издание его стихов будет скорее понятным читателю, прочитавшему мою главу, посвященную Пастернаку-поэту... Опубликование главы будет, по-моему, скорее политически целесообразным, нежели «преступным». Такой же точки зрения придерживается А. Т. Твардовский и вся редакционная коллегия журнала «Новый мир». Однако редакция не может преодолеть возникшие затруднения, и я решил попросить Вас, если найдете это возможным, спросить мнение Никиты Сергеевича Хрущева» (АЭ). Об этом мнении можно судить по тому, что в № 2 «Нового мира» глава о Пастернаке была напечатана (ее поместили под № 20 между главой о Москве 1920 г. и главой о В. Л. Дурове; в отд. изд. мемуаров И. Э. вернул ее в начало второй книги, но главу о Маяковском пришлось пропустить вперед; здесь впервые глава о Пастернаке печатается в соответствии с авторским замыслом под № 5).

Стр. 250 *В моей записной книжке есть короткая пометка* — См. ЦГАЛИ, ф. 1204, оп. 2, ед. хр. 386, л. 4. О первой встрече с И. Э. Пастернак упоминает в воспоминаниях «Люди и положения»: «В июле 1917 года меня, по совету Брюсова, разыскал Эренбург. Тогда я узнал этого умного писателя, человека противоположного мне склада, деятельного, незамкнутого. Тогда начался большой приток возвращающихся из-за границы политических эмигрантов, людей, застигнутых на чужбине войной и там интернированных, и других. Приехал из Швейцарии Андрей Белый. Приехал Эренбург. Эренбург расхваливал мне Цветаеву, показывал ее стихи... Цветаева не доходила до меня» (см. П а с т е р н а к Б. Избранное в 2 т. Т. 2. М., 1985. С. 266—267).

Стр. 251 *Я его любил, любил и люблю его поэзию* — Дружба И. Э. с Пастернаком имела свой пик в 20—30-е годы. В письмах И. Э. той поры часто встречаются восторженные отзывы о Пастернаке («Приехал сюда Пастернак,— писал И. Э. из Берлина 13 сент. 1922 г.— Это единственный поэт, которого сумел я полюбить настоящей человеческой любовью (человека)» — АП). «Как встретились с Эренбургом? — спрашивала Пастернака Цветаева в письме 19 ноября 1922 г.— Мы с ним раздружились, но я его нежно люблю и, памятуя его великую любовь к Вам, хотела бы, чтобы встреча была хорошая» (см. Ц в е т а е в а М. Неизданная переписка. Париж, 1972. С. 274). Переписка И. Э. с Пастернаком не сохранилась; надписи на книгах, подаренных Пастернаком И. Э., неизменно дружественные (на «Сестре моей жизни»: «Любимому другу Илье Григорьевичу Эренбургу Б. Пастернак. 14 VI 22 Москва»; на «Рассказах»: «Дорогому Илье Григорьевичу Эренбургу от любящего сердца. 18 VI 26 Б. Пастернак»; на «Поверх барьеров»: «Моим дорогим Любови Михайловне и Илье Григорьевичу Эренбургам с телячьими нежностями и поцелуями. А годы идут; что им делается? Б. Пастернак. 22 II 30» — АЭ). Отношение Пастернака к И. Э. было не столь простым; наиболее откровенно оно выражено в его письме Цветаевой 1 июля 1926 г.: «Это прекрасный человек, удачливый и движущийся, биографически переливчатый, легко думающий, легко живущий и пишущий — легкомысленный. Я никогда не замыкаюсь перед ним, но и не помню случая, чтобы когда-нибудь успешно высказался перед ним или открылся. Я не знаю, как он может любить меня и за что. Он не настолько прост, чтобы быть для меня обывателем, т. е. куском бытовой непринужденности (обычнейшим моим собеседником). И он не настолько художник, чтобы я становился в беседе игрушкою часа, положенья или принесенного из дому настроенья. Так как, несмотря на все его удачи, я его считаю несчастливцем, то внутренне, про себя, никогда, впрочем, этого ему не показывая, желаю ему добра, желаю с аффектацией и упорством. И мне бы очень хотелось, чтобы ты не согласилась со мной и меня осадила: он вовсе не художник. Я желал бы, чтобы ты была другого мненья. Найди в нем то, чего я в нем напрасно ищу, и я стану глядеть твоими глазами» (Дружба народов. 1987. № 8. С. 264). После возвращения И. Э. в Москву из Франции в 1940 г. его встречи с Пастернаком стали случайными и редкими. В янв. 1951 г. во время чествования И. Э. Пастернак прислал ему такое приветствие: «От души поздравляю с днем шестидесятилетия. Желаю долгих лет счастливой производительности, душевной ясности и здоровья. Большая радость, когда человеческий и гражданский долг и все естественное и высокое объединяются в таком благородном и талантливом выражении. Борис Пастернак» (ФЭ). В 60-е годы в беседе с Е. И. Ландау о своих поэтических симпатиях в прошлом и настоящем И. Э. сказал: «Пастернака боготворил, теперь люблю. Цветаеву любил, теперь боготворю» (СК).

Все жили в сушь и впроголодь; Он незабвенен тем еще — из стих. «Образец» — см. П а с т е р н а к Б. Избранное. Т. 1. С. 82—83. Далее — по этому изданию; указываются названия цит. стихов.

Вот как я описал первую нашу встречу — КдВ. С. 151.

Стр. 252 *Всесильный бог деталей* — из стих. «Давай ронять слова». И. Э.

часто цитировал эти строки; в последний раз — выступая в Парме на стендалевском конгрессе в мае 1967 г., незадолго до смерти.

Грех думать — ты не из весталок — из стих. «Из суеверья».

В 1922 году Пастернак писал — из заметок «Несколько положений» (см. П а с т е р н а к Б. Избранное. Т. 2. С. 279).

я в 1921 году писал о Пастернаке — см. «Портреты русских поэтов» (Берлин, 1922. С. 128, 130); стилистически выправлено.

Год спустя В. Б. Шкловский... написал — см. Ш к л о в с к и й В. ZOO, или Письма не о любви (Берлин, «Геликон», 1923. С. 67).

В 1923 году Маяковский и О. Брик формулировали — текст, напечатанный в журнале «ЛЕФ» (1923. № 1); цит. по кн. В. Шкловского «О Маяковском» (см. Ш к л о в с к и й В. СС. Т. 3. М., 1974. С. 121).

Стр. 253 *Несется, грозный, напролом* — из стих. «Кремль в буран конца 1918 года».

Позднее, в 1930 году... он писал — из «Охранной грамоты» — см. П а с т е р н а к Б. Избранное. Т. 2. С. 223.

Стр. 254 *Беседы с ним... напоминали два монолога* — Об этом же вспоминал Н. Н. Вильям-Вильмонт: «Я должен был бы радоваться тому, что Пастернак не вел со мной на меня не рассчитанного монолога и что наши беседы все же были диалогами, а не пародией на пушкинское «глухой глухого звал на суд судьи глухого», как то фатально получалось у него с Эренбургом» (см. Новый мир. 1987. № 6. С. 208).

В дневниках А. Н. Афиногенова... есть... запись — запись 1935 г.; см. А ф и н о г е н о в А. Н. Дневники и записные книжки. М., 1960. С. 275.

Стр. 255 *В одной из написанных им автобиографий* — имеется в виду очерк Б. Пастернака «Люди и положения» (т. 2. С. 260—261).

Стр. 256 *в 1926 году Маяковский, приводя четверостишие Пастернака* — в ст. «Как делать стихи».

«Я разревелся...» — см. «Охранную грамоту» (т. 2. С. 222).

Прочитав рукопись «Доктора Живаго» — В черн. варианте: «Я получил от него рукопись романа, прочитал и огорчился: ждал большой книги. Я не хочу сейчас заниматься критикой, скажу одно — Пастернак хотел показать уничтожение своего героя годами, событиями; к роману приложены стихи, некоторые из них изумительны; таких стихов в те годы не мог написать и Пастернак. Получается, что доктор Живаго переживал необыкновенный духовный взлет, автор хотел показать другое» (ФЭ).

«Неумение найти и сказать правду...» — из ст. Б. Пастернака «Несколько положений» (т. 2. С. 277).

Но ты мне шепнул, вестовой, неспроста — из 1-го стих. цикла «Метель».

как тяжело было мне читать... выступления моих товарищей — Речь идет о состоявшемся 27 окт. 1958 г. совместном заседании президиума правления СП СССР, бюро оргкомитета СП РСФСР и президиума правления московского отд. СП, на котором было принято постановление об исключении Б. Л. Пастернака из Союза писателей, а также о собрании московских писателей 31 окт. 1958 г. Среди выступавших на этих собраниях были и литераторы, которых И. Э. ценил и уважал,— Б. А. Слуцкий, Л. Н. Мартынов, С. П. Щипачев, В. Ф. Панова, А. Я. Яшин. Отвечая на вопрос читателя, был ли он согласен с тем, что Пастернака исключили, и участвовал ли он в голосовании, И. Э. написал: «Я не был согласен с исключением его из Союза писателей и в голосовании не участвовал» (АЭ). И. Э. на том собрании присутствовать отказался.

Глава 6

Стр. 257 *Не помню, кто меня познакомил с Маяковским* — Судя по записной книжке И. Э. 1917—18 гг., первые и довольно частые встречи с Маяковским относятся к началу 1918 г. в Москве.

Стр. 258 *Я — Франсуа, чему не рад* — перевод И. Э. (1916).

Стр. 259 *Я тогда писал в «Известиях»* — из статьи «За наш стиль». Известия. 15 окт. 1934 г. (см.— СС, 6. С. 529).

Я люблю смотреть, как умирают дети — из стих. «Несколько слов обо мне самом».

Стр. 261 *Было это весной 1927 года* — И. Э. писал из Парижа: «Сюда приезжали Маяковский и Сейфуллина. Первый соблюдал все посты и молитвы. Вторая типичный литшабесгой. Форш — чудо!» Отношение И. Э. к Маяковскому в 1927 г. было заметно иным, чем пятью годами раньше (29 окт. 1922 г. писал из Берлина: «Приехал Маяковский. Гляжу на «эту глыбу» и радуюсь. Читал свои старые стихи (Флейта Позвоночник), прекрасные стихи, сам разволновался. Было очень жутко» — АП).

Стр. 262 *Я прочитал в книге Виктора Шкловского* — «О Маяковском» — см. Ш к л о в с к и й В. СС. Т. 3. С. 138.

Стр. 263 *Я упоминал о вечере у Цетлиных* — см. с. 145. Этот вечер (янв. 1918 г.) описан в «Охранной грамоте» Пастернака: «Там были Бальмонт, Ходасевич, Балтрушайтис, Эренбург, Вера Инбер, Антокольский, Каменский, Бурлюк, Маяковский, Андрей Белый и Цветаева... Началось чтение. Читали по старшинству, без сколько-нибудь чувствительного успеха. Когда очередь дошла до Маяковского, он поднялся и, обняв рукой край пустой полки, которою кончалась диванная спинка, принялся читать «Человека». Он барельефом, каким я всегда видел его на времени, высился среди сидевших и стоявших и, то подпирая рукой красивую голову, то упирая колено в диванный валик, читал вещь необыкновенной глубины и приподнятой вдохновенности. Против него сидел... Андрей Белый... Он слушал как завороженный, ничем не выдавая своего восторга, но тем громче говорило его лицо. Оно неслось навстречу читавшему, удивляясь и благодаря. Части слушателей я не видел, в их числе Цветаевой и Эренбурга. Я наблюдал остальных. Большинство из рамок завидного самоуважения не выходило» — П а с т е р н а к Б. Избранное. Т. 2. С. 214—215.

«Лицом к деревне» — заданье дано — из стих. «Верлен и Сезанн».

Стр. 266 *В 1918 году в журнале «Жизнь искусства» он опубликовал пасквиль* — Имеется в виду рец. А. Я. Левинсона на спектакль по «Мистерии-буфф» Маяковского (в газ. театрального отд. Наркомпроса «Жизнь искусства» (№ 10. 11 ноября 1918 г.).

Глава 7

Стр. 268 *я перечитал мою статью... «Среди кубистов»* — «Понедельник», 3 июня 1918. В московской газ. «Понедельник власти народа» (первоначальное название) с 25 февр. по 8 июля 1918 г. И. Э. напечатал 10 статей (главным образом литературных — о Блуа, Бальмонте, А. Н. Толстом, Б. Савинкове-Ропшине и др.) и неск. стих.

Стр. 269 *Белогвардейца / найдете — и к стенке* — из стих. «Радоваться рано».

В статье, посвященной задачам журнала — Вещь. 1922. № 1—2. С. 2; опубликована как редакционная, без подписи автора.

Журнал «Искусство коммуны» писал — Речь идет о ст. Н. Н. Пунина «Футуризм — государственное искусство» (газ. Отд. изобразительных искусств Наркомпроса «Искусство коммуны». № 4. 29 дек. 1918 г.). Статья была ответом редакции на помещенное в том же номере письмо А. В. Луначарского «Ложка противоядия». В 1917—19 гг. И. Э. критически относился к выступлениям футуристов и обвинял А. В. Луначарского в неумеренном потворстве им. В ст. «Король забавляется» он писал: «Вчера на выставке супрематистов я встретил г. Комиссара по изобразительным искусствам. Это мой давнишний знакомый по Парижу, плохой художник, но человек кроткий (Д. П. Штеренберг.— *Б. Ф.*). Он собирается с согласия г. Луначарского «насаждать новое искусство». О, менее всего меня — ярого приверженца западноевропейского кубизма — можно упрекнуть в ненависти к исканиям молодых художников и поэтов. Но какая дикая мысль «насадить» искусство, до которого сознание не только народа, но и самых художников не дошло. Ах, г. Луначарский, вы одинаково угрожаете российским искусствам и с Маяковским — Татлиным, и с Котомкой — Желткевичем. Вся беда в том, что понимание искусства дается труднее, чем комиссарский портфель» (Новости дня. 22 апр. 1918 г.).

Стр. 270 *журнал «Леф» отмечал* — из ст. Н. Ф. Чужака «Под знаком жизнестроения (Опыт осознания искусства дня)» — см. Леф. 1923. № 1. С. 30.

Стр. 273 *В. Б. Шкловский в книге «Цоо» назвал меня Павлом Савловичем* — В главе, посвященной И. Э. («Письмо двадцать пятое — О весне, «Prager Diele», Эренбурге, трубках, о времени, которое идет, губах, которые обновляются, и о сердце, которое истрепывается, в то время как с чужих губ только слезает краска. О моем сердце»): «Прежде я сердился на Эренбурга за то, что он, обратившись из еврейского католика или славянофила в европейского конструктивиста, не забыл прошлого. Из Савла он не стал Павлом. Он Павел Савлович» (см. Шкловский В. СС. Т. 1. С. 222). 25 дек. 1922 г. И. Э. писал из Германии: «В. Б. сказал обо мне прекрасно «Павел Савлович» (я переделал в Пал Салыч и так себя именую)» — АП. Формула Шкловского, понравившаяся И. Э., схватывала нечто весьма существенное в Эренбурге 20-х годов.

Глава 8

Стр. 274 *написал вместе с А. Н. Толстым пьесу* — стих. пьеса «Рубашка Бланш» напечатана впервые в альм. «Совр. драматургия». 1982. № 4. С. 158—171.

Стр. 275 *И всех равняет знаком сходства* — из стих. «На улице» — см. Б а л т р у ш а й т и с Ю. Дерево в огне. Вильнюс, 1969. С. 240—241.

Стр. 276 *Охапку дров свалив у камелька* — из 3-го сонета (цикл «Зимние сонеты») — см. И в а н о в В я ч. Стихотворения и поэмы. Л., 1976. С. 287—288. В статье «О некоторых признаках расцвета русской поэзии» (Рус. книга. Берлин, 1921. № 9) И. Э. назвал «Зимние сонеты» Вяч. Иванова среди самых замечательных достижений русской поэзии эпохи революции и гражданской войны.

Да, сей пожар мы поджигали — первая строфа стих. без названия.— см. И в а н о в В я ч. Стихотворения и поэмы. С. 285; ответ на стих. Г. Чулкова, где были строки «Ведь в мире мы сжигали дом, где жили наши предки чинно» (1919).

Стр. 277 *И останется от русского царства икра рачья* — из стих. «Пугачья кровь» (см. Ст. С. 96—97).

Стр. 278 *В одном из писем Маяковского* — письмо от янв. 1918 г.; см. Новое о Маяковском — Лит. наследство. Т. 65. М., 1958. С. 105. Это четверостишие сочувственно цитирует И. А. Бунин в «Окаянных днях» (запись от 5 февр. 1918 г.).

Стр. 279 *«Открытое письмо» Андрея Соболя»* — «Правда», 14 сент. 1923 г.; это письмо вызвало многочисленные отклики русской эмиграции.

Глава 9

Впервые — Сов. Украина. 1960. № 10.

Стр. 281 *Моя мать умерла в Полтаве осенью 1918 года* — И. Э. писал М. А. Волошину из Полтавы 30 окт. 1918 г.: «В сентябре мне пришлось бежать из Москвы, ибо большевики меня брали заложником. Путь кошмарный, но кое-как доехал я. Вскоре за мной поехали на Украину родители. Мама в пути заболела воспалением легких и, приехав в Полтаву, умерла. Меня вызвали телеграммой, но я не успел. Это время был с отцом, на днях еду в Киев, а потом намерен пробираться в Швейцарию. Надеюсь, что удастся. О жизни в Москве трудно тебе сказать что-либо. Это наваждение, но более реальное, чем когда-либо существовавшая реальность. Я, кажется, совершенно опустошен и храню больше мысли и страсти по инерции. На самом деле душа полна лишь отрицательным, и разрушение всего налицо. Что делать дальше — не знаю... Несмотря на распад, я много и порой лихорадочно работал... Здесь мерзко, и порой грущу даже о Москве последних дней» (ИРЛИ, ф. 562, ед. хр. 1338, л. 38). Мысль об отъезде за границу возникла у И. Э. еще в Москве; в начале 1918 г. он писал Волошину: «Я усиленно помышляю о загранице, как только будет возможность, уеду. Делаю это, чтоб спасти для себя Россию, возможность внутреннюю в ней жить. Гнусь и мерзость ныне воистину «икра рачья». Очень хочется работать — здесь это никак нельзя» (л. 34).

Стр. 282 *«Киев, Киев» — повторяли провода* — из стих. «Привели и застрелили у Днепра» (1941) — см. Ст. С. 169—170.

Лукьяновка, где жила тетя Маша — сестра матери И. Э. М. Б. Лурье.

Стр. 285 *Но и в сугробах Подмосковья* — из стих. «Киев» — см. Г у д з е н-к о С. Избранное. М., 1977. С. 51.

Стр. 286 *рассказ украинского писателя Коцюбинского* — «Он идет»
(1906) — см. К о ц ю б и н с к и й М. СС. Т. 2. М., 1965. С. 244—254.

Глава 10

Стр. 290 *Я упомянул о «Литературно-артистическом клубе»* — 10 апр.
1919 г. И. Э. писал поэтессе В. А. Меркурьевой (на бланке было напечатано
по-украински, по-русски, на идиш, на иврите и по-польски: «Профессиональный
союз Художников Слова г. Киева. Литературно-Артистический Клуб»): «Чем
мы хуже Вас? Даже на пяти языках! Я председатель и кроме всего вообще занимаюсь сотней неподобных дел. Устроил «мастерские худож. слова» для рабочих, и потом еще для всех просто. Кручусь, работаю, что ли, очень много»
(ЦГАЛИ, ф. 2209, оп. 1, ед. хр. 42, л. 11).

Глава 11

Впервые — Сов. Украина. 1960. № 10.

Стр. 292 *Я занялся обследованием исправительных заведений* — Художница Е. Ю. Спасская вспоминала, что И. Э. занимался «всем огромным количе-
ством детей — беженцев, больных, голодных, свезенных в Киев и размещенных
наскоро, как попало во всех — и старых, и вновь организуемых детдомах... Сотни, а может быть, и тысячи обездоленных, беспризорных, сирот, больных, голодных детей уже свезены в Киев с Запада, и их непрерывно продолжают под-
возить... В случайных домах, большей частью совершенно не приспособленных
и не оборудованных, изможденные полуодетые дети с совершенно не налажен-
ным бытом, при недостатке обслуживающего персонала, набранного из случайных людей,— дети эти запомнились мне как сборище полутрупиков... Илья
Григорьевич добился и медицинского обслуживания, и достаточного количества
служащих и добровольцев... Именно благодаря его настойчивости и отзывчиво-
сти в Киеве многое было налажено для медицинского обслуживания и общего
улучшения быта сотен несчастных сирот и полусирот военного времени»
(ЦГАЛИ, ф. 1204, оп. 2, ед. хр. 3664, л. 15—16).

Я переписал тогда размышления одного солдата — см. Ф е д о р ч е н к о
С о ф ь я. Народ на войне (фронтовые записи). Киев, 1917. С. 80; И. Э. приво-
дил эти слова в кн.: «А все-таки она вертится» (Берлин, «Геликон», 1922.
С. 113).

Стр. 293 *Работал я также в «литературной студии»* — Участник студии
театральный художник Н. И. Данилов вспоминал, что в студии (она называлась «Мастерская художественного слова») историю рус. литературы читал
М. П. Алексеев, с чтением лекций выступали О. Э. Мандельштам и поэт Вл. Мак-
кавейский; И. Э. читал историю рус. классической и современной поэзии, историю французской и испанской поэзии (сопровождая эти лекции чтением своих
стихотворных переводов). «Слушать лекции Эренбурга было подлинным насла-
ждением, читал он их с истинным поэтическим вдохновением... Особенно запомнились мне его лекции о Франсуа Вийоне и Ронсаре. В русской поэзии он научил
меня понимать и ценить дотоле казавшегося мне совершенно архаичным Держа-

вина и вместе с тем совершенно развенчал модного тогда Игоря Северянина... На первый взгляд Эренбург мог показаться непривлекательным, т. к. не уделял ни малейшего внимания своей внешности. Но стоило вглядеться в его лицо, особенно в необычайно выразительные глаза, увидеть его улыбку, то добрую и ласковую, то ироническую, чтобы навсегда покориться его обаянию» (СК). Участник студии С. Л. Фридман вспоминал о занятиях И. Э. по стиховедению (АЭ). И. Э. был редактором печатавшихся на гектографе «Сборников Мастерской художественного слова». В 1-м сборнике — его статья «О поэзии», стихи Н. Ушакова, С. Фридмана, Н. Прессман, Н. Даниловой.

Что мумией легла Эллада — из сонета (см. М а к к а в е й с к и й В. Стилос Александрии. Киев, 1918).

Стр. 294 *но для детей никогда не писал* — Единственное исключение: 24 февр. 1919 г. И. Э. писал: «Печатается теперь книжка для детей «Заячья елка» — старые из «Детского» и несколько новых» (ЦГАЛИ, ф. 2209, оп. 1, ед. хр. 42, л. 8). Книжка эта не вышла.

Стр. 296 *Там я иногда рассказывал Любе, молоденькой студентке Ядвиге, Наде Хазиной* — Ядвига Иосифовна Соммер (1900—1983) вспоминала: «Мы иногда встречались с И. Г. в греческом кафе на Софиевской улице... Мы сидели там часами, и он мне рассказывал. Как много он рассказывал! О своих друзьях — А. Н. Толстом, М. А. Волошине, Т. И. Сорокине, о жене своей Кате и дочери Ирине, о подругах: Лизе, Шанталь... О Пикассо я слышала и раньше, но имена Сутина, Шагала, Модильяни прозвучали для меня впервые, познакомил с русским философом Степуном, заинтересовал Хлебниковым... И. Г. читал мне очень много своих стихов, особенно любил цитировать «Пугачью кровь», «Судный день», «Молитву о России». Иногда читал чужие стихи — «Настанет день, печальный, говорят» М. Цветаевой, «Я не слыхал рассказов Оссиана», «Декабрист», «Я изучил науку расставанья» О. Мандельштама, «Марбург», «Коробка с красным померанцем» Б. Пастернака и др. Свои рассказы И. Г. облекал в стихотворную форму — такая импровизация длилась часами» (С о м м е р Я. Записки — СК). Н. Я. Хазина-Мандельштам в первой книге воспоминаний писала: «В Киеве в мастерской Экстер какой-то заезжий гость... прочел частушки Маяковского о том, как топят в Мойке офицеров. Бодрые стишки подействовали, и я рассмеялась. За это на меня неистово набросился Эренбург. Он так честил меня, что я до сих пор чту его за этот разнос, а себя за то, что я, вздорная тогда девчонка, сумела смиренно его выслушать и на всю жизнь запомнить урок. Это произошло до моей встречи с О. М[андельштамом], и ему уже не пришлось лечить меня от преступной антропофагии».

Наши внуки будут удивляться — первые строки стих. без названия (1919) — см. Ст. С. 104—105.

Глава 12

Стр. 297 *Мне предстоит рассказать о нехорошем* — Шесть месяцев, прожитых И. Э. в Киеве при большевиках, были, как он пишет в начале предыдущей главы, порой не только надежд и порывов, но и временем смятений и крайностей. Именно поэтому И. Э. отнюдь не считал катастрофой приход в город белых.

В сент.— нояб. 1919 г. в газ. «Киевская жизнь» он напечатал 16 статей, достаточно полно отразивших его отношение к политическим событиям того времени. И. Э. разделял иллюзии той части русской интеллигенции, которая полагала, что для России возможен некий третий — между реставрацией прежнего режима и Советской властью — путь развития. Ради утверждения этого третьего пути Эренбург и выступал в печати против крайностей первого и второго: «Они говорят «интернационал», мы ответим «Россия». Это не сужение горизонта, не замыкание в интересы своей хаты. Мы знаем, что всечеловеческая правда познается по-особому каждой нацией, что можно перевести на все языки мира Данте или Пушкина, но нельзя написать «Бориса Годунова» на эсперанто... Мы видим западную Европу в тупике, внешне мощную, внутренне подточенную тяжким недугом, роковым материализмом, социальными противоречиями. Что даст Европе Россия, мы знаем, но в ночи вспыхнет ее негаданный факел. Но только не тащите из сундуков изъеденных молью одежд, не рядите новорожденного в ветошь покойника. *Любовь к России* — это не презрение к Западу, и своя русская правда вовсе не опровергает республиканского строя. О высоком назначении России грезили не только Леонтьев и Тютчев, но и Пестель, и Герцен. История не круг, но спираль. Были — Россия — бабушка в византийском терему, Россия — мать в пышном платье, которую били по кроткому лицу немецкие сановники и титулованные проходимцы. Россию — дочь, новую, грядущую, неомраченную — мы дадим жаждущему миру» (14 (27) сент. 1919). Даже кровавые деникинские погромы не развеяли эти иллюзии. В ст. «Еврейская кровь», написанной после погрома, Эренбург говорил, что лечить Россию нужно не кровью, но любовью: «Если бы еврейская кровь лечила — Россия была бы теперь цветущей страной. Но кровь не лечит, она только заражает воздух злобой и раздором. Слишком много впитала родная земля крови и русской и еврейской, теплой человеческой крови» (19 сент. (2 окт.) 1919 г.). Отвечая Шульгину статьей «О чем думает «жид», Эренбург писал: «Я пережил великую пытку, В. В. Шульгин, пытку страхом за беззащитных и обреченных. Никогда на фронте не испытывал я подобного, ибо там, рядом со мной, в окопах, были взрослые мужчины, а не грудные младенцы. Я все это пережил. Я не протестую, не уговариваю. Просто и искренно говорю — думал я в эти ночи о России... Научились ли евреи чему-нибудь за эти ночи? — спрашивает В. Шульгин. Да, еще сильнее, еще мучительнее научился любить Россию... И теперь я хочу обратиться к тем евреям, у которых, как у меня, нет другой родины, кроме России, которые все хорошее и плохое получили от нее, с призывом пронести сквозь эти ночи светильники любви. Чем труднее любовь, тем выше она, и чем сильнее будем все мы любить нашу Россию, тем скорее, омытое кровью и слезами, блеснет под рубищами ее святое, любовь источающее, сердце» (9 (22) окт. 1919). Эта статья Эренбурга вызвала ряд решительных протестов. С. Мстиславский в воспоминаниях о деникинщине на Украине приводил характерный отклик киевской газ. «Жизнь»: «Мы слыхали проклятия русскому народу за «плетку» и «сапог» от Герцена и Чаадаева. И вдруг благословение, приятие, оправдание плетки от еврея, поэта Эренбурга... В эти дни еврей Эренбург забывает обо всем на свете, кроме любви к России, любви во что бы то ни стало, хотя это от психологии раба, но вовсе не от психологии сына великого народа и гордой страны» (Былое. 1925. № 1. С. 193).

Перец Маркиш написал... поэму о погроме в Городище — поэма «Куча»

(Екатеринослав, 1920); не включалась ни в одно посмертное издание Маркиша на русском языке.

Стр. 300 *Пегас в столовую вступил* — строки из книг Посажного «Эльбрус» и «Песни машин» И. Э. приводит по тексту ст. «Черные гусары» — см. ЗР. С. 166—171.

Стр. 301 Попадались среди «добровольцев» люди случайные, наивные романтики — В черн. варианте абзац кончался словами: «Таким был Сережа Эфрон, о котором я упоминал» (ФЭ).

Глава 13

Стр. 304 *Волною прямых лоснящихся волос* — из стих. «Над головою подымая...» — см. В о л о ш и н М. Стихотворения. С. 207—208.

В. В. Вересаев так писал — в «Автобиографии» — см. «Сов. писатели. Автобиографии». Т. 1. М., 1959. С. 234.

Стр. 306 *в наш флигелек начал заглядывать Волошин* — Коктебельская жизнь И. Э. кончилась ссорой с Волошиным (перед тем произошла ссора с его матерью по причинам сугубо бытовым). В архиве Волошина сохранилась копия его письма И. Э.: «Дорогой Илья Григорьевич, твое пребывание в Коктебеле кончилось тем, что я ожидал давно: ссорой со мной. С начала года я чувствовал, что раздражаю тебя всем строем своей души, понимал опасность и старался реже видеться... Я тебя в свое время принял и полюбил со всеми колючими, резкими и нетерпимыми сторонами. При мне не раз они обращались на других. Из-за того, что сейчас они обращены на меня, я не изменю моих отношений к тебе... Когда теперешнее наваждение пройдет, ты всегда найдешь во мне прежнюю действенную любовь. Что оно со временем пройдет, я не сомневаюсь, но, зная тебя, думаю, что не скоро» (ИРЛИ, ф. 562, ед. хр. 1339). В этом последнем Волошин оказался прав. В письмах И. Э. 20-х годов встречаются иронические слова о Волошине. В 1935 г. в КдВ И. Э. писал о Волошине: «Этот человек остался для меня загадочным» (С. 80). Только в мемуарах И. Э. написал о нем с глубокой теплотой.

Меня ждал главный собеседник — ...Сфинкс — Вспоминая Коктебель 1920 г., Я. И. Соммер писала: «И. Г. был занят напряженной внутренней работой — переоценкой ценностей. Главный удар по его прежним политическим убеждениям нанес Сергей Эфрон. Он заехал в Коктебель еще зимой или ранней весной. Я очень помню этот вечер. Он сидел с И. Г. возле стола, а мы с Любой в другом конце комнаты расположились на кровати, вытянув ноги и опершись о стену. Эфрон рассказывал несколько часов о белой армии. О страшном ее разложении, о жестоком обращении с пленными красноармейцами, приводил множество фактов. Он хорошо знал, что представляет собой эта «лебединая стая». Чувствовалось, что все его мировоззрение рушилось, что человек опустошен и не знает, как будет жить дальше. Мы разошлись молчаливые и подавленные» (СК).

Стр. 307 *Рожденный вчера, люблю я вчерашнюю мудрость* — из стих. «Я в мир пришел накануне»; *Распухла с голоду, сочатся кровь и гной из ран отверстых* — см. Э р е н б у р г И. Раздумия. Пг, 1922. С. 26, 31—32.

Глава 14

Стр. 309 *Мне на плечи кидается век-волкодав* — из стих. «За гремучую доблесть грядущих веков», впервые приведено И. Э.; *Восходишь ты в глухие годы* — из стих. «Прославим, братья, сумерки свободы»; *Не гадают цыганочки кралям* — из стих. «Как по улицам Киева-Вия», впервые приведено И. Э.— см. М а н д е л ь ш т а м О. Стихотворения. 1974. С. 153, 109—110, 200 — далее по этому изданию указываются названия цит. стихов.

Пусти меня, отдай меня, Воронеж — четверостишие Мандельштама впервые напечатано И. Э.

Стр. 310. *Он говорил о Данте* — из «Разговора о Данте» (см. М а н д е л ь ш т а м О. Слово и культура. М., 1987. С. 112).

Я изучил науку расставанья — из стих. «Tristia».

Стр. 311 *«Чайковского об эту пору...»* — из кн. «Шум времени» (см. М а н д е л ь ш т а м. Египетская марка. Л., 1928. С. 108—109).

Художник нам изобразил — из стих. «Импрессионизм»; *Я молю, как жалости и милости* — начало стих. без названия; впервые приведены И. Э.

Стр. 312 *Размышления о прекрасной «детскости» итальянской фонетики* — Мандельштам писал: «Когда я начал учиться итальянскому языку и чуть-чуть познакомился с его фонетикой и просодией, я вдруг понял, что центр тяжести речевой работы переместился: ближе к губам, к наружным устам. Кончик языка внезапно оказался в почете. Звук ринулся к затвору зубов. Еще что меня поразило — это инфантильность итальянской фонетики, ее прекрасная детскость, близость к младенческому лепету, какой-то извечный дадаизм» (см. М а н д е л ь ш т а м О. Слово и культура. С. 110). И. Э. цитировал еще не опубликованный «Разговор о Данте», выступая 28 окт. 1965 г. в Париже во Дворце ЮНЕСКО на вечере, посвященном 700-летию Данте (см. Курьер ЮНЕСКО. 1966. № 1. С. 21). «Разговор о Данте» был напечатан в СССР в 1967 г.; даря книгу вдове Эренбурга, Н. Я. Мандельштам написала: «Любе Эренбург — эту книжку, за выход которой так боролся Илья Григорьевич» (АЭ).

«По целому ряду исторических условий...»; *«Бальмонт, самый нерусский из поэтов...»*; *«Андрей Белый — болезненное и отрицательное явление...»* — из ст. «О природе слова» — см. М а н д е л ь ш т а м О. Слово и культура. С. 58, 62, 59.

На тебя надевали тиару... — из стих. «Голубые глаза и горячая лобная кость...»; впервые приведено И. Э.

он написал статью о Франсуа Вийоне — ст. «Франсуа Вийон»; *Мандельштам писал о Данте* — см. М а н д е л ь ш т а м О. Слово и культура. С. 99—106, 117.

Статья написана была молодым критиком — Имеется в виду А. К. Тарасенков (Лит. энциклопедия, т. 6, М., 1932. Стлб. 756—759).

Стр. 313 *Пора вам знать...* — из стих. «Полночь в Москве»; *Я вернулся в мой город...* — первая строка стих. без названия; *Я все отдам за жизнь* — из стих. «Кому зима — арак и пунш голубоглазый»; *Колют ресницы...* — первая строка стих. без названия, впервые приведено И. Э.

ко мне пришел брянский агроном В. Меркулов — Придя к И. Э., он исполнил предсмертную просьбу поэта; именно это имела в виду Н. Я. Мандельштам, когда писала И. Э.: «Я поняла про твой портрет на плакате. Это, что увидел

Пикассо. Это то, что понимал Ося в тебе, а следовательно и я. Доказательство у тебя было — если б не это представление, он не назвал бы тебя перед смертью» (АЭ). О смерти Мандельштама И. Э. узнал по возвращении в Москву в 1940 г. В его записной книжке 1940—41 гг., куда он переписал «Когда погребают эпоху» Ахматовой и «Мне на шею кидается век-волкодав» Мандельштама, после стихов Ахматовой написано «О. Э. мертв» (ед. хр. 388, л. 7). В записях 1941 г. упоминается Мандельштам (Москва, 21 янв.: «Вечером Савы, Длигач. Как читал О. Э.»; Куйбышев, 14 ноября: «Рассказ об О. Э.— сумасшедший, сгорел сам собой»).

Стр. 314 *Не мучнистой бабочкою белой* — начало стих. без названия; впервые приведено И. Э.

Глава 15

Впервые — Лит. Грузия. 1961. № 1.

Глава 16

Впервые — Лит. Грузия. 1961. № 1.

Стр. 319 *Не я пишу стихи* — начало стих. без названия, пер. Б. Пастернака (см. Т а б и д з е Т. Стихотворения и поэмы. М.— Л., 1964. С. 158).

Скажу словами Гурама Асатиани — см. А с а т и а н и Г. Тициан Табидзе. Тбилиси, 1958. С. 65.

Стр. 320 *Не бойся сплетен. Хуже — тишина* — из стих. «Обновление», пер. Б. Пастернака (см. Я ш в и л и П. Стихи. Тбилиси, 1968. С. 53).

Я писал после поездки в Грузию — из очерка «Грузия» (см. БУ. С. 113).

Глава 17

Стр. 323 *огорчил нас инцидент с Мандельштамом* — По словам Н. Я. Мандельштама, ссора Мандельштама с Блюмкиным произошла еще в 1918 г.; после этого Мандельштам добился приема у Дзержинского, настояв на отмене расстрела заложников по плану Блюмкина. С тех пор Блюмкин угрожал Мандельштаму расправой. Свидетелем одной из таких сцен и оказался Эренбург в 1920 г.

Глава 18

Стр. 324 *Средь мишуры былой и слов убогих* — из стих. «Кому предам прозренья этой книги» (1921) — см. Ст. С. 114.

Стр. 325 *Неожиданно меня освободили* — И. Э. был освобожден благодаря вмешательству Н. И. Бухарина, к которому обратилась за помощью Л. М. Козинцева-Эренбург.

Глава 19

Впервые под названием «Воспоминания о Мейерхольде» — Театр. 1961. № 2.

Стр. 330 Маяковский кончил свою речь на диспуте — Имеется в виду выступление 22 ноября 1920 г. в Театре РСФСР Первом (см. М а я к о в с к и й В. ПСС. Т. 12. С. 244—248).

Пышноголового Мольера — из стих. «К огню вселенскому» — см. Б а г р и ц к и й Э. Стихотворения и поэмы. М.— Л., 1964. С. 310.

Всеволод Эмильевич предложил мне переделать мой роман — Это не первое обращение Мейерхольда к произведению Эренбурга. В 1921 г. было объявлено о постановке Мейерхольдом в Театре революционной сатиры («Теревсат») пьесы Эренбурга «Светопреставление» (сатира на Лигу наций) в декорациях Г. Якулова (см. Театральная Москва. 1921, ноябрь. № 1. С. 5), однако постановка не состоялась. Последняя, также не реализованная, совместная работа с Мейерхольдом — инсценировка И. Э. романа А. Мальро «Условия человеческого существования» (см. Сов. театр. 1935. № 1. С. 11).

в театральном журнале... появилась статья — «Необычайные похождения И. Эренбурга» за подписью Momus — см. Зрелища. 1924. № 77. С. 4—5.

В марте 1924 я написал ему — Письмо И. Э. напечатано в ж. «Новый зритель» (1924. № 18. С. 16—17); ответ Мейерхольда там же, перепечатан в кн. М е й е р х о л ь д Вс. Переписка (М., 1976. С. 231—232). Ссора с Мейерхольдом из-за спектакля «Д. Е.» очень задела И. Э.; 10 апр. 1924 г. он написал: «Злодей Мейерхольд, несмотря на все мои беснования, ставит «Д.Е.». Его убить я не могу. Себя — жалко» (ФШ).

Стр. 331 За меня неожиданно вступился Маяковский — Имеется в виду его выступление на диспуте о постановке «Д.Е.» 18 июля 1924 г. (см. М а я к о в с к и й В. ПСС. Т. 12. С. 472).

Стр. 332 он рвал с «Сестрой Беатрисой» и с «Балаганчиком» — спектакли, поставленные Мейерхольдом в 1906 г. в театре В. Ф. Комиссаржевской по пьесам Метерлинка и Блока.

Стр. 333 Андрей Белый... выступил со страстной защитой этого спектакля — см. Б е л ы й А. Гоголь и Мейерхольд (в одноименном сб. изд. «Никитинские субботники». М., 1927).

Стр. 334 В 1911 году нововременец Меньшиков возмущался — цит. по кн. Н. Д. Волкова «Мейерхольд» (т. 2. М.— Л., 1929. С. 163). «Письмо ближнему» Меньшикова,— по оценке Волкова,— защищало со всем погромным пылом «культуру» предков от инородцев императорских театров, которые, на взгляд Меньшикова, возвеличивали поляков (полонез в «Борисе Годунове») и половцев (половецкие танцы в «Князе Игоре») и, наоборот, уродовали русскую сторону» (с. 164).

Стр. 335 Вахтангов писал — см. сб. «Евгений Вахтангов». М., ВТО, 1984. С. 333.

В августе 1930 года он писал мне — Письмо Мейерхольда от 27 авг. 1930 г. (копия в архиве Мейерхольда — ЦГАЛИ, ф. 998, оп. 1, ед. хр. 85, л. 2—4).

Театр Мейерхольда был уже закрыт — Приказ Комитета по делам искусств при Совнаркоме СССР «О ликвидации Театра им. Вс. Мейерхольда» (состоявший из трех пунктов: 1) Ликвидировать Театр им. Вс. Мейерхольда, как чуждый советскому искусству; 2) Труппу театра использовать в других театрах; 3) Вопрос о возможности дальнейшей работы Вс. Мейерхольда в области театра обсудить особо) был напечатан в «Правде» 8 янв. 1938 г.

копия письма Всеволода Эмильевича жене — см. М е й е р х о л ь д Вс. Переписка. С. 350—351.

Стр. 336 *В июне 1939 года Мейерхольд был арестован в Ленинграде* — Его сестра, Л. Э. Мейерхольд, в 1961 г. писала И. Э.: «В. Э. пал жертвой незаслуженной клеветы и репрессий в период культа личности Сталина. После допросов и пыток его приносили в камеру на носилках без сознания. Он был арестован в Ленинграде на квартире артиста Юрьева в июле 39 г., а 2 февраля 40 г. он был расстрелян. А было объявлено о высылке ВЭ на 10 лет без права переписки» (АЭ).

В 1955 году молодой прокурор... — Имеется в виду прокурор Главной военной прокуратуры Б. В. Ряжский; впоследствии он вспоминал: «Прямой причиной ареста Мейерхольда было письмо Зинаиды Николаевны Райх Сталину... Она писала, что не согласна с постановлением о закрытии театра Мейерхольда. В вопросе об аресте все решило это письмо. Оно в деле было... В деле указано, что во французскую разведку Мейерхольда завербовал Эренбург... Стал я проверять. Смотрю: И. Эренбург — депутат Верховного Совета, французская разведка само собой отпадает... Эренбургу я позвонил домой, приехал, привез дело, сказал, что обвинения Мейерхольда в шпионаже отпадают. О том, что якобы это он, Эренбург, завербовал Всеволода Эмильевича во французскую разведку, говорить не стал. Но Эренбург спросил: «Наверное, и я там где-нибудь прохожу?» Целый день я у него просидел, о многом он рассказал...» (см. «Театральная жизнь», 1989, № 5. С. 9). В 1955 году И. Э., как депутат Верховного Совета СССР, направил в Главную военную прокуратуру заявление о необходимости реабилитации Мейерхольда (см. «Театральная жизнь», 1989, № 5. С. 12); в том же году Мейерхольд был реабилитирован.

Глава 20

Стр. 336 *Я получил паек* — В черн. варианте: «Я, например, за полгода только три раза поел досыта: у драматурга-краснофлотца в «Лоскутной», у жены председателя Моссовета (его в шутку товарищи звали лорд-мэром) и у моей парижской знакомой Л. Н. Мямлиной, которая жила в «Национале» (ЦГАЛИ, ф. 1204, оп. 1, ед. хр. 35, л. 28).

Давным-давно я описал в журнале «Прожектор» — Имеется в виду очерк «О штанах, полушубке, о душистом горошке» (см. Прожектор. 1928. № 2).

Стр. 337 *Случайно я встретил одного из товарищей* — Речь идет о Н. И. Бухарине, давшем И. Э. записку к председателю Моссовета Л. Б. Каменеву.

Стр. 339 *Что сегодня, гражданин, на обед?* — из стих. В. Зоргенфрея «Над Невой» — см. Дом искусств. № 2. Пб., 1921. С. 31—32.

Стр. 340 *Гвозди б делать из этих людей* — из «Баллады о гвоздях» — см. Т и х о н о в Н. Стихотворения и поэмы. М.— Л., 1981. С. 115—116.

Глава 21

Стр. 340 *Слова В. И. Ленина, написанные им в феврале 1921 года* — из ст. «О работе Наркомпроса» — см. Л е н и н В. И. ПСС. Т. 42. С. 330.

Появилась молоденькая Наташа Сац — Н. И. Сац вспоминала: «Детским подотделом Театрального отдела Наркомпроса заведовал в то время Илья Григорьевич Эренбург. Он сидел со своими сотрудниками в большой комнате на втором этаже. Когда ни зайди, все за своими столами, посетителей очень мало... «Мы — руководящая организация, а вы — практики»,— сказала мне как-то сотрудница Эренбурга С. А. Малиновская... Значительно позже я поняла, какой многогранный, принципиальный и талантливый человек И. Г. Эренбург, какой он интересный собеседник, тогда же меня поражало, что он почти не разжимает рта, точно держать сигару его главная забота. Меня поражало, что он часами накапливающе-наблюдательски мог молчать, даже тогда, когда к нему приходили на прием посетители» (см. С а ц Н. Дети приходят в театр. М., 1961).

Стр. 343 *Мейерхольд поставил... «Озеро Люль», Таиров — «Человека, который был четвергом»* — спектакли по пьесам А. Файко и Г. Честертона.

Стр. 344 *Провижу грозный город — улей* — из 2-го стих. цикла «Московские раздумья» (испр. автором) — см. Э р е н б у р г И. Раздумья. Пг, 1922. С. 40—41.

Глава 22

Стр. 347 *«Погиб лучший мой, честный...»* — см. Д у р о в В. Л. Дрессировка животных. Психологические наблюдения над животными, дрессированными по моему методу (сорокалетний опыт). Новая зоопсихология. М., 1924. С. 96. Далее цит. указанное издание.

Глава 23

Стр. 352 *Он подарил мне свою книгу* — Е с е н и н С. Исповедь хулигана. М., 1921 (собрание И. И. Эренбург).

Стр. 353 *приемлю все* — из стих. «Русь советская» — см. Е с е н и н С. СС. Т. 2. М., 1961. С. 171. Далее — цитаты приводятся по этому изданию; указываются названия цит. стихов.

Стр. 353—4 *О, если б вы понимали; Я хочу быть желтым парусом* — из стих. «Исповедь хулигана»; *Ну кто ж из нас на палубе большой* — из стих. «Письмо к женщине».

Стр. 354 *Он писал в письмах* — из писем А. Б. Мариенгофу и А. М. Сахарову (1922) — см. Е с е н и н С. СС. Т. 5. С. 161, 166, 158.

Стр. 355 *он попытался сделать выводы* — из «Автобиографии» — см. Е с е н и н С. СС. Т. 5. С. 18.

Стр. 355—6 *Не каждый умеет петь* — из стих. «Исповедь хулигана»; *Хорошо им стоять и смотреть* — из 4-го стих. цикла «Сорокоуст»; *Кого позвать мне* — из стих. «Русь советская»; *Ах, увял головы моей куст* — из стих. «Хулиган»; *И уже говорю я не маме* — из стих. «Все живое особой мерой»; «*Я пришел, как суровый мастер*» — из стих. «Исповедь хулигана».

Стр. 357 «*Эта весть больна и тяжела...*» — из заметки «В. Я. Брюсов» — см. Е с е н и н С. СС. Т. 5. С. 81.

Стр. 358 *Как не любить мне вас, цветы?* — из 2-го стих. цикла «Цветы».

Глава 24

Стр. 360 *декадентский «Некто в сером»* — персонаж спектакля по пьесе Л. Андреева «Жизнь человека».

Стр. 361 *один из режиссеров по бумажке еще припоминал его былые заблуждения...* — Имеется в виду Ю. А. Завадский.

А. В. Луначарский, восхищаясь постановкой «Федры», писал — см. ст. «Федра» в Камерном театре» (1922) — Л у н а ч а р с к и й А. В. СС. Т. 3. С. 111.

Я бывал на гастролях Камерного театра в Париже, в Берлине — Таиров рассказывал в ЦДРИ 17 апр. 1948 г.: «Это было в 1925 году, когда театр гастролировал в Париже, где мы с Эренбургом довольно часто встречались. Я настаивал на том, чтобы он написал пьесу. Он по обыкновению говорил, что писать пьесу не собирается, и все же написал пьесу-шутку... Каждый писатель должен обладать даром предвидения. Эренбург обладает этим в очень большой степени. Он написал свою шутку, в которой действие происходит в одной из республик Южной Америки, куда приехал на гастроли Камерный театр. Шла пьеса «Жирофле-Жирофля». Во время спектакля по пьесе происходит путч, спектакль был прекращен и актеры вышли на улицу в костюмах и в гримах. Их приняли за переодетых большевистских агентов. Происходит кви про кво, и все кончается благополучно. Вы спросите, в чем предвидения Эренбурга? Вот в чем. Через пять лет после того наш театр, действительно, гастролировал в Буэнос-Айресе, и, действительно, во время этого произошел путч, и мы, действительно, не окончив спектакля, вышли на улицу. Произошло кви про кво, которое кончилось так же благополучно, как это было в пьесе Эренбурга» (ЦГАЛИ, ф. 1204, оп. 2, ед. хр. 274). Рукопись пьесы погибла вместе с парижским архивом И. Э. Судьба второй пьесы И. Э. («Лев на площади»), написанной в трудную для Камерного театра пору (и тоже по просьбе Таирова), оказалась более удачной — пьеса была поставлена Таировым в оформлении Р. Р. Фалька (премьера 24 марта 1948 г.).

Стр. 362 *до «Госпожи Бовари», поставленной в эпоху упадка* — На спектакль И. Э. откликнулся рец. «Алиса Коонен — Эмма Бовари»: «Найдется ли в Москве на Тверском бульваре хотя бы один зритель, который, глядя на гибель Эммы Бовари, не вспомнит сухих газетных телеграмм, прошлым лето рассказывающих о конце старой Франции?» Рецензия заканчивалась примечательно: «Алиса Коонен еще ждет своей роли, и может быть мы ее увидим как героиню патриотической и революционной трагедии грядущих священных боев» (Веч. Москва. 28 мая 1941 г.).

В давней книге... Таиров писал — Т а и р о в А. Записки режиссера. М., 1921 (см. Т а и р о в А. О театре. М., 1970. С. 96).

Глава 25

Стр. 363 *я рассказал про это моему давнему другу* — Имеется в виду Н. И. Бухарин.

Стр. 365 *смятение... нашедшее свое выражение в статьях Горького* — речь идет о его статьях, печатавшихся в 1917—18 гг. в газ. «Новая жизнь» и составивших книгу «Несвоевременные мысли».

В. И. Ленин обратился к комсомольцам с такими словами — из речи «Задачи Союзов молодежи» на III съезде комсомола — см. Л е н и н В. И. ПСС. Т. 41. С. 305.

Стр. 367 *В пьесе Юрия Олеши* — «Список благодеяний» (1931).

Стр. 368 *Год спустя он написал статью* — «Свобода книги и революция» — см. Л у н а ч а р с к и й А. В. СС. Т. 7. С. 241—242.

Но грустно мне, что мы утратим цену — из стих. «Не странно ли, что мы забудем все» — см. П о л о н с к а я Е. Избранное. М., 1966. С. 39.

я напечатал в «Комсомольской правде» письмо — ст. «Ответ на одно письмо» (см. Комс. правда. 2 сент. 1959 г.).

трагедия Глезоса — Манолис Глезос, национальный герой Греции, сорвавший фашистский флаг с Акрополя во время гитлеровской оккупации; впоследствии преследовался греческими властями за свои политические убеждения.

Стр. 369 *Чехов говорил, что дело писателя — вступаться за человека* — Речь идет о письме Чехова А. С. Суворину от 6(18) февр. 1898 г., написанном в связи с выступлением Золя в защиту Дрейфуса: «Пусть Дрейфус виноват,— и Зола все-таки прав, так как дело писателя не обвинять, не преследовать, а вступаться даже за виноватых, раз они уже осуждены и несут наказание. Скажут: а политика? Интересы государства? Но большие писатели и художники должны заниматься политикой лишь настолько, поскольку нужно обороняться от нее. Обвинителей, прокуроров, жандармов и без них много, и во всяком случае роль Павла им больше к лицу, чем Савла...» Эти чеховские слова И. Э. неоднократно приводил в своих выступлениях послесталинского времени.

Глава 26

Стр. 370 *купил мой сборник «Раздумья»* — Э р е н б у р г И. Раздумия. Рига, 1921; в конце сборника помещен перечень вышедших книг И. Э. Среди них (с примечанием «готовится») указана книга «Жизнь и учение Хулио Хуренито», еще не написанная, но уже давно обдуманная писателем.

Стр. 371 *Да, страна моя, не зная меры* — из стих. «Скрипки, сливки, книжки, дни недели» (1921) — см. Ст. С. 115.

Стр. 372 *Меня увлекла новая книга Блеза Сандрара* — И. Э. опубликовал в ж. «Прожектор» (1924. № 8. С. 29—32) перевод этой книги, озаглавив его «Фильма, снятая ангелом Собора Парижской Богоматери».

Стр. 373 *Не знаю в точности причин моей высылки* — 27 мая 1921 г. газ. «Общее дело» поместила заметку «Высылка из Франции И. Г. Эренбурга»: «Вчера, в 1 час дня, чины французской полиции явились в отель Денис (ул. Монпарнас) к русскому поэту-журналисту И. Г. Эренбургу и объявили ему о немедленной высылке из пределов Франции. Эренбург был арестован и не имел возможности хлопотать о выяснении причин высылки и хотя бы о временной отсрочке для устройства своих дел. Вечером того же дня Эренбург был посажен в вагон ж. д. и выслан на бельгийскую границу. Высылка эта, очевидно, результат какого-то недоразумения... Высылка его во всяком случае непонятна по той поспешности, которой она сопровождалась. Лица, знающие И. Г. Эренбурга, предпринимали меры для выяснения этого дела».

Глава 27

Стр. 375 *Ее звали Марусей* — Мария Марковна Милославская; в книге «Архив А. М. Горького», т. VIII (М., 1960) напечатаны два письма к ней Горького.

роман «Басс-Бассина-Булу» — перевод этого романа под ред. И. Э. выпущен книгоиздательством С. Ефрон в Берлине в 1922 г.

письмо Горького об этой книге — 17 дек. 1922 г. Горький писал Элленсу: «Я уже получил Басс Бассина Булу и сердечно благодарю Вас за подарок. Я уже прочитал эту оригинальную книгу, как только русский перевод ее был издан в Берлине, и очень рад иметь ее с Вашим автографом. Не много теперь печатают книг, которые читаются с таким интересом, как Ваша. Поскольку перевод позволяет судить о художественном значении книги, оно кажется мне неоспоримым. Меня всегда восхищает мысль Европейца, для которой нигде в мире нет «табу». Я радостно люблю эту мысль, которая обречена всегда искать и страдает от разочарований — улыбаясь» (см. Архив А. М. Горького. т. VIII. С. 91).

Стр. 376 *в другом письме Горький вспоминал глаза Элленса* — 11 дек. 1925 г. Горький писал Эллену и М. М. Милославской после их визита в Сорренто: «Я очень хорошо помню энергичное лицо Элленса и его серьезные глаза, в которых, несмотря на суровость, угадывается печаль ребенка и нежность» (там же. С. 97).

Стр. 377 *«Хулио Хуренито» я написал за один месяц* — Лев Лунц в рецензии на «Хулио Хуренито» (альм. «Город». Пб., 1923. С. 101—102) написал, что роман написан за два месяца; И. Э. в письме от 31 марта 1923 г. заметил: «Я читал заметку Лунца о «Хуренито» в «Городе» и был польщен. Все мои грехи там ровно вдвое умалены: я писал эту книгу не два месяца, а 28 дней» (ФШ).

Стр. 378 *мой роман — подражание «Кандиду»* — «Роман развертывается по «Кандиду» Вольтера,— писал В. Шкловский в «ZOO»,— правда, с меньшим сюжетным разнообразием. В «Кандиде» хорошо сюжетное кольцо: пока ищут Кунигунду, она живет со всеми и стареет. Герою достается старуха, вспоминающая о нежной коже болгарина. Этот сюжет, вернее, критическая установка на то, что «время идет» и измены совершаются, обрабатывался еще Боккаччо... У Эренбурга есть своя ирония, рассказы и романы его не для елизаветинского шрифта» (см. Шкловский. СС. Т. 1. С. 221—222). Первым сравнил «Хуренито» с «Кандидом» А. Вольский (Накануне, 1 апр. 1922 г.).

Я написал много книг и далеко не все из них люблю — В черн. варианте далее: «Самое неприятное, что может приключиться с писателем,— обкрадывание самого себя; пожалуй, это хуже слепого подражания другим; и в этом я часто бывал повинен. Зачем после «Хулио Хуренито» я написал «Трест Д. Е.»? Ведь я продолжал там, где нужно было остановиться. «Не переводя дыхания» — дурная копия «Дня второго». «Девятый вал» ненужное и слабое продолжение «Бури». В общем я написал слишком много книг; добрую половину я с удовольствием уничтожил бы (среди них несколько тех, что хвалят и переиздают)» — ЦГАЛИ, ф. 1204, оп. 2, ед. хр. 82, л. 136.

Стр. 379 *«напостовцы» называли «Хуренито»... клеветой* — см., например, Б. Волин «Клеветники» (На посту. 1923. № 1), «Клеветник или скептик-упадочник?» (Бюлл. лит. и жизни. 1923. № 2).

номер «Нового мира», вышедший тридцать пять лет назад — Евдокимов Иван. Илья Эренбург (Новый мир. 1926. № 8—9. С. 235, 237, 225, 226).

в Киеве я пошел на спектакль — *инсценировку «Хулио Хуренито»* — Речь идет о спектакле «Универсальный Некрополь», поставленном режиссером Терещенко в Театре-мастерской им. Г. Михайличенко по трем романам Эренбурга — «Хулио Хуренито», «Жизнь и гибель Николая Курбова» и «Трест Д. Е.». 24 февр. 1924 г. киевская «Пролетарская правда» напечатала протест И. Э. против этого спектакля, искажающего сущность его книг и нарушающего авторские права. «Я не считаю в данном случае возможным воспользоваться своими правами исключительно из уважения к работе, проделанной коллективом мастерской»,— писал И. Э. В том же номере был помещен ответ Театра-мастерской, сообщавшей о замене впредь всех имен персонажей спектакля и мест действия романов И. Э.— новыми (мистера Куля переименовали в мистера Босса, Илью Эренбурга — в литератора Былтакова и т. д.).

Стр. 380 *о ней одобрительно отозвались некоторые писатели Петрограда* — Имеются в виду отклики на «Хулио Хуренито» Е. Замятина (Россия. 1923. № 8. С. 28), Ю. Тынянова (Русск. современник. 1924. № 1), Л. Лунца («Город»), В. Шкловского («ZOO, или Письма не о любви»).

В 1942 году А. Н. Толстой... вспомнил о моих сатирических романах — В ст. «Четверть века советской литературы»: «Сила сатирического оружия ярко иллюстрируется современными газетными статьями Ильи Эренбурга. В двадцатых годах он писал сатирические романы (лучший из них «Хулио Хуренито»)... Эти романы послужили ему хорошей школой. Его гневная, кипящая ненавистью сатира на фрицев — не осиное жало, но смертоносная пулеметная очередь» (Новый мир. 1942. № 11—12. С. 212).

я прочитал в воспоминаниях Н. К. Крупской — В ст. «Что нравилось Ильичу из художественной литературы» (1926 г.): «Из современных вещей, помню, Ильичу понравился роман Эренбурга, описывающий войну: «Это, знаешь, Илья Лохматый (кличка Эренбурга),— торжествующе рассказывал он.— Хорошо у него вышло» (см. Крупская Н. К. Об искусстве и литературе. М., 1963. С. 38).

КНИГА ТРЕТЬЯ

Глава 1

Стр. 384 *В моих заметках остались названия* — Речь идет о «Письмах из кафе» (1922) — см. СС, 7. С. 283—302.

Стр. 387 *Герцен писал о «Собакевиче немецкой революции» Гейнцене* — см. Г е р ц е н А. И. Былое и думы. Т. 1. М., 1969. С. 584.

Стр. 388 *И все же я тогда писал* — см. «Письма из кафе» — СС, 7. С. 290, 292.

Сегодня хожу по твоей земле, Германия — из стихотворения «Германия» — см. М а я к о в с к и й В. ПСС. Т. 4. С. 49—50.

Глава 2

Стр. 389 *На лекции Милюкова монархисты застрелили кадета Набокова* — Имеется в виду покушение на П. Н. Милюкова; его спас В. Д. Набоков, отец писателя.

«Черный гусар» Посажной писал — цит. по ст. «Черные гусары» (1932) — см. ЗР. С. 170.

Стр. 390 *«Масонство и русская революция»* — Сочинению Григория Бостунича, изд. по-русски в Сербии в 1922 г., И. Э. посвятил фельетон («Новая рус. книга». Берлин, 1922. № 3. С. 11—12), который подписал: «Масон ложи «Хулио Хуренито», мексиканского толка, 32 ст. («принц королевской тайны»), хасид и цадик, чекист в 4 личинах (жид — мадьяр — латыш — китаец) Илья Эренбург».

Не уступали журналистам и писатели с именем — И. Э. сразу же выступил в печати против травли писателей, оставшихся в Советской России. В ст. «Audessus de la mêlée» (над схваткой — *франц.*) он писал: «Я позволю себе, среди непрекращающейся гражданской войны, остаться еретиком, который полагает, что ни Бальмонт, проклинающий коммунизм, ни Брюсов, его восхваляющий, не теряют равного права на уважение к их литературной деятельности, как два поэта предыдущего поколения, основоположники символизма»; И. Э. писал о недопустимой травле, которой эмигрантская печать подвергала Есенина и Маяковского, А. Белого и Ф. Сологуба, Блока и К. Чуковского («Рус. книга». Берлин, 1921. № 7—8. С. 1—2). В ст. «Поэтический иммунитет» (Последние новости. Париж. 29 сент. 1921 г.) А. Кайранский утверждал, что «критика» направлена не против литераторов, а против «прихвостней». В «Письме в редакцию» («Рус. книга». 1921. № 9. С. 5—6) И. Э., повторив не опровергнутые Кайранским факты, назвал его статью выражением «политического ослепления».

Издательство... называлось поэтично «Геликон» — В черн. варианте: «Мой «Хуренито» был издан «Геликоном». Узнав, что издателя зовут Вишняк, я смутился: эсер М. Вишняк в журнале «Воля России» проклинал все, что связано с Советской Россией, но мой Вишняк оказался другим» (ЦГАЛИ, ф. 1204, оп. 1, ед. хр. 51, л. 45).

мы его прозвали «Мурзуком» — по имени очень напористого и нервного персонажа таировского спектакля «Жирофле-Жирофля».

Орлы и гады в них — из 3-го стих. цикла «Отрок» — см. Ц в е т а е в а М. Т. 1. С. 175.

Стр. 391 *Ходасевич... редактировал с Горьким литературный журнал* — имеется в виду ж. «Беседа». «Здесь зачинается «Беседа» (Горького с Ходасевичем),— писал И. Э. 21 апр. 1923 г.— это очень приличная беседа, и меня туда не пущают» (АП). «Видел оттиски «Беседы»,— сообщал И. Э. 29 апр. 1923 г.— Скучная беседа. Психеечки и пр.» (ФШ).

Сны мимолетные, сны беззаботные — В 1909 г. И. Э. вместе с Полонской в Париже написал пародию на эти стихи: «Верил и я в диктатуру народную, / Был я эсдеком на час,/ Сны мимолетные, сны беззаботные / Снятся лишь раз» (см. Вопросы лит. 1982. № 9. С. 153).

Стр. 392 *но статьи мои печатал* — В 1921—1923 гг. в «Рус. книге» (с 1922 г.— «Новая рус. книга») напечатаны 6 статей и 12 рецензий И. Э. (главным образом на книги, вышедшие в Сов. России). Рец. А. С. Ященко на «Хулио Хуренито»: «Книга его — остроумная, но, по существу, безнадежная, от большого отчаянья и от пустоты души написанная» (Новая рус. книга. 1922. № 3. С. 4—6).

заклинания... монархиста И. Наживина — Н а ж и в и н И в. Автобиография (Новая рус. книга. 1922. № 5. С. 42—43).

А в следующем номере выступил Маяковский — «О себе» (Новая рус. книга. 1922. № 9. С. 45).

Стр. 393 *Как изваянья — слипшиеся пары* — стих. «Все каменное. В каменный пролет...»» — См. Х о д а с е в и ч В. Собр. стихов. Т. 2. Париж, «La Presse libre». С. 23 (см. также в воспоминаниях В. Андреева «Возвращение в жизнь» — Звезда. 1969. № 6. С. 101—102).

Цветаева в Берлине написала одну из своих лучших книг — «Ремесло» (Берлин, «Геликон», 1923), написана в 1921—1922 гг. в Москве.

я издавал журнал «Вещь» — 3 июня 1922 г. И. Э. писал Маяковскому: «О «Вещи» — она издается только для России (эмиграция не в счет). Но — 1) мы не получаем из России материала. № 4 должен быть спец [иально] посвящен России. Шлите свое и всех, кому Вещь близка... Без срочной присылки серьезной партии материала из России (стихи, статьи, хроника и т. д.) мы прикончимся... Простите, что утруждаю Вас этим. Но, повторяю, без материала и без возможности распространения в России «Вещь» прикончится, хотя денежно она здесь обеспечена на 6 №№. А я думаю, что она — окрепнув и связавшись с Россией, т. е. выровняв линию, сможет быть полезной...» (ГЛМ, ф. 130, Р. ОШ 9080 КП 54249(7).

В книге «ЦОО» он писал: — см. Ш к л о в с к и й В. СС. Т. 1. С. 178—179.

Стр. 394 *Потом он продолжал писать о предметах куда более спокойных* — В черн. варианте: «Вероятно, это был язык, присущий Шкловскому, потому что он продолжал так же писать и о другом, потом это начало становиться манерой. Не было ни одного мастера пародии, который в минуты лености не написал бы пародии на Шкловского» (ЦГАЛИ, ф. 1204, оп. 1. ед. хр. 51, л. 63).

Стр. 396 *Я писал поэтессе М. М. Шкапской* — письмо от 11 июня 1922 г. (ФШ).

Четверть века спустя после тех лет — Этот абзац вызвал возражение А. Т. Твардовского; 12 авг. 1961 г. он писал И. Э.: «Уподобление Вами идей славянофилов, сменовеховцев, и тех и других вместе — нашим крайностям в борьбе против низкопоклонства перед Западом — уподобление неверное, поверхностное. По мне — бог с Вами, переучивать Вас я не собираюсь, но перед органами, стоящими над редакцией, попросту — цензурой — я не могу Вас здесь защитить» (АЭ). У И. Э., однако, речь идет не об «уподоблении», а о живучести предрассудков, о том, как они выползают из всех щелей, когда внешние обстоятельства перестают этому препятствовать. И. Э. с Твардовским не согласился; текст был напечатан без купюр.

Стр. 397 *«Группа русских писателей собралась пить чай...»* — см. Л у н д- б е р г Е. Г. Записки писателя. Т. 2. Л., 1930. С. 209.

Стр. 398 *Чехов записал монолог* — см. Записные книжки — Ч е х о в А. П. ПСС. Т. 17. С. 101.

Сын кадета Набокова... теперь один из самых читаемых писателей Америки — В СССР произведения В. В. Набокова начали печатать в 1987 г.

Глава 3

Стр. 399 *«Политика не является моей профессией»* — Из записной книжки Тувима 1943—44 гг.; И. Э. цитировал ее по рукописи книги М. Живова «Юлиан Тувим» (М., 1963. С. 141).

Маяковский писал о нем — «Тувим, очевидно, очень способный, беспокоящийся, волнующийся, что его не так поймут, и сейчас желающий писать настоящие вещи борьбы... но очевидно здорово прибранный к рукам польским официальным вкусом» (см. очерк «Ездил я так» — М а я к о в с к и й В. ПСС. Т. 8. С. 337).

«Ему очевидно нравилось бы...» — из очерка «Поверх Варшавы» — см. М а я к о в с к и й В. ПСС. Т. 8. С. 352.

советский знаток польской литературы — М. Живов (см. Лит. энциклопедия, т. 11. М., 1939. Стлб. 409).

«Я полон таких шаблонов — из открытого письма Тувима К.-И. Галчинскому (1947) — см. T u w i m J. Listy do przyjaciol — pisarzy. Warzawa, 1979. S. 407.

Стр. 400 *Один очень сведущий и в то время очень влиятельный человек* — речь идет об А. А. Фадееве, сидевшем в президиуме Варшавского конгресса рядом с И. Э.

Нет, вам не добиться ни службой, ни лестью — из стих. «К генералам», пер. Д. Самойлова (см. Т у в и м Ю. Стихи. М., 1965. С. 133—134. Далее — по этому изданию указываются названия цит. стихов).

«Короткое имя «Лодзь»...» — из очерков «В Польше» (1928); после 1933 г. не перепечатывались; см. ВВ. С. 149.

Пусть те восхваляют Сорренто. Крым — из стих. «Лодзь», пер. Д. Самойлова.

Стр. 401 *я получил телеграмму из Нью-Йорка* — Телеграмма Тувима напечатана в «Комс. правде» 16 сент. 1941 г.: «Пишу Вам несколько слов,— но Вы писатель и чуткий человек, услышите в них голос моих чувств: что я с вами, всем сердцем, всеми мыслями, всем моим существом — с вами, т. е. русскими писателями и героическим советским народом, борющимся за дело всего человечества, против фашистских мерзавцев. Я счастлив, что польский и русский народы вступили на общую дорогу против проклятого врага. Передайте мой сердечный привет вашим поэтам, с которыми, надеюсь, мы встретимся в победоносной Москве, а потом в свободной от германских шакалов Варшаве. Жму Вашу руку! Ваш Юлиан Тувим». Письмо Тувима И. Э. от 24 июля 1944 г., написанное по-англ.: «Три года назад в самые мрачные часы героической битвы советского народа я направил Вам и русским писателям слова, полные веры в грядущую победу над тевтонскими варварами. Сегодня, в светлый час ее осуществления, когда неукротимая Красная Армия приближается к самому сердцу Польши и несет свободу моему народу, я разделяю с Вами огромную радость оттого, что справедливость одерживает триумфальную победу над злом» (см. Tuwim J. Listy. Warzawa, 1979. S. 269).

«В период самых больших «триумфов» Гитлера...» — из письма Янине Броневской, США, 1945 г. (см. Живов М. Юлиан Тувим. С. 141—142).

я сидел в нью-йоркской квартире Тувима — Узнав о приезде И. Э. в США, Тувим 22 апр. 1946 г. написал ему по-русски: «Дорогой Эренбург! Если Вы не забыли Вашего старого и любящего Вас друга — и если хотите с ним видеться — отзовитесь (Трафальгар 7. 0956). Я понимаю, что Вы очень заняты, но, надеюсь, что найдете для меня хоть полчаса времени. Жму Вашу руку. Преданный Вам Юлиан Тувим (дряхлый старик)» — см. Tuwim J. Listy. S. 270.

Стр. 402 *Только нет приюта в мире человечьем* — из стих. «Еврейский мальчик», пер. Л. Пеньковского (см. Тувим Ю. Избранное. М., 1946. С. 106); в последующие сов. изд. Тувима не входило.

В 1944 году Тувим написал обращение... «Мы — польские евреи» — Статья написана к 1-й годовщине восстания в Варшавском гетто, когда Тувиму стало известно, что гитлеровцы уничтожили его мать. В СССР напечатана по-польски в ж. «Nowe widnokregi». 1945. № 6 (сообщено А. Б. Базилевским). Рус. перевод не публиковался. В записной книжке И. Э. дек. 1944 г.: «Потрясающая статья Тувима. Кровь в жилах и кровь из жил» (ед. хр. 389, л. 122). 5 дек. 1944 г. И. Э. послал Тувиму телеграмму: «Прочитал Вашу вдохновенную статью и хочу крепко Вас обнять. Илья Эренбург» (АЭ). И. Э. цитировал формулу Тувима «Антисемитизм — это международный язык фашистов» в ст. «Помнить!» (Правда. 17 дек. 1944 г.); отрывки из статьи Тувима И. Э. приводил также в своем выступлении по еврейскому вопросу «По поводу одного письма» (Правда. 21 сент. 1948 г.). Чешский художник и писатель А. Гоффмейстер, находившийся во время войны в США, писал о военной публицистике Тувима: «Вы помните военные письма Ильи Григорьевича Эренбурга? Ну вот, Тувим был его польским подобьем. Я думаю, такое сравнение — большая честь» (см. Гоффмейстер А. Иду по земле. М., 1964. С. 454).

Стр. 404 *В час дня благоговейно* — из стих. «Мученик», пер. Д. Самойлова.

Стр. 405 *Вдоль стен пустой парикмахерской* — из стих. «Парикмахеры», пер. Д. Самойлова (см. Тувим Ю. Вёсны и осени. М., 1959; редакция этого перевода отличается от последующих изданий).

В 1928 году я писал о Тувиме — из гл. «О поэзии и о дипломатии» очерков «В Польше»; «Самый талантливый поэт — Тувим,— писал И. Э. в той же главе.— Это прежде всего поэт. Он живет стихами. Он может вечера напролет вспоминать стихи Рембо или Пушкина, Мицкевича или Пастернака, радуясь, как дитя, каждой поэтической находке. Он быстро вспыхивает и быстро же гаснет. Тогда он угрюм, рассеян: «душа вкушает хладный сон». Только ритм, слово, звук способны зажечь его. Это дело не убеждений, не образа мыслей, даже не веры, но душевной структуры. Рассуждает он по-детски, и спорить с ним нельзя. Он думает ассоциациями, аргументирует ассонансами. Он из той же человеческой породы, что Толлер и Пастернак» (ВВ. С. 143).

Я, может, лишь день там прожил — из стих. «Воспоминание», пер. Д. Самойлова.

А может, снова, дорогая — из стих. «За круглым столом», пер. Д. Самойлова; ред. перевода из книги Тувима «Вёсны и осени». С. 55—57.

Стр. 406 *в саду поэта Ивашкевича* — О встречах и беседах с И. Э. см. «Воспоминания об Эренбурге» Я. Ивашкевича (Вопр. лит. 1984. № 1. С. 194—201). Назвав дружбу И. Э. и Тувима «глубокой», Ивашкевич заметил: «Я думаю, что причиной ее возникновения было восхищение Эренбурга стихами нашего поэта и, кроме того, необычная индивидуальность Тувима, которая могла любого очаровать».

Глава 4

Стр. 407 *записал Валерий Яковлевич в дневнике* — см. Б р ю с о в В. Дневники 1891—1910. М., 1927. С. 121.

В 1920 году... Блок записал — запись 1 марта 1920 г., см. Б л о к А. Записные книжки 1901—1920. М., 1965. С. 488.

Ему кавказские кричали горы — первая строфа стих.; впервые приведено И. Э.; см. М а н д е л ь ш т а м О. Собр. соч. Т. 1. Международное литературное содружество, Вашингтон, 1967. С. 206—207.

Скажите, говорят, какой-то Гоголь умер? — из стих. «Откуда привезли? Кого?..»; впервые приведено И. Э.; см. там же. С. 207—208.

Стр. 408 *я так описал Андрея Белого* — см. Э р е н б у р г И. Портреты русских поэтов. Берлин, 1922. С. 61—63. А Белый заметил: «Из этого моего вида Эрунбург делает горько лестные выводы о моей смешной исключительности; я должен разочаровать Эренбурга, отблагодарив его за то, что смешные жесты мои им не поданы с «липниченковским» подхихиком; в том, что видится Эренбургу во мне как вершинность, смешная в долинах,— самая эмпирическая, фамильная черта; все Бугаевы — такие» (см. Б е л ы й А. На рубеже двух столетий. М., 1931. С. 37).

эти книги не переиздаются — стихи А. Белого изданы в 1966 г., две редакции романа «Петербург» — в 1978-м и 1981 г.

«Балтрушайтис, угрюмый, как скалы...» — см. Б е л ы й А. Начало века. М.— Л., 1933. С. 380—381.

Стр. 409 *Золотому блеску верил* — из стих. «Друзьям» — см. Б е л ы й А. Стихотворения и поэмы. М.— Л., 1966. С. 249.

Стр. 410 *Белый поспорил с крупным писателем, близким к сменовеховцам* — имеется в виду А. Н. Толстой.

он пытался разобраться в этом противоречии — см. Б е л ы й А. Начало века. М., 1933. С. 267.

Стр. 411 *Подарив мне «Петербург», он написал* — «Дорогому Илье Григорьевичу Эренбургу с чувством постоянной связи. Андрей Белый. 22 сентября 1922 года. Берлин» (собр. И. И. Эренбург).

Меж тобой и страной — из стих. О. Мандельштама «Голубые глаза и горячая лобная кость».

Глава 5

Стр. 411 *А. М. Горький писал К. А. Федину* — письмо начала сент. 1922 г.— см. «Горький и советские писатели» — Лит. наследство. Т. 70. М., 1963. С. 469.

Стр. 412 *К. А. Федин вспоминал* — см. Ф е д и н К., СС. Т. 9. М., 1962. С. 226.

Стр. 413 *Н. Кодрянская прислала мне книгу* — К о д р я н с к а я Н а т а л ь я. Алексей Ремизов. Париж, 1959.

«В революцию все бросились из «Бесов» Достоевского — см. Р е м и з о в А. Тургенев-сновидец. В кн. Огонь вещей (Сны и предсонье). Париж, 1954. С. 141.

Стр. 414 *К. А. Федин писал: «Ремизов мог быть...»* — см. Ф е д и н К. (СС. Т. 9. С. 228).

Пришвин, желая объяснить природу искусства, писал — см. Сов. писатели. Автобиографии. Т. 2. С. 255.

Стр. 415 *На одной из книг... он написал* — Точный текст надписи Ремизова на книге «Русалия» (изд. Гржебина, Берлин — Петербург — Москва, 1923): «Кавалеру обезьяньего знака I степени с жужелиным хоботком обезьяньей великой вольной палаты Обезвелволпала на елку. Тут все для музыки. 4.I.23. Алексей Ремизов» (собр. И. И. Эренбург).

Глава 6

Стр. 415 *Тургенев, пустивший в ход словечко «нигилист», писал* — из ст. «По поводу «Отцов и детей» — см. Т у р г е н е в И. С. ПСС. Т. 11. М., 1983. С. 93.

Я хочу сейчас разобраться в правильности этикетки, которую часто на меня вешали — В рукописи этой главы, переданной в «Новый мир», И. Э. писал об этикетке, «с которой проходил всю жизнь». Эта фраза вызвала возражение Твардовского. 12 авг. 1961 г. в большом письме И. Э., содержавшем высокую оценку его работы («Это книга долга, книга совести, мужественного осознания своих заблуждений, готовности поступиться литературным престижем (порой, мне кажется, даже с излишком) ради более дорогих вещей на свете. Словом, покамест Вы единственный из Вашего поколения писатель, переступивший некую запретную грань... При всех возможных, мыслимых и реальных изъянах Вашей повести прожитых лет, Вам удалось сделать то, чего и пробовать не смели другие» — ЦГАЛИ, ф. 1204, оп. 2, ед. хр. 2218, л. 2—4), Твардовский по поводу слов об этикетке заметил: «Вы слишком крупны, Илья Григорьевич, чтобы унижаться до такой памятливости относительно причиненных Вам обид и огорчений, слишком много чести для тех, кто это делал, чтобы помнить о них. А указанная выше фраза — просто не должна, по-моему, остаться в тексте». Так фраза об «этикетке, с которой проходил всю жизнь» была заменена фразой об «этикетке, которую часто на меня вешали».

Не был я учеником примерным — из стих. «Самый верный» (1958) — см. Ст. С. 215—216.

Стр. 416 *В 1892 году А. П. Чехов писал* — из письма А. С. Суворину 25 ноября 1892 г.

Стр. 418 *«В частных случаях по отношению к слабым...»* — см. Терещенко Н. Современный нигилист И. Эренбург. Л., Прибой, 1925. С. 93.

«У Эренбурга взгляд на все происходящее скептический...» — Речь идет о записи, сделанной А. Н. Афиногеновым после правительственного банкета (видимо, по случаю окончания Первого съезда писателей): «У Эренбурга взгляд на все происходящее скептический, усталый и чуть обиженный... Толстого ласкают и балуют, превозносят, а его критикуют, да как еще... Он ходит по комнатам, наблюдает за праздником, уезжает последним, и не поймешь, что он там думает... Сидит, курит, смотрит на Ворошилова, когда тот поет и спорит о правильно взятой ноте, а С. испытующе и пьяно, с нелепой трубкой во рту смотрит на Эренбурга, молчаливо, тот не замечает якобы... а на самом деле все видит и записывает в уме...» (АЭ).

Стр. 419 *«Каждую ночь просыпаюсь и читаю «Войну и мир...»* — из письма А. С. Суворину от 25 окт. 1891 г.

«когда же мы находим в романе удачным только типы негодяев...» — из ст. «Ответ Москвитянину» (см. Белинский В. Г. СС в 3-х т. Т. III. М., 1948. С. 742).

Глава 7

Стр. 420 *Приближалась пора «плана Дауэса»* — репарационный план (1924 г.) предусматривал организацию помощи Германии в восстановлении ее военно-экономического потенциала.

Стр. 421 *я иногда сочинял стихи, которые потом не печатал* — 20 стих., написанных И. Э. в 1923 г., были включены им в сб. лирики «Не переводя дыхания» (наряду с 20 стих. из книги 1922 г. «Звериное тепло»); книгу И. Э. отправил в Ленгиз, но издана она не была, а рукопись ее затерялась. 4 стих. из нее вошли в Ст., 4 других, обнаруженные в архиве Е. Г. Полонской, напечатаны в альманахе «Поэзия» (№ 40. 1984. С. 141—144).

Так умирать, чтоб бил озноб огни — впервые в сб. «Поэты наших дней» (М., 1924. С. 101).

Форма как будто была заемной — пастернаковской — Книга стихов «Не переводя дыхания» создавалась в то время, когда И. Э. находился под безусловным обаянием поэзии и личности Пастернака; в 1922—23 гг. в Берлине вышли сб. «Сестра моя жизнь» и «Темы и варьяции», оказавшие заметное влияние на лирику И. Э. 1923 г.; 18 авг. 1923 г. он написал о кн. «Не переводя дыхания»: «В ней, как и во многом ином, я являюсь робким учеником Пастернака» (ФШ).

«Даже страдания — это роскошь» — слова из романа Ф. Мориака «Конец ночи».

Глава 8

Стр. 422 *Роман Якобсон начал меня уговаривать съездить в Прагу* — Дружба И. Э. с Якобсоном продолжалась всю жизнь; в 20—30-е годы они вместе проводили каникулы (в Бретани, в Словакии), встречались перед войной в Париже, в 1946 г.— в США, а в послесталинские годы и в Москве. Узнав о смерти И. Э., Якобсон писал Л. М. Эренбург: «Мне страшно трудно писать Вам сейчас. С вами обоими я был десятки лет несказанно тесно связан, и сейчас чувство неизбывной бреши оттесняет все остальное. Когда в конце августа я был в Москве, и Илья звал меня приехать, я знал — это значит проститься, и когда мне вдруг закрыли путь к нему (Эренбург с инфарктом лежал на даче, расположенной от Москвы дальше расстояния, на которое дозволено перемещаться иностранцам.— *Б. Ф.*), на меня легла тяжесть бессильной грусти. Сейчас так хотелось бы просто посидеть с Вами, Люба, рука в руку и глаза в глаза, помолчать вместе и вместе повспоминать. Так трудно о таких вещах говорить вдаль. И все думается, почему все встречи с Ильей последних лет были так отрывочны и обрывисты. Только задним числом я знал: сколько надо было сказать друг другу. Столько мы умели когда-то друг другу сказать...» (ФЭ).

Об этом написал Незвал в изданной посмертно книге воспоминаний — В книге «Из моей жизни» Незвал писал: «Первый знаменитый писатель нашей ориентации, посетивший Прагу, был Илья Эренбург. Судьба не могла выбрать никого, более подходящего, нежели автора «Хулио Хуренито» и «Трубок». Вижу его, как сейчас — он сидит с нами в кафе Юлиша, чуть ссутулясь, и взгляд его будто мельком останавливается на вас, чтобы снова всматриваться во что-то далекое. Он приехал из той страны, где после победоносной революции вырос новый человек, чтобы освобожденным от угнетения трудом создать достойную его жизнь, и в парижских кафе он сиживал со всеми теми, кого любили и мы. Любили за то, что их стихи или картины вызывали в нас новые чувства и ощущения, потому Илья Эренбург был нам мил вдвойне... Думаю, что он не был нетерпим к писателям и художникам, взглядов которых не разделял. Он защищал мировую культуру, особенно современную, в ее целостности, без оглядки на свои воззрения... Думается, что он хорошо относился к нам, чехам, хотя его язвительное перо не преминуло изобразить отрицательные стороны нашего характера...» (см. Н е з в а л В и т е з с л а в. Избранное, т. 2. М., 1988. С. 268—270).

Франтишек Кубка, рассказывая о своих встречах — имеется в виду очерк Ф. Кубки «Илья Эренбург в Праге и повсюду» из его кн. «Голоса с Востока» (1960); в СССР не печатался.

Стр. 423 *Выставлены розовые холсты* — стих. «Общий вид Милана», пер. Д. Самойлова (см. Н е з в а л. Стихи и поэмы. М., 1972. С. 206). Далее — по этому изданию; указываются названия цит. стихов.

Стр. 424 *Будьте строги и прекрасны! В добрый час!* — из поэмы «Эдисон», пер. Д. Самойлова.

Стр. 425 *Когда он написал «Песнь мира»* — поэма «Песнь мира» (1950). В ней, в частности, есть такая строфа: «Я вас зову в тревожный час, / Петр Безруч, бард силезской массы, / Вас, Элюар, и вас, Пикассо, / Илья Григорьевич, и вас. / Пою песнь мира...» (пер. С. Кирсанова).

Незвал вспоминал о нашей беседе в 1951 году — Речь идет о статье Незвала «Четверть века», вошедшей в сб. «Илья Эренбург — пламенное слово правды», выпущенный в Праге изд. «Чехословацкий писатель» в 1951 г. к 60-летию Эренбурга. В сб. напечатаны также статьи и приветствия В. Копецкого, З. Неедлы, З. Фирлингера, Э. Буриана, М. Хорвата, М. Майеровой, Я. Мукаржевского, Л. Штолла, И. Тауфера, Л. Новомесского и др.

Стр. 426 *Незнакомка мертвая! Мы пасынки судьбы* — пер. М. Кудинова.

Стихотворение из книги «Женщина во множественном числе» — стих. «Предсказание», пер. Д. Самойлова.

Лучше ссутулиться в жизни — 1-я строка стих. без названия в пер. Н. Асеева.

Море, растет вода — из стих. «Море»; не исключено, что этот перевод принадлежит И. Э.

Стр. 427 *Только клад не пропал бы безвестно* — из поэмы «Сигнал времен», пер. Б. Пастернака. В первом издании поэма имела второй заголовок — «Панихида по Эдисону», возможно, потому И. Э. и перепутал ее с поэмой «Эдисон».

Глава 9

Стр. 429 *Цыпленок жареный, цыпленок пареный* — Строчку из этой песенки «Цыпленки тоже хочут жить» (наряду с формулой корней квадратного уравнения) Эренбург поставил эпиграфом к роману «Жизнь и гибель Николая Курбова» (Берлин, изд. «Геликон», 1923).

Стр. 431 *Опутали революцию обывательщины нити* — из стих. В. Маяковского «О дряни».

Как я стану твоим поэтом — из поэмы «Лирическое отступление» — см. А с е е в Н. СС. Т. 1. М., 1963. С. 395.

Стр. 432 *Я выбрал первое, что мне пришло в голову,* — «Пьяный оператор» — Лекцию «Пьяный оператор» (о современной Европе)» И. Э. впервые прочел в Берлине 30 дек. 1923 г. В рекламе, напечатанной газ. «Накануне» 28 дек., приводились следующие подзаголовки лекции: «Замедленная и ускоренная фильма. 18000 черепов в цинковом ящике. Как я ехал по Руру. Он жертвует 1 франк на гильотину. Человеческие скачки. Стиннес и конструктивизм. Носовой платочек фашистов. Интернациональность «чаво?». Социалисты умеют даже хлопать дверью. До чего доводит сытость. Рассосавшийся нарыв. А дамы боксируют. Что такое уан-степ? Роль простой лестницы. Господин аббат электрофицировался. Made in USA. Стоило ли придумывать беспроволочный телефон? Радость машины и машинальная радость. Немецкая достоевщина и Salzkartoffel. Отчего во Франции пишут хорошие романы. Магдебург или экспрессионистический город наяву. Конструкция из брючных пуговиц. Дом в 24 часа. Оказывается, Людовик XVI не умер. Чаплинианство, как новая религия. Фотогеничность дряни. Что такое оптимизм по «Кандиду». Два конца одной и той же фильмы».

Как писала «Накануне» 4 янв. 1924 г., «с лекцией этой талантливый поэт и наблюдатель собирается выступить в ряде городов России». Текст лекции был напечатан в ленинградских «Последних новостях» (№ 10—15 за 1924 г.) под заголовком «Разлагающаяся Европа».

В черн. варианте: «В Ленинграде я познакомился со многими писателями, которых раньше знал только по книгам, с А. А. Ахматовой, Е. И. Замятиным, Ю. Н. Тыняновым, К. А. Фединым, М. М. Зощенко» (ФЭ).

Стр. 436 *Я писал в одном из писем* — письмо М. М. Шкапской из Парижа 16 ноября 1924 г. (ФШ). В подлиннике: «Я заканчиваю «Рвача». Это глупый роман. Я люблю героя, хоть он и пакостник».

«Нам нужны наши Щедрины и Гоголи» — Имеются в виду слова Сталина: «Нам нужны Гоголи. Нам нужны Щедрины», сказанные им в марте 1952 г. на обсуждении в Политбюро кандидатур на Сталинские премии (см. С и м о н о в К. Глазами человека моего поколения. Знамя. 1988. № 4. С. 93); эти слова были повторены в окт. 1952 г. Г. М. Маленковым в Отчетном докладе XIX съезду ВКП(б): «Нам нужны советские Гоголи и Щедрины, которые огнем сатиры выжигали бы из жизни все отрицательное, прогнившее, омертвевшее, все, что тормозит движение вперед» (Правда. 6 окт. 1952 г.).

Я за смех, но нам нужны... — эпиграмма Юрия Благова.

«Попов отказался от «Рвача» — из письма М. М. Шкапской (ФШ). Эренбург здесь не смог разобрать собственного почерка — он писал Шкапской о директоре Ленгиза И. И. Ионове, отказавшемся в начале 1925 г. печатать «Рвача» (на письме И. Э. Ионову от 23 дек. 1924 г. имеется резолюция Ионова: «Денег больше не посылать. Печатать не будем. И.»; 29 янв. И. Э. сообщили: «тов. Ионов, ознакомившись с содержанием Вашего романа, пришел к заключению, что выпуск его в пределах СССР невозможен» — см. ЛГАЛИ, ф. 2913, оп. 1, ед. хр. 237, л. 34, 38). «Рвач» в 1925 г. вышел по-русски в Париже. О. Э. Мандельштам, рассказывая в письме жене (февр. 1926 г.) о посещении Ленгиза, писал, что Федин и Груздев «в числе других стараются протащить «Рвача» Эренбурга (М а н д е л ь ш т а м О. СС. Т. 3. Нью-Йорк, 1969. С. 224). В 1927 г. «Рвача» выпустило одесское изд. «Светоч».

Один из наиболее видных напостовцев — имеется в виду Георгий Горбачев и его ст. «На переломе» (Звезда. 1926. № 1. С. 226).

Стр. 437 *Чуть ветер, чуть север* — из стих. «От черного хлеба и верной жены» — см. Б а г р и ц к и й Э. Стихотворения и поэмы. М.—Л., 1964. С. 93.

Глава 10

Стр. 437 *Есть там и моя статья* — Ст. «Об обыкновенном и необыкновенном», опубликованная в газете «Ленин», перепечатана в ж. «Север» (1969. № 10). Похороны Ленина И. Э. описал в романе «Рвач», в главе «Почти апофеоз»; в последнем издании романа, в 1964 г. (СС 2), эта глава изъята.

Стр. 439 *Помню, как несли гроб ближайшие товарищи Ленина* — По цензурным соображениям И. Э. не мог назвать здесь имена.

Я пошел к Николаю Ивановичу — И. Э. не упускал ни одной возможности, чтобы напомнить о Бухарине и его близости к Ленину. Но ему приходилось довольствоваться лишь упоминанием имени-отчества (однако и это требовало от него настойчивости в отношении с цензурой).

Стр. 440 *У Сталина есть статья о политическом стиле Ленина* — Имеется в виду раздел «Стиль в работе» в лекциях Сталина «Об основах ленинизма» (1924). Отметим, что в этом разделе, говоря о болезни «революционного планотворчества», Сталин, в частности, ссылается на И. Э.: «Один из русских писателей, И. Эренбург, изобразил в рассказе «Ускомчел» (Усовершенствованный коммунистический человек) тип одержимого этой болезнью «большевика», который задался целью набросать схему идеально усовершенствованного человека и... «утоп» в этой работе. В рассказе имеется большое преувеличение, но что он верно схватывает болезнь — это несомненно» (С т а л и н И. Соч. Т. 6. М., 1947. С. 187). Рассказ «Ускомчел» публиковался единственный раз в сб. Эренбурга «Неправдоподобные истории» (Берлин, 1921).

Глава 11

Стр. 442 *Посол говорил...* — имеется в виду П. М. Керженцев, ставший потом председателем Комитета по делам искусств и осуществивший, в частности, разгром Театра Мейерхольда.

В книге «10 л. с.» я написал о конце Маттеотти — В советские издания книги «10 л. с.» не вошла гл. «Дороги» о Маттеотти (см. Э р е н б у р г И. 10 л. с. Берлин, изд. «Петрополис», 1929. С. 193—199). Очерк И. Э. «Убийство Маттеотти» напечатан в «Красной Нови» (1929. № 11).

Стр. 444 *генерал маленького роста и маленького калибра* — генералиссимус Франко.

Стр. 445 *«Человек только тростник...»* — см. П а с к а л ь Б л е з. Мысли.— В кн.: Л а р о ш ф у к о, П а с к а л ь, Л а б р ю й е р. БВЛ. Т. 42. М., 1973. С. 169. И. Э. приводит любимое изречение Паскаля в собственном переводе.

Я часто их перечитываю — В собрании И. И. Эренбург хранится французское издание «Писем из тюрьмы» А. Грамши с предисл. Тольятти, которым пользовался И. Э.; на нем дарственная надпись: «Илье Эренбургу эти письма из тюрьмы с дружеским уважением от переводчика Жака Ноаро. 18.5.54».

Глава 12

Стр. 447 *Я писал поэтессе М. М. Шкапской* — приведены исправленные И. Э. выдержки из писем от 5 янв. 1925 г., 3 ноября 1924 г., 16 ноября 1924 г. (ФШ).

Стр. 449 *АХРР* — «Ассоциация художников революционной России» — организация, родственная РАППу, существовала в 1922—1932 гг.; насаждала натуралистические формы живописи, утверждала монопольное положение этого направления в советском искусстве; пользовалась поддержкой влиятельных лиц из сталинского окружения (например, Ворошилова). «Большущее имя взяли /АХРР, / а чешут / ответственным/ пятки...» — писал Маяковский в стих. «Верлен и Сезанн».

Я писал в 1925 году — исправленная цитата из эссе «Романтизм наших дней» (см. БУ. С. 20, 23—24). И. Э. приходилось смягчать формулировки своих прежних текстов; так, первая цитата начиналась: «Наши простаки до сих пор думают...»

Стр. 450 *«Торжество индустриальной красоты»* — из эссе «Машина и искусство» (1925) — см. БУ. С. 28, 31.

Стр. 451 *книги писателя-дипломата Поля Морана* — И. Э. посвятил им памфлет «Поль Моран» (см. ЗР. С. 244—256).

Стр. 453 *«Кабак на улице Пигаль...»* — цит. по эссе «Пьер Мак-Орлан» (1925) — см. БУ. С. 70—71.

роман о всаднице Эльзе — О р л а н - М а к П. Интернациональная Венера (рус. пер. М., 1925).

Стр. 454 *мы с ним обедали в парижском ресторане* — эпизод содержится в эссе И. Э. «Пьер Мак-Орлан»; приведя там слова Мак-Орлана о кусающихся кроликах и моркови, выскакивающей из грядок, И. Э. написал: «Я никак не мог его утешить. Кто же не знает, что я «упадочный нигилист» и «гниющий выродок»? Я только вспомнил о логике: если человечество просуществует еще несколько тысяч лет, не останется больше ни кроликов, ни моркови. Нет, тогда будут только химические пилюли, геометрия домов и чувств, всеобщее счастье, абстрактные стихи для умалишенных и то развертывание челюстей, которое можно назвать зевотой или же смертью» (БУ. С. 75).

Мак-Орлан посвятил мне... «Улицу Сен-Венсен» — ошибка И. Э.; ему посвящена книга Мак-Орлана «Города» (Париж, 1929) — «Илье Эренбургу в знак глубокой литературной симпатии и дружбы. П. Мак-Орлан».

Я говорил о моей преданности новой эпохе — См. в предисловии к БУ (Париж, 7 янв. 1927 г.): «Во время войны, когда люди боролись за пафос территории, они вдруг поняли, что их любовь и ненависть вымышлены. Среди узости траншей исчезли границы. Пространственный патриотизм умер. Но осталось свободное место, и, так как трудно жить вне «слепоты страстей», понятие «родины» было быстро заменено «современностью». Мы ее любили не менее «странною любовью», нежели наши предшественники «отчизну». Это чувство тоже требовало и крови, и замалчиваний».

«Лето 1925 года», пожалуй, самая печальная из моих книг — Судя по письму И. Э. Полонской от 25 окт. 1925 г., книга «Лето 1925 года» первоначально называлась «Отчаянье Ильи Эренбурга».

Стр. 455 *«Мы во многое верили...»* — см. СС, 2. С. 445—446.

Мне прислали из Москвы статью «На путях жизни» — П о л т а в с к и й И. На путях жизни.— Веч. Москва. 20 мая 1926 г.

Глава 13

Стр. 455 *Маркиш походил на портреты Байрона* — см. предисл. Б. А. Лавренева к кн. М а р к и ш П. Избранное. М., 1957. С. 3.

Стр. 456 *«Бурная жизнь Лазика Ройтшванеца»* — роман вышел по-русски небольшими тиражами в Париже и в Берлине в 1928 г.; в СССР не издавался до 1989 г.

Стр. 457 *Там листья не шуршат в таинственной тревоге* — из стих. «Осень», пер. А. Ахматовой; см. М а р к и ш П. Стихотворения и поэмы. Л., 1969. С. 239. Далее — по этому изданию; указываются названия цит. стихов.

Она не падает с твоих ресниц — из стих. «Твоя слеза», посвященного Э. Е. Лазебниковой-Маркиш, пер. А. Ахматовой.

Что он мог еще сюда — из 28-й главы поэмы «Братья», пер. С. Липкина.

Стр. 458 *диалог между двумя испанскими поэтами Раби Сем Тобом и маркизом Сантильяна* — И. Э. не раз писал об этом сюжете; стихи Сем Тоба и маркиза Сантильяны приводятся здесь в переводе И. Э.

Стр. 459 *день его смерти* — *12 августа 1952 года* — В этот день Маркиш был расстрелян вместе с выдающимися деятелями еврейской культуры Л. Квитко, Д. Бергельсоном, Д. Гофштейном, И. Фефером и другими.

Две мертвые птицы на землю легли — из поэмы «Спелые ночи», пер. А. Ахматовой.

Я возложил тебя на рамена — из стих. «И те, чья жизнь — остылый прах и пепел», пер. Д. Бродского.

Глава 14

Стр. 461 *«Советская Россия без коммунистов»* — статьи А. Агафонова (веч. выпуск «Красной газеты». 26 окт. 1927 г.).

Стендаль писал в «Красном и черном» — из XIX главы второй части романа; здесь перевод И. Э.

Старая литературная энциклопедия называет — см. ст. А. Селивановского «Попутчики» в т. 9 Лит. энциклопедии (М., 1935. Стлб. 148).

Глава 15

Стр. 464 *В коротенькой автобиографии* — см. Б а б е л ь И. Избранное. М., 1966. С. 24.

Стр. 465 *Он писал в октябре 1927 года* — письмо И. Л. Лифшицу 28 окт. 1927 г.— см. Знамя. 1964. № 8. С. 149.

В другом письме И. Л. Лифшицу — письмо от 10 янв. 1928 г. (см. там же. С. 150).

Стр. 466 *Записки С. Г. Гехта напомнили мне о замечательном рассказе...* «У Троицы» — С. Г. Гехт рассказывает о дружбе Бабеля с Есениным и в связи с ней об истории рассказа «У Троицы»: «Как я теперь понимаю, это была драма постарения, сожаление о суетных днях жизни, «змеи сердечной угрызенья». Описывалась пивная на Самотечной площади, вблизи Троицких переулков,— отсюда и название рассказа. И описывалась, кстати, та самая пивнушка, куда в году тридцатом пришел загримированный Горький... Рассказ «У Троицы» Горький читал... Рассказ «У Троицы» из невеселых, и чтобы представить вам его содержание, я посоветую прочесть «Когда для смертного умолкнет шумный день» (см. «И. Бабель. Воспоминания современников». М., 1972. С. 73—74).

Как явствует из дневника — Дневник Бабеля И. Э. цитирует по машинописной копии, находившейся в его архиве; впервые выдержки из дневника он опубликовал в своем предисловии к первому после реабилитации Бабеля изданию его прозы (М., 1957).

Стр. 468 *Горький заступился за «Конармию»* — см. Г о р ь к и й М. Ответ Буденному.— Правда. 27 ноября 1928 г. («Открытое письмо Максиму Горькому» С. М. Буденного было напечатано в «Правде» 26 окт. 1928 г.); в Собр. соч. М. Горького (тт. 1—30. М., 1949—1955) не напечатано.

«Петербург победил Полтавщину...» — см. Б а б - Э л ь. Мои листки. Одесса. Журнал журналов. 1916. № 51. С. 5.

Стр. 469 *«Я тружусь здесь, как вдохновенный вол»* — из письма В. П. Полонскому от 5 окт. 1927 г. (сообщено А. Н. Пирожковой).

В 1936 году я писал — КдВ. С. 154. Портрет Бабеля начинался так: «Я должен сейчас рассказать о Бабеле, хотя бы потому, что Бабель не поэт, не кубист, не шаман, не человек, трагически закончивший жизнь» (С. 153).

«В третий раз принялся переписывать...» — из письма В. П. Полонскому от 16 окт. 1928 г. (см. Б а б е л ь И. Избранное. С. 442).

«Главная беда моей жизни...» — из письма В. П. Полонскому из Ростова-на-Дону от 26 июля 1929 г. (сообщено А. Н. Пирожковой).

Стр. 470 *писал на кухонном столе... на верстаке* — см. в письме В. П. Полонскому от 13 дек. 1930 г.: «Я вызываю всех писателей СССР на «конкурс бедности» со мной, у которого не только квартиры нет, но даже и самого паршивого стола. Я сочиняю на верстаке (в буквальном смысле слова) моего хозяина Ивана Карпыча, деревенского сапожника» (Знамя. 1964. № 8. С. 161).

я описал в «Известиях» выступление Исаака Эммануиловича — см. Известия. 27 июня 1935 г.

Стр. 471 *«Я вспоминаю последний наш разговор»* — из воспоминаний «Багрицкий» (см. Б а б е л ь И. Избранное. С. 314).

«Сей числящийся за мной флигилек...» — см. Т э с с Т. Друзья моей души. М., 1985. С. 100.

Бабеля арестовали весной 1939 года — Бабель был арестован на подмосковной даче 15 мая (постановление на его арест было оформлено лишь 23 июня 1939 г.). Ему было предъявлено обвинение в участии в деятельности шпионско-троцкистской группы, куда он якобы был завербован И. Эренбургом при посредничестве А. Мальро, а также в «организационных» связях с женой врага народа Ежова Гладун-Хаютиной, с которой он был знаком. 10 окт. 1939 г. Бабель заявил об отказе от показаний, полученных от него под пытками, и несколько раз повторял это заявление в адрес председателя военной коллегии Верховного суда

СССР. «Суд» над Бабелем состоялся 26 янв. 1940 г. и продолжался несколько минут; вынесенный Бабелю смертный приговор приведен в исполнение 27 янв. 1940 г. (семье писателя был сообщен другой приговор: «десять лет без права переписки»); официальная дата смерти Бабеля — 17 марта 1941 г.— является фальсификацией.

Глава 16

Стр. 472 *В Пенмарке я был в 1927 году* — Впечатления о поездке И. Э. изложил в очерке «Бретань» (см. ВВ. С. 77—90).

Стр. 474 *В 1929 году я увидел в Швеции* — Скандинавские впечатления И. Э. отразились в очерках «Север» (см. СС 7. С. 390—443).

Глава 17

Впервые под названием «Истории одного фильма» — Сов. экран. 1961. № 16.

Стр. 475 *В пятой главе этого плана я нашел...*— см. Сов. писатели. Автобиографии. Т. 1. М., 1959. С. 469.

я показывал... отрывки из французских фильмов — 9 июня 1926 г. в кинотеатре «Малая Дмитровка» И. Э. дважды прочел лекцию «Новое французское кино», сопроводив ее показом отрывков из фильмов Абеля Ганса («Наполеон»), Рене Клера («Призрак Мулен-Ружа»), Жака Фейдера («Детские лица»), Жана Эпштейна («Лев моголов», «Верное сердце»), Жана Ренуара («Нана», «Дочь воды»), Д. Кирсанова («Ментильмонтан») и др. Эти лекции, организованные ГАХН, вызвали значительный интерес публики и отклики прессы («Веч. Москва» — 11 и 15 июня, «Правда» — 17 июня, «Известия» — 12 июня, «Кино» — 15 июня 1926 г.).

написал брошюру «Материализация фантастики» — см. Э р е н б у р г И. Материализация фантастики. Киноиздательство РСФСР, Кинопечать № 126. М., 1927. 30 стр.

Маяковский писал из Берлина — из письма Л. Ю. Брик 20 окт. 1928 г.— см. М а я к о в с к и й В. ПСС. Т. 13. С. 124.

Стр. 478 *Распа спасли мои книги* — А. Дымшиц, работавший с 1945 г. в Германии, вспоминал, что на дверях дома Ф. Распа советские солдаты повесили табличку: «Здесь живет друг Ильи Эренбурга. Дом охраняется советскими войсками» (см. ВЭ. С. 58).

Стр. 479 *что такое «фабрика снов»* — «Фабрика снов» — книга о дельцах кинобизнеса (Берлин, 1931; печаталось также в «Красной Нови». 1931. № 5—8).

Глава 18

Стр. 481 *Ирина училась, начала говорить по-французски, как парижанка* — И. Э. привез дочь в Париж в 1924 г., здесь она окончила среднюю школу, затем Сорбонну и в 1933 г. вернулась в СССР.

«Порядок неизменно тяготит человека...» — из предисл. к «Персидским письмам» Монтескье — см. В а л е р и П. Об искусстве. М., 1976. С. 493; здесь — в переводе И. Э.

Стр. 482 *Я прочитал книги о поездке в Африку* — книги Андре Жида «Путешествие в Конго» и «Возвращение с озера Чад»; рус. перевод см. Ж и д А. СС. Т. IV. Л., 1936.

В его книгах куда больше жестокой правды — здесь речь идет о романах Мориака «Тереза Дескейру» и «Клубок змей».

Критик Эдмон Жалу писал — цит. по тексту эссе «Франсуа Мориак и спертость» (см. ЗР. С. 233).

Стр. 483 *приехала из Ленинграда О. Д. Форш* — «Форш — чудо!» — писал И. Э., делясь впечатлениями о встречах с писательницей в Париже 11 мая 1927 г. (АП).

Он написал тогда книгу о Христе — B a r b u s s e H e n r y. Jésus. Paris, 1926; в СССР не издавалась.

ужин, устроенный Пен-клубом — описан в памфлете «О достоинствах и талантах» (1933) — см. ЗР. С. 88.

Стр. 485 *«Самая характерная черта нацистов — это идеализм»* — Ж е р м е н А. Гитлер или Москва; цит. по памфлету «О пользе карикатур» (1933) — см. ЗР. С. 104.

Стр. 486 *Я был в Сорбонне на его вечере* — Состоялся в начале весны 1930 г.; описан в «Автобиографических записках» — см. Э й з е н ш т е й н С. СС. Т. 1. М., 1964. С. 322—331.

Паскин, окруженный яркими крикливыми женщинами — В черн. варианте дальше: «Испанец Фернандо Херасси восхищался Сутиным. Р. Р. Фальк редко приходил в кафе; он исступленно работал в маленькой захламленной мастерской. Н. И. Альтман ел бутерброд долго, обстоятельно, с видом знатока, которому подали редкостное блюдо» (ЦГАЛИ, ф. 1204, оп. 2, ед. хр. 117, л. 18).

Стр. 487 *Жан Ришар Блок... говорил* — см. «Международный конгресс писателей в защиту культуры. Париж, июнь 1935». М., 1936. С. 139—146.

Глава 19

Стр. 488 *«Сюрреализм, такой, каким его подносит Бретон...»* — цит. по кн.: B u c h o l e R o s a. L'evolution poetique de Robert Desnos. Palais des Academies Bruxelles, 1950. P. 120—121.

Стр. 489 *Моя Любовь! Наша боль...* — цит. по кн.: B e r g e r P i e r r e. Robert Desnos. Poètes d'aujourd'hui. Éditeur Pierre Seghers, 1968. P. 208—209.

«Я так мечтал о тебе» — перевод И. Э. С. Великовский в предисловии к сб. стихов Р. Десноса (М., 1970) пишет, что стих. написано в 1926 г. и приведено в предсмертном письме Десноса; впервые напечатано по-чешски, а затем — в обратном переводе — по-французски. Так оно стало «последним» стихотворением Десноса.

Стр. 490 *Улица Сен-Мартен у меня была* — переведено И. Э. специально для мемуаров, как и далее цит. стихи.

Глава 20

Стр. 492 *Я написал «10 л. с.»...* — Судьба советских изданий этих книг отражала трудное положение И. Э., как оно к тому времени сложилось. Роман «Единый фронт» не был издан (в архиве изд. «Федерация» сохранился отрицательный отзыв Н. Огнева на рукопись от 3 ноября 1930 г., а также отзыв А. Селивановского от 4 ноября 1932 г., настаивающий на коренной переделке романа; ссылаясь на К. Зелинского, Селивановский назвал «Единый фронт» «романом цинизма» — ЦГАЛИ, ф. 625, оп. 1, ед. хр. 137, л. 41—43). Книга «Бароны пяти магистралей», подготовленная в 1935 г. к печати, издана не была (верстка ее сохранилась у И. И. Эренбург). Книга «10 л. с.» была напечатана со значительными купюрами (исключена глава «Дороги», а из главы «Бензин» изъяты страницы о выдающемся революционере X. Г. Раковском, ныне реабилитированном). Журнальные публикации И. Э. подвергались редакционным сокращениям, что не уберегло их от разноса критики. Письма И. Э. той поры передают его нарастающее смятение: 25 июля 1927 — «Моего «Рвача» изъяли. «Белый уголь» никто не берет. «Лазик» заранее обречен на заграничную жизнь. Мой плацдарм все сужается»; 21 ноября 1930 — «Я написал за последнее время кроме «Бабефа» «10 л. с.». Отрывки, точнее лохмотья были напечатаны в «Красной Нови». Книга должна выйти в «Зифе», выйдет ли — не знаю. После сего написал «Единый фронт» — это роман о европейских трестах, о новых видах акул, в частности о шведских спичках и о Крейгере. У меня обидное для писателя положение — я пишу... для переводов» (АП).

Стр. 495 *Я писал также о главе американской фирмы «Кодак»* — см. Э р е н б у р г И. Фабрика снов. Берлин, 1931.

Стр. 497 *мой очерк, посвященный порядкам в Злине* — «Король обуви» (1932) — см. ЗР. С. 149—156.

Мне пришлось описывать годы тощих коров — Об этом см. Э р е н б у р г И. Хлеб наш насущный. М., 1933.

Глава 21

Стр. 500 *С Жоржем Сименоном меня познакомил Мерль* — В интервью «Иностранной литературе» Сименон рассказывал: «Я близко знал Илью Эренбурга в 1933—1935 годах. Одно время мы встречались каждое воскресенье у общего друга — Эжена Мерля... Мерль жил под Парижем, и так как у Ильи не было своей машины, я обычно подвозил его домой. Эренбург был очень приятным, несколько странным человеком. Он больше слушал, чем говорил. Сидит где-нибудь в углу, словно его тут и нет, и кажется, что он ничего не слышит. Однако он помнил все, о чем мы говорили... Его мемуары произвели на меня огромное впечатление» (Иностр. лит. 1971. № 10. С. 262—263).

Стр. 501 *В 1933 году раскрылась очередная панама* — см. памфлет «Обыкновенная история» (1934) — ЗР. С. 117—123.

Глава 22

Стр. 503 *Ромен Роллан... называл его «балканским Горьким»* — см. предисловие к кн. П. Истрати «Кира Кералина» (рус. пер.— М., Гиз, 1925).

Глава 23

Стр. 507 *В Кируне я познакомился с горняком* — Эту историю И. Э. описал в очерке «Без языка» (1929) — см. СС, 7. С. 413—417.

Стр. 508 *Я... назвал книгу очерков «Виза времени»* — изд. «Петрополис», Берлин, б. д; следом два сов. издания (М., Гиз, 1931 и Л., 1933), с предисловием Ф. Ф. Раскольникова, разъяснявшего читателям ошибки автора. «Виза времени» была встречена рапповской критикой в штыки — см. ст. А. Селивановского «Фальшивая виза» (Лит. газета. 30 авг. 1931 г.), рец. Р. Миллер-Будницкой — «Философия буржуазного распада» (Ленинград, 1932. № 1), «Эпигон формализма» (Звезда. 1932. № 2).

Ф. Раскольников предостерегал читателей — см. ВВ. С. 7; Ф. Ф. Раскольников написал также предисловие к сов. изданию книги «10 л. с.» (М., 1931).

Стр. 510 *Вот, что я тогда писал* — далее приводятся несколько переработанные автором выдержки из очерков «Пять лет спустя» (1927), «Двойная жизнь» (1928), «Англия» (1930), «Север» (1929).

Глава 25

Стр. 518 *«Симплициссимус»* — немецкий сатирический иллюстрированный еженедельник, издавался в Мюнхене в 1896—1942 гг.

Глава 26

Стр. 521 *Я написал статью* — «Экзотические слюнявки» (1931) — см. ВВ. С. 371—377.

Стр. 522 *дневник Анны Франк* — Рус. пер. «Дневника Анны Франк» вышел в Москве в 1960 г. при ближайшем участии и с предисловием И. Э.

тетрадки кашинской школьницы Ины Константиновой — были изданы в СССР и за границей благодаря настойчивости И. Э. («Дневник Ины Константиновой». Предисл. Ильи Эренбурга. Калининское книжное изд., 1957). Ине Константиновой посвящена 23-я глава пятой книги «Люди, годы, жизнь».

Стр. 523 *я писал в 1931 году* — Э р е н б у р г И л ь я. Мой Париж. М., Изогиз, 1933. С. 14, 15.

Стр. 524 *Когда, убоясь футуристической рыси* — из письма Б. Ф. Малкину от 17 авг. 1921 г. (см. М а я к о в с к и й В. ПСС. Т. 13. С. 49).

Стр. 525 *Д. Заславский писал* — из ст. «Париж, запечатленный Эренбургом» (Лит. газета. 17 июля 1933 г.).

Глава 27

Стр. 525 *я увидел впервые Испанию* — В авг. 1926 г. была еще мимолетная встреча с Испанией, когда И. Э. удалось без паспорта проникнуть туда. Об этом — в очерке «Сео-де-Урхель» (см. БУ. С. 223—229).

Стр. 526 *Наша жизнь — это реки* — строфы «На смерть Дона Родриго, рыцаря ордена св. Иакова» Хорхе Манрике, перевод И. Э. (см. Т. Д. С. 187—194).

Стр. 527 *Как здесь не вспомнить «старушку» Твардовского* — имеются в виду строки из главы о Сталине поэмы «За далью — даль»: «Но не ударила царь-пушка, / Не взвыл царь-колокол в ночи, / Как в час урочный та Старушка / Подобрала свои ключи... / Вступила в комнату без стука, / Едва заметный знак дала — / И удалилась прочь, наука, / Старушке этой сдав дела...» (см. Т в а р д о в с к и й А. Т. СС. Т. 3. М., 1978. С. 312).

Стр. 529 *я написал книгу о том, что увидел* — «Испания» (М., «Федерация», 1932; Париж, «Геликон», 1933; М., ИХЛ, 1935) — см. СС, 7. В Испании книга была сразу же переведена и вызвала острую реакцию. Примеры критики И. Э.— слева и справа — были напечатаны в «Интернациональной литературе» (1933. № 1).

Стр. 530 *я познакомился с... Дуррути* — О нем — см. очерк «Испанский эпилог» (1931) — СС, 7. С. 756—759; Дуррути посвящена и 19-я глава четвертой книги мемуаров.

«Командующий гражданской гвардией...» — из очерка «Gvardia civil», исправлено; см. СС, 7. С. 534.

Стр. 531 *«У меня скрипучее перо...»* — из очерка «Что такое достоинство» (см. СС, 7. С. 518—519).

Стр. 532 *«Здесь можно выдать...»* — из очерка «О человеке» (СС, 7. С. 571).

Глава 28

Стр. 532 *рассказ Эдгара По о бочке амонтильядо* — «Бочонок амонтильядо» — см. П о Э. Полн. собр. рассказов. М., 1970. С. 646.

пьесу Толлера, написанную в тюрьме — Толлер в тюрьме написал 4 пьесы и 3 книги стихов.

Стр. 534 *у Толлера было недостаточно политической подготовки* — В черн. варианте резче: «Конечно, он не умел командовать армией; это он хорошо понимал, но более подходящего в Мюнхене не оказалось. Людям, которые только и знают, что перечислять его ошибки, стоит задуматься над тем, почему Толлер оказался на неподходящем посту. Не от честолюбия — бой был явно неравным и руководители советской республики знали, что впереди не почести, не власть, а расстрел или каторга. Он пришел к власти не из подпольных кружков, а из поэзии, то есть был политически самоучкой. Ошибался он вместе с другими. Почему же так любят говорить именно об ошибках Толлера? Да потому, что, выйдя из тюрьмы, он не расстался с борьбой, но при этом не расстался и со своей поэтической сущностью. Обвиняют его в жалости к врагам, в пристрастии к судьбе партизана...» (ФЭ).

Стр. 535 *В книге о своей юности* — Т о л л е р Э. Юность в Германии (рус. пер. В. Стенича). М., ГИХЛ, 1935. С. 213—214.

Стр. 536 *Строители готических соборов* — переведено И. Э. специально для этой главы.

Глава 29

Стр. 537 *В 1931 году я дважды побывал в Берлине* — см. очерк «В предчувствии конца» (Веч. Красная газета. 25 февр. 1931 г.) и «Перед зимой» (Прожектор. 1931. № 31—33).

о моратории Гувера — имеется в виду содействие, оказанное правительством президента США Г. К. Гувера восстановлению военно-промышленного потенциала Германии.

Стр. 538 *Эмиль Людвиг... решил написать книгу о Сталине* — Автор политических биографий Э. Людвиг был принят в Кремле Сталиным 13 дек. 1931 г.; именно в беседе с Людвигом Сталин произнес знаменитые слова: «Что касается меня,— то я только ученик Ленина, и цель моей жизни — быть достойным его учеником» (С т а л и н И. Сочинения. Т. 13. С. 105).

Стр. 540 *В газетной статье я писал* — из очерка «Перед зимой»; цит. по ВВ. С. 421—422.

Глава 30

Стр. 540 *В «Книге для взрослых» я писал* — см. КдВ. С. 189—190.

был на заседании Лиги наций — см. очерк «Лига наций» (1931) — ВВ. С. 392—398.

Стр. 541 *маленькую квартиру на улице Котантен* — В этой квартире (ул. Котантен, 34), расположенной неподалеку от Монпарнаса, Эренбурги прожили до июня 1940 г.

Стр. 542 *В 1931 году я почувствовал, что я не в ладах с самим собой* — Характерные эренбурговские раздумья, в которых тени европейских событий соседствуют с гибелью Маяковского и разгулом РАППа, отразились в его письме Е. Г. Полонской от 25 янв. 1931 г.: «Был в Берлине, в Чехии, в Швейцарии. Европа мрачна и непонятна. Все ее жесты напоминают жесты тривиального самоубийцы. В Женеве попал на заседание Лиги наций. Если б не было так скучно, было бы смешно. У тебя, должно быть, другие резоны на пессимизм, но тоже пристойные... Когда я писал Бабефа, я его любил, а это много — в наши дни любить достойного человека. Словом, пиши, хоть между нами говоря, я перестал верить в нужность нашего дела, оно превращается в манию и даже в маниачество. Однако я все еще работаю — иначе нельзя, а если нет под рукой «любовной лодки», то и не тянет на простейший конец. Мне обидно, что ты не могла прочесть моих последних книг, они бы тебе сказали наверное больше обо мне, чем эти нескладные ламентации. Объективно говоря, это попросту ликвидация переходного и заранее обреченного поколения. Но совместить историю с собой, с котлетами, тоской и прочим — дело нелегкое» (АП).

Стр. 543 *Эпоха дерзаний и чудачеств была позади* — В черн. варианте далее: «Я не оплакивал того, что было обречено, но я видел в том, что идет на смену «левому» искусству, давно мне знакомый мир самодовольного и ограниченного мещанина» (ЦГАЛИ, ф. 1204, оп. 2, ед. хр. 117, л. 50).

«Гамлеты бесполезны массе» — см. Н у с и н о в И. Гамлет (Лит. энциклопедия. Т. 2. М., 1930. Стлб. 380).

пролетариат «бросает Дон-Кихота в мусорную яму истории» — см. Н у с и н о в И. Дон-Кихот (Лит. энциклопедия. Т. 3. Стлб. 385).

«Пейзажи Чужакова показывают...» — см. Э р е н б у р г И. Москва слезам не верит. М., 1933. С. 47, 48, 93—94.

Стр. 544 *длинный разговор с... Дениз* — актриса Дениз Монробер, в 30-е годы близкая подруга И. Э.; с нее написана Жаннет в «Падении Парижа». В черн. варианте: «Я часто встречался с Дениз... она жила в мире, знакомом мне по «Стихам о канунах»: ненавидя существующий распорядок, она находила утешение в неистовстве искусства, в мечтах, в дереве или в облаке, в плотных деталях жизни; дружила с Десносом, работала в одном из левых театров, где было много фантазии и мало денег. Иногда она меня спрашивала, что я думаю о будущем искусства. Я не знал, что ответить» (ФЭ).

Я не отказывался от того, что мне было дорого — Эти слова были использованы в 1963 г. для обоснования обвинений И. Э. в проповеди так называемой «теории молчания» — критиком В. Ермиловым («Необходимость спора» — Известия. 30 янв. 1963 г.) и партаппаратчиком Л. Ильичевым (см. Лит. газета. 9 марта 1963 г.); эти нападки поддержал Н. С. Хрущев (Правда. 9 марта 1963 г.).

Глава 31

Стр. 545 *главный редактор и П. Л. Лапинский... предлагают мне стать постоянным парижским корреспондентом* — Судя по тому, что фамилия главного редактора «Известий» не названа, И. Э. считал, что в 1932 г. эту должность занял Н. И. Бухарин и относил на его счет приглашение работать в газете. Н. И. Бухарин был назначен редактором «Известий» после XVII съезда ВКП(б) в феврале 1934 г. С этого времени сотрудничество И. Э. с газетой стало регулярным.

Я пошел к нашему послу В. С. Довгалевскому — Сохранился экземпляр «Визы времени» (изд. «Петрополис») с надписью: «Валериану Савельевичу Довгалевскому с сердечным приветом Илья Эренбург» (СК).

Стр. 546 *в седьмом отделе одной из армий* — так в годы Отечественной войны назывались отделы, занимавшиеся контрпропагандой среди войск противника.

Стр. 547 *я перед этим ездил в Бобрики* — В Бобриках (вскоре ставших Сталиногорском, ныне — Новомосковск) строился крупный химический комбинат.

Статья была подписана... одним из руководителей покойного РАППа — Автором заметки был Г. Лелевич (МСЭ. Т. 10. М., 1931. С. 311).

«проступают искаженные тревогой черты классового врага» — см. М и л-

лер-Будницкая Р. Философия буржуазного распада (Ленинград. 1932. № 1. С. 75—79).

Стр. 548 *«Мне трудно себе представить путь писателя...»* — СС, 6. С. 519.

Глава 32

Стр. 548 *«Известия» поручили мне осветить судебное разбирательство* — Очерки И. Э. о судебном процессе над Горгуловым печатались в «Известиях» 26, 27, 28 и 29 июля 1932 г.; под названием «Павел Горгулов» — см. в ЗР. С. 157—165.

Глава 33

Стр. 553 *Начальник строительства, старый большевик С. М. Франкфурт* — Некоторые черты С. М. Франкфурта и факты его биографии И. Э. использовал, создавая образ большевика Шора в книге «День второй». Документальная книга С. М. Франкфурта «Рождение стали и человека» («Октябрь», 1934, № 10—12) показала условия, в которых совершалось строительство Кузнецкого комбината, и тем самым способствовала снятию обвинений против И. Э. в сгущении красок при изображении трудностей стройки.

Стр. 556 *я опубликовал... некоторые из собранных мною документов* — «La Nouvelle Revue Française». 1933. № 1; фрагменты этих материалов были напечатаны в обратном переводе на рус. язык в ж. «Юный пролетарий». 1933. № 7. С. 4—6.

Глава 34

Стр. 557 *падение Берлина показывалось как феерия* — имеется в виду помпезный фильм режиссера М. Чиаурели по сценарию П. Павленко «Падение Берлина» (1950).

Стр. 560 *снабжено примечаниями Б. Емельянова* — Б. Емельянов писал: «Володе Софонову не случайно приходит мысль о поджоге библиотеки... Эренбург мог бы еще точнее сформулировать приговор своему герою, показав его прямую связь с идеологией нарождающегося фашизма» (см. Эренбург И. Соч. Т. 4. М., 1953. С. 643).

Стр. 561. *«Литературный критик» устроил в Москве обсуждение* — материалы обсуждения напечатаны в журнале (1934. № 7—8. С. 288—291).

я получил длинное письмо от Ромена Роллана — У И. И. Эренбург сохранился перевод этого письма: «Только что прочел Ваш «День второй». Это самая прекрасная, самая содержательная, самая свободная из книг, прочитанных мною о новом советском человеке-созидателе. В ней чувствуется редкий ум — живой,— который проникает в сущность каждого человека, схватывает разнообразие явлений в жизни людей и затем любуется тем, что дал «День творения мира». Я давно ждал эту книгу, надеялся, что она будет. И вот она появилась. Поздравляю Вас. Я очень рад. Будет полезно, если она выйдет и по эту сторону Горнила. Она рассеет немало недоразумений как у нас, так и у вас. Эта книга содействует делу Революции, помогая многим открыть глаза на себя. Я не буду сейчас говорить о больших литературных достоинствах Вашей книги. Меня восторгает Ваша непринужденность в обращении с таким насыщенным материалом и Ваше умение внести в него ясность...» (АЭ).

Я послал рукопись Ирине — Сохранившиеся у И. И. Эренбург парижские письма И. Э. его московскому секретарю В. А. Мильман показывают, что дело было драматичнее. 11 марта 1933 г. И. Э. отправил единственный беловой экземпляр рукописи романа диппочтой С. И. Гусеву, заведовавшему отделом печати ЦК (его решение могло сразу определить судьбу книги). Но именно тогда С. И. Гусев был освобожден от занимаемой должности и отправлен в Казахстан, где вскоре умер. 27 марта И. Э. писал Мильман: «Я очень встревожен: у меня нет сейчас копии рукописи... Я не знаю, кто вместо Гусева. С рукописью произошло одно из двух: или ее отправили в Казахстан Гусеву или пакет вскрыли и рукопись отдали заместителю Гусева... Пожалуйста, сообщите мне телеграфно о результатах» (АЭ). 29 марта Мильман удалось узнать, что рукопись в Москве и без каких-либо указаний передана в изд. «Сов. литература». Отрицательный ответ издательства последовал быстро.

Стр. 562 *Радек в «Известиях» писал* — Р а д е к К. День второй Ильи Эренбурга (Известия. 18 мая 1934 г.).

появилась... статья А. Гарри — Г а р р и А. Жертвы хаоса (Лит. газета. 18 мая 1934 г.)

Радек во второй статье возражал — Р а д е к К. «Жертва хаоса... в собственной голове» (Известия. 24 мая 1934 г.).

Б. Фрезинский

СОДЕРЖАНИЕ

ИЛЬЯ ГРИГОРЬЕВИЧ ЭРЕНБУРГ

ЛЮДИ, ГОДЫ, ЖИЗНЬ
ТОМ ПЕРВЫЙ

Редакторы
Г. Э. ВЕЛИКОВСКАЯ, Г. Д. КОРЖЕНКОВА
Художественный редактор
Н. С. ЛАВРЕНТЬЕВ

Технический редактор
Н. Н. ТАЛЬКО

Корректор
С. Б. БЛАУШТЕЙН

ИБ № 7008

Сдано в набор 28.11.88. Подписано к печати 05.10.89. А-04279.
Формат 60х90$^1/_{16}$. Бумага офсетная № 1.   Литературная
гарнитура. Офсетная печать. Усл. печ. л. 40. Уч.-изд. л. 48,56.
Тираж 100000 экз. Цена 5 р.

Ордена Дружбы народов издательство ,,Советский писатель'',
121069, Москва, ул. Воровского, 11.

Диапозитивы текста изготовлены ордена Октябрьской Революции, ордена Трудового Красного Знамени Ленинградским производственно-техническим объединением ,,Печатный
Двор'' имени А. М. Горького при Госкомпечати СССР, 197136,
Ленинград, П-136, Чкаловский пр., 15. Минская фабрика
цветной печати, 220115, Минск, Корженевского, 20. Заказ
№ 760.

Эренбург И. Г.

Э 76 Люди, годы, жизнь: Воспоминания: том первый.— М.:
Советский писатель. 1990.— 640 с.

ISBN 5-265-00669-9

«Я буду рассказывать об отдельных людях, о различных годах, перемежая запомнившееся моими мыслями о прошлом» — так определил
И. Г. Эренбург (1891—1967) идею создания своих мемуаров, увидев-
ших свет в начале 60-х годов.

Издание выходит в трех томах (7 книг). В 1-й том вошли книги первая — третья.

Настоящее издание дополнено материалами, ранее не печатавшимися.
Книга богато иллюстрирована, многие фотографии и рисунки публи-
куются впервые. Издание снабжено Комментариями.

Э $\dfrac{4702010201-407}{083(02)-90}$ 162—89   ББК 84 Р7

В 1990 году выйдут в свет 2-й и 3-й тома мемуаров Ильи Эренбурга «Люди, годы, жизнь» — соответственно четвертая, пятая, шестая и седьмая книги. В тексте настоящего издания восстановлены все купюры по авторской рукописи. Последняя, седьмая книга публикуется впервые. В ней писатель вспоминает о событиях Хрущевской оттепели.

В 3-м томе помещен Указатель имен для всех трех томов.